완벽한 자율학습서
완자

자율학습시
비상구
완자로 53

지구과학 Ⅱ

Structure

01 | 단원 시작하기

기본기가 튼튼해야 배우게 될 내용을 쉽게 이해할 수 있다. 중등이나 통합과학, 지구과학Ⅰ에서 학습한 내용이 지구과학Ⅱ로 연계된 경우가 많으니 본 학습에 들어가기에 앞서 복습하도록 한다.

이미 배운 내용을 한눈에 파악하고, □ 넣기 문제로 확인해 보자.

단원을 시작하기 전에 학습 계획을 미리 세워 보자.

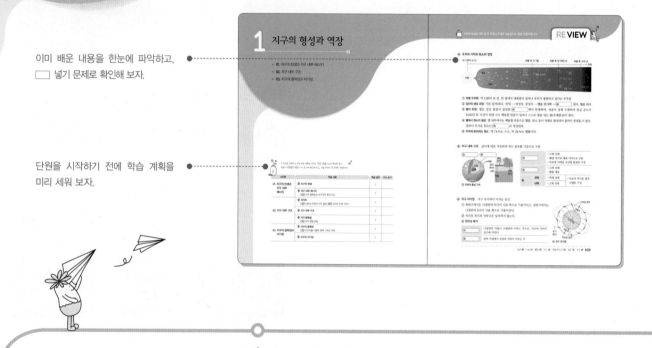

03 | 내신 문제 풀기

시험에 자주 출제되는 핵심 자료를 철저하게 분석해 보고, 내신 기출을 반영한 다양한 문제를 풀어 보면서 실력을 검증한다.

학교 시험에 자주 출제되는 핵심 자료와 그 자료와 관련된 문제를 통해 자료를 완벽하게 분석할 수 있어.

시험에 자주 나오는 문제에는 중요 표시가 되어 있어.

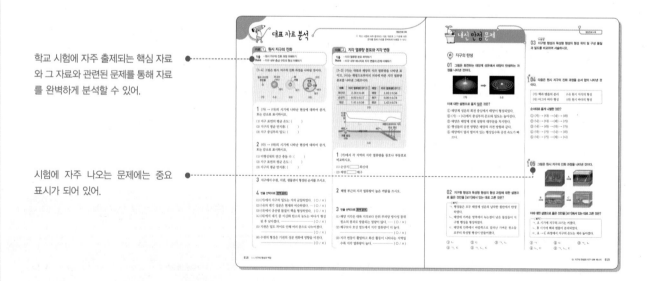

단원에서 꼭 알아야 하는 핵심 포인트를 확인하고, 친절하게 설명된 내용 정리로 개념을
이해한다. 그리고 나서 개념 확인 문제를 통해 핵심 개념을 제대로 이해했는지 확인
한다.

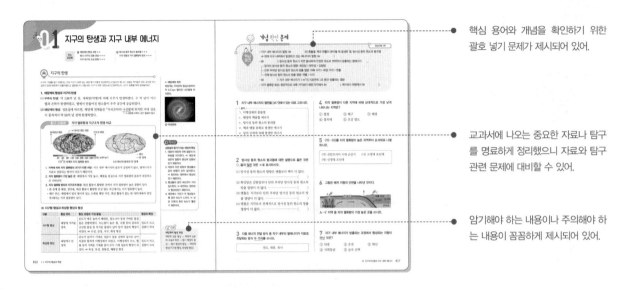

핵심 용어와 개념을 확인하기 위한
괄호 넣기 문제가 제시되어 있어.

교과서에 나오는 중요한 자료나 탐구
를 명료하게 정리했으니 자료와 탐구
관련 문제에 대비할 수 있어.

암기해야 하는 내용이나 주의해야 하
는 내용이 꼼꼼하게 제시되어 있어.

중단원 핵심 내용으로 다시 한번 복습한 후, 중단원 마무리 문제를 통해 자신의 실력을
확인한다. 수능 실전 문제를 통해 수능 문제에 도전한다.

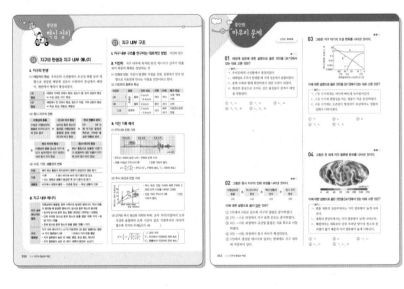

Contents

Ⅲ 우주

완자와 내 교과서 비교하기

고체 지구

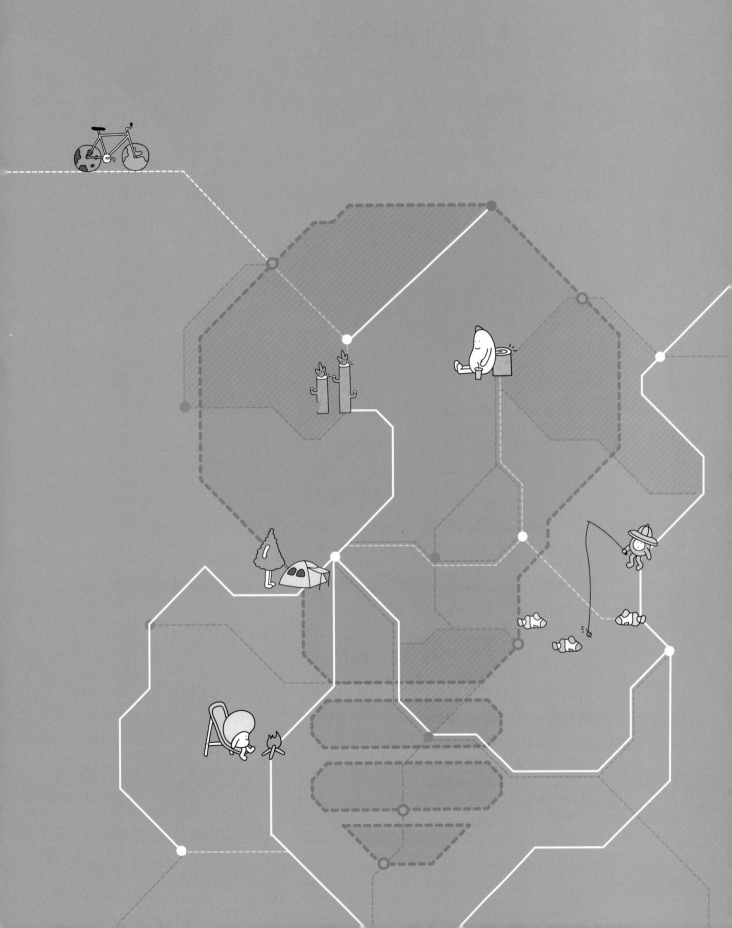

1 지구의 형성과 역장

이 단원을 공부하기 전에 학습 계획을 세우고, 학습 진도를 스스로 체크해 보자.
학습이 미흡했던 부분은 다시 보기에 체크해 두고, 시험 전까지 꼭 완벽히 학습하자!

◆ 우주의 시작과 원소의 생성

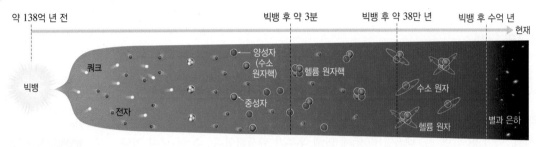

① **빅뱅 우주론**: 약 138억 년 전, 한 점에서 대폭발이 일어나 우주가 팽창하고 있다는 우주론

② **입자의 생성 과정**: 기본 입자(쿼크, 전자) → 양성자, 중성자 → 헬륨 원자핵 → ❶ [   ] 원자, 헬륨 원자

③ **별의 탄생**: 별은 성간 물질이 밀집된 ❷ [   ]에서 탄생하며, 성운이 중력 수축하여 중심 온도가 1000만 K 이상이 되면 수소 핵융합 반응이 일어나 스스로 빛을 내는 별(주계열성)이 된다.

④ **별에서 원소의 생성**: 별 내부에서는 핵융합 반응으로 헬륨, 탄소 등이 차례로 합성되어 철까지 생성될 수 있다. 철보다 무거운 원소는 ❸ [   ]로 생성된다.

⑤ **우주에 분포하는 원소**: 약 74 %는 수소, 약 24 %는 헬륨이다.

◆ 지구 내부 구조 깊이에 따른 지진파의 속도 분포를 기준으로 구분

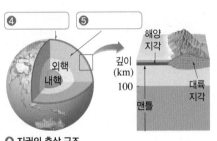

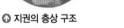

↑ 지권의 층상 구조

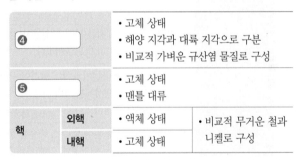

❹ [ ]	• 고체 상태 • 해양 지각과 대륙 지각으로 구분 • 비교적 가벼운 규산염 물질로 구성	
❺ [ ]	• 고체 상태 • 맨틀 대류	
핵	외핵	• 액체 상태	• 비교적 무거운 철과 니켈로 구성
	내핵	• 고체 상태	

◆ 지구 자기장 지구 자기력이 미치는 공간

① 북반구에서는 나침반의 N극이 지표 쪽으로 기울어지고, 남반구에서는 나침반의 S극이 지표 쪽으로 기울어진다.

② 지리상 북극과 자북극은 일치하지 않는다.

③ **편각과 복각**

❻ [ ]	나침반의 자침이 수평면과 이루는 각으로, 자극에 가까이 갈수록 커진다.
❼ [ ]	관측 지점에서 진북과 자북이 이루는 각

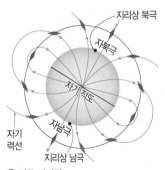

↑ 지구 자기장

01 지구의 탄생과 지구 내부 에너지

핵심 포인트
- 태양계의 형성 과정 ★★
- 원시 지구의 진화 과정 ★★★
- 지구 대기의 조성 변화 ★★★
- 방사성 동위 원소의 붕괴열 ★★★
- 지각 변동과 지각 열류량의 분포 ★★★

A 지구의 탄생

지구의 기원을 알기 위해서는 먼저 지구가 속해 있는 태양계가 어떻게 탄생하였는지 알아야 합니다. 오늘날 학자들은 우주 공간에 있는 성운이 뭉쳐 태양계가 만들어졌다고 설명합니다. 태양계와 지구가 어떤 과정으로 탄생하였는지 시간의 흐름을 따라 살펴볼까요?

1. 태양계의 형성과 지구의 탄생

(1) **우주의 탄생**: 약 138억 년 전, 대폭발(빅뱅)에 의해 우주가 탄생하였다. 수 억 년이 지나 별과 은하가 탄생하였고, 별에서 만들어진 원소들이 우주 공간에 공급되었다.

(2) **태양계의 형성**: 성운설에 따르면, 태양계 천체들은 *우리은하의 나선팔에 위치한 거대 성운이 뭉쳐져서 약 50억 년 전에 탄생하였다.
  └•성운을 이루는 성간 물질이 많다.

단계	모습	형성 과정
태양계 성운 형성		우리은하 나선팔에 있던 거대 성운 근처에서 초신성 폭발 등으로 발생한 충격파가 전달되면서 성운 내에 밀도 차이가 생겼다. 밀도가 큰 부분에서의 수축으로 분열한 성운 중 하나가 태양계 성운이 되었다.
태양계 성운의 수축과 회전		태양계 성운은 자체 중력으로 수축하면서 회전 속도가 점점 빨라졌고, 중심으로 갈수록 회전 속도가 빨라졌다. 회전 반지름이 작아지면 각운동량 보존 법칙에 의해 회전하는 물체의 운동 속도가 빨라진다.
원시 태양의 형성	원시 태양	성운의 중력 수축으로 중심부에서는 온도가 상승하여 원시 태양이 형성되었다. 주변부에서는 납작한 원반이 만들어졌고, 원반의 온도가 낮아지면서 수많은 고리가 만들어졌다. •중력 에너지가 열에너지로 전환
원시 행성의 형성	원시 행성	원반의 각 고리에서 먼지와 얼음알갱이 등의 고체 입자들이 충돌하고 합쳐져 수많은 미행성체를 형성하였고, 미행성체들이 충돌하고 합쳐져 원시 행성을 형성하였다. •크기가 약 1000 km 이상이 되면 물질이 중력에 묶여 구형을 유지한다.
태양계 형성		원시 태양의 온도가 높아져 수소 핵융합 반응이 일어나면서 엄청난 빛과 열을 뿜어내었고, 태양풍에 의해 가벼운 물질들은 바깥쪽으로 밀려 나갔다. 태양에 가까운 쪽에서는 지구형 행성이, 태양에서 먼 쪽에서는 목성형 행성이 형성되었다.

(3) **지구형 행성과 목성형 행성의 형성**

구분	형성 위치	형성 과정과 구성 물질	행성의 특징
지구형 행성	태양에 가까운 영역	온도가 매우 높아서 메테인, 암모니아 등의 가벼운 물질들은 증발하였다. 녹는점이 높은 철, 니켈 등의 금속과 규산염 물질 등 무거운 물질이 남아 암석 성분의 행성이 되었다. ➡ 수성, 금성, 지구, 화성 형성	밀도가 크고, 질량이 작다.
목성형 행성	태양에서 먼 영역	온도가 낮아서 가벼운 성분이 얼음 상태의 입자로 남아 티끌과 합쳐져 미행성체가 되었고, 미행성체가 수소, 헬륨 등의 가벼운 기체를 끌어 모아 기체 성분의 행성이 되었다. ➡ 목성, 토성, 천왕성, 해왕성 형성	밀도가 작고, 질량이 크다.

★ **태양계의 위치**
태양계는 우리은하 중심으로부터 약 8.5 kpc 떨어진 나선팔에 위치한다.

나선팔
은하핵
•태양계

↻ 우리은하

확대경

성운설의 증거가 되는 태양계 특징
1. 태양이 태양계 전체 질량의 대부분을 차지한다. ➡ 태양계 성운의 질량이 중심에 집중되었기 때문이다.
2. 태양의 자전 방향과 행성들의 공전 방향이 모두 일치한다. ➡ 회전하는 원반에서 형성되었기 때문이다.
3. 행성들의 공전 궤도면이 거의 일치한다. ➡ 회전하는 원반에서 형성되었기 때문이다.
4. 태양에서 거리가 먼 행성일수록 공전 속도가 느리다. ➡ 성운 안쪽의 회전 속도가 빨랐기 때문이다.

암기해

태양계의 형성 과정
태양계 성운 형성 → 태양계 성운의 수축과 회전 → 원시 태양의 형성 → 원시 행성의 형성 → 태양계 형성(지구형 행성, 목성형 행성)

2. 지구의 진화   지권, 기권, 수권, 생물권 등이 형성되어 지구 시스템을 이루었다.

(1) 원시 지구의 진화

단계	모습	형성 과정	내부 구조
① 미행성체 충돌		수많은 미행성체가 충돌하면서 지구의 질량과 크기가 점점 커졌다. 철과 규산염 물질이 혼합되어 있었고, 지구 중심과 표면의 밀도가 거의 같은 상태를 유지하고 있었다.	철과 규산염 혼합물 0.1R (R: 현재 지구의 반지름)
② 마그마 바다 형성		질량 증가로 중력이 커진 지구에 휘발성 성분들이 모여 대기를 이루었다. 암석에 포함된 **①**방사성 동위 원소의 붕괴열, 미행성체의 충돌열, 중력 수축으로 발생한 열에 의해 지구 온도가 높아져 지구의 상당 부분이 녹아 마그마 바다가 되었다.	마그마 바다 대기 0.5R
③ 핵과 맨틀의 분리	밀도가 큰 물질	마그마 바다에서 철, 니켈 등 밀도가 큰 금속 원소는 지구 중심 쪽으로 가라앉아 핵을 이루었고, 밀도가 작은 규산염 물질은 표면 쪽으로 떠올라 맨틀을 이루었다. → 밀도 차이로 층상 구조 형성	핵 맨틀 대기 0.6R
④ 원시 지각의 형성		미행성체 충돌 횟수 감소로 열에너지의 공급이 줄어들면서 지구 온도가 낮아졌고, 지구 표면이 식어 굳어져 원시 지각이 형성되었다.	핵 맨틀 지각 대기 0.8R
⑤ 원시 바다의 형성		원시 지각에서 활발한 화산 활동이 일어나 수증기 등의 기체가 방출되어 원시 대기에 포함되었다. 수증기가 응결하여 많은 비가 내렸고, 빗물이 지각의 낮은 곳에 모여 원시 바다를 형성하였다.	지각 맨틀 외핵 내핵 바다 대기 1R

(2) 수권의 성분 변화: 해저 화산 활동으로 많은 양의 염화 이온이 해수에 공급되었고, 지각에서 나트륨, 마그네슘 등이 강물에 녹아 바다로 운반되어 해수의 염분이 증가하였다.

(3) 기권의 성분 변화
→ 원시 지구 초기의 휘발성 기체 성분과 원시 지각 형성 후 화산 활동으로 방출된 기체 등
① 원시 대기 성분: 수증기, 이산화 탄소, 메테인, 암모니아, 수소 등
② 원시 대기의 진화: 수소와 헬륨은 원시 지구 초기에 대부분 우주 공간으로 흩어졌다.

지구 대기의 조성 변화

각 기체의 분압(기압): 10, 1, 0.1, 0.01, 0.001, 0.0001
질소
이산화 탄소
산소
현재로부터의 시간(억 년 전): 40 30 20 10 0

- 질소: 암모니아(NH_3)가 태양 빛에 의해 **②**광분해되어 생성되었다.
- 이산화 탄소: 대부분 원시 바다에 녹은 후 칼슘 이온과 결합하여 석회암으로 지권에 고정되어 점차 감소하였다.
- 산소: 수증기의 광분해로 약간의 산소가 생성되기도 하였지만, 대부분은 광합성 생물 출현 후 대기에 공급되어 증가하였다.
→ 현재 대기의 주분은 질소와 산소가 되었다. (질소 약 78.1 %, 산소 약 20.9 %, 이산화 탄소 약 0.03 %)

(4) 생명체의 탄생과 진화: 지구 최초의 생명체는 바다에서 탄생하였을 것으로 추정된다.
① 약 35억 년 전, 광합성을 하는 남세균에 의해 바다에 산소가 공급되기 시작하였다.
② 약 27억 년 전, 바다에서 빠져나온 산소가 대기 중에 축적되기 시작하였다.
③ 약 4억 년 전, 대기에 산소가 충분히 축적되면서 형성된 오존층이 자외선을 차단하여 육상에서 생물이 서식할 수 있는 환경이 조성되었다.

①에서 ⑤까지는 미행성체 충돌이 계속 일어나고 있으므로 지구의 크기는 계속 증가해요.
①에서 ③까지는 미행성체 충돌이 활발해서 지구 온도가 상승하는데, ④부터는 충돌 횟수가 감소하여 지구 온도가 낮아져요.

궁금해
금성, 화성의 대기 주성분은 이산화 탄소인데, 같은 지구형 행성인 지구의 대기 주성분이 산소인 까닭은 무엇일까?
지구 표면에는 물이 존재하여 이산화 탄소가 물에 녹아 대기 중의 이산화 탄소 농도가 감소하였고, 생명체가 존재하여 대기 중의 산소 농도가 증가하였기 때문이다.

암기해
지구의 진화 과정
미행성체 충돌 → 마그마 바다 형성 → 핵과 맨틀의 분리(층의 분화) → 원시 지각의 형성 → 원시 바다의 형성 → 생명체의 탄생

용어
① 방사성 동위 원소 원자핵이 불안정하여 방사선을 방출하면서 안정한 원소로 변하는 원소
② 광분해(光 빛, 分 나누다, 解 풀다) 빛에 의해 분자의 결합이 파괴되어 더 작은 단위의 원자나 분자로 분해되는 반응

개념 확인 문제

정답친해 2쪽

핵심 체크

- 태양계의 형성 과정: 태양계 성운의 수축과 (❶　　　　) → 원시 태양의 형성 → 원시 행성의 형성 → 태양계 형성
- 원시 지구의 진화 과정: 미행성체 충돌 → (❷　　　　) 형성 → (❸　　　　　　)의 분리 → 원시 지각의 형성 → (❹　　　　　)의 형성
  - (❷　　　　) 형성: 미행성체의 충돌열 등에 의해 지구 온도가 상승하여 지구의 상당 부분이 녹았다.
  - (❸　　　　)의 분리: 밀도가 큰 물질은 가라앉아 핵이 되었고, 밀도가 작은 물질은 떠올라 맨틀이 되었다.
  - (❹　　　　)의 형성: 지구 온도가 낮아지면서 원시 지각이 형성되었고, 빗물이 지각의 낮은 곳에 모였다.
- 수권의 성분 변화: 해저 화산 활동으로 방출된 물질과 지각의 물질이 공급되어 해수의 염분이 (❺　　　　)하였다.
- 기권의 성분 변화 ┬ 이산화 탄소는 바다에 녹은 후 (❻　　　　)으로 고정되어 대기 중의 양이 감소하였다.
  └ 산소는 (❼　　　　)을 하는 생물이 등장한 후에 대기 중의 농도가 크게 증가하였다.
- 생명체의 탄생: 최초의 생명체는 바다에서 출현하였고, (❽　　　　) 형성 이후 육상에 생물이 살 수 있게 되었다.

1 태양계 형성에 대한 설명으로 옳은 것은 ○, 옳지 않은 것은 ×로 표시하시오.

(1) 태양계 성운은 우리은하의 나선팔에 있었다. (　　　)

(2) 태양계 성운은 초신성 폭발 등으로 발생한 충격파의 영향으로 형성되었다. ……………………… (　　　)

(3) 태양계 성운은 수축하면서 회전 속도가 점점 느려졌다. ……………………… (　　　)

(4) 태양계 성운의 회전 중심으로 모여든 물질들이 뭉쳐 원시 태양을 형성하였다. …………… (　　　)

2 태양계 형성 과정 중 (　　　) 안에 알맞은 말을 쓰시오.

> 태양이 ㉠(　　　) 핵융합 반응으로 열에너지를 방출하면서 가벼운 휘발성 물질들이 바깥쪽으로 밀려 나갔고, 원시 원반의 안쪽에서는 ㉡(　　　) 행성들이, 바깥쪽에서는 ㉢(　　　) 행성들이 형성되었다.

3 원시 지구의 진화 과정에 대한 설명 중 (　　　) 안에 알맞은 말을 고르시오.

(1) 미행성체의 충돌로 지구의 크기는 ㉠(커, 작아)졌고, 지구의 온도는 ㉡(상승, 하강)하였다.

(2) 마그마 바다에서 핵과 맨틀은 (밀도, 온도)의 차이로 분리되었다.

(3) 원시 지각은 원시 바다보다 (먼저, 나중에) 형성되었다.

4 해저 ㉠(　　　)으로 염화 이온이 해수에 공급되었고, ㉡(　　　)으로부터 나트륨, 마그네슘 등이 빗물과 강물에 녹아 해수에 공급되어 수권의 성분이 변화하였다.

5 그림은 지구 대기의 조성 변화를 나타낸 것이다.

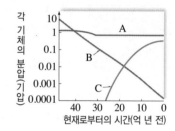

A, B, C 기체가 무엇인지 각각 쓰시오.

6 다음에서 설명하는 지구의 대기 성분을 쓰시오.

> - 태양 빛의 광분해 작용으로 일부가 생성되었다.
> - 생물의 광합성에 의해 대부분이 생성되었다.

7 생명체의 탄생에 대한 설명으로 옳은 것은 ○, 옳지 않은 것은 ×로 표시하시오.

(1) 생명체는 바다 속에서 처음 탄생하였다. ……… (　　　)

(2) 광합성 생물은 약 4억 년 전에 출현하였다. … (　　　)

(3) 오존층이 형성된 후 육상에서도 다양한 생물의 진화가 이루어졌다. ……………………… (　　　)

B 지구 내부 에너지

지구는 생성될 때부터 다양한 요인으로 내부 에너지가 축적되어 있어요. 이런 내부 에너지에 의해 다양한 지각 변동이 일어납니다.

1. 지구 내부 에너지 　지구 내부에 저장되어 있는 열에너지

(1) 지구 내부 에너지의 열원

지구 탄생 초기에 미행성체의 충돌열 및 중력 수축으로 발생한 열에너지	지구 탄생 초기에 핵과 맨틀이 분리되면서 축적된 열에너지	지질 시대 동안 지속적으로 생성된 방사성 동위 원소의 붕괴열
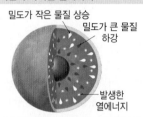 미행성체	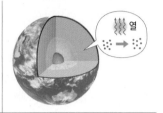 밀도가 작은 물질 상승 / 밀도가 큰 물질 하강 / 발생한 열에너지	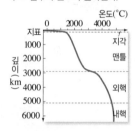 열

(2) 방사성 동위 원소의 붕괴열: 방사성 동위 원소가 자연 붕괴하여 안정한 원소로 변하면서 방출하는 열에너지

① **방사성 동위 원소의 분포**: 방사성 동위 원소는 규산염 마그마에 ●농집되는 성질이 있기 때문에 대부분 지각과 맨틀을 구성하는 암석에 포함되어 있다.

② 암석의 방사성 동위 원소의 함량: 화강암 > 현무암 > 감람암

암석	방사성 동위 원소의 함량(ppm)			방출 열량 $(10^{-5}$ mW/m$^3)$	특징
	우라늄(^{238}U, ^{235}U)	토륨(^{232}Th)	칼륨(^{40}K)		
화강암	5	18	38000	295	대륙 지각 구성
현무암	0.5	3	8000	56	해양 지각 구성
감람암	0.015	0.06	100	1	맨틀 상부 구성

③ 단위 부피당 방사성 동위 원소의 방출 열량: 대륙 지각 > 해양 지각 > 맨틀 ➡ 주로 화강암으로 이루어진 대륙 지각이 주로 현무암으로 이루어진 해양 지각보다 높게 측정된다.

④ 전체 방사성 동위 원소의 방출 열량: 맨틀 > 지각 ➡ 맨틀은 지각보다 단위 부피당 방출되는 방사성 동위 원소의 붕괴열은 적지만, 전체 부피가 훨씬 크기 때문에 전체 방사성 동위 원소의 붕괴열은 더 많다.

2. 지각 열류량 　지구 내부 에너지가 1 m^{2}의 지표면에 1초 동안 방출되는 열량

(1) 단위: mW/m^2 또는 HFU(1 HFU $= 10^{-6}$ cal/cm$^2 \cdot$ s $= 41.8$ mW/m^2)

(2) 열에너지의 전달 방식: 지구 내부에 축적된 열에너지는 전도와 대류로 지구 표면으로 이동한다. ➡ 지각에서는 전도에 의해, 맨틀 내에서는 주로 대류에 의해 이동한다.

(3) 지각 열류량의 평균 분포: 해양 지각 > 대륙 지각

➡ 방사성 동위 원소의 붕괴열만 고려하면 대륙 지각이 해양 지각보다 높아야 하지만, 지구 내부에 축적된 열이 맨틀 대류로 지표면으로 방출될 때 두꺼운 대륙 지각보다 얇은 해양 지각에서 더 많이 방출되므로 해양 지각이 더 높다.

대륙 지각(화강암질 암석)	65 mW/m^2
해양 지각(현무암질 암석)	101 mW/m^2
전체 평균	87 mW/m^2

⬆ 전 세계의 평균 지각 열류량
●지구가 받는 태양 에너지의 0.03 %밖에 안 되는 양이지만, 여러 지각 변동의 원인이 된다.

★ **핵과 맨틀이 분리될 때 열에너지가 발생하는 까닭**
밀도가 큰 물질이 지구 중심 쪽으로 이동하면서 위치 에너지에서 변환된 운동 에너지가 열에너지로 지구 내부에 축적되었다.

★ **방사성 동위 원소가 대부분 지각과 맨틀에 분포하지만, 지구 내부로 갈수록 온도가 높아지는 까닭**
현재 생성되고 있는 지구 내부 에너지의 열원은 방사성 동위 원소의 붕괴열이지만, 이보다 훨씬 많은 양의 지구 탄생 초기에 지구 내부에 축적되었던 열에너지가 아직도 남아 있기 때문에 지구 내부로 갈수록 온도가 높아진다.

★ **지각 열류량의 단위**
과거에는 에너지 단위로 칼로리(cal)를 주로 사용하여 지각 열류량의 단위로 HFU(Heat Flow Unit)를 사용하였지만, 현재는 에너지 단위로 J을 주로 사용하여 지각 열류량 단위로 mW/m^{2}을 주로 사용한다.

●암석은 열을 잘 전달하지 못하므로 맨틀과 지각에서 전도만으로 열이 전달된다고 가정하면, 맨틀 하부에서 지표면으로 열이 빠져나오는 데 매우 오랜 시간이 걸린다. 맨틀 물질은 고체이지만, 고온 고압 환경에 있어 조금씩 이동할 수 있으므로 맨틀 내에서는 전도뿐만 아니라 맨틀 대류를 따라 열에너지가 지표 쪽으로 전달된다.

┃ 용어 ┃
● **농집(濃 짙다, 集 모이다)** 유용한 원료와 같은 특정한 목적 물질이 물리적, 화학적 방법으로 선별되고 집중되는 과정

3. 지구 내부 에너지와 지각 변동 지구 내부 에너지는 맨틀 대류, 판 운동, 지진 및 화산 활동 등 지각 변동의 원동력으로 작용한다.

(1) 지각 변동과 지각 열류량 분포

① 지각 열류량이 높은 곳: 맨틀 물질이 상승하여 판이 생성되는 해령, ❶열곡대, 화산 활동이 활발한 ❷호상 열도 부근에서 높게 나타난다.

② 지각 열류량이 낮은 곳: 해양판이 대륙판의 아래로 ❸섭입하여 소멸하는 해구, 지각 변동이 거의 없는 안정한 *대륙의 중앙부에서 낮게 나타난다.

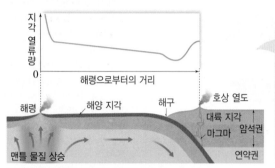

[해령 부근] 맨틀 물질이 상승하면서 지각 열류량이 매우 높게 나타난다.

[해구 부근] 해양판이 대륙판의 아래로 섭입하는 맨틀 대류의 하강부로, 차가운 판이 침강하여 지각 열류량이 낮게 나타난다.

[호상 열도 부근] 상승하는 마그마의 영향으로 지각 열류량이 높게 나타난다.

⬆ **해령과 해구 주변의 지각 열류량 변화**

★ **대륙 지각의 지각 열류량 분포**

지질 시대	지각 열류량(mW/m²)
	60 120
신생대 화산대	
신생대 조산대	
중생대 조산대	
고생대 조산대	
선캄브리아 시대 순상지	

안정되고 오래된 순상지(대륙의 중앙부를 이루는 땅)에서 지각 열류량이 낮게 나타난다.

탐구 자료창 지각 열류량과 지구조적 환경 비교

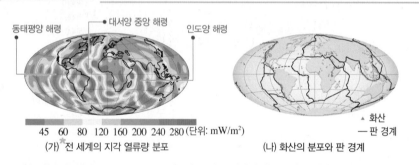

동태평양 해령 · 대서양 중앙 해령 · 인도양 해령

▲ 화산
— 판 경계

45 60 80 120 160 200 240 280 (단위: mW/m²)
(가) 전 세계의 지각 열류량 분포　　**(나) 화산의 분포와 판 경계**

1. **지역에 따라 지각 열류량의 크기가 다른 까닭:** 지구 내부 에너지의 분포가 균일하지 않고, 열에너지가 지표로 전달되는 방식이 다르기 때문이다.
2. **지각 열류량이 가장 높은 곳:** 해령에서 가장 높고, 해령을 중심으로 지각 열류량의 분포가 대칭적으로 나타난다.
3. **지각 열류량 분포와 지구조적 환경:** 화산 활동이 활발한 곳에서 지각 열류량이 높은 경향이 있다.
   - 판 경계 중 해령, 열곡대, 화산 활동이 활발한 호상 열도 부근에서는 지각 열류량이 높다.
   - 해구 부근, 해령에서 멀리 떨어져 있는 오래된 해양 지각, 화산 활동이 없는 판 내부(대륙의 중앙부)에서는 지각 열류량이 낮다.

(2) 지구 내부 에너지의 영향으로 형성된 지형: 지구 내부 에너지는 판 운동의 원인이 되는 맨틀 대류를 일으켜 화산, 화산섬, 습곡 산맥, 단층, 온천 등 다양한 지형을 만든다.

⬆ **화산**

⬆ **습곡 산맥**

⬆ **단층**

⬆ **온천**

★ **우리나라 부근의 지각 열류량**

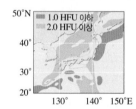

■ 1.0 HFU 이하
■ 2.0 HFU 이상

동해에서 높고, 일본 해구 부근에서 낮다. 동해에서 지각 열류량이 높은 까닭은 과거 동해의 확장과 관련된 맨틀 물질의 상승 때문이라고 추정된다.

┃용어┃

❶ **열곡대(裂 찢다, 谷 골짜기, 帶 띠)** 열곡은 판이 확장하는 곳으로, 2개의 평행한 단층대 사이에서 좁고 길게 이어지는 골짜기이며, 열곡이 길게 이어진 띠가 열곡대이다.

❷ **호상 열도(弧 활, 狀 모양, 列 늘어서다, 島 섬)** 해구에서 밀도가 작은 판 쪽에 해구와 나란하게 활 모양으로 배열되어 분포하는 화산섬

❸ **섭입(攝 당기다, 入 들어가다)** 판이 모여드는 곳에서 밀도가 큰 판이 밀도가 작은 판 아래로 들어가는 현상

개념 확인 문제

정답친해 2쪽

핵심 체크

- 지구 내부 에너지의 열원: (❶)의 충돌열, 핵과 맨틀이 분리될 때 발생한 열, 방사성 동위 원소의 붕괴열
  ➡ 현재 지구 내부에서 발생하고 있는 에너지의 열원: (❷)
- (❸): 방사성 동위 원소가 자연 붕괴하여 안정한 원소로 변하면서 방출하는 열에너지
  - 암석의 방사성 동위 원소의 함량: 화강암 > 현무암 > 감람암
  - 단위 부피당 방사성 동위 원소의 방출 열량: 대륙 지각 > 해양 지각 > 맨틀
  - 전체 방사성 동위 원소의 방출 열량: 맨틀 > 지각
- (❹): 지구 내부 에너지가 1 m^2의 지표면에 1초 동안 방출되는 열량
- 지각 열류량 분포: 평균적으로 대륙 지각보다 해양 지각에서 (❺), 해구보다 해령에서 (❻).

1 지구 내부 에너지의 열원을 [보기]에서 있는 대로 고르시오.

[보기]
ㄱ. 미행성체의 충돌열
ㄴ. 태양의 핵융합 에너지
ㄷ. 방사성 동위 원소의 붕괴열
ㄹ. 핵과 맨틀 분화로 발생한 에너지
ㅁ. 달의 인력에 의해 발생한 에너지

2 방사성 동위 원소의 붕괴열에 대한 설명으로 옳은 것은 ○, 옳지 **않은** 것은 ×로 표시하시오.

(1) 방사성 동위 원소의 함량은 맨틀보다 핵이 더 많다.
·· ( )

(2) 화강암은 감람암보다 단위 부피당 방사성 동위 원소의 방출 열량이 더 많다. ················· ( )

(3) 맨틀은 지각보다 단위 부피당 방사성 동위 원소의 방출 열량이 더 많다. ··················· ( )

(4) 맨틀은 지각보다 전체적으로 방사성 동위 원소의 방출 열량이 더 많다. ··················· ( )

3 다음 에너지 전달 방식 중 지구 내부의 열에너지가 지표로 전달되는 방식 **두 가지**를 쓰시오.

전도, 대류, 복사

4 지각 열류량이 다른 지역에 비해 상대적으로 가장 낮게 나타나는 지역은?

① 열점   ② 해구   ③ 해령
④ 열곡대   ⑤ 호상 열도

5 (가)~(다)를 지각 열류량이 높은 지역부터 순서대로 나열하시오.

(가) 선캄브리아 시대 순상지   (나) 고생대 조산대
(다) 신생대 조산대

6 그림은 해저 지형의 단면을 나타낸 것이다.

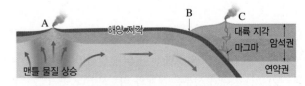

A~C 지역 중 지각 열류량이 가장 높은 곳을 쓰시오.

7 지구 내부 에너지가 방출되는 과정에서 형성되는 지형이 **아닌** 것은?

① 단층   ② 온천   ⑤ 화산
④ 석회동굴   ③ 습곡 산맥

대표 자료 분석

📖 학교 시험에 자주 출제되는 대표 자료와 그 자료에 대한 문제를 통해 자료를 완벽하게 이해할 수 있다.

자료 ① 원시 지구의 진화

기출 Point
• 원시 지구의 진화 과정 이해하기
• 지구 내부 층상 구조의 형성 이해하기

[1~4] 그림은 원시 지구의 진화 과정을 나타낸 것이다.

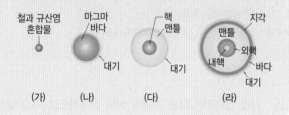

철과 규산염 혼합물 / 마그마 바다 / 대기 (가) / 핵 맨틀 / 대기 (나) / (다) / 지각 맨틀 내핵 외핵 바다 대기 (라)

1 (가) → (다)의 시기에 나타난 현상에 대하여 증가, 또는 감소로 표시하시오.

(1) 지구 표면의 평균 온도: (   )
(2) 지구의 평균 반지름: (   )
(3) 지구 중심부의 밀도: (   )

2 (다) → (라)의 시기에 나타난 현상에 대하여 증가, 또는 감소로 표시하시오.

(1) 미행성체의 연간 충돌 수: (   )
(2) 지구 표면의 평균 온도: (   )
(3) 지구의 평균 반지름: (   )

3 지구에서 수권, 지권, 생물권이 형성된 순서를 쓰시오.

4 빈출 선택지로 완벽 정리!

(1) (가)에서 지구의 밀도는 거의 균일하였다. (○ / ×)
(2) (나)의 대기 성분은 현재와 비슷하였다. ······ (○ / ×)
(3) (다)에서 규산염 물질이 핵을 형성하였다. (○ / ×)
(4) (라)에서 대기 중 이산화 탄소의 농도는 바다가 형성된 후 낮아졌다. ············ (○ / ×)
(5) 지권은 밀도 차이로 인해 여러 층으로 나누어졌다. ·········· (○ / ×)
(6) 수권의 형성은 기권의 성분 변화에 영향을 미친다. ·········· (○ / ×)

자료 ② 지각 열류량 분포와 지각 변동

기출 Point
• 지각 열류량 분포 파악하기
• 지구 내부 에너지와 지각 변동의 관계 이해하기

[1~3] (가)는 대륙과 해양의 지각 열류량을 나타낸 표이고, (나)는 해령으로부터의 거리에 따른 지각 열류량 분포를 나타낸 그래프이다.

대륙	지각 열류량(HFU)	해양	지각 열류량(HFU)
화산대	2.16 ± 0.46	해령	1.82 ± 0.56
순상지	0.92 ± 0.17	해구	0.99 ± 0.78
평균	1.41 ± 0.56	평균	1.42 ± 0.78

(가)

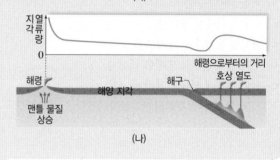

지열 각류량 / 0 / 해령 / 맨틀 물질 상승 / 해양 지각 / 해구 / 호상 열도 / 해령으로부터의 거리

(나)

1 (가)에서 각 지역의 지각 열류량을 등호나 부등호로 비교하시오.

(1) 순상지 ☐☐☐☐ 화산대
(2) 해령 ☐☐☐☐ 해구

2 해령 부근의 지각 열류량이 높은 까닭을 쓰시오.

3 빈출 선택지로 완벽 정리!

(1) 해양 지각은 대륙 지각보다 단위 부피당 방사성 동위 원소의 붕괴로 방출되는 열량이 많다. ········ (○ / ×)
(2) 해구보다 호상 열도에서 지각 열류량이 더 높다. ·········· (○ / ×)
(3) 지각 변동이 활발하고 화산 활동이 나타나는 지역일수록 지각 열류량이 높다. ·········· (○ / ×)

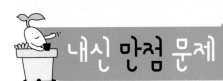
내신 만점 문제

A 지구의 탄생

01 그림은 회전하는 태양계 성운에서 태양이 탄생하는 과정을 나타낸 것이다.

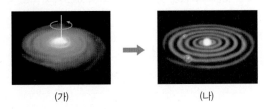

(가)   (나)

이에 대한 설명으로 옳지 <u>않은</u> 것은?

① 태양계 성운의 회전 중심에서 태양이 형성되었다.
② (가) → (나)에서 중심부의 온도와 밀도는 높아진다.
③ 태양은 태양계 전체 질량의 대부분을 차지한다.
④ 행성들의 공전 방향은 태양의 자전 방향과 같다.
⑤ 태양에서 멀리 떨어져 있는 행성일수록 공전 속도가 빠르다.

02 지구형 행성과 목성형 행성의 형성 과정에 대한 설명으로 옳은 것만을 [보기]에서 있는 대로 고른 것은?

[보기]
ㄱ. 행성들은 모두 태양계 성운의 납작한 원반에서 탄생하였다.
ㄴ. 태양에 가까운 영역에서 녹는점이 낮은 물질들이 지구형 행성을 형성하였다.
ㄷ. 태양계 안쪽에서 바깥쪽으로 밀려난 가벼운 원소들로부터 목성형 행성이 만들어졌다.

① ㄴ   ② ㄷ   ③ ㄱ, ㄴ
④ ㄱ, ㄷ   ⑤ ㄱ, ㄴ, ㄷ

03 _{서술형} 지구형 행성과 목성형 행성의 형성 위치 및 구성 물질과 밀도를 비교하여 서술하시오.

04 다음은 원시 지구의 진화 과정을 순서 없이 나타낸 것이다.

(가) 핵과 맨틀의 분리	(나) 원시 지각의 형성
(다) 마그마 바다 형성	(라) 원시 바다의 형성

순서대로 옳게 나열한 것은?

① (가) → (다) → (나) → (라)
② (나) → (다) → (라) → (가)
③ (나) → (라) → (다) → (가)
④ (다) → (가) → (나) → (라)
⑤ (다) → (가) → (라) → (나)

05 그림은 원시 지구의 진화 과정을 나타낸 것이다.

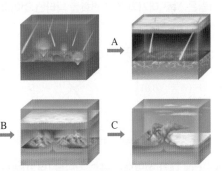

이에 대한 설명으로 옳은 것만을 [보기]에서 있는 대로 고른 것은?

[보기]
ㄱ. A 시기에 지구의 크기는 커졌다.
ㄴ. B 시기에 핵과 맨틀이 분리되었다.
ㄷ. A → C 과정에서 지구의 온도는 계속 높아졌다.

① ㄱ   ② ㄷ   ③ ㄱ, ㄴ
④ ㄴ, ㄷ   ⑤ ㄱ, ㄴ, ㄷ

06 그림은 지권의 형성 과정을 나타낸 것이다.

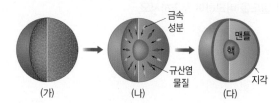

(가)　　　　(나)　　　　(다)

이에 대한 설명으로 옳은 것만을 [보기]에서 있는 대로 고른 것은?

─[보기]─
ㄱ. (가) → (나)에서 미행성체의 충돌열, 방사성 동위 원소의 붕괴열 등으로 원시 지구의 온도가 높아졌다.
ㄴ. (나)에서 밀도 차이에 의해 가벼운 성분이 지구 중심부로 모여들었다.
ㄷ. (나) → (다)로 변화하는 동안 지구 표면의 온도는 낮아졌다.
ㄹ. 지권은 지각 → 맨틀 → 핵 순으로 형성되었다.

① ㄱ, ㄴ　　　② ㄱ, ㄷ　　　③ ㄴ, ㄷ
④ ㄴ, ㄹ　　　⑤ ㄷ, ㄹ

07 그림은 지구 대기의 조성 변화를 나타낸 것이다.

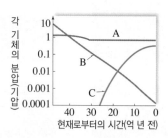

기체 A~C에 대한 설명으로 옳은 것만을 [보기]에서 있는 대로 고른 것은?

─[보기]─
ㄱ. A는 질소이다.
ㄴ. B는 주로 생물의 광합성으로 생성되었다.
ㄷ. 오존층은 C가 등장하기 전부터 기권에 있었다.

① ㄱ　　　② ㄷ　　　③ ㄱ, ㄴ
④ ㄴ, ㄷ　　　⑤ ㄱ, ㄴ, ㄷ

08 표는 원시 대기와 현재 대기의 주요 성분을 부피비(%)로 나타낸 것이다

주요 성분	N_2	(가)	(나)	기타
원시 대기	0.9	0.0	98.0	1.1
현재 대기	78.1	20.9	0.03	0.97

이에 대한 설명으로 옳은 것만을 [보기]에서 있는 대로 고른 것은?

─[보기]─
ㄱ. 원시 대기 속에는 산소가 존재하지 않았다.
ㄴ. (가)는 활발한 화산 활동으로 생성되었다.
ㄷ. (나)는 수권의 형성 이후 급격히 감소하였다.

① ㄱ　　　② ㄴ　　　③ ㄱ, ㄷ
④ ㄴ, ㄷ　　　⑤ ㄱ, ㄴ, ㄷ

09 생명체 탄생 직전의 원시 지구에 대한 설명으로 옳은 것만을 [보기]에서 있는 대로 고른 것은?

─[보기]─
ㄱ. 기권, 수권, 지권이 모두 존재하였다.
ㄴ. 대기 중에 산소가 풍부하게 존재하였다.
ㄷ. 화산 활동으로 해양에 많은 염화 이온이 공급되었다.

① ㄱ　　　② ㄴ　　　③ ㄷ
④ ㄱ, ㄷ　　　⑤ ㄴ, ㄷ

10 다음은 지구에서 생명체가 탄생한 순서이다.

A. 최초의 생명체 ➡ B. 광합성 생물 ➡ C. 육상 생물

이에 대한 설명으로 옳은 것만을 [보기]에서 있는 대로 고른 것은?

─[보기]─
ㄱ. A는 바다 속에서 탄생하였다.
ㄴ. B가 등장하여 대기에 산소가 축적된 후 해수 중의 산소가 증가하였다.
ㄷ. 오존층이 형성되어 C의 서식 환경이 조성되었다.

① ㄱ　　　② ㄴ　　　③ ㄱ, ㄷ
④ ㄴ, ㄷ　　　⑤ ㄱ, ㄴ, ㄷ

 B 지구 내부 에너지

11 지구 내부 에너지에 대한 설명으로 옳은 것은?

① 지구 탄생 초기에 축적된 열에너지보다 방사성 동위 원소의 붕괴열이 더 많은 양을 차지한다.

② 방사성 동위 원소는 자연적으로 붕괴되어 불안정한 원소로 바뀌면서 열을 방출한다.

③ 대륙 지각은 나이가 많은 곳일수록 지각 열류량이 낮다.

④ 해양 지각은 대륙 지각보다 지각 열류량이 낮다.

⑤ 지구 내부 에너지가 지표로 방출되므로 지구 내부는 지표에 가까울수록 온도가 상승한다.

12 암석의 방사성 동위 원소 함량을 옳게 비교한 것은?

① 현무암 > 감람암 > 화강암

② 현무암 > 화강암 > 감람암

③ 화강암 > 감람암 > 현무암

④ 화강암 > 현무암 > 감람암

⑤ 감람암 > 화강암 > 현무암

13 표는 암석의 방사성 동위 원소의 함량과 단위 부피당 방출 열량을 나타낸 것이다.

암석	방사성 동위 원소의 함량(ppm)			방출 열량
	^{238}U, ^{235}U	^{232}Th	^{40}K	$(10^{-5}$ mW/m$^3)$
화강암	5	18	38000	295
현무암	0.5	3	8000	56
감람암	0.015	0.06	100	1

이에 대한 설명으로 옳은 것만을 [보기]에서 있는 대로 고른 것은?

[보기]
ㄱ. 방사성 동위 원소의 함량은 지각을 이루는 암석보다 맨틀을 이루는 암석에 많다.

ㄴ. 단위 부피당 방사성 동위 원소의 붕괴열은 대륙 지각이 해양 지각보다 많다.

ㄷ. 전체 방사성 동위 원소의 붕괴열은 지각이 맨틀보다 많다.

① ㄱ   ② ㄴ   ③ ㄱ, ㄷ

④ ㄴ, ㄷ   ⑤ ㄱ, ㄴ, ㄷ

14 그림은 대륙 지각의 지각 열류량 분포를 나타낸 것이다. 이에 대한 설명으로 옳은 것만을 [보기]에서 있는 대로 고르시오.

[보기]
ㄱ. 오래된 조산대일수록 지각 열류량이 높다.

ㄴ. 조산대보다 화산대의 지각 열류량이 높다.

ㄷ. 순상지보다 변동대의 지각 열류량이 높다.

15 그림은 해령으로부터 거리에 따른 지각 열류량 변화를 나타낸 것이다.

이에 대한 설명으로 옳은 것만을 [보기]에서 있는 대로 고른 것은? (단, A는 판 경계에 발달한 지형이다.)

[보기]
ㄱ. 해령보다 A에서 맨틀이 방출하는 열이 많다.

ㄴ. A보다 B에서 화산 활동이 활발하다.

ㄷ. A에서는 수심이 매우 깊은 골짜기가 형성된다.

① ㄱ   ② ㄷ   ③ ㄱ, ㄴ

④ ㄴ, ㄷ   ⑤ ㄱ, ㄴ, ㄷ

16 그림은 대서양 해저의 지각 열류량을 조사한 것이다. A~C 지점에 대한 설명으로 옳은 것만을 [보기]에서 있는 대로 고른 것은?

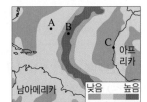

[보기]
ㄱ. A는 B보다 지구 내부 에너지를 많이 방출한다.

ㄴ. B에는 맨틀 물질이 상승하는 해령이 존재한다.

ㄷ. C는 A와 B보다 지진이 더 자주 발생할 것이다.

① ㄱ   ② ㄴ   ③ ㄱ, ㄷ

④ ㄴ, ㄷ   ⑤ ㄱ, ㄴ, ㄷ

02 지구 내부 구조

핵심 포인트
- 지진파의 종류와 특징 ★★★
- PS시와 진원 거리 ★★★
- 주시 곡선과 진앙 거리 ★★★
- 지구 내부 각 층의 특징 ★★★
- 지구 내부의 물리량 변화 ★★
- 지각 평형설 ★★★
- 조륙 운동과 지각 평형 ★★

A 지진파

1. 지구 내부 연구 방법

(1) **직접적인 방법**: ❶시추, 화산 분출물의 연구 등 → 확실한 방법이지만, 지표 부근만 조사할 수 있다.

(2) **간접적인 방법**: 지진파 연구, 운석 연구, 고온 고압 조건의 실험, 지각 열류량 연구 등

(3) **지구 내부 구조를 연구하는 대표적인 방법**: 지진파 연구 → 지구 내부를 통과하여 전파되기 때문

2. 지진파
원인: 단층, 화산 활동 등
지구 내부에 축적된 ❷탄성 에너지가 갑자기 방출되면서 ❸파동의 형태로 사방으로 전달되어 지표면이 진동하는 것을 지진이라 하고, 이 파동을 지진파라 한다.

(1) **진원과 진앙**: 지진이 발생한 지점을 진원, 진원에서 연직 방향으로 지표면과 만나는 지점을 진앙이라 한다.

⬆ 진원과 진앙

(2) ***지진파의 종류**

① 실체파: 지구 내부를 통과하는 지진파 예 P파, S파

② 표면파: 지표에서 전달되는 지진파 예 L파

진폭이 클수록 많은 에너지를 전달한다.

지진파	파동의 종류		전파 속도	진폭	피해	통과 매질의 상태
P파	실체파	종파	5 km/s~8 km/s	작다	작다	고체, 액체, 기체 모두 통과
S파		횡파	4 km/s	중간	크다	고체만 통과
L파	표면파		2 km/s~3 km/s	크다	매우 크다	지표면으로만 전달

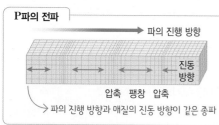

P파의 전파
파의 진행 방향
진동 방향
압축 팽창 압축
→ 파의 진행 방향과 매질의 진동 방향이 같은 종파

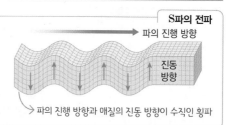

S파의 전파
파의 진행 방향
진동 방향
→ 파의 진행 방향과 매질의 진동 방향이 수직인 횡파

→ 지진파가 이동하는 동안 매질은 제자리에서 진동하고, 파의 진행을 따라 에너지가 전달된다.

3. 지진 기록 해석
진원에서 전달되어 지진 관측소에 기록된 지진파 모습을 해석한다.

(1) **PS시와 진원 거리**

① PS시: P파가 도착한 후 S파가 도착할 때까지 걸린 시간

② 진원 거리(d): 진원에서 관측소까지의 거리로, PS시가 길수록 진원 거리가 멀다.

P파 도착   S파 도착   L파 도착
PS시
→ 시간

⬆ 지진 기록

$$\text{PS시} = \frac{d}{V_S} - \frac{d}{V_P} \Rightarrow d = \frac{V_P \times V_S}{V_P - V_S} \times \text{PS시}$$
(V_S: S파의 속도, V_P: P파의 속도)

지진파의 종류

- **P파(Primary Wave)**: 전파 속도가 빨라서 가장 먼저 도착하는 지진파
- **S파(Secondary Wave)**: 전파 속도가 P파보다 느려 두 번째로 도착하는 지진파
- **L파(Long Wave)**: S파 다음에 전파되는 주기가 긴 파동으로, 지표면을 따라 전파된다.

암기해

P파, S파, L파의 비교
- 전파 속도: P파>S파>L파
- 진폭: P파<S파<L파
- 피해: P파<S파<L파
- 통과 매질: P파는 모두, S파는 고체만, L파는 지표면으로만 전달

용어

❶ **시추(試 시험하다, 錐 송곳)** 땅에 구멍을 뚫어 시료를 채취하는 방법으로, 뚫는 깊이에 한계가 있고 비용이 많이 든다.

❷ **탄성 에너지** 물체가 외부에서 힘을 받아 변형되었다가 힘이 제거되면 원래의 상태로 되돌아가려는 성질을 탄성이라 하는데, 이때 물체가 갖는 에너지이다.

❸ **파동(波 물결, 動 움직이다)** 공간이나 물질의 한 부분에 생긴 주기적인 진동이 시간이 흐름에 따라 주위로 전달되는 현상

(2) 주시 곡선과 진앙 거리

① **주시 곡선**: 진앙 거리에 따른 P파와 S파의 도착 시간을 나타낸 그래프 ➡ P파 곡선과 S파 곡선 사이의 시간 간격은 PS시를 의미한다.

② **진앙 거리**: 진앙에서 관측소까지의 거리로, 관측소에서 측정한 PS시가 주시 곡선의 PS시와 일치하는 지점의 가로축 값을 읽는다. ➡ *PS시가 길수록 진앙 거리가 멀다.

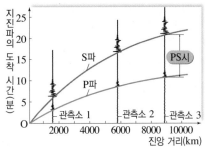

⬆ 주시 곡선

＊ PS시
지진파의 이동 거리가 멀수록 P파와 S파의 도착 시간의 차이, 즉 PS시가 길어진다.

(3) 진앙과 진원의 위치를 결정하는 방법

진앙의 위치	진원의 깊이
한 지진의 진앙은 적어도 3개의 지진 관측소에서 측정한 진원 거리로 구한다. ❶ 세 관측소 A, B, C에서 측정한 진원 거리를 반지름으로 하는 원을 각각 그린다. ❷ 각 원들의 교점을 연결하여 선(공통현)을 긋는다. ❸ 3개의 공통현이 만나는 한 점이 진앙이다.	진앙을 결정한 후, 진앙에 수직인 현의 길이로 구한다. ❶ 임의의 관측소 A와 진앙 E를 연결하는 선을 긋고, 직선 AE에 수직으로 현 HH'를 그린다. ❷ 현 HH' 길이의 $\frac{1}{2}$이 진원의 깊이이다. ➡ 직선 $\overline{EO}$의 길이: 진원의 깊이 ➡ 직선 $\overline{AO}$의 길이: 진원 거리
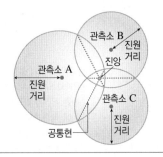	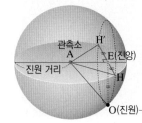진원의 깊이 $\overline{EO}$는 현 $\overline{HH'}$를 지름으로 하는 원의 반지름에 해당하므로 직선 $\overline{EH}$, $\overline{EH'}$의 길이와 같다.

🔖 암기해

• **진앙의 위치**: 3개의 지진 관측소에서 측정한 진원 거리를 이용하여 그린 원의 공통현의 교점
• **진원의 깊이**: 진앙에서 한 지진 관측소에 그은 직선에 수직인 현 길이의 $\frac{1}{2}$

(4) 근거리 주시 곡선과 지각의 두께: 교차 거리로 지각의 두께를 구할 수 있다.

① **교차 거리(l)**: 근거리 주시 곡선에서 지표면을 따라 전달된 ④직접파의 도착 시간과 지하에서 전달되어 온 ⑤굴절파의 도착 시간이 같은 지점까지의 거리

근거리 주시 곡선과 지진파의 전달 모습

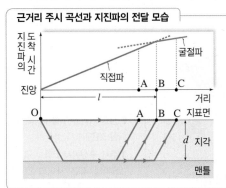

- A 지점: 직접파가 굴절파보다 먼저 도착한다.
- B 지점: 직접파와 굴절파가 동시에 도착한다.
- C 지점: 굴절파가 직접파보다 먼저 도착한다.
• 지진파는 ＊지각에서 이동하는 속도(V_1)보다 맨틀에서 이동하는 속도(V_2)가 더 빠르다.
• B 지점: 지각만 통과하는 직접파의 경로가 맨틀을 통과하는 굴절파의 경로보다 짧지만, 굴절파는 중간에 속도가 빠른 층을 지나므로 직접파와 동시에 도착한다.

② **지각의 두께(d)**: 교차 거리가 멀수록 지각의 두께가 두껍다.

 25쪽

$$d = \frac{l}{2} \times \sqrt{\frac{V_2 - V_1}{V_2 + V_1}} \quad (V_1\text{: 지각에서 지진파의 속도, } V_2\text{: 맨틀에서 지진파의 속도})$$

＊ 지진파의 속도
지진파는 통과하는 매질에 따라 속도가 달라지며, 서로 다른 매질의 경계면에서 반사되거나 굴절된다. 지진파의 속도는 일반적으로 매질의 밀도가 높을수록 증가하므로 지구 내부로 갈수록 증가한다.

┆ 용어 ┆

④ **직접파**(直 곧다, 接 잇다, 波 파) 파원에서 관측점까지 반사되거나 굴절되지 않고 직선 경로를 따라 전달되어 온 파
⑤ **굴절파**(屈 굽히다, 折 꺾다, 波 파) 매질이 서로 다른 두 층의 경계면을 지나면서 진행 방향이 바뀌어 전달되어 온 파

02 지구 내부 구조

탐구 자료창 진앙과 진원의 위치 결정

과정 및 결과

다음은 어느 지역에서 발생한 지진을 서울, 강릉, 광주의 지진 관측소에서 각각 측정한 자료이다.

관측소	P파 도착 시각	S파 도착 시각	❶ PS시	❷ 진원 거리	❸ 지도상 진원 거리
서울	14시 0분 42초	14시 1분 10초	28초	224 km	$1:1800000=x:22400000$ cm $x≒12.4$ cm
강릉	14시 0분 33초	14시 1분 03초	30초	240 km	$1:1800000=x:24000000$ cm $x≒13.3$ cm
광주	14시 0분 23초	14시 0분 45초	22초	176 km	$1:1800000=x:17600000$ cm $x≒9.8$ cm

❶ 세 관측소의 PS시(S파의 도착 시각—P파의 도착 시각)를 구한다.

❷ PS시로 *진원 거리를 구한다. (단, P파의 속도는 8 km/s, S파의 속도는 4 km/s로 한다.)

❸ 1 : 1800000 축적인 지도상의 진원 거리를 구한다. (단, 소수점 둘째 자리에서 반올림한다.)

❹ 각 관측소에서 진원 거리를 반지름으로 하는 원을 그리고, 세 원의 공통현을 그은 후 공통현의 교점을 찍어 진앙의 위치를 결정한다. → 위도 36°N, 경도 128°E(삼도봉 인근)

❺ 한 관측소에서 진앙을 향해 그은 직선에 대해 수직으로 현을 긋고, 이 현의 $\frac{1}{2}$인 길이를 재어 진원의 깊이를 구한다. → 6.47 cm $× \frac{1}{2} ×1800000≒116.5$ km

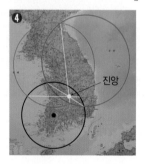 ❹

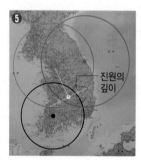 ❺ 진앙 / 진원의 깊이

해석

1. **진앙의 위치**: 세 관측소의 진원 거리를 반지름으로 하는 원을 그렸을 때, 공통현의 교점이다.

2. **진원의 깊이**: 한 관측소에서 진앙을 향해 그은 직선에 대하여 수직으로 그은 현의 $\frac{1}{2}$이다.

3. **과정 ❹에서 세 공통현이 한 점에서 정확히 만나지 않는 까닭**: 진원 거리와 진앙 거리가 일치하지 않기 때문이다. → 공통현의 교점이 진앙이 되려면 지진이 얕은 곳에서 발생하여 진원 거리와 진앙 거리가 같아야 한다.

같은 탐구 · 다른 실험 *주시 곡선으로 진앙 거리를 구하여 진앙의 위치 결정

과정

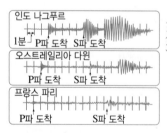

인도 나그푸르 / 1분 P파 도착 S파 도착 / 오스트레일리아 다윈 / P파 도착 S파 도착 / 프랑스 파리 / P파 도착 S파 도착

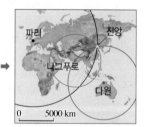

시간(분) / S파 다윈 파리 나그푸르 P파 / 진앙 거리(×10⁴km) / 파리 진앙 나그푸르 다윈 / 5000 km

❶ 세 관측소의 지진 기록에서 PS시를 각각 구한 후, PS시로 주시 곡선에서 진앙 거리를 찾는다.

❷ 각 도시에서 진앙 거리를 반지름으로 하는 원을 그려 공통현의 교점(진앙)을 찾는다. → 진앙 거리로 원을 그리는 까닭: 진원의 깊이가 얕아서 진원 거리와 거의 같기 때문

결과

1. **PS시**: 나그푸르는 5분, 다윈은 7분, 파리는 10.5분이다.

2. **진앙 거리**: 나그푸르는 약 3700 km, 다윈은 약 5200 km, 파리는 약 9100 km이다.

3. **진앙의 위치**: 베이징(북경) 부근이다.

목표 지진 관측소에서 관측한 지진파 도착 시각 자료를 이용하여 진원 거리를 계산하고, 진앙과 진원의 위치를 찾을 수 있다.

★ **진원 거리(d) 공식**

$$d= \frac{V_P × V_S}{V_P - V_S} × PS시$$

(V_S: S파의 속도, V_P: P파의 속도)

축적이 1:1800000이면 실제 크기의 $\frac{1}{1800000}$로 축소했다는 뜻이에요. 따라서 지도에서 1 cm는 실제로 1800000 cm (18 km)를 의미해요.

★ **진앙의 위치 결정 방법**

· P파와 S파의 속도 차이로 구한 진원 거리를 이용하는 방법: 매질에 따른 P파와 S파의 속도 변화를 모두 반영하기 어렵다.

· 주시 곡선을 이용하는 방법: 매질에 따른 지진파의 속도 변화와 관계없이 진앙을 결정한다.

· 두 방법으로 구한 진앙의 위치가 다른 경우의 까닭: 지진파가 통과하는 지구 내부 물질이 균일하지 않기 때문이다.

확인 문제

1 진앙을 결정할 때, 지진 관측소는 ( )개 이상이어야 한다.

2 진원 거리를 구할 때 꼭 필요한 것은?

3 주시 곡선에서 P파의 곡선과 S파의 곡선 사이의 간격은 ( )를 의미한다.

확인 문제 답

1 3

2 PS시

3 PS시

지각의 두께 구하기

정답친해 7쪽

모호로비치치는 발칸 반도 지역에서 발생한 지진파 중 P파의 주시 곡선을 조사한 결과, 아래 그림과 같이 진앙 거리 B인 곳에서 주시 곡선이 꺾인다는 사실을 발견했어요. B 지점에서 직접파와 굴절파의 도달 시간이 같다는 점을 이용하면 지각의 두께를 구하는 공식을 유도할 수 있답니다.

근거리 주시 곡선과 지진파의 전달 모습

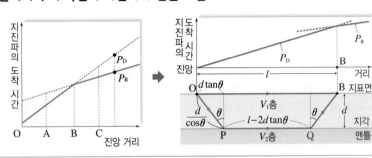

지각을 통과하는 지진파의 속도(V_1)보다 맨틀을 통과하는 지진파의 속도(V_2)가 더 빠르므로 진앙 거리가 l인 B 지점에서 직접파(P_D)와 굴절파(P_R)가 동시에 도달한다.

[1단계] B 지점에 도달하는 데 걸린 직접파의 진행 시간(t_1) 구하기

시간$=\dfrac{거리}{속력}$이므로 $t_1=\dfrac{l}{V_1}$이다.

[2단계] B 지점에 도달하는 데 걸린 굴절파의 진행 시간(t_2) 구하기

시간$=\dfrac{거리}{속력}$이므로 $t_2=\underbrace{\dfrac{\frac{d}{\cos\theta}}{V_1}}_{\text{O-P 구간}}+\underbrace{\dfrac{l-2d\tan\theta}{V_2}}_{\text{P-Q 구간}}+\underbrace{\dfrac{\frac{d}{\cos\theta}}{V_1}}_{\text{Q-B 구간}}=\dfrac{2d}{V_1\cos\theta}+\dfrac{l-2d\tan\theta}{V_2}$이다.

[3단계] B 지점에서 $t_1=t_2$임을 이용하여 지각의 두께(d) 구하기

1. $t_1=t_2$이므로

$$\dfrac{l}{V_1}=\dfrac{2d}{V_1\cos\theta}+\dfrac{l-2d\tan\theta}{V_2} \qquad \therefore d=\dfrac{l}{2}\cdot\dfrac{(V_2-V_1)\cos\theta}{V_2-V_1\sin\theta} \quad\text{·····················}①$$

2. 굴절의 법칙에서 $\dfrac{\sin\theta}{\sin\gamma}=\dfrac{V_1}{V_2}$이고, 지각과 맨틀의 경계에서 굴절파의 굴절각(γ)이 $90°$ 이므로

$$\dfrac{\sin\theta}{\sin 90°}=\dfrac{V_1}{V_2} \qquad \therefore \sin\theta=\dfrac{V_1}{V_2} \quad\text{·······························}②$$

3. $\sin^2\theta+\cos^2\theta=1$이므로

$$\cos^2\theta=1-\sin^2\theta=1-\left(\dfrac{V_1}{V_2}\right)^2 \qquad \therefore \cos\theta=\sqrt{1-\left(\dfrac{V_1}{V_2}\right)^2} \quad\text{······}③$$

4. ②와 ③을 ①에 대입하여 지각의 두께(d)를 구한다.

$$d=\dfrac{l}{2}\sqrt{\dfrac{V_2-V_1}{V_2+V_1}}$$

★ 굴절의 법칙

파동이 한 매질에서 굴절률이 다른 매질로 입사하여 굴절하는 경우, 입사면과 굴절면은 동일 평면상에 있고, 입사각을 θ, 굴절각을 γ라고 할 때, $\dfrac{\sin\theta}{\sin\gamma}=\dfrac{V_1}{V_2}$이 성립한다. 이를 굴절의 법칙이라고 한다.

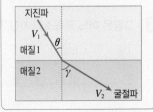

Q1 B 지점까지의 거리가 약 130 km, 지각을 통과하는 P파의 속도가 6 km/s, 상부 맨틀을 통과하는 P파의 속도가 8 km/s라면, 지각의 두께는 몇 km인가? (단, 지각의 두께는 일정하다고 가정하고, $\sqrt7=2.6$으로 계산한다.)

개념 확인 문제

정답친해 7쪽

핵심 체크

- 지구 내부 구조를 연구하는 대표적인 방법: (❶   )
- 지진이 발생한 지점을 (❷   ), 이 지점에서 연직 방향으로 지표면과 만나는 지점을 (❸   )이라고 한다.
- 지진파의 종류

지진파	파동의 종류		전파 속도	진폭	피해	통과 매질의 상태
(❹)	실체파	종파	빠르다	작다	작다	고체, 액체, 기체
S파		(❺)	중간	중간	크다	(❻)
L파	표면파		느리다	크다	매우 크다	지표면으로만 전달

- 지진 기록 해석

  ┌ (❼   ): P파가 도착한 후 S파가 도착할 때까지 걸린 시간 ➡ 이 시간이 길수록 진원 거리가 (❽   ).

  ├ (❾   ): 진앙 거리에 따른 지진파의 도착 시간을 나타낸 그래프 ➡ PS시가 길수록 진앙 거리가 멀다.

  └ (❿   ): 직접파와 굴절파의 도착 시간이 같은 지점의 진앙 거리 ➡ (❿   )가 길수록 지각이 두껍다.

---

1 [보기]의 지구 내부 연구 방법을 (가) 직접적인 방법과 (나) 간접적인 방법으로 구분하시오.

┌─ **[보기]** ─────────────┐
ㄱ. 시추   ㄴ. 운석 연구
ㄷ. 지진파 연구   ㄹ. 고온 고압 실험
ㅁ. 지각 열류량 연구   ㅂ. 화산 분출물 연구
└────────────────────┘

2 지진파에 대한 설명으로 옳은 것은 ○, 옳지 않은 것은 × 로 표시하시오.

(1) P파는 횡파이다. ································ (   )
(2) S파는 실체파이다. ······························ (   )
(3) P파는 S파보다 관측소에 먼저 도착한다. ······· (   )
(4) P파는 L파보다 진폭이 더 크게 나타난다. ····· (   )
(5) S파는 액체 상태인 매질을 통해 전달된다. ····· (   )

3 그림은 어느 관측소의 지진 기록이다.

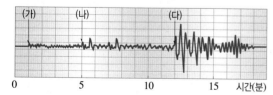

(1) (가), (나), (다)에 도착한 지진파의 종류를 각각 쓰시오.

(2) PS시를 쓰시오.

4 그림은 어떤 지진이 발생했을 때 세 지진 관측소에서 관측된 지진 기록을 나타낸 것이다.

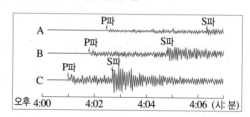

A~C 중 진원 거리가 가장 가까운 관측소를 쓰시오.

5 그림 (가)는 어느 지진 관측소에서 관측된 지진 기록을, (나)는 P파와 S파의 주시 곡선을 나타낸 것이다.

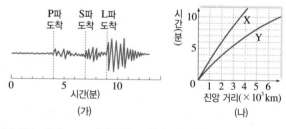

(1) X는 ㉠(   )파, Y는 ㉡(   )파이다.
(2) 이 지진 관측소의 진앙 거리는 약 (   ) km이다.

6 진앙의 위치는 적어도 (   )개의 지진 관측소에서 측정한 진원 거리를 이용하여 구한다.

Ⓑ 지구 내부 구조

1. 지구 내부의 층상 구조 지구 내부는 지진파의 속도가 급격히 달라지는 *불연속면을 경계로 지각, 맨틀, 외핵, 내핵의 4개 층으로 구분한다.

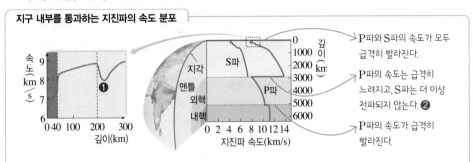

지구 내부를 통과하는 지진파의 속도 분포

- P파와 S파의 속도가 모두 급격히 빨라진다.
- P파의 속도는 급격히 느려지고, S파는 더 이상 전파되지 않는다. ❷
- P파의 속도가 급격히 빨라진다.

- 지진파의 속도가 급격히 변하는 경계: 3 부분 ➡ 깊이 약 40 km, 2900 km, 5100 km
- ❶ 깊이 약 200 km 부근에서 지진파의 속도가 느려지는 까닭: 해당 부분의 물리적 성질이 상부 및 하부의 층에 비해 상대적으로 무르고 약하여 유동성이 나타나기 때문이다. ──● 저속도층
- ❷ P파의 속도가 느려지고 S파가 통과하지 못하는 까닭: 외핵이 액체 상태이기 때문이다.

(1) 모호로비치치 불연속면(모호면): 지각과 맨틀을 구분하는 불연속면으로, *모호로비치치가 지진 기록을 분석하여 지하 약 40 km 깊이에서 P파의 속도가 갑자기 빨라지는 경계가 있다는 것을 통해 발견하였다. ➡ 모호면으로부터 맨틀의 존재가 밝혀졌다.

(2) 구텐베르크 불연속면: 깊이 약 2900 km에서 맨틀과 외핵을 구분하는 불연속면으로, 구텐베르크가 지진파의 ❶암영대를 해석하여 발견하였다.

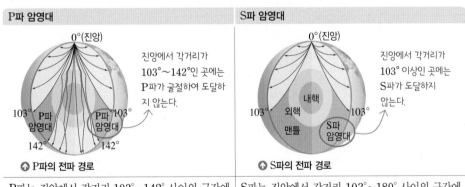

P파 암영대	S파 암영대
진앙에서 각거리가 103°~142°인 곳에는 P파가 굴절하여 도달하지 않는다.	진앙에서 각거리가 103° 이상인 곳에는 S파가 도달하지 않는다.
⬆ P파의 전파 경로	⬆ S파의 전파 경로

| P파는 진앙에서 각거리 103°~142° 사이의 구간에는 도달하지 않는다. ➡ 이 사실로부터 지하 약 2900 km의 깊이에 맨틀과 외핵의 경계인 구텐베르크 불연속면이 존재한다는 것이 알려졌다. | S파는 진앙에서 각거리 103°~180° 사이의 구간에는 전혀 도달하지 않는다. ➡ 이 사실로부터 맨틀의 안쪽에 위치하는 외핵이 고체가 아니라 액체라는 것을 알 수 있다. |

(3) 레만 불연속면: 깊이 약 5100 km에서 외핵과 내핵을 구분하는 불연속면이다. 레만이 P파 암영대로 알려져 있는 진앙에서 각거리 103°~142° 사이의 지역을 정밀하게 재조사하는 과정에서 진앙에서 각거리 110° 부분에만 아주 약한 P파가 도달한다는 사실을 통해 발견하였다.

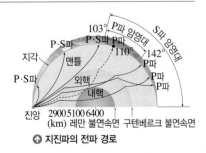

⬆ 지진파의 전파 경로

★ 지구 내부의 불연속면

불연속면	층의 경계
모호면	지각과 맨틀
구텐베르크 불연속면	맨틀과 외핵
레만 불연속면	외핵과 내핵

★ 모호로비치치 불연속면
모호로비치치는 발칸 반도에서 일어난 지진 기록을 분석한 결과, 진앙에서 먼 관측소에는 지각을 직접 통과하는 직접파보다 지하에서 굴절하여 진행하는 굴절파가 먼저 도착한 것을 발견하였다. 이를 통해 지각 아래에 지진파의 속도가 더 빨라지는 경계면이 있다는 것을 알게 되었다.

┃용어┃
❶ 암영대(暗 보이지 않는다, 影 그림자, 帶 띠) 지진파가 도달하지 않는 구역

02 지구 내부 구조

2. 지구 내부 각 층의 구성 물질 및 특징

(1) **지각**: 지표면에서 모호면까지의 구간

① 구분: 대륙 지각과 해양 지각으로 구분한다.

② 모호면 깊이: 지각의 두께와 같다. ➡ 대륙 지각에서 더 깊다.

③ 구성 물질: 주로 *규산염 광물로 이루어진 암석, 고체 상태

↑ 지각과 맨틀의 구조

구분	두께	구성 물질	평균 밀도
대륙 지각	약 30 km~70 km	화강암질 암석	약 2.7 g/cm³
해양 지각	약 5 km~8 km	현무암질 암석	약 3.0 g/cm³

(2) **맨틀**: 모호면에서 깊이 약 2900 km에 있는 구텐베르크 불연속면까지의 구간

① 구분: *상부 맨틀, 전이대, 하부 맨틀로 구분한다.

② 부피: 지구 내부 전체 부피의 82 % 정도를 차지한다.

③ 구성 물질: O, Si, Mg, Fe 등으로 이루어진 감람암질 암석, 고체 상태, 평균 밀도 약 3.3 g/cm³ ← 규산염 광물

> [*물질의 상태에 따른 지각과 맨틀의 구분]
> • **암석권**: 지각과 상부 맨틀 일부를 포함하는 단단한 암석 부분
> • **연약권**: 상부 맨틀에서 물질이 부분 용융되어 있어 유동성이 있는 고체로, 저속도층이 나타나는 부분
> • **중간권**: 연약권 하부의 맨틀에 해당하는 부분 ← 지진파의 속도가 급격히 감소하는 층

(3) **핵**: 구텐베르크 불연속면에서 지구 중심까지의 구간으로, 깊이 약 5100 km에 있는 레만 불연속면을 기준으로 외핵과 내핵으로 구분한다.

구분	구성 물질	물질의 상태	평균 밀도
외핵	대부분 철, 소량의 황, 산소 등	액체	약 9.9 g/cm³~12.2 g/cm³
내핵	대부분 철, 소량의 니켈	고체	약 12.8 g/cm³~13.1 g/cm³

3. 지구 내부의 물리량 변화

● 밀도 분포는 지진파의 속도 분포와 유사하다. 이것으로 지진파는 밀도의 영향을 크게 받는다는 것을 알 수 있다.

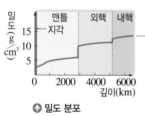

↑ 밀도 분포

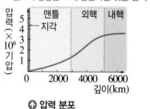

↑ 압력 분포

↑ 온도 분포

(1) **밀도**: 각 층의 경계면에서 불연속적으로 증가하여 계단 모양의 분포를 보인다.

(2) **압력**: 지구 내부로 갈수록 증가하고, 깊이에 따른 압력 증가율은 외핵에서 가장 크다.

(3) **온도**: 지표면에서 지구 내부로 갈수록 상승하고, 지온 상승률은 지각에서 가장 크다.

> **지구 내부 온도와 구성 물질의 용융 온도 분포**
>
> 지구 내부 온도와 구성 물질의 용융 온도 분포를 통해 지구 내부 물질의 상태를 추정할 수 있다.
>
> ❶ 연약권: 지구 내부 온도≥물질의 용융 온도 ➡ 부분적으로 용융
> ❷ 지구 내부 온도＜물질의 용융 온도 ➡ 고체 상태의 규산염암
> ❸ 지구 내부 온도＞물질의 용융 온도 ➡ 액체 상태의 철 합금
> ❹ 지구 내부 온도＜물질의 용융 온도 ➡ 고체 상태의 철 합금

★ 지각을 이루는 물질
• 지각의 구성 원소: 지각 전체 질량의 약 98 %를 8종류의 원소(O, Si, Al, Fe, Ca, Na, K, Mg)가 차지하는데, O(산소)와 Si(규소)가 약 74 %를 차지한다.
• 규산염 광물: O와 Si로 이루어진 광물로, 지각을 이루는 암석은 주로 규산염 광물로 이루어져 있다.

★ 맨틀의 구조
• 상부 맨틀: 모호면에서부터 깊이 약 400 km까지 부분
• 전이대: 상부 맨틀과 하부 맨틀 사이에 깊이 약 400 km~670 km 부분으로, 압력이 증가하여 밀도가 커지면서 광물의 결정 구조가 조밀하게 바뀌는 층으로, 지진파의 속도가 갑자기 증가한다.
• 하부 맨틀: 깊이 약 670 km~2900 km 부분

★ 지구 내부의 층상 구조

화학 조성에 따른 구분		물질의 상태에 따른 구분	
지각	화강암질, 현무암질 암석	암석권	고체
맨틀	감람암질 암석	연약권	유동성 있는 고체
		중간권	고체
핵	철	외핵	액체
		내핵	고체

ⓒ 지각 평형설

대륙 지각이 해양 지각보다 두꺼운 까닭은 무엇일까요? 지각의 두께를 설명하는 지각 평형설에 대해 알아볼까요?

1. 지각 평형설 밀도가 작은 지각이 밀도가 큰 맨틀 위에 떠서 *평형을 이룬다는 학설

(1) 프래트설과 에어리설

프래트설	에어리설
밀도가 서로 다른 지각이 맨틀 위에 떠 있으며, 지각의 아랫부분은 편평하다. ➡ 높이가 높은 지역은 밀도가 작고 높이가 낮은 지역은 밀도가 크다.	밀도가 같은 지각이 맨틀 위에 떠 있으며, 높게 솟아 있는 지형일수록 지각의 아랫부분의 깊이가 깊다. ➡ 높이가 높은 지역일수록 지각의 두께가 두껍다.

(2) 실제와 비교하였을 때 타당성: *대륙 지각과 해양 지각의 밀도가 다르다는 점에서는 프래트설이 타당하지만, 모호면의 깊이가 다르다는 점에서는 에어리설이 타당하다.

2. 지구의 지각 평형 모습

(1) 지각 평형의 원리: 대륙 지각이 해양 지각보다 더 높이 솟아 있고, 모호면은 해양 지각보다 대륙 지각에서 더 깊다. ➡ 두꺼운 대륙 지각이 얇은 해양 지각보다 밀도가 작기 때문에 나타나는 현상

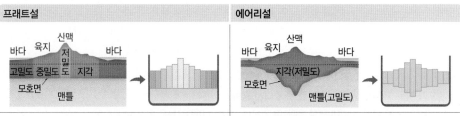

⬆ *지각 평형의 원리*

(2) 조륙 운동과 지각 평형: 조륙 운동은 지각이 융기하거나 침강하는 현상으로, 지각이 평형을 유지하려는 힘에 의해 일어난다.

구분	융기 현상	침강 현상
정의	지각이 위쪽으로 솟아오르는 현상	지각이 아래쪽으로 가라앉는 현상
발생 지역	지표면이 풍화, 침식되어 지각의 무게가 감소하는 지역 → 평형을 유지하기 위해 융기한다.	지표면에 퇴적물이 쌓여 지각의 무게가 증가하는 지역 → 무게에 의해 침강한다.
예	*스칸디나비아반도의 융기 현상	우리나라 서해안 지역의 침강 현상(다도해)

> **탐구 자료창** **지각 평형 운동**
>
> 단면적과 밀도가 같고 두께가 다른 나무 도막을 물에 띄우고 관찰한다.
> 1. 물 위로 높게 드러난 나무 도막이 물속에 깊게 잠긴다. ➡ 에어리설의 원리
> 2. 얼음을 올리면 나무 도막이 가라앉았다가, 얼음이 녹으면서 떠오른다.
>
> | 실험 | 물 | 나무 도막 | 얼음을 올릴 때 | 얼음이 녹을 때 |
> |---|---|---|---|---|
> | 실제 | 맨틀 | 지각 | 침강 | 융기 |

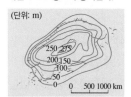

개념 확인 문제

핵심 체크

- 지구 내부 층상 구조: (**❶**)의 속도가 급격히 달라지는 불연속면을 경계로 (**❷**)개 층으로 구분
- 지구 내부 각 층의 구성 물질 및 특징

층상 구조		구성 물질		특징	
지각	대륙 지각: 화강암질 암석	규산염 광물로 이루어진 암석	모호면의 깊이는 (**❸**) 지각에서 더 깊다.	물질의 상태에 따른 지각과 맨틀의 구분: 암석권,	
	해양 지각: 현무암질 암석				
맨틀	감람암질 암석		지구 내부 부피의 약 82 % 차지	(**❹**), 중간권	
핵	외핵	대부분 철, 소량의 황, 산소 등	액체 상태로, (**❺**)파가 통과하지 못한다.		
	내핵	대부분 철, 소량의 니켈	고체 상태로, 밀도, 압력, 온도가 가장 높다.		

- 지구 내부 물리량: (**❻**)는 각 층의 경계면에서 불연속적으로 변하고, 온도와 압력은 중심으로 갈수록 높아진다.
- (**❼**): 밀도가 작은 지각이 밀도가 큰 맨틀 위에 떠서 평형을 이룬다는 학설
  - (**❽**): 밀도가 서로 다른 지각이 맨틀 위에 떠 있으며, 지각의 아랫부분은 편평하다.
  - (**❾**): 밀도가 같은 지각이 맨틀 위에 떠 있으며, 높게 솟은 지형일수록 지각의 아랫부분의 깊이가 깊다.

---

1 그림은 지진파 속도 분포에 따라 구분한 지구 내부 층상 구조를 나타낸 것이다.
A~D층의 이름을 각각 쓰시오.

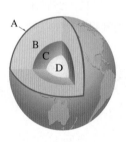

2 지구 내부 층상 구조의 불연속면에 대한 설명으로 옳은 것은 ○, 옳지 <u>않은</u> 것은 ×로 표시하시오.

(1) 깊이 약 5 km~8 km인 곳에 대륙 지각과 맨틀의 경계면인 모호면이 존재한다. ⋯⋯⋯⋯⋯⋯ (   )

(2) 구텐베르크 불연속면의 존재는 지진파의 암영대가 존재한다는 사실로부터 밝혀졌다. ⋯⋯⋯⋯⋯⋯ (   )

(3) 레만 불연속면을 경계로 바깥쪽의 고체 부분을 외핵, 안쪽의 액체 부분을 내핵이라 한다. ⋯⋯⋯⋯⋯⋯ (   )

3 (   ) 안에 알맞은 말을 쓰시오.

(1) 대륙 지각은 해양 지각보다 두께가 (   ).

(2) 대륙 지각은 해양 지각보다 밀도가 (   ).

(3) 해양 지각은 (   ) 암석으로 구성된다.

(4) 지구 내부의 층상 구조 중 가장 많은 부피를 차지하는 층은 (   )이다.

(5) 맨틀에서 유동성 있는 고체 상태인 부분은 (   )이다.

(6) 구성 물질이 철이고 액체인 층은 (   )이다.

4 그림은 지구 내부의 밀도, 압력, 온도의 변화 그래프를 순서 없이 나타낸 것이다.

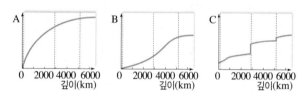

A~C에 알맞은 물리량을 각각 쓰시오.

5 그림은 지각 평형을 설명하는 모형을 나타낸 것이다.
(   ) 안에 알맞은 말을 고르시오.

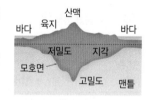

그림은 ㉠(에어리설, 프래트설)을 설명하는 모형으로, 해발 고도가 높을수록 지각의 두께가 ㉡(얇고, 두껍고), 모호면의 깊이가 ㉢(얕다, 깊다).

6 해발 고도가 높은 지역이 풍화, 침식 작용을 받으면 지각은 평형을 유지하기 위해 (융기, 침강)한다.

대표 자료 분석

 학교 시험에 자주 출제되는 대표 자료와 그 자료에 대한 문제를 통해 자료를 완벽하게 이해할 수 있다.

자료 ① 지진파의 종류와 주시 곡선

기출 Point
· 지진파의 종류와 특성 비교하기
· PS시와 주시 곡선으로 진앙 거리 구하기

[1~4] 그림은 P파와 S파의 주시 곡선을 나타낸 것이다.

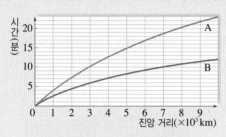

1 그림에서 지진파 A와 B의 종류를 쓰시오.

2 지진파 A와 B가 전파되는 모습을 그림 (가)와 (나)에서 각각 고르시오.

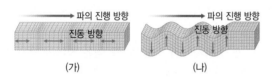

3 ( ) 안에 공통적으로 들어갈 말을 쓰시오.

주시 곡선에서 기울기의 역수는 지진파의 ( )에 해당한다. 진앙 거리가 멀수록 주시 곡선의 기울기가 가로축과 나란해지는 까닭은 지진파가 지하를 통과하는 동안 P파와 S파의 ( )가 증가하기 때문이다.

4 빈출 선택지로 `완벽 정리!`

(1) A는 B보다 빠른 속도로 이동한다. ·········· (○ / ×)
(2) A는 고체인 매질을 통해서만 전파되고, B는 모든 매질을 통해서 전파된다. ·········· (○ / ×)
(3) PS시가 길수록 진앙과 지진 관측소 사이의 거리는 멀다. ·········· (○ / ×)
(4) 주시 곡선에서 기울기가 완만할수록 속도가 느리다. ·········· (○ / ×)

자료 ② 지진파와 지구 내부 구조

기출 Point
· 지진파 속도 분포로 지구 내부 구분하기
· 암영대로 지구 내부의 특징 추정하기

[1~4] 그림 (가)는 지구 내부에서 P파와 S파의 속도 분포를, (나)는 지구 내부에서 지진파의 전파 경로를 나타낸 것이다.

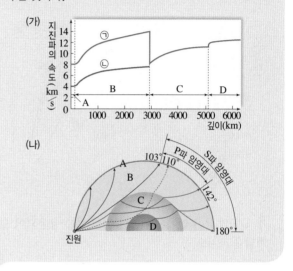

1 지진파 ㉠과 ㉡의 종류와 A~D층의 이름을 각각 쓰시오.

2 B층과 C층, C층과 D층 사이의 경계면을 쓰시오.

3 A~D 중 고체 상태가 아닌 층을 고르시오.

4 빈출 선택지로 `완벽 정리!`

(1) ㉠은 고체인 매질에서만 전파된다. ·········· (○ / ×)
(2) 지진파의 속도가 가장 크게 변하는 곳은 B층과 C층의 경계면이다. ·········· (○ / ×)
(3) S파는 진앙에서 각거리 103°~180° 사이인 지표면에는 도달하지 않는다. ·········· (○ / ×)
(4) P파 암영대로 C층이 액체임을 알았다. ·········· (○ / ×)
(5) 진앙에서 각거리 약 110°인 지표면에 도달한 약한 P파로 C층과 D층의 경계가 밝혀졌다. ·········· (○ / ×)

자료 ③ 지구 내부의 물리량 변화

기출 Point
• 지구 내부 온도 분포와 용융 온도 곡선 해석하기
• 깊이에 따른 지구 내부 물리량 변화 해석하기

[1~4] 그림 (가)는 지구 내부 온도와 구성 물질의 용융 온도 분포를, (나)는 지구 내부에서 온도, 밀도, 압력 분포를 나타낸 것이다.

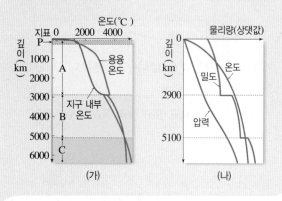

(가)   (나)

1 (가)의 P 구간에서 맨틀 물질이 부분 용융되어 있는 까닭을 쓰시오.

2 (가)의 A~C 중 물질이 액체 상태로 존재하는 층을 쓰시오.

3 (나)에서 지진파의 속도는 (   )의 영향을 많이 받을 것이다.

4 빈출 선택지로 완벽 정리!

(1) A층은 지구 내부에서 가장 많은 부피를 차지한다.
                                                                 (○ / ×)
(2) B층과 C층은 주로 철로 이루어진 핵으로, 물질의 상태는 B층은 액체, C층은 고체이다. ─── (○ / ×)
(3) 지구 내부 층상 구조의 경계면에서는 밀도가 큰 변화를 보인다. ─── (○ / ×)
(4) (나)에서 지온 상승률은 맨틀보다 외핵에서 크다.
                                                                 (○ / ×)

자료 ④ 지각 평형설

기출 Point
• 에어리설과 프래트설 비교하기
• 조륙 운동과 지각 평형설을 관련지어 이해하기

[1~4] 그림 (가)와 (나)는 지각 평형설을 나타낸 것이다.

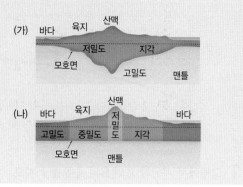

1 (가)와 (나)는 지각 평형설 중에서 어떤 학설인지 각각 쓰시오.

2 현재 육지에서 지형적으로 높은 지역과 낮은 지역의 모호면 깊이가 서로 다르다고 알려져 있다. (가)와 (나) 중에서 이를 설명할 수 있는 학설을 쓰시오.

3 (가) 이론을 근거로 할 때, 지각에서 풍화 및 침식 작용이 진행되는 지역에서는 조륙 운동 중에서 어떤 현상이 일어날지 쓰시오.

4 빈출 선택지로 완벽 정리!

(1) (가)에서 육지는 모두 밀도가 같다. ─── (○ / ×)
(2) (가)에서 모호면의 깊이는 지형에 따라 달라진다.
                                                                 (○ / ×)
(3) (나)에서 모호면의 깊이는 항상 일정하다. (○ / ×)
(4) (나)에서 해발 고도가 높은 지역은 다른 지역에 비해 지각의 밀도가 크다. ─── (○ / ×)
(5) 육지에 퇴적물이 쌓이면 융기가 일어난다. (○ / ×)

내신 만점 문제

A 지진파

01 (가)와 (나)는 지구 내부를 탐사하는 서로 다른 방법을 설명한 것이다.

(가) 원하는 지점의 지하 물질을 채취하여 분석할 수 있지만, 비용이 매우 많이 들고 현재까지 탐사한 깊이는 12 km 정도의 얕은 곳에 한정되어 있다.

(나) 지구 내부에서 지표로 방출된 열량을 측정하여 지구 내부 물질의 열적 성질과 에너지원 분포를 파악한다.

탐사 방법 (가), (나)를 옳게 짝 지은 것은?

	(가)	(나)
①	시추	지각 열류량 연구
②	시추	고온 고압 실험
③	운석 연구	지각 열류량 연구
④	화산 분출물 연구	고온 고압 실험
⑤	화산 분출물 연구	운석 연구

02 그림 (가)와 (나)는 지구 내부를 탐사하는 서로 다른 방법을 나타낸 것이다.

(가) 지진파 연구　　　　(나) 화산 분출물 연구

이에 대한 설명으로 옳은 것만을 [보기]에서 있는 대로 고른 것은?

[보기]
ㄱ. (가)는 지구 내부를 연구하는 직접적인 방법이다.
ㄴ. (나)로 상부 맨틀의 물질을 분석할 수 있다.
ㄷ. 지구 내부의 층상 구조를 밝히는 데는 (가)가 (나)보다 효과적이다.

① ㄱ　　　　② ㄷ　　　　③ ㄱ, ㄴ
④ ㄴ, ㄷ　　　⑤ ㄱ, ㄴ, ㄷ

03 그림은 지구 내부에서 지진에 의해 발생한 에너지가 사방으로 방출되는 모습을 나타낸 것이다.

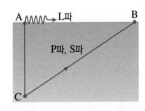

이에 대한 설명으로 옳은 것만을 [보기]에서 있는 대로 고른 것은?

[보기]
ㄱ. A는 진앙, B는 진원이다.
ㄴ. A에서 관측소까지의 거리를 진원 거리라고 한다.
ㄷ. B로부터 거리가 먼 지역일수록 PS시가 길어진다.

① ㄱ　　　　② ㄷ　　　　③ ㄱ, ㄴ
④ ㄴ, ㄷ　　　⑤ ㄱ, ㄴ, ㄷ

04 지진 관측소에서 관측된 지진파(P파, S파, L파)에 대한 설명으로 옳지 <u>않은</u> 것은?

① P파는 가장 빨리 도착한다.
② P파보다 S파의 진폭이 크다.
③ S파는 고체인 매질만 통과한다.
④ S파는 매질의 진동 방향과 파의 진행 방향이 같다.
⑤ 가장 많은 피해를 주는 지진파는 L파이다.

05 그림은 C 지점에서 발생한 지진을 지진 관측소 B에서 관측한 모습을 나타낸 것이다. 이에 대한 설명으로 옳은 것만을 [보기]에서 있는 대로 고른 것은?

[보기]
ㄱ. 지진은 지구 내부 에너지의 방출 과정에서 생긴다.
ㄴ. P파는 S파보다 많은 에너지를 전달할 것이다.
ㄷ. L파는 진앙에서부터 지표면을 따라 이동한다.

① ㄱ　　　　② ㄴ　　　　③ ㄱ, ㄷ
④ ㄴ, ㄷ　　　⑤ ㄱ, ㄴ, ㄷ

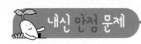

06 그림은 P파와 S파의 전파 모습을 나타낸 것이다.

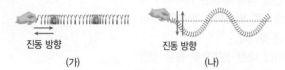

진동 방향 (가)   진동 방향 (나)

이에 대한 설명으로 옳은 것만을 [보기]에서 있는 대로 고른 것은?

[보기]
ㄱ. (가)는 P파, (나)는 S파의 전파 모습이다.
ㄴ. (나)는 (가)보다 더 빠른 속도로 이동한다.
ㄷ. (가)는 (나)보다 더 큰 피해를 발생시키다.

① ㄱ   ② ㄴ   ③ ㄱ, ㄷ
④ ㄴ, ㄷ   ⑤ ㄱ, ㄴ, ㄷ

07 그림은 어떤 지진이 발생하였을 때 관측소 A, B에 도달한 지진파의 기록을 나타낸 것이다.

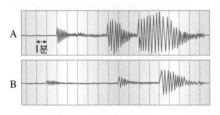

이에 대한 설명으로 옳은 것만을 [보기]에서 있는 대로 고른 것은?

[보기]
ㄱ. PS시는 A보다 B에서 길다.
ㄴ. 진원까지의 거리는 B가 A보다 멀다.
ㄷ. A와 B에 도착한 지진파는 모두 액체 매질을 통과하였다.

① ㄱ   ② ㄷ   ③ ㄱ, ㄴ
④ ㄴ, ㄷ   ⑤ ㄱ, ㄴ, ㄷ

(서술형)
08 그림은 어느 관측소에서 측정한 지진 기록이다.

P파 도착   S파 도착
(01시 16분 43초)   (01시 16분 55초)

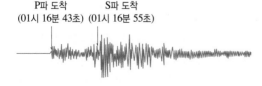

이 관측소에서 진원까지의 거리는 몇 km인지 식을 세워 구하시오. (단, P파의 속도는 8 km/s, S파의 속도는 4 km/s이다.)

09 그림 (가)는 어느 지진 관측소에 도착한 지진의 기록을, (나)는 P파와 S파의 주시 곡선을 나타낸 것이다.

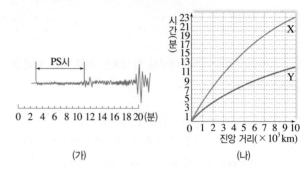

(가)   (나)

이에 대한 설명으로 옳은 것만을 [보기]에서 있는 대로 고른 것은?

[보기]
ㄱ. (가)에서 이 지진의 PS시는 약 8분이다.
ㄴ. (나)의 X는 S파의 곡선, Y는 P파의 곡선이다.
ㄷ. 관측소에서 약 9000 km 떨어진 곳에 진앙이 있다.

① ㄱ   ② ㄷ   ③ ㄱ, ㄴ
④ ㄴ, ㄷ   ⑤ ㄱ, ㄴ, ㄷ

10 그림은 관측소 A, B, C에서 동일한 지진을 관측한 후 진원 거리를 반지름으로 하여 그린 원을 나타낸 것이다.

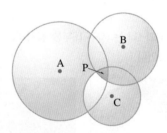

이에 대한 설명으로 옳은 것만을 [보기]에서 있는 대로 고른 것은?

[보기]
ㄱ. PS시는 A보다 C에서 길게 관측된다.
ㄴ. 이 지진의 진앙은 P 영역 내에 위치한다.
ㄷ. 진앙의 위치를 파악하기 위해 3개 이상 관측소의 자료가 필요하다.
ㄹ. A에서 진앙까지 그은 직선에 수직인 현의 길이는 진원의 깊이에 해당한다.

① ㄱ, ㄴ   ② ㄴ, ㄷ   ③ ㄷ, ㄹ
④ ㄱ, ㄴ, ㄹ   ⑤ ㄱ, ㄷ, ㄹ

11 그림은 진원으로부터의 거리가 다른 A, B, C 세 지점에서 관측한 P파의 도착 시간을 나타낸 것이다.

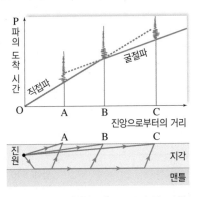

이에 대한 설명으로 옳은 것만을 [보기]에서 있는 대로 고른 것은?

――[보기]――
ㄱ. P파의 속도는 지각보다 맨틀에서 빠르다.
ㄴ. A 지점에는 직접파가 굴절파보다 먼저 도착한다.
ㄷ. C 지점에는 직접파가 도착하지 않는다.
ㄹ. 진앙에서 B 지점까지의 거리는 지각의 두께와 관계없이 일정하다.

① ㄱ, ㄴ   ② ㄴ, ㄷ   ③ ㄷ, ㄹ
④ ㄱ, ㄴ, ㄹ   ⑤ ㄱ, ㄷ, ㄹ

12 그림은 어떤 지진이 발생했을 때 (가)와 (나) 지역에서 관측한 P파의 근거리 주시 곡선을 나타낸 것이다.

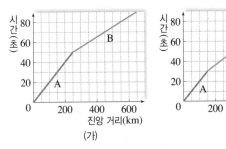

이에 대한 설명으로 옳은 것만을 [보기]에서 있는 대로 고른 것은?

――[보기]――
ㄱ. A는 직접파이고, B는 굴절파이다.
ㄴ. (가) 지역에서 직접파의 속도는 5 km/s이다.
ㄷ. 지각의 두께는 (가) 지역이 (나) 지역보다 두껍다.

① ㄱ   ② ㄷ   ③ ㄱ, ㄴ
④ ㄴ, ㄷ   ⑤ ㄱ, ㄴ, ㄷ

B 지구 내부 구조

13 그림은 지구 내부를 통과하는 지진파의 속도 변화를 나타낸 것이다.

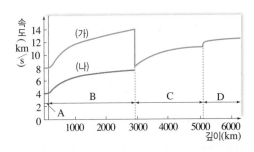

이에 대한 설명으로 옳은 것만을 [보기]에서 있는 대로 고른 것은?

――[보기]――
ㄱ. (가)는 P파에 해당한다.
ㄴ. S파는 C층을 통해 전달되지 못한다.
ㄷ. C층과 D층의 경계에서 구성하는 물질의 성분이 크게 달라진다.

① ㄱ   ② ㄴ   ③ ㄷ
④ ㄱ, ㄴ   ⑤ ㄱ, ㄷ

14 그림 (가)는 지구 내부에서 지진파가 전파되는 경로를, (나)는 A, B, C 지점에서 관측된 지진 기록을 순서 없이 나타낸 것이다.

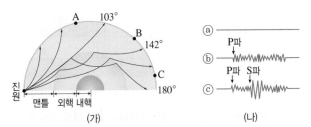

A, B, C 지점에서 관측할 수 있는 지진 기록의 모습을 ⓐ~ⓒ에서 골라 옳게 짝 지은 것은?

	A	B	C			A	B	C
①	ⓐ	ⓑ	ⓒ		②	ⓐ	ⓒ	ⓑ
③	ⓑ	ⓒ	ⓐ		④	ⓒ	ⓐ	ⓑ
⑤	ⓒ	ⓑ	ⓐ					

15 그림은 지구 내부의 층상 구조를 나타낸 것이다.

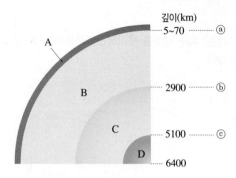

이에 대한 설명으로 옳지 <u>않은</u> 것은?

① A층은 대륙 지각과 해양 지각으로 구분한다.
② B층은 지구 내부에서 가장 많은 부피를 차지한다.
③ ⓑ는 지진파의 암영대가 존재한다는 사실로부터 알게
되었다.
④ C층에서는 S파와 P파가 진행하지 못한다.
⑤ 평균 밀도는 A<B<C<D이다.

16 그림은 지각, 맨틀, 지구 전체에서 구성 원소가 차지하
는 질량비를 나타낸 것이다.

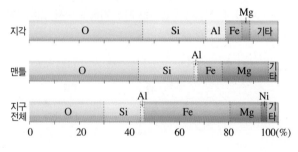

이에 대한 설명으로 옳은 것만을 [보기]에서 있는 대로 고른 것은?

[보기]
ㄱ. 지각은 주로 규산염 광물로 이루어져 있다.
ㄴ. 지구 전체에서 질량비가 가장 큰 원소는 산소이다.
ㄷ. 맨틀의 주요 구성 성분은 지각보다 핵에 가깝다.

① ㄱ   ② ㄷ   ③ ㄱ, ㄴ
④ ㄴ, ㄷ   ⑤ ㄱ, ㄴ, ㄷ

17 그림은 지구 내부에서 온도, 밀도, 압력의 분포를 나타
낸 것이다.

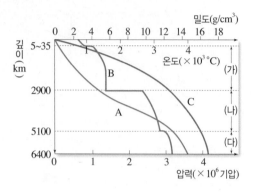

이에 대한 설명으로 옳지 <u>않은</u> 것은?

① A~C는 모두 지구 중심 쪽으로 갈수록 증가한다.
② A는 지구 내부의 압력 분포로, (나)층에서 증가율이
가장 크다.
③ B의 분포는 지진파의 속도에 영향을 준다.
④ C의 증가율은 (다)층에서 가장 작다.
⑤ A~C 중 (가)~(다)층을 구분하는 데 가장 유용한 것
은 C이다.

18 그림은 지구 내부 온도 분포와 맨틀과 철 합금의 용융
온도를 나타낸 것이다.

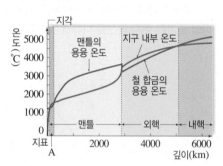

이에 대한 설명으로 옳은 것만을 [보기]에서 있는 대로 고른 것은?

[보기]
ㄱ. A 구간에서는 맨틀 물질이 부분 용융되어 있다.
ㄴ. 외핵에서는 지구 내부 온도가 철 합금의 용융 온도보
다 높다.
ㄷ. 내핵은 철이 용융되어 액체 상태로 되어 있다.

① ㄱ   ② ㄷ   ③ ㄱ, ㄴ
④ ㄴ, ㄷ   ⑤ ㄱ, ㄴ, ㄷ

ⓒ 지각 평형설

19 그림 (가)와 (나)는 모호면의 깊이에 관한 두 가지 학설의 모식도를 나타낸 것이다.

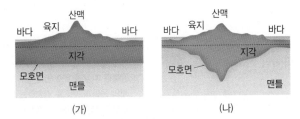

이에 대한 설명으로 옳은 것만을 [보기]에서 있는 대로 고른 것은?

[보기]

ㄱ. (가)와 (나) 모두 지각 평형 상태에 있다.

ㄴ. 실제 모호면의 깊이는 (가)보다 (나)에서 잘 설명된다.

ㄷ. 실제 대륙 지각과 해양 지각의 밀도는 (가)보다 (나)에서 잘 설명된다.

① ㄱ ② ㄷ ③ ㄱ, ㄴ

④ ㄴ, ㄷ ⑤ ㄱ, ㄴ, ㄷ

20 그림은 물에 나무 도막 A를 띄우고, 그 위에 같은 종류의 다른 나무 도막 B를 올리는 모습이다.

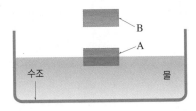

이에 대한 설명으로 옳은 것만을 [보기]에서 있는 대로 고른 것은?

[보기]

ㄱ. 프래트설을 검증하기 위한 실험이다.

ㄴ. 물은 맨틀, 나무 도막은 지각에 해당한다.

ㄷ. 나무 도막 A 위에 B를 올리면, 물속에 잠기는 부분의 두께가 더 두꺼워진다.

ㄹ. B 위에 얼음을 올리면, 얼음이 녹으면서 나무 도막이 떠오른다.

① ㄱ, ㄴ ② ㄱ, ㄷ ③ ㄴ, ㄹ

④ ㄱ, ㄷ, ㄹ ⑤ ㄴ, ㄷ, ㄹ

21 그림은 빙하로 덮여 있던 스칸디나비아반도가 빙하의 융해로 1만 년 동안 융기한 높이를 나타낸 것이다.

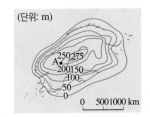

이에 대한 설명으로 옳은 것만을 [보기]에서 있는 대로 고른 것은?

[보기]

ㄱ. 융기량이 적은 곳일수록 빙하가 녹은 양이 많다.

ㄴ. 1만 년 동안 모호면의 깊이는 깊어졌을 것이다.

ㄷ. A 지역의 해발 고도 평균 변화율은 2.5 cm/년이다.

① ㄱ ② ㄷ ③ ㄱ, ㄴ

④ ㄴ, ㄷ ⑤ ㄱ, ㄴ, ㄷ

22 그림은 우리나라 남해안에 발달한 지형을 나타낸 것이다.

이 지형을 만든 지각 운동의 원인으로 옳은 것은?

① 빙하의 융해 ② 지진의 발생

③ 화산의 분출 ④ 횡압력 작용

⑤ 육지에서의 퇴적 작용

(서술형)
23 그림은 대륙 지각과 해양 지각의 단면을 간단히 나타낸 것이다.

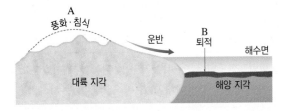

지각 평형설을 근거로 할 때, 시간이 지남에 따라 A와 B 지역의 모호면 깊이 변화를 까닭과 함께 서술하시오.

03 지구의 중력장과 자기장

핵심 포인트
Ⓐ 중력의 크기와 방향 ★★★
단진자를 이용한 중력의 측정 ★★
표준 중력과 중력 이상의 요인 ★★★

Ⓑ 지구 자기의 발생 원리 ★★
지구 자기 3요소 ★★★
지구 자기장의 일변화와 영년 변화 ★★

Ⓐ 지구의 중력장

1. 지구 중력장 지구가 주변에 위치한 물체를 끌어당기는 힘을 *중력이라 하고, 지구의 중력이 작용하는 공간을 지구 중력장이라고 한다.

<small>어떤 힘이 미치는 공간을 역장이라고 한다.</small>

2. 중력을 이루는 힘

(1) 만유인력: 질량을 가진 물체가 서로 잡아당기는 힘

① 크기: 두 물체의 질량(M, m)의 곱에 비례하고, 두 물체 사이 거리(r)의 제곱에 반비례한다. ➡ *지구는 적도에서 극으로 갈수록 반지름이 짧아져 지구 중심과 지구상의 물체 사이의 거리가 짧아지므로 만유인력(F)이 커진다.

↑ 만유인력

$$F = G\frac{Mm}{r^2} \quad (G: 만유인력\ 상수)$$

② 방향: 지구상에서 만유인력은 지구 중심 방향으로 작용한다.

(2) 원심력: 회전하는 물체가 회전축으로부터 멀어지려는 힘

① 크기: 회전하는 물체의 질량(m), 회전축과 물체 사이의 수직 거리(r)에 비례하고, *회전 각속도(w)의 제곱에 비례한다.

➡ 지구는 극에서 적도로 갈수록 회전축과의 거리가 멀어지기 때문에 지구의 원심력(F)은 극에서 0이고, 적도로 갈수록 커진다.

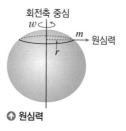
↑ 원심력

$$F = mrw^2 \quad \text{모든 지점에서 회전 각속도}(w)\text{의 크기는 같다.}$$

② 방향: 지구 자전축에 수직으로 멀어지는 방향인 바깥쪽으로 작용한다.

(3) 중력: 만유인력과 원심력의 합력으로 나타난다.

① 크기: 적도에서 최소이고, 고위도로 갈수록 커져 극에서 최대가 된다.

구분	만유인력	원심력	중력(만유인력+원심력)
적도	최소	최대	최소
극	최대	0	최대 → 만유인력=중력

② 방향: 적도와 극에서는 지구 중심을 향하지만, 그 외의 지역에서는 중심에서 약간 벗어난 곳을 향한다.

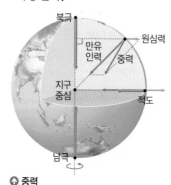
↑ 중력

적도	만유인력과 원심력이 반대 방향으로 작용하므로 중력은 지구 중심을 향한다.
극	원심력의 크기가 0이므로 만유인력이 중력이 되어 중력은 지구 중심을 향한다.

★ 중력
중력은 지상과 우주 공간에서 물체의 운동과 구조를 결정하는 데 중요한 역할을 하는 힘이다. 뉴턴은 천체의 공전을 설명하는 과정에서 만유인력 법칙을 발견하였고, 아인슈타인은 중력이 시공 연속체 속의 질량 때문에 생긴 굽어진 장이라는 이론, 즉 일반 상대성 이론이라 불리는 중력장 이론을 완성하였다.

★ 지구 타원체
균질하고 표면이 매끄러운 타원체로 가정한 이론적인 지구의 모양이다. 지구는 적도 반지름이 약 6378 km, 극반지름이 약 6357 km로, 적도 반지름이 극반지름보다 큰 타원체이다.

★ 회전 각속도
회전하는 물체가 일정한 시간 동안 회전한 각의 크기로, 지구의 회전 각속도는 $\frac{360°}{24시간}$이다.

암기해
위도별 중력, 만유인력, 원심력의 크기

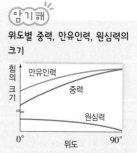

· 만유인력: 고위도로 갈수록 증가
· 원심력: 고위도로 갈수록 감소
· 중력: 고위도로 갈수록 증가

3. 중력의 측정 중력은 지구뿐만 아니라 지구 표면에 있는 물체의 질량에 따라서도 달라지기 때문에 측정하기가 쉽지 않다. 따라서 중력의 작용으로 생기는 가속도인 중력 가속도를 이용하여 측정한다.

★ 중력의 단위
$1\,\text{Gal}=1\,\text{cm/s}^2=10^{-2}\,\text{m/s}^2$
$1\,\text{mGal}=10^{-3}\,\text{Gal}$
$\qquad\quad=10^{-3}\,\text{cm/s}^2$
$\qquad\quad=10^{-5}\,\text{m/s}^2$

(1) 단위: 중력 가속도(g)는 보통 m/s²을 단위로 사용하며, 갈릴레이의 이름을 따서 만든 ★Gal을 사용하기도 한다.

(2) 중력의 크기 측정 방법: 단진자, 자유 낙하하는 물체, 중력계, 인공위성 등을 이용하여 측정한다.

① **★단진자를 이용하는 방법:** 단진자의 주기는 중력 가속도와 단진자의 길이에 따라 달라지므로 단진자의 주기(T)와 단진자의 길이(l)를 측정하여 중력 가속도(g)를 구한다.

➡ 중력이 커질수록 단진자의 주기가 짧아진다.

➡ 단진자의 길이가 길수록 단진자의 주기가 길어진다.

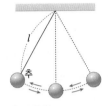

↷ 단진자
단진자의 주기는 추의 질량과는 상관이 없다.

★ 단진자
진자란 고정된 축이나 점의 주위를 일정한 주기로 진동하는 물체로, 가벼운 실에 매달려 작은 진폭으로 왕복 운동을 하는 진자를 단진자라고 한다.

$$T=2\pi\sqrt{\frac{l}{g}} \qquad \therefore g=\frac{4\pi^2 l}{T^2}$$

탐구 자료창 **단진자를 이용한 중력 가속도 측정**

길이가 1 m인 실에 추를 매달아 왕복 운동을 시키고, 단진자가 왕복하는 데 걸린 시간, 즉 단진자의 주기를 여러 번 측정하여 평균값을 구한다.

1. 단진자의 주기

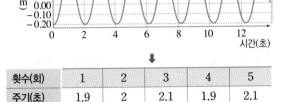

횟수(회)	1	2	3	4	5
주기(초)	1.9	2	2.1	1.9	2.1

2. 단진자의 평균 주기: $\dfrac{1.9+2+2.1+1.9+2.1}{5}=2(\text{초})$

3. 중력 가속도: $g=\dfrac{4\pi^2 l}{T^2}=\dfrac{4(3.14)^2\times1\,\text{m}}{(2\,\text{s})^2}≒9.86\,\text{m/s}^2$

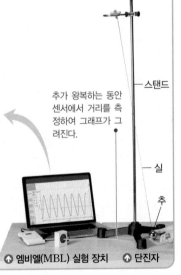

추가 왕복하는 동안 센서에서 거리를 측정하여 그래프가 그려진다.

─스탠드

─실

─추

↷ 엠비엘(MBL) 실험 장치 **↷ 단진자**

★ 자유 낙하
어떤 물체가 처음 속도가 0인 상태에서 단일한 힘인 중력을 받아 일정한 가속도로 운동하는 상태이다.

---

② **★자유 낙하하는 물체를 이용하는 방법:** 높이 h인 곳에서 물체를 자유 낙하시켜 지표면에 도달하는 데 걸린 시간(t)을 측정하여 중력 가속도(g)를 구한다.

물체

h

지표면

↷ 자유 낙하 실험

$$h=\frac{1}{2}gt^2 \qquad \therefore g=\frac{2h}{t^2}$$

③ **★중력계를 이용하는 방법:** 용수철의 길이가 중력의 크기에 비례하여 늘어나므로 용수철의 길이 변화를 이용하여 중력을 측정한다.

용수철의 길이

질량을 알고 있는 금속추

중력

★ 중력계의 원리
중력계는 용수철과 용수철에 연결된 무거운 금속추로 구성되어 있으며, 용수철의 길이 변화는 중력에 비례한다.

4. 중력 이상 어느 지점에서 실제 측정한 중력과 표준 중력의 차이

(1) 중력 이상: 실측 중력−표준 중력

① 표준 중력: 지구 내부의 밀도가 균일하다고 가정했을 때 지구 타원체상에서 위도에 따라 이론적으로 구한 *중력값 ➡ 위도가 같은 경우 표준 중력값은 모두 같다.

② 실측 중력: 중력 측정 방법을 통하여 실제로 측정한 중력값 ➡ 실제로 정밀하게 측정한 중력은 위도가 같더라도 여러 요인에 따라 차이가 난다.

(2) 중력 이상의 요인: 측정 지점에서 지하 물질의 밀도, 해발 고도, 지형의 기복 등

① 지하 물질의 밀도: 지하 물질의 밀도가 큰 곳에서 중력이 크게 측정된다.

지하 물질	중력 이상	예
고밀도	중력이 크게 측정되어 중력 이상이 (+) 값으로 나타난다.	*해양 지역, 철광층, 감람암
저밀도	중력이 작게 측정되어 중력 이상이 (−) 값으로 나타난다.	대륙 지역, 암염층, 원유 매장층

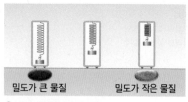

⬆ 밀도에 따른 중력의 측정

⬆ 밀도에 따른 중력 이상

② 해발 고도: 해발 고도가 높을수록 지구 중심에서 멀어지므로 중력이 작게 측정된다.

해발 고도	중력 이상
고도가 높은 지역	중력이 작게 측정되어 중력 이상이 (−) 값으로 나타난다.
고도가 낮은 지역	중력이 크게 측정되어 중력 이상이 (+) 값으로 나타난다.

└ 해발 고도 외의 조건이 같다고 가정할 경우

⬆ 해발 고도에 따른 중력의 측정

③ 지형의 기복: 중력 측정 지점 주변에 *산이나 계곡이 있으면 중력 이상이 나타난다.

5. 중력 탐사 해발 고도나 지형의 기복에 의한 중력 이상을 보정하면, 지하 물질의 밀도에 의한 중력 효과만 남아 이를 이용하여 지하 물질을 추정할 수 있다.

(1) 광물 탐사, 대륙붕 석유 탐사 등 지하에 매장된 자원을 탐사할 수 있다.

(2) 지하의 구조를 연구할 수 있고, 지각 평형에 의한 효과를 확인할 수 있다.

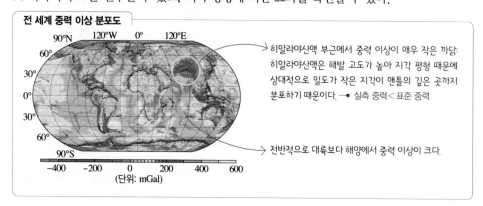

전 세계 중력 이상 분포도

→ 히말라야산맥 부근에서 중력 이상이 매우 작은 까닭: 히말라야산맥은 해발 고도가 높아 지각 평형 때문에 상대적으로 밀도가 작은 지각이 맨틀의 깊은 곳까지 분포하기 때문이다. → 실측 중력<표준 중력

→ 전반적으로 대륙보다 해양에서 중력 이상이 크다.

★ 표준 중력값

지구의 평균 표준 중력값은 약 $9.8 \, m/s^2$으로, 약 980 Gal이다.

★ 해양과 대륙의 중력 이상

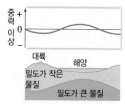

다른 요인이 같다고 가정할 때, 맨틀에 비해 밀도가 작은 지각이 대륙에서는 깊게 들어가 있고, 해양에서는 얕게 들어가 있으므로 같은 위도상에서 대륙보다 해양에서 중력이 크게 측정된다.

★ 지형에 따른 중력 이상

산맥 주변에서는 측정 지점보다 높은 곳에 있는 산맥의 인력이 추를 연직 방향에서 산맥 쪽으로 기울게 하여 중력 이상이 생긴다.

개념 확인 문제

정답친해 14쪽

핵심
체크

- 지구 (❶   ): 지구의 중력이 작용하는 공간
- 중력: 만유인력과 원심력의 합력 ➡ 적도에서 극으로 갈수록 (❷   ).
  - (❸   ): 질량을 가진 물체가 서로 잡아당기는 힘 ➡ 물체 사이의 거리가 (❹   )수록 크다.
  - (❺   ): 회전하는 물체가 회전축으로부터 멀어지려는 힘 ➡ 회전축에서 거리가 (❻   )수록 크다.
- 중력의 측정: (❼   ), 자유 낙하하는 물체, 중력계, 인공위성 등을 이용하여 측정
- 중력 이상: 실측 중력－(❽   )
  - (❾   ): 지구 내부의 밀도가 균일하다고 가정했을 때 지구 타원체상에서 이론적으로 구한 중력값
  - 실측 중력: 중력 측정 방법을 통하여 실제로 측정한 중력값
- 중력 이상의 요인: 지하 물질의 밀도, 해발 고도, 지형의 기복 등 ➡ 중력 이상으로 지하 물질을 탐사할 수 있다.
  - 측정 지점의 지하에 (❾   )밀도 물질 분포: 중력 이상 (＋) 값 예 해양 지역, 철광층, 감람암
  - 측정 지점의 지하에 (❿   )밀도 물질 분포: 중력 이상 (－) 값 예 대륙 지역, 암염층, 원유 매장층

1 ( ) 안에 알맞은 말을 쓰시오.

지구가 지구 주변 지역에 위치한 물체를 끌어당기는 힘을 ㉠(   )이라 하고, 지구의 ㉠(   )이 작용하는 공간을 지구 ㉡(   )이라고 한다.

2 그림은 극, 중위도, 적도의 지구 표면에 있는 물체에 작용하는 힘 A~C를 나타낸 것이다.

(1) 힘 A~C의 명칭을 각각 쓰시오.

(2) 힘 A와 B의 크기가 같은 지점을 쓰시오.

(3) 힘 B의 방향이 지구 중심을 향하는 지점을 모두 쓰시오.

3 그림 (가)와 같은 단진자 운동을 측정하여 (나)와 같은 운동 속도 변화를 얻었을 때, 단진자의 주기를 쓰시오.

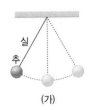

(가)

(나)

4 표는 길이가 **1 m**인 단진자가 **10회** 왕복한 시간을 **5회** 측정한 결과를 나타낸 것이다.

측정 횟수	1회	2회	3회	4회	5회
10회 왕복 시간(초)	20.09	20.11	20.09	20.10	20.11

(1) 단진자의 평균 주기는 몇 초인가?

(2) 중력 가속도는 몇 m/s^{2}인지 구하여 소수점 셋째 자리에서 반올림하시오. (단, $\pi = 3.14$)

5 그림은 위도와 해발 고도가 같고 지하에 밀도가 다른 물질이 매장되어 있는 A와 B 지역의 중력 이상을 나타낸 것이다.

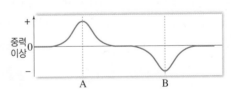

(1) 표준 중력은 A가 B보다(와) (작다, 크다, 같다).
(2) 실측 중력은 A가 B보다(와) (작다, 크다, 같다).
(3) 지하 물질의 밀도는 A가 B보다(와) (작다, 크다, 같다).

6 다른 조건이 동일할 때, 해발 고도가 높은 곳은 지구 중심으로부터 거리가 ㉠(가까워, 멀어) 중력이 ㉡(작게, 크게) 측정된다.

B 지구의 자기장

1. 지구 자기장 지구 자기력이 영향을 미치는 공간

(1) **지구 자기장의 방향**: 지구 자기의 축은 지구 자전축에 대해 약 11.5° 기울어져 있어 나침반이 가리키는 자북극은 지리상의 북극과 일치하지 않는다.

(2) **다이너모 이론**: 철과 니켈 등으로 이루어진 액체 상태의 외핵에서 *열대류가 생겨 *유도 전류가 발생하고, 이 전류가 흐르면서 지구 자기장이 발생한다는 이론

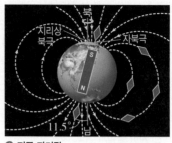
⊙ 지구 자기장

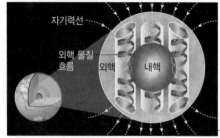

다이너모 이론에서 자기장의 발생 원리

❶ 액체 상태인 외핵에서 지구의 자전, 핵 내부의 온도 차이, 밀도 차이 등의 영향으로 열대류가 발생한다.

❷ 전하를 띤 외핵의 물질이 열대류를 따라 이동하면서 유도 전류가 발생한다.
   └→ 금속 성분의 외핵에는 수많은 자유 전자가 있다.

❸ 유도 전류가 발생하여 흐르면서 지구 주변에 자기장이 발생한다.

└→ 현재 지구 자기장의 발생 원리를 가장 잘 설명하는 이론이다.

2. 지구 자기 3요소 편각, 복각, 수평 자기력
└→ 한 지점에서 지구 자기장의 방향과 세기를 나타내는 요소

(1) **편각**: 진북과 자북 사이의 각

① **진북**: 지리상 북극의 방향

② **자북**: 자북극의 방향(나침반의 N극이 가리키는 방향)

③ **편각의 표시**: 진북에서 자북이 동쪽으로 치우치면 (+) 또는 E, 서쪽으로 치우치면 (−) 또는 W로 표시한다.

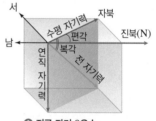
⊙ 지구 자기 3요소

(2) **복각**: 나침반의 자침이 수평면에 대해 기울어진 각 → 자침은 전 자기력을 따라 기울어진다.

① **복각의 표시**: 자침의 N극이 아래로 내려가면 (+), 위로 올라가면 (−)로 표시한다.

② **복각의 크기**: 자기 적도에서 0°, 자극에서 90°이다. → 자북극: +90°, 자남극: −90°

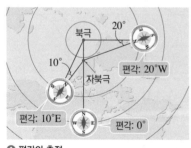
⊙ 편각의 측정

⊙ 복각의 측정

(3) **수평 자기력**: 어느 지점에서 자침의 N극에 작용하는 자기력의 세기를 전 자기력이라 하고, 이 힘의 수평 성분을 수평 자기력, 연직 성분을 연직 자기력이라고 한다.

① **자기 적도**: 복각이 0°이므로 수평 자기력은 최대이고, 연직 자기력은 0이다.

② **자극**: 복각이 90°이므로 수평 자기력은 0이고, 연직 자기력은 최대이다.

★ **열대류**
액체가 가열되면 가벼워져 상승하고 냉각되면 무거워져 가라앉으면서 지속적으로 열이 이동하는 현상

★ **유도 전류**
자석과 코일의 상대적인 운동으로 코일에 전류가 흐르는 현상을 전자기 유도라 하고, 이때 흐르는 전류를 유도 전류라고 한다. 자기장이 있는 곳에서 도체 회전판이 회전하면 유도 전류가 발생하고 이 전류에 의해 유도 자기장이 생긴다.

암기해

• 지구 자기 3요소
  : 편각, 복각, 수평 자기력

• 복각과 자기력 세기

구분	자기 적도	자극
복각	0°	90°
수평 자기력	최대	0
연직 자기력	0	최대

3. 지구 자기장의 변화 지구 자기장의 세기와 방향은 일정하지 않고 계속 변화한다.

(1) 일변화: 지구 자기장이 하루를 주기로 보이는 변화 → • 일변화량은 비교적 작고 위도에 따라 다르게 나타난다.

① 원인: 태양 고도가 변함에 따라 태양 에너지에 의해 지구 대기의 ❶전리층에 형성된 유도 전류가 자기장을 발생시키는 정도가 달라지기 때문에 일변화가 발생한다.

② 특징: *밤보다 낮에, 겨울보다 여름에 일변화가 크게 나타난다.

(2) 자기 폭풍: 지구 자기장이 수 시간에서 수일에 걸쳐 급격하게 변하는 현상

① 원인: 태양 활동이 활발할 때 흑점 주변에서 강한 플레어가 발생하면 ❷태양풍이 강해지고, 지구로 유입되는 대전 입자 수가 많아져 자기장에 부딪히면서 자기 폭풍이 발생한다.

② 특징: 자기 폭풍이 발생하면 지구에서 *오로라 발생이 증가한다.

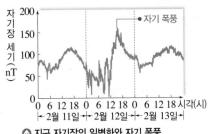

↑ 지구 자기장의 일변화와 자기 폭풍

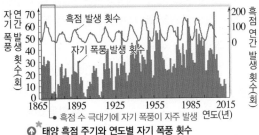

↑ 태양 흑점 주기와 연도별 자기 폭풍 횟수

(3) 영년 변화: 지구 자기장의 세기와 방향이 오랜 세월에 걸쳐 서서히 변하는 현상

① 원인: 지구 내부에서 외핵의 열대류가 변하기 때문에 나타나는 것으로 추정된다.

② 특징: 자극의 이동, 지자기 역전 등이 일어나 편각과 복각의 크기, 자기력 세기가 변한다.

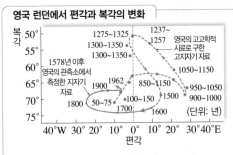

영국 런던에서 편각과 복각의 변화

- 런던이 자북극에 가장 가까웠을 때: 1700년
  ➡ 복각이 가장 클 때
- 진북과 자북이 일치한 횟수: 4회 ➡ 편각이 0°일 때

해저에서의 지자기 역전 띠

- 지자기 역전: 지구 자기의 극이 바뀌는 현상으로, 지질 시대 동안 반복적으로 바뀌어 왔다.
- 현재와 지자기 방향이 같은 시기가 정자극기이다.

4. 지구 자기권과 밴앨런대

(1) 자기권: 지구 자기장이 대전 입자들의 운동에 영향을 미치는 공간

(2) 밴앨런대: 지구 자기장의 영향으로 자기권 내에서 대전 입자들이 도넛 모양으로 밀집되어 있는 부분

① 구성: 고에너지 양성자($>100\,\text{MeV}$)가 밀집된 내대와 고에너지 전자($0.1\,\text{MeV} \sim 10\,\text{MeV}$)가 밀집된 외대로 구성된다.

② 역할: 우주로부터 날아오는 고에너지 입자를 붙잡아 지구의 생명체를 보호한다.

자기권: 태양 쪽은 지구 반지름의 약 10배, 태양 반대쪽은 태양풍에 의한 압력을 적게 받기 때문에 지구 반지름의 약 100배 정도의 크기이다.

↑ 지구 자기권과 밴앨런대

★ **지구 자기의 일변화**
복각과 편각 모두 밤보다 낮에, 겨울보다 여름에 일변화가 크다.

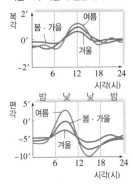

★ **오로라(Aurora)**
극에 가까운 지역에서 태양풍과 함께 날아온 대전 입자가 지구 대기의 분자와 충돌하면서 빛을 발생시키는 현상이다.

★ **태양 활동이 활발할 때 지구에서 발생하는 현상**
태양 활동이 활발하면 평소보다 많은 대전 입자와 강한 X선 및 자외선이 방출되어 자기 폭풍 발생, 오로라 발생 증가, ❸델린저 현상 등이 일어난다.

┌ 용어 ┐

❶ 전리층(電 전기, 離 떨어지다, 層 층) 지구 대기의 열권에서 태양 복사 에너지에 의해 대기 성분이 이온화된 층

❷ 태양풍 태양에서 우주 공간으로 방출되는 고에너지 대전 입자(전기를 띠는 입자)의 흐름

❸ 델린저 현상 강한 태양의 플레어에서 방출된 전자기파에 의해 지구의 전리층이 교란되어 발생하는 장거리 무선 통신 두절 현상

개념 확인 문제

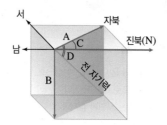

정답친해 15쪽

핵심 체크

- (❶   ): 지구 자기력이 영향을 미치는 공간
- (❷   ): 외핵에서 열대류가 생겨 유도 전류가 발생하고, 이 전류가 흐르면서 지구 자기장이 발생한다는 이론
- 지구 자기 3요소

(❸)	(❹)	(❺)
진북과 자북 사이의 각	나침반의 자침이 수평면에 대해 기울어진 각	어느 지점에서 전 자기력의 수평 성분

- 지구 자기장의 변화
  - 일변화: 지구 자기장이 하루를 주기로 보이는 변화
  - (❻   ): 지구 자기장이 수 시간에서 수일에 걸쳐 급격하게 변하는 현상
  - (❼   ): 지구 자기장의 세기와 방향이 오랜 세월에 걸쳐 서서히 변하는 현상
- (❽   ): 지구 자기장의 영향으로 자기권 내에서 대전 입자들이 도넛 모양으로 밀집되어 있는 부분

---

1 지구 자기장에 대한 설명으로 옳은 것은 ○, 옳지 <u>않은</u> 것은 ×로 표시하시오.

(1) 나침반의 N극은 자남극을 가리킨다. ·············· (   )

(2) 북반구에서는 나침반의 N극이 지표 쪽을 향하고, 남반구에서는 S극이 지표 쪽을 향한다. ·············· (   )

(3) 지구 자기의 축은 지구 자전축에 대해 약 11.5° 기울어져 있다. ·············· (   )

(4) 자북극과 지리상의 북극은 일치한다. ·············· (   )

2 그림은 어느 지역에서의 지구 자기 요소를 나타낸 것이다.
A~D는 각각 무엇을 표시하는지 쓰시오.

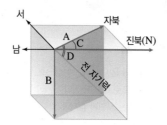

3 지구 자기 3요소에 대한 설명 중 (   ) 안에 알맞은 말을 고르시오.

(1) 편각은 진북을 기준으로 자북이 동쪽으로 치우쳐 있으면 ㉠(+, −) 또는 ㉡(E, W)로 표시한다.

(2) 복각은 자기 적도에서 ㉠(−90°, 0°, +90°)이고, 자북극에서는 ㉡(−90°, 0°, +90°)이다.

(3) 수평 자기력은 자기 적도에서 ㉠(0, 최대)이고, 자극에서 ㉡(0, 최대)이다.

4 지구 자기장의 일변화에 대한 설명 중 (   ) 안에 알맞은 말을 고르시오.

(1) (지구 내부 에너지, 태양 에너지)의 영향으로 지구 대기의 전리층이 영향을 받는 정도가 달라지기 때문에 지구 자기장의 일변화가 발생한다.

(2) 밤보다 낮에 일변화가 (작다, 크다).

(3) 겨울보다 여름에 일변화가 (작다, 크다).

5 그림은 태양의 흑점 수 변화 자료이다.
A 시기에 지구 자기장 변화로 나타나는 현상을 <u>두 가지만</u> 쓰시오.

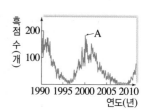

6 지구 자기장의 영년 변화가 나타나는 원인을 쓰시오.

7 지구 자기권에 대한 설명 중 (   ) 안에 알맞은 말을 쓰시오.

> 지구 자기장의 영향으로 대전 입자들이 밀집되어 있는 부분을 ㉠(   )라 하며, 내대에는 주로 ㉡(   )가, 외대에는 주로 ㉢(   )가 분포한다.

대표 자료 분석

자료 ① 중력의 크기와 측정

기출 Point
- 위도별 만유인력, 중력, 원심력의 크기 이해하기
- 단진자를 이용하여 중력 가속도 측정하기

[1~4] 그림 (가)는 각 위도에서 물체에 작용하는 만유인력, 중력, 원심력을 나타낸 것이고, (나)는 단진자를 이용하여 중력을 측정하는 모습을 나타낸 것이다.

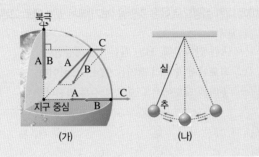

(가)　　　(나)

1 (가)에서 힘 A~C의 크기 변화를 쓰시오.

(1) A: 고위도로 갈수록 (　　　).

(2) B: 고위도로 갈수록 (　　　).

(3) C: 고위도로 갈수록 (　　　).

2 (나)에서 단진자의 주기 변화를 쓰시오.

(1) 중력이 커지면, 단진자의 주기는 (　　　).

(2) 실을 길게 하면, 단진자의 주기는 (　　　).

3 적도, 중위도, 극에서 중력을 측정할 때, 단진자의 주기가 긴 곳부터 순서대로 쓰시오.

4 빈출 선택지로 완벽 정리!

(1) B는 A와 C의 합력에 해당한다. ────── (○ / ×)

(2) 극에서는 A와 B의 크기가 같다. ────── (○ / ×)

(3) C보다 A가 B에 더 큰 영향을 미친다. ─── (○ / ×)

(4) A의 방향은 항상 지구 중심을 향한다. ─── (○ / ×)

(5) B의 방향은 항상 지구 중심을 향한다. ─── (○ / ×)

(6) 단진자의 주기는 추의 질량이 클수록 길다. (○ / ×)

자료 ② 지구 자기 3요소

기출 Point
- 지구 자기 3요소 이해하기
- 측정 위치에 따른 지구 자기장의 변화 파악하기

[1~3] 그림 (가)는 북반구 어느 지역에서 지구 자기의 요소를 나타낸 것이고, (나)는 우리나라의 편각과 복각의 분포를 조사한 자료이다.

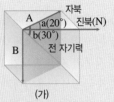

(가)

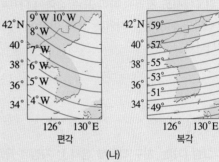

편각　　　복각

(나)

1 (가)에서 이 지역의 편각과 복각을 쓰시오.

2 (나)에서 제주도에서 서울로 이동할 때의 변화에 대한 설명 중 (　　　) 안에 알맞은 말을 고르시오.

(1) 편각과 복각의 크기는 (커진다, 작아진다).

(2) 진북에 대하여 나침반의 자침은 더 (시계 반대 방향, 시계 방향)으로 돌아간다.

(3) 수평면에서 나침반의 자침이 기울어진 각의 크기는 점점 (커진다 , 작아진다).

3 빈출 선택지로 완벽 정리!

(1) 전 자기력의 세기가 일정한 경우, 자북극으로 갈수록 A와 B의 크기는 커진다. ────── (○ / ×)

(2) 자북극을 향해 직선으로 이동하는 경우, a의 크기는 감소한다. ────── (○ / ×)

(3) 자기 적도에서 자극으로 갈수록 b의 크기가 커진다. ────────────── (○ / ×)

(4) (나)의 제주도에서는 나침반의 자침의 방향에 대하여 진북이 동쪽으로 약 4° 떨어져 있다. ─── (○ / ×)

내신 만점 문제

A 지구의 중력장

01 지구의 중력장에 대한 설명으로 옳은 것은?

① 물체의 질량이 2배가 되면 지구와 물체 사이에 작용하는 만유인력은 4배가 된다.

② 지구의 자전 속도가 느려지면 원심력은 커진다.

③ 북극에서 만유인력과 중력의 방향은 같다.

④ 같은 위도에서도 지역에 따라 표준 중력이 다르다.

⑤ 지하에 암염층이 있는 지역은 중력 이상이 (+) 값으로 나타난다.

[02~03] 그림 (가)는 지구 타원체 상의 P 지점에 작용하는 힘 A~C를 나타낸 것이고, (나)는 지구 타원체 상의 두 지점 X와 Y를 나타낸 것이다.

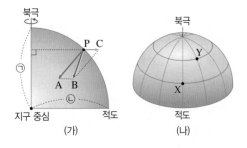

(가) (나)

02 (가)에 대한 설명으로 옳은 것은?

① 지구의 반지름은 ㉠이 ㉡보다 더 길다.

② A는 중력, B는 만유인력이다.

③ A의 크기는 적도에서 가장 크다.

④ C의 크기는 적도보다 북극에서 더 크다.

⑤ 북극에서는 A와 B의 크기가 같다.

03 (가)의 A~C 중 (나)의 X 지점에서 Y 지점으로 갈수록 커지는 힘을 모두 쓰시오.

04 그림은 지구 중력을 이루고 있는 만유인력과 원심력의 크기를 위도별로 측정하여 나타낸 것이다.

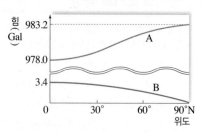

이에 대한 설명으로 옳은 것만을 [보기]에서 있는 대로 고른 것은?

[보기]

ㄱ. A는 만유인력, B는 원심력에 해당한다.

ㄴ. 적도에서 중력의 크기는 974.6 Gal이다.

ㄷ. 중력은 적도에서 극으로 갈수록 커진다.

① ㄱ   ② ㄷ   ③ ㄱ, ㄴ

④ ㄴ, ㄷ   ⑤ ㄱ, ㄴ, ㄷ

05 그림은 중력을 측정하기 위한 단진자의 모습을, 표는 위도가 다른 두 지역 A, B에서 이 단진자가 10회 왕복하는 데 걸린 시간을 나타낸 것이다.

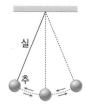

지역	10회 왕복 시간(초)
A	20.05
B	20.04

이에 대한 설명으로 옳은 것만을 [보기]에서 있는 대로 고른 것은? (단, 두 지역에서 위도 이외의 요인은 같다.)

[보기]

ㄱ. A 지역에서 단진자의 주기는 2.005초이다.

ㄴ. 중력의 크기는 A보다 B 지역에서 크다.

ㄷ. A 지역은 B 지역보다 고위도에 있다.

① ㄱ   ② ㄷ   ③ ㄱ, ㄴ

④ ㄴ, ㄷ   ⑤ ㄱ, ㄴ, ㄷ

06 그림은 위도가 다른 두 지역 (가)와 (나)에서 같은 용수철에 같은 물체 A를 달았을 때, 용수철이 늘어난 길이를 나타낸 것이다.

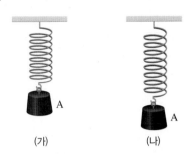

(가)　　　　(나)

이에 대한 설명으로 옳은 것만을 [보기]에서 있는 대로 고른 것은? (단, 두 지역의 위도 외의 조건은 같다고 가정한다.)

[보기]
ㄱ. (가) 지역은 (나) 지역보다 고위도이다.
ㄴ. (가) 지역은 (나) 지역보다 만유인력이 더 크다.
ㄷ. (가) 지역은 (나) 지역보다 원심력이 더 크게 작용한다.

① ㄱ　　　　② ㄷ　　　　③ ㄱ, ㄴ
④ ㄴ, ㄷ　　　⑤ ㄱ, ㄴ, ㄷ

07 그림은 A 지역 주변의 중력 이상을 나타낸 것이다.

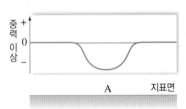

A 지역에 대한 설명으로 옳은 것만을 [보기]에서 있는 대로 고른 것은? (단, 밀도 이외의 요인은 영향을 미치지 않는다고 가정한다.)

[보기]
ㄱ. 실측 중력이 표준 중력보다 크다.
ㄴ. 지하에 주변 지역보다 밀도가 작은 물질이 분포한다.
ㄷ. 지하에 철광상이 있으면 이와 같은 중력 이상 분포가 나타난다.

① ㄱ　　　　② ㄴ　　　　③ ㄱ, ㄷ
④ ㄴ, ㄷ　　　⑤ ㄱ, ㄴ, ㄷ

08 그림은 전 세계 중력 이상 분포도이다.

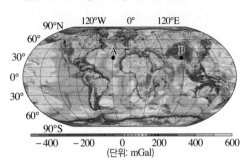

이에 대한 설명으로 옳은 것만을 [보기]에서 있는 대로 고른 것은?

[보기]
ㄱ. A 지역과 B 지역의 표준 중력은 같다.
ㄴ. A 지역은 B 지역보다 실측 중력이 크다.
ㄷ. 중력 이상으로 지각 평형의 효과를 알 수 있다.

① ㄱ　　　　② ㄷ　　　　③ ㄱ, ㄴ
④ ㄴ, ㄷ　　　⑤ ㄱ, ㄴ, ㄷ

B 지구의 자기장

서술형
09 다이너모 이론에 따른 지구 자기장의 발생 원리를 다음 단어를 모두 포함하여 서술하시오.

열대류, 유도 전류, 자기장

10 그림은 북반구에서 P 지점의 지구 자기 요소를 나타낸 것이다. 이에 대한 설명으로 옳은 것은?

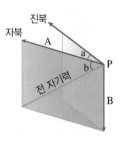

① a는 복각, b는 편각이다.
② a가 클수록 힘 A의 크기가 크다.
③ B의 크기는 자극에서 최대이다.
④ 나침반의 자침은 진북에 대해 동쪽을 가리킨다.
⑤ A는 자기 적도와 자극에서 같은 크기로 작용한다.

11 그림은 지리상 북극, 자북극, 지표상의 지점 A∼C의 위치를 나타낸 것이다.

이에 대한 설명으로 옳은 것만을 [보기]에서 있는 대로 고른 것은? (단, A∼C 지점에서 전 자기력의 크기는 같다.)

┌─[보기]─────────────────┐
ㄱ. A에서는 동편각이 나타난다.
ㄴ. 복각은 B보다 C에서 크다.
ㄷ. 수평 자기력의 크기는 B보다 C에서 크다.
└────────────────────────┘

① ㄱ   ② ㄷ   ③ ㄱ, ㄴ
④ ㄴ, ㄷ   ⑤ ㄱ, ㄴ, ㄷ

12 그림은 우리나라 주변의 편각, 복각, 전 자기력을 나타낸 것이다.

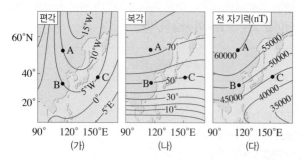

이에 대한 설명으로 옳은 것만을 [보기]에서 있는 대로 고른 것은?

┌─[보기]─────────────────┐
ㄱ. A 지점은 B 지점보다 나침반의 자침이 가리키는 방향이 진북에 더 가깝다.
ㄴ. A 지점은 C 지점보다 나침반의 자침이 수평면에 대하여 이루는 각이 더 크다.
ㄷ. B 지점은 C 지점보다 연직 자기력이 더 강하다.
└────────────────────────┘

① ㄱ   ② ㄷ   ③ ㄱ, ㄴ
④ ㄴ, ㄷ   ⑤ ㄱ, ㄴ, ㄷ

13 그림과 같이 서울의 편각은 현재 6.5°W이다.

서울에서 북극성을 바라보는 방향으로 계속 나아간다고 가정할 때 편각의 크기는 어떻게 변하는지 쓰시오.

14 그림은 어느 지역에서 하루 동안의 편각 변화를 계절별로 나타낸 것이다.

이에 대한 설명으로 옳은 것만을 [보기]에서 있는 대로 고른 것은?

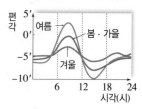

┌─[보기]─────────────────┐
ㄱ. 여름보다 겨울에 편각의 변화가 더 크다.
ㄴ. 낮보다는 밤에 편각의 변화가 더 크다.
ㄷ. 태양 고도가 변하여 편각의 변화가 나타난다.
└────────────────────────┘

① ㄱ   ② ㄷ   ③ ㄱ, ㄴ
④ ㄴ, ㄷ   ⑤ ㄱ, ㄴ, ㄷ

15 서술형
그림은 과거 약 140년 동안 자기 폭풍의 발생 횟수와 태양 흑점 수 변화를 비교한 자료이다.

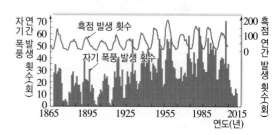

자료를 해석하여 흑점 수 변화와 자기 폭풍 발생 사이의 관계를 서술하시오.

16 다음은 어떤 사건을 간략하게 설명한 것이다.

> 1989년 3월, 퀘백 수력 발전소 시스템의 주전력 전송선 중의 한 부분에서 일어난 변압기 파손으로 전체 전력 배전망이 붕괴되었다. 변압기 파손은 대기 상층부의 우주 환경 교란으로 유도된 전류가 직접적인 원인이었다. 이러한 현상이 발생한 시기에는 오로라가 자주 발생한다.

이 현상에 대하여 옳게 설명한 학생만을 [보기]에서 있는 대로 고른 것은?

─〔보기〕─
• 철민: 태양 활동이 매우 활발한 시기에 잘 발생해.
• 희진: 이 사건이 일어났을 때 외핵에서 열대류의 형태가 급격히 변했을 거야.
• 지수: 오로라는 적도 상공에서 잘 나타나는 현상이야.

① 철민　　　② 지수　　　③ 철민, 희진
④ 희진, 지수　　　⑤ 철민, 희진, 지수

17 그림은 50년 이후 영국 런던에서 일어난 편각과 복각의 시간에 따른 변화를 나타낸 것이다.

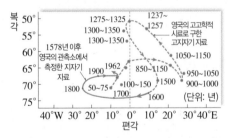

이 기간 동안의 지구 자기 변화에 대한 설명으로 옳은 것만을 [보기]에서 있는 대로 고른 것은?

─〔보기〕─
ㄱ. 런던에서는 자북과 진북 사이의 각이 0°인 적이 있다.
ㄴ. 런던은 1275년~1325년에 자북극에서 가장 가까운 곳에 있었다.
ㄷ. 이 기간 동안 자북극의 위치는 변하지 않았다.

① ㄱ　　　② ㄴ　　　③ ㄱ, ㄷ
④ ㄴ, ㄷ　　　⑤ ㄱ, ㄴ, ㄷ

18 그림은 1900년 이후 2015년까지 자북극의 위치 변화를 조사하여 나타낸 것이다.

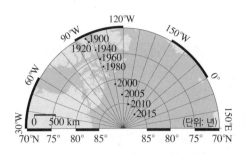

이에 대한 설명으로 옳은 것만을 [보기]에서 있는 대로 고른 것은?

─〔보기〕─
ㄱ. 지리상 북극에서 측정한 복각의 크기는 1900년 이후 증가하였다.
ㄴ. 1900년~2015년 사이에 지구 자기가 역전되었다.
ㄷ. 이와 같은 자북극의 위치 이동은 지구 내부의 변동 때문에 생긴다.

① ㄱ　　　② ㄴ　　　③ ㄷ
④ ㄱ, ㄷ　　　⑤ ㄴ, ㄷ

19 그림은 자기권과 밴앨런대를 나타낸 것이다.

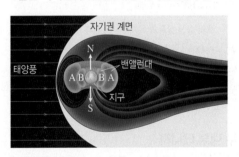

이에 대한 설명으로 옳은 것만을 [보기]에서 있는 대로 고른 것은?

─〔보기〕─
ㄱ. 자기권은 태양 쪽보다 태양의 반대쪽으로 길게 분포한다.
ㄴ. A에는 주로 양성자가, B에는 주로 전자가 분포한다.
ㄷ. 밴앨런대는 지구의 생명체를 보호하는 역할을 한다.

① ㄱ　　　② ㄴ　　　③ ㄱ, ㄷ
④ ㄴ, ㄷ　　　⑤ ㄱ, ㄴ, ㄷ

01 지구의 탄생과 지구 내부 에너지

1. 지구의 탄생

(1) 태양계의 형성: 우리은하 나선팔에서 초신성 폭발 등의 영향으로 생성된 태양계 성운이 수축하여 중심에서 태양이, 원반에서 행성이 형성되었다.

(❶) 행성	태양에 가까운 곳에서 형성, 밀도가 큼, 암석 성분의 행성 ➡ 수성, 금성, 지구, 화성
(❷) 행성	태양에서 먼 곳에서 형성, 밀도가 작음, 기체 성분의 행성 ➡ 목성, 토성, 천왕성, 해왕성

(2) 원시 지구의 진화

미행성체 충돌	마그마 바다 형성	핵과 맨틀의 분리
수많은 미행성체의 충돌로 지구의 크기와 온도 증가 ➡	방사성 동위 원소의 붕괴열, 미행성체의 충돌열 등에 의해 마그마 바다 형성 ➡	(❸)에 의해 무거운 물질은 핵으로, 가벼운 물질은 맨틀로 분리

원시 지각의 형성	원시 바다의 형성
➡ 미행성체 충돌 감소로 지구 온도가 낮아지면서 지구 표면이 식어 원시 지각 형성	화산 활동으로 방출된 수증기가 응결하여 내린 빗물이 지각에 모여 원시 바다 형성

(3) 수권, 기권, 생물권의 변화

수권	해저 화산 활동과 육지로부터 염류가 공급되어 염분 증가
기권	• (❹): 원시 바다에 녹아 대기 중의 양 감소 • 산소: 광합성 생물이 등장한 후 대기 중의 양 증가
생물권	바다에서 생명체 출현 → 오존층 형성 → 육상 생물의 진화

2. 지구 내부 에너지

지구 내부 에너지의 열원	미행성체의 충돌열, 중력 수축으로 발생한 열에너지, 핵과 맨틀이 분리될 때 발생한 열에너지, 방사성 동위 원소의 붕괴열 • 암석의 방사성 동위 원소 함량: 화강암>현무암>감람암 • 단위 부피당 방사성 동위 원소의 방출 열량: 대륙 지각>해양 지각>맨틀 • 전체 방사성 동위 원소의 방출 열량: 맨틀>지각
지각 열류량	지구 내부 에너지가 $1 m^2$의 지표면에 1초 동안 방출되는 열량 ➡ 지각 열류량이 (❺) 곳에서 지각 변동 활발 • 지각 열류량이 높은 곳: 해령, 열점, 호상 열도, 화산대 • 지각 열류량이 낮은 곳: 해구, 대륙의 중앙부, 순상지

02 지구 내부 구조

1. 지구 내부 구조를 연구하는 대표적인 방법 지진파 연구

2. 지진파 지구 내부에 축적된 탄성 에너지가 갑자기 방출되어 파동의 형태로 전달되는 것

(1) 진원과 진앙: 지진이 발생한 지점을 진원, 진원에서 연직 방향으로 지표면과 만나는 지점을 진앙이라고 한다.

(2) 지진파의 종류와 특성

지진파	종류		전파 속도	진폭	피해	통과 매질
(❻)	실체파	종파	5 km/s ~8 km/s	작다	작다	고체, 액체, 기체
(❼)		횡파	4 km/s	중간	크다	고체
L파	표면파		2 km/s ~3 km/s	크다	매우 크다	지표면으로만 전달

3. 지진 기록 해석

(1) PS시와 진원 거리

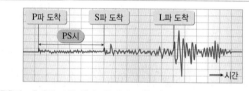

• PS시=S파의 도착 시각−P파의 도착 시각
• 진원 거리(d): PS시가 (❾) 진원 거리가 멀다.

$$d = \frac{V_P \times V_S}{V_P - V_S} \times PS시 \ (V_P: \text{P파의 속도}, V_S: \text{S파의 속도})$$

(2) 주시 곡선과 진앙 거리

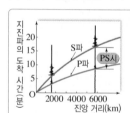

• 주시 곡선: 진앙 거리에 따른 P파와 S파의 도착 시간을 나타낸 그래프
• 진앙 거리: PS시가 (❾) 진앙 거리가 멀다.

(3) 근거리 주시 곡선과 지각의 두께: 교차 거리(직접파의 도착 시간과 굴절파의 도착 시간이 같은 지점까지의 거리)가 멀수록 지각의 두께(d)가 (❿).

$$d = \frac{l}{2} \times \sqrt{\frac{V_2 - V_1}{V_2 + V_1}} \ \left(\begin{array}{l} l: \text{교차 거리} \\ V_1: \text{지각에서 지진파의 전파 속도} \\ V_2: \text{맨틀에서 지진파의 전파 속도} \end{array} \right)$$

4. 지구 내부 구조

(1) **지구 내부의 층상 구조**: 지진파의 속도 변화를 기준으로 지각, 맨틀, 외핵, 내핵으로 구분한다.

(2) **지구 내부 층상 구조의 경계면**

모호면	해양 지각보다 대륙 지각에서 깊다.
구텐베르크 불연속면	• P파 암영대로 구텐베르크면의 존재를 확인하였다. • S파 암영대로 외핵이 (⑪　　　) 상태임을 확인하였다. ➡ S파는 액체 상태의 매질을 통과하지 못하기 때문이다. 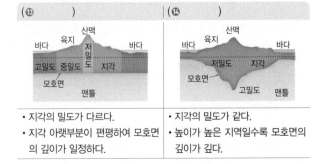 **↑ 지진파의 전파 경로와 암영대**
레만 불연속면	P파 암영대에 약한 P파가 도착한 사실로 존재를 확인하였다.

(3) **지구 내부 각 층의 특징과 구성 물질**

지각	• 대륙 지각은 해양 지각보다 두껍고 밀도가 작다. • 구성 물질: 화강암질 암석(대륙 지각), 현무암질 암석(해양 지각) ➡ 주로 규산염 광물
맨틀	• 지구 전체 부피의 약 82 %를 차지 • 구성 물질: 감람암질 암석 ➡ 주로 규산염 광물
핵	• 외핵은 (⑪　　　) 상태, 내핵은 (⑫　　　) 상태 • 구성 물질: 주로 철

(4) **지구 내부의 물리량 분포**: 지구 중심으로 갈수록 압력과 온도가 증가하고, 밀도는 각 불연속면에서 크게 증가한다.

5. 지각 평형설

(1) **지각 평형설**

(⑬　　　)	(⑭　　　)
• 지각의 밀도가 다르다. • 지각 아랫부분이 편평하여 모호면의 깊이가 일정하다.	• 지각의 밀도가 같다. • 높이가 높은 지역일수록 모호면의 깊이가 깊다.

(2) **조륙 운동과 지각 평형**: 지각이 침식되면 융기가 일어나고, 퇴적물이 쌓이면 (⑮　　　)이 일어난다.

---

03 지구의 중력장과 자기장

1. 지구 중력장

(1) **중력**: 만유인력과 원심력의 합력

구분	크기	방향
만유 인력	• 적도: 최소 • 극: 최대	지구 중심
원심력	• 적도: 최대 • 극: 0	자전축에 수직 방향
중력	• 적도: (⑯　　　) • 극: (⑰　　　)	적도, 극: 지구 중심

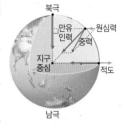

(2) **중력 측정**: 중력이 클수록 단진자의 주기가 짧다.

(3) **중력 이상**: 실측 중력−(⑱　　　)

중력 이상	지하 물질의 분포
(+)	고밀도 물질 예 해양 지역, 철광층, 감람석 등
(−)	저밀도 물질 예 대륙 지역, 암염층, 원유 매장층 등

2. 지구 자기장

(1) **발생 원인**: 외핵의 열대류에 의한 유도 전류에 의해 발생
➡ 다이너모 이론

(2) **지구 자기 3요소**

(⑲　　　)	• 동편각: E나 (+)로 표시 • 서편각: W나 (−)로 표시
복각	• 자기 적도: 0° • 자극: 90°
수평 자기력	• 자기 적도: 최대 • 자극: 0

↑ 지구 자기 3요소

(3) **지구 자기장의 변화**

구분	특징	원인
일변화	밤보다 낮에, 겨울보다 여름에 변화가 크다.	태양 고도 변화
자기 폭풍	오로라 발생 증가	태양 활동 변화
(⑳　　　)	자극의 이동, 지자기 역전, 자기력 세기 변화	지구 외핵의 열대류 변화

(4) **밴앨런대**: 지구 자기장의 영향으로 자기권 내에서 대전 입자들이 도넛 모양으로 밀집되어 있는 부분으로, 내대에는 양성자가, 외대에는 전자가 집중적으로 분포한다.

난이도 ●●●

01 태양계 성운에 대한 설명으로 옳은 것만을 [보기]에서 있는 대로 고른 것은?

─[보기]─
ㄱ. 우리은하의 나선팔에서 생성되었다.
ㄴ. 대폭발로 우주가 탄생할 때 거대 성운에서 분할되었다.
ㄷ. 중력 수축과 함께 회전하면서 원반 모양이 되었다.
ㄹ. 회전의 중심으로 모여든 성간 물질들이 뭉쳐서 태양을 만들었다.

① ㄱ, ㄴ   ② ㄱ, ㄷ   ③ ㄴ, ㄹ
④ ㄱ, ㄷ, ㄹ   ⑤ ㄴ, ㄷ, ㄹ

02 그림은 원시 지구의 진화 과정을 나타낸 것이다.

미행성체의 충돌	→	마그마 바다 형성	→	핵과 맨틀의 분리	→	원시 지각 형성
(가)		(나)		(다)		(라)

이에 대한 설명으로 옳지 않은 것은?

① (가)에서 (라)로 갈수록 지구의 질량은 증가하였다.
② (가) → (나) 과정에서 지구 표면 온도는 증가하였다.
③ (나) → (다) 과정에서 규산염 물질은 지표 쪽으로 이동하였다.
④ (다) → (라) 과정에서 원시 바다가 형성되었다.
⑤ (가)에서 생성된 에너지의 일부는 현재에도 지구 내부에 저장되어 있다.

03 그림은 지구 대기의 조성 변화를 나타낸 것이다.

●●○

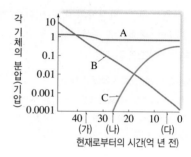

이에 대한 설명으로 옳은 것만을 [보기]에서 있는 대로 고른 것은?

─[보기]─
ㄱ. (가) 시기에 B는 바다에 빠르게 녹아들어갔다.
ㄴ. (나) 시기에 광합성을 하는 생물이 처음 등장하였다.
ㄷ. (다) 시기에는 오존층이 형성되어 육상에서도 생물의 진화가 이루어졌다.

① ㄱ   ② ㄴ   ③ ㄷ
④ ㄱ, ㄴ   ⑤ ㄱ, ㄷ

04 그림은 전 세계 지각 열류량 분포를 나타낸 것이다.

●●○

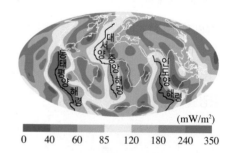

이에 대한 설명으로 옳은 것만을 [보기]에서 있는 대로 고른 것은?

─[보기]─
ㄱ. 맨틀 대류의 상승부에서는 지각 열류량이 높게 나타난다.
ㄴ. 대륙의 중앙부에서는 지각 열류량이 낮게 나타난다.
ㄷ. 해령에서는 대륙보다 단위 부피당 방사성 원소의 붕괴열이 많기 때문에 지각 열류량이 높게 나타난다.

① ㄱ   ② ㄷ   ③ ㄱ, ㄴ
④ ㄴ, ㄷ   ⑤ ㄱ, ㄴ, ㄷ

05 그림은 동일한 해양판 위의 두 지점 (가)와 (나)에서 깊이에 따른 온도 변화를 나타낸 것이다.

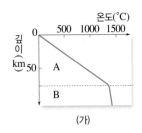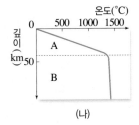

이에 대한 설명으로 옳은 것만을 [보기]에서 있는 대로 고른 것은? (단, 점선은 지온 상승률이 다른 A와 B의 경계이다.)

┌─[보기]
│ ㄱ. A와 B의 경계는 모호면이다.
│ ㄴ. (가)보다 (나)가 해령에 더 가까이 위치한다.
│ ㄷ. A 구간에서 깊이에 따른 지온 상승률은 (가)가 (나)
│   보다 크다.
└─

① ㄱ ② ㄴ ③ ㄷ
④ ㄱ, ㄴ ⑤ ㄱ, ㄷ

06 그림 (가)는 어느 관측소의 지진 기록을, (나)와 (다)는 종류가 다른 지진파의 전파 모습을 나타낸 것이다.

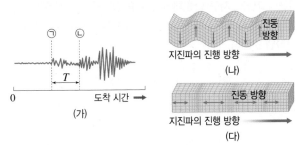

이에 대한 설명으로 옳은 것만을 [보기]에서 있는 대로 고른 것은? (단, 매질은 일정하다고 가정한다.)

┌─[보기]
│ ㄱ. ㉠에 도착한 지진파는 ㉡에 도착한 지진파보다 큰
│   피해를 발생시킨다.
│ ㄴ. ㉡의 지진파는 (다)와 같이 전달된다.
│ ㄷ. T가 길수록 관측소에서 진원까지의 거리가 멀다.
└─

① ㄱ ② ㄷ ③ ㄱ, ㄴ
④ ㄴ, ㄷ ⑤ ㄱ, ㄴ, ㄷ

07 그림은 진앙 거리에 따른 P파의 최초 도착 시간을 나타낸 것이다.

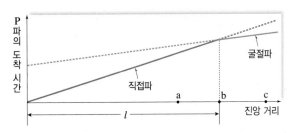

이에 대한 설명으로 옳은 것만을 [보기]에서 있는 대로 고른 것은?

┌─[보기]
│ ㄱ. a에는 직접파가, c에는 굴절파가 먼저 도착한다.
│ ㄴ. P파의 전파 속도는 지각보다 맨틀에서 더 느리다.
│ ㄷ. 지각의 두께가 얇을수록 b까지의 진앙 거리(l)가 멀
│   어진다.
└─

① ㄱ ② ㄴ ③ ㄱ, ㄷ
④ ㄴ, ㄷ ⑤ ㄱ, ㄴ, ㄷ

08 그림 (가)와 (나)는 가상의 두 행성에서 지진파의 전파 경로를 나타낸 것이다.

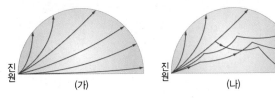

이에 대한 설명으로 옳은 것만을 [보기]에서 있는 대로 고른 것은?

┌─[보기]
│ ㄱ. (가)에서는 암영대가 나타난다.
│ ㄴ. 행성 내부에 불연속면이 있는 것은 (나)이다.
│ ㄷ. (가)에서는 깊이에 관계없이 지진파의 속도가 일정하다.
└─

① ㄱ ② ㄴ ③ ㄷ
④ ㄱ, ㄴ ⑤ ㄴ, ㄷ

09 그림은 지구 내부의 층상 구조와 지구 내부를 통과하는 지진파의 속도 분포를 나타낸 것이다.

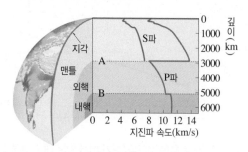

이에 대한 설명으로 옳은 것만을 [보기]에서 있는 대로 고른 것은? (단, A와 B는 지진파의 불연속면이다.)

〔보기〕
ㄱ. 지진파의 속도 변화는 A보다 B에서 크다.
ㄴ. 방사성 동위 원소는 외핵보다 맨틀에 많이 분포한다.
ㄷ. B를 경계로 외핵과 내핵의 구성 물질의 성분 차이가 크다.

① ㄱ   ② ㄴ   ③ ㄱ, ㄷ
④ ㄴ, ㄷ   ⑤ ㄱ, ㄴ, ㄷ

10 그림은 지각, 맨틀, 지구 전체를 구성하는 원소의 함량 비(%)를 나타낸 것이다.

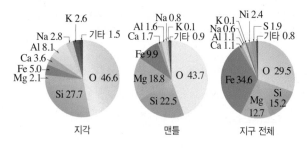

이에 대한 설명으로 옳은 것만을 [보기]에서 있는 대로 고른 것은?

〔보기〕
ㄱ. 지각에는 산소와 규소가 약 74.3 % 포함되어 있다.
ㄴ. 지각과 맨틀은 대부분 규산염 광물로 구성되어 있다.
ㄷ. 핵은 지각이나 맨틀보다 철을 더 많이 포함하고 있다.

① ㄱ   ② ㄷ   ③ ㄱ, ㄴ
④ ㄴ, ㄷ   ⑤ ㄱ, ㄴ, ㄷ

11 그림은 지각 평형을 이루고 있는 지각의 단면을 나타낸 것이다.

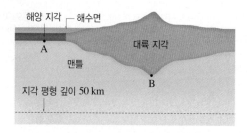

이에 대한 설명으로 옳은 것만을 [보기]에서 있는 대로 고른 것은?

〔보기〕
ㄱ. 모호면의 깊이는 A와 B가 같다.
ㄴ. A에 작용하는 압력은 B에 작용하는 압력보다 작다.
ㄷ. 해양 지각이 대륙 지각보다 밀도가 큰 것은 에어리설로 잘 설명이 된다.
ㄹ. 해양 지각에 퇴적물이 많이 쌓이면 해양 지각 모호면의 깊이는 더 깊어질 것이다.

① ㄱ, ㄴ   ② ㄱ, ㄷ   ③ ㄴ, ㄹ
④ ㄱ, ㄷ, ㄹ   ⑤ ㄴ, ㄷ, ㄹ

12 그림은 지구 타원체에서 지표상의 물체에 작용하는 만유인력, 중력, 지구 자전에 의한 원심력의 크기를 위도에 따라 나타낸 것이다.

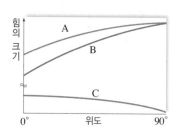

이에 대한 설명으로 옳은 것만을 [보기]에서 있는 대로 고른 것은?

〔보기〕
ㄱ. A의 방향은 모든 위도에서 지구 중심을 향한다.
ㄴ. B는 A와 C의 합력에 해당한다.
ㄷ. C는 항상 지구 자전축에 나란한 방향으로 작용한다.

① ㄱ   ② ㄷ   ③ ㄱ, ㄴ
④ ㄴ, ㄷ   ⑤ ㄱ, ㄴ, ㄷ

13 표는 지표 위의 세 지점 A, B, C에서 측정한 중력 이상을 나타낸 것이다.

측정 지점	A	B	C
위도	0°	45°N	45°N
중력 이상(mGal)	0	0	+30

이에 대한 설명으로 옳은 것만을 [보기]에서 있는 대로 고른 것은? (단, A~C 지점의 해발 고도는 같다.)

[보기]
ㄱ. A 지점은 B 지점과 표준 중력이 같다.
ㄴ. B 지점은 C 지점과 실측 중력이 같다.
ㄷ. C 지점은 B 지점보다 지하에 고밀도 물질이 존재할 것으로 추정된다.

① ㄱ ② ㄷ ③ ㄱ, ㄴ
④ ㄴ, ㄷ ⑤ ㄱ, ㄴ, ㄷ

14 그림은 두 지점 A, B의 위치를 나타낸 것이고, 표는 두 지점에서 지구 자기 요소를 나타낸 것이다.

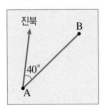

지점	A	B
편각	6°W	2°E
복각	35°	48°
전 자기력(가우스)	0.50	0.50

이에 대한 설명으로 옳은 것만을 [보기]에서 있는 대로 고른 것은?

[보기]
ㄱ. A에서 나침반의 자침은 진북에 대해 서쪽을 가리킨다.
ㄴ. 연직 자기력의 크기는 A보다 B에서 크다.
ㄷ. A에서 B로 가기 위해서는 나침반 자침의 N극 방향에 대해 34° 동쪽으로 출발해야 한다.

① ㄱ ② ㄷ ③ ㄱ, ㄴ
④ ㄴ, ㄷ ⑤ ㄱ, ㄴ, ㄷ

서술형 문제

15 그림은 마그마 바다가 형성된 이후 핵과 맨틀이 분리된 모습을 나타낸 것이다.

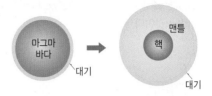

이 시기에 일어난 (가) 지구 중심부의 밀도 변화와 (나) 지구 전체의 평균 밀도 변화를 각각 까닭과 함께 서술하시오.

16 표는 어느 관측소에서 지진파가 도착한 시각을 나타낸 것이고, 그림은 P파와 S파의 주시 곡선을 나타낸 것이다.

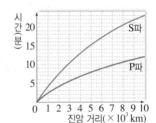

지진파	도착 시각
P파	06시 10분 10초
S파	06시 19분 10초

이 관측소에서 관측된 PS시와 진앙 거리를 구하시오.

17 그림은 어느 관측소에서 11월 5일부터 14일까지 관측한 수평 자기력 변화를 나타낸 것이다.

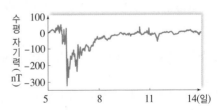

이러한 현상이 나타나는 원인과 11월 6일 부근에 태양과 지구에 나타날 수 있는 현상을 한 가지씩 서술하시오.

01 그림 (가)는 원시 지구의 진화 과정을, (나)는 대기의 조성 변화를 나타낸 것이다.

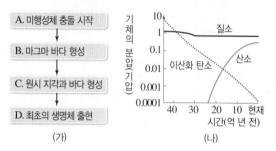

A. 미행성체 충돌 시작

B. 마그마 바다 형성

C. 원시 지각과 바다 형성

D. 최초의 생명체 출현

(가)

(나)

이에 대한 설명으로 옳은 것만을 [보기]에서 있는 대로 고른 것은?

[보기]

ㄱ. 지구 중심부의 밀도는 A보다 C일 때 컸다.

ㄴ. 지표의 온도는 B보다 C일 때 높았다.

ㄷ. D 시기에 대기 중 산소의 기체 분압은 매우 높았다.

① ㄱ   ② ㄴ   ③ ㄷ

④ ㄱ, ㄴ   ⑤ ㄴ, ㄷ

02 그림 (가)는 현재 화성과 지구의 대기 조성을, (나)는 화성과 지구에서 기권의 층상 구조를 나타낸 것이다.

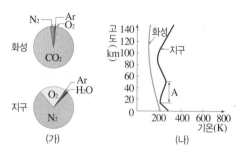

(가)   (나)

이에 대한 설명으로 옳은 것만을 [보기]에서 있는 대로 고른 것은?

[보기]

ㄱ. 원시 지구의 대기 층상 구조는 현재 화성과 비슷하였다.

ㄴ. 현재 대기 층상 구조는 지구보다 화성이 더 복잡하다.

ㄷ. 지구 대기의 A층은 광합성 생물에 의해 형성되었다.

① ㄱ   ② ㄴ   ③ ㄱ, ㄷ

④ ㄴ, ㄷ   ⑤ ㄱ, ㄴ, ㄷ

03 그림은 확장 속도가 서로 다른 해양판 A와 B의 지각 열류량 분포를 조사한 자료이다.

이에 대한 설명으로 옳은 것만을 [보기]에서 있는 대로 고른 것은?

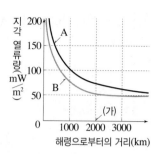

[보기]

ㄱ. A판은 B판보다 지각 열류량이 높다.

ㄴ. (가) 지점에서 A판은 B판보다 해저 지각의 나이가 많다.

ㄷ. A판에서는 B판보다 더 많은 방사성 동위 원소가 붕괴된다.

① ㄱ   ② ㄴ   ③ ㄱ, ㄷ

④ ㄴ, ㄷ   ⑤ ㄱ, ㄴ, ㄷ

04 그림 (가)는 해령과 해구 사이의 지각 열류량 분포를, (나)는 (가)의 A, B 두 지점에서의 깊이에 따른 지온 변화를 나타낸 것이다.

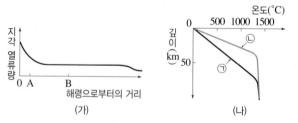

(가)   (나)

이에 대한 설명으로 옳은 것만을 [보기]에서 있는 대로 고른 것은?

[보기]

ㄱ. 지각 열류량은 A가 B보다 높다.

ㄴ. B 지점의 지온 분포는 ㉠이다.

ㄷ. 암석권에서의 깊이에 따른 지온 변화율은 ㉡보다 ㉠이 크다.

① ㄱ   ② ㄷ   ③ ㄱ, ㄴ

④ ㄴ, ㄷ   ⑤ ㄱ, ㄴ, ㄷ

05 그림 (가)와 (나)는 한 관측소에 도착한 서로 다른 두 지진의 기록을 나타낸 것으로, ㉠은 S파가 최초로 도착한 시점이다.

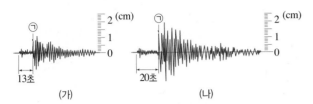

이에 대한 설명으로 옳은 것만을 [보기]에서 있는 대로 고른 것은?

[보기]
ㄱ. 진원 거리는 (나)가 (가)보다 멀다.
ㄴ. ㉠ 시점에 관측소에 도달한 에너지양은 (나)가 (가)보다 많다.
ㄷ. 지표면의 진동은 (가)보다 (나)에서 크다.

① ㄱ　　　② ㄴ　　　③ ㄱ, ㄷ
④ ㄴ, ㄷ　　　⑤ ㄱ, ㄴ, ㄷ

06 그림 (가)는 어떤 지진의 진원 거리로 진앙의 위치를 알아내는 방법을, (나)는 A, B, C 관측소의 지진 기록으로 작성한 주시 곡선을 나타낸 것이다.

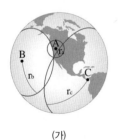
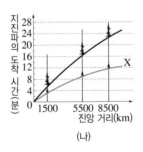

(가)　　　　　(나)

이에 대한 설명으로 옳은 것만을 [보기]에서 있는 대로 고른 것은?

[보기]
ㄱ. (나)에서 X는 P파의 주시 곡선이다.
ㄴ. A 관측소에서 PS시는 약 6분이다.
ㄷ. 세 관측소 중 C가 진앙에 가장 가깝다.

① ㄱ　　　② ㄴ　　　③ ㄱ, ㄷ
④ ㄴ, ㄷ　　　⑤ ㄱ, ㄴ, ㄷ

07 그림은 A~D 지진 관측소에서 어느 지진의 P파 도착 시간에 따른 PS시의 관계를 나타낸 것이다.

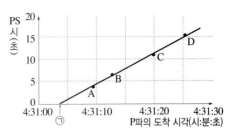

이에 대한 설명으로 옳은 것만을 [보기]에서 있는 대로 고른 것은?

[보기]
ㄱ. ㉠은 지진이 발생한 시각이다.
ㄴ. 진앙 거리가 멀수록 PS시가 길어진다.
ㄷ. A~D 지진 관측소에는 모두 직접파가 최초로 도착하였다.

① ㄱ　　　② ㄴ　　　③ ㄱ, ㄷ
④ ㄴ, ㄷ　　　⑤ ㄱ, ㄴ, ㄷ

08 그림 (가)는 어느 지진의 지진파 전파 모습을, (나)는 이 지진의 P파 주시 곡선을 나타낸 것이다.

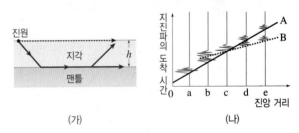

(가)　　　　　(나)

이에 대한 설명으로 옳은 것만을 [보기]에서 있는 대로 고른 것은?

[보기]
ㄱ. 지각보다 맨틀에서 전파 속도가 빠르다.
ㄴ. (나)의 d와 e 지점에는 굴절파보다 직접파가 먼저 도착하였다.
ㄷ. (가)의 h가 두꺼워질수록 (나)에서 A와 B가 교차하는 진앙 거리가 멀어진다.

① ㄱ　　　② ㄴ　　　③ ㄱ, ㄷ
④ ㄴ, ㄷ　　　⑤ ㄱ, ㄴ, ㄷ

09 그림 (가)는 E에서 발생한 P파의 이동 경로를, (나)는 이 지진의 P파 주시 곡선을 나타낸 것이다.

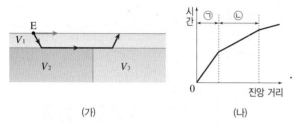

(가)   (나)

이에 대한 설명으로 옳은 것만을 [보기]에서 있는 대로 고른 것은? (단, V_1, V_2, V_3는 지진파의 속도가 다른 세 층을 나타낸 것이다.)

┌─[보기]
│ ㄱ. 지진파 속도는 $V_1 < V_2 < V_3$이다.
│ ㄴ. V_2의 지진파 속도가 증가하면 ㉠은 증가한다.
│ ㄷ. ㉡ 구간에는 V_1으로만 전파된 P파보다 V_1과 V_2로
│   전파된 P파가 먼저 도착한다.
└

① ㄱ   ② ㄴ   ③ ㄱ, ㄷ
④ ㄴ, ㄷ   ⑤ ㄱ, ㄴ, ㄷ

10 그림은 지구 내부를 통과하는 지진파의 속도 분포와 지구 내부의 밀도, 온도, 압력 분포를 나타낸 것이다.

이에 대한 설명으로 옳은 것만을 [보기]에서 있는 대로 고른 것은?

┌─[보기]
│ ㄱ. X는 P파, Y는 S파이다.
│ ㄴ. A는 압력, B는 온도, C는 밀도의 변화이다.
│ ㄷ. Y의 속도 분포에 가장 큰 영향을 미치는 것은 A~C
│   중 B이다.
└

① ㄱ   ② ㄷ   ③ ㄱ, ㄴ
④ ㄴ, ㄷ   ⑤ ㄱ, ㄴ, ㄷ

11 다음은 조륙 운동을 지각 평형설로 설명하기 위한 실험 과정이다.

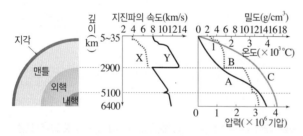

(가)	추를 얹은 나무 도막을 저울에 매단 후, 물이 가득 찬 수조에 담그면서 무게 변화를 관찰하고, 수조에서 넘치는 물을 비커에 받는다.	
(나)	저울의 눈금이 0이 될 때까지 나무 도막의 움직임을 관찰한다.	
(다)	추를 제거한 후 물이 가득 찬 수조에 나무 도막을 담그면서 저울의 눈금이 0이 될 때까지 나무 도막의 움직임을 관찰한다.	

이에 대한 설명으로 옳은 것만을 [보기]에서 있는 대로 고른 것은?

┌─[보기]
│ ㄱ. 저울의 눈금이 0이 되었을 때에 지각 평형이 이루어진
│   상태를 나타낸다.
│ ㄴ. (나)와 (다)는 가라앉은 나무 도막의 두께가 같다.
│ ㄷ. 침식이 일어나는 지역의 지표면은 (나) → (다)와 같은
│   현상이 일어난다.
└

① ㄱ   ② ㄴ   ③ ㄷ
④ ㄱ, ㄷ   ⑤ ㄴ, ㄷ

12 그림 (가)는 균질한 지구 타원체상의 한 점에 작용하는 힘을, (나)는 위도에 따른 만유인력과 원심력의 크기를 나타낸 것이다.

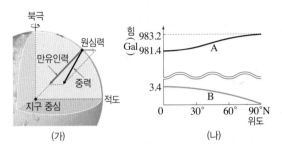

이에 대한 설명으로 옳은 것은?

① A는 원심력에 해당한다.
② 중위도에서 자유 낙하하는 물체는 힘 A 방향으로 떨어진다.
③ 중력의 크기는 양 극에서 적도로 갈수록 커진다.
④ 극에서 중력의 크기는 983.2 Gal이다.
⑤ 단진자의 주기는 30°N보다 60°N에서 길다.

13 그림은 울릉도 주변 해역의 중력 이상 분포를 나타낸 것이다.

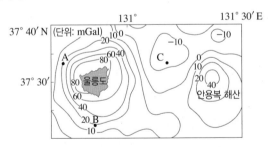

이에 대한 설명으로 옳은 것만을 [보기]에서 있는 대로 고른 것은?

┌─[보기]─────────────────────────────
│ ㄱ. 표준 중력은 A 지점이 B 지점보다 크다.
│ ㄴ. C 지점은 표준 중력이 실측 중력보다 크다.
│ ㄷ. 해수면 아래에 분포하는 물질의 평균 밀도는 C 지점
│   이 A 지점보다 크다.
└────────────────────────────────────

① ㄱ   ② ㄷ   ③ ㄱ, ㄴ
④ ㄴ, ㄷ   ⑤ ㄱ, ㄴ, ㄷ

14 그림은 1900년 이후 2015년까지 자북극의 위치 변화를 조사하여 나타낸 것이다.

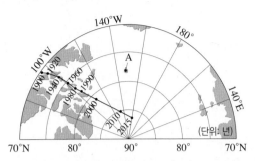

A 지역에서 지구 자기장을 측정한 것에 대한 설명으로 옳은 것만을 [보기]에서 있는 대로 고른 것은?

┌─[보기]─────────────────────────────
│ ㄱ. 2015년에는 동편각으로 나타난다.
│ ㄴ. 복각의 크기는 2010년보다 2015년에 감소하였다.
│ ㄷ. 태양 활동의 변화로 자북극의 위치가 변하였다.
└────────────────────────────────────

① ㄱ   ② ㄴ   ③ ㄱ, ㄷ
④ ㄴ, ㄷ   ⑤ ㄱ, ㄴ, ㄷ

15 그림 (가)는 어느 지역의 지층에서 암석의 편각과 복각을 측정한 결과이고, (나)는 360만 년 전부터 현재까지 지구 자기 변화를 나타낸 것이다.

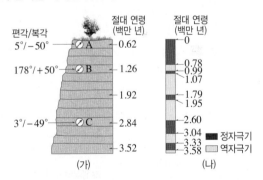

이에 대한 설명으로 옳은 것만을 [보기]에서 있는 대로 고른 것은? (단, 이 지역의 대륙의 위치는 변하지 않았다고 가정한다.)

┌─[보기]─────────────────────────────
│ ㄱ. A는 자기 적도의 남쪽에서 형성되었다.
│ ㄴ. B가 형성될 때 지구 자기장의 방향은 현재와 같았다.
│ ㄷ. C가 형성된 후 24만 년이 흘렀을 때 지구 자기장의
│   역전이 일어났다.
└────────────────────────────────────

① ㄱ   ② ㄴ   ③ ㄱ, ㄷ
④ ㄴ, ㄷ   ⑤ ㄱ, ㄴ, ㄷ

2 지구 구성 물질과 자원

- **01.** 광물의 성질
- **02.** 편광 현미경과 암석의 조직
- **03.** 지하자원의 형성과 이용
- **04.** 해양 자원

 이 단원을 공부하기 전에 학습 계획을 세우고, 학습 진도를 스스로 체크해 보자.
학습이 미흡했던 부분은 다시 보기에 체크해 두고, 시험 전까지 꼭 완벽히 학습하자!

소단원	학습 내용	학습 일자	다시 보기
01. 광물의 성질	**Ⓐ 광물**	/	
	Ⓑ 규산염 광물	/	
	Ⓒ 광물의 물리적 성질 탐구 광물의 물리적 성질을 이용한 규산염 광물 구분	/	
02. 편광 현미경과 암석의 조직	**Ⓐ 편광 현미경을 이용한 광물 관찰** 탐구 편광 현미경을 이용한 광물 관찰	/	
	Ⓑ 암석의 조직	/	
03. 지하자원의 형성과 이용	**Ⓐ 지하자원**	/	
	Ⓑ 광상	/	
	Ⓒ 광물과 암석의 이용	/	
04. 해양 자원	**Ⓐ 해양 자원의 종류**	/	
	Ⓑ 자원 개발의 중요성 탐구 세계적인 자원의 추이 분석	/	

◆ **지각을 구성하는 물질**

① **지각의 주요 구성 원소의 함량비**: 산소＞규소＞알루미늄＞철＞칼슘＞나트륨＞칼륨＞마그네슘

② **지각을 구성하는 광물**: 대부분 규산염 광물이다.

> • **❶** : 산소와 규소로 이루어진 규산염 사면체들이 일정한 규칙에 따라 화학적으로 결합하여 만들어진 광물
> • **규소의 화학적 성질**: 규소는 원자가 전자가 4개이므로 최대 4개의 결합을 할 수 있다.
> • **규산염 사면체**: **❷** 1개를 중심으로 **❸** 4개가 결합된 사면체

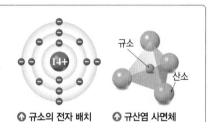

↑ 규소의 전자 배치   ↑ 규산염 사면체

◆ **화성암**   마그마가 지각 내부 또는 지표에서 냉각되어 만들어진 암석

① **화학 조성에 따른 화성암 분류**: SiO_2 함량에 따라 분류한다.

② **조직에 따른 화성암 분류**: 마그마의 냉각 속도, 산출 상태에 따라 분류한다.

산출 상태	SiO_2 함량	**❹** (52 % 이하)	중성암 (52 %~63 %)	산성암 (63 % 이상)
화산암(세립질 조직)		현무암	안산암	유문암
❺ (조립질 조직)		반려암	섬록암	화강암
특징	색	어두운색 ←————————————→ 밝은색		
	많은 원소	Ca, Fe, Mg ←————————————→ Na, K, Si		
	밀도	크다 ←————————————→ 작다		

◆ **퇴적암**   퇴적물이 다져지고 굳어져 만들어진 암석

① **퇴적암의 생성 과정(속성 작용)**: 퇴적물 → 다짐 작용 → 교결 작용 → 퇴적암

② **퇴적암의 분류**

구분	**❻** 퇴적암	화학적 퇴적암	**❼** 퇴적암
특징	풍화와 침식으로 생성된 입자나 화산 분출물이 쌓여 생성된 퇴적암	물속 물질의 침전이나 물의 증발로 생성된 퇴적암	생물의 유해나 골격의 일부가 쌓여 생성된 퇴적암
퇴적암 (퇴적물)	역암(자갈, 모래, 점토), 사암(모래, 점토), 셰일(점토), 응회암(화산재)	석회암(탄산 칼슘), 처트(규질), 암염(염화 나트륨)	석탄(식물체), 석회암(석회질 생물체), 처트(규질 생물체)

01 광물의 성질

핵심 포인트

Ⓐ 광물 ★★
광물의 분류 ★★

Ⓑ 규산염 사면체 ★★
규산염 광물의 결합 구조 ★★★

Ⓒ 광물의 물리적 성질 ★★★

Ⓐ 광물

1. *광물의 조건 광물은 *자연적으로 만들어진 고체의 무기물이나 화합물로, 일정한 화학 조성과 규칙적인 내부 결정 구조를 가지고 있어야 한다. 예 암염

(1) 고체의 무기물: 동식물에 의해 직접 만들어지지 않은 고체 물질

(2) 일정한 화학 조성: 광물은 원소 또는 화합물로 이루어져 있다.

(3) 규칙적인 결정 구조: 광물은 구성 원자들이 규칙적으로 배열되어 있다.

① 원자가 규칙적으로 배열된 것을 결정질이라고 한다.

② 광물 내부의 규칙적인 원자 배열을 알 수 있는 방법: 광물에 X선을 통과시키면 규칙적으로 배열된 점무늬(*라우에 점무늬)가 나타난다.

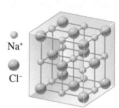

⬆ **암염의 결정 구조**
나트륨 이온(Na^+)과 염화 이온(Cl^-)이 규칙적으로 결합되어 있다.

★ **지권을 이루는 기본 물질, 광물**
지구의 지각은 암석으로 구성되어 있고, 암석을 구성하는 기본 물질은 광물이다.

2. 광물 조성에 따른 광물의 분류

(1) 원소 광물: 한 가지 원소로 이루어진 광물 예 구리, 금, 금강석, 백금, 은, 유황
└ 다이아몬드

(2) 광물에 포함된 음이온의 종류에 따른 분류

광물군	광물에 포함된 음이온	대표적인 광물
탄산염 광물	CO_3^{2-} (탄산 이온) → 탄산염 광물 표면에 묽은 염산을 떨어뜨리면 이산화탄소 기체가 발생한다.	방해석, 백운석
산화 광물	O^{2-} (산화 이온)	자철석, 적철석, 강옥
황화 광물	S^{2-} (황화 이온)	황철석, 황동석, 방연석
황산염 광물	SO_4^{2-} (황산 이온)	석고, 중정석
할로젠화 광물	F^- (플루오린화 이온), Cl^- (염화 이온), Br^- (브로민화 이온), I^- (아이오딘화 이온)	암염, 형석
규산염 광물	SiO_4^{4-} (규산 이온)	감람석, 휘석, 각섬석, 석영, 흑운모

3. *조암 광물 지각의 약 90 % 이상을 이루고 있는 20여 종의 광물

① 조암 광물은 크게 규산염 광물과 비규산염 광물로 구분한다.

② 지각과 맨틀을 구성하는 광물은 대부분 규산염 광물이다.

★ **광물의 분류**
유리나 인조 금강석은 인공적으로 만들어져 광물로 분류하지 않는다. 예외적으로 석탄은 유기물이고, 단백석은 결정 구조가 불규칙하지만, 광물로 분류한다.

★ **라우에 점무늬**
광물의 뒤쪽에 필름을 놓고 X선을 쬐면 X선이 광물의 내부를 통과할 때 회전에 의해 규칙적인 점무늬가 나타나는데, 이를 라우에 점무늬라고 한다. 라우에 점무늬를 통해 광물 내부의 원자 배열이 규칙적인지 불규칙적인지 알아낼 수 있다.

Ⓑ 규산염 광물

1. 규산염 광물 규산염 사면체를 기본 구조로 한다.

(1) 규산염 사면체(SiO_4 사면체): 중심에 규소 이온(Si^{4+})이 있고, 네 개의 꼭짓점에 산소 이온(O^{2-})이 위치하여 규산염 사면체(SiO_4^{4-})를 이룬다.

(2) 규소 이온은 산소 이온에 비해 크기가 작다.

규산염 사면체 ➡

★ **조암 광물의 부피비**

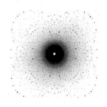

기타 광물 3
점토 광물 5
운모 5
각섬석 5
휘석 11
정장석 12
석영 12
사장석 39
비규산염 광물 8
규산염 광물 92
(단위: %)

2. 규산염 광물의 결합 구조 *규산염 사면체에 양이온이 결합하거나 규산염 사면체끼리 산소를 공유하여 다양한 구조의 규산염 광물이 만들어진다.

(1) **독립형 구조**: 각 사면체는 다른 규산염 사면체와 결합되어 있지 않아 공유하는 산소가 없다.

(2) **단사슬 구조**: 규산염 사면체의 산소 2개가 *공유 결합하여 1개의 긴 사슬 모양을 이룬다.

(3) **복사슬 구조**: 산소 2개를 공유하는 규산염 사면체와 산소 3개를 공유하는 규산염 사면체가 교대로 배열되어 2개의 단사슬 사면체 구조가 연결된 형태이다.

(4) **판상 구조**: 규산염 사면체가 산소 3개를 인접한 사면체와 공유하여 판 모양으로 연결된다.

(5) **망상 구조**: 규산염 사면체끼리 산소 4개를 모두 공유하여 입체 모양으로 연결된다.

구분	독립형 구조	단사슬 구조	복사슬 구조	판상 구조	망상 구조
*결합 구조	―산소 ―규소				
Si : O	1 : 4	1 : 3	4 : 11	2 : 5	석영 1 : 2
기본 음이온	SiO_4^{4-}	SiO_3^{2-}	$Si_4O_{11}^{6-}$	$Si_4O_{10}^{4-}$	SiO_2
광물 예	감람석, 석류석	휘석	각섬석	흑운모, 점토 광물	석영, 장석
	$(Mg, Fe)_2SiO_4$	$(Mg, Fe)SiO_3$	$Ca_2(Mg, Fe)_5$ $-(Al, Si)_8O_{22}(OH)_2$	$K(Mg, Fe)_3$ $-AlSi_3O_{10}(OH)_2$	SiO_2 정장석: $KAlSi_3O_8$

Ⓒ 광물의 물리적 성질

여러 광물들을 구별할 때 눈으로만 판단하기 어려운 경우에는 도구를 이용해 광물이 지니는 독특한 성질을 관찰하여 구별해 낼 수 있어요. 광물을 서로 구별할 수 있는 광물의 물리적 성질에 대해 알아볼까요?

1. 결정형 광물을 이루는 원자나 이온의 규칙적인 배열에 따라 나타나는 독특한 외부 형태

(1) 결정형은 광물에 따라 다양하게 나타난다. 예 기둥 모양, 얇은 판 모양, 바늘 모양 등
└ 같은 종류의 광물은 원자 배열이 일정하여 내부 구조가 같다.

(2) *광물의 결정형은 결정면, 능, 우각으로 표시한다.

(3) 결정면의 발달 정도에 따라 고유의 결정형을 가지는 자형, 고유의 결정형을 가지지 못하는 타형, 부분적으로 결정형을 가지는 반자형으로 구분한다.

2. 색 광물마다 나타나는 고유한 색깔

(1) 광물의 색은 광물 고유의 화학 조성, 결정 구조의 영향을 받아 서로 다른 파장의 빛을 선택적으로 흡수 또는 반사하여 나타내거나 *불순물 등에 의해 결정된다.

(2) 규산염과 결합하는 양이온의 종류에 따라 유색 광물과 무색 광물로 구분한다.

유색 광물	무색 광물
Fe, Mg 함량이 높아 어둡게 보인다. 예 감람석, 휘석, 각섬석, 흑운모 등	Na, K 함량이 높아 투명하거나 흰색, 밝은색으로 보인다. 예 석영, 사장석, 정장석 등

★ **규산염 사면체의 전기적 성질**
독립된 규산염 사면체의 전하는 −4이므로 규산염 사면체가 2개의 마그네슘 이온(Mg^{2+})이나 철 이온(Fe^{2+})과 결합하면 전기적으로 중성이 되어 안정한 광물이 된다.

★ **공유 결합**
2개의 원자가 서로 전자를 내놓아 전자쌍을 형성하고, 이를 공유함으로써 생기는 결합

★ **규산염 광물의 결합 구조**
• 망상 구조로 갈수록 규산염 사면체의 공유 산소 수가 증가하고, 규산염 사면체 사이의 결합이 복잡하여 화학적 풍화에 강하다.
• 규산염 광물의 결합 구조는 쪼개짐, 깨짐 등 광물의 물리적 성질에 영향을 준다.

★ **결정의 3요소**

• 결정면: 결정의 평탄한 표면
• 능(모서리): 서로 평행하지 않은 두 결정면이 만나 이루는 선
• 우각(꼭짓점): 3개 또는 그 이상의 모서리가 만나는 하나의 점

★ **광물의 색과 불순물**
주성분 원소에 의해 나타나는 색을 자색, 불순물이나 미량의 원소에 의해 나타나는 색을 타색이라고 한다. 예 석영의 자색은 무색이지만, Fe, Ti 등이 미량 포함되면 보라색을 띠는 자수정이나 갈색을 띠는 연수정이 된다.

3. 조흔색 광물을 조흔판(초벌구이 도자기판)에 긁었을 때 묻어 나오는 가루의 색 ────

광물	금	황동석	황철석	자철석	적철석
색	노란색			검은색	
조흔색	노란색	녹흑색	검은색	검은색	적갈색

> ● 광물 내에 있는 불순물의 영향을 받지 않고, 광물마다 고유한 조흔색이 나타난다.

4. 굳기 광물의 단단한 정도

(1) 광물을 구성하는 원자나 이온의 밀도가 클수록, 화학적 결합력이 강할수록 광물이 단단하다.

(2) 두 광물을 서로 긁었을 때 긁히는 쪽이 더 무르다.

(3) **모스 굳기계**: 모스가 정한 표준 광물 10개의 상대적인 굳기 순서 ➡ 모스 굳기 숫자가 클수록 단단한 광물이다.

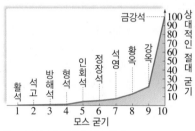

⬆ 모스 굳기계 광물의 절대 굳기

> **주의해**
> **석영의 굳기**
> 석영의 모스 굳기는 7로, 조흔판보다 단단하므로 석영을 조흔판에 긁어 조흔색을 알아낼 수는 없다.

5. 쪼개짐과 깨짐

쪼개짐	깨짐
• 광물에 물리적인 힘을 가했을 때 광물이 특정한 방향으로 갈라지는 성질 • 결합력이 약한 면을 따라 나타난다.	• 광물에 물리적인 힘을 가했을 때 광물이 방향성 없이 불규칙하게 갈라지는 성질 • 모든 방향으로 결합력이 비슷할 경우에 나타난다.

┌ 판상 구조인 흑운모는 층과 층 사이의 결합력이 약하여 한 방향으로 쪼개짐이 나타난다.

흑운모 (한 방향) 휘석 (두 방향) 각섬석 (두 방향) 방해석 (세 방향)

┌ 망상 구조인 석영은 규산염 사면체 사이의 결합력이 모두 같아 깨짐이 나타난다.

석영 감람석

> 광물이 쪼개지는 방향에 따라 한 방향, 두 방향, 세 방향 등으로 구분해요.
> [한 방향]
> [두 방향]
> [세 방향]

6. 광택 광물 표면에서 반사되는 빛에 대한 느낌으로, *금속광택과 비금속 광택으로 구분한다. 비금속 광택에는 유리 광택, 진주광택, 견사 광택, 지방 광택 등이 있다.

탐구 자료창 광물의 물리적 성질을 이용한 규산염 광물 구분

광물	화학 조성	색	조흔색	모스 굳기	쪼개짐·깨짐
석영	SiO_2	무색	흰색	7	깨짐
정장석	$KAlSi_3O_8$	흰색	흰색	6	쪼개짐(두 방향)
흑운모	$K(Mg, Fe)_3AlSi_3O_{10}(OH)_2$	흑갈색	흰색	2.5	쪼개짐(한 방향)
감람석	$(Mg, Fe)_2SiO_4$	담록색	흰색	6.5~7	깨짐
휘석	$(Mg, Fe)SiO_3$	녹흑색	녹색, 흰색	5.5~6	쪼개짐(두 방향)

1. **색**: 석영, 정장석은 무색 광물이고, 흑운모, 감람석, 휘석은 유색 광물이다.
2. **굳기**: 흑운모와 휘석을 서로 긁으면 흑운모가 긁힌다.
3. **쪼개짐·깨짐**: 석영과 감람석은 깨짐이 나타나고, 정장석, 흑운모, 휘석은 쪼개짐이 나타난다.
4. **석영과 정장석을 서로 구별할 때 이용할 수 있는 물리적 성질**: 굳기, 쪼개짐·깨짐

> **★ 방연석의 금속광택**
>

> **★ 광물의 또 다른 물리적 성질**
> • 비중: 같은 부피의 4 °C 물의 질량에 대한 광물의 질량비로, 같은 종류의 광물은 비중이 같다.
> • 자성: 광물에 자석을 가까이 대면 달라붙는 성질 예 자철석

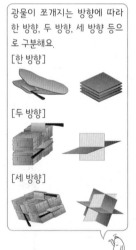

개념 확인 문제

핵심체크

- (❶): 자연적으로 만들어진 고체의 무기물이나 화합물로, 일정한 화학 조성과 결정 구조를 가진 물질
- 광물의 분류: 원소 광물, 탄산염 광물, 산화 광물, 황화 광물, 황산염 광물, 할로젠화 광물, 규산염 광물 등
- 조암 광물: 지각의 약 90 % 이상을 이루고 있는 20여 종의 광물 ➡ 대부분 (❷) 광물
- 규산염 광물: 규산염 사면체를 기본 구조로 하는 광물
  - (❸): 1개의 규소 이온과 4개의 산소 이온이 결합한 사면체
  - 규산염 광물의 결합 구조: 독립형 구조, 단사슬 구조, 복사슬 구조, 판상 구조, 망상 구조
    ➡ 망상 구조로 갈수록 규산염 사면체 사이에 공유되는 산소의 수가 (❹)한다.
- 광물의 물리적 성질: 결정형, 색, 조흔색, 굳기, 쪼개짐과 깨짐, 광택 등
  - (❺): 광물을 조흔판에 긁었을 때 묻어 나오는 가루의 색
  - 굳기: 광물의 단단한 정도 ➡ 광물을 서로 긁었을 때 긁히는 광물의 굳기가 무르다.
  - (❻): 광물에 물리적인 힘을 가했을 때 광물이 특정한 방향으로 갈라지는 성질
  - (❼): 광물에 물리적인 힘을 가했을 때 광물이 방향성 없이 불규칙하게 갈라지는 성질

1 광물에 대한 설명으로 옳은 것은 ○, 옳지 <u>않은</u> 것은 ×로 표시하시오.

(1) 인공적으로 만들어진 물질은 광물에 포함하지 않는다.
··· ( )

(2) 광물은 고체로 이루어진 유기질이나 화합물이다.
··· ( )

(3) 광물은 규칙적인 결정 구조를 가진다. ········· ( )

2 광물에 포함된 음이온의 종류와 광물을 옳게 연결하시오.

(1) SiO_4^{4-} •   • ㉠ 산화 광물
(2) CO_3^{2-} •   • ㉡ 황화 광물
(3) S^{2-} •   • ㉢ 규산염 광물
(4) SO_4^{2-} •   • ㉣ 탄산염 광물
(5) O^{2-} •   • ㉤ 황산염 광물
(6) F^-, Cl^- •   • ㉥ 할로젠화 광물

3 그림은 규산염 사면체를 나타낸 것이다. A와 B에 알맞은 원소를 쓰시오.

4 규산염 광물의 결합 구조 중 규산염 사면체끼리 공유하는 산소가 <u>없는</u> 것은?

① 망상 구조   ② 판상 구조   ③ 단사슬 구조
④ 독립형 구조   ⑤ 복사슬 구조

5 광물의 물리적 성질에 대한 설명으로 옳은 것은 ○, 옳지 <u>않은</u> 것은 ×로 표시하시오.

(1) 결정형은 광물을 이루는 원자나 이온이 규칙적으로 배열되어 독특한 외부 형태를 이루는 것이다. ·· ( )
(2) 무색 광물은 Mg, Fe 함량이 높다. ················· ( )
(3) 모스 굳기가 2인 석고는 모스 굳기가 1인 활석보다 2배 단단하다. ······································· ( )
(4) 모든 방향으로 결합력의 세기가 비슷한 광물에 힘을 가하면 깨짐이 나타난다. ······················· ( )
(5) 금속광택에는 유리 광택, 진주광택, 견사 광택 등이 있다. ··· ( )

6 다음은 세 광물을 서로 긁어 관찰 결과를 나타낸 것이다.

- 인회석과 황옥을 서로 긁었더니 인회석이 긁혔다.
- 황옥과 방해석을 서로 긁었더니 방해석이 긁혔다.
- 방해석과 인회석을 서로 긁었더니 방해석이 긁혔다.

굳기가 큰 광물부터 순서대로 쓰시오.

대표 자료 분석

🔖 학교 시험에 자주 출제되는 대표 자료와 그 자료에 대한 문제를 통해 자료를 완벽하게 이해할 수 있다.

자료 ① 규산염 광물의 결합 구조

기출 Point
· 규산염 광물의 결합 구조 파악하기
· 규산염 광물의 결합력에 따른 쪼개짐과 깨짐 이해하기

[1~4] 그림 (가)~(마)는 서로 다른 규산염 광물의 결합 구조를 나타낸 것이다.

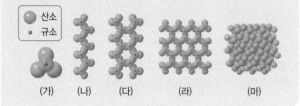

● 산소
· 규소

(가) (나) (다) (라) (마)

1 (가)~(마) 결합 구조의 이름을 각각 쓰시오.

2 (가)~(마) 중 규산염 사면체의 공유 산소 수가 가장 많은 결합 구조를 고르시오.

3 ( ) 안에 알맞은 말을 쓰시오.(단, (가)~(마)의 광물에서 쪼개짐이 발달하면 몇 방향으로 나타나는지 쓰고, 깨짐이 발달하면 '깨짐'으로 쓰시오.)

구분	(가)	(나)	(다)	(라)	(마)
Si : O	(㉠)	1 : 3	4 : 11	2 : 5	석영 1 : 2
쪼개짐·깨짐	깨짐	(㉡)	두 방향	(㉢)	석영 (㉣)

4 빈출 선택지로 완벽 정리!

(1) 각섬석의 구조는 (가)에 속한다. ·········· (○ / ×)

(2) 규산염 사면체의 공유 산소 수는 (나)가 (다)보다 많다.
·········· (○ / ×)

(3) $\dfrac{\text{O 개수}}{\text{Si 개수}}$ 값은 (다)가 (라)보다 크다. ······· (○ / ×)

(4) (가)와 (마)는 결합력이 약한 특정한 방향이 있다.
·········· (○ / ×)

(5) (마)로 갈수록 화학적 풍화에 강하다. ········ (○ / ×)

자료 ② 광물의 물리적 성질

기출 Point
· 광물에 포함된 구성 원소로 광물 분류하기
· 광물의 물리적 성질을 이용하여 광물 구분하기

[1~3] 표는 광물 A~G의 여러 가지 물리적 성질을 나타낸 것이다.

광물	색	조흔색	쪼개짐·깨짐	모스 굳기	구성 원소 금속 원소	음이온
A	담록색	흰색	깨짐	6.5~7	Mg,Fe	SiO_4^{4-}
B	녹흑색	녹색, 흰색	두 방향	5~6	Ca, Mg,Fe	SiO_4^{4-}
C	흑갈색	흰색	한 방향	2.5~3	Al,K, Mg,Fe	SiO_4^{4-}
D	흰색	흰색	두 방향	6	Al, K	SiO_4^{4-}
E	무색	흰색	깨짐	7	—	SiO_4^{4-}
F	무색	흰색	세 방향	3	Ca	CO_3^{2-}
G	황색	녹흑색	깨짐	3.5~4	Cu, Fe	S^{2-}

1 A~G를 (가)규산염 광물과 (나)비규산염 광물로 분류하시오.

2 A와 C를 서로 구별하는 데 이용할 수 있는 도구나 물질을 [보기]에서 있는 대로 고르시오.

┌ 보기 ┐
ㄱ. 조흔판   ㄴ. 망치
ㄷ. 묽은 염산   ㄹ. 모스 굳기가 4.5인 쇠못

3 빈출 선택지로 완벽 정리!

(1) 무색 광물은 조흔색이 밝은색을 띠는 A, C, D, E, F 이다. ·········· (○ / ×)

(2) A, E에서 깨짐이 나타나는 까닭은 굳기가 무르기 때문이다. ·········· (○ / ×)

(3) C는 판 모양으로 쪼개지는 성질이 있다. ···· (○ / ×)

(4) B와 F를 서로 긁으면 F가 긁힌다. ·········· (○ / ×)

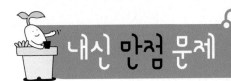

내신 만점 문제

A 광물

01 광물에 대한 설명으로 옳지 <u>않은</u> 것은?

① 일정한 화학 조성을 가진다.
② 자연적으로 만들어진 것이다.
③ 암석을 구성하는 기본 물질이다.
④ 대부분 결정질이지만, 비결정질인 것도 있다.
⑤ 모든 광물은 두 종류 이상의 원소가 화합물을 이룬다.

02 그림은 어느 광물에 X선을 통과시켜 얻은 무늬를 나타낸 것이다. 이 무늬로부터 알 수 있는 광물의 특징을 [보기]에서 있는 대로 고른 것은?

〔보기〕
ㄱ. 원자나 이온의 배열 상태가 규칙적이다.
ㄴ. 비결정질이다.
ㄷ. 무기적으로 생성되었다.

① ㄱ ② ㄷ ③ ㄱ, ㄴ
④ ㄴ, ㄷ ⑤ ㄱ, ㄴ, ㄷ

03 표는 광물에 포함된 음이온의 종류에 따라 광물을 분류한 것이다.

광물군	광물에 포함된 음이온
A	없음
B	CO_3^{2-}
C	SiO_4^{4-}

이에 대한 설명으로 옳은 것만을 [보기]에서 있는 대로 고른 것은?

〔보기〕
ㄱ. 석영은 A에 속한다.
ㄴ. 묽은 염산으로 A와 B를 구별할 수 있다.
ㄷ. C에 속하는 광물은 지각과 맨틀의 대부분을 구성한다.

① ㄱ ② ㄴ ③ ㄱ, ㄷ
④ ㄴ, ㄷ ⑤ ㄱ, ㄴ, ㄷ

04 그림은 지각을 구성하는 조암 광물을 규산염 광물과 비규산염 광물로 구분하여 부피비로 나타낸 것이다.

A와 이에 해당하는 광물의 예를 옳게 짝 지은 것은?

① 규산염 광물 – 암염 ② 규산염 광물 – 황철석
③ 규산염 광물 – 흑운모 ④ 비규산염 광물 – 휘석
⑤ 비규산염 광물 – 방해석

B 규산염 광물

05 그림은 규산염 사면체의 모형을 나타낸 것이다.

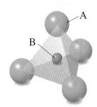

이에 대한 설명으로 옳은 것만을 [보기]에서 있는 대로 고른 것은?

〔보기〕
ㄱ. 규산염 광물의 기본 구조이다.
ㄴ. A는 규소, B는 산소이다.
ㄷ. 규산염 사면체가 B를 공유하는 방식에 따라 다양한 광물이 만들어진다.

① ㄱ ② ㄷ ③ ㄱ, ㄴ
④ ㄴ, ㄷ ⑤ ㄱ, ㄴ, ㄷ

06 그림은 어느 규산염 광물의 결합 구조를 나타낸 것이다. 이에 대한 설명으로 옳은 것은?

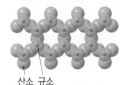

산소 규소

① 단사슬 구조이다.
② Si : O는 1 : 2이다.
③ 감람석의 결합 구조이다.
④ 2개의 단사슬 구조가 연결된다.
⑤ 규산염 사면체끼리 산소 4개를 공유한다.

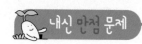
[07~08] 그림 (가)~(다)는 빨간색 스타이로폼 공과 흰색 스타이로폼 공을 이용하여 규산염 광물의 결합 구조 모형을 만든 것이다.

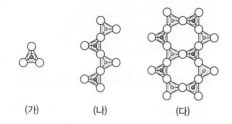

(가)   (나)   (다)

07 이에 대한 설명으로 옳은 것만을 [보기]에서 있는 대로 고른 것은?

〔보기〕
ㄱ. 빨간색 스타이로폼 공은 규소에 해당한다.
ㄴ. 빨간색 스타이로폼 공은 흰색 스타이로폼 공보다 크기가 작은 것으로 준비한다.
ㄷ. (다)는 복사슬 구조 모형을 만든 것이다.
ㄹ. (가)~(다) 중 규산염 사면체가 독립된 구조는 (나)이다.

① ㄱ, ㄷ   ② ㄱ, ㄹ   ③ ㄴ, ㄹ
④ ㄱ, ㄴ, ㄷ   ⑤ ㄴ, ㄷ, ㄹ

08 그림 (가)~(다)의 결합 구조를 이루는 광물의 특징으로 옳은 것만을 [보기]에서 있는 대로 고른 것은?

〔보기〕
ㄱ. (가)는 (나)보다 규산염 사면체가 공유하는 산소 수가 많다.
ㄴ. (나)는 단사슬 구조이다.
ㄷ. (다)는 휘석의 결합 구조이다.

① ㄱ   ② ㄴ   ③ ㄱ, ㄷ
④ ㄴ, ㄷ   ⑤ ㄱ, ㄴ, ㄷ

C 광물의 물리적 성질

(서술형)
09 같은 종류의 광물은 모두 내부 구조가 같은데, 그 까닭을 서술하시오.

10 그림 (가)와 (나)는 석영과 각섬석을 나타낸 것이다.

(가) 석영   (나) 각섬석

이에 대한 설명으로 옳은 것만을 [보기]에서 있는 대로 고른 것은?

〔보기〕
ㄱ. (가)는 무색 광물, (나)는 유색 광물이다.
ㄴ. (가)는 (나)보다 Fe와 Mg 함량이 높다.
ㄷ. (가)와 (나)는 모두 규산염 광물에 속한다.

① ㄱ   ② ㄴ   ③ ㄱ, ㄷ
④ ㄴ, ㄷ   ⑤ ㄱ, ㄴ, ㄷ

11 그림은 광물의 모스 굳기와 절대 굳기를 나타낸 것이다.

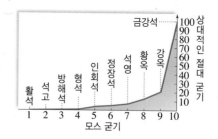

이에 대한 설명으로 옳은 것만을 [보기]에서 있는 대로 고른 것은?

〔보기〕
ㄱ. 형석과 황옥을 서로 긁으면 형석이 긁힌다.
ㄴ. 강옥은 방해석보다 3배 더 단단하다.
ㄷ. 활석은 석영보다 화학적 결합력이 더 강하다.

① ㄱ   ② ㄴ   ③ ㄱ, ㄷ
④ ㄴ, ㄷ   ⑤ ㄱ, ㄴ, ㄷ

12 그림은 흑운모를 나타낸 것이다.

(가) 흑운모의 결합 구조와 (나) 흑운모에 힘을 주면 나타나는 물리적 성질을 옳게 짝 지은 것은?

	(가)	(나)
①	망상 구조	깨짐
②	판상 구조	한 방향 쪼개짐
③	판상 구조	두 방향 쪼개짐
④	단사슬 구조	한 방향 쪼개짐
⑤	단사슬 구조	두 방향 쪼개짐

13 그림 (가)와 (나)는 서로 다른 규산염 광물의 결합 구조를 나타낸 것이다.

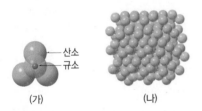

(가)와 (나) 광물의 공통점으로 옳은 것만을 [보기]에서 있는 대로 고른 것은?

[보기]
ㄱ. 규산염 사면체를 기본 구조로 한다.
ㄴ. Si : O가 같다.
ㄷ. (가)와 (나)에 충격을 주면 평탄한 면을 따라 갈라진다.

① ㄱ　　　　② ㄷ　　　　③ ㄱ, ㄴ
④ ㄴ, ㄷ　　　⑤ ㄱ, ㄴ, ㄷ

(서술형)
14 감람석과 석영에 망치로 충격을 주면 깨짐이 나타난다. 그 까닭을 규산염 광물의 결합 구조와 관련지어 서술하시오.

15 표는 세 광물의 물리적 성질을 나타낸 것이다.

광물	화학식	색	조흔색	쪼개짐·깨짐	모스 굳기
금	Au	노란색	노란색	깨짐	2.5~3
황동석	FeS_2	노란색	녹흑색	깨짐	3.5~4
황철석	$CuFeS_2$	노란색	검은색	깨짐	6~6.5

이에 대한 설명으로 옳은 것만을 [보기]에서 있는 대로 고른 것은?

[보기]
ㄱ. 조흔판에 긁어보면 세 광물을 구별할 수 있다.
ㄴ. 망치로 힘을 가하면 금과 황동석을 구별할 수 있다.
ㄷ. 황동석으로 나머지 두 광물을 긁으면 금과 황철석을 구별할 수 있다.

① ㄱ　　　　② ㄴ　　　　③ ㄷ
④ ㄱ, ㄷ　　　⑤ ㄴ, ㄷ

16 그림은 세 광물을 물리적 성질에 따라 구분하는 과정을 나타낸 것이다.

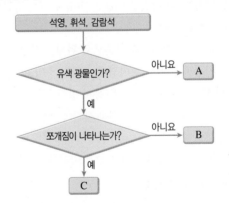

이에 대한 설명으로 옳은 것만을 [보기]에서 있는 대로 고른 것은?

[보기]
ㄱ. A는 감람석이다.
ㄴ. $\dfrac{\text{O 개수}}{\text{Si 개수}}$ 값은 A가 B보다 작다.
ㄷ. C는 규산염 사면체의 결합력이 모든 방향으로 비슷하다.

① ㄱ　　　　② ㄴ　　　　③ ㄱ, ㄷ
④ ㄴ, ㄷ　　　⑤ ㄱ, ㄴ, ㄷ

02 편광 현미경과 암석의 조직

핵심
포인트
🅐 단굴절과 복굴절의 특징 ★★
　편광 현미경의 구조와 원리 ★★
　편광 현미경으로 관찰한 광물의 성질 ★★★
🅑 화성암의 조직 ★★★
　퇴적암의 조직 ★★
　변성암의 조직 ★★★

🅐 편광 현미경을 이용한 광물 관찰

1. 광물의 광학적 성질 빛이 광물 표면에서 반사되거나 광물 내부를 투과할 때 나타나는 특성

(1) **단굴절**: 빛이 광물 내부를 통과할 때 방향에 관계없이 빛의 속도가 일정하여 한 방향으로 ❶굴절하는 현상으로, 등방체 광물(광학적 등방체)에서 일어난다. 예 암염, 형석 등

(2) **복굴절**: *빛이 광물 내부를 통과할 때 빛의 속도가 진행 방향에 따라 달라져 진동 방향이 서로 수직인 두 개의 광선으로 갈라지면서 굴절하는 현상으로, 이방체 광물(광학적 이방체)에서 일어난다. 예 방해석, 석영, 흑운모, 각섬석 등

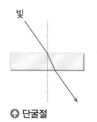
⬆ 단굴절

⬆ 복굴절

⬆ 방해석의 복굴절

2. 편광 현미경의 구조

(1) **편광 현미경**: ❷편광판을 이용한 현미경으로, 광물의 광학적 성질을 관찰할 수 있다.

(2) **편광 현미경의 구조**

① 재물대(회전 재물대)를 기준으로 위에는 상부 편광판, 아래에는 하부 편광판이 있다.

② 하부 편광판은 편광 현미경에 고정되어 있고, 상부 편광판은 끼웠다 뺐다 할 수 있다.

③ *일반적으로 하부 편광판은 동서 방향으로 진동하는 빛만 통과시키고, 상부 편광판은 남북 방향으로 진동하는 빛만 통과시킨다. ➡ 상부 편광판과 하부 편광판은 빛이 통과하는 방향이 서로 수직이다.

④ 재물대 위에 광물 박편이나 암석 박편을 놓고 관찰하며, 재물대는 360° 회전시킬 수 있다.

편광 현미경의 구조와 원리

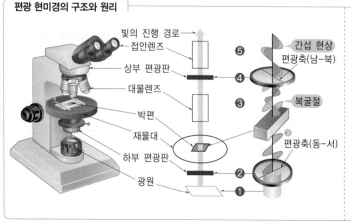

빛의 진행 경로 →
접안렌즈
상부 편광판
대물렌즈
박편
재물대
하부 편광판
광원

⑤ 간섭 현상
편광축(남-북)
④
③
복굴절
❸
편광축(동-서)
②
❶

❶ 광원에서 나오는 빛이 사방으로 진동한다.
❷ 빛이 동-서 방향으로 진동한다.
❸ 빛이 이방체 광물을 통과하면 복굴절이 일어난다.
❹ 빛이 남-북 방향으로 진동한다.
❺ 복굴절된 빛이 ❹간섭을 일으켜 광학적 성질을 관찰할 수 있다.

★ **복굴절의 원리**
빛이 이방체 광물을 통과할 때 서로 수직인 방향으로 진동하여 두 갈래로 굴절하기 때문에 광물 아래의 물체가 이중으로 보인다.

자연광
광물

★ **자연광과 편광**
자연광은 진행 방향에 수직인 모든 방향으로 진동하지만, 편광판을 통과한 빛은 한 방향으로만 진동하는데, 이를 편광이라고 한다.

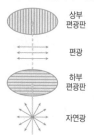
상부 편광판
편광
하부 편광판
자연광

| **용어** |

❶ **굴절**(屈 굽다, 折 꺾다) 파동이 서로 다른 매질의 경계면을 지나면서 진행 방향이 바뀌는 것
❷ **편광판**(偏 치우치다, 光 빛, 板 판) 일정한 방향으로 진동하는 빛만 통과시키는 판
❸ **편광축**(偏光 편광, 軸 굴대) 편광판이 빛을 투과시키는 방향
❹ **간섭**(干 간여하다, 涉 흐르는 모양) 2개 이상의 같은 종류의 파동이 만날 때 더욱 강해지거나 약해지는 현상

3. 편광 현미경을 이용한 광물 관찰

(1) **박편**: 빛이 통과할 수 있도록 *광물이나 암석을 약 0.03 mm 두께로 얇게 만든 것

① *투명 광물: 박편에서 빛이 통과하는 광물 예 석영, 장석 등 대부분의 조암 광물

② 불투명 광물: 박편에서 빛이 통과하지 못하는 광물 예 자철석, 황철석 등 대부분의 금속 광물

(2) **개방 니콜과 직교 니콜**

① 개방 니콜: 상부 편광판을 뺀 상태로, 광물의 투명성, 색, 다색성, 결정형, 입자 크기, 쪼개짐 등을 관찰할 수 있다.

② 직교 니콜: 상부 편광판을 끼운 상태로, 간섭색, 소광 등을 관찰할 수 있다.

(3) **개방 니콜 상태에서 관찰할 수 있는 광물의 광학적 성질**

① 색: 하부 편광판을 통과한 빛이 광물을 통과할 때 광물에 흡수되어 나타나는 현상

② 다색성: 재물대를 돌리면 광축 방향에 따라 광물이 빛을 흡수하는 정도가 달라져 색과 밝기가 미세하게 변하는 현상 ➡ 이방체 광물 중 유색 광물에서만 나타난다. 예 흑운모, 각섬석 등

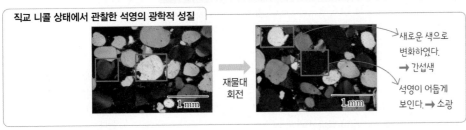

개방 니콜 상태에서 관찰한 흑운모의 광학적 성질

흑운모의 색이 갈색이고, 한 방향의 쪼개짐이 나타난다. ➡ 쪼개짐 / 재물대 회전 / 0.5 mm / 0.5 mm / 엷은 갈색에서 짙은 갈색으로 색의 진하기가 변화하였다. ➡ 다색성

(4) **직교 니콜 상태에서 관찰할 수 있는 광물의 광학적 성질**

① 간섭색: 이방체 광물을 관찰할 때 복굴절로 만들어진 두 방향의 빛이 서로 간섭을 일으켜 나타나는 현상 → 찬란하고 다양한 색이 나타난다.

② ⑤소광: 상부 편광판을 통과한 빛이 전혀 없어 어둡게 보이는 현상으로, 재물대를 돌리면 등방체 광물은 항상 어둡게 보이는 완전 소광이 관찰되고, 이방체 광물은 90°마다 한 번씩 광물이 어두워진다. → 360° 회전시키면 4번 어두워진다.

③ 재물대 위에 박편이 없는 상태에서 직교 니콜로 관찰하면 암흑 상태로 보인다.

➡ 까닭: 상부 편광판을 통과한 빛과 하부 편광판을 통과한 빛이 수직이기 때문이다.

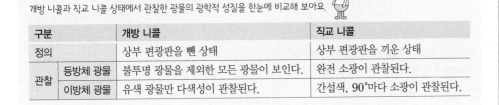

직교 니콜 상태에서 관찰한 석영의 광학적 성질

재물대 회전 / 1 mm / 1 mm / 새로운 색으로 변화하였다. ➡ 간섭색 / 석영이 어둡게 보인다. ➡ 소광

개방 니콜과 직교 니콜 상태에서 관찰한 광물의 광학적 성질을 한눈에 비교해 보아요

구분		개방 니콜	직교 니콜
정의		상부 편광판을 뺀 상태	상부 편광판을 끼운 상태
관찰	등방체 광물	불투명 광물을 제외한 모든 광물이 보인다.	완전 소광이 관찰된다.
	이방체 광물	유색 광물만 다색성이 관찰된다.	간섭색, 90°마다 소광이 관찰된다.

★ 박편 제작 과정
암석이나 광물을 적당한 크기로 잘라 슬라이드 글라스에 붙이고, 연마하여 커버 글라스를 덮어 밀봉한다.

★ 투명 광물의 구분
투명 광물은 무색 광물과 유색 광물로 세분된다.

상부 편광판 / 재물대 / 박편 / 하부 편광판

상부 편광판 / 재물대 / 박편 / 하부 편광판

| 용어 |

⑤ 소광(消 사라지다, 光 빛) 빛이 완전히 차단되어 어둡게 보이는 현상

편광 현미경과 암석의 조직

편광 현미경을 이용한 광물 관찰

과정

① 편광 현미경의 전원을 켜서 광원에 불이 들어오게 하고, 상부 편광판을 삽입한 후 접안렌즈로 관찰하여 어둡게 보이는지(빛이 완전히 차단되는지) 확인한다.

② 재물대 위에 화강암 박편을 놓고 박편에서 석영, 흑운모, 각섬석을 찾은 후 천천히 회전시키면서 각 광물이 현미경의 시야에서 벗어나지 않는지 확인한다.

③ 상부 편광판을 뺀 상태(개방 니콜)에서 세 광물의 색을 관찰하여 기록한다.

④ 상부 편광판을 뺀 상태(개방 니콜)에서 재물대를 360° 돌리면서 세 광물의 다색성, 쪼개짐을 관찰하여 기록한다.

⑤ 상부 편광판을 끼운 상태(직교 니콜)에서 재물대를 360° 돌리면서 세 광물의 간섭색, 소광을 관찰하여 기록한다.

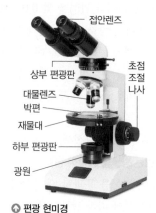

접안렌즈
상부 편광판
대물렌즈
박편
재물대
하부 편광판
광원
초점 조절 나사

⬆ 편광 현미경

> **목표** 편광 현미경 사용법을 익히고, 편광 현미경으로 광물을 관찰하여 광물의 광학적 성질을 이해할 수 있다.

> 편광 현미경으로 박편을 관찰할 때 대물렌즈를 저배율로 맞추면 박편 전체를 관찰할 수 있고, 고배율로 맞추면 특정 부분을 자세히 관찰할 수 있어요.

결과

구분		석영	흑운모	각섬석
개방 니콜	광물 박편 사진			
	색	투명함	연한 갈색	녹색, 황록색
	다색성	없음	연한 갈색이나 진한 갈색으로 나타남	녹색이나 갈색으로 나타남
	쪼개짐	없음(깨짐)	한 방향	두 방향
직교 니콜	광물 박편 사진			
	간섭색	어두운 회색~밝은 회색	갈색, 초록색 등	황색, 녹황색 등
	소광	90°마다 1회 나타남	90°마다 1회 나타남	90°마다 1회 나타남

해석

1. **개방 니콜**
   - **다색성**: 석영은 이방체 광물이면서 무색 광물이므로 다색성이 나타나지 않고, 흑운모와 각섬석은 이방체 광물이면서 유색 광물이므로 다색성이 나타난다.
   - **쪼개짐**: 석영은 망상 구조이므로 깨짐이 발달하고, 흑운모는 판상 구조이므로 한 방향의 쪼개짐, 각섬석은 복사슬 구조이므로 두 방향의 쪼개짐이 발달한다.

2. **직교 니콜**
   - **간섭색**: 세 광물 모두 이방체 광물이므로 간섭색이 나타난다.
   - **소광**: 세 광물 모두 이방체 광물이므로 360° 회전하는 동안 4번의 소광이 나타난다.

3. **흑운모와 각섬석을 서로 구별할 수 있는 방법**: 색, 다색성, 간섭색이 비슷하지만 쪼개짐이 나타나는 방향이 다르기 때문에 서로 구별할 수 있다.

확인 문제

1 편광 현미경으로 관찰할 때 석영, 각섬석, 흑운모 중 (   )은/는 다색성이 나타나지 않는다.

2 광물의 광학적 성질 중 다색성 여부는 ㉠(   ) 니콜로 관찰하고, 간섭색과 소광은 ㉡(   ) 니콜로 관찰한다.

확인 문제 답
1 석영
2 ㉠ 개방, ㉡ 직교

개념 확인 문제

정답친해 30쪽

핵심 체크

- 광물의 광학적 성질
  - 단굴절: 빛이 광물 내부를 통과할 때 한 방향으로 굴절하는 현상
    ➡ (❶   ) 광물에서 일어난다. 예 암염, 형석
  - 복굴절: 빛이 광물 내부를 통과할 때 두 방향으로 굴절하는 현상
    ➡ (❷   ) 광물에서 일어난다. 예 방해석, 석영
- 편광 현미경의 구조
  - 재물대를 사이에 두고 위쪽에는 (❸   ) 편광판이 있고, 아래쪽에는 (❹   ) 편광판이 있다.
  - 상부 편광판과 하부 편광판은 빛이 통과하는 방향이 서로 (❺   )이다.
- 편광 현미경을 이용한 광물 관찰: 광물이나 암석을 박편으로 제작하여 관찰한다.
  - (❻   ) 니콜: 상부 편광판을 뺀 상태로, 색, 다색성, 쪼개짐 등을 관찰할 수 있다.
  - (❼   ) 니콜: 상부 편광판을 끼운 상태로, 간섭색, 소광 등을 관찰할 수 있다.

1 단굴절과 복굴절에 대한 설명으로 옳은 것은 ○, 옳지 않은 것은 ×로 표시하시오.

(1) 등방체 광물 내부를 통과하는 빛은 한 방향으로 굴절된다. ······························· (   )
(2) 복굴절이 일어나는 광물은 등방체 광물이다. (   )
(3) 석영과 방해석은 이방체 광물에 해당한다. ····· (   )

2 그림은 편광 현미경의 구조를 나타낸 것이다.
A, B, C의 명칭을 각각 쓰시오.

접안렌즈
A
대물렌즈
박편
B
C
광원

3 편광 현미경의 구조와 원리에 대한 설명으로 옳은 것은 ○, 옳지 않은 것은 ×로 표시하시오.

(1) 하부 편광판은 편광 현미경에 고정되어 있다. (   )
(2) 재물대는 180°만 회전시킬 수 있다. ············ (   )
(3) 편광 현미경으로 광물을 관찰하면 광물의 내부 구조를 알 수 있다. ························· (   )

4 편광 현미경으로 석영을 관찰하기 위해서는 빛이 통과할 수 있도록 약 0.03 mm 두께로 얇게 만든 (   )을 재물대 위에 놓고 접안렌즈로 관찰한다.

5 편광 현미경으로 관찰한 광물의 (가) 광학적 성질과 관련된 (나) 관찰 내용, (다) 관찰 방법을 각각 옳게 연결하시오.

(가)	(나)	(다)
(1) 색 •	• ㉠ 빛이 광물에 흡수되어 나타난다.	• ⓐ 직교 니콜
(2) 소광 •	• ㉡ 방향에 따라 색이 미세하게 변한다.	• ⓑ 개방 니콜
(3) 간섭색 •	• ㉢ 찬란한 색이 나타난다.	
(4) 다색성 •	• ㉣ 어둡게 보인다. •	

6 편광 현미경의 사용 방법에 대한 설명 중 (   ) 안에 알맞은 말을 고르시오.

> 편광 현미경을 이용하여 광물을 관찰할 때 먼저 편광 현미경의 전원을 켜고 ㉠ (개방, 직교) 니콜 상태에서 접안렌즈로 관찰하여 ㉡ (밝게, 어둡게) 보이는지 확인한다.

B 암석의 조직

1. 화성암의 조직

(1) 광물의 결정 형태: 편광 현미경으로 화성암 박편을 관찰하면 구성 광물 모양이 다양하다. ➡ 마그마로부터 광물의 생성 순서를 알 수 있다.

① 자형: 결정면 전체가 잘 발달한 광물의 형태

② 반자형: 결정면의 일부만 발달한 광물의 형태

③ 타형: 결정면이 발달하지 못한 광물의 형태

⬆ 자형, 반자형, 타형

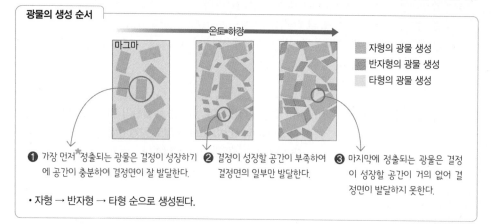

광물의 생성 순서

온도 하강

마그마

■ 자형의 광물 생성
■ 반자형의 광물 생성
□ 타형의 광물 생성

❶ 가장 먼저 정출되는 광물은 결정이 성장하기에 공간이 충분하여 결정면이 잘 발달한다.

❷ 결정이 성장할 공간이 부족하여 결정면의 일부만 발달한다.

❸ 마지막에 정출되는 광물은 결정이 성장할 공간이 거의 없어 결정면이 발달하지 못한다.

• 자형 → 반자형 → 타형 순으로 생성된다.

(2) 화성암의 종류: 생성된 깊이와 마그마의 냉각 속도에 따라 구분한다.

① 심성암(관입암): 마그마가 지하 깊은 곳에서 천천히 식어 형성된 암석

② 반심성암: 마그마가 지하 깊은 곳에서 천천히 식어가다가 상승하여 빠르게 식어 형성된 암석

③ 화산암(분출암): 마그마가 분출되어 지표에서 빠르게 식어 형성된 암석

(3) 화성암의 조직: 마그마의 냉각 속도가 느릴수록 결정의 크기가 커진다.

조립질 조직	• 결정의 크기가 크고 비교적 고른 조직 • 심성암에서 잘 나타난다. 예 반려암, 화강암
반상 조직	• 큰 입자와 작은 입자가 섞여 있는 조직 • 큰 입자를 반정, 작은 입자를 석기(기질)라고 한다. • 반심성암에서 잘 나타난다. 예 휘록암, 반암
세립질 조직	• 결정의 크기가 매우 작은 조직 • 화산암에서 잘 나타난다. 예 현무암
유리질 조직	• 결정이 없는 조직 • 화산암에서 잘 나타난다. ➡ 마그마의 냉각 속도가 너무 빨라서 광물 입자를 생성할 여유가 없을 때 나타난다. 예 흑요석

반심성암 (반상 조직)
화산암 (세립질 조직)
심성암(조립질 조직)

조립질 조직

1mm

⬆ 심성암(반려암)

반상 조직

1mm

⬆ 반심성암(휘록암)

세립질 조직

1mm

⬆ 화산암(현무암)

★ 암석의 종류 구분

광물 조합과 암석 조직에 따라 암석의 종류를 구분할 수 있다.

• 광물 조합: 암석 내에 존재하는 광물의 종류와 상대적인 양
• 암석 조직: 암석을 이루는 광물 입자의 크기, 모양, 배열 상태

★ 광물의 정출 순서

마그마가 냉각되는 과정에서 암석을 이루는 모든 광물은 동시에 정출되지 않는다. 마그마의 온도가 낮아지면 녹는점이 높은 광물부터 정출된다.

★ 반정과 석기

반상 조직에서 바탕을 이루고 있는 작은 결정 또는 유리질로 된 부분을 석기라고 하고, 큰 결정을 반정이라고 한다. 반정은 석기보다 먼저 정출된다.

석기
반정

암기해

화성암의 조직

암석	냉각 속도	조직
심성암	느림	조립질
반심성암	↕	반상
화산암	빠름	세립질 (유리질)

↳ 화산암은 세립질 조직이나 유리질 조직을 가진다.

2. 퇴적암의 조직

(1) 퇴적암의 종류: 생성 환경에 따라 구분한다.

쇄설성 퇴적암	• 기존 암석이 풍화 작용을 받아 생긴 쇄설성 퇴적물이 *속성 작용을 거쳐 생성된 암석 ➡ 입자 크기에 따라 역암, 사암, 이암(❶셰일)으로 구분하며, *층리가 나타난다. • 편광 현미경으로 입자 크기, 모양, *고른 정도, 구성 광물과 같은 조직적 특징을 관찰하면 퇴적물의 공급지를 추론할 수 있다.
화학적 퇴적암	• 주로 해양 환경에서 화학적 풍화 작용으로 생성된 이온 등의 반응으로 광물이 침전하여 생성된 암석 예 석회암, 석고, 암염 ┌─ 석회암: 탄산 칼슘이 침전되어 생성 └─ 석고, 암염: 건조한 기후에서 바닷물이 증발하여 생성
유기적 퇴적암	• 생물의 골격이나 껍데기 등 유기적 퇴적물이 쌓여 생성된 암석 예 석회암, 석탄 • 죽은 생물체에 탄산염 광물이 침전한 것으로, 대부분 아열대나 열대 지방에서 생성된다.

(2) 퇴적암의 조직

쇄설성 조직	쇄설성 퇴적암에서 나타나는 조직 ➡ *입자의 모서리가 마모되어 있고, 입자 사이에 교결 물질(방해석, 점토 광물, 불투명 광물 등)이 채워져 있다.
비쇄설성 조직	화학적 퇴적암이나 유기적 퇴적암에서 나타나는 조직 ➡ 화학적 퇴적암에서 흔히 결정질 조직이 나타나고, 유기적 퇴적암에서 화석이 관찰되기도 한다. 한 종류의 광물로 이루어져 있다.

⬆ 쇄설성 조직(사암)

⬆ 비쇄설성 조직(석고)

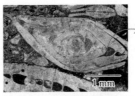
→ 유공충 화석
⬆ 비쇄설성 조직(화석이 포함된 석회암)

3. 변성암의 조직

(1) 변성 작용: 기존 암석이 고온 고압의 환경에서 광물 조성이나 암석 조직이 변하는 작용

(2) 재결정 작용: 암석이 오랫동안 높은 열과 압력을 받아 그 조건에 맞는 안정한 새로운 광물이 만들어지거나 광물의 입자가 커지는 현상

(3) 변성암의 조직

열과 압력에 의한 변성암의 조직 지하 깊은 곳에서 생성된 광역 변성암에서 나타난다.	• *엽리: 판상의 광물이 재배열하여 형성된 줄무늬 구조 ➡ 엽리는 암석에 압력이 가해진 방향과 수직 방향으로 기존 광물이 재배열되거나 새로 만들어진 광물이 배열되어 만들어진다. 예 셰일의 조직 변화: 셰일이 열과 압력을 받아 변성 정도가 증가하면서 세립질 입자에서 조립질 입자로 변한다.  변성 작용 전　변성 작용 후 점판암　 천매암　 편암　 편마암 세립질 입자 ─── 변성 정도 증가 ───▶ 조립질 입자
열에 의한 변성암의 조직 마그마 접촉부에서 생성된 접촉 변성암에서 나타난다.	• 혼펠스 조직: 방향성이 없고 재결정이 일어나 치밀하고 단단한 조직 예 혼펠스 • 입상 변정질 조직: 방향성이 없고 입자의 크기가 비슷하며 촘촘하게 맞물린 조립질로 구성된 조직 예 대리암  혼펠스 조직　 입상 변정질 조직

★ 속성 작용
퇴적물이 쌓인 후 다져지고 굳어져 퇴적암이 되기까지의 전 과정

★ 분급(分 나누다, 級 등급)
퇴적물 입자의 크기가 고른 정도로, 입자의 크기가 비슷할수록 분급이 좋다.

분급이 나쁘다.

분급이 좋다.

★ 원마도
(圓 둥글다, 摩 갈다, 度 정도)
퇴적물의 모서리가 마모된 정도로, 같은 종류의 퇴적물인 경우 퇴적될 때까지 이동한 거리가 멀수록 원마도가 좋다.

원마도가　　　　원마도가
나쁘다.　　　　　좋다.

★ 엽리의 종류
• 편리: 세립질 암석에 압력이 가해져 광물들이 얇은 판상으로 배열된 상태로, 육안으로는 구별할 수 없다. 편암에서 잘 나타난다.
• 편마 구조: 재결정 작용을 받은 광물 입자들이 비교적 큰 입자로 성장해 일정한 방향으로 유색 광물과 무색 광물이 재배열된 것으로, 육안으로 구별 가능하다. 편마암에서 잘 나타난다.

┃용어┃
❶ 셰일 이암 중 층리가 얇게 관찰되는 암석
❷ 층리(層 층, 理 결) 퇴적물이 나란하게 퇴적된 층상 구조

개념 확인 문제

핵심 체크

- 화성암에서 광물 결정의 생성 순서: (❶   ) → 반자형 → 타형
- 화성암의 조직
  - (❷   ) 조직: 결정의 크기가 크고 비교적 고른 조직으로, (❸   )에서 잘 나타난다.
  - (❹   ) 조직: 큰 입자와 작은 입자가 섞여 있는 조직으로, 반심성암에서 잘 나타난다.
  - (❺   ) 조직: 결정의 크기가 매우 작은 조직으로, (❻   )에서 잘 나타난다.
  - 유리질 조직: 결정이 없는 조직
- 퇴적암의 조직
  - (❼   ) 조직: 쇄설성 퇴적암에서 나타나는 조직
  - (❽   ) 조직: 화학적 퇴적암이나 유기적 퇴적암에서 나타나는 조직
- 변성암의 조직
  - (❾   ): 광물이 압력의 수직 방향으로 나란하게 배열된 줄무늬 구조 ➡ 열과 압력에 의해 생성
  - (❿   ) 조직: 방향성이 없고 재결정이 일어나 치밀하고 단단한 조직 ┐
  - 입상 변정질 조직: 방향성이 없고 입자의 크기가 비슷하며 촘촘하게 맞물린 조립질로 구성된 조직 ┘ ➡ 열에 의해 생성

---

1 그림은 화성암을 이루는 광물 결정을 결정면의 발달 정도에 따라 구분하여 A~C로 나타낸 것이다.
자형, 타형, 반자형 중 A, B, C에 해당하는 결정 형태를 쓰시오.

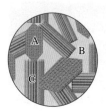

2 그림 (가)~(다)는 화성암의 조직을 나타낸 것이다.

 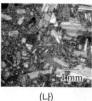 

(가)   (나)   (다)

(1) 결정의 크기에 따른 (가)~(다) 조직을 각각 쓰시오.

(2) (가)~(다) 중 심성암에서 잘 나타나는 조직을 고르시오.

(3) (가)~(다)가 생성되는 과정에서 마그마의 냉각 속도가 빨랐던 것부터 순서대로 쓰시오.

3 화성암의 종류와 조직에 대한 설명으로 옳은 것은 ○, 옳지 않은 것은 ×로 표시하시오.

(1) 심성암은 화산암보다 마그마의 냉각 속도가 느린 환경에서 형성된다. ────── (   )

(2) 결정의 크기가 거의 없는 조직을 조립질 조직이라고 한다. ─────────── (   )

(3) 반심성암에서 잘 나타나는 화성암의 조직은 반상 조직이다. ─────────── (   )

4 쇄설성 퇴적암에서 나타나는 조직인 (쇄설성, 비쇄설성) 조직은 입자의 모서리가 마모되어 있고 입자 사이에 교결 물질이 채워져 있다.

5 암석이 열과 압력을 받아 생성된 조직이 나타나는 변성암이 아닌 것은?

① 편암   ② 점판암   ③ 천매암
④ 편마암   ⑤ 혼펠스

6 접촉 변성암에서 나타나는 입자의 크기가 비슷하고 조립질로 구성된 조직을 (   ) 조직이라고 한다.

대표 자료 분석

🏠 학교 시험에 자주 출제되는 대표 자료와 그 자료에 대한
문제를 통해 자료를 완벽하게 이해할 수 있다.

자료 ① 편광 현미경을 이용한 광물 관찰

기출 Point
• 편광 현미경의 구조 이해하기
• 편광 현미경을 이용하여 관찰한 광물의 광학적 성질 파악하기

[1~4] 그림 (가)와 (나)는 편광 현미경으로 광물 박편을
관찰하는 모습이고, (다)는 (가)와 (나) 중 한 방법으로
재물대를 회전시키면서 관찰한 흑운모의 모습이다.

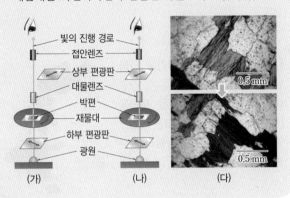

빛의 진행 경로
접안렌즈
상부 편광판
대물렌즈
박편
재물대
하부 편광판
광원

(가)　　　(나)　　　(다)

1 (가)와 (나)의 니콜 상태를 각각 쓰시오.

2 (다)에서 (소광, 간섭색, 다색성)을 관찰할 수 있다.

3 다음 중 (나)의 조작으로 간섭색을 관찰할 수 있는
광물을 모두 고르시오.

> 석영, 암염, 감람석, 자철석

4 빈출 선택지로 완벽 정리!
(1) 광물의 다색성을 관찰하기 위해서는 (가)의 방법을 이
용한다. ·· (○ / ×)
(2) (나)의 방법으로 재물대를 돌리면서 등방체 광물을
관찰하면 완전 소광이 나타난다. ············ (○ / ×)
(3) (가)와 (나)의 방법으로 금속 광물을 관찰하면 모두
밝게 보인다. ··· (○ / ×)
(4) (다)는 (가)의 방법으로 관찰하였다. ········· (○ / ×)

자료 ② 암석의 조직

기출 Point
• 암석의 조직 사진으로 암석의 종류 파악하기
• 화성암, 퇴적암, 변성암의 생성 환경 이해하기

[1~3] 그림 (가)와 (나)는 화성암의 조직을, (다)는 퇴적
암의 조직을, (라)는 변성암의 조직을 나타낸 것이다.

(가)　　　(나)

(다)　　　(라)

1 (가)와 (나)는 심성암, 반심성암, 화산암 중 각각 어
느 암석에서 잘 나타나는 조직인지 쓰시오.

2 (다)와 (라)에 나타나는 조직을 쓰시오.

3 빈출 선택지로 완벽 정리!
(1) (가)는 조립질 조직, (나)는 세립질 조직이다. (○ / ×)
(2) 암석이 생성된 깊이는 (가)가 (나)보다 깊다. (○ / ×)
(3) 마그마의 냉각 속도는 (가)가 (나)보다 빠르다.
·· (○ / ×)
(4) (다)는 화학적 퇴적암에서 나타난다. ········ (○ / ×)
(5) (라)에서는 엽리가 관찰된다. ················· (○ / ×)
(6) (라)의 암석은 높은 열과 압력에 의해 변성 작용을 받
았다. ·· (○ / ×)
(7) 혼펠스에서 (라)와 같은 조직이 나타난다. ··· (○ / ×)

내신 만점 문제

A 편광 현미경을 이용한 광물 관찰

[01~02] 그림 (가)와 (나)는 빛이 서로 다른 광물 A, B를 통과하면서 굴절하는 모습을 나타낸 것이다.

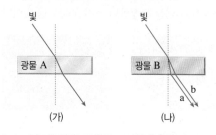

01 광물 A와 B에 대한 설명으로 옳은 것만을 [보기]에서 있는 대로 고른 것은?

[보기]
ㄱ. A와 B는 모두 불투명 광물이다.
ㄴ. A는 단굴절, B는 복굴절하는 광물이다.
ㄷ. 빛이 방해석을 통과할 때 (나)와 같은 굴절을 보인다.

① ㄱ　　　　② ㄴ　　　　③ ㄱ, ㄷ
④ ㄴ, ㄷ　　　⑤ ㄱ, ㄴ, ㄷ

02 그림 (나)에 대한 설명으로 옳은 것만을 [보기]에서 있는 대로 고른 것은?

[보기]
ㄱ. B는 등방체 광물이다.
ㄴ. 빛 a와 b는 진동 방향이 서로 수직이다.
ㄷ. 편광 현미경을 이용하여 B의 광학적 성질을 관찰할 수 있다.

① ㄱ　　　　② ㄷ　　　　③ ㄱ, ㄴ
④ ㄴ, ㄷ　　　⑤ ㄱ, ㄴ, ㄷ

03 그림은 글자 위에 방해석을 올려놓고 관찰한 모습이다. 이러한 현상이 생길 수 있는 광물이 아닌 것은?

① 석영　　　　② 암염　　　　③ 각섬석
④ 감람석　　　⑤ 사장석

04 그림은 편광 현미경을 나타낸 것이다.
이에 대한 설명으로 옳은 것만을 [보기]에서 있는 대로 고른 것은? (단, A와 B는 상부 편광판과 하부 편광판 중 하나이다.)

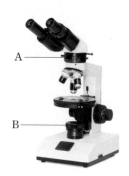

[보기]
ㄱ. A는 상부 편광판, B는 하부 편광판이다.
ㄴ. 개방 니콜은 A와 B를 모두 뺀 상태이다.
ㄷ. A를 통과한 빛과 B를 통과한 빛의 진동 방향은 서로 나란하다.

① ㄱ　　　　② ㄴ　　　　③ ㄱ, ㄷ
④ ㄴ, ㄷ　　　⑤ ㄱ, ㄴ, ㄷ

05 편광 현미경에 대한 설명으로 옳은 것만을 [보기]에서 있는 대로 고른 것은?

[보기]
ㄱ. 편광 현미경을 이용하여 투명 광물을 관찰할 수 있다.
ㄴ. 하부 편광판은 빼거나 끼울 수 있는 조작이 가능하다.
ㄷ. 상부 편광판을 삽입한 상태에서 재물대 위에 박편을 놓지 않고 접안렌즈를 통해 관찰하면 밝게 보인다.

① ㄱ　　　　② ㄴ　　　　③ ㄱ, ㄷ
④ ㄴ, ㄷ　　　⑤ ㄱ, ㄴ, ㄷ

06 다음은 편광 현미경으로 흑운모를 관찰한 결과이다.

> 상부 편광판을 ㉠(　　　) 상태로 재물대를 돌렸더니
> 흑운모의 색이 점점 짙어지는 ㉡(　　　)이 나타났다.

(　) 안에 들어갈 말을 옳게 짝 지은 것은?

	㉠	㉡		㉠	㉡
①	끼운	소광	②	끼운	다색성
③	뺀	소광	④	뺀	간섭색
⑤	뺀	다색성			

07 〈서술형〉 그림은 편광 현미경의 재물대 위에 석영 박편을 놓고 재물대를 천천히 회전시켰을 때의 변화를 나타낸 것이다.

(가) 이 변화를 관찰하기 위한 상부 편광판의 조작 방법을 쓰고, (나) 관찰되는 석영의 광학적 성질을 서술하시오.

08 그림 (가)와 (나)는 편광 현미경의 개방 니콜과 직교 니콜에서 암석 박편을 관찰하여 스케치한 것을 순서 없이 나타낸 것이다.

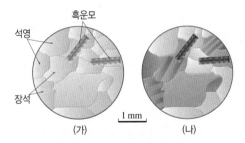

이에 대한 설명으로 옳은 것만을 [보기]에서 있는 대로 고른 것은?

> [보기]
> ㄱ. (가)는 개방 니콜에서 관찰한 것이다.
> ㄴ. (가)에서 재물대를 360° 돌리면 소광이 4번 일어난다.
> ㄷ. (나)에서 간섭색을 관찰할 수 있다.

① ㄱ　　② ㄴ　　③ ㄱ, ㄷ
④ ㄴ, ㄷ　　⑤ ㄱ, ㄴ, ㄷ

09 표는 세 광물의 광학적 성질을 나타낸 것이다.

구분	석영	흑운모	각섬석
다색성	없음	있음	있음
간섭색	무색	갈색, 초록색	황색, 녹황색
소광	90°마다 나타남	90°마다 나타남	90°마다 나타남

이에 대한 설명으로 옳은 것만을 [보기]에서 있는 대로 고른 것은?

> [보기]
> ㄱ. 개방 니콜에서 재물대를 돌리면 석영은 항상 검게 보인다.
> ㄴ. 흑운모와 각섬석의 간섭색은 직교 니콜에서 관찰할 수 있다.
> ㄷ. 세 광물 모두 이방체 광물이면서 유색 광물이다.

① ㄱ　　② ㄴ　　③ ㄱ, ㄷ
④ ㄴ, ㄷ　　⑤ ㄱ, ㄴ, ㄷ

10 다음은 편광 현미경으로 석류석을 관찰한 결과이다.

> • 개방 니콜 상태에서 관찰하였더니 갈색으로 보였다.
> • 직교 니콜 상태에서 관찰하였더니 검게 보였고, 재물대를 천천히 회전하여도 변화가 없었다.

이에 대한 설명으로 옳은 것만을 [보기]에서 있는 대로 고른 것은?

> [보기]
> ㄱ. 석류석은 불투명 광물이다.
> ㄴ. 석류석은 등방체 광물에 해당한다.
> ㄷ. 개방 니콜에서 다색성을 볼 수 있다.

① ㄱ　　② ㄴ　　③ ㄱ, ㄷ
④ ㄴ, ㄷ　　⑤ ㄱ, ㄴ, ㄷ

B 암석의 조직

11 그림은 어느 화성암을 편광 현미경으로 관찰하여 결정 형태를 나타낸 것이다. A~C의 생성 순서를 옳게 나타낸 것은?

① A → B → C ② A → C → B
③ B → A → C ④ B → C → A
⑤ C → B → A

12 그림 (가)와 (나)는 서로 다른 화성암의 조직을 나타낸 것이다.

 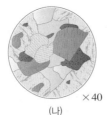

×40 (가)   ×40 (나)

이에 대한 설명으로 옳은 것만을 [보기]에서 있는 대로 고른 것은?

[보기]
ㄱ. (가)는 조립질 조직이고, (나)는 세립질 조직이다.
ㄴ. (가)는 (나)보다 마그마의 냉각 속도가 빨랐다.
ㄷ. (가)와 (나)의 결정 크기가 다른 까닭은 화학 조성이 다르기 때문이다.

① ㄱ ② ㄴ ③ ㄱ, ㄷ
④ ㄴ, ㄷ ⑤ ㄱ, ㄴ, ㄷ

13 (서술형) 그림 (가)는 반심성암인 휘록암이고, (나)는 휘록암의 조직 사진을 나타낸 것이다.

(가)   (나)

(나)에서 나타나는 조직을 쓰고, 이러한 조직이 나타나는 까닭을 화성암이 형성된 깊이와 관련지어 서술하시오.

14 그림 (가)와 (나)는 서로 다른 화성암의 사진이다.

(가) 현무암   (나) 반려암

이에 대한 설명으로 옳은 것만을 [보기]에서 있는 대로 고른 것은?

[보기]
ㄱ. (가)에서 세립질 조직이 나타난다.
ㄴ. (가)는 심성암, (나)는 화산암이다.
ㄷ. (나)는 (가)보다 깊은 곳에서 생성되었다.

① ㄱ ② ㄴ ③ ㄱ, ㄷ
④ ㄴ, ㄷ ⑤ ㄱ, ㄴ, ㄷ

[15~16] 표는 퇴적암을 생성 환경에 따라 구분한 것이다.

퇴적암	특징
A	생물의 골격이나 껍데기 등이 쌓여 생성된다.
B	풍화와 침식에 의해 생성된 입자들이 쌓여 생성된다.
C	물속에 녹아 있는 이온 등의 반응으로 광물이 침전하여 생성된다.

15 A~C에 해당하는 암석을 옳게 짝 지은 것은?

	A	B	C
①	석회암	이암	석고
②	석회암	암염	사암
③	이암	역암	석고
④	이암	석고	암염
⑤	암염	사암	이암

16 A~C에 대한 설명으로 옳은 것만을 [보기]에서 있는 대로 고른 것은?

[보기]
ㄱ. A에서 쇄설성 조직을 볼 수 있다.
ㄴ. B에서 입자의 모서리가 마모된 모습이 나타난다.
ㄷ. A, B, C 모두 속성 작용을 받는다.

① ㄱ ② ㄷ ③ ㄱ, ㄴ
④ ㄴ, ㄷ ⑤ ㄱ, ㄴ, ㄷ

17 그림 (가)와 (나)는 사암과 석회암의 조직을 순서 없이 나타낸 것이다.

(가)　　　　　　(나)

이에 대한 설명으로 옳은 것만을 [보기]에서 있는 대로 고른 것은?

[보기]
ㄱ. (가)는 쇄설성 조직이다.
ㄴ. (가)에서 화석이 발견되기도 한다.
ㄷ. (나)에서 주로 결정질 조직이 나타난다.

① ㄱ　　　② ㄴ　　　③ ㄱ, ㄷ
④ ㄴ, ㄷ　　　⑤ ㄱ, ㄴ, ㄷ

18 다음은 셰일이 변성 작용을 받아 생성되는 암석의 변화를 나타낸 것이다.

셰일 → 점판암 → 천매암 → A → 편마암

A에 대한 설명으로 옳은 것만을 [보기]에서 있는 대로 고른 것은?

[보기]
ㄱ. 편암이다.
ㄴ. 엽리가 발달한다.
ㄷ. 점판암보다 조립질 입자로 이루어져 있다.

① ㄱ　　　② ㄴ　　　③ ㄱ, ㄷ
④ ㄴ, ㄷ　　　⑤ ㄱ, ㄴ, ㄷ

19 그림 (가)와 (나)는 편마암과 혼펠스의 사진이다.

(가) 편마암　　　　(나) 혼펠스

이에 대한 설명으로 옳은 것만을 [보기]에서 있는 대로 고른 것은?

[보기]
ㄱ. (가)에서는 편마 구조가 나타난다.
ㄴ. (나)는 압력보다 열의 영향을 더 많이 받았다.
ㄷ. (가)와 (나) 모두 광물 조성과 암석 조직이 변하였다.
ㄹ. (나)에 가해지는 열이 증가하면 (가)가 된다.

① ㄱ, ㄴ　　　② ㄱ, ㄹ　　　③ ㄷ, ㄹ
④ ㄱ, ㄴ, ㄷ　　　⑤ ㄴ, ㄷ, ㄹ

20 그림 (가)와 (나)는 편광 현미경으로 관찰한 엽리와 반상 조직을 순서 없이 나타낸 것이다.

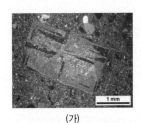　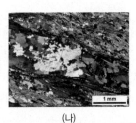

(가)　　　　　　(나)

이에 대한 설명으로 옳은 것만을 [보기]에서 있는 대로 고른 것은?

[보기]
ㄱ. (가)는 반상 조직이다.
ㄴ. (나)의 줄무늬는 압력 방향에 수직인 방향으로 생긴다.
ㄷ. (가)는 변성암에서, (나)는 화성암에서 관찰할 수 있다.

① ㄱ　　　② ㄷ　　　③ ㄱ, ㄴ
④ ㄴ, ㄷ　　　⑤ ㄱ, ㄴ, ㄷ

03 지하자원의 형성과 이용

핵심 포인트
Ⓐ 지하자원의 분류 ★★   Ⓑ 화성 광상의 종류 ★★★   Ⓒ 광물의 이용 ★★★
　　　　　　　　　　　　　퇴적 광상의 종류 ★★★   　암석의 이용 ★★
　　　　　　　　　　　　　변성 광상의 종류 ★★

Ⓐ 지하자원

1. 지하자원 지구에서 자연 현상으로 땅속에서 만들어진 자원
　　　　　　　　　　　　　　　　　　　　　　• 인간에게 유용하고 가치 있는 물질 또는
　　　　　　　　　　　　　　　　　　　　　　에너지로 쓸 수 있는 원료

2. 지하자원의 분류

(1) *광물 자원: 일상생활과 산업에 이용되는 광물

① 금속 광물 자원: 금속이 주성분인 광물 자원 예 금, 은, 구리, 철 등

② 비금속 광물 자원: 비금속이 주성분인 광물 자원 예 석영, 석회석, 고령토 등

(2) 에너지 자원: 일상생활과 경제 활동을 위해 사용하는 연료 예 화석 연료, 원자력 에너지 등
　　　　　　　　　　　　　　　　　　　　　　　　　　　석유, 석탄, 천연가스

Ⓑ 광상

1. 광상 *광석이 집적되어 있는 곳으로, 형성 과정에 따라 구분한다.

(1) **화성 광상**: 마그마가 냉각되는 과정에서 마그마 속에 포함된 유용한 광물이 정출되어 형성된 광상

(2) **퇴적 광상**: 지표의 광상이나 암석이 풍화, 침식, 운반, 퇴적되는 과정에서 유용한 광물이 모여 형성된 광상

(3) **변성 광상**: 지각 내에서 기존의 광상이 변성 작용을 받아 광물의 조성이 변하여 형성된 광상

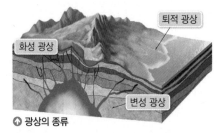
🔼 광상의 종류

2. 화성 광상

(1) 판의 수렴형 경계나 발산형 경계에서는 마그마의 생성이 활발하므로 특정한 종류의 화성 광상이 형성된다.

(2) 마그마의 온도와 위치에 따라 구분한다. ➡ 마그마의 온도가 낮아질수록 휘발 성분의 함량이 증가한다.

광상	특징	산출 광물	형성 온도
정마그마 광상	고온의 마그마가 냉각되는 초기에 용융점이 높고 밀도가 큰 광물이 정출되어 형성된 광상	자철석, 크롬철석, 백금, 니켈 등	고온
❶페그마타이트 광상	마그마가 냉각되는 후기에 휘발 성분이 풍부한 마그마가 주변의 암석을 관입하면서 광물이 정출되어 형성된 광상	석영, 장석, 운모, 녹주석, 전기석 등	
기성 광상	마그마에 남아 있는 고온의 수증기와 휘발 성분이 주변의 암석과 화학 반응을 일으켜 형성된 광상	주석, 몰리브데넘, 회중석, 형석 등	
열수 광상	마그마가 냉각되면서 여러 가지 광물이 정출되고 남은 ❷열수 용액에서 광물 성분이 침전하여 형성된 광상	금, 은, 구리, 납, 아연, 수은 등	저온

★ **광물 자원을 얻는 과정**

탐광	원하는 광물을 찾는다.
채광	원하는 광석을 채취한다.
선광	채광한 광물에서 원하는 광물만 가려낸다.
제련, 분쇄	선광한 광물에서 원하는 금속을 뽑거나(제련) 잘게 부순다.(분쇄)

└ 금속 광물 자원은 제련 과정을 거쳐 이용한다. 비금속 광물 자원은 제련 과정을 거치지 않고 분쇄하여 이용하기도 한다.

★ **광석**
개발 가능하고 경제적으로 수익성이 있는 성분이 다량 포함된 광물 집합체

★ **접촉 교대 광상**
기성 광상 중에서 암석 주위에 석회암이 있을 때 휘발성 성분이 석회암과 격렬하게 반응하여 칼슘(Ca)을 많이 포함한 광물을 형성한다. 이를 접촉 교대 광상이라고 한다.─• 변성 광상으로 분류하기도 한다.

│용어│
❶ **페그마타이트(pegmatite)**
마그마가 냉각되는 과정의 후기에 형성된 관입암으로, 석영, 장석 등 큰 결정으로 이루어져 있다.
❷ **열수 용액(熱 뜨겁다, 水 물, 溶 녹다, 液 진액)** 지각 속에 존재하는 고온의 수용액으로, 여러 가지 광물이 녹아 있다.

3. 퇴적 광상 유용한 광물질이 모이는 과정에 따라 구분한다. → 대부분 지표나 지표 부근에서 형성된다.

(1) **표사 광상**: 풍화에 의해 생긴 광물이 물에 운반되는 동
안 밀도가 큰 광물이 하천의 바닥에 쌓여 형성된 광상

① 풍화에 강하고 밀도가 큰 광물이 주로 모여 있으며
금, 백금, 다이아몬드, 주석 등이 산출된다.

② 대표적인 광상: *사금 광상 등

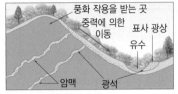
↑ 표사 광상의 형성 과정

(2) **풍화 잔류 광상**: 풍화 작용에 의해 암석을 이루는 나트륨, 칼륨, 규소 등이 빠져나가고, 철,
알루미늄과 같이 상대적으로 잘 녹지 않는 광물만 남아 형성된 광상

① 화학적 풍화가 잘 일어나는 고온 다습한 환경에서 잘 형성된다.
└─ 한대 지방보다 열대 지방에서 화학적 풍화 작용이 잘 일어난다.

② 장석의 화학적 풍화 작용에 의해 생성되는 고령토, 고령토의 화학적 풍화 작용에 의해 생
성되는 보크사이트, 갈철석, 적철석 등이 산출된다.

③ 대표적인 광상: *벤토나이트 광상, 보크사이트 광상
→ 알루미늄 산화물로 이루어져 있어 알루미늄의 원료가 된다.

> **보크사이트의 형성 과정**
>
> • $2KAlSi_3O_8 + 2H_2O + CO_2 \longrightarrow Al_2Si_2O_5(OH)_4 + 4SiO_2 + K_2CO_3$
>   정장석   고령토
>
> • $Al_2Si_2O_5(OH)_4 + H_2O \longrightarrow 2Al(OH)_3 + 2SiO_2$
>   고령토   보크사이트

 ↑ 고령토　　 **↑ 보크사이트**

(3) **침전 광상**: 건조한 환경에서 해수가 증발하면서 해수에 녹은 물질이 침전하여 형성된 광상

① 암염, 석고, 탄산염 광물, 철 등이 산출된다.

② 대표적인 광상: 식염, 붕사, 황산 나트륨, 선캄브리아 시대의 호상 철광층

> **호상 철광층의 형성 과정**
>
> • 호상 철광층은 해수에 녹아 있던 철이 산소와 결합하여 생성된 산화
> 철이 대량으로 침전하여 형성되었다. ➡ 선캄브리아 시대의 바다에서
> 남세균과 같은 생물의 광합성으로 생성된 산소가 철과 반응하여 형성
> 되었다.
> • 호상 철광층은 적철석(Fe_2O_3)이나 자철석(Fe_3O_4)이 풍부한 회색 또는
> 흑색의 층과 철 성분이 적은 적색의 층이 반복되어 나타난다.

↑ 호상 철광층

(4) **유기적 퇴적 광상**: 퇴적 분지에 식물이 쌓여 형성된 석탄, 바다 생물의 유해가 쌓여 형성된
석유 등이 있다.

4. 변성 광상 암석이 열과 압력을 받는 과정에서 새로운 광물이 형성되어 특정한 곳에 집중
분포하거나 기존 광물의 조성이 변하여 형성된다.

(1) **❸교대 광상**: 석회암과 같은 암석에 마그마가 관입할 때 광물이 녹고 새로운 광물이 침전되
어 기존 광물을 교대하여 형성되는 광상

(2) **광역 변성 광상**: ❹광역 변성 작용으로 형성되는 광상으로, 변성 작용이 일어나면서 물과 휘
발 성분이 빠져나와 생긴 열수에 의해 광상이 형성된다.

(3) 우라늄, 흑연, 활석, 남정석, 홍주석, 석류석 등이 산출된다.

(4) **대표적인 광상**: 흑연 광상, 석면 광상, 활석 광상 →
(초)고철질 암석이나 마그네슘 탄산염암이 열수에 의해
변질되어 생성된다.

★ **사금 채취**
모래와 사금이 섞여 있는 하천에
서 채로 걸러 사금을 채취한다.
이는 사금의 밀도가 모래의 밀도
보다 큰 것을 이용한 것이다.

★ **벤토나이트**
벤토나이트는 극미립질의 화산
쇄설성 퇴적물이 풍화·열수 작용
을 받아 형성된다. 토목 산업, 약
품 산업, 화장품 산업 등에서 고
부가 가치를 창출하는 원재료로
사용되고 있다.

┃ 용어 ┃

❸ 교대(交 바꾸다, 代 교체하다)
광상 광물을 운반하는 유체가
기존 암석과 반응하여 암석이 바
뀌어 형성된 광상
❹ 광역(廣 넓다 域 구역) 변성
작용 대규모 지각 변동으로 넓은
지역에 걸쳐 일어나는 변성 작용

C 광물과 암석의 이용

1. 광물의 이용 기초 산업의 원료부터 최첨단 소재의 원료까지 다양하게 활용된다.

(1) 금속 광물의 이용: 주로 제련 과정을 거쳐 필요한 금속 원소를 뽑아내어 이용한다.

알루미늄	• 지각의 구성 원소 중 가장 풍부한 금속 원소이다. • *전성과 연성이 뛰어나고, *전기 전도도가 높다. • 쉽게 녹슬지 않고, 가볍다. • 고압 전선, 전기 제품, 창틀, 알루미늄 캔, 주방 용기 등에 이용된다.	알루미늄 캔
철	• 지각에서 알루미늄 다음으로 풍부한 금속 원소이다. • 단단하고 전기 전도도가 높으며, 가공하기 쉽지만 부식에 약하다. • 부식의 예방 등을 위해 스테인리스강 등 철 합금강을 만들어 이용한다. • 기계와 도구, 다리, 고층 건물, 배, 비행기 등 이용되는 범위가 매우 넓다.	다리
구리	• 부식에 강하고, 전기 전도도와 열전도도가 높다. • 전기 재료, 합금, 전자 제품에 주로 이용된다.	전선
텅스텐	• 전기 전도도와 열전도도가 높고, 열팽창률이 낮다. • 전구의 필라멘트, 절삭공구, 초경합금 원료 등에 이용된다.	전구
기타	• 망가니즈: 철의 합금에 필요하고, 건전지, 유리, 의약품 제작 등에 이용된다. • *희토류: 매우 안정하고, 전기적·자성적·발광적 성질이 있어 전기 및 하이브리드 자동차, 풍력 발전, 태양열 발전에 필요한 영구 자석, 휴대폰 액정의 연마제, 반도체 등에 이용된다.	

(2) 비금속 광물의 이용: 대부분 제련 과정을 거치지 않고 직접 제품의 원료로 이용한다.

석영	• 결정의 특성이나 불순물 원소에 따라 종류가 매우 다양하다. • 시계의 진동자, 유리 원료, 광학 기구, 전자 부품 등에 이용된다.	시계
활석	• 마그네슘을 포함한 함수 규산염 광물로, 촉감이 매우 부드럽다. • 일반적으로 녹색과 흰색의 진주광택을 띤다. └ 굳기가 낮다. • 고무 제품, 종이, 페인트, 화장품의 제조 등에 이용된다.	화장품
기타	• 고령토: 정장석의 화학적 풍화 작용에 의해 생성되고, 도자기의 원료로 이용된다. • 인회석: 인산염 광물로, 비료의 원료로 이용된다. • 장석: 유리, 에나멜, 유약, 치과용 재료 등에 이용된다.	

2. 암석의 이용 화성암, 퇴적암, 변성암 등이 폭넓게 이용된다.

화강암	• 단단하고, 주변에서 쉽게 얻을 수 있다. • 풍화 작용에 강하다. • *건축 자재, 표지석으로 이용된다.	다보탑
대리암	• 무늬가 아름답고 비교적 무르다. • 탄산염 광물로 이루어져 있어 산과 반응한다. ➡ 산성비에 의한 풍화에 약하다. • 건물의 벽이나 바닥 장식용, 조각품의 재료 등으로 이용된다.	조각상
석회암	• 탄산칼슘($CaCO_3$)으로 이루어져 있다. • 시멘트의 주원료, 비료의 원료 등으로 이용된다.	시멘트
기타	• 점판암: 얇게 쪼개지는 성질이 있어 과거에는 지붕의 재료로 이용되었다. • 각섬암: 건축 자재, 표지석, 돌그릇 등으로 이용된다. • 편마암: 정원석으로 이용된다. • 암석이 풍화되어 생성된 토양 자원은 건축 자재, 그릇 제작 등의 원료로 이용된다.	

★ 전성과 연성
• 전성: 넓은 판으로 얇게 펴지는 성질
• 연성: 가늘고 길게 늘어나는 성질

★ 전기 전도도
물질이 전류를 흐르게 할 수 있는 능력

★ 희토류
란타넘(La)~루테튬(Lu)의 란타넘족 15개 원소와 스칸듐(Sc), 이트륨(Y)을 포함하여 17개 원소를 통틀어 말한다. '지각 내에서 희귀하게 존재하는 원소'라는 의미로, 지각에 농축된 형태로는 거의 존재하지 않는다.

★ 우리나라의 문화재와 건축물
우리나라의 석가탑, 다보탑, 석굴암에 있는 불상, 수원 화성 팔달문, 국회 의사당 등은 화강암으로 만들어졌다.

★ 우리나라의 자원
우리나라에서 6대 전략 광물(유연탄, 우라늄, 철, 구리, 아연, 니켈)의 소비량은 세계 3위~7위 수준이지만, 금속 광물의 약 99 %를 수입에 의존하고 있다.

개념 확인 문제

핵심 체크

- 지하자원: 지구에서 자연 현상으로 땅속에서 만들어진 자원
  - (❶　　　) 광물 자원: 금속이 주성분인 광물 자원
  - (❷　　　) 광물 자원: 비금속이 주성분인 광물 자원
  - 에너지 자원: 일상생활과 경제 활동을 위해 사용하는 연료
- 광상: 광석이 집적되어 있는 곳
  - (❸　　　) 광상: 마그마가 냉각되는 과정에서 마그마 속에 포함된 유용한 광물이 정출되어 형성된 광상
    ➡ 정마그마 광상, (❹　　　) 광상, 기성 광상, 열수 광상 등이 있다.
  - (❺　　　) 광상: 지표의 광상이나 암석이 풍화, 침식, 운반, 퇴적되는 과정에서 유용한 광물이 모여 형성된 광상
    ➡ 표사 광상, 풍화 잔류 광상, 침전 광상, 유기적 퇴적 광상 등이 있다.
  - (❻　　　) 광상: 기존의 광상이 변성 작용을 받아 광물의 조성이 변하여 형성된 광상
    ➡ 교대 광상, 광역 변성 광상 등이 있다.
- 광물과 암석의 이용
  - 금속 광물: (❼　　　) 과정을 거쳐 필요한 금속 원소를 뽑아내어 이용한다. 예 알루미늄, 철, 구리 등
  - 비금속 광물: 제련 과정을 거치지 않고, 직접 제품의 원료로 이용한다. 예 석영, 활석, 고령토 등
  - 암석: 화성암, 퇴적암, 변성암 등이 폭넓게 이용된다. 예 화강암, 대리암, 석회암 등

---

1 지하자원에 대한 설명으로 옳은 것은 ○, 옳지 <u>않은</u> 것은 ×로 표시하시오.

(1) 지하자원은 인간의 활동과 생산에 필요한 모든 것을 말한다. ……………………………………… (　　　)

(2) 광물 자원은 금속 광물 자원과 비금속 광물 자원으로 구분할 수 있다. …………………………… (　　　)

(3) 화석 연료는 에너지 자원에 속한다. ………… (　　　)

2 지하자원과 그 예를 옳게 연결하시오.

지하자원　　　　　　　　　　예

(1) 금속 광물 자원　　•　　　　• ㉠ 석회석, 고령토

(2) 비금속 광물 자원　•　　　　• ㉡ 금, 은, 구리

(3) 에너지 자원　　　•　　　　• ㉢ 석유, 석탄

3 다음 화성 광상을 높은 온도에서 형성되는 것부터 골라 순서대로 나열하시오.

(가) 기성 광상　　　　　(나) 열수 광상

(다) 정마그마 광상　　　(라) 페그마타이트 광상

---

4 퇴적 광상 중 사금 광상은 ㉠(침전, 표사, 풍화 잔류) 광상에, 보크사이트 광상은 ㉡(침전, 표사, 풍화 잔류) 광상에, 호상 철광층은 ㉢(침전, 표사, 풍화 잔류) 광상에 해당한다.

5 변성 광상에서 산출되는 광물이 <u>아닌</u> 것은?

① 활석　　　② 흑연　　　③ 고령토

④ 석류석　　⑤ 홍주석

6 광물과 암석의 특징 및 이용에 대한 설명으로 옳은 것은 ○, 옳지 <u>않은</u> 것은 ×로 표시하시오.

(1) 지각에서 가장 풍부한 금속 원소는 철이다. … (　　　)

(2) 구리가 전선과 전자 제품에 이용되는 가장 큰 까닭은 열전도도가 높기 때문이다. ……………………… (　　　)

(3) 희토류는 첨단 제품에 필수적인 물질 중 하나이다. ……………………………………………………… (　　　)

(4) 활석은 종이나 화장품 제조에 이용된다. …… (　　　)

(5) 건축 자재, 표지석, 돌그릇 등으로 주로 이용되는 암석은 석회암이다. ……………………………… (　　　)

대표 자료 분석

정답친해 36쪽

🏠 학교 시험에 자주 출제되는 대표 자료와 그 자료에 대한 문제를 통해 자료를 완벽하게 이해할 수 있다.

자료 ① 화성 광상, 퇴적 광상, 변성 광상

기출 Point
• 형성 과정으로 광상 구분하기
• 광상에서 산출되는 광물 이해하기

[1~4] 그림은 광상을 분류한 흐름도이고, 표는 (가)~(다)를 각각 형성 원인에 따라 세분하여 나타낸 것이다.

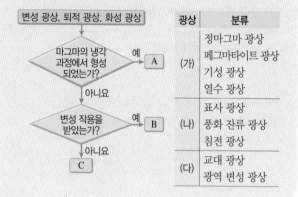

광상	분류
(가)	정마그마 광상 페그마타이트 광상 기성 광상 열수 광상
(나)	표사 광상 풍화 잔류 광상 침전 광상
(다)	교대 광상 광역 변성 광상

1 A~C는 어떤 광상인지 각각 쓰시오.

2 (가)~(다)는 A~C 중 어떤 광상인지 각각 쓰시오.

3 다음 광물이 (가)~(다) 중 어떤 광상에서 주로 산출되는지 쓰시오.

(1) 사금　　　　(2) 흑연, 활석　　　(3) 니켈, 납

4 빈출 선택지로 완벽 정리!

(1) A~C 중 보크사이트가 산출되는 광상은 B이다.
································· (○ / ×)

(2) 해수가 증발하면서 해수에 녹은 물질이 침전하여 형성된 광상은 C에 속한다. ········ (○ / ×)

(3) (가)에서 마그마가 냉각되는 초기에 형성된 광상은 정마그마 광상이다. ········· (○ / ×)

(4) (나)의 표사 광상은 밀도가 작고 풍화에 약한 광물이 쌓여 형성되는 경우가 많다. ········ (○ / ×)

(5) 석류석은 주로 (다)에서 얻을 수 있다. ······· (○ / ×)

자료 ② 광물과 암석의 이용

기출 Point
• 광물의 특징과 이용 파악하기
• 암석의 특징과 이용 파악하기

[1~3] 그림 (가)~(다)는 광물이 이용되는 예를, (라)~(바)는 암석이 이용되는 예를 나타낸 것이다.

(가) 도자기　　　(나) 전선　　　(다) 다리

(라) 다보탑　　　(마) 정원석　　　(바) 조각상

1 (가)~(다)에 주로 이용되는 광물을 각각 골라 쓰시오.

> 철, 구리, 고령토

2 (　　) 안에 알맞은 말을 고르시오.

(1) (라)가 현재까지 건립된 당시의 모습을 대부분 유지하는 까닭은 화강암이 풍화 작용에 (강하기, 약하기) 때문이다.

(2) (마)에 이용된 암석은 (점판암, 편마암)이다.

(3) (바)에 이용된 대리암은 (무르기, 단단하기) 때문에 세밀한 조각을 하여 조각상을 만들 수 있다.

3 빈출 선택지로 완벽 정리!

(1) (가)에 이용된 광물은 보크사이트에서 얻을 수 있다.
································· (○ / ×)

(2) (다)에 이용된 광물은 부식에 약하기 때문에 합금강을 만들어 이용한다. ········· (○ / ×)

(3) (바)에 이용된 대리암은 건물의 벽이나 바닥의 장식용으로 이용되기도 한다. ········ (○ / ×)

내신 만점 문제

A 지하자원

01 지하자원에 대한 설명으로 옳은 것은?

① 인위적으로 생성된 물질이 포함된다.
② 크게 광물 자원과 에너지 자원으로 구분한다.
③ 풍력 에너지와 파력 에너지는 지하자원에 해당한다.
④ 비금속 광물 자원은 금속이 주성분이 광물 자원이다.
⑤ 금속 광물 자원은 대체로 분쇄 과정을 거쳐 이용한다.

02 그림은 지하자원의 종류와 예를 나타낸 것이다.

이에 대한 설명으로 옳은 것만을 [보기]에서 있는 대로 고른 것은?

┌─[보기]
│ ㄱ. A는 금속 광물이다.
│ ㄴ. B를 이용하기 위해서는 제련 과정이 필요하다.
│ ㄷ. 화석 연료, 원자력 에너지는 C에 해당한다.
└

① ㄱ   ② ㄴ   ③ ㄱ, ㄷ
④ ㄴ, ㄷ   ⑤ ㄱ, ㄴ, ㄷ

03 다음은 광물 자원을 개발하는 과정을 나타낸 것이다.

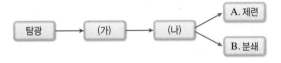

이에 대한 설명으로 옳은 것만을 [보기]에서 있는 대로 고른 것은?

┌─[보기]
│ ㄱ. (가)에 들어갈 단계는 선광이다.
│ ㄴ. (나)는 (가)를 거친 광물에서 원하는 광물만 가려낸다.
│ ㄷ. 구리는 A 과정을 거쳐 제품의 원료로 이용한다.
└

① ㄱ   ② ㄷ   ③ ㄱ, ㄴ
④ ㄴ, ㄷ   ⑤ ㄱ, ㄴ, ㄷ

B 광상

04 그림은 화성 광상, 퇴적 광상, 변성 광상이 형성되는 환경을 나타낸 것이다.

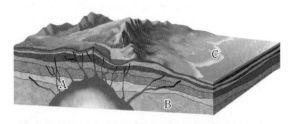

A~C에 대한 설명으로 옳은 것만을 [보기]에서 있는 대로 고른 것은?

┌─[보기]
│ ㄱ. A는 화성 광상이다.
│ ㄴ. B는 C보다 고온 고압 환경에서 형성된다.
│ ㄷ. 기존 광상이 풍화 작용을 받아 형성되는 광상은 C에 해당한다.
└

① ㄱ   ② ㄷ   ③ ㄱ, ㄴ
④ ㄴ, ㄷ   ⑤ ㄱ, ㄴ, ㄷ

05 화성 광상, 퇴적 광상, 변성 광상에 대한 설명으로 옳은 것만을 [보기]에서 있는 대로 고른 것은?

┌─[보기]
│ ㄱ. 화성 광상은 판의 수렴형 경계보다 보존형 경계 부근에서 잘 형성된다.
│ ㄴ. 퇴적 광상은 주로 맨틀과 지각의 경계 부근에서 형성된다.
│ ㄷ. 변성 광상은 열이나 압력에 의해 기존 광물의 조성이 변하여 형성된다.
└

① ㄱ   ② ㄷ   ③ ㄱ, ㄴ
④ ㄴ, ㄷ   ⑤ ㄱ, ㄴ, ㄷ

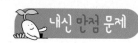

06 다음은 광상 A~D의 특징을 설명한 것이다.

광상	특징
A	마그마 냉각 초기에 밀도가 큰 광물이 정출되어 형성된다.
B	마그마 냉각 후기에 마그마가 주변 암석을 관입하면서 광물이 정출되어 형성된다.
C	마그마에 남아 있는 고온의 수증기와 휘발 성분이 주변의 암석과 화학 반응을 일으켜 형성된다.
D	마그마가 굳은 후 남은 열수 용액에서 광물 성분이 침전하여 형성된다.

이에 대한 설명으로 옳은 것만을 [보기]에서 있는 대로 고른 것은?

[보기]
ㄱ. A는 정마그마 광상이다.
ㄴ. A~D 모두 변성 광상에 속한다.
ㄷ. B에서 용융점이 가장 높은 광물이 정출된다.

① ㄱ ② ㄴ ③ ㄱ, ㄷ
④ ㄴ, ㄷ ⑤ ㄱ, ㄴ, ㄷ

07 다음은 어떤 광상에 대한 설명이다.

• 마그마가 냉각되는 후기에 주변 암석을 관입하면서 광상이 형성되었다.
• 그림과 같이 광물 결정의 크기가 큰 암석이 산출된다.

이에 대한 설명으로 옳은 것만을 [보기]에서 있는 대로 고른 것은?

[보기]
ㄱ. 화성 광상에 속한다.
ㄴ. 열수 광상이다.
ㄷ. 암석 내에서 석영, 장석이 산출될 수 있다.

① ㄱ ② ㄴ ③ ㄱ, ㄷ
④ ㄴ, ㄷ ⑤ ㄱ, ㄴ, ㄷ

08 다음은 정장석으로부터 어떤 광물이 형성되는 과정을 나타낸 것이다.

$$\cdot 2KAlSi_3O_8 + 2H_2O + CO_2$$
$$\longrightarrow \underset{(가)}{Al_2Si_2O_5(OH)_4} + 4SiO_2 + K_2CO_3$$

$$\cdot \underset{(가)}{Al_2Si_2O_5(OH)_4} + H_2O \longrightarrow \underset{(나)}{2Al(OH)_3} + 2SiO_2$$

이에 대한 설명으로 옳은 것만을 [보기]에서 있는 대로 고른 것은?

[보기]
ㄱ. (가)는 고령토, (나)는 보크사이트이다.
ㄴ. (가)와 (나)는 풍화 잔류 광상에서 산출된다.
ㄷ. (나)로부터 알루미늄을 얻을 수 있다.
ㄹ. 이 과정은 열대 지방보다 한대 지방에서 잘 일어난다.

① ㄱ, ㄴ ② ㄱ, ㄹ ③ ㄷ, ㄹ
④ ㄱ, ㄴ, ㄷ ⑤ ㄴ, ㄷ, ㄹ

09 그림은 선캄브리아 시대에 형성된 호상 철광층이다. 이에 대한 설명으로 옳은 것만을 [보기]에서 있는 대로 고른 것은?

[보기]
ㄱ. 침전 광상에 해당한다.
ㄴ. 풍화와 침식에 의해 층상 구조가 형성되었다.
ㄷ. 해수에 용존 산소가 없었을 때 형성된 광상이다.

① ㄱ ② ㄷ ③ ㄱ, ㄴ
④ ㄴ, ㄷ ⑤ ㄱ, ㄴ, ㄷ

서술형
10 그림은 하천에서 사금을 채취하는 모습을 나타낸 것이다. 사금이 산출되는 광상을 쓰고, 모래로부터 사금을 채취할 수 있는 원리를 서술하시오.

ⓒ 광물과 암석의 이용

11 그림 (가)와 (나)는 철이 실생활에 이용된 예를 나타낸 것이다.

(가) 송전용 철탑

(나) 스테인리스강 재질의 주방 용기

이에 대한 설명으로 옳은 것만을 [보기]에서 있는 대로 고른 것은?

[보기]
ㄱ. (가)는 철의 전기 전도도가 높은 성질을 이용한다.
ㄴ. (나)는 철의 단점을 보완한 철 합금강으로 만든다.
ㄷ. 광석으로부터 철을 얻기 위해 분쇄 과정을 거친다.

① ㄴ   ② ㄷ   ③ ㄱ, ㄴ
④ ㄱ, ㄷ   ⑤ ㄱ, ㄴ, ㄷ

12 다음은 어떤 광물의 특성을 나타낸 것이다.

- 은백색의 금속 광물이다.
- 전성과 연성이 뛰어나다.
- 전기 전도도가 높고, 가볍다.
- 쉽게 녹슬지 않는다.

이 광물로 만들 수 <u>없는</u> 제품은?

① 캔   ② 창틀   ③ 고압 전선
④ 주방 용기   ⑤ 광학용 렌즈

13 서술형 그림은 활석이 생활에 이용되는 예를 나타낸 것이다.
활석이 그림과 같이 제품에 이용될 수 있는 까닭을 물리적 성질을 이용하여 서술하시오.

14 그림은 어느 지역에서 촬영한 점판암 지붕의 모습이다.

이에 대한 설명으로 옳은 것만을 [보기]에서 있는 대로 고른 것은?

[보기]
ㄱ. 퇴적물이 쌓여 형성된 암석이다.
ㄴ. 쪼개짐이 발달하는 성질을 이용하였다.
ㄷ. 주변에서 얻을 수 있는 암석을 건축 재료로 이용하였다.

① ㄱ   ② ㄷ   ③ ㄱ, ㄴ
④ ㄴ, ㄷ   ⑤ ㄱ, ㄴ, ㄷ

15 그림 (가)와 (나)는 서로 다른 암석을 이용한 조각상이다.

(가) 대리암

(나) 화강암

이에 대한 설명으로 옳은 것만을 [보기]에서 있는 대로 고른 것은?

[보기]
ㄱ. (가)는 (나)보다 산성비에 의한 풍화에 강하다.
ㄴ. (가)는 (나)보다 세밀한 조각을 하기에 유리하다.
ㄷ. (가)와 (나)는 모두 마그마가 굳어 생성된 암석이다.

① ㄱ   ② ㄴ   ③ ㄱ, ㄷ
④ ㄴ, ㄷ   ⑤ ㄱ, ㄴ, ㄷ

04 해양 자원

핵심 포인트
- Ⓐ 해양 에너지 자원의 구분과 특징 ★★★
  해양 물질 자원의 이용 ★★
- Ⓑ 세계적인 자원의 추이 ★★
  자원 개발의 중요성 ★★

Ⓐ *해양 자원의 종류

1. 해양 에너지 자원 해양에서 얻을 수 있는 에너지

(1) 화석 연료: 경제적 가치가 가장 높은 해양 에너지 자원

① 전 세계의 대륙붕(대륙 연안부)에 *석유, 석탄, 천연가스 등이 매장되어 있다.

② ❶정유 공정에서 나온 부산물은 화학 공업의 필수 원료로 이용된다.

③ 연소 과정에서 이산화 탄소가 발생하여 지구 온난화를 일으키고, 오염 물질을 배출한다.

④ 자원의 양이 한정되어 있다. ➡ 고갈되는 자원이다.

(2) 가스수화물: 저온 고압의 환경에서 메테인이 물 분자와 결합한 고체의 에너지 물질
  ┄ 해양 물질 자원으로 분류하기도 한다.

> **가스수화물**
> • ❷영구 동토나 대륙 연안의 심해저에서 형성된다.
> • 우리나라 동해의 울릉 분지에 약 6억 톤이 매장된 것으로 추산된다.
> • 연소 과정에서 이산화 탄소를 배출하지만, 석유나 석탄보다 이산화 탄소를 더 적게 배출한다. ➡ 화석 연료를 대체할 미래의 에너지 자원이다.

• 매장 확인 지역
• 매장 추정 지역
↑ 가스수화물의 분포

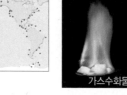
가스수화물

(3) *해양 재생 에너지: 공해가 없고, 에너지가 고갈되지 않는다. ➡ 재생 가능한 자원이다.

조력 발전	수위 차이에 의한 물의 흐름 / 바다 / 발전기	• 밀물과 썰물의 수위 차이를 이용하여 전기 에너지를 생산한다. • 장점: 비교적 전기 생산량을 예측하기 쉽다. • 단점: 방조제를 설치하므로 갯벌이 사라지거나 해류의 흐름이 바뀌어 해양 생태계의 교란이 생길 수 있다. • 우리나라의 서해안은 조석 간만의 차이가 커서 조력 발전에 적합하다. 예 경기도 안산시의 시화호 조력 발전소 세계 최대 규모
조류 발전	터빈 발전기 / 조류 흐름	• 조류의 흐름을 이용하여 전기 에너지를 생산한다. ➡ 조류가 빠른 곳에서 운용하는 것이 효율적이다. • 장점: 해양 생태계에 미치는 영향이 적다. • 단점: 조류의 세기에 따라 전기 생산량의 변동이 크다. 예 전라남도 해남군과 진도군 사이의 울돌목
파력 발전	시멘트 구조물 / 공기 흐름 / 터빈 발전기 / 공기실 / 파도의 진행 방향	• 파도의 운동 에너지를 이용하여 전기 에너지를 생산한다. • 장점: 조력 발전이나 조류 발전보다 설치 장소에 제약을 적게 받는다. • 단점: 파도의 세기가 일정하지 않아 발전량이 고르지 않다. • 우리나라의 동해와 제주도 주변 해역은 파도가 강하여 파력 발전에 적합하다. 예 제주시 한경면 용수리 앞 해상의 시험용 파력 발전소
해양 온도 차 발전	표층수 / 터빈 발전기 / 응축기 / 기화기 / 펌프 / 심층수	• 표층수와 심층수의 수온 차이를 이용하여 전기 에너지를 생산한다. ➡ 표층 수온이 높은 열대 해역에서 운용하는 것이 효율적이다. • 장점: 24시간 발전할 수 있어 전력 생산량이 안정적이다. • 단점: 발전 효율이 낮다.

★ 해양 자원
해양에서 이용 가능한 모든 것

★ 석유의 생성과 생산
지질 시대에 해수에서 번성하였던 플랑크톤이 해저에 퇴적된 후 열과 압력을 받아 생성되었다. 석유는 현재 산유량의 50 % 이상을 해저 유전에서 생산하고 있다.

궁금해
가스수화물이 '불타는 얼음'으로도 불리는 까닭은?
가스수화물은 얼음 형태로 매장되어 있다. 이때 불을 붙이면 잘 타기 때문에 '불타는 얼음'으로도 불린다.

★ 해양 재생 에너지의 근원
• 조력 발전, 조류 발전: 조력 에너지 ➡ 조석 현상 이용
• 파력 발전: 태양 에너지 ➡ 바람이 불어 생기는 파도 이용
• 해양 온도 차 발전: 태양 에너지 ➡ 햇빛이 해수 표층을 가열하여 발생한 표층과 심층의 수온 차이 이용

용어
❶ 정유(精 정하다, 油 기름) 공정 석유, 동물 기름 등에서 불순물을 걸러 내는 과정
❷ 영구 동토(永 길다, 久 길다, 凍 얼다, 土 땅) 지층의 온도가 연중 0 ℃ 이하인 부분

2. 해양 물질 자원
해수에 녹아 있거나 해저에 퇴적, 침강, 축적된 이로운 물질

해수 자원	• 해수 속에는 산업에 필수적인 금속 자원이 많이 녹아 있다. 예 나트륨, 마그네슘, *리튬 등 • 해수를 생활과 산업에 이용할 수 있고, 부산물로 용존 원소를 얻을 수 있다. • 해수를 담수화하면 공업용수, 농업용수, 생활용수로 이용할 수 있다.
해양 생물 자원	• 해양에서 채취하는 동식물로, 대부분 식용으로 이용된다. 예 해조류, 어류, 조개류, 갑각류 등 • 최근에는 의약품 원료, 공업 원료, 공예품 원료 등으로 이용되고, 해양 신소재 개발이나 해양 바이오 산업에도 활용되고 있다.
해양 광물 자원	• 해수에 녹아 있는 용존 물질 중 경제적으로 채취가 가능하거나 해저에 매장되어 있는 광물 자원 예 망가니즈 단괴, *브로민, 마그네슘, 우라늄 등 • 현재와 미래의 산업 발전에 필수적이다.

망가니즈 단괴
• 망가니즈 등 금속 성분이 침전하여 형성된 타원 모양의 금속 광물 결합체이다.
• 망가니즈 외에 철, 구리, 니켈, 코발트 등 유용한 금속 광물을 다량 함유하고 있다.
• 심해저에 분포하여 심해저 채굴 기술이 필요하다.
• 우리나라는 태평양 *클라리온-클리퍼턴 해역의 독점 탐사 광구를 확보하였다.

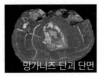
망가니즈 단괴 단면

B 자원 개발의 중요성

1. 세계적인 자원의 추이 인구 증가, 생활 수준 향상, 과학 기술 발전 등으로 육상 자원은 빠르게 고갈되고 있다. ➡ 현재 사용하는 에너지 자원과 광물 자원은 한정되어 있기 때문이다.

2. 자원 개발의 중요성

(1) 빠른 속도로 고갈되는 화석 연료를 대체할 자원과 육지에서 채굴하기에 부족한 광물 자원을 *해양에서 얻을 수 있다.

(2) 해양 재생 에너지는 해안 지역의 이용 문제, 송전을 위한 해저 케이블 비용 등의 문제점이 있지만, 잠재적인 가능성이 매우 크다. ➡ 세계 각국에서는 해양 재생 에너지의 발전량을 늘리기 위해 노력하고 있다.

탐구 자료창 세계적인 자원의 추이 분석

그림은 전 세계 에너지 자원의 소비량과 전 세계 해양 재생 에너지의 발전량 예상 수치를 나타낸 것이다.

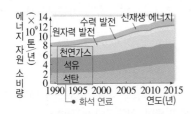
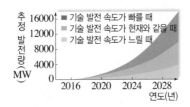

1. **에너지 자원의 소비량**: 총 소비량이 증가하고 있고, 화석 연료가 소비량의 대부분을 차지한다.
2. **에너지 자원의 발전량**: 1990년에 비해 2015년에 원자력과 수력에 의한 발전량은 거의 비슷하지만, 신재생 에너지에 의한 발전량은 약간 증가하였다.
3. **해양 재생 에너지를 이용한 발전량**: 기술 발전 속도가 빨라지면 발전량은 급격히 증가할 것이다.

★ **리튬**
전기 자동차나 휴대 전화 등의 전지에 쓰이는 핵심 원료로, 육지에서는 채광량이 적어 해수에서 리튬을 추출하기 위한 연구가 진행되고 있다.

• 홍합을 추출하여 의료용 생체 접착제로 활용할 수 있다.
• 미세 조류를 이용하여 바이오 연료로 활용할 수 있다.

★ **해양 광물 자원의 분포**
• 브로민: 주로 이온 형태로 물에 녹아 존재한다.
• 마그네슘: 해수로부터 식염을 제조하는 과정에서 부산물로 얻을 수 있다.
• 우라늄: 해수 중에 약 0.003 ppm 정도 녹아 있다.

★ **클라리온-클리퍼턴 광구**
우리나라는 태평양 심해저의 클라리온-클리퍼턴 해역을 탐사하여 망가니즈 단괴의 단독 개발권을 확보하였다.

★ **해양 자원 개발**
해양 자원 개발을 위한 조사 및 채취 기술은 아직까지 대부분 기초적인 단계에 머물러 있으며, 지속적인 연구가 필요하다.

★ **우리나라의 자원**
우리나라는 전력 생산의 약 75 %를 화력 발전과 원자력 발전에 의존하고 있고, 그 원료인 석탄과 우라늄은 수입에 의존하고 있다. 플라스틱 제품 등 일상생활에서 사용하는 제품의 원료인 석유도 수입에 의존하고 있다.

개념 확인 문제

핵심 체크

- 해양 에너지 자원
  - 화석 연료: 연소 과정에서 (**❶**   )가 발생하여 지구 온난화를 일으킨다.
  - (**❷**   ): 저온 고압 환경에서 메테인이 물 분자와 결합한 고체의 에너지 물질
  - (**❸**   ): 조력 발전, 조류 발전, 파력 발전, 해양 온도 차 발전 등
- 해양 물질 자원
  - 해수 자원: 해수를 생활과 산업에 이용할 수 있다.
  - (**❹**   ) 자원: 해양에서 채취하는 동식물로, 해양 신소재 개발이나 해양 바이오 산업에 활용되고 있다.
  - (**❺**   ) 자원: 해수에 녹아 있는 용존 물질 중 경제적으로 채취가 가능하거나 해저에 매장되어 있는 광물 자원
  예 망가니즈 단괴
- 세계적인 자원의 추이: 인구 증가, 생활 수준 향상, 과학 기술 발전 등으로 육상 자원은 빠르게 고갈되고 있다.

---

1 해양 자원에 대한 설명으로 옳은 것은 ○, 옳지 <u>않은</u> 것은 ×로 표시하시오.

(1) 해양에서 이용 가능한 모든 것을 해양 에너지 자원이라고 한다. ·· (   )

(2) 화석 연료는 이산화 탄소를 발생시킨다. ········· (   )

(3) 해양 재생 에너지는 빠르게 고갈되고 있다. ·· (   )

(4) 해양 물질 자원에는 해수 자원, 해양 생물 자원, 해양 광물 자원 등이 있다. ······························· (   )

(5) 해양 광물 자원은 대부분 식용으로 이용된다. (   )

2 해양 자원 (가)~(마)를 해양 에너지 자원과 해양 물질 자원으로 구분하시오.

(가) 리튬	(나) 석유
(다) 해조류	(라) 조력 발전
(마) 망가니즈 단괴	

(1) 해양 에너지 자원: (   )

(2) 해양 물질 자원: (   )

3 다음에서 설명하는 해양 자원을 쓰시오.

- 저온 고압의 심해저 환경에서 형성된다.
- '불타는 얼음'으로도 불린다.
- 우리나라 동해의 울릉 분지에도 매장되어 있다.

4 그림 (가)와 (나)는 해양 재생 에너지를 이용한 발전 방식을 나타낸 것이다.

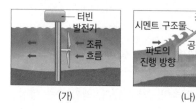

(가)와 (나)의 발전 방식을 각각 쓰시오.

5 (가)~(라)는 해양 재생 에너지를 이용한 발전 방식을 나타낸 것이다.

(가) 조력 발전	(나) 조류 발전
(다) 파력 발전	(라) 해양 온도 차 발전

(1) 조석 현상을 이용하는 발전 방식을 모두 쓰시오.

(2) 바람이 강하게 부는 해역에서 이용하는 발전 방식을 쓰시오.

6 (   )는 망가니즈, 니켈, 코발트 등 여러 가지 금속 광물이 결합체를 이루며, 심해저에 분포한다.

7 육지에서 채굴하기에 부족한 광물 자원과 화석 연료를 대체할 자원은 (   )에서 얻을 수 있다.

대표 자료 분석

🏠 학교 시험에 자주 출제되는 대표 자료와 그 자료에 대한 문제를 통해 자료를 완벽하게 이해할 수 있다.

자료 ① 해양 자원의 분류

기출 Point
• 해양 자원 분류하기
• 해양 에너지 자원과 해양 물질 자원의 예 파악하기

[1~3] 그림은 여러 가지 해양 자원을 분류하고, 이에 속하는 자원 A~E를 나타낸 것이다.

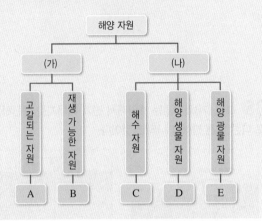

1 (가)와 (나)는 각각 어떤 해양 자원인지 쓰시오.

2 A~E 중 식용뿐만 아니라 의약품이나 공업 원료로 이용되는 해양 자원을 쓰시오.

3 빈출 선택지로 **완벽 정리!**

(1) 석유와 천연가스는 A에 해당한다. ············· (○ / ×)
(2) A는 해수의 운동이나 수온 차이 등에서 에너지를 얻는다. ·· (○ / ×)
(3) 가스수화물은 B에 속한다. ························· (○ / ×)
(4) 해수를 담수화한 자원은 C에 해당한다. ····· (○ / ×)
(5) 망가니즈 단괴는 D에 속한다. ···················· (○ / ×)
(6) D는 해양 신소재 개발이나 해양 바이오 산업에 활용되고 있다. ·· (○ / ×)

자료 ② 해양 재생 에너지

기출 Point
• 해양 재생 에너지를 이용한 발전 방식과 근원 에너지 파악하기
• 해양 재생 에너지의 장점과 단점 이해하기

[1~4] 그림 (가)~(라)는 해양 재생 에너지를 이용한 발전 방식을 나타낸 것이다.

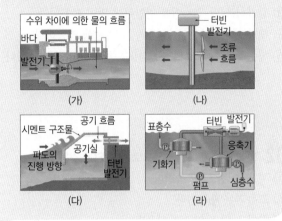

1 (가)~(라)는 각각 어떤 발전 방식인지 쓰시오.

2 (가)~(라) 중 근원 에너지가 태양 에너지인 발전 방식을 모두 고르시오.

3 (가)~(라) 중 근원 에너지가 조력 에너지인 발전 방식을 모두 고르시오.

4 빈출 선택지로 **완벽 정리!**

(1) (가)는 조류가 빠른 곳에서 운용하는 것이 유리하다. ·· (○ / ×)
(2) (가)를 이용하면 해양 생태계의 교란이 생길 수 있다. ·· (○ / ×)
(3) (나)는 우리나라에서도 운용되고 있다. ······· (○ / ×)
(4) (다)는 바람의 영향을 많이 받는다. ············ (○ / ×)
(5) (라)는 열대 해역보다 한대 해역에서 유리한 발전 방식이다. ·· (○ / ×)
(6) (가)~(라)는 모두 재생 가능한 자원이다. ····· (○ / ×)

내신 만점 문제

A 해양 자원의 종류

01 해양 자원에 대한 설명으로 옳지 <u>않은</u> 것은?
① 심해저의 가스수화물이 포함된다.
② 해조류, 어류는 해양 생물 자원에 해당한다.
③ 망가니즈 단괴는 대륙 연안부에 많이 분포한다.
④ 해양 재생 에너지는 공해가 없고 재생 가능하다.
⑤ 해수 속에는 브로민, 마그네슘 등의 광물 자원이 있다.

02 화석 연료에 대한 설명으로 옳지 <u>않은</u> 것은?
① 석유, 석탄 등이 속한다.
② 고갈되는 자원이다.
③ 화학 공업의 원료로 이용된다.
④ 연소 과정에서 이산화 탄소가 발생한다.
⑤ 해저에서는 주로 심해저에 매장되어 있다.

03 그림은 가스수화물의 분포를 나타낸 것이다.

• 매장 확인 지역
• 매장 추정 지역

가스수화물에 대한 설명으로 옳은 것만을 [보기]에서 있는 대로 고른 것은?

〔보기〕
ㄱ. 이산화 탄소를 배출하지 않는 청정한 에너지이다.
ㄴ. 육지뿐만 아니라 해저의 퇴적물에서도 채취할 수 있다.
ㄷ. 육지에서는 주로 고온 다습한 열대 지역에서 형성된다.

① ㄱ   ② ㄴ   ③ ㄱ, ㄷ
④ ㄴ, ㄷ   ⑤ ㄱ, ㄴ, ㄷ

04 해양 재생 에너지에 대한 설명으로 옳은 것만을 [보기]에서 있는 대로 고른 것은?

〔보기〕
ㄱ. 천연가스를 포함한다.
ㄴ. 이산화 탄소 등의 온실 기체를 방출하지 않는다.
ㄷ. 자원의 양이 한정되어 있어 고갈되는 에너지이다.

① ㄴ   ② ㄷ   ③ ㄱ, ㄷ
④ ㄴ, ㄷ   ⑤ ㄱ, ㄴ, ㄷ

05 그림 (가)와 (나)는 해양에서 전기 에너지를 생산하는 서로 다른 발전 방식을 나타낸 것이다.

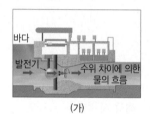 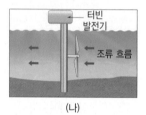

(가)   (나)

이에 대한 설명으로 옳은 것만을 [보기]에서 있는 대로 고른 것은?

〔보기〕
ㄱ. 갯벌의 생태계에 미치는 영향은 (가)가 (나)보다 크다.
ㄴ. (가)는 우리나라 동해안보다 서해안에서 유리하다.
ㄷ. (나)는 설치 장소의 지역적 제한이 없다.

① ㄱ   ② ㄷ   ③ ㄱ, ㄴ
④ ㄴ, ㄷ   ⑤ ㄱ, ㄴ, ㄷ

서술형

06 그림은 해양 에너지 자원을 이용한 발전 방식을 나타낸 것이다.

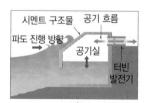

이 발전 방식을 이용하기 적합한 환경적 조건과 이 발전 방식의 단점을 한 가지씩 서술하시오.

07 다음은 해양 자원을 활용한 예를 나타낸 것이다.

> • 미세 조류를 이용하여 ㉠해양 바이오 연료를 추출한다.
> • 홍합을 이용하여 ㉡의료용 생체 접착제로 활용한다.

이에 대한 설명으로 옳은 것만을 [보기]에서 있는 대로 고른 것은?

┌─[보기]─────────────────────────┐
│ ㄱ. ㉠은 화석 연료를 대체할 수 있는 에너지이다.
│ ㄴ. ㉡은 해수 자원에서 추출한 것이다.
│ ㄷ. ㉠과 ㉡은 모두 해양 생물 자원을 활용한 것이다.
└──────────────────────────────┘

① ㄱ   ② ㄴ   ③ ㄱ, ㄷ
④ ㄴ, ㄷ   ⑤ ㄱ, ㄴ, ㄷ

08 그림은 우리나라가 단독 개발권을 확보한 태평양의 광구를 나타낸 것이다.
이 광구에서 채굴하는 광물에 대한 설명으로 옳지 않은 것은?

① 망가니즈 단괴이다.
② 해양 광물 자원에 속한다.
③ 심해저에 많이 분포한다.
④ 우리나라 동해의 울릉 분지에 다량 매장되어 있다.
⑤ 이 광물을 산업에 활용하기 위해서는 심해저 채굴 기술의 개발이 필요하다.

09 그림 (가)와 (나)는 해양 자원을 나타낸 것이다.

(가) 가스수화물   (나) 망가니즈 단괴

이에 대한 설명으로 옳은 것만을 [보기]에서 있는 대로 고른 것은?

┌─[보기]─────────────────────────┐
│ ㄱ. (가)는 메테인과 물 분자가 결합되어 있다.
│ ㄴ. (나)는 해저 화산 활동에 의해 광물이 정출되었다.
│ ㄷ. (가)는 해양 생물 자원, (나)는 해양 에너지 자원이다.
└──────────────────────────────┘

① ㄱ   ② ㄴ   ③ ㄱ, ㄷ
④ ㄴ, ㄷ   ⑤ ㄱ, ㄴ, ㄷ

B 자원 개발의 중요성

10 그림은 과거 약 26년 동안 에너지 자원 소비량 변화를 나타낸 것이다.

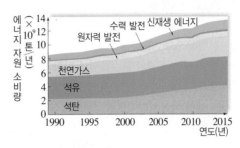

이에 대한 설명으로 옳은 것만을 [보기]에서 있는 대로 고른 것은?

┌─[보기]─────────────────────────┐
│ ㄱ. 에너지 총 소비량은 증가하고 있다.
│ ㄴ. 화석 연료의 사용량은 감소하고 있다.
│ ㄷ. 에너지 총 소비량에서 재생 가능한 에너지가 차지하는 비율은 석탄보다 크다.
│ ㄹ. 현재와 같이 에너지를 소비할 경우, 지구 온난화는 심화될 것이다.
└──────────────────────────────┘

① ㄱ, ㄷ   ② ㄱ, ㄹ   ③ ㄴ, ㄷ
④ ㄱ, ㄴ, ㄹ   ⑤ ㄴ, ㄷ, ㄹ

11 해양 자원 개발에 대한 설명으로 옳은 것만을 [보기]에서 있는 대로 고른 것은?

┌─[보기]─────────────────────────┐
│ ㄱ. 부족한 육상 광물 자원을 해양에서 얻을 수 있다.
│ ㄴ. 화석 연료를 대체하여 재생 에너지를 얻을 수 있다.
│ ㄷ. 해양 생물 자원은 식용 이외에도 해양 신소재 개발, 해양 바이오 산업에도 활용된다.
└──────────────────────────────┘

① ㄱ   ② ㄷ   ③ ㄱ, ㄴ
④ ㄴ, ㄷ   ⑤ ㄱ, ㄴ, ㄷ

01 광물의 성질

1. 광물 천연산으로, 일정한 화학 조성과 규칙적인 내부 결정 구조를 가지는 고체의 무기물이나 화합물

(1) 광물의 분류: 원소 광물 외에 음이온의 종류에 따라 규산염 광물, 산화 광물, 황화 광물, 탄산염 광물 등

(2) 규산염 광물

① (❶   ): 중심에 규소 이온 1개를 산소 이온 4개가 둘러싼 구조

② 규산염 광물의 결합 구조

결합 구조	독립형 구조	(❷) 구조	복사슬 구조	(❸) 구조	망상 구조
모형	산소 규소				
Si:O	1:4	1:3	4:11	2:5	1:2(석영)
광물	감람석	휘석	각섬석	흑운모	석영
특징	공유 산소 수, 화학적 풍화에 강한 정도 → 증가				

2. 광물의 물리적 성질

(1) 결정형: 광물을 이루는 원자나 이온의 규칙적인 배열에 따라 나타나는 광물의 독특한 외부 형태

(2) 물리적 성질

색	• 유색 광물: Fe, Mg 함량이 높다. 예 감람석, 휘석 • 무색 광물: Na, K 함량이 높다. 예 석영, 장석
조흔색	• 조흔판에 긁었을 때 묻어 나오는 가루의 색 • 광물마다 고유한 조흔색이 나타난다.
굳기	• 광물을 구성하는 원자나 이온의 밀도가 클수록, 화학적 결합력이 강할수록 굳기가 (❹). • 두 광물을 서로 긁었을 때 긁히는 광물의 굳기가 작다. • 모스 굳기: 광물의 상대적인 굳기 순서
쪼개짐, 깨짐	• 쪼개짐: 결합력이 약한 면을 따라 나타난다. 예 흑운모(한 방향), 휘석·각섬석(두 방향), 방해석(세 방향) • 깨짐: 모든 방향의 결합력이 비슷할 때 나타난다. 예 석영, 감람석
광택	• 광물 표면에서 반사되는 빛에 대한 느낌 • 금속광택과 비금속 광택으로 구분한다.

02 편광 현미경과 암석의 조직

1. 편광 현미경을 이용한 광물 관찰

(1) 광물의 광학적 성질

(❺)	• 빛이 광물 내부를 통과할 때 한 갈래로 굴절하는 현상 ➡ 빛의 진행 속도가 모든 방향에서 일정하다. • 등방체 광물: 단굴절이 일어나는 광물 예 암염, 형석 등
(❻)	• 빛이 광물 내부를 통과할 때 두 갈래로 굴절하는 현상 ➡ 빛의 진행 속도가 진행 방향에 따라 다르다. • 이방체 광물: 복굴절이 일어나는 광물 예 방해석, 석영, 흑운모, 감섬석 등

(2) 편광 현미경의 구조

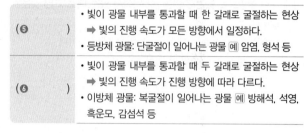

접안렌즈
상부 편광판
대물렌즈
박편
재물대
하부 편광판
광원

• 하부 편광판은 편광 현미경에 고정되어 있고, 상부 편광판은 뺐다 끼웠다 할 수 있다.
• 상부 편광판과 하부 편광판을 통과한 빛은 서로 수직으로 진동한다.
• 재물대 위에 박편을 놓고 관찰하며, 재물대는 360° 회전시킬 수 있다.

(3) 편광 현미경을 이용한 광물 관찰

성질	니콜 조작	특징
색	개방 니콜	빛이 광물을 통과할 때 광물에 흡수되어 나타나는 현상 예 흑운모(갈색~녹색)
다색성	(❼)	재물대를 돌리면 색과 밝기가 변하는 현상 예 흑운모(짙은 갈색~옅은 갈색)
간섭색	직교 니콜	복굴절로 만들어진 두 방향의 빛의 간섭 효과로 나타나는 현상 예 흑운모(갈색~녹색)
소광	(❽)	• 이방체 광물: 재물대를 돌리면 90°마다 한 번씩 광물이 어두워진다. • 등방체 광물: 완전 소광 상태이다.

2. 암석의 조직

(1) 화성암의 종류와 조직

① 광물의 생성 순서: 마그마가 냉각되면서 (❾   ) → 반자형 → (❿   ) 순으로 생성된다.

자형	• 결정면 전체가 잘 발달한 광물의 형태 • 결정이 성장하기에 공간이 충분한 경우에 나타난다.
반자형	• 결정면의 일부만 발달한 광물의 결정 형태 • 결정이 성장할 공간이 부족한 경우에 나타난다.
타형	• 결정면이 발달하지 못한 광물의 결정 형태 • 결정이 성장할 공간이 매우 부족한 경우에 나타난다.

② 화성암의 종류와 조직

암석	심성암(관입암)	반심성암	화산암(분출암)
생성 환경	마그마가 지하 깊은 곳에서 천천히 식어 굳은 암석	마그마가 비교적 얕은 곳까지 올라와 식어 굳은 암석	마그마가 지표 부근에서 빠르게 식어 굳은 암석
조직	(⓫　　) 조직	반상 조직	세립질, 유리질 조직

(2) 퇴적암의 종류와 조직

암석	쇄설성 퇴적암	화학적 퇴적암	유기적 퇴적암
생성 환경	쇄설성 입자가 풍화, 침식, 퇴적되어 생성 예 역암, 사암, 이암	물속에 녹아 있는 이온이 침전하여 생성 예 석회암, 석고, 암염	생물의 골격이나 껍데기 등 유기적 퇴적물이 쌓여 생성 예 석회암, 석탄
조직	층리, 쇄설성 조직	비쇄설성 조직	(⓬　　) 조직

(3) 변성암의 종류와 조직

암석	열과 압력에 의한 변성암	열에 의한 변성암
생성 환경	기존 암석이 높은 열과 압력을 받아 생성 예 셰일 → 점판암 → 천매암 → 편암 → 편마암	기존 암석이 높은 열을 받아 생성 예 셰일 → 혼펠스
조직	압력 방향으로 수직 방향으로 엽리 발달	치밀하고 단단한 (⓭　　) 조직, 입상 변정질 조직

03 지하자원의 형성과 이용

1. 지하자원 ┌ 광물 자원: 금속 광물 자원, 비금속 광물 자원
　　　　　　└ 에너지 자원

2. 광상

화성 광상	• 마그마의 냉각 과정에서 정마그마 광상 → 페그마타이트 광상 → 기성 광상 → (⓮　　) 광상 형성 • 판의 수렴형 경계나 발산형 경계에서 잘 형성된다.
퇴적 광상	• (⓯　　) 광상: 풍화로 생긴 광물이 물에 운반되면서 밀도가 큰 광물이 가라앉아 형성 예 사금 광상 • 풍화 잔류 광상: 고온 다습한 환경에서 풍화 작용을 받아 유용한 광물이 남아 형성 예 고령토, 보크사이트 • 침전 광상: 건조한 환경에서 물이 증발하면서 물에 녹은 물질이 침전하여 형성 예 호상 철광층 • 유기적 퇴적 광상: 퇴적 분지에 식물이 쌓여 형성되거나 바다 생물의 유해가 쌓여 형성
변성 광상	• (⓰　　) 광상: 마그마가 관입하는 과정에서 기존 광물을 교대하여 형성 • 광역 변성 광상: 광역 변성 작용이 일어나면서 물과 휘발 성분이 빠져나와 생긴 열수에 의해 형성

3. 광물과 암석의 이용

금속 광물	알루미늄, 철, 구리, 망가니즈, 텅스텐, 금, 희토류 등 ➡ 주로 제련 과정을 거쳐 필요한 금속 원소를 뽑아내어 이용
비금속 광물	석영, 장석, 고령토, 활석, 흑연 등 ➡ 제련 과정을 거치지 않고 직접 제품의 원료로 이용
암석	화강암, 대리암, 편마암, 석회암, 점판암 등을 이용

04 해양 자원

1. 해양 에너지 자원

화석 연료	• 석유, 석탄, 천연가스는 대륙 연안부의 해저에 매장되어 있다. • 단점: 연소 과정에서 (⓱　　) 발생, 자원 고갈	
가스 수화물	• 저온 고압 환경(영구 동토, 심해저 등)에서 형성 • (⓲　　)이 물 분자와 결합한 고체의 에너지 물질	
해양 재생 에너지	(⓳　　)	밀물과 썰물의 수위 차이를 이용하여 전기 에너지 생산 ➡ 조석 간만의 차이가 큰 곳에서 적합
	조류 발전	조류의 흐름을 이용하여 전기 에너지 생산 ➡ 조류가 빠른 곳에서 적합
	파력 발전	파도의 운동을 이용하여 전기 에너지 생산 ➡ 파도가 강하고 지속적인 곳에서 적합
	해양 온도 차 발전	표층수와 심층수의 수온 차이를 이용하여 전기 에너지 생산 ➡ 열대 해역에서 적합

2. 해양 물질 자원

해수 자원	해수에 녹아 있는 금속 자원을 얻을 수 있고, 해수의 담수화를 거쳐 생활과 산업에 이용한다.
해양 생물 자원	대부분 식용으로 이용되며, 의약품 원료, 해양 바이오 산업 등에 이용된다.
해양 광물 자원	(⓴　　): 망가니즈, 철, 구리, 코발트 등을 다량 함유하는 둥근 모양의 금속 광물 결합체

3. 해양 자원의 개발

자원의 추이	육지의 에너지 자원과 광물 자원은 무한정 존재하지 않으며, 빠르게 고갈되고 있다.
자원 개발의 중요성	• 육지의 부족한 광물 자원을 해양에서 얻을 수 있다. • 해양 재생 에너지는 화석 연료의 대체 에너지 자원으로 잠재적인 가능성이 크다. • 해안 지역의 이용, 해저 송전 케이블 비용 등의 문제점이 있지만 발전량이 증가하고 있다.

난이도 ●●●

01 광물의 성질에 대한 설명으로 옳은 것만을 [보기]에서 있는 대로 고른 것은?

─[보기]─
ㄱ. 대부분의 광물은 결정질을 이룬다.
ㄴ. 인공적으로 생성된 것도 광물에 포함된다.
ㄷ. 한 종류의 원소가 광물을 이루는 것도 있다.

① ㄱ   ② ㄴ   ③ ㄱ, ㄷ
④ ㄴ, ㄷ   ⑤ ㄱ, ㄴ, ㄷ

02 표는 여러 광물들의 화학 조성을 나타낸 것이다.

광물	화학 조성
석영	SiO_2
방해석	$CaCO_3$
감람석	Fe_2SiO_4, Mg_2SiO_4
금강석	C

이에 대한 설명으로 옳은 것만을 [보기]에서 있는 대로 고른 것은?

─[보기]─
ㄱ. 석영과 감람석은 규산염 광물에 속한다.
ㄴ. 방해석과 금강석은 탄산염 광물에 속한다.
ㄷ. 묽은 염산에 반응하는 광물은 금강석이다.

① ㄱ   ② ㄴ   ③ ㄱ, ㄷ
④ ㄴ, ㄷ   ⑤ ㄱ, ㄴ, ㄷ

03 그림은 어느 규산염 광물의 결합 구조를 나타낸 것이다.
이에 대한 설명으로 옳은 것만을 [보기]에서 있는 대로 고른 것은?

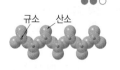
규소   산소

─[보기]─
ㄱ. 규산염 사면체를 기본 구조로 하여 형성된다.
ㄴ. 규소를 공유하면서 결합이 형성된다.
ㄷ. 복사슬 구조를 이룬다.

① ㄱ   ② ㄴ   ③ ㄱ, ㄷ
④ ㄴ, ㄷ   ⑤ ㄱ, ㄴ, ㄷ

04 그림은 어느 규산염 광물의 결합 구조를 나타낸 것이다.

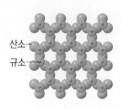
산소
규소

이에 대한 설명으로 옳은 것만을 [보기]에서 있는 대로 고른 것은?

─[보기]─
ㄱ. 판상 구조를 이룬다.
ㄴ. 한 방향의 쪼개짐이 나타난다.
ㄷ. 흑운모의 결합 구조에 해당한다.

① ㄱ   ② ㄴ   ③ ㄱ, ㄷ
④ ㄴ, ㄷ   ⑤ ㄱ, ㄴ, ㄷ

05 그림은 광물의 모스 굳기와 상대적인 절대 굳기를 나타낸 것이다.

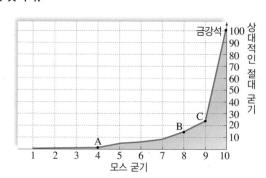

광물 A~C에 대한 설명으로 옳은 것만을 [보기]에서 있는 대로 고른 것은?

─[보기]─
ㄱ. B는 A보다 2배 단단하다.
ㄴ. B와 C를 서로 긁으면 B가 긁힌다.
ㄷ. C의 굳기를 이용하여 A와 B를 구별할 수 있다.

① ㄱ   ② ㄴ   ③ ㄱ, ㄷ
④ ㄴ, ㄷ   ⑤ ㄱ, ㄴ, ㄷ

06 그림은 빛이 어느 광물을 통과하면서 굴절된 모습을 나타낸 것이다.

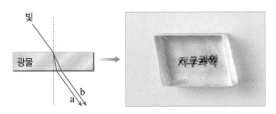

이에 대한 설명으로 옳은 것만을 [보기]에서 있는 대로 고른 것은?

[보기]
ㄱ. 암염은 이 광물에 해당한다.
ㄴ. a와 b는 서로 수직으로 진동하는 빛이다.
ㄷ. 편광 현미경으로 이 광물의 간섭색을 관찰할 수 있다.

① ㄱ
② ㄴ
③ ㄱ, ㄷ
④ ㄴ, ㄷ
⑤ ㄱ, ㄴ, ㄷ

07 그림은 편광 현미경의 구조와 빛의 진행을 나타낸 것이다.

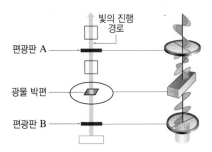

이에 대한 설명으로 옳은 것만을 [보기]에서 있는 대로 고른 것은?

[보기]
ㄱ. A를 뺀 상태를 개방 니콜이라고 한다.
ㄴ. A와 B에서 빛의 편광 방향은 서로 수직이다.
ㄷ. 광물 박편은 주로 불투명 광물로 관찰한다.

① ㄱ
② ㄷ
③ ㄱ, ㄴ
④ ㄴ, ㄷ
⑤ ㄱ, ㄴ, ㄷ

08 표는 광물 A, B의 광학적 특성을 나타낸 것이고, 그림은 두 광물이 포함된 암석 박편을 편광 현미경의 개방 니콜로 관찰한 모습이다.

광물	광학적 특성
A	단굴절
B	복굴절

이에 대한 설명으로 옳은 것만을 [보기]에서 있는 대로 고른 것은?

[보기]
ㄱ. 재물대를 돌리면 A는 다색성이 나타난다.
ㄴ. 직교 니콜에서 A는 항상 어둡게 보인다.
ㄷ. 직교 니콜에서 B는 간섭색이 나타난다.

① ㄱ
② ㄴ
③ ㄱ, ㄷ
④ ㄴ, ㄷ
⑤ ㄱ, ㄴ, ㄷ

09 그림은 마그마가 냉각되는 과정에서 생성된 여러 광물을 나타낸 것이다.
광물 A~C에 대한 설명으로 옳은 것만을 [보기]에서 있는 대로 고른 것은?

[보기]
ㄱ. A는 타형, C는 자형이다.
ㄴ. 생성된 순서는 A → B → C이다.
ㄷ. 광물이 성장할 수 있는 공간은 A가 C보다 넓었다.

① ㄱ
② ㄴ
③ ㄱ, ㄷ
④ ㄴ, ㄷ
⑤ ㄱ, ㄴ, ㄷ

10 다음은 어떤 화성암 박편을 관찰한 내용이다.

결정이 큰 입자와 작은 입자가 함께 나타나는 ㉠( ) 조직이 관찰되며, 이 조직은 마그마가 냉각되는 깊이에 따라 구분하면 ㉡( )에서 잘 나타난다.

㉠과 ㉡에 알맞은 말을 옳게 짝 지은 것은?

	㉠	㉡		㉠	㉡
①	반상	심성암	②	반상	반심성암
③	세립질	화산암	④	세립질	반심성암
⑤	조립질	심성암			

11 그림은 편광 현미경으로 퇴적암의 쇄설성 조직을 관찰한 모습이다.

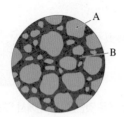

이에 대한 설명으로 옳은 것만을 [보기]에서 있는 대로 고른 것은?

〔보기〕
ㄱ. A가 자갈이면 퇴적암은 역암이다.
ㄴ. B는 퇴적물 입자 사이를 채워주는 교결 물질이다.
ㄷ. 해수의 증발에 의해 형성되는 퇴적암에서 잘 나타나는 조직이다.

① ㄱ　　　　② ㄷ　　　　③ ㄱ, ㄴ
④ ㄴ, ㄷ　　　⑤ ㄱ, ㄴ, ㄷ

12 그림 (가)와 (나)는 천매암과 편마암을 나타낸 것이다.

(가) 천매암　　　　　(나) 편마암

이에 대한 설명으로 옳은 것만을 [보기]에서 있는 대로 고른 것은?

〔보기〕
ㄱ. (가)와 (나) 모두 엽리가 발달한다.
ㄴ. (가)와 (나) 모두 셰일이 열과 압력을 받아 생성된다.
ㄷ. (가)는 (나)보다 세립질 입자로 이루어진다.

① ㄱ　　　　② ㄷ　　　　③ ㄱ, ㄴ
④ ㄴ, ㄷ　　　⑤ ㄱ, ㄴ, ㄷ

13 다음에서 설명하는 광상의 종류는?

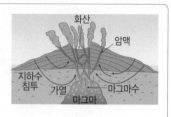

• 고온의 마그마수나 가열된 지하수에서 광물 성분이 침전하여 형성된다.
• 금, 구리, 납, 아연 등이 산출된다.

① 기성 광상　　　　　② 열수 광상
③ 정마그마 광상　　　④ 광역 변성 광상
⑤ 페그마타이트 광상

14 다음은 서로 다른 종류의 광상을 설명한 것이다.

(가) 풍화에 의해 생긴 광물이 물에 의해 운반되는 동안 하천의 바닥에 쌓여 형성된다.
(나) 풍화 작용에 의해 유용한 광물이 남고 나머지는 제거되어 형성된다.

이에 대한 설명으로 옳은 것만을 [보기]에서 있는 대로 고른 것은?

〔보기〕
ㄱ. (가)와 (나)는 퇴적 광상이다.
ㄴ. (가)는 주로 밀도가 작은 광물이 바닥에 쌓인다.
ㄷ. 고령토와 보크사이트는 (나)에서 산출된다.

① ㄱ　　　　② ㄴ　　　　③ ㄱ, ㄷ
④ ㄴ, ㄷ　　　⑤ ㄱ, ㄴ, ㄷ

15 그림은 알루미늄으로 만든 송전용 전선을 나타낸 것이다. 전선을 만드는 데 이용된 알루미늄의 성질이 아닌 것은?

① 가볍다.　　　　　　② 연성이 작다.
③ 전기 전도도가 높다.　④ 쉽게 녹슬지 않는다.
⑤ 지각에 풍부한 원소이다.

16 그림은 어느 해양 자원을 나타낸 것이다.

이에 대한 설명으로 옳은 것만을 [보기]에서 있는 대로 고른 것은?

[보기]
ㄱ. 심해저에서만 형성되는 자원이다.
ㄴ. 온실 기체를 발생시키지 않는 에너지 자원이다.
ㄷ. 우리나라 부근 해저에도 매장되어 있다.

① ㄱ   ② ㄷ   ③ ㄱ, ㄴ
④ ㄴ, ㄷ   ⑤ ㄱ, ㄴ, ㄷ

17 그림 (가)와 (나)는 서로 다른 발전 방식을 나타낸 것이다.

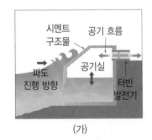 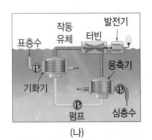

(가)   (나)

이에 대한 설명으로 옳은 것만을 [보기]에서 있는 대로 고른 것은?

[보기]
ㄱ. (가)와 (나)의 에너지원은 태양 에너지이다.
ㄴ. (가)는 조석 간만의 차이가 큰 해역에서 적합하다.
ㄷ. (나)는 고위도로 갈수록 발전량의 증가에 유리하다.

① ㄱ   ② ㄷ   ③ ㄱ, ㄴ
④ ㄴ, ㄷ   ⑤ ㄱ, ㄴ, ㄷ

 서술형 문제

18 그림 (가)와 (나)는 석영과 감람석의 모습이다.

(가) 석영   (나) 감람석

(1) 두 광물의 색이 다른 까닭을 서술하시오.

(2) 두 광물에 힘을 가했을 때 공통적으로 나타나는 물리적 성질을 까닭과 함께 서술하시오.

19 그림은 편광 현미경으로 어떤 암석을 관찰한 모습이다.

광물 A의 다색성을 판단하기 위한 편광 현미경의 조작 방법을 서술하시오.

20 그림은 선캄브리아 시대의 호상 철광층을 나타낸 것이다.

이 철광층이 형성된 과정을 다음 단어를 포함하여 서술하시오.

남세균, 산소, 침전

01 그림은 세 가지 물질을 특성에 따라 분류한 흐름도이다.

```
        석탄, 유리, 장석
              │
              ▼
      ┌───────────────┐   아니요
      │ 고체의 무기질인가? │ ────────▶ [ A ]
      └───────────────┘
              │ 예
              ▼
      ┌───────────────┐   아니요
      │  원자의 배열 상태가  │ ────────▶ [ B ]
      │    규칙적인가?   │
      └───────────────┘
              │ 예
              ▼
           [ C ]
```

이에 대한 설명으로 옳은 것만을 [보기]에서 있는 대로 고른 것은?

[보기]
ㄱ. A는 석탄이다.
ㄴ. B에서 라우에 점무늬가 나타난다.
ㄷ. C는 여러 종류의 원소가 화합물을 이룬다.

① ㄱ   ② ㄴ   ③ ㄱ, ㄷ
④ ㄴ, ㄷ   ⑤ ㄱ, ㄴ, ㄷ

02 그림 (가)~(다)는 서로 다른 규산염 광물의 결합 구조를 나타낸 것이다.

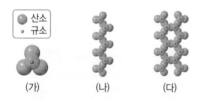

● 산소
· 규소

(가)   (나)   (다)

이에 대한 설명으로 옳은 것만을 [보기]에서 있는 대로 고른 것은?

[보기]
ㄱ. (가)는 쪼개짐이 발달한다.
ㄴ. (나)는 (다)보다 규산염 사면체의 공유 산소 수가 많다.
ㄷ. (가) → (나) → (다)로 갈수록 화학적 풍화에 강하다.

① ㄱ   ② ㄷ   ③ ㄱ, ㄴ
④ ㄴ, ㄷ   ⑤ ㄱ, ㄴ, ㄷ

03 그림 (가)와 (나)는 서로 다른 광물의 모습과 결합 구조를 나타낸 것이다.

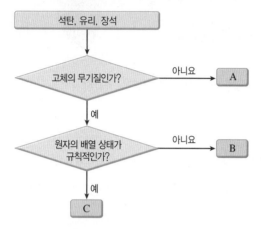

구분	광물	결합 구조
(가)		● 산소 · 규소
(나)		

이에 대한 설명으로 옳은 것만을 [보기]에서 있는 대로 고른 것은?

[보기]
ㄱ. (가)는 깨짐이 발달한다.
ㄴ. Mg와 Fe의 함량은 (가)가 (나)보다 높다.
ㄷ. $\dfrac{\text{Si 개수}}{\text{O 개수}}$ 값은 (가)가 (나)보다 작다.

① ㄱ   ② ㄷ   ③ ㄱ, ㄴ
④ ㄴ, ㄷ   ⑤ ㄱ, ㄴ, ㄷ

04 표는 광물 A~D의 물리적 성질을 나타낸 것이다.

광물	쪼개짐·깨짐	모스 굳기	주요 구성 원소
A	깨짐	6.5~7	Mg, Fe, Si, O
B	쪼개짐	2.5~3	Al, K, Mg, Fe, Si, O
C	쪼개짐	6	Al, K, Si, O
D	깨짐	7	Si, O

이에 대한 설명으로 옳은 것만을 [보기]에서 있는 대로 고른 것은? (단, 조흔판의 모스 굳기는 6.5이다.)

[보기]
ㄱ. A와 B는 유색 광물이다.
ㄴ. B와 D의 떨어져 나간 면을 관찰하면 서로 구분이 된다.
ㄷ. D를 조흔판에 긁으면 D의 조흔색을 알 수 있다.
ㄹ. A~D는 모두 규산염 사면체가 형성하는 광물이다.

① ㄱ, ㄷ   ② ㄱ, ㄹ   ③ ㄴ, ㄷ
④ ㄱ, ㄴ, ㄹ   ⑤ ㄴ, ㄷ, ㄹ

05 그림 (가)와 (나)는 동일한 흑운모 박편을 편광 현미경의 시야 중심에 두고 개방 니콜과 직교 니콜로 관찰한 모습을 순서 없이 나타낸 것이다.

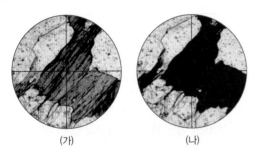

(가)   (나)

이에 대한 설명으로 옳은 것만을 [보기]에서 있는 대로 고른 것은?

[보기]
ㄱ. (가)는 개방 니콜로 관찰한 모습이다.
ㄴ. (가)에서 쪼개짐이 관찰된다.
ㄷ. (나)의 상태에서 재물대를 돌리면 흑운모의 소광을 관찰할 수 있다.

① ㄱ   ② ㄴ   ③ ㄱ, ㄷ
④ ㄴ, ㄷ   ⑤ ㄱ, ㄴ, ㄷ

06 그림 (가)와 (나)는 반려암과 현무암을 순서 없이 나타낸 것이다.

(가)   (나)

이에 대한 설명으로 옳은 것만을 [보기]에서 있는 대로 고른 것은?

[보기]
ㄱ. (가)는 세립질 조직이 나타난다.
ㄴ. (나)는 결정의 크기가 크고 비교적 고르다.
ㄷ. (나)는 (가)보다 지하 깊은 곳에서 형성되었다.

① ㄱ   ② ㄴ   ③ ㄱ, ㄷ
④ ㄴ, ㄷ   ⑤ ㄱ, ㄴ, ㄷ

07 그림 (가)와 (나)는 편광 현미경으로 관찰한 화산암과 심성암 박편의 모습을 순서 없이 나타낸 것이다.

(가)   (나)

이에 대한 설명으로 옳은 것만을 [보기]에서 있는 대로 고른 것은? (단, (가)와 (나)의 배율은 같다.)

[보기]
ㄱ. (가)는 조립질 조직이 나타난다.
ㄴ. 마그마의 냉각 속도는 (가)가 (나)보다 빨랐다.
ㄷ. 유색 광물의 함량비는 (가)가 (나)보다 높다.

① ㄱ   ② ㄴ   ③ ㄱ, ㄷ
④ ㄴ, ㄷ   ⑤ ㄱ, ㄴ, ㄷ

08 그림은 쇄설성 퇴적암, 유기적 퇴적암, 화학적 퇴적암을 A, B, C로 순서 없이 나열하여 암석의 예를 나타낸 것이다.

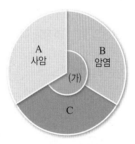

이에 대한 설명으로 옳은 것만을 [보기]에서 있는 대로 고른 것은?

[보기]
ㄱ. A에서는 쇄설성 조직이 나타난다.
ㄴ. B는 유기적 퇴적물이 쌓여 생성된다.
ㄷ. 석회암은 (가)에 해당한다.

① ㄱ   ② ㄴ   ③ ㄱ, ㄷ
④ ㄴ, ㄷ   ⑤ ㄱ, ㄴ, ㄷ

09 그림 (가)와 (나)는 열 또는 열과 압력에 의해 생성된 두 변성암의 조직 사진을 순서 없이 나타낸 것이다.

 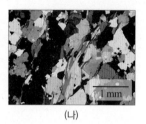

(가)　　　　　　　(나)

이에 대한 설명으로 옳은 것만을 [보기]에서 있는 대로 고른 것은?

─〔보기〕─
ㄱ. (가)는 열에 의해 생성되었다.
ㄴ. (나)의 줄무늬는 퇴적된 방향에 나란하게 형성된다.
ㄷ. 편마암에서는 (나)와 같은 조직이 나타난다.

① ㄱ　　　　② ㄴ　　　　③ ㄱ, ㄷ
④ ㄴ, ㄷ　　　⑤ ㄱ, ㄴ, ㄷ

10 그림은 어느 광상의 형성 과정을 나타낸 것이다.

(가) $\boxed{A}$ $+2H_2O+CO_2$
　　　　　$\longrightarrow$ 고령토 $+4SiO_2+K_2CO_3$
(나) 고령토 $+H_2O \longrightarrow \boxed{B} +2SiO_2$

이에 대한 설명으로 옳은 것만을 [보기]에서 있는 대로 고른 것은?

─〔보기〕─
ㄱ. A는 정장석, B는 보크사이트이다.
ㄴ. (나)는 (가)보다 고온 다습한 환경에서 일어난다.
ㄷ. (가)의 고령토와 (나)의 B는 침전 광상에 해당한다.

① ㄱ　　　　② ㄷ　　　　③ ㄱ, ㄴ
④ ㄴ, ㄷ　　　⑤ ㄱ, ㄴ, ㄷ

11 그림은 여러 가지 광상의 종류를 나타낸 것이다.

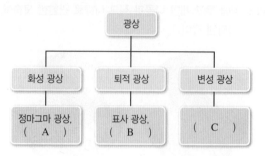

이에 대한 설명으로 옳은 것만을 [보기]에서 있는 대로 고른 것은?

─〔보기〕─
ㄱ. 페그마타이트 광상은 A에 해당한다.
ㄴ. 해수의 용존 물질이 침전되어 형성된 광상은 B에 해당한다.
ㄷ. C에서 산출되는 광상으로 흑연 광상이 있다.

① ㄱ　　　　② ㄴ　　　　③ ㄱ, ㄷ
④ ㄴ, ㄷ　　　⑤ ㄱ, ㄴ, ㄷ

12 다음은 서로 다른 광물 A, B의 특성을 설명한 것이다.

A는 지각에서 B 다음으로 풍부한 금속 원소이다. A는 단단하고, 전기 전도도가 높으며, 가공하기 쉽지만 ㉠부식이 잘 생기는 단점이 있다. B는 ㉡전성과 연성이 뛰어나고 가벼우며, 쉽게 녹슬지 않는 장점이 있다.

A, B에 대한 설명으로 옳은 것만을 [보기]에서 있는 대로 고른 것은?

─〔보기〕─
ㄱ. A는 알루미늄, B는 철이다.
ㄴ. ㉠을 보완하기 위해 합금강을 만들어 이용한다.
ㄷ. B를 이용하여 캔을 만드는 것은 ㉡을 이용한 것이다.

① ㄱ　　　　② ㄷ　　　　③ ㄱ, ㄴ
④ ㄴ, ㄷ　　　⑤ ㄱ, ㄴ, ㄷ

13 다음은 우리나라에서 운용 중인 발전소 (가)~(다)의 특징을 설명한 것이다.

(가) 밀물과 썰물의 수위 차이를 이용하여 발전한다.
(나) 조류의 흐름을 이용하여 발전한다.
(다) 파도의 운동을 이용하여 발전한다.

이에 대한 설명으로 옳은 것만을 [보기]에서 있는 대로 고른 것은?

[보기]
ㄱ. (가)는 서해안이 동해안보다 유리하다.
ㄴ. (나)와 (다)는 모두 에너지원이 조력 에너지이다.
ㄷ. (가)~(다)는 모두 해수의 운동 에너지를 전기 에너지로 전환한다.

① ㄱ   ② ㄴ   ③ ㄱ, ㄷ
④ ㄴ, ㄷ   ⑤ ㄱ, ㄴ, ㄷ

14 그림은 해양에서 리튬을 얻는 미래의 해양 플랜트를 나타낸 것이다.

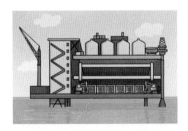

이에 대한 설명으로 옳은 것만을 [보기]에서 있는 대로 고른 것은?

[보기]
ㄱ. 해수에 녹은 리튬을 추출한다.
ㄴ. 해양 에너지 자원을 얻을 수 있다.
ㄷ. 대부분의 리튬이 대기로부터 공급되었다.

① ㄱ   ② ㄷ   ③ ㄱ, ㄴ
④ ㄴ, ㄷ   ⑤ ㄱ, ㄴ, ㄷ

15 그림은 어느 해양 광물 자원의 분포 해역을 나타낸 것이다.

이와 관련된 광물 자원에 대한 설명으로 옳은 것만을 [보기]에서 있는 대로 고른 것은?

[보기]
ㄱ. 퇴적물의 퇴적 속도가 빠른 해역에서 잘 형성된다.
ㄴ. 우리나라에서 단독 개발권을 확보한 곳이 있다.
ㄷ. 제련 과정을 거쳐 이용한다.

① ㄱ   ② ㄴ   ③ ㄱ, ㄷ
④ ㄴ, ㄷ   ⑤ ㄱ, ㄴ, ㄷ

16 그림은 2016년 이후 해양 재생 에너지의 미래 기술 발전 속도가 A, B일 때의 추정 발전량을 현재와 같은 기술 발전 속도일 때와 비교하여 나타낸 것이다.

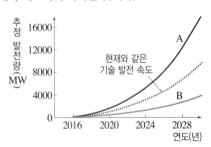

이에 대한 설명으로 옳은 것만을 [보기]에서 있는 대로 고른 것은?

[보기]
ㄱ. 추정 발전량의 증가율은 B가 A보다 크다.
ㄴ. A는 기술 발전 속도가 현재보다 빠른 경우에 해당한다.
ㄷ. 화석 연료를 대체하는 비율은 기술 발전 속도가 A보다 B일 때 크다.

① ㄱ   ② ㄴ   ③ ㄱ, ㄷ
④ ㄴ, ㄷ   ⑤ ㄱ, ㄴ, ㄷ

3 한반도의 지질

- 01. 지질 조사와 지질도
- 02. 한반도의 지사와 판 구조 환경
- 03. 한반도의 변성 작용

이 단원을 공부하기 전에 학습 계획을 세우고, 학습 진도를 스스로 체크해 보자.
학습이 미흡했던 부분은 다시 보기에 체크해 두고, 시험 전까지 꼭 완벽히 학습하자!

소단원	학습 내용	학습 일자	다시 보기
01. 지질 조사와 지질도	Ⓐ 지질 조사	/	
	Ⓑ 지질도 특강 지질도 해석	/	
02. 한반도의 지사와 판 구조 환경	Ⓐ 한반도의 지사 탐구 한반도 지질 여행	/	
	Ⓑ 한반도의 판 구조 환경과 형성 탐구 동북아시아 지체 구조의 형성	/	
03. 한반도의 변성 작용	Ⓐ 변성 작용과 변성암 탐구 판 경계에서 일어나는 변성 작용	/	
	Ⓑ 한반도의 변성암 탐구 한반도 변성암과 변성 작용	/	

◆ **지질 구조**　지층이나 암석이 지각 변동을 받아 여러 모양으로 변형된 상태이다.

습곡	단층	❷
지층이 ❶ ⬚ (양쪽에서 미는 힘)을 받아 휘어진 지질 구조	지층이 힘을 받아 끊어지면서 양쪽 지층이 상대적으로 이동한 구조	지층 사이에 퇴적 시간의 큰 공백이 있을 때 두 지층의 관계

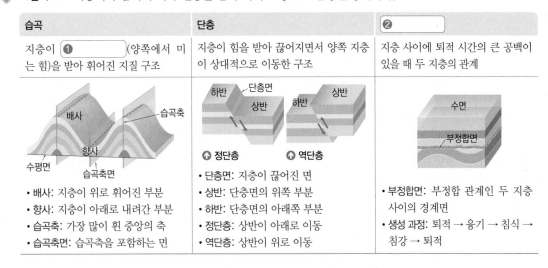

- 배사: 지층이 위로 휘어진 부분
- 향사: 지층이 아래로 내려간 부분
- 습곡축: 가장 많이 휜 중앙의 축
- 습곡축면: 습곡축을 포함하는 면

- 단층면: 지층이 끊어진 면
- 상반: 단층면의 위쪽 부분
- 하반: 단층면의 아래쪽 부분
- 정단층: 상반이 아래로 이동
- 역단층: 상반이 위로 이동

- 부정합면: 부정합 관계인 두 지층 사이의 경계면
- 생성 과정: 퇴적 → 융기 → 침식 → 침강 → 퇴적

◆ **지질 시대 구분**　생물계의 급격한 변화, 대규모 지각 변동을 기준으로 구분한다.

누대	시생 누대				원생 누대			현생 누대										
대	초시생대	고시생대	중시생대	신시생대	고원생대	중원생대	신원생대	고생대						중생대		신생대		
기	←──── (선캄브리아 시대) ────→							❸	오르도비스기	실루리아기	데본기	석탄기	페름기	트라이아스기	쥐라기	❹	팔레오기	네오기	제4기

　　　　　　　　　　　　　　　541.0　　　　　　　　　　　　　　　252.2　　　66.0 (백만 년 전)

표준 화석	삼엽충, 필석, 방추충	공룡, 암모나이트	화폐석, 매머드

◆ **판의 이동과 대륙 분포의 변화**　지구 표면을 이루는 판이 서로 다른 방향과 속력으로 이동하면서 판 경계에서 지각이 생성되고 소멸하며, 이 과정에서 대륙이 이동한다.

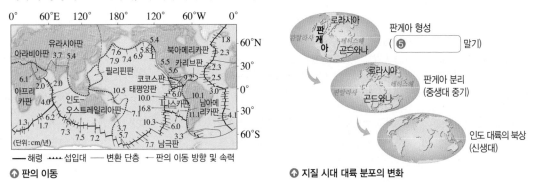

⬆ 판의 이동

판게아 형성
(❺ ⬚ 말기)

판게아 분리
(중생대 중기)

인도 대륙의 북상
(신생대)

⬆ 지질 시대 대륙 분포의 변화

01 지질 조사와 지질도

핵심 포인트
🅐 클리노미터 사용 방법 ★★
지층의 주향과 경사 측정 방법 ★★★
🅑 지질도에서 주향과 경사 해석 ★★★
지질도에서 지층과 지질 구조 해석 ★★★

🅐 지질 조사

지질 조사는 지질 구조의 형성 과정 이해, 지하자원 탐사, 터널이나 발전소 건설, 자연재해 예방 등을 위해 필요한 활동이에요.

1. 지질 조사 어떤 지역에 분포하는 암석의 종류와 생성 순서, 지질 구조, 이들의 상호 관계 등을 조사하는 활동

사전 계획	야외 조사	지질도 작성
조사 지역에 대해 사전 지식을 갖추고, ❶지형도를 구해 계획을 세운다.	❷노두를 따라 지질 조사를 한다. 주향과 경사 측정, 시료 채취, 사진 촬영 등을 하고 암석의 특징을 기록한다.	노두에서 조사한 내용, 채취한 시료 등을 분석하여 지질도를 작성한다.

2. 주향과 경사 측정 지층의 방향과 기울어진 각도를 알기 위해 측정한다.

(1) 주형과 경사

① 주향: 지층면이 수평면과 만나 이루는 교차선의 방향으로, 진북을 기준으로 측정한다.

② 경사: 지층면과 수평면이 이루는 각도로, 경사각과 경사 방향으로 나타낸다.

(2) 클리노미터: 주향 및 경사를 측정하는 장치

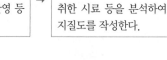

⬆ 주향과 경사

클리노미터의 구조와 읽는 방법

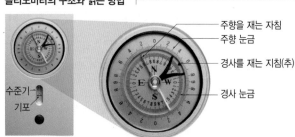

- 주향을 재는 자침
- 주향 눈금
- 경사를 재는 지침(추)
- 경사 눈금

⬆ 클리노미터의 구조

> 수준기와 기포는 수평면을 유지하는 데에 필요해요. 기포가 수준기 중앙에 왔을 때, 주향을 측정해요.

[주향을 읽는 방법]
- 주향 방향: 클리노미터의 N을 기준으로 자침이 가리키는 방향을 읽어 *E 또는 W로 나타낸다.
  예 사진의 주향 방향: NE
- 주향 각도: 자침이 가리키는 바깥쪽의 주향 눈금을 읽는다.
  예 사진의 주향 각도: 30°
- 주향을 표시한다. 예 N30°E

[경사를 읽는 방법]
- 경사 방향: 주향 방향에 직각인 방향으로, 두 방향 중 한 방향이다. 어느 방향인지는 클리노미터로 판단할 수 없고, 실제 지형에서 판단한다.
  예 사진의 경사 방향: NW 또는 SE
- 경사각: 클리노미터의 E 또는 W을 기준으로 경사를 재는 지침이 가리키는 안쪽의 경사 눈금을 읽는다. 예 35°
- 경사를 표시한다. 예 35°NW 또는 35°SE

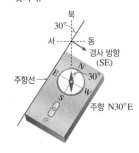

★ **지질 조사 장비**
지형도, 야장, 필기 도구, 정, 지질 망치, 시료 주머니, 사진기, 클리노미터, 확대경(루페), 줄자, 삼각자, 묽은 염산 등

지질 망치   시료 주머니   확대경

★ **클리노미터에 표시된 E, W의 방향이 나침반과 반대인 까닭**
지층의 주향이 북쪽을 기준으로 동쪽을 향할 경우, 자침은 북쪽을 가리키므로 클리노미터에서 N을 기준으로 왼쪽을 향한다. 따라서 자침이 가리키는 방향을 읽었을 때 주향이 되도록 하기 위해 편의상 동서 방향을 바꾸어 놓은 것이다.

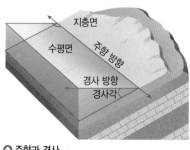

| 용어 |

❶ 지형도(地 땅, 形 모양, 圖 그림)
등고선을 이용해 지표의 높낮이, 도로, 경지, 삼림 등의 정보를 나타낸 지도

❷ 노두(露 드러나다, 頭 꼭대기)
암석이나 지층이 지표에 드러난 것으로, 계곡, 절벽에 잘 나타난다.

(3) 클리노미터로 지층의 주향과 경사를 측정하는 방법

주향: 클리노미터의 긴 변을 지층면에 대고 수준기로 수평을 맞춘 후, 자침이 가리키는 *주향 눈금을 읽는다.

경사: 클리노미터의 긴 변을 주향선에 수직으로 지층면에 대고, 지침이 가리키는 경사 눈금을 읽는다.

(4) 주향과 경사의 표시 방법

① 주향: 북쪽을 기준으로 주향 각도만큼 동쪽이나 서쪽으로 돌아간 긴 선으로 표시한다.

② 경사: 주향에 수직인 짧은 선으로 경사 방향을 나타내고, 그 끝에 경사각을 표시한다.

표시법	기호	표시법	기호	표시법	기호
수평층	⊕	주향: EW 경사: 45°S	⊢ 45	주향: N60°E 경사: 90°	✕
수직층	─┼─	주향: N45°E 경사: 30°SE	╱30	주향: N45°W 경사: 30°NE	╲30

B 지질도

1. 지질도 지질 조사로 알아낸 지층과 암석의 정보를 색과 기호로 지형도에 표시한 것

(1) 지질도의 작성 순서: 노선 지질도 → 지질도 → 지질 단면도 → 지질 주상도

노선 지질도	지질도	지질 단면도	지질 주상도
지질 조사 경로를 따라 노두에서 관찰한 내용을 지형도에 나타낸 지도	노선 지질도를 종합하여 같은 암석이 나타나는 노두를 연결하고 암석의 분포, 지질 구조 등을 나타낸 것	지질도에서 임의의 두 지점을 연결한 직선을 따라 지하의 지질 구조와 지층 분포를 단면으로 나타낸 것	지층이 쌓인 순서대로 지층의 두께와 간단한 특징을 기둥 모양으로 나타낸 것

(2) 지질도에서 사용되는 일반적인 *색과 기호

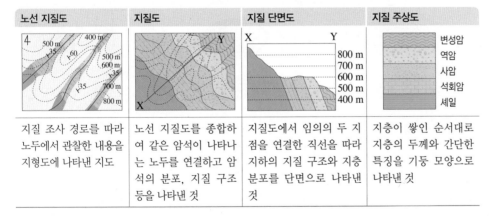

암석	색	암석의 기호	지질 구조의 기호					
화성암		화강암	주향 경사	╱	역전층	⤢	단층	╱
퇴적암		역암 사암 셰일 석회암	수평층	⊕	배사	⤡	추정 단층	┈
변성암		점판암 편암 편마암 규암	수직층	─┼─	향사	⤢	화석 산지	⨯

★ **주향의 편각 보정**

클리노미터의 자침은 자북극을 가리키므로 지리상의 북극과 약간의 차이가 있다. 주향은 진북을 기준으로 하는 값이므로 클리노미터로 측정한 주향을 지질도에 표시할 때는 편각을 보정하여 기입해야 한다.

궁금해

모든 종류의 암석의 주향과 경사를 측정할까?

엽리가 발달한 변성암이나 층리가 잘 나타나는 퇴적암은 일정한 방향성을 가지므로 주향과 경사를 측정하여 암석이 연장된 방향을 추정할 수 있다. 그러나 화성암은 분포가 불규칙하므로 주향과 경사를 측정하지 않는다.

★ **지질도의 일반적인 색과 기호**

• 암석의 색: 화성암은 붉은색, 퇴적암은 푸른색, 변성암은 갈색 계열로 나타낸다.

• 습곡: 습곡축을 직선으로 나타내고, 배사는 양쪽으로 벌어지는 화살표로, 향사는 모여드는 화살표로 표시한다.

• 단층: 단층선은 굵은 선으로 나타내고, 선을 경계로 양쪽 지층이 끊어져 나타난다.

주의해

암석의 색과 기호

지질도에 표시하는 암석의 색이나 기호는 명확하게 확립되지 않은 상태이므로 지질도에 따라 다르게 표시하기도 한다. 따라서 범례를 참고하여 판단한다.

01 지질 조사와 지질도

2. 지질도 해석 `완자쌤 비법특강 111쪽`

(1) 지질도에서 주향과 경사 해석

① **주향**: 같은 고도의 등고선이 지층 경계선과 만나는 두 점을 연결한 직선의 방향 예 B층의 주향: NθE

② **경사 방향**: 높은 고도의 주향선에서 낮은 고도의 주향선을 수직으로 향하는 방향 예 B층의 경사: 남동쪽

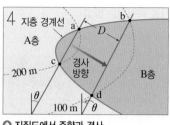

⬆ 지질도에서 주향과 경사

(2) 지질 단면도 그리는 방법

지질 단면도를 그리는 방법을 알면, 지층의 분포, 지질 구조를 효율적으로 해석할 수 있어요.

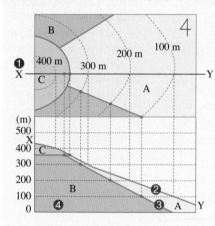

❶ **단면을 그릴 부분 선택하기**: 지질도에서 단면을 작성할 부분에 선 X−Y를 그린다.

❷ **지형의 단면 그리기**: 선 X−Y와 등고선이 만나는 점을 단면도에 같은 높이까지 수직으로 내린 후(-----), X에서 Y까지 지형의 단면을 그린다.

❸ **지층의 경계 그리기**: 선 X−Y와 주향선이 만나는 점을 단면도에 같은 높이까지 수직으로 내린 후(-----), 만나는 점을 연결한다.

❹ **색 칠하기**: 암석의 분포를 고려하여 색을 칠한다.

[해석] 지층의 역전이 없었다면, 지층 A~C의 생성 순서는 B → A → C이다.

(3) 지질도에서 지층의 분포 형태 해석 → 지층 경계선이 등고선에 나란할수록 경사가 작다.

수평층	수직층	경사층
지층 경계선이 등고선에 나란하게 나타난다.	지층 경계선이 등고선에 관계없이 직선으로 나타난다.	지층 경계선이 여러 등고선과 교차하여 곡선으로 나타난다.

(4) 지질도에서 지질 구조 해석

습곡	부정합	단층
지층 경계선이 대체로 대칭적으로 나타난다. 지층 경계선의 경사 방향을 해석하여 배사와 향사를 알아낸다.	한 지층 경계선이 다른 지층 경계선을 덮는다. 부정합(경사 부정합)은 상하 지층의 경사가 다르다.	지층 경계선이 끊어지고, 같은 지층이 반복되어 나타난다. 단층면의 경사 방향과 상반과 하반의 이동을 해석하여 정단층과 역단층을 알아낸다.

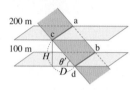

C+ 확대경

경사각 구하기

등고선의 높이 차이(H)와 두 주향선 사이의 수평 거리(D)를 알면 경사각(θ')을 구할 수 있다.

➡ $\tan\theta' = \dfrac{H}{D}$

예 위 두 주향선 사이의 수평 거리(D)가 100 m일 때 경사각은?

$\tan\theta' = \dfrac{100\ m}{100\ m} = 1$, $\theta' = 45°$

★ **지질도에서 지층의 분포 형태**

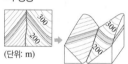

• 수평층
(단위: m)

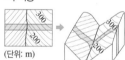

• 수직층
(단위: m)

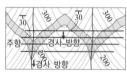

• 경사층
(단위: m)

★ **부정합과 단층 구별**

하나의 지층 경계선이 다른 경계선을 끊을 때, 경계선의 양쪽에 같은 지층이 반복되면 단층이고, 반복되지 않으면 부정합이다.

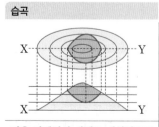

지질도 해석

○ 정답친해 51쪽

야외에서 지질 조사를 하여 알아낸 정보들을 종합하여 지질도를 작성합니다. 따라서 완성된 지질도를 해석하면 조사 지역의 지층 분포와 지질 구조를 알 수 있어요. 지질도를 해석하여 지질 구조를 판단해 볼까요?

1 주향과 경사의 판단

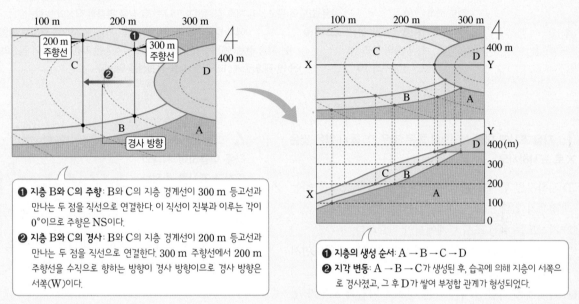

❶ **지층 B와 C의 주향**: B와 C의 지층 경계선이 300 m 등고선과 만나는 두 점을 직선으로 연결한다. 이 직선이 진북과 이루는 각이 0°이므로 주향은 NS이다.

❷ **지층 B와 C의 경사**: B와 C의 지층 경계선이 200 m 등고선과 만나는 두 점을 직선으로 연결한다. 300 m 주향선에서 200 m 주향선을 수직으로 향하는 방향이 경사 방향이므로 경사 방향은 서쪽(W)이다.

❶ **지층의 생성 순서**: A → B → C → D

❷ **지각 변동**: A → B → C가 생성된 후, 습곡에 의해 지층이 서쪽으로 경사졌고, 그 후 D가 쌓여 부정합 관계가 형성되었다.

Q1 지질도에서 지층 경계선이 휜 방향과 등고선이 휜 방향이 반대인 경우, 지층면의 경사 방향은 지형이 기울어진 방향에 대해 어떤 방향으로 나타나는가?

2 습곡과 단층의 해석

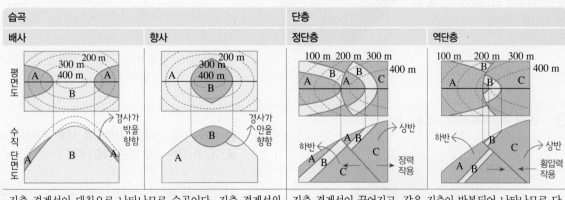

습곡		단층	
배사	향사	정단층	역단층

지층 경계선이 대칭으로 나타나므로 습곡이다. 지층 경계선의 경사가 밖을 향하면 배사이고, 안을 향하면 향사이다.

지층 경계선이 끊어지고, 같은 지층이 반복되어 나타나므로 단층이 있다. 단층면 경사 방향을 판단한 후, 상반이 하반보다 내려갔다면 정단층, 상반이 하반보다 올라갔다면 역단층이다.

Q2 배사 구조의 습곡축이 지표면으로 드러났다면 습곡축에서 멀어질수록 지층의 생성 시기는 어떻게 변하는가?

개념 확인 문제

정답친해 51쪽

핵심체크

- 지질 조사의 순서: 사전 계획 → 야외 조사 → (❶) 작성
- 주향과 경사의 측정: 클리노미터를 이용하여 측정한다.
  - (❷): 지층면이 수평면과 만나 이루는 교차선의 방향으로, (❸)을 기준으로 측정한다.
  - (❹): 지층면과 수평면이 이루는 각도로, 경사각과 경사 방향으로 나타낸다.
- 지질도의 작성 과정: (❺) → 지질도 → 지질 단면도 → 지질 주상도
- 지질도 해석
  - (❻): 같은 고도의 등고선이 지층 경계선과 만나는 두 점을 연결한 직선의 방향
  - 경사 방향: 높은 고도의 (❼)에서 낮은 고도의 (❼)을 수직으로 향하는 방향
  - 지층의 분포: (❽)은 지층 경계선이 등고선에 나란하고, 수직층은 지층 경계선이 직선이다.
  - 지질 구조: (❾)은 한 지층 경계선이 다른 지층 경계선을 덮는다.

1 지질 조사에 대한 설명으로 옳은 것은 ○, 옳지 않은 것은 ✕로 표시하시오.

(1) 지하자원 탐사나 터널 공사를 위해 지질 조사를 하는 경우가 있다. ·· (   )

(2) 지형도는 사전 조사 단계에서만 필요하다. ···· (   )

(3) 지질도는 노두에서 암석의 분포와 특징을 관찰하면서 야외에서 완성시켜야 한다. ····························· (   )

(4) 야외에서 지질 조사를 하는 장소로 가급적 노두가 있는 곳은 피해야 한다. ································ (   )

2 그림은 지층면과 수평면의 모습을 나타낸 것이다. 주향, 경사와 관련하여 A, B, C에 적합한 용어를 각각 쓰시오.

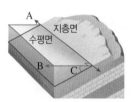

3 그림은 클리노미터의 구조를 나타낸 것이다.

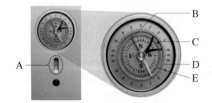

A~E 중 지층의 (가) <u>주향</u> 측정에 필요한 부분과 (나) <u>경사</u> 측정에 필요한 부분을 쓰시오.

4 그림은 클리노미터를 이용하여 지층의 주향과 경사를 측정하는 방법을 나타낸 것이다.

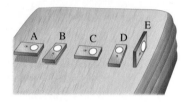

(1) A~E 중 주향을 측정하는 방법을 고르시오.

(2) A~E 중 경사를 측정하는 방법을 고르시오.

5 그림 (가)~(다)는 수평층, 수직층, 경사층의 기호를 순서 없이 나타낸 것이다.

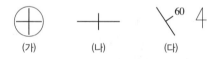

(1) 수평층의 기호를 고르시오.

(2) 수직층의 기호를 고르시오.

(3) 경사층의 주향 방향과 경사 방향을 각각 쓰시오.

6 그림 (가)~(다)는 지형도에 지층 경계선을 나타낸 것으로, A, B, C는 서로 다른 지층이다.

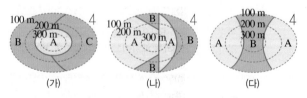

(가)~(다)에 형성된 지질 구조를 각각 쓰시오.

대표 자료 분석

자료 ① 주향과 경사

기출 Point
• 클리노미터로 주향과 경사 측정하는 방법 익히기
• 주향과 경사를 지도에 기호로 표시하기

[1~4] 그림 (가)는 어느 지층의 주향을 측정한 것이고, (나)는 경사를 측정한 것이다.

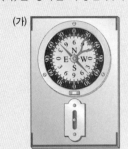 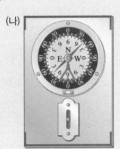

1 (가)와 (나) 중 다음 설명에 해당하는 과정을 고르시오.

(1) 수준기 사용이 필요한 과정

(2) 클리노미터의 안쪽 눈금을 읽는 과정

2 ( ) 안에 알맞은 말을 쓰시오.

• 클리노미터는 나침반과 달리 E와 W가 반대로 표시되어 있으므로 (가)에서 주향은 ㉠( )이다.
• 지층의 경사 방향은 주향에 대해 수직이므로 (나)에서 경사 방향은 ㉡( ), 경사각은 ㉢( )이다.

3 이 지층의 주향과 경사를 지질도 기호로 나타내시오. (단, 위쪽을 북쪽으로 나타낸다.)

4 빈출 선택지로 완벽 정리!

(1) (가)는 클리노미터의 뒷면을 지층면에 밀착시킨 상태로 측정한다. ──────────── (○ / ×)

(2) (나)는 클리노미터의 긴 변을 포함하는 면을 주향선에 수직으로 지층면에 대고 측정한다. ─────── (○ / ×)

(3) (가)와 (나)를 측정한 지층은 수평층이다. (○ / ×)

자료 ② 지질도에서 지질 구조 해석

기출 Point
• 지질도에서 경사층 해석하기
• 지질도에서 단층과 부정합 해석하기

[1~5] 그림 (가)~(라)는 서로 다른 지역의 지형도에 지층 경계선을 나타낸 것이다. (단, 지층은 역전되지 않았다.)

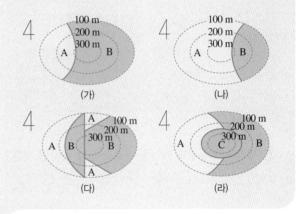

1 (가)~(라) 중 수평층이 나타나는 지역을 쓰시오.

2 (가)~(라) 중 단층이 나타나는 지역을 쓰시오.

3 (가)와 (나)에서 지층이 경사진 방향을 각각 쓰시오.

4 (가)와 (나) 중 지층 A가 B보다 먼저 생성된 지역을 쓰시오.

5 빈출 선택지로 완벽 정리!

(1) (가)~(라)에서 지층 A는 모두 주향이 NS에 가깝다. ──────────────────── (○ / ×)

(2) (다)의 단층면은 서쪽으로 경사져 있다. ── (○ / ×)

(3) (다)는 지층 A가 B보다 먼저 생성되었다. (○ / ×)

(4) (라)에서는 단층이 형성되었다. ──── (○ / ×)

(5) (라)는 B → A → C 순으로 생성되었다. ── (○ / ×)

자료 3 지질도 해석 (1)

기출 Point
· 지질도에서 지층의 주향과 경사 해석하기
· 지질도에서 습곡과 부정합 해석하기

[1~3] 그림은 어느 지역의 지질도를 나타낸 것이다.

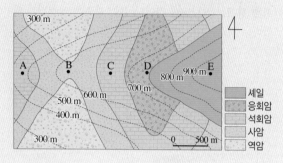

셰일
응회암
석회암
사암
역암

1 셰일층의 주향과 경사를 기호로 옳게 나타낸 것은?

① ② ③ ④ ⑤

2 지질도를 해석하여 다음 물음에 답하시오.

(1) 셰일층과 응회암층 사이의 지질 구조를 쓰시오.

(2) 사암층에 나타나는 지질 구조를 쓰시오.

(3) A와 C에서 석회암층의 경사 방향을 각각 쓰시오.

(4) B와 D에서 나타나는 습곡축을 배사축과 향사축으로 구분하여 지질 기호로 나타내시오.

(5) 지층의 생성 순서를 쓰시오. (단, 지층의 역전은 없다.)

3 빈출 선택지로 **완벽 정리!**

(1) 석회암층의 주향은 거의 동서 방향이다. ····· (○ / ×)
(2) 사암층은 B 지점의 동쪽과 서쪽의 경사 방향이 서로 반대이다. ····· (○ / ×)
(3) 사암층은 퇴적된 후 횡압력을 받았다. ····· (○ / ×)
(4) 화산재가 쌓인 후 석회암층이 형성되었다. (○ / ×)
(5) E 지점의 지하에 사암층이 있다. ····· (○ / ×)
(6) 이 지역은 최소한 2회의 융기가 있었다. ····· (○ / ×)

자료 4 지질도 해석 (2)

기출 Point
· 지질도로 지질 단면도 작성하기
· 지질도에서 단층 해석하기

[1~4] 그림은 단층 F–F′가 형성된 어느 지역의 지질도와 이를 이용하여 그린 미완성의 지질 단면도를 나타낸 것이다. (단, 지층은 역전되지 않았다.)

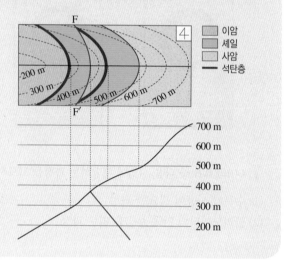

이암
셰일
사암
석탄층

1 지층의 경사 방향을 고려하여 위의 지질 단면도를 완성하시오.

2 이암층이 경사져 있는 방향을 쓰시오.

3 가장 나중에 생성된 지층을 쓰시오.

4 빈출 선택지로 **완벽 정리!**

(1) 단층면의 경사 방향은 동쪽이다. ····· (○ / ×)
(2) 석탄층을 절단한 단층은 장력에 의해 형성되었다. ····· (○ / ×)
(3) 단층면의 경사각은 석탄층의 경사각보다 크다. ····· (○ / ×)
(4) 가장 먼저 생성된 지층은 이암층이다. ····· (○ / ×)

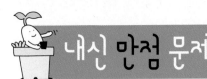

내신 만점 문제

정답친해 53쪽

A 지질 조사

01 다음은 지질 조사의 순서를 나타낸 것이다.

(가) 사전 계획 ➡ (나) 야외 조사 ➡ (다) 지질도 작성

이에 대한 설명으로 옳은 것만을 [보기]에서 있는 대로 고른 것은?

[보기]
ㄱ. (가)에서 대상 지역에 대한 문헌을 조사한다.
ㄴ. (나)는 대부분 노두에서 이루어진다.
ㄷ. (다)는 지질 단면도를 완성한 후 작성한다.

① ㄱ ② ㄷ ③ ㄱ, ㄴ
④ ㄴ, ㄷ ⑤ ㄱ, ㄴ, ㄷ

02 다음은 야외에서 지질 조사를 할 때 이용되는 몇 가지 장비를 나타낸 것이다.

(가) 지형도   (나) 확대경(루페)   (다) 클리노미터

이에 대한 설명으로 옳은 것만을 [보기]에서 있는 대로 고른 것은?

[보기]
ㄱ. (가)는 노선 지질도를 작성하는 과정에 이용된다.
ㄴ. (나)는 대규모 습곡 구조를 파악하는 데 이용된다.
ㄷ. (다)는 지층의 주향과 경사 측정에 이용된다.

① ㄱ ② ㄴ ③ ㄱ, ㄷ
④ ㄴ, ㄷ ⑤ ㄱ, ㄴ, ㄷ

03 그림과 같이 경사진 지층의 주향과 경사를 쓰시오.

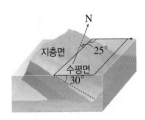

04 그림 (가)와 (나)는 각각 클리노미터로 지층의 주향과 경사를 측정하는 방법을 나타낸 것이다.

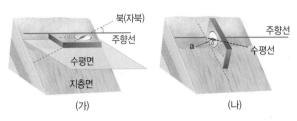

(가)　　　　　　　(나)

이에 대한 설명으로 옳은 것만을 [보기]에서 있는 대로 고른 것은?

[보기]
ㄱ. (가)에서 클리노미터의 수준기가 필요하다.
ㄴ. (가)에서 클리노미터의 자침은 눈금에 표시된 N과 W 사이를 가리킨다.
ㄷ. (나)에서 a가 30°이면 경사각은 60°이다.

① ㄱ ② ㄷ ③ ㄱ, ㄴ
④ ㄴ, ㄷ ⑤ ㄱ, ㄴ, ㄷ

05 그림 (가)와 (나)는 클리노미터로 어느 지층의 주향과 경사를 측정한 것이다.

(가) 주향　　　　　　(나) 경사

이 지층의 주향과 경사를 지질도의 기호로 가장 옳게 나타낸 것은? (단, 편각은 고려하지 않으며, 위쪽이 북쪽이다.)

① 　② 30　③ 60

④ 80　⑤ 60

B 지질도

06 그림은 어느 지역의 지층 (가)와 (나)의 주향과 경사를 기호로 나타낸 것이다.

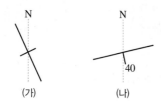

(가)　　　　(나)

이에 대한 설명으로 옳은 것만을 [보기]에서 있는 대로 고른 것은?

[보기]
ㄱ. (가)의 주향은 NE 방향이다.
ㄴ. (나)의 경사는 SE 방향이다.
ㄷ. (가)는 (나)보다 경사가 급하다.

① ㄱ 　　　② ㄷ 　　　③ ㄱ, ㄴ
④ ㄴ, ㄷ 　　⑤ ㄱ, ㄴ, ㄷ

07 그림은 어느 지역의 지질도이다.
이에 대한 설명으로 옳은 것만을 [보기]에서 있는 대로 고른 것은? (단, 지층은 역전되지 않았다.)

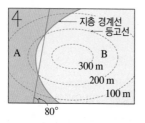

[보기]
ㄱ. 지층 A의 주향은 N80°E이다.
ㄴ. 지층 A는 남동쪽으로 경사져 있다.
ㄷ. 지층 A는 B보다 먼저 생성되었다.

① ㄱ 　　　② ㄴ 　　　③ ㄱ, ㄷ
④ ㄴ, ㄷ 　　⑤ ㄱ, ㄴ, ㄷ

08 (서술형) 그림은 지형도에 지층 경계선 A, B, C를 겹쳐 나타낸 것이다.
A~C 중 수직층의 경계선을 고르고, 그 까닭을 서술하시오.

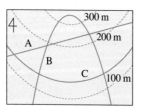

09 그림 (가)와 (나)는 서로 다른 두 지역의 지질도이다.

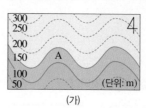 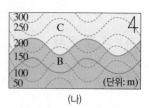

(가)　　　　　　　(나)

이에 대한 설명으로 옳은 것만을 [보기]에서 있는 대로 고른 것은? (단, 지층은 역전되지 않았다.)

[보기]
ㄱ. 지층의 경사는 A가 B보다 급하다.
ㄴ. 지층 A는 50 m 두께로 쌓여 있다.
ㄷ. 지층 B는 C보다 먼저 생성되었다.

① ㄱ 　　　② ㄴ 　　　③ ㄱ, ㄷ
④ ㄴ, ㄷ 　　⑤ ㄱ, ㄴ, ㄷ

10 그림은 어느 지역의 노선 지질도이다.

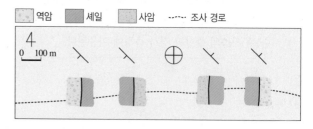

이에 대한 설명으로 옳은 것만을 [보기]에서 있는 대로 고른 것은? (단, 지층은 역전되지 않았다.)

[보기]
ㄱ. 사암층의 경사는 90°이다.
ㄴ. 이 지역에는 습곡의 향사 구조가 나타난다.
ㄷ. 사암→셰일→역암 순으로 생성되었다.

① ㄱ 　　　② ㄷ 　　　③ ㄱ, ㄴ
④ ㄴ, ㄷ 　　⑤ ㄱ, ㄴ, ㄷ

11 그림은 어느 지역에서 조사한 지층 A~D의 주향과 경사를 나타낸 것이다.

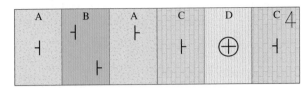

이에 대한 설명으로 옳은 것만을 [보기]에서 있는 대로 고른 것은? (단, 지층은 역전되지 않았다.)

[보기]
ㄱ. 지층 B는 동쪽과 서쪽의 지층 경사가 반대이다.
ㄴ. 이 지역에서 가장 오래된 지층은 D이다.
ㄷ. 이 지역은 장력에 의한 정단층이 나타난다.

① ㄱ ② ㄷ ③ ㄱ, ㄴ
④ ㄴ, ㄷ ⑤ ㄱ, ㄴ, ㄷ

[12~13] 그림은 어느 지역의 지질도이다.

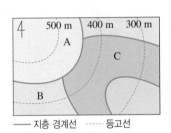

—— 지층 경계선   ······ 등고선

12 이에 대한 설명으로 옳은 것만을 [보기]에서 있는 대로 고른 것은? (단, 지층은 역전되지 않았다.)

[보기]
ㄱ. A는 수평층이다.
ㄴ. 지층 A와 B 사이에는 퇴적 시간에 긴 공백이 있다.
ㄷ. 지층 C의 주향은 NE 방향이다.

① ㄱ ② ㄴ ③ ㄱ, ㄷ
④ ㄴ, ㄷ ⑤ ㄱ, ㄴ, ㄷ

13 이 지역의 지층 C에서 클리노미터로 경사각을 측정한 결과가 그림과 같을 때, C층의 경사(방향과 각도)를 쓰시오.

14 그림은 지층 A, B, C에 단층 F–F′가 형성된 어느 지역의 지질도를 나타낸 것이다.

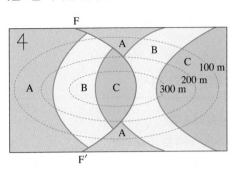

이에 대한 설명으로 옳은 것만을 [보기]에서 있는 대로 고른 것은? (단, 지층은 역전되지 않았다.)

[보기]
ㄱ. 지층 C는 동쪽으로 경사져 있다.
ㄴ. 단층 F–F′의 단층면은 서쪽으로 경사져 있다.
ㄷ. 지층이 생성된 순서는 A → B → C이다.

① ㄱ ② ㄷ ③ ㄱ, ㄴ
④ ㄴ, ㄷ ⑤ ㄱ, ㄴ, ㄷ

15 그림은 어느 지역의 지질도이고, 관입암 C의 절대 연령은 7000만 년이다.

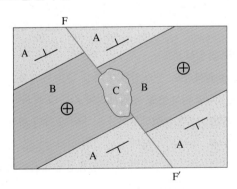

이에 대한 설명으로 옳은 것만을 [보기]에서 있는 대로 고른 것은? (단, 지층은 역전되지 않았다.)

[보기]
ㄱ. 지층의 평균 경사각은 A가 B보다 크다.
ㄴ. A는 B보다 먼저 생성되었다.
ㄷ. 단층 F–F′는 신생대의 지각 변동으로 생성되었다.

① ㄱ ② ㄷ ③ ㄱ, ㄴ
④ ㄴ, ㄷ ⑤ ㄱ, ㄴ, ㄷ

02 한반도의 지사와 판 구조 환경

핵심
포인트
- Ⓐ 한반도의 지체 구조와 암석 ★★
  한반도의 지질 계통 ★★
  한반도의 시대별 지질 분포 ★★★
- Ⓑ 한반도의 형성 과정 ★★★
  동해의 형성 과정 ★★

Ⓐ 한반도의 지사[1]

1. 한반도의 지체 구조

(1) **지체 구조**: 대규모 지각 변동으로 넓은 지역에 형성된 암석이나 지질 구조

(2) **지체 구조구**: 암석의 종류와 연령, 지질 구조 등을 이용하여 구분한 지역

(2) **한반도의 지체 구조**: 10여 개의 지체 구조구(육괴, 퇴적 분지, 습곡대 등)로 구성되어 있다.

육괴	• 육괴: 지형적으로나 구조적으로 특정한 방향성을 보이지 않는 암석들이 모인 지역 예 낭림 육괴, 경기 육괴, 영남 육괴 • 과거 조산 운동을 받아 형성된 기반암이 노출되거나 심성암이 드러나 형성되었다. • 주로 선캄브리아 시대 변성암과 이를 관입한 화강암으로 이루어져 있고, 고생대 이후 육지로 노출되었다.
퇴적 분지	• 퇴적 분지: 육괴와 육괴 사이에 분포하는 낮은 지역 예 평남 분지, 태백산 분지, 옥천 분지, 경상 분지, 포항 분지 등 • 주로 고생대 이후 바다나 호수에서 형성된 퇴적층이다.

습곡대	• 습곡대: 육괴의 충돌 과정에서 육괴 주변의 암석이 변성과 변형을 받아 형성된 지역 예 임진강대, 옥천대
	  ┌ 임진강대: 평남 분지와 경기 육괴 사이에 분포
	  └ 옥천대: 경기 육괴와 영남 육괴 사이에 북동–남서 방향으로 분포 ➡ 비변성대인 태백산 분지와 변성대인 옥천 분지로 구분

└ 변성 정도: 옥천 분지 > 태백산 분지

⤴ **★ 한반도의 지체 구조**

★ **한반도의 지체 구조**
한반도의 형성 과정과 연관 지어 북부, 중부, 남부의 세 지역으로 크게 구분하기도 한다.
• 북부: 낭림 육괴, 평남 분지
• 중부: 임진강대, 경기 육괴, 옥천 분지
• 남부: 태백산 분지, 영남 육괴, 경상 분지

2. 한반도의 암석 분포

(1) **종류별 암석 분포**: 변성암류가 가장 넓은 면적을 차지한다.

(2) **지질 시대별 암석 분포**: 선캄브리아 시대의 암석이 가장 많이 분포한다.

① **변성암류**: 대부분 선캄브리아 시대에 생성된 편마암과 편암 등으로 이루어져 있다.

② **화성암류**: 대부분 중생대에 관입한 화강암으로 이루어져 있다.

③ **퇴적암류**: 주로 고생대의 바다와 중생대의 육지에서 퇴적된 퇴적암으로 이루어져 있다.

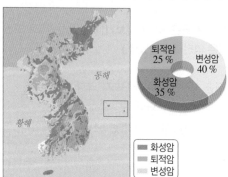

⤴ **한반도의 종류별 암석 분포**

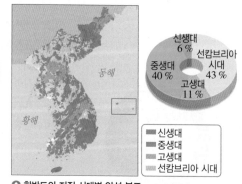

⤴ **한반도의 지질 시대별 암석 분포**

| 용어 |
❶ 지사(地 땅, 史 역사) 지질학적 역사

3. 한반도의 지질 계통 암석과 지층을 생성 시대 순으로 배열하여 상호 관계를 나타낸 것

지질 시대		지층명	지각 변동 및 특징	
신생대	제4기	제4기층		
	네오기	연일층군		② 육성층/해성층 ③
	팔레오기		┬ 부정합 ├ 불국사 화강암 관입 │ **불국사 변동**	결층
중생대	백악기	경상 누층군	│ │ ┬ 부정합 │ │ **대보 조산 운동**	육성층, 공룡 화석
	쥐라기	대동 누층군	│ │	결층
	트라이아스기		└ ┬ 부정합 │ **송림 변동**	육성층, 석탄층
고생대	페름기	평안 누층군	│	결층
	석탄기		┬ 부정합	육성층, 석탄층
	데본기	대결층	│	해성층, 석회암
	실루리아기		│	결층
	오르도비스기		│	
	캄브리아기	조선 누층군	└ 부정합	해성층, 석회암
선캄브리아 시대 (시생 누대, 원생 누대)		옥천 누층군 상원 누층군		
		낭림 육괴 / 경기 육괴 / 영남 육괴		변성암 복합체

선캄브리아 시대

낭림 육괴, 경기 육괴, 영남 육괴에 편마암, 편암 등의 변성암이 기저를 이루었다. 그 후 상원 누층군과 옥천 누층군이 형성되었다.

고생대

낭림 육괴와 영남 육괴 주변에서 고생대 전기에 조선 누층군이 형성되었고, 고생대 후기에 평안 누층군이 형성되었다.

중생대

한반도의 소규모 분지 지역에서 대동 누층군이 형성된 후, 경상 누층군이 형성되었다.

신생대

동해안과 서해안에 소규모로 퇴적층이 분포하며, 포항 분지 일대에 연일층군이 형성되었다.

4. 한반도의 시대별 지질 분포

(1) **선캄브리아 시대**: 경기 육괴, 영남 육괴, 낭림 육괴에 변성암이 주로 분포한다. ┄┄• 대부분 편마암, 편암, 규암 등

① 여러 번의 변성 작용과 화성 활동으로 지층이 변형되어 지질 구조가 매우 복잡하고, 화석이 거의 산출되지 않는다.

② 지층의 선후 관계와 정확한 생성 시대를 파악하기 어려워 이 시대의 암석을 '선캄브리아 변성암 복합체'라고 한다.

시생 누대의 암석	대이작도에서 약 25억 년 전에 형성된 *혼성암, 편마암이 발견되었다. ➡ 한반도에서 가장 오래된 암석
원생 누대의 암석	• 평안남도와 황해도 일부, 백령도, 대청도, 소청도 일대에 분포하며, 규암, 석회암, 점판암 등으로 구성된다. • 소청도 대리암층에서 *스트로마톨라이트가 산출된다.

└┄• 상원 누층군에 해당 └┄• 원생 누대 후기에 형성된 것

↥ **선캄브리아 시대의 암석 분포**

(2) **고생대**: 평남 분지와 태백산 분지에 고생대 전기의 조선 누층군과 후기의 평안 누층군이 분포한다. ➡ 평안 누층군은 조선 누층군 위에 퇴적되어 평행 부정합을 이룬다.

조선 누층군 (캄브리아기~ 오르도비스기)	[지층의 분포] 강원도 태백, 삼척, 영월, 정선 등 [지층] 대규모 석회암층, 사암, 셰일로 이루어진 해성층 [산출 화석] 삼엽충, 필석류, 완족류, *코노돈트 등
대결층 (실루리아기와 데본기)	조선 누층군과 평안 누층군 사이의 지층이 발견되지 않았던 결층, 현재는 소규모로 지층이 발견되고 있다. ┬ 강원도 정선군 회동리의 회동리층: 실루리아기 지층 ├ 경기도 연천군의 미산층(연천층군): 데본기 지층 └ 충청남도 태안군의 태안층: 데본기 지층
평안 누층군 (석탄기~ 중생대 트라이아스기)	[지층의 분포] 주로 조선 누층군이 분포하는 지역 [지층] ┬ 하부: 사암, 셰일, 석회암 등의 해성층 └ 상부: 사암, 셰일, 석탄층(무연탄) 등의 육성층 [산출 화석] 하부에서 방추충, 산호, 완족류 등, 상부에서 양치식물 화석 ➡ 한반도 일부가 육지로 드러났다.

↥ **고생대의 암석 분포**
└┄• 주로 퇴적암 분포

★ **암석의 층서 단위**
• 층: 층서의 기본 단위
• 층군: 암상이 비슷한 2개 이상의 연속된 층을 묶은 단위
• 누층군: 2개 이상의 층군을 묶은 단위

★ **혼성암**
편마암이 더 강한 변성 작용을 받아 암석 내부에서 일부가 녹아 변성암과 화강암이 불균질하게 섞여 있는 암석이다.

★ **스트로마톨라이트**
남세균이 광합성을 하면서 서식하는 동안 포획한 물질이 층을 이루는 석회암 성분의 퇴적 구조

스트로마톨라이트(소청도)

★ **코노돈트**
고생대 오르도비스기부터 중생대 트라이아스기까지 약 3억 년 동안 살았던 원시적인 척추동물

암기해

고생대 지층
• 고생대 전기: 조선 누층군
• 고생대 후기: 평안 누층군
고생대 지층의 생성 환경
• 조선 누층군: 해성층
• 평안 누층군: 하부는 해성층, 상부는 육성층 ➡ 평안 누층군이 퇴적되는 동안 한반도 일부가 해수면 아래에서 육지로 드러났다.

|용어|
② **육성층**(陸 육지, 成 이루다, 層 층) 호수, 하천 등 육지에서 생성된 지층
③ **해성층**(海 바다, 成 이루다, 層 층) 바다에서 생성된 지층

(3) 중생대

① 한반도의 중생대 지층은 대동 누층군과 경상 누층군으로 구분하며, 모두 육성층이다.
┌─ 소규모 퇴적 분지

대동 누층군 (트라이아스기 후기~쥐라기)	[지층의 분포] 평양 부근과 함경북도 일대, 경기도 김포와 연천, 충청남도 보령, 충청북도 단양, 경상북도 문경, 강원도 영월과 정선 등에 소규모로 분포 [지층] 역암, 사암, 셰일, 석탄층으로 이루어진 육성층 [산출 화석] 담수 연체동물, 민물고기, 소철류, 은행류 등
경상 누층군 (백악기)	[지층의 분포] 경상남북도 일대, 전라남도 해안 지역, 옥천대 주변부 [지층] ┌ 하부: 사암, 셰일, 역암으로 이루어진 육성층 └ 상부: 응회암과 화산암류로 이루어진 육성층 [산출 화석] 공룡 발자국과 공룡알 화석, 새발자국 화석, 연체동물, 절지동물, 소철류, 은행류 등

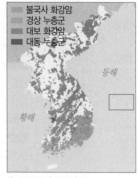
■ 불국사 화강암
■ 경상 누층군
■ 대보 화강암
■ 대동 누층군
동해
황해
⬆ **중생대의 암석 분포**

② **지각 변동**: 한반도에서 현생 누대 중 조산 운동과 화성 활동이 가장 활발한 시기였다.

송림 변동 (트라이아스기)	고생대 지층이 습곡과 단층 작용을 받아 복잡하게 변형되었고, 단층선을 따라 퇴적 분지가 만들어져 대동 누층군이 쌓였다. 일부 지역에 화강암 관입이 있었다.
대보 조산 운동 (쥐라기)	고생대 지층과 대동 누층군의 지층이 크게 변형되었고, 대규모의 화강암류가 관입하였다. ➡ 북동−남서 방향으로 대보 화강암이 생성되었다. ─● 중생대에 가장 활발했던 지각 변동
불국사 변동 (백악기 후기)	한반도 남부 일대에 화강암이 관입하였고, 화산 활동이 활발하였다. ➡ 경상 분지를 중심으로 불국사 화강암이 생성되었다.

(4) 신생대: 퇴적암류인 팔레오기와 네오기 지층과 화산암류인 제4기 지층이 분포한다. ➡ 한반도 곳곳에 화산 활동이 있었다.

팔레오기와 네오기	[지층의 분포] 동해안을 따라 함경북도 길주−명천, 평안남도, 황해도 일대, 경상북도 포항에 소규모로 분포 [지층] 사암, 셰일, 역암, 응회암 등으로 이루어져 있으며, 육성층과 해성층이 번갈아 나타난다. [산출 화석] 유공충, 연체동물, ❶규화목, 나뭇잎 화석 등
제4기	[지층의 분포] 백두산, 철원−연천, 울릉도와 독도, 제주도 서귀포와 성산포 일대 등 ➡ 주로 화산암 분포 [산출 화석] 이매패류(조개류), 완족류, 산호, 유공충 등

─● 전 세계적으로 빙하기가 시작되면서 해수면이 낮아져 많은 지역이 육지로 드러났다.

■ 제4기
■ 팔레오기와 네오기
동해
황해
⬆ **신생대의 암석 분포**

탐구 자료창 **한반도 지질 여행**

[관찰된 암석 및 산출 화석]
❶ 서울 북한산 화강암
❷ 춘천 ❷안구상 편마암
❸ 태백 구문소 석회암, 삼엽충 화석
❹ 포항 퇴적암(이암)과 식물 화석
❺ 울릉도 화산암
❻ 경상남도 고성 퇴적암(사암, 이암)과 공룡 발자국 화석
❼ 제주도 현무암
❽ 광주 *무등산 화산암(서석대)

1. **지체 구조구**: ❶과 ❷는 경기 육괴, ❸은 태백산 분지, ❹는 포항 분지, ❻은 경상 분지, ❽은 영남 육괴이다.
2. **생성 시기**: ❶, ❻, ❽은 중생대, ❷는 선캄브리아 시대, ❸은 고생대, ❹, ❺, ❼은 신생대이다.
3. **지층의 퇴적 환경**: ❸은 해성층, ❻은 육성층이고, ❹는 육성층과 해성층이 번갈아 나타난다.

★ **중생대 화강암류의 분포**

■ 백악기
■ 쥐라기
■ 페름기~트라이아스기

★ **무등산 화산암(서석대)**

무등산에는 주상 절리가 여러 곳에서 발달하는데, 그중 서석대의 주상 절리는 중생대 백악기의 화산암에서 형성되었다.

┃ 용어 ┃

❶ **규화목(硅 규소, 化 되다, 木 나무)** 나무가 지층 속에 매몰된 후 이산화 규소(SiO_2)가 나무의 조직 속에 침투하여 나무의 성분을 치환하면서 굳어져 생긴 화석
❷ **안구상(眼 눈, 球 공, 狀 모양) 편마암** 편마 구조가 발달한 편마암 중에서 타원이나 렌즈 모양의 큰 결정이 박혀 있는 것

개념 확인 문제

정답친해 56쪽

핵심 체크

- 한반도의 지체 구조 ┌ 육괴: 낭림 육괴, 경기 육괴, (❶   )
                    ├ 퇴적 분지: 평남 분지, 태백산 분지, 옥천 분지, (❷   ), 포항 분지, 길주-명천 분지
                    └ 습곡대: 임진강대, (❸   )
- 한반도의 암석 분포: 종류별로는 (❹   )류가 가장 많고, 시대별로는 (❺   ) 암석이 가장 많다.
- 고생대의 지질: 하부에 조선 누층군이 있고, 상부에 (❻   ) 누층군이 부정합으로 덮고 있다.
  ➡ 조선 누층군은 해성층이고, (❻   ) 누층군 하부는 해성층, 상부는 (❼   )이다.
- 중생대의 지질: 하부에 대동 누층군이 있고, 상부에 (❽   ) 누층군이 있다.
  ➡ 대동 누층군과 (❽   ) 누층군은 모두 강이나 호수에서 퇴적된 육성층이다.
  ➡ 트라이아스기에 (❾   ), 쥐라기에 대보 조산 운동, 백악기 후기에 (❿   )으로 화강암이 생성되었다.
- 신생대의 지질: 퇴적암류인 (⓫   ) 지층과 화산암류인 제4기 지층이 있다.

---

1 그림은 한반도의 지체 구조를 나타낸 것이다.

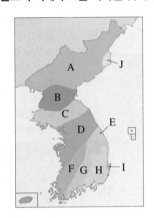

(1) A~J 중 육괴를 모두 쓰시오.
(2) A~J 중 퇴적 분지를 모두 쓰시오.
(3) E와 F를 합쳐 무엇이라고 하는지 쓰시오.
(4) D와 H의 지체 구조구 이름을 각각 쓰시오.

2 그림 (가)는 한반도 암석의 지질 시대별 분포를, (나)는 한반도 암석의 종류별 분포를 나타낸 것이다.

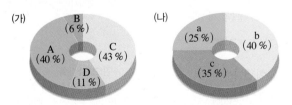

(가)
B (6 %)
A (40 %)
C (43 %)
D (11 %)

(나)
a (25 %)
b (40 %)
c (35 %)

(1) (가)에서 A~D 지질 시대를 오래된 것부터 나열하시오.

(2) (나)의 a~c에 해당하는 암석 종류를 각각 쓰시오.

3 그림은 한반도의 지질 계통 일부를 나타낸 것이다.

(1) A~D에 해당하는 지층명을 각각 쓰시오.

(2) C 누층군의 퇴적 환경은 ㉠(육성층, 해성층)에서 ㉡(육성층, 해성층)으로 변하였다.

지질 시대		지층명
신생대	제4기	
	네오기 팔레오기	연일층군
중생대	백악기	A
	쥐라기	B
	트라이아스기	
고생대	페름기	C
	석탄기	
	데본기	
	실루리아기	
	오르도비스기	
	캄브리아기	D

4 다음 지각 변동을 일어난 순서대로 나열하시오.

> 송림 변동, 불국사 변동, 대보 조산 운동

5 한반도의 시대별 지질 분포에 대한 설명으로 옳은 것은 ○, 옳지 않은 것은 ×로 표시하시오.

(1) 선캄브리아 시대의 암석은 대부분 태백산 분지와 옥천 분지에 분포한다. ……………………… (   )

(2) 조선 누층군 형성 후 평안 누층군이 퇴적되기 전까지 한반도에는 지층이 전혀 퇴적되지 않았다. …… (   )

(3) 대동 누층군과 경상 누층군은 모두 육지의 하천이나 호수에서 퇴적되었다. ……………………… (   )

(4) 한반도에서는 현생 누대 중에서 중생대에 화성 활동이 가장 활발하였다. ……………………… (   )

(5) 신생대 지층은 육성층과 해성층이 모두 나타난다.
……………………………………………………… (   )

B 한반도의 판 구조 환경과 형성

현재 한반도의 지체 구조는 지질 시대 동안 판의 이동에 따른 판의 충돌, 섭입, 확장과 같은 판 구조 운동으로 형성되었어요.

1. 한반도 주변의 판 구조

(1) **판의 분포**: 한반도는 유라시아판의 북동부 가장자리에 있고, 동쪽에는 북아메리카판과 태평양판, 남쪽에는 필리핀판이 있다.

(2) **판의 운동**: 필리핀판이 유라시아판 아래로 섭입하고 있으며, 태평양판이 필리핀판과 북아메리카판 아래로 섭입하고 있다.

(3) **일본에서 지진이 많이 발생하는 까닭**: 일본의 동쪽에 판 경계가 위치하기 때문이다.

↑ 한반도 주변의 판 구조

2. 한반도를 포함한 동북아시아의 지체 구조 형성의 여러 가지 모형

지각 분리 모형	충돌대 모형	만입 쐐기 모형

한반도는 한중 지괴에 속해 있었으며, 1개의 지괴로 이루어져 있었다. ┗ 오랜 기간 함께 이동해 온 지체 구조구를 묶은 단위	한반도는 2개의 지괴로 나뉘어 있었으며, 북쪽은 한중 지괴, 남쪽은 남중 지괴에 속하였고, 두 지괴가 충돌하는 과정에서 지체 구조가 형성되었다.	한반도는 3개의 지괴로 나뉘어 있었고, 남중 지괴가 한중 지괴와 충돌하는 과정에서 중부 지괴가 북부 지괴와 남부 지괴 사이에 쐐기 모양으로 들어와 형성되었다.

탐구 자료창 　동북아시아 지체 구조의 형성

1. **지체 구조의 구분 근거**: 고생물 화석의 유사성, 화성 활동 및 변성 과정의 유사성, 암석의 절대 연령 분포, 고지자기 연구 등
2. **관측 사실**: 한중 지괴와 남중 지괴 사이에서 *에클로자이트가 발견되었다. ➡ **알 수 있는 사실**: 에클로자이트는 판이 충돌하는 초고압 환경에서 생성되므로 *한반도와 중국 대륙은 한중 지괴와 남중 지괴가 충돌하여 형성되었다고 추정된다.

3. 한반도의 형성 과정 　고지자기의 복각 연구, 산출 화석 연구 등으로 알아낸다.

고생대	중생대	신생대
적도 부근에 있던 *곤드와나 대륙 주변에 한반도를 포함한 동아시아의 땅덩어리들이 위치하였다.	한중 지괴와 남중 지괴의 충돌로 오늘날의 동아시아 지역이 형성되었다.	한반도와 일본 사이가 확장되면서 동해가 형성되었다.

★ 만입 쐐기 모형의 지괴의 구분
• 한중 지괴: 한반도의 북부, 남부와 중국 북부에 분포
• 남중 지괴: 한반도의 중부와 중국 남부에 분포

★ 에클로자이트
휘석(녹색), 석류석(갈색) 등이 주요 조암 광물인 변성암으로, 초고압 조건에서 생성된다. 주로 판이 충돌하는 지역(섭입대)에서 현무암과 같은 고철질 화성암이 높은 압력에 의해 변성 작용을 받을 때 만들어진다.

★ 한반도에서 발견되는 고온 고압의 변성 광물
고온 고압을 지시하는 변성 광물이 산출되는 곳들이 충돌 경계선으로 추정되고 있다.
• 임진강대: 남정석, 석류석 산출
• 경기 육괴 남서부 홍성−청양 일대: 옴파사이트, 석류석 산출
　　　　　　휘석의 일종

★ 곤드와나 대륙
고생대 말부터 중생대 초에 걸쳐 남반구에 존재했던 대륙이다. 현재의 남아메리카 대륙, 아프리카 대륙, 남극 대륙, 오스트레일리아 대륙, 인도 대륙이 곤드와나 대륙을 이루었다.

(1) 고생대의 한반도

① 한반도 지층의 퇴적 환경

- 고생대 전기 지층(강원도 태백 지역)에서 *스트로마톨라이트, 완족류, 삼엽충 화석이 발견되었다. ➡ 퇴적 환경: 적도 부근의 얕은 바다에서 형성되었을 것이다.
- 고생대 후기 지층(강원도 태백과 영월 지역의 태백산 분지)에서 석탄, 고사리, 방추충 화석이 발견되었다. ➡ 퇴적 환경: 온난 다습한 기후의 대륙 연변부에서 형성되었을 것이다.

② 한반도 지괴의 이동

- 고생대 초: 한중 지괴와 남중 지괴가 적도 부근에 위치한 <u>곤드와나 대륙의 주변</u>에 있었다. ┌─ 남반구 저위도
- 고생대 말: 한중 지괴와 남중 지괴가 차례로 곤드와나 대륙에서 멀어지며 북쪽으로 이동하였고, 한중 지괴의 서쪽 끝이 로라시아 대륙과 충돌하면서 한중 지괴의 이동이 둔화되었다.

(2) 중생대의 한반도

① 한중 지괴와 남중 지괴가 충돌하면서 현재와 비슷한 한반도가 형성된 것으로 추정된다.

한반도의 형성 과정(여러 가설 중 하나)

❶ 트라이아스기 말

한중 지괴를 뒤따라 북상하던 남중 지괴가 한중 지괴의 중앙 동쪽부와 충돌하여 한중 지괴가 두 조각으로 분리되었다.

➡ 한중 지괴와 남중 지괴가 충돌하기 시작하면서 송림 변동이 일어나 많은 고생대의 지층이 변형되었다.

❷ 쥐라기 초

*낭림 육괴가 포함된 왼쪽의 조각과 영남 육괴가 포함된 오른쪽의 조각 사이에 남중 지괴에 속한 경기 육괴가 끼였다. ─ 임진강대와 옥천대 형성

➡ 한중 지괴와 남중 지괴가 합쳐지면서 한반도에 대보 조산 운동이 일어나 대보 화강암이 생성되었다.

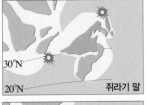

❸ 쥐라기 말

한중 지괴와 남중 지괴의 충돌과 결합이 마무리되고, 하나로 합쳐진 한중 지괴와 남중 지괴는 계속 북상하여 유라시아 대륙과 충돌하면서 한반도가 현재의 모습을 갖추게 되었다.

❹ 백악기

한반도를 비롯한 동북아시아의 모습이 갖추어졌다.

➡ <u>고태평양판</u>이 한반도 아래로 섭입하면서 불국사 변동이 일어나 불국사 화강암이 생성되었다. ┌─ 현재의 북서태평양 지역에 존재했던 태평양판

② 백악기: <u>고태평양판(이자나기판)</u>이 한반도 아래로 섭입하면서 불국사 변동이 일어났다. ┌─ 밀도: 유라시아판<고태평양판

- 불국사 화강암과 다양한 종류의 화산 분출암이 형성되었고, 한반도 남부 지역과 일본 지역에 ❶화산호가 형성되었다.
- 화산호 주변에 경상 분지가 형성되어 쇄설성 퇴적암이 형성되었다.

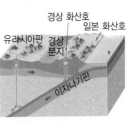

⬆ 경상 분지의 형성

> 고생대 말에서 중생대에 걸쳐 오늘날 한반도와 비슷한 모습이 되었어요. 자세한 지괴의 위치나 결합 시기는 연구 결과에 따라 조금씩 달라요.

★ **한반도의 지체 구조구**

한반도를 북부 지괴, 중부 지괴, 남부 지괴로 구분할 경우, 낭림 육괴는 북부 지괴에, 경기 육괴는 중부 지괴에, 영남 육괴는 남부 지괴에 속하여 쥐라기에 현재와 비슷한 모습을 갖추었다.

(3) 신생대의 한반도

① 동해의 형성: 약 2천3백만 년 전 태평양판이 일본 아래로 섭입되면서 형성되기 시작하였다.

약 2천3백만 년 전~1천8백만 년 전	약 1천7백만 년 전~1천2백만 년 전	약 1천2백만 년 전 이후
일본 열도는 한반도 동쪽에 가까이 있었고, 태평양판이 섭입하면서 *동해가 확장되었다.	해저 확장에 따라 동해가 확장되면서 동해의 여러 지역에서 활발한 화산 활동이 있었다.	동해의 확장이 거의 멈추고, 화산 활동으로 울릉도와 독도가 형성되어 오늘날과 같은 동해가 되었다.

② 약 450만 년 전에 울릉도와 *독도가 만들어지기 시작하였고, 백두산이 형성되기 시작하였다.

③ 약 170만 년 전에 일어난 화산 활동으로 한라산이 만들어졌다.

★ 동해의 확장
동해의 바다 속 돌출 부분에는 일본 열도가 한반도로부터 떨어져 나가면서 동해가 확장될 때 한반도와 일본 열도 사이에 존재했던 대륙 조각들이 분포한다.

★ 독도
해저 약 2000 m의 해산에서 용암이 분출하여 솟은 화산섬으로, 약 450만 년 전부터 생성되기 시작하여 약 270만 년 전에 해수면 위로 드러났다. 하나였던 섬이 약 250만 년 전에 해수의 침식 작용으로 동도와 서도로 나뉘어졌다.

개념 확인 문제

정답친해 56쪽

핵심 체크

- 한반도 주변의 판 구조: 한반도는 (❶   )판의 북동부에 위치, 주변에 북아메리카판, 태평양판, 필리핀판 분포
- 한반도를 포함한 동북아시아의 지체 구조 형성 모형: 지각 분리 모형, 충돌대 모형, (❷   ) 모형
- 한반도의 형성 ┬ 고생대 말: (❸   ) 대륙의 주변에 위치하였던 한중 지괴와 남중 지괴가 차례로 북상
  ├ 고생대 말~중생대: 한중 지괴와 남중 지괴가 (❹   )하면서 현재와 비슷한 한반도 형성 ➡ 송림 변동, (❺   ) 운동
  ├ 중생대 쥐라기 말~백악기: 고태평양판이 한반도 아래로 섭입 ➡ (❻   ) 변동
  └ (❼   ): 동해의 형성, 울릉도와 독도, 백두산, 한라산 형성

---

1 그림은 동북아시아의 지체 구조를 나타낸 것이다.
(가) A와 C 지괴의 이름을 쓰고,
(나) A~C 중 에클로자이트가 산출되는 지역을 고르시오.

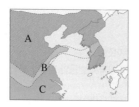

2 고생대의 한반도 지괴에 대한 설명으로 옳은 것은 ○, 옳지 않은 것은 ✕로 표시하시오.

(1) 고지자기 연구를 통해 지괴의 분포를 알아낸다.(   )

(2) 고생대 후기에 온난 다습한 기후 환경이다. ─ (   )

(3) 고생대 초 로라시아 대륙 주변에 있었다. ──── (   )

(4) 고생대 초 남반구 고위도에 위치하였다. ───── (   )

3 다음 한반도의 형성 과정을 순서대로 나열하시오.

(가) 경기 육괴와 영남 육괴가 결합하였다.

(나) 한중 지괴와 남중 지괴가 충돌하기 시작하였다.

(다) 낭림 육괴와 영남 육괴가 포함된 지괴 사이에 경기 육괴가 포함된 지괴가 끼었다.

4 (   ) 안에 알맞은 말을 고르시오.

(1) 동해는 (유라시아판, 태평양판)이 일본 열도 아래로 섭입하면서 형성되었다.

(2) 과거에 일본 열도는 현재보다 한반도에서 동쪽으로 더 (가까운, 먼) 곳에 위치하였다.

대표 자료 분석

자료 ① 한반도의 지체 구조와 암석

기출 Point
• 한반도의 지체 구조구 구분하기
• 한반도의 암석 분포 알기

[1~4] 그림 (가)는 한반도의 지체 구조를 나타낸 것이고, (나)는 한반도의 암석을 화성암, 퇴적암, 변성암으로 구분하여 분포 비율을 나타낸 것이다.

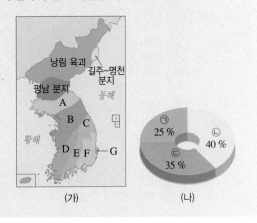

(가)   (나)

1 A~G 중 육괴의 기호와 이름을 모두 쓰시오.

2 A~G 중 습곡대의 기호와 이름을 모두 쓰시오.

3 A~G 중 분지의 기호와 이름을 모두 쓰시오

4 빈출 선택지로 완벽 정리!

(1) B와 E는 주로 암석 ㉡으로 이루어져 있다. (○ / ×)

(2) C는 D보다 암석의 변성 정도가 높다. ……… (○ / ×)

(3) F는 주로 암석 ㉡으로 이루어져 있다. …… (○ / ×)

(4) C와 D를 이루는 암석 중 ㉢은 대체로 북동－남서의 방향성을 띠면서 분포한다. ……… (○ / ×)

(5) 암석 ㉠은 대부분 선캄브리아 시대에 생성되었다.
……………………………………………… (○ / ×)

자료 ② 한반도의 시대별 지질 분포

기출 Point
• 고생대, 중생대, 신생대의 지질 분포 구분하기
• 고생대, 중생대, 신생대의 지질 분포와 특징 알기

[1~5] 그림 (가)~(다)는 우리나라 고생대, 중생대, 신생대의 암석 분포를 순서 없이 나타낸 것이다.

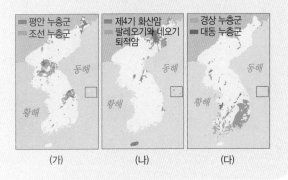

(가)   (나)   (다)

1 (가)~(다) 지질 분포를 오래된 것부터 나열하시오.

2 (가)~(다) 중 대규모 석회암층을 포함하는 것을 고르시오.

3 (가)~(다) 중 육성층으로만 이루어진 것을 고르시오.

4 (가)~(다) 중 A와 B가 산출되는 것을 각각 고르시오.

A 공룡 발자국 화석   B 삼엽충 화석

5 빈출 선택지로 완벽 정리!

(1) (가) 지층에서 무연탄이 산출된다. ………… (○ / ×)

(2) 조선 누층군과 평안 누층군은 부정합을 이룬다.
……………………………………………… (○ / ×)

(3) 평안 누층군은 상부 지층이 해성층이고, 하부 지층이 육성층이다. ……………………………… (○ / ×)

(4) (나)의 퇴적암은 모두 육성층이다. ………… (○ / ×)

(5) (다) 시기에 독도가 생성되었다. …………… (○ / ×)

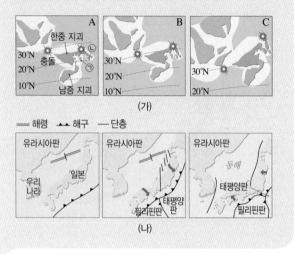

대표 자료 분석

자료 ③ 한반도의 지각 변동

기출 Point
- 한반도 중생대의 지질 분포 알기
- 한반도 중생대의 지각 변동 이해하기

[1~5] 그림은 한반도 중생대 화강암류의 분포를 나타낸 것이다.

- A
- B
- C

1 A, B 시기에 생성된 화강암의 이름을 각각 쓰시오.

2 A, B, C를 생성된 순서대로 쓰시오.

3 A, B, C 시기에 영향을 준 지각 변동을 각각 쓰시오.

4 다음 설명에 해당하는 조산 운동을 쓰시오.

> 중생대 쥐라기에 일어난 조산 운동으로, 현생 누대 동안 한반도에서 가장 격렬했던 지각 변동이다. 이 시기에 생성된 화강암은 북동−남서 방향으로 분포한다.

5 빈출 선택지로 [완벽 정리!]

(1) A 시기에 불국사 변동으로 한반도의 남부를 중심으로 화강암 관입과 화산암 분출이 일어났다. ······ (○ / ×)
(2) 불국사 화강암이 관입한 시기에 제주도에서는 화산 분출로 현무암이 생성되었다. ·············· (○ / ×)
(3) B 시기의 조산 운동은 경상 누층군을 심하게 변형시켰다. ······································· (○ / ×)
(4) C는 페름기~트라이아스기 동안에 형성되었다. ····································· (○ / ×)

자료 ④ 한반도의 형성 과정

기출 Point
- 한반도의 지체 구조 형성 과정 이해하기
- 동해의 형성 과정 이해하기

[1~4] 그림 (가)는 한반도 지체 구조의 형성 과정을, (나)는 동해의 형성 과정을 나타낸 모형이다.

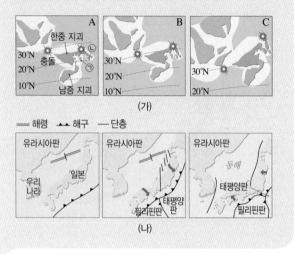

(가)

(나)

1 ㉠과 ㉡은 현재 어떤 지체 구조구인지 각각 쓰시오.

2 A → B 과정에서 한중 지괴와 남중 지괴의 충돌로 초고압 조건에서 형성된 것으로 추정되는 중국 대륙과 한반도에서 발견된 변성암을 쓰시오.

3 (가)와 (나)는 고생대, 중생대, 신생대 중 어느 시기에 일어난 현상인지 각각 쓰시오.

4 빈출 선택지로 [완벽 정리!]

(1) A 과정에서 한반도를 형성한 한중 지괴는 두 개의 조각으로 분리되었다. ····················· (○ / ×)
(2) B → C 과정에서 불국사 변동이 일어났다. (○ / ×)
(3) B → C 과정에서 영남 육괴는 경기 육괴와 결합하였다. ······································· (○ / ×)
(4) (나)에서 동해의 해저에는 동해가 확장되는 과정에서 떨어져 나온 대륙 조각이 분포한다. ·············· (○ / ×)

내신 만점 문제

A 한반도의 지사

01 한반도의 지체 구조에 대한 설명으로 옳은 것만을 [보기]에서 있는 대로 고른 것은?

[보기]
ㄱ. 육괴, 퇴적 분지, 습곡대로 구분된다.
ㄴ. 육괴는 주로 고생대의 퇴적층으로 이루어져 있다.
ㄷ. 옥천 분지는 경상 분지보다 지층이 심하게 변형되어 있다.

① ㄱ   ② ㄴ   ③ ㄱ, ㄷ
④ ㄴ, ㄷ   ⑤ ㄱ, ㄴ, ㄷ

[02~03] 그림은 한반도 지체 구조의 일부를 나타낸 것이다.

02 이에 대한 설명으로 옳은 것만을 [보기]에서 있는 대로 고른 것은?

[보기]
ㄱ. A와 C는 육괴이다.
ㄴ. B는 주로 변성암으로 이루어져 있다.
ㄷ. E의 암석은 F의 암석보다 먼저 생성되었다.

① ㄱ   ② ㄷ   ③ ㄱ, ㄴ
④ ㄴ, ㄷ   ⑤ ㄱ, ㄴ, ㄷ

03 (서술형) 지체 구조구 C와 D의 이름을 각각 쓰고, 구성 암석의 변성 정도를 비교하여 서술하시오.

04 그림은 한반도의 변성암, 화성암, 퇴적암 분포를 나타낸 것이다.

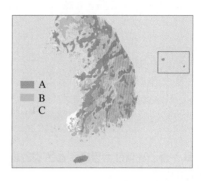

A
B
C

이에 대한 설명으로 옳은 것만을 [보기]에서 있는 대로 고른 것은?

[보기]
ㄱ. 옥천대에서 A는 북동－남서의 방향성을 보인다.
ㄴ. 한반도 남동부 지역의 B는 주로 강이나 호수에서 생성되었다.
ㄷ. 한반도에서 가장 넓은 면적을 차지하는 것은 C이다.

① ㄱ   ② ㄷ   ③ ㄱ, ㄴ
④ ㄴ, ㄷ   ⑤ ㄱ, ㄴ, ㄷ

05 그림은 우리나라 중부와 남부 일대의 선캄브리아 시대 암석 분포를 나타낸 것이다.

■ 변성암류
■ 상원 누층군

이에 대한 설명으로 옳은 것만을 [보기]에서 있는 대로 고른 것은?

[보기]
ㄱ. A에서는 스트로마톨라이트가 산출된다.
ㄴ. B는 변성암 복합체를 이룬다.
ㄷ. 우리나라에서 가장 오래된 암석은 C에서 발견된다.

① ㄱ   ② ㄷ   ③ ㄱ, ㄴ
④ ㄴ, ㄷ   ⑤ ㄱ, ㄴ, ㄷ

[06~07] 표는 우리나라 고생대의 지질 계통을 나타낸 것이다.

지질 시대		지층명
고생대	페름기	B
	석탄기	
	데본기	대결층
	실루리아기	
	오르도비스기	
	캄브리아기	A

06 A와 B 누층군에 대한 설명으로 옳은 것만을 [보기]에서 있는 대로 고른 것은?

[보기]
ㄱ. A에는 대규모 석회암층이 분포한다.
ㄴ. A와 B는 부정합을 이룬다.
ㄷ. B의 퇴적 환경은 바다에서 육지로 바뀌었다.

① ㄱ ② ㄷ ③ ㄱ, ㄴ
④ ㄴ, ㄷ ⑤ ㄱ, ㄴ, ㄷ

07 한반도에서 실루리아기에 퇴적된 지층을 쓰시오.

[08~09] 그림은 우리나라 고생대의 암석 분포를 나타낸 것이다.

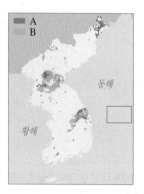

08 이에 대한 설명으로 옳은 것만을 [보기]에서 있는 대로 고른 것은?

[보기]
ㄱ. A는 평안 누층군, B는 조선 누층군이다.
ㄴ. B의 상부에는 무연탄층이 분포한다.
ㄷ. A와 B가 퇴적될 당시 우리나라는 적도 부근에 있었다.

① ㄱ ② ㄴ ③ ㄱ, ㄷ
④ ㄴ, ㄷ ⑤ ㄱ, ㄴ, ㄷ

09 그림 (가)~(다)는 고생대의 화석을 나타낸 것이다.

(가) 필석   (나) 방추충   (다) 양치식물

A와 B에서 산출되는 화석을 옳게 짝 지은 것은?

	A	B
①	(가)	(나), (다)
②	(가), (나)	(다)
③	(가), (다)	(나)
④	(나)	(가), (다)
⑤	(나), (다)	(가)

10 다음은 우리나라 어느 누층군의 특징을 정리한 것이다.

• 하부는 셰일, 석회암 등이 퇴적된 해성층이다.
• 상부는 사암, 셰일 등이 퇴적된 육성층이다.
• 하부 지층에서 방추충, 완족류 화석 등이 산출된다.
• 상부 지층에서 양치식물 화석이 산출된다.

이 누층군의 이름과 지층이 퇴적될 당시의 지질 시대를 '대' 수준으로 쓰시오.

11 다음은 우리나라의 고생대와 중생대의 누층군을 순서 없이 나타낸 것이다.

(가) 경상 누층군	(나) 대동 누층군
(다) 조선 누층군	(라) 평안 누층군

(가)~(라)를 퇴적된 시간 순서대로 나열한 것은?

① (가) → (다) → (라) → (나)
② (가) → (라) → (나) → (다)
③ (다) → (가) → (나) → (라)
④ (다) → (라) → (나) → (가)
⑤ (라) → (다) → (나) → (가)

12 그림은 우리나라에서 산출된 고생대, 중생대, 신생대 중 어느 지질 시대의 화석이다.

이 시기에 한반도의 지사에 대한 설명으로 옳은 것만을 [보기]에서 있는 대로 고른 것은?

―[보기]―
ㄱ. 화성 활동과 조산 운동이 매우 활발하였다.
ㄴ. 소규모 분지에 대동 누층군이 생성되었다.
ㄷ. 호수 환경에서 경상 누층군이 생성되었다.

① ㄱ   ② ㄷ   ③ ㄱ, ㄴ
④ ㄴ, ㄷ   ⑤ ㄱ, ㄴ, ㄷ

13 그림은 어느 지질 시대에 퇴적된 우리나라의 지층 A, B를 나타낸 것이다.

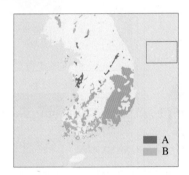

이에 대한 설명으로 옳은 것만을 [보기]에서 있는 대로 고른 것은?

―[보기]―
ㄱ. A는 B보다 먼저 퇴적되었다.
ㄴ. A는 바다에서, B는 육지에서 퇴적되었다.
ㄷ. B가 퇴적될 당시에 동해는 현재의 크기로 확장되었다.

① ㄱ   ② ㄷ   ③ ㄱ, ㄴ
④ ㄴ, ㄷ   ⑤ ㄱ, ㄴ, ㄷ

14 그림은 한반도 중생대의 주요 화성암 분포를 나타낸 것이다.

이에 대한 설명으로 옳은 것만을 [보기]에서 있는 대로 고른 것은?

―[보기]―
ㄱ. A는 불국사 변동의 영향으로 생성되었다.
ㄴ. A는 긴 띠 모양으로 분포하고, B는 불규칙하게 분포한다.
ㄷ. B는 경상 누층군을 관입하였다.

① ㄱ   ② ㄷ   ③ ㄱ, ㄴ
④ ㄴ, ㄷ   ⑤ ㄱ, ㄴ, ㄷ

15 그림은 서로 다른 지질 시대에 우리나라에서 퇴적된 지층 A, B를 나타낸 것이다.

이에 대한 설명으로 옳은 것만을 [보기]에서 있는 대로 고른 것은?

―[보기]―
ㄱ. A에서는 삼엽충 화석이 산출된다.
ㄴ. B에는 석회 동굴이 발달해 있다.
ㄷ. A는 B보다 나중에 퇴적되었다.

① ㄱ   ② ㄴ   ③ ㄱ, ㄷ
④ ㄴ, ㄷ   ⑤ ㄱ, ㄴ, ㄷ

16 표는 우리나라 중생대와 신생대의 지질 계통을 나타낸 것이다.

지질 시대		지층명	특징
신생대	제4기		(다)
	네오기	A	
	팔레오기		
중생대	백악기	경상 누층군	(나)
	쥐라기	대동 누층군	(가)
	트라이아스기		

이에 대한 설명으로 옳은 것만을 [보기]에서 있는 대로 고른 것은?

[보기]
ㄱ. 조산 운동은 (가)보다 (나) 시기에 더 격렬하였다.
ㄴ. (다) 시기에는 한반도 여러 지역에서 화산 활동이 있었다.
ㄷ. 지층 A는 주로 서해안을 따라 분포한다.

① ㄱ 　② ㄴ 　③ ㄱ, ㄷ
④ ㄴ, ㄷ 　⑤ ㄱ, ㄴ, ㄷ

17 그림은 우리나라 신생대의 암석 분포를 나타낸 것이다. 이에 대한 설명으로 옳은 것만을 [보기]에서 있는 대로 고른 것은?

제4기
팔레오기와 네오기
동해
황해

[보기]
ㄱ. 제4기의 지층 중에는 응회암층이 포함된다.
ㄴ. 팔레오기와 네오기 지층에서 육성층이 발견된다.
ㄷ. 팔레오기와 네오기 지층에서 유공충 화석이 산출된다.

① ㄱ 　② ㄷ 　③ ㄱ, ㄴ
④ ㄴ, ㄷ 　⑤ ㄱ, ㄴ, ㄷ

18 다음은 우리나라 여러 지역에서 서로 다른 시기에 생성된 암석 (가), (나), (다)의 특징을 설명한 것이다.

(가) 태백산 분지 내에 석회암, 사암, 셰일 등이 퇴적되었고, 삼엽충 화석이 산출된다.
(나) 정확한 지질 시대를 파악하기 어려운 편마암, 편암 등이 변성암 복합체를 이룬다.
(다) 쇄설성 퇴적암에 불국사 화강암이 관입하였고, 지층에서 공룡 발자국 화석이 산출된다.

이에 대한 설명으로 옳은 것만을 [보기]에서 있는 대로 고른 것은?

[보기]
ㄱ. (나) → (가) → (다) 순으로 생성되었다.
ㄴ. (가)는 한랭한 바다에서 생성되었다.
ㄷ. (다)에서는 암모나이트 화석이 산출된다.

① ㄱ 　② ㄴ 　③ ㄱ, ㄷ
④ ㄴ, ㄷ 　⑤ ㄱ, ㄴ, ㄷ

19 그림 (가)는 우리나라의 지체 구조도를, (나)는 ㉠, ㉡을 포함한 여러 지역의 지질 주상도를 나타낸 것이다.

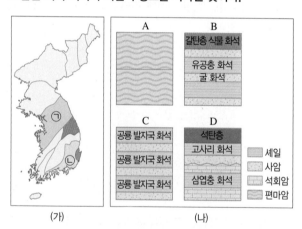

A
B
길탄층 식물 화석
유공충 화석
굴 화석
C
공룡 발자국 화석
공룡 발자국 화석
공룡 발자국 화석
D
석탄층
고사리 화석
삼엽충 화석
셰일
사암
석회암
편마암

(가)　　　　(나)

이에 대한 설명으로 옳은 것만을 [보기]에서 있는 대로 고른 것은?

[보기]
ㄱ. ㉠의 지질 주상도는 A이다.
ㄴ. ㉡에서는 유공충 화석이 산출된다.
ㄷ. D는 퇴적 환경이 육지에서 바다로 변하였다.

① ㄱ 　② ㄷ 　③ ㄱ, ㄴ
④ ㄴ, ㄷ 　⑤ ㄱ, ㄴ, ㄷ

B 한반도의 판 구조 환경과 형성

20 한반도 주변의 판 구조에 대한 설명으로 옳지 <u>않은</u> 것은?

① 태평양판이 북아메리카판 아래로 섭입하고 있다.
② 유라시아판은 필리핀판 아래로 섭입하고 있다.
③ 우리나라보다 일본에서 지진이 많이 발생한다.
④ 고태평양판이 한반도 아래로 섭입하면서 생성된 화산호 주변에서 경상 분지가 생성되었다.
⑤ 신생대에 동해가 확장되었다.

21 다음은 한반도의 형성 과정을 순서 없이 나타낸 것이다.

> (가) 한중 지괴와 남중 지괴가 충돌하여 현재와 비슷한 한반도가 형성되었다.
> (나) 곤드와나 대륙에서 한중 지괴와 남중 지괴가 북상하였다.
> (다) 독도와 울릉도가 형성되었다.
> (라) 동해가 형성되어 확장되었다.
> (마) 경상 분지가 형성되었다.

순서대로 옳게 나열한 것은?

① (가) → (나) → (다) → (라) → (마)
② (가) → (나) → (마) → (라) → (다)
③ (나) → (가) → (다) → (마) → (라)
④ (나) → (가) → (마) → (라) → (다)
⑤ (다) → (마) → (라) → (나) → (가)

22 그림은 한반도를 포함한 동북 아시아의 지체 구조 형성을 설명하는 어떤 모형을 나타낸 것이다. 이에 대한 설명으로 옳은 것만을 [보기]에서 있는 대로 고른 것은?

> [보기]
> ㄱ. 한반도의 지괴는 크게 2개로 이루어져 있었다.
> ㄴ. 만입 쐐기 모형이다.
> ㄷ. 낭림 육괴와 영남 육괴는 동일한 지괴에 속해 있었다.

① ㄱ   ② ㄷ   ③ ㄱ, ㄴ
④ ㄴ, ㄷ   ⑤ ㄱ, ㄴ, ㄷ

23 그림 (가)~(라)는 한반도의 지체 구조 형성을 설명하는 어떤 모형을 순서대로 나타낸 것이다.

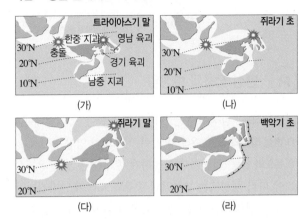

이에 대한 설명으로 옳은 것만을 [보기]에서 있는 대로 고른 것은?

> [보기]
> ㄱ. (가) → (나)에서 한중 지괴는 두 조각으로 분리되었다.
> ㄴ. (나) → (다)에서 한반도에 송림 변동이 일어났다.
> ㄷ. (다) → (라)에서 한반도를 비롯한 동북아시아의 모습이 갖추어졌다.
> ㄹ. 경기 육괴와 영남 육괴는 같은 지괴에 속해 있었다.

① ㄱ, ㄴ   ② ㄱ, ㄷ   ③ ㄴ, ㄹ
④ ㄱ, ㄷ, ㄹ   ⑤ ㄴ, ㄷ, ㄹ

24 그림은 동해의 형성 과정을 순서대로 나타낸 것이다.

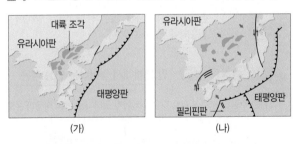

이에 대한 설명으로 옳은 것만을 [보기]에서 있는 대로 고른 것은?

> [보기]
> ㄱ. 태평양판의 섭입에 의해 동해가 확장되었다.
> ㄴ. 대륙 조각은 해저 화산 활동으로 생성되었다.
> ㄷ. (가) → (나) 과정에서 한반도에 화산 활동이 있었다.

① ㄱ   ② ㄴ   ③ ㄱ, ㄷ
④ ㄴ, ㄷ   ⑤ ㄱ, ㄴ, ㄷ

03 한반도의 변성 작용

핵심 포인트
Ⓐ 변성 작용의 종류 ★★★
변성 작용의 온도와 압력 범위 ★★★
변성암의 조직과 종류 ★★★

Ⓑ 한반도의 변성암 ★★

Ⓐ 변성 작용과 변성암

1. 변성 작용 암석이 높은 열과 압력을 받아 고체 상태에서 광물 조성이나 조직이 변하는 작용

(1) 변성 작용의 요인: 온도와 압력, ❶유체의 영향 → 암석 내에 있는 물이나 이산화 탄소 등

① 온도와 압력: 광물마다 안정하게 존재할 수 있는 온도와 압력 범위가 있으며, *온도와 압력에 따라 생성되는 변성암의 종류와 조직이 달라진다.

② 유체: 암석 내 유체는 변성 작용이 일어날 때 물질의 이동이 원활하게 일어나게 한다.

(2) 변성 작용의 종류: 온도와 압력 조건에 따라 접촉 변성 작용과 광역 변성 작용으로 구분한다.

구분	작용	주요 요인	변성 범위	변성 장소
접촉 변성 작용	마그마가 기존의 암석을 관입할 때 열에 의해 마그마의 접촉부를 따라 좁은 범위에서 일어나는 변성 작용	열	좁은 범위	마그마의 접촉부
광역 변성 작용	대규모 지각 변동이 일어나는 곳에서 기존의 암석이 높은 열과 압력을 받아 넓은 범위에 걸쳐 일어나는 변성 작용	열과 압력	넓은 범위	조산대

└─ 예 조산 운동

(3) *변성 작용의 온도와 압력 범위

퇴적 환경		온도와 압력이 낮은 환경에서는 변성 작용이 일어나지 않고, 속성 작용이 일어난다.
변성 환경	접촉 변성 작용	압력이 낮고 온도가 높은 지표 부근의 환경에서는 열에 의해 접촉 변성 작용이 일어난다.
	광역 변성 작용	온도와 압력이 높은 지하의 환경에서는 열과 압력에 의해 광역 변성 작용이 일어난다.
용융 환경		온도와 압력이 매우 높은 환경에서는 암석이 부분 용융되어 마그마가 된다.

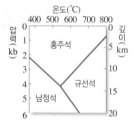

탐구 자료창 판 경계에서 일어나는 변성 작용

그림은 수렴형 경계의 서로 다른 위치에서 일어나는 변성 작용과 온도−압력 그래프를 나타낸 것이다.
└─ 판이 섭입되는 지역에서는 온도와 압력이 상승한다.

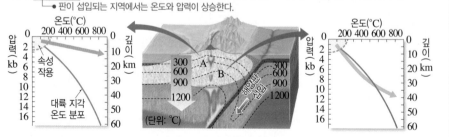

1. 마그마의 관입 주변부(A): 압력보다는 온도 상승으로 접촉 변성 작용이 일어난다.
2. 조산대 주변(B): 온도와 압력이 동시에 상승하면서 넓은 지역에 광역 변성 작용이 일어난다.

★ **온도와 압력에 따른 변성 작용**
• 온도: 암석의 온도가 높아지면 암석을 이루는 광물은 재결정 작용을 받거나 새로운 광물을 형성한다.
• 압력: 고체 상태의 광물이 압력을 받으면 압력이 작용한 방향에 따라 암석 조직이 변한다.

★ **변성 광물과 안정 영역**

홍주석, 남정석, 규선석은 화학 조성이 모두 Al_2SiO_5로 같지만, 생성 당시의 온도와 압력에 따라 결정 구조가 서로 달라진 변성 광물이다.
• 접촉 변성 작용에서는 주로 홍주석과 규선석이 산출된다.
• 광역 변성 작용에서는 주로 남정석과 규선석이 산출된다.

| 용어 |
❶ 유체(流 흐르다, 體 물질) 모양이 일정하지 않고 흐르는 성질이 있는 물질로, 액체와 기체를 합쳐 부르는 용어

2. 변성암의 조직과 종류

(1) 변성암의 조직

① *재결정 작용: 변성 작용이 일어나면서 새로운 광물이 생성되거나 광물의 크기가 커지는 작용
② 접촉 변성암의 조직: 혼펠스 조직 또는 입상 변정질 조직이 나타난다.

혼펠스 조직	입상 변정질 조직
재결정 작용을 받아 생성된 광물들이 방향성 없이 맞물려 있으며, 치밀하고 단단하게 짜인 조직 ➡ *혼펠스에서 잘 나타난다. ⬆ 혼펠스	재결정 작용을 받은 광물 입자가 크고, 크기가 고르며, 방향성이 없이 맞물려 있는 조직 ➡ 규암, 대리암 등에서 잘 나타난다. ⬆ 대리암

③ 광역 변성암의 조직: 엽리가 나타나기도 한다.
- 엽리: 암석에 일정한 방향으로 압력이 작용하면 광물이 압력에 수직인 방향으로 배열되어 평행한 줄무늬가 나타나는 조직으로, 엽리에는 편리와 편마 구조가 있다.

편리	편마 구조
세립질 암석에 압력이 가해져 광물이 얇은 판상으로 배열된 조직 ➡ 편암에 잘 나타난다.	조립질 암석에 압력이 가해지거나 편리가 있는 암석이 재결정 작용을 받아 유색 광물과 무색 광물이 재배열되면서 이루는 두꺼운 줄무늬 조직 ➡ 편마암에 잘 나타난다.
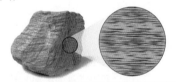	

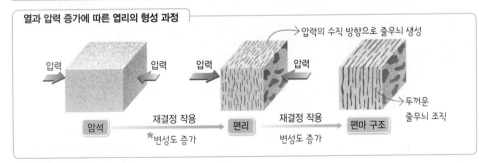

열과 압력 증가에 따른 엽리의 형성 과정

압력 → 압력 → 압력의 수직 방향으로 줄무늬 생성 / 두꺼운 줄무늬 조직

암석 —재결정 작용 *변성도 증가→ 편리 —재결정 작용 변성도 증가→ 편마 구조

(2) 변성암의 종류: 기존 암석의 종류와 변성 작용에 따라 구분한다.

변성 작용	기존 암석	변성암		변성암의 조직		
접촉 변성 작용	셰일	혼펠스		혼펠스 조직		엽리가 없음
	사암	규암		입상 변정질 조직		
	석회암	대리암				
광역 변성 작용	셰일	점판암	변성도 증가	세립질 ⬆ ⬇ 조립질	쪼개짐	엽리가 발달함
		천매암				
		편암			편리	
		편마암			편마 구조	
	현무암	각섬암		엽리가 발달함		
	화강암	(화강) 편마암				

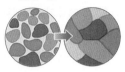

★ 재결정 작용

★ 접촉 변성암의 종류

셰일	혼펠스
사암	규암
석회암	대리암 마그마

접촉 변성 작용을 받으면 셰일은 혼펠스로, 사암은 규암으로, 석회암은 대리암으로 변한다.

★ 변성도
온도와 압력의 상승에 따른 변성 작용의 정도를 말한다. 저변성도의 변성암은 얕은 지각 내의 저온 저압 환경에서 생성되고, 고변성도의 변성암은 지각 깊은 곳의 고온 고압 환경에서 생성된다.

주의쾌
규암과 대리암
규암과 대리암은 접촉 변성 작용뿐 아니라 광역 변성 작용에 의해서도 만들어진다. 사암은 규암으로, 석회암은 대리암으로 변성된다.

B 한반도의 변성암

1. 선캄브리아 시대의 변성 작용

(1) **한반도에서 가장 오래된 암석**: 약 25억 년 전 광역 변성 작용으로 형성된 대이작도의 편마암

(2) **경기 육괴와 영남 육괴의 편마암**: 약 20억 년 전~약 18억 년 전에 광역 변성 작용으로 형성된 편마암, 편암, 규암 등으로 구성되어 있다.

경기 육괴 대이작도 편마암

백령도 남포리 규암층 습곡 구조

● 사암이 변성 작용을 받아 형성된 선캄브리아 시대의 지층

2. 중생대의 변성 작용

(1) **초기~중기**: 태백산 분지, 옥천 분지, 임진강대, 경기 육괴 등에 분포하는 암석들이 송림 변동과 대보 조산 운동으로 광역 변성 작용을 받았다.

① **태백산 분지**: 고생대 조선 누층군에 속하는 일부 석회암이 대리암으로 변성되었고, 고생대 평안 누층군에 속하는 쇄설성 퇴적암은 천매암과 편암으로 변성되었다.

② **옥천 분지**: 쇄설성 퇴적암이 점판암, 천매암, 편암으로 변성되었다.

③ **임진강대**: 고생대 중기의 퇴적암들이 남정석 편암으로 변성되었고, 더 높은 온도와 압력에서는 *고철질 변성암으로 변성되었다.

④ **홍성 지역**: 휘석, *석류석 등의 변성 광물을 포함하는 고압의 고철질 변성암이 산출된다.

조선 누층군 대리암

평안 누층군 천매암

옥천층군 점판암
옥천 누층군에 해당

(2) **중기~말기**: 암석들이 대보 조산 운동과 불국사 변동으로 접촉 변성 작용을 받았다.

① 관입한 고온의 마그마와 유체 때문에 조직이 치밀하고 단단한 혼펠스 조직이 나타난다.

② 셰일, 석회암 등의 퇴적암이 혼펠스, 대리암 등으로 변성되었다.

★ 고철질
마그네슘과 철을 많이 포함하고 있는 것을 말한다. 감람석, 휘석, 각섬석, 흑운모 등은 주요 고철질 광물이다.

★ 석류석(garnet)

규산염 광물로, 중온 중압에서 고온 고압까지 비교적 넓은 온도와 압력 범위에서 형성되는 변성 광물이다.

탐구 자료창 한반도 변성암과 변성 작용

변성암류
동해
황해

[선캄브리아 시대 변성암]
- 암석: 편마암, 편암, 규암
- 조직: 엽리가 뚜렷하게 나타난다.
- 변성암 분포 지역: 북동–남 남서의 방향성을 보인다.

대보 화강암
불국사 화강암
동해
황해

[중생대 화성암과 주변 암석]
- 암석: 화강암, 이암, 혼펠스
- 조직: 혼펠스가 화강암과 이암 경계부에서 나타난다.
- 화강암류의 분포 지역: 북동 – 남서로 방향성을 보인다.
- 동해안과 남부 지방 곳곳에서 나타난다.

1. **선캄브리아 시대**: 광역 변성 작용을 받았고, 낭림 육괴, 경기 육괴, 영남 육괴에 포함된다.
2. **중생대 화성암 주변**: 마그마의 관입으로 접촉 변성 작용을 받았고, 한반도 전역에 걸쳐 나타난다.

개념 확인 문제

정답친해 62쪽

핵심
체크

- 변성 작용: 암석이 높은 열과 압력을 받아 고체 상태에서 광물 조성이나 조직이 변하는 작용
  - (❶   ) 변성 작용: 마그마가 관입할 때 열에 의해 마그마의 접촉부를 따라 좁은 범위에서 일어난다.
  - (❷   ) 변성 작용: 대규모 지각 변동으로 높은 열과 압력에 의해 넓은 범위에 걸쳐 일어난다.
- 접촉 변성암: 셰일은 (❸   )로, 사암은 (❹   )으로, 석회암은 (❺   )으로 변성된다.
  - (❻   ) 조직: 광물들이 방향성 없이 맞물려 있으며, 치밀하고 단단하게 짜여진 조직
  - 입상 변정질 조직: 광물 입자가 크고, 크기가 고르며, 방향성이 없이 맞물려 있는 조직
- 광역 변성암: (❼   )은 온도와 압력이 상승함에 따라 점판암 → 천매암 → 편암 → 편마암이 된다.
  - (❽   ): 광물이 압력에 수직인 방향으로 배열되어 평행한 줄무늬가 나타나는 조직
- 한반도의 변성암
  - 가장 오래된 암석: 대이작도에서 약 25억 년 전에 형성된 편마암
  - 중생대 초기~중기: 송림 변동과 (❾   ) 조산 운동으로 (❿   ) 변성 작용이 일어났다.
  - 중생대 중기~말기: (❾   ) 조산 운동과 불국사 변동으로 (⓫   ) 변성 작용이 일어났다.

1 변성 작용에 대한 설명으로 옳은 것은 ○, 옳지 <u>않은</u> 것은 ×로 표시하시오.

(1) 온도, 압력, 유체의 영향을 받는다. ·············· (   )

(2) 액체 상태에서 광물의 조성이나 조직이 변하는 작용이다.
·· (   )

(3) 변성 작용으로 새로운 광물이 만들어지거나 광물의 크기가 커지는 작용을 재결정 작용이라 한다. ··· (   )

(4) 변성 작용이 계속 강해지면 암석은 부분 용융되어 마그마가 된다. ··· (   )

2 다음 변성 작용의 특징에서 광역 변성 작용의 특징을 모두 골라 기호로 쓰시오.

- 주요 요인: ㉠ 열, ㉡ 열과 압력
- 변성 범위: ㉢ 좁은 범위, ㉣ 넓은 범위
- 변성 장소: ㉤ 조산대, ㉥ 마그마의 접촉부

3 접촉 변성 작용에 대한 설명 중 (   ) 안에 알맞은 말을 쓰시오.

마그마가 관입하면 주변의 암석은 ㉠(   )에 비해 ㉡(   )가 크게 상승한다. 이러한 환경에서 사암은 ㉢(   )으로, ㉣(   )은 대리암으로 변성된다.

4 그림 (가)와 (나)에서 관찰되는 변성암 조직을 각각 쓰시오.

(가) 혼펠스   (나) 편마암

5 셰일이 광역 변성 작용을 받아 생성되는 다음 암석들을 온도와 압력이 상승함에 따라 생성되는 순서대로 나열하시오.

편암, 점판암, 천매암, 편마암

6 한반도의 변성암에 대한 설명으로 옳은 것은 ○, 옳지 <u>않은</u> 것은 ×로 표시하시오.

(1) 경기 육괴와 영남 육괴의 변성암은 대부분 접촉 변성 작용을 받았다. ····································· (   )

(2) 한반도에서 가장 오래된 변성암은 대이작도에서 발견되는 광역 변성암이다. ······························· (   )

(3) 태백산 분지의 퇴적암 일부는 송림 변동과 대보 조산 운동의 영향으로 변성 작용을 받았다. ·········· (   )

(4) 대보 조산 운동과 불국사 변동에 수반된 마그마의 관입으로 접촉 변성암이 생성되었다. ·············· (   )

대표 자료 분석

🔖 학교 시험에 자주 출제되는 대표 자료와 그 자료에 대한 문제를 통해 자료를 완벽하게 이해할 수 있다.

자료 ① 변성 작용의 범위와 변성암 조직

기출 Point
• 변성 작용의 온도와 압력 범위 해석하기
• 변성암의 종류와 변성 조직 구분하기

[1~5] 그림은 온도와 압력에 따른 변성 환경을 나타낸 것이다.

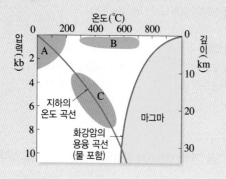

1 A 환경에서 생성되는 암석의 종류를 쓰시오.

2 B와 C 환경에서 일어날 수 있는 변성 작용의 종류를 각각 쓰시오.

3 C 환경에서 물질의 온도와 압력이 각각 800 ℃, 10 kb로 변할 때 발생하는 변화를 쓰시오.

4 ( ) 안에 알맞은 말을 고르시오.

> A 환경에 있는 셰일이 B 환경으로 변하면서 생성되는 암석에는 (엽리, 혼펠스 조직)가(이) 나타난다.

5 빈출 선택지로 **완벽 정리!**
(1) 혼펠스는 A 환경에서 생성된다. ············· (○ / ×)
(2) B 환경의 암석 중에는 입상 변정질 조직이 나타나는 것도 있다. ··········· (○ / ×)
(3) 편암과 편마암은 C 환경에서 생성된다. ····· (○ / ×)
(4) 대리암과 규암은 B 환경과 C 환경에서 모두 생성될 수 있다. ············ (○ / ×)

자료 ② 한반도의 변성암과 변성 작용

기출 Point
• 한반도의 시대별 변성암 분포 알기
• 한반도 변성암을 만든 변성 작용 구분하기

[1~5] 그림 (가)는 선캄브리아 시대의 변성암류의 분포를, (나)는 중생대의 대보 화강암과 불국사 화강암의 분포를 나타낸 것이다.

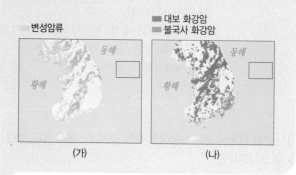

1 (가)의 한반도 중부와 남부에서 선캄브리아 시대의 변성암류가 주로 분포하는 지체 구조구를 쓰시오.

2 한반도에서 가장 오래된 변성암이 산출되는 지체 구조구를 쓰시오.

3 태백산 분지의 퇴적암에 광역 변성 작용을 일으킨 한반도의 주요 지각 변동 <u>두 가지</u>를 쓰시오.

4 (나)의 대보 화강암과 불국사 화강암이 관입한 지층에서 공통적으로 일어난 변성 작용의 종류를 쓰시오.

5 빈출 선택지로 **완벽 정리!**
(1) (가)의 변성암류는 대부분 광역 변성 작용을 받았다.
············· (○ / ×)
(2) 고생대 조선 누층군에 속하는 일부 석회암은 광역 변성 작용을 받아 편마암으로 변하였다. ········ (○ / ×)
(3) (나)의 불국사 화강암이 관입한 화성암체 주변에서는 혼펠스가 산출된다. ········· (○ / ×)

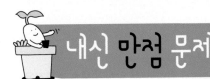

내신 만점 문제

A 변성 작용과 변성암

01 변성 작용에 대한 설명으로 옳은 것만을 [보기]에서 있는 대로 고른 것은?

[보기]
ㄱ. 암석이 녹아 일어나는 변화이다.
ㄴ. 열에 의해서만 변성 작용이 일어나는 경우가 있다.
ㄷ. 변성 작용이 일어날 때 광물 조성은 변하지 않는다.
ㄹ. 변성 작용이 일어날 때 광물의 크기가 변하는 경우가 있다.

① ㄱ, ㄴ 　② ㄱ, ㄷ 　③ ㄴ, ㄹ
④ ㄱ, ㄷ, ㄹ 　⑤ ㄴ, ㄷ, ㄹ

[02~03] 그림은 지하의 온도와 압력 범위 A~C를 나타낸 것이다.

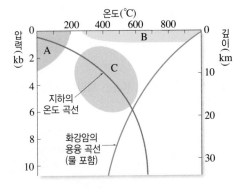

02 A~C에 대한 설명으로 옳은 것만을 [보기]에서 있는 대로 고른 것은?

[보기]
ㄱ. A에서는 주로 열에 의해 변성 작용이 일어난다.
ㄴ. 마그마의 관입 주변부에서는 B와 같은 변성 작용이 일어난다.
ㄷ. C의 변성 작용은 지하로 들어갈수록 변성도가 증가한다.

① ㄱ 　② ㄷ 　③ ㄱ, ㄴ
④ ㄴ, ㄷ 　⑤ ㄱ, ㄴ, ㄷ

03 B와 C에서 일어나는 변성 작용에 대해 제시된 특징을 비교하여 서술하시오.

변성 작용의 요인, 변성 범위

04 그림은 온도와 압력에 따른 Al_2SiO_5 광물의 안정 영역을 나타낸 것이다.

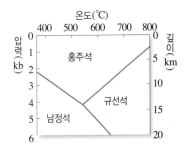

이에 대한 설명으로 옳은 것만을 [보기]에서 있는 대로 고른 것은?

[보기]
ㄱ. 700 ℃, 5 kb에서는 규선석이 안정하다.
ㄴ. 광역 변성 작용을 받으면 남정석과 규선석보다 홍주석과 규선석이 잘 생성된다.
ㄷ. 변성암 내의 Al_2SiO_5 광물을 관찰하면 변성 작용이 일어난 온도와 압력을 추정할 수 있다.

① ㄱ 　② ㄴ 　③ ㄱ, ㄷ
④ ㄴ, ㄷ 　⑤ ㄱ, ㄴ, ㄷ

05 변성암의 종류와 조직에 대한 설명으로 옳은 것은?

① 편리는 접촉 변성 작용을 받아 생성된다.
② 사암이 변성 작용을 받으면 대리암이 된다.
③ 혼펠스 조직은 주로 압력에 의한 변성 작용을 받아 형성된다.
④ 셰일이 광역 변성 작용을 받아 형성된 고변성도의 암석에는 점판암이 있다.
⑤ 조산 운동이 일어나는 곳에서는 압력의 영향으로 엽리가 나타나기도 한다.

06 그림은 판 경계 부근에서 변성 작용이 일어나는 환경 A, B를 나타낸 것이다.

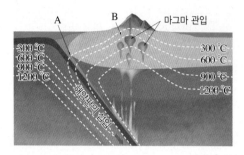

이에 대한 설명으로 옳은 것만을 [보기]에서 있는 대로 고른 것은?

┌─[보기]
│ ㄱ. A에서는 온도와 압력이 상승하여 변성 작용이 일어
│   난다.
│ ㄴ. 혼펠스는 B보다 A에서 잘 생성된다.
│ ㄷ. B의 변성암은 A의 변성암보다 엽리가 잘 발달한다.
└─

① ㄱ   ② ㄷ   ③ ㄱ, ㄴ
④ ㄴ, ㄷ   ⑤ ㄱ, ㄴ, ㄷ

07 그림은 화성암 주변부의 변성암 A, B, C를 나타낸 것이다.

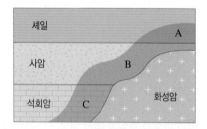

이에 대한 설명으로 옳은 것만을 [보기]에서 있는 대로 고른 것은?

┌─[보기]
│ ㄱ. A, B, C는 모두 줄무늬가 발달한다.
│ ㄴ. C는 대리암이다.
│ ㄷ. 화성암 주변에서 생성된 변성암 A~C의 종류가 다른
│   것은 변성 작용의 온도가 달랐기 때문이다.
└─

① ㄱ   ② ㄴ   ③ ㄱ, ㄷ
④ ㄴ, ㄷ   ⑤ ㄱ, ㄴ, ㄷ

08 그림은 어느 지역에서 관찰한 두 암석의 모습과 특징을 나타낸 것이다.

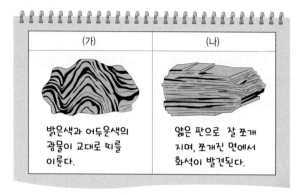

이에 대한 설명으로 옳은 것만을 [보기]에서 있는 대로 고른 것은?

┌─[보기]
│ ㄱ. (가)에서는 엽리가 발견된다.
│ ㄴ. (나)는 열과 압력에 의해 변성되었다.
│ ㄷ. (나)는 (가)보다 고온 고압 환경에서 생성된다.
└─

① ㄱ   ② ㄷ   ③ ㄱ, ㄴ
④ ㄴ, ㄷ   ⑤ ㄱ, ㄴ, ㄷ

09 그림 (가)는 석회암이, (나)는 셰일이 변성 작용을 받아 생성된 암석이다.

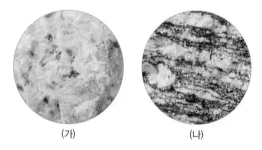

(가)   (나)

이에 대한 설명으로 옳은 것만을 [보기]에서 있는 대로 고른 것은?

┌─[보기]
│ ㄱ. (가)는 입상 변정질 조직이 나타난다.
│ ㄴ. (가)와 (나)는 모두 광역 변성 작용으로 생성될 수 있다.
│ ㄷ. (나)의 변성도가 더 증가하면 규암이 된다.
└─

① ㄱ   ② ㄷ   ③ ㄱ, ㄴ
④ ㄴ, ㄷ   ⑤ ㄱ, ㄴ, ㄷ

10 ^{서술형} 편마암의 줄무늬가 만들어지는 과정을 셰일의 줄무늬가 만들어지는 과정과 비교하여 서술하시오.

11 그림은 셰일이 변성 작용을 받아 생성되는 암석을 모식적으로 나타낸 것이다.

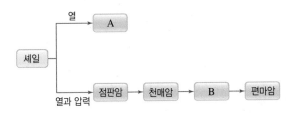

이에 대한 설명으로 옳은 것만을 [보기]에서 있는 대로 고른 것은?

─[보기]─
ㄱ. A는 셰일보다 조직이 치밀하다.
ㄴ. 입자의 크기는 B가 편마암보다 크다.
ㄷ. 조산대에서는 주로 A보다 B가 산출된다.

① ㄱ   ② ㄴ   ③ ㄱ, ㄷ
④ ㄴ, ㄷ   ⑤ ㄱ, ㄴ, ㄷ

B 한반도의 변성암

12 한반도의 변성암에 대한 설명으로 옳은 것은?

① 선캄브리아 변성암 복합체들은 주로 접촉 변성 작용을 받아 형성되었다.
② 한반도에서 가장 오래된 암석은 영남 육괴에 분포한다.
③ 송림 변동 시기에 임진강대의 고생대 퇴적암 중 일부는 고온 고압에 의해 고철질 변성암으로 변하였다.
④ 불국사 변동으로 한반도 전 지역에 걸쳐 광역 변성 작용이 일어나 변성암이 형성되었다.
⑤ 경기 육괴와 영남 육괴의 변성암에는 주로 혼펠스 조직이 나타난다.

13 그림 (가)는 평안 누층군의 천매암을, (나)는 옥천층군의 점판암을 나타낸 것이다.

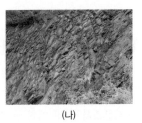

(가)   (나)

이에 대한 설명으로 옳은 것만을 [보기]에서 있는 대로 고른 것은?

─[보기]─
ㄱ. (가)와 (나)는 기존 암석의 종류가 같다.
ㄴ. (가)와 (나) 모두 송림 변동으로 변성 작용을 받았다.
ㄷ. (가)는 (나)보다 더 높은 온도와 압력 환경에서 생성되었다.

① ㄴ   ② ㄷ   ③ ㄱ, ㄴ
④ ㄱ, ㄷ   ⑤ ㄱ, ㄴ, ㄷ

14 그림은 경상 누층군이 분포하는 지역을 나타낸 것이다.

A 지역에서 발견되는 혼펠스에 대한 설명으로 옳은 것만을 [보기]에서 있는 대로 고른 것은?

─[보기]─
ㄱ. 송림 변동에 의한 변성 작용을 받았다.
ㄴ. 변성 작용은 압력보다 온도의 영향이 더 컸다.
ㄷ. 석회질 물질이 퇴적된 후 변성 작용을 받아 생성되었다.

① ㄱ   ② ㄴ   ③ ㄱ, ㄷ
④ ㄴ, ㄷ   ⑤ ㄱ, ㄴ, ㄷ

01 지질 조사와 지질도

1. 지질 조사

(1) 지질 조사: 사전 계획 → 야외(노두) 조사 → 지질도 작성
(2) 지층의 주향과 경사 측정: 클리노미터를 이용한다.

[클리노미터를 읽는 방법]
• 주향: 수준기로 수평을 맞춘 후, 클리노미터의 N을 기준으로 자침이 가리키는 바깥쪽의 주향 눈금을 읽는다.
• 경사각: 클리노미터의 E 또는 W를 기준으로 지침(추)이 가리키는 안쪽의 경사 눈금을 읽는다.

(❶) 측정	(❷) 측정
• 지층면이 수평면과 만나 이루는 교차선의 방향 • 진북을 기준으로 측정 • 클리노미터의 긴 변을 지층면에 대고 수평을 맞춘다.	• 지층면과 수평면이 이루는 각도 • 경사각과 경사 방향 측정 • 클리노미터의 긴 변을 주향선에 수직으로 지층면에 댄다.

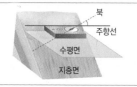

(3) 주향과 경사의 표시 방법

주향	북쪽을 기준으로 동쪽 또는 서쪽으로 돌아간 긴 선으로 나타낸다. 예 N30° E
경사	주향에 수직인 짧은 선으로 방향을 나타내고, 그 끝에 경사각을 숫자로 쓴다. 예 60° SE

2. 지질도

(1) 지질도의 작성 순서: 노선 지질도 → 지질도 → 지질 단면도 → 지질 주상도
(2) 지질도에 사용되는 기호

주향 경사	╱	역전층	╱	단층	╱
(❸)	⊕	배사	╳	추정 단층	┈
(❹)	┼	향사	╳	화석 산지	⊠

(3) 지질도에서 주향과 경사 해석

주향	지층 경계선과 동일 고도의 등고선이 만나는 두 점을 연결한 직선의 방향
경사	높은 고도의 주향선에서 낮은 고도의 주향선을 향하는 방향이 경사 방향

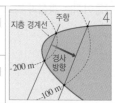

(4) 지층 경사의 해석

(❺)	(❻)	경사층
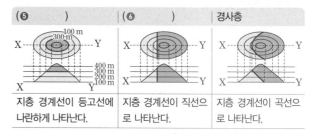		
지층 경계선이 등고선에 나란하게 나타난다.	지층 경계선이 직선으로 나타난다.	지층 경계선이 곡선으로 나타난다.

(5) 지질 구조의 해석

습곡	(❼)	(❽)
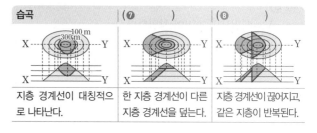		
지층 경계선이 대칭적으로 나타난다.	한 지층 경계선이 다른 지층 경계선을 덮는다.	지층 경계선이 끊어지고, 같은 지층이 반복된다.

02 한반도의 지사와 판 구조 환경

1. 한반도의 지사

(1) 한반도의 지체 구조: 육괴, 퇴적 분지, 습곡대
(2) 한반도의 암석 분포: 변성암류>화성암류>퇴적암류
(3) 한반도의 시대별 암석 분포
① 선캄브리아 시대의 지질: (❾   ), 영남 육괴, 낭림 육괴에 암석이 주로 분포한다.

시생 누대	• 약 25억 년 전에 형성된 대이작도의 혼성암이 있다.
원생 누대	• 평안남도, 황해도 일부, 백령도, 대청도, 소청도 일대에 규암, 석회암, 점판암 등이 분포 • 소청도 대리암층에서 스트로마톨라이트 산출

② 고생대의 지질: 해성층과 육성층이 분포한다.

조선 누층군	• 고생대 전기의 (⑩)이 태백산 분지에 분포 • 삼엽충, 필석류, 두족류, 완족류, 코노돈트 화석 산출
평안 누층군	• 고생대 후기의 지층 • 하부는 (⑪), 상부는 (⑫) • 하부에서는 방추충, 산호, 완족류 화석 산출 • 상부에서는 양치식물 화석 산출
소규모 지층 (대결층)	• 강원도 정선군: 실루리아기의 회동리층 분포 • 경기도 연천군: 데본기의 미산층(연천군층) 분포 • 충청남도 태안군: 데본기의 태안층 분포

③ 중생대의 지질: 육성층의 퇴적과 조산 운동이 있었다.

대동 누층군	• 중생대의 하부 지층을 이루는 육성층 • 담수 연체동물, 민물고기, 소철류, 은행류 화석 산출
경상 누층군	• 중생대의 상부 지층을 이루는 육성층 • 공룡 발자국과 공룡알, 새발자국, 연체동물 화석 산출
지각 변동	• 초기: 송림 변동 • 중기: (⑬) 조산 운동 ➡ (⑬) 화강암 • 말기: 불국사 변동 ➡ 불국사 화강암

④ 신생대의 지질: 여러 지역에서 화산 활동이 있었다.

팔레오기 와 네오기	• 동해안을 따라 분포하며, 육성층과 해성층이 번갈아 나타난다. • 유공충, 연체동물, 규화목, 나뭇잎 화석 산출
제4기	• 제주도 서귀포와 성산포 일대에 서귀포층 분포 • 이매패류(조개류), 완족류, 산호, 유공충 화석 산출

2. 한반도의 판 구조 환경과 형성

(1) 한반도 주변의 판 구조 환경: 한반도는 유라시아판에 속해 있고, 유라시아판 아래로 필리핀판이, 필리핀판과 북아메리카판 아래로 태평양판이 섭입하고 있다.

(2) 한반도를 포함한 동북아시아의 지체 구조 형성 모형

지각 분리 모형	충돌대 모형	만입 쐐기 모형
한반도는 1개의 지괴로 형성	한반도는 2개의 지괴, 한중 지괴와 남중 지괴 가 충돌하여 형성	한반도는 3개의 지괴, 중부 지괴가 북부와 남부 지괴 사이에 끼여 형성

(3) 한반도의 형성 과정

고생대	• 한반도가 속한 한중 지괴와 남중 지괴는 남반구 저위도에 있 는 곤드와나 대륙 주변에 있었다. • 고생대 말에 한중 지괴와 남중 지괴가 북쪽으로 이동하기 시 작하였다.
중생대	• 한중 지괴와 남중 지괴가 충돌하는 과정에서 한반도 형성 ➡ 송림 변동, 대보 조산 운동 • 백악기에는 불국사 변동, 경상 분지 형성
신생대	• 동해의 형성과 확장, 울릉도, 독도, 백두산, 한라산의 형성

---

03 한반도의 변성 작용

1. 변성 작용과 변성암

(1) 변성 작용의 요인: 온도와 압력, 유체

(2) 변성 작용의 종류

구분	접촉 변성 작용	광역 변성 작용
주요 요인	(⑭)	열과 압력
변성 범위	좁은 범위	넓은 범위
변성 장소	마그마의 접촉부	(⑮)

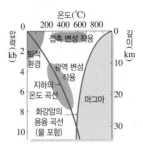

(3) 변성암의 조직

① 재결정 작용: 변성 작용으로 새로운 광물이 생성되거나 광물의 크기가 커지는 작용

② 접촉 변성암의 조직: 혼펠스 조직, 입상 변정질 조직

③ 광역 변성암의 조직: 엽리(편리, 편마 구조)

(4) 변성암의 종류와 조직

기존 암석	변성 작용	변성암	조직
(⑯)	접촉	혼펠스	(⑰) 조직
	광역	점판암 → 천매암 → 편암 → 편마암	엽리(편리, 편마 구조)
사암	접촉, 광역	규암	입상 변정질 조직
석회암	접촉, 광역	(⑱)	입상 변정질 조직
현무암	광역	각섬암	엽리
화강암	광역	(화강) 편마암	엽리

2. 한반도의 변성암

(1) 선캄브리아 시대의 변성암: 대부분 경기 육괴와 영남 육괴에 분포하며, (⑲   ) 변성 작용을 받아 생성되었다.

(2) 중생대의 변성암

광역 변성암	• 중생대 초기~중기에 송림 변동, 대보 조산 운동으로 광역 변성 작용을 받았다. • 점판암, 천매암, 편암, 대리암 등이 분포한다. • (⑳)에서는 고생대의 퇴적암이 광역 변성 작용을 받아 고철질 변성암으로 되었다.
접촉 변성암	• 중생대 중기~말기에 대보 조산 운동, 불국사 변동에서 관입 한 마그마에 의해 접촉 변성 작용을 받았다. • 혼펠스, 대리암 등이 분포한다.

난이도 ●●●

[01~02] 그림은 클리노미터로 지층의 주향과 경사를 측정하는 원리를 이해하기 위해 지층 대신 책을 비스듬히 쌓아 놓고, 주향과 경사를 측정하는 모습을 순서 없이 나타낸 것이다.

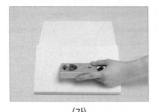 

(가)   (나)

●○○

01 이에 대한 설명으로 옳은 것만을 [보기]에서 있는 대로 고른 것은?

─[보기]─
ㄱ. (가)에서 클리노미터의 수준기를 관찰해야 한다.
ㄴ. (나)는 지층의 주향을 측정하는 활동이다.
ㄷ. (나)에서는 클리노미터의 자침이 가리키는 바깥쪽 눈금을 읽어야 한다.

① ㄱ   ② ㄷ   ③ ㄱ, ㄴ
④ ㄴ, ㄷ   ⑤ ㄱ, ㄴ, ㄷ

●●○

02 그림은 위 실험의 (가)와 (나)에서 측정한 클리노미터의 모습을 각각 나타낸 것이다.

(가)   (나)

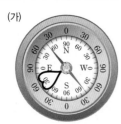 

이에 대한 설명으로 옳은 것만을 [보기]에서 있는 대로 고른 것은?

─[보기]─
ㄱ. 주향은 N40°W이다.
ㄴ. 경사각은 60°이다.
ㄷ. 경사 방향은 NE 또는 SW이다.

① ㄱ   ② ㄴ   ③ ㄱ, ㄷ
④ ㄴ, ㄷ   ⑤ ㄱ, ㄴ, ㄷ

●●○

03 그림은 어느 지역의 노선 지질도를 나타낸 것이다.

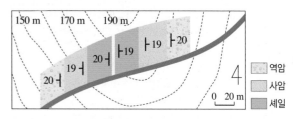

이에 대한 설명으로 옳은 것만을 [보기]에서 있는 대로 고른 것은? (단, 지층은 역전되지 않았다.)

─[보기]─
ㄱ. 습곡의 향사 구조가 나타난다.
ㄴ. 셰일층에서는 경사가 0°인 부분이 있다.
ㄷ. 가장 오래된 지층은 역암층이다.

① ㄱ   ② ㄴ   ③ ㄱ, ㄷ
④ ㄴ, ㄷ   ⑤ ㄱ, ㄴ, ㄷ

●●●

04 그림 (가)와 (나)는 지층 A와 B가 경계를 이루는 서로 다른 지역의 지질도를 나타낸 것이다.

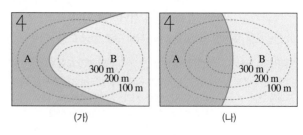

(가)   (나)

이에 대한 설명으로 옳은 것만을 [보기]에서 있는 대로 고른 것은? (단, 지층은 역전되지 않았다.)

─[보기]─
ㄱ. A층이 동쪽으로 경사진 지역은 (가)이다.
ㄴ. A층이 B층보다 먼저 퇴적된 지역은 (나)이다.
ㄷ. 지층의 경사는 (가)가 (나)보다 급하다.

① ㄱ   ② ㄷ   ③ ㄱ, ㄴ
④ ㄴ, ㄷ   ⑤ ㄱ, ㄴ, ㄷ

05 그림은 지층 A~D가 분포하는 어느 지역의 지질도이다.

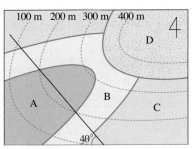

이에 대한 설명으로 옳은 것만을 [보기]에서 있는 대로 고른 것은? (단, 지층은 역전되지 않았다.)

┌─[보기]─────────────────────────┐
│ ㄱ. A층의 주향은 N40°W이다. │
│ ㄴ. 가장 먼저 퇴적된 지층은 C이다. │
│ ㄷ. B층의 퇴적 시기는 C층보다 D층의 퇴적 시기에 가 │
│   깝다. │
└───────────────────────────────┘

① ㄱ   ② ㄴ   ③ ㄱ, ㄷ
④ ㄴ, ㄷ   ⑤ ㄱ, ㄴ, ㄷ

07 표는 우리나라 고생대와 중생대의 지질 계통을 나타낸 것이고, (가)~(라)는 누층군이다.

지질시대	고생대						중생대		
	캄브리아기	오르도비스기	실루리아기	데본기	석탄기	페름기	트라이아스기	쥐라기	백악기
지층명	(가)					(나)		(다)	(라)

이에 대한 설명으로 옳은 것만을 [보기]에서 있는 대로 고른 것은?

┌─[보기]─────────────────────────┐
│ ㄱ. (가)에서는 삼엽충과 필석 화석이 산출된다. │
│ ㄴ. (나)의 퇴적 환경은 육지에서 바다로 변하였다. │
│ ㄷ. (다)와 (라)에서는 암모나이트 화석이 산출된다. │
└───────────────────────────────┘

① ㄱ   ② ㄴ   ③ ㄱ, ㄷ
④ ㄴ, ㄷ   ⑤ ㄱ, ㄴ, ㄷ

06 그림은 우리나라 지체 구조구의 일부를 나타낸 것이다.

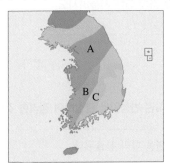

이에 대한 설명으로 옳은 것만을 [보기]에서 있는 대로 고른 것은?

┌─[보기]─────────────────────────┐
│ ㄱ. A, B, C에는 모두 변성암이 분포한다. │
│ ㄴ. C에는 주로 중생대의 퇴적물이 쌓여 있다. │
│ ㄷ. 만입 쐐기 모형에 따르면 A와 C는 고생대 말기에 │
│   한중 지괴의 일부에 해당하였다. │
└───────────────────────────────┘

① ㄱ   ② ㄴ   ③ ㄱ, ㄷ
④ ㄴ, ㄷ   ⑤ ㄱ, ㄴ, ㄷ

08 그림은 한반도 중생대 A~C 시기의 화강암류 분포를 나타낸 것이다.

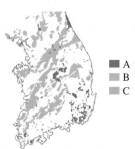

이에 대한 설명으로 옳은 것만을 [보기]에서 있는 대로 고른 것은?

┌─[보기]─────────────────────────┐
│ ㄱ. 화강암의 생성 순서는 A → B → C이다. │
│ ㄴ. A는 경상 누층군의 여러 지층을 관입하였다. │
│ ㄷ. B와 C는 한반도의 지체 구조 형성 과정에서 생성되 │
│   었다. │
└───────────────────────────────┘

① ㄱ   ② ㄴ   ③ ㄱ, ㄷ
④ ㄴ, ㄷ   ⑤ ㄱ, ㄴ, ㄷ

09 그림은 지하의 온도와 압력에 따라 변성 작용이 일어나는 환경 A, B를 나타낸 것이다.

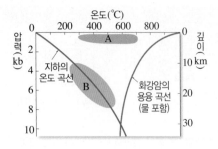

이에 대한 설명으로 옳은 것만을 [보기]에서 있는 대로 고른 것은?

〔보기〕
ㄱ. 마그마 접촉부의 변성 작용은 A에서 일어난다.
ㄴ. 편리와 편마 구조가 발달하는 변성암은 B에서 생성된다.
ㄷ. 규암은 A와 B에서 모두 생성될 수 있다.

① ㄱ   ② ㄴ   ③ ㄱ, ㄷ
④ ㄴ, ㄷ   ⑤ ㄱ, ㄴ, ㄷ

10 그림은 우리나라에서 변성암이 산출되는 여러 지역 중 A, B 지역을 나타낸 것이다.

A, B 지역의 주요 변성암에 대한 설명으로 옳은 것만을 [보기]에서 있는 대로 고른 것은?

〔보기〕
ㄱ. A의 변성암보다 B의 변성암이 먼저 생성되었다.
ㄴ. B의 변성암보다 A의 변성암에 엽리가 잘 발달되어 있다.
ㄷ. B의 변성암은 불국사 화강암과 관련이 있다.

① ㄱ   ② ㄴ   ③ ㄱ, ㄷ
④ ㄴ, ㄷ   ⑤ ㄱ, ㄴ, ㄷ

서술형 문제

11 그림은 어느 지역의 지질도를 나타낸 것이다.

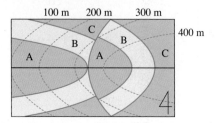

이 지역에서 동쪽으로 가면서 A와 B층이 반복되어 나타나는 까닭과 어떤 힘이 작용하였는지 서술하시오.

12 그림 (가)와 (나)는 우리나라 고생대의 서로 다른 지층에서 산출된 화석과 석탄을 나타낸 것이다.

 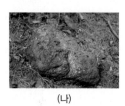

(가)   (나)

(가)와 (나)가 산출된 지층의 선후 관계를 쓰고, (나)가 생성될 당시의 기후 환경에 대해 서술하시오.

13 다음은 어떤 변성암을 관찰하여 정리한 것이다.

• 화강암 주변을 따라 산출된다.
• 입상 변정질 조직이 나타난다.
• 표면에 묽은 염산을 떨어뜨리면 기포가 발생한다.
• 무늬가 아름다워 건물 바닥 등을 장식하는 데 이용된다.

이 암석에 대해 다음 사항을 포함하여 서술하시오.

기존 암석의 이름, 변성암의 이름, 변성 작용의 요인

01 그림은 클리노미터를 이용하여 어느 지층의 주향과 경사를 측정한 결과를 확대하여 나타낸 것이다.

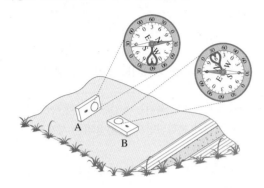

이 지층의 주향과 경사를 기호로 옳게 나타낸 것은?

① 30

② 45

③ 60

④ 60

⑤ 30

02 그림은 지층 A~D가 분포하는 어느 지역의 지질도이다. f-f'는 단층선이고, 지표의 고도는 동일하다.

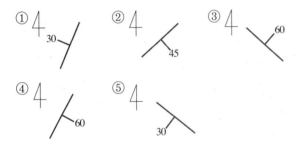

이에 대한 설명으로 옳은 것만을 [보기]에서 있는 대로 고른 것은? (단, 지층은 역전되지 않았다.)

[보기]
ㄱ. 배사 구조가 나타난다.
ㄴ. A층의 주향 방향은 NE이다.
ㄷ. C층이 D층보다 나중에 퇴적되었다.

① ㄱ   ② ㄴ   ③ ㄱ, ㄷ   ④ ㄴ, ㄷ   ⑤ ㄱ, ㄴ, ㄷ

03 그림은 어느 지역의 지질도이다.

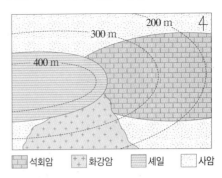

🟫 석회암   ➕ 화강암   🟨 셰일   ⬜ 사암

이에 대한 설명으로 옳은 것만을 [보기]에서 있는 대로 고른 것은? (단, 지층은 역전되지 않았다.)

[보기]
ㄱ. 이 지역에는 셰일 기원의 혼펠스가 생성되었다.
ㄴ. 셰일층과 사암층은 부정합 관계이다.
ㄷ. 석회암층은 사암층보다 먼저 생성되었다.

① ㄱ   ② ㄴ   ③ ㄱ, ㄷ   ④ ㄴ, ㄷ   ⑤ ㄱ, ㄴ, ㄷ

04 그림은 지층 A~E와 관입암 P가 분포하는 어느 지역의 지질도이다.

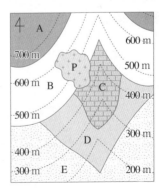

이에 대한 설명으로 옳은 것만을 [보기]에서 있는 대로 고른 것은? (단, 지층은 역전되지 않았다.)

[보기]
ㄱ. 지층의 경사는 A층이 E층보다 크다.
ㄴ. C층은 융기 작용과 침강 작용을 받은 적이 있다.
ㄷ. 관입암 P는 C층보다 나중에 생성되었다.

① ㄱ   ② ㄷ   ③ ㄱ, ㄴ   ④ ㄴ, ㄷ   ⑤ ㄱ, ㄴ, ㄷ

05 그림은 한반도 어느 지질 시대의 암석 분포를 나타낸 것이다.

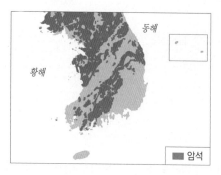

이에 대한 설명으로 옳은 것만을 [보기]에서 있는 대로 고른 것은?

[보기]
ㄱ. 주로 분지에 퇴적된 암석으로 이루어져 있다.
ㄴ. 한반도에서 가장 오래된 암석을 포함한다.
ㄷ. 스트로마톨라이트가 산출된 지층이 있다.

① ㄱ   ② ㄴ   ③ ㄱ, ㄷ
④ ㄴ, ㄷ   ⑤ ㄱ, ㄴ, ㄷ

06 그림은 서로 다른 시기에 퇴적된 한반도의 지층 A, B, C 의 분포를 나타낸 것이다.

이에 대한 설명으로 옳은 것만을 [보기]에서 있는 대로 고른 것은?

[보기]
ㄱ. 삼엽충과 필석 화석은 A에서 산출된다.
ㄴ. B는 C보다 나중에 퇴적되었다.
ㄷ. C에서는 방추충 화석이 산출된다.

① ㄱ   ② ㄴ   ③ ㄱ, ㄷ
④ ㄴ, ㄷ   ⑤ ㄱ, ㄴ, ㄷ

07 그림 (가)와 (나)는 어떤 모형에 근거하여 한반도의 형성 과정을 나타낸 것이다.

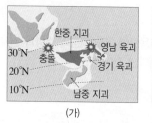 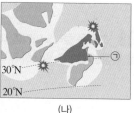

(가)   (나)

이에 대한 설명으로 옳은 것만을 [보기]에서 있는 대로 고른 것은?

[보기]
ㄱ. 낭림 육괴와 경기 육괴는 동일한 지괴에 속해 있었다.
ㄴ. 한중 지괴가 분리되면서 영남 육괴는 시계 방향으로 회전하였다.
ㄷ. (가)와 (나) 시기 사이에 한반도에서는 대보 화강암이 관입하였다.
ㄹ. ㉠에서 에클로자이트가 발견되는 것은 남중 지괴가 적도 부근에서 북상하였다는 주장의 근거가 된다.

① ㄱ, ㄷ   ② ㄱ, ㄹ   ③ ㄴ, ㄷ
④ ㄱ, ㄴ, ㄹ   ⑤ ㄴ, ㄷ, ㄹ

08 그림 (가)와 (나)는 동해의 형성 과정을 나타낸 것이다.

(가)   (나)

이에 대한 설명으로 옳은 것만을 [보기]에서 있는 대로 고른 것은?

[보기]
ㄱ. 동해는 태평양판이 섭입하면서 형성되었다.
ㄴ. A는 해양 지각의 물질이다.
ㄷ. (가) → (나)의 변화는 중생대 중기부터 후기까지 일어났다.

① ㄱ   ② ㄴ   ③ ㄱ, ㄷ
④ ㄴ, ㄷ   ⑤ ㄱ, ㄴ, ㄷ

09 그림은 Al$_2$SiO$_5$로 이루어진 세 변성 광물 A, B, C의 온도와 압력에 따른 안정 영역을 나타낸 것이다.

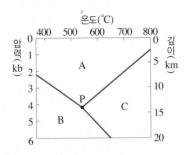

이에 대한 설명으로 옳은 것만을 [보기]에서 있는 대로 고른 것은?

[보기]
ㄱ. A는 규선석이고, B는 남정석이다.
ㄴ. P점에서는 세 광물이 결합하여 새로운 광물이 생성된다.
ㄷ. 편마암에서는 A와 C보다 B와 C가 많이 산출된다.

① ㄱ   ② ㄷ   ③ ㄱ, ㄴ
④ ㄴ, ㄷ   ⑤ ㄱ, ㄴ, ㄷ

10 그림은 어느 지역의 변성암 분포를 나타낸 것이다.

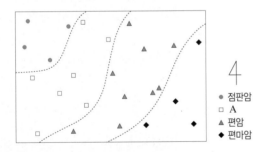

이에 대한 설명으로 옳은 것만을 [보기]에서 있는 대로 고른 것은?

[보기]
ㄱ. A는 대리암이다.
ㄴ. 남동쪽으로 갈수록 변성도가 증가한다.
ㄷ. 이 지역의 북서쪽에는 셰일이 분포할 것이다.

① ㄱ   ② ㄷ   ③ ㄱ, ㄴ
④ ㄴ, ㄷ   ⑤ ㄱ, ㄴ, ㄷ

11 그림은 섭입대 내부의 온도 분포와 변성 작용이 일어나는 환경 A, B를 나타낸 것이다.

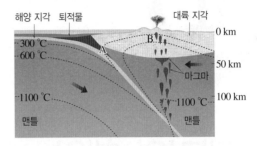

이에 대한 설명으로 옳은 것만을 [보기]에서 있는 대로 고른 것은?

[보기]
ㄱ. A 부근에서는 주로 열과 압력에 의해 변성 작용이 일어난다.
ㄴ. 변성 작용이 일어나는 범위는 A 부근보다 B 부근에서 넓다.
ㄷ. 불국사 화강암에 수반된 변성 작용은 B와 같은 유형이다.

① ㄱ   ② ㄴ   ③ ㄱ, ㄷ
④ ㄴ, ㄷ   ⑤ ㄱ, ㄴ, ㄷ

12 다음은 한반도 형성 과정에서 생성되어 (가)와 (나) 지역에서 산출된 변성암과 지체 구조구를 나타낸 것이다.

지역	(가)	(나)
산출된 변성암	혼펠스	고철질 변성암
지체 구조구	경상 분지	임진강대

이에 대한 설명으로 옳은 것만을 [보기]에서 있는 대로 고른 것은?

[보기]
ㄱ. (가)의 주변 지역에는 셰일이 분포한다.
ㄴ. (나)는 열과 압력에 의해 생성되었다.
ㄷ. (가)는 (나)보다 먼저 생성되었다.

① ㄱ   ② ㄷ   ③ ㄱ, ㄴ
④ ㄴ, ㄷ   ⑤ ㄱ, ㄴ, ㄷ

대기와 해양

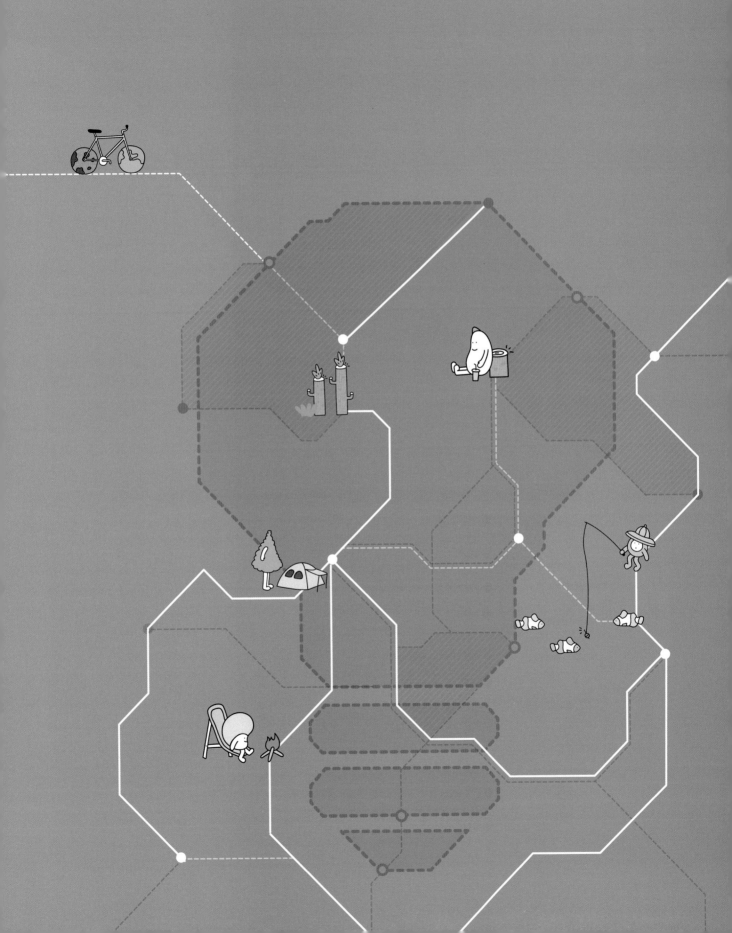

1 해수의 운동과 순환

이 단원을 공부하기 전에 학습 계획을 세우고, 학습 진도를 스스로 체크해 보자.
학습이 미흡했던 부분은 다시 보기에 체크해 두고, 시험 전까지 꼭 완벽히 학습하자!

소단원	학습 내용	학습 일자	다시 보기
01. 해수를 움직이는 힘	Ⓐ 수압 경도력	/	
	Ⓑ 전향력	/	
02. 지형류	Ⓐ 에크만 수송	/	
	Ⓑ 지형류 탐구 해수면 높이와 지형류의 방향	/	
	Ⓒ 서안 경계류와 동안 경계류	/	
03. 해파와 해일	Ⓐ 해파 탐구 해파의 발생과 전파	/	
	Ⓑ 해일	/	
04. 조석	Ⓐ 기조력	/	
	Ⓑ 조석 양상	/	
	Ⓒ 대조와 소조	/	

◆ **표층 해수의 이동(에크만 수송)** 해수면 위에서 바람이 일정한 방향으로 지속적으로 불면, 마찰층 내의 표층 해수는 지구 자전의 영향으로 평균적으로 바람 방향의 90° 방향으로 이동한다.

① **북반구**: 바람 방향의 **❶** [   ] 90° 방향으로 이동한다.

② **남반구**: 바람 방향의 **❷** [   ] 90° 방향으로 이동한다.

◆ **연안 용승과 연안 침강**

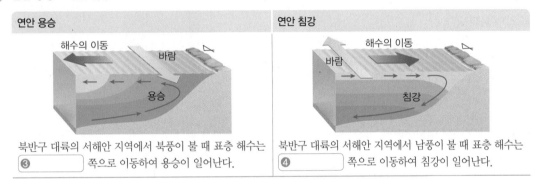

연안 용승	연안 침강
북반구 대륙의 서해안 지역에서 북풍이 불 때 표층 해수는 **❸** [ ] 쪽으로 이동하여 용승이 일어난다.	북반구 대륙의 서해안 지역에서 남풍이 불 때 표층 해수는 **❹** [ ] 쪽으로 이동하여 침강이 일어난다.

◆ **해수의 표층 순환** 대기 대순환의 바람에 의해 발생한다.

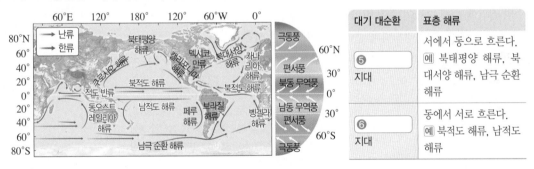

대기 대순환	표층 해류
❺ [ ] 지대	서에서 동으로 흐른다. 예 북태평양 해류, 북대서양 해류, 남극 순환 해류
❻ [ ] 지대	동에서 서로 흐른다. 예 북적도 해류, 남적도 해류

◆ **달의 운동** 달은 지구 주위를 서에서 동으로 공전하며, 위상이 변한다.

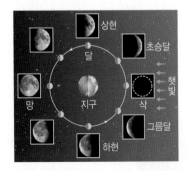

위상	천체 배열	지구에서 보이는 달의 모양
삭	지구 — 달 — 태양	달이 보이지 않는다.
❼ [ ]	달 ㅣ 지구 — 태양	오른쪽 반원이 밝게 보인다.
망	달 — 지구 — 태양	보름달이 보인다.
❽ [ ]	지구 — 태양 ㅣ 달	왼쪽 반원이 밝게 보인다.

01 해수를 움직이는 힘

핵심 포인트
ⓐ 연직 방향의 수압 경도력 ★★
정역학 평형을 이루는 두 힘 ★★★
수평 방향의 수압 경도력 ★★★
ⓑ 전향력의 방향과 크기 ★★★

ⓐ 수압 경도력

지구상의 모든 물체들에는 지구 중심 방향으로 중력이 작용해요. 해수는 중력의 영향을 받고 있지만, 연직 방향으로는 잘 움직이지 않고 수평 방향으로는 잘 움직여요. 해수를 움직이는 힘에 대해 알아볼까요?

1. ❶수압의 크기 깊이가 Z, 밀도가 ρ, 단면적이 A인 물기둥의 수압(P)은 다음과 같이 나타낸다.

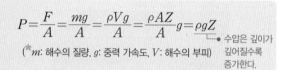

$$P = \frac{F}{A} = \frac{mg}{A} = \frac{\rho Vg}{A} = \frac{\rho AZ}{A}g = \rho gZ$$

(*m: 해수의 질량, g: 중력 가속도, V: 해수의 부피)

• 수압은 깊이가 깊어질수록 증가한다.

⬆ 수압

2. *수압 경도력 수압 차이에 의해 수압이 높은 곳에서 낮은 곳으로 작용하는 힘

(1) 연직 방향의 수압 경도력: 해수는 연직 방향의 수압 경도력과 중력이 평형을 이루는 정역학 평형 상태이기 때문에 연직 방향으로는 잘 이동하지 않는다.

① **연직 방향의 수압 경도력**: 해수의 깊이에 따른 수압 차이로 발생하며, 수심이 깊어질수록 수압이 커지므로 아래에서 위로 작용한다.

② **중력**: 해수의 질량에 의해 중력이 위에서 아래로 작용한다.

③ **정역학 평형**: 연직 방향의 수압 경도력과 중력이 평형을 이룬 상태

해수의 정역학 평형

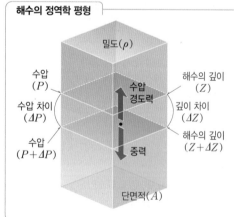

연직 방향의 수압 경도력은 $[(P+\Delta P)-P] \times A$이고, 중력은 $-mg$이다. 수압 경도력은 중력과 정역학 평형을 이루고, 해수의 질량(m)$= \rho A \Delta Z$이므로 다음과 같은 정역학 방정식이 성립된다.

$$[(P+\Delta P)-P] \times A = -mg$$
$$[(P+\Delta P)-P] \times A = -\rho A \Delta Z g$$
$$\Delta P = -\rho g \Delta Z$$

❓➕ 확대경 수심에 따른 수압 변화

해수의 밀도(ρ)가 약 1030 kg/m^3, 중력 가속도(g)가 약 9.80665 m/s^2이라고 할 때, 수심 10 m에서 수압은 다음과 같다. → (1기압$=1013.25 \times 100 \text{ N/m}^2$, $1 \text{ N}=1 \text{ kg·m/s}^2$)

$$\Delta P = -\rho g \Delta Z = -1030 \text{ kg/m}^3 \times 9.80665 \text{ m/s}^2 \times 10 \text{ m}$$
$$= -101008.495 \text{ kg/m·s}^2 = 1\text{기압}$$

이것으로 수심이 10 m씩 깊어질 때마다 수압이 약 1기압씩 증가한다는 것을 알 수 있다.

★ **해수의 질량**
• 질량(m)=밀도(ρ)×부피(V)
• 부피(V)=단면적(A)×높이(Z)
  ➡ 질량(m)=밀도(ρ) ×단면적(A)×높이(Z)

★ **수압 경도력**
두 지점의 압력 차이 때문에 나타나는 힘을 압력 경도력이라고 하는데, 압력 경도력은 압력이 큰 쪽에서 작은 쪽으로 작용한다. 해수에서는 수압 경도력이라 하고, 대기에서는 기압 경도력이라고 한다.

해수의 정역학 평형을 이렇게도 설명해요.

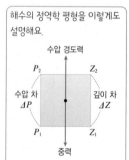

밀도가 ρ로 일정한 단위 부피의 물기둥에 작용하는 연직 방향의 수압 경도력은 $\frac{\Delta P}{\Delta Z}$이고, 중력은 $-\rho g$이며, 두 힘은 평형을 이루므로 $\frac{\Delta P}{\Delta Z} = -\rho g$가 성립한다.

┃용어┃
❶ **수압**(水 물, 壓 압력) 압력은 단위 면적당 작용하는 힘으로, 수압은 단위 면적당 작용하는 물의 압력이다.

(2) **수평 방향의 수압 경도력**: 해수면 경사나 밀도 차이로 수평 방향의 수압 차이가 생기면 해수는 수평 방향으로 이동한다.

① **해수면 경사로 발생하는 수압 경도력**: 밀도가 일정한 해수에서 해수면이 경사져 있을 때, 수압 차이가 발생하고 그에 따라 수압 경도력이 작용한다.

- 방향: 수압이 높은 곳에서 낮은 곳으로 작용한다.
- 크기: 두 지점 사이의 수압 차이(ΔP)에 비례하고, 거리(Δx)에 반비례한다.

해수면 경사로 발생하는 수압 경도력(P_H)

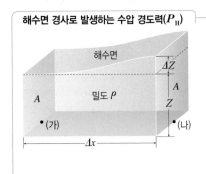

(나) 지점이 (가) 지점보다 물기둥의 높이가 ΔZ만큼 높으므로 수압이 더 높다. ➡ 수압 경도력의 방향: (나) → (가)

❶ 두 지점의 수압 차이: $\Delta P = P_{(나)} - P_{(가)} = \rho g \Delta Z$

❷ 넓이 A에 작용하는 수압 경도력: $\Delta P \times A$

❸ 단위 질량당 수압 경도력: $P_H = \dfrac{1}{m} \times \Delta P \times A$

해수의 질량(m) $= \rho \times A \times \Delta x$이고, $\Delta P = \rho g \Delta Z$이므로

$$P_H = \frac{1}{\rho} \frac{\Delta P}{\Delta x} = g \frac{\Delta Z}{\Delta x} \text{이다.}$$ → 수압 경도력은 해수면 경사($\frac{\Delta Z}{\Delta x}$)에 비례한다.

② **밀도 차이로 발생하는 수압 경도력**: 밑면에서 수압이 같을 때, 어느 깊이에서 밀도가 작은 따뜻한 해수의 수압은 밀도가 큰 찬 해수의 수압보다 높아 수압 차이가 발생하고, 그에 따라 수압 경도력이 작용한다.

밀도 차로 발생하는 수압 경도력

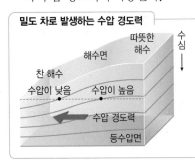

❶ 밑면에서의 수압이 같다면 밀도가 작은 따뜻한 해수의 해수면이 밀도가 큰 찬 해수의 해수면보다 높다.

❷ 수압이 같은 등수압면 사이의 간격은 찬 해수보다 따뜻한 해수에서 더 넓으므로, 등수압면은 찬 해수 쪽으로 기울어진다.

❸ 수압 경도력 방향: 따뜻한 해수 → 찬 해수
　　　　　　　　　　　 수압이 높다.　 수압이 낮다.

B 전향력

1. ❷전향력(코리올리 힘) 지구의 자전으로 생기는 가상의 힘으로, 지구상에서 움직이는 모든 물체는 전향력을 받는다. → 해수가 움직일 때도 전향력이 작용한다.

(1) **방향**: 북반구에서는 물체의 운동 방향에 오른쪽 직각 방향, 남반구에서는 물체의 운동 방향에 왼쪽 직각 방향으로 작용한다.

(2) **크기**: 물체의 속력에 비례하고, 고위도로 갈수록 증가한다.
➡ 정지한 물체, 적도에서는 전향력이 작용하지 않는다.

단위 질량에 작용하는 전향력(C) $= 2v\Omega\sin\varphi$

(v: 물체의 속력, Ω: 지구 자전 각속도, φ: 위도)

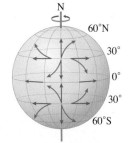

→ 물체의 처음 운동 방향
→ 전향력에 의한 물체의 운동 경로

⬆ 전향력

★ **해수면에 경사가 생기는 경우**

- 바람의 작용으로 해수가 이동하여 해수면 높이가 달라지는 경우
- 해수면 위에 분포하는 기압의 차이가 있을 경우: 해수면 위에 고기압이 형성되면 해수면이 낮고, 해수면 위에 저기압이 형성되면 해수면이 높다. ➡ 저기압의 해수면에서 고기압의 해수면으로 수압 경도력이 작용

주의해

전향력의 영향

수압 경도력은 해류를 발생시키는 힘이다. 반면에 전향력은 해류를 발생시키는 힘은 아니지만, 해류의 이동 방향을 휘어지게 한다. 전향력은 운동 속도가 있을 때 작용하여, 유속에는 영향을 주지 않고 흐름의 방향만 바꾼다.

★ **지구 자전 각속도**

- 지구 자전 각속도:

$$\Omega = \frac{2\pi}{24h} \fallingdotseq 7.27 \times 10^{-5}/s$$

- 위도별 자전 각속도:
$\Omega\sin\varphi$

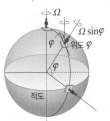

용어

❷ 전향력(轉 바꾸다, 向 향하다, 力 힘) 물체의 운동 방향에 직각으로 작용하여 물체의 이동 방향을 바꾸는 힘

2. 회전계 밖과 안에서 물체의 운동 방향 시계 반대 방향으로 회전하는 회전판에서 공을 던지면, 회전계 밖과 안에서 물체의 운동 경로가 다르게 보인다.

회전하지 않을 때	회전할 때 회전계 밖의 관찰자	회전할 때 회전계 안의 관찰자

전향력이 작용하지 않아 공이 직선으로 움직이는 것으로 보인다.	회전계 안 사람의 위치가 변하고, 공은 똑바로 움직이는 것으로 보인다.	공의 방향이 휘어지는 것처럼 보인다. ─▶ 관찰자가 회전하기 때문에 나타나는 겉보기 현상으로, 물체에 힘이 작용하는 것처럼 보인다.(전향력)

궁금해

하수구 물의 소용돌이는 전향력 때문에 생길까?
하수구의 물이 이동할 때도 전향력의 영향을 받지만 운동 규모가 매우 작고, 속도가 느리므로 전향력 때문에 소용돌이가 발생하는 것은 아니다. 물의 속도 차이에 의해 난류가 발생하여 회전하는 것이다.

개념 확인 문제

정답친해 71쪽

핵심체크

- (**①**   ): 수압 차이에 의해 수압이 높은 곳에서 낮은 곳으로 작용하는 힘
- 정역학 평형: 해수의 연직 방향의 수압 경도력과 (**②**   )이 평형을 이룬 상태
- 수평 방향의 수압 경도력: 해수면 (**③**   )나 밀도 차이에 의해 발생하며, 해수를 수평 방향으로 이동시킨다.
- (**④**   ): 지구의 자전으로 생기는 가상의 힘으로, 물체의 운동 방향을 변하게 한다.

1 해수에 작용하는 힘에 대한 설명으로 옳은 것은 ○, 옳지 않은 것은 ×로 표시하시오.

(1) 수압 차이가 클수록 수압 경도력이 크다. ─── (   )

(2) 해수의 밀도가 균일하지 않을 때는 수압 경도력이 발생하지 않는다. ─────────── (   )

(3) 전향력은 해수를 이동시키는 힘이다. ────── (   )

(4) 같은 위도를 따라 이동하는 물체에는 전향력이 작용하지 않는다. ───────────── (   )

2 그림은 정역학 평형 상태인 해수 덩어리를 나타낸 것이다.

(1) (가)와 (나)에 해당하는 힘을 쓰시오.

(2) 해수의 정역학 평형 조건을 만족하는 식을 쓰시오.

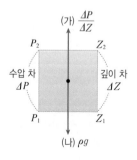

3 수평 방향으로 작용하는 수압 경도력에 대한 설명 중 (   ) 안에 알맞은 말을 고르시오.

(1) 수압 경도력은 해수면이 ㉠(높은, 낮은) 쪽에서 해수면이 ㉡(높은, 낮은) 쪽으로 작용한다.

(2) 수압 경도력의 크기는 수압 차이에 ㉠(비례, 반비례)하고, 두 지점 사이의 거리에 ㉡(비례, 반비례)한다.

(3) 밑면에서의 수압이 같을 때, (따뜻한 해수에서 찬 해수, 찬 해수에서 따뜻한 해수) 쪽으로 수압 경도력이 작용하여 해수가 이동한다.

4 전향력에 대한 설명 중 (   ) 안에 알맞은 말을 쓰시오.

(1) 북반구에서는 물체의 운동 방향에 ㉠(   ) 직각 방향으로 작용하고, 남반구에서는 물체의 운동 방향에 ㉡(   ) 직각 방향으로 작용한다.

(2) 전향력 크기는 물체의 속력이 빠를수록 (   ).

(3) 전향력 크기는 저위도로 갈수록 (   ).

대표 자료 분석

자료 ① 수평 방향의 수압 경도력

기출 Point
• 수평 방향의 수압 경도력의 특성 알기
• 수압 경도력을 변화시키는 요인 이해하기

[1~4] 그림은 밀도가 일정한 해수에서 경사져 있는 해수면을 나타낸 것이다.

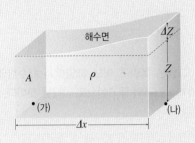

1 (가)와 (나)에서 수압 차이에 의해 수평 방향으로 작용하는 힘의 방향을 쓰시오.

2 (가)와 (나) 사이의 수압 차이를 ΔP라고 할 때, ΔP와 ΔZ의 관계식을 쓰시오.

3 단위 질량의 해수에 작용하는 수압 경도력(P_H)을 해수면의 기울기로 나타내시오.

4 빈출 선택지로 완벽 정리!

(1) 해수면이 기울어져 있으면 수압 경도력이 발생한다.
⋯⋯⋯⋯⋯⋯⋯⋯⋯⋯⋯⋯⋯⋯⋯ (○ / ×)

(2) 수압 경도력은 해수면이 높은 곳에서 낮은 곳으로 작용한다. ⋯⋯⋯⋯⋯⋯⋯⋯⋯⋯⋯ (○ / ×)

(3) Δx가 변하지 않고 ΔZ가 커지면 수압 경도력은 커진다. ⋯⋯⋯⋯⋯⋯⋯⋯⋯⋯⋯⋯⋯ (○ / ×)

(4) $\dfrac{\Delta Z}{\Delta x}$가 커지면 수압 경도력은 작아진다. ⋯ (○ / ×)

자료 ② 전향력

기출 Point
• 전향력의 특성 알기
• 전향력의 작용 방향 이해하기

[1~4] 다음은 회전하는 원반을 이용하여 움직이는 물체에 작용하는 전향력을 알아보는 실험이다.

[실험 과정]
회전판을 준비하고, 쇠구슬을 P에서 A 방향으로 다음 두 가지 조건에서 같은 속도로 굴린다.
(가) 회전판을 돌리지 않은 상태
(나) 회전판을 적당한 속도로 시계 반대 방향으로 돌린 상태

[실험 결과]
회전판 위에서 쇠구슬의 궤적이 그림과 같이 (가)에서는 A로, (나)에서는 B로 나타났다.

1 회전계 밖에서 볼 때, (가)와 (나)에서 관측되는 쇠구슬의 궤적을 A와 B 중에서 각각 고르시오.

2 회전판 위에서는 이동하는 물체의 운동 방향을 휘게 하는 가상의 힘인 ( )이 작용한다.

3 위 실험 결과는 ㉠(남반구, 북반구)에서 나타나는 물체의 이동 경로와 같으며, 적도 지방에서는 (가), (나)일 때 물체의 이동 경로가 ㉡(A, B)와 같이 나타난다.

4 빈출 선택지로 완벽 정리!

(1) 지구가 자전하지 않으면 전향력은 작용하지 않는다.
⋯⋯⋯⋯⋯⋯⋯⋯⋯⋯⋯⋯⋯⋯⋯ (○ / ×)

(2) (나)에서 쇠구슬의 궤적은 회전판 안과 밖의 관측자에게 동일하게 나타난다. ⋯⋯⋯⋯⋯ (○ / ×)

(3) 원반의 회전 방향이 시계 방향이 되면 B는 A의 왼쪽 방향으로 휘어진다. ⋯⋯⋯⋯⋯⋯⋯⋯⋯ (○ / ×)

내신 만점 문제

A 수압 경도력

01 수압 경도력에 대한 설명으로 옳지 <u>않은</u> 것은?

① 수압 경도력의 크기는 수압 차이에 비례한다.

② 수압 경도력은 수압이 높은 곳에서 낮은 곳으로 작용한다.

③ 연직 방향의 수압 경도력은 중력과 같은 방향으로 작용한다.

④ 바람이나 기압 차이로 해수면에 경사가 생기면 수압 경도력이 발생한다.

⑤ 해수의 밀도 차이에 의해서 수압 경도력이 발생한다.

[02~03] 그림은 정역학 평형 상태에 있는 해수로 이루어진 물기둥을 나타낸 것이다.

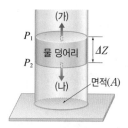

02 물 덩어리가 바닥에 작용하는 힘을 P_1, P_2, A를 이용하여 식으로 나타내시오.

03 물 덩어리에 작용하는 두 힘 (가)와 (나)에 대한 설명으로 옳은 것만을 [보기]에서 있는 대로 고른 것은?

─[보기]─

ㄱ. (가)는 수압 차이에 의해 발생하는 힘이다.

ㄴ. (가)와 (나)의 크기는 같다.

ㄷ. (가)에 의해 해수의 이동이 일어난다.

① ㄱ   ② ㄷ   ③ ㄱ, ㄴ

④ ㄴ, ㄷ   ⑤ ㄱ, ㄴ, ㄷ

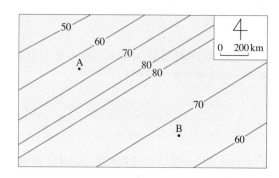

서술형

04 다음에 주어진 물리량과 정역학 방정식을 이용하여 물 속에서 수심이 $1000\ m$ 깊어질 때마다 수압은 몇 기압씩 높아지는지 식을 세워 계산하시오. (단, $1\ N = 1\ kg \cdot m/s^2$이다.)

- 해수의 밀도 = $1030\ kg/m^3$
- 중력 가속도(g) = $9.8\ m/s^2$
- 1기압 = $1013.25 \times 100\ N/m^2$

[05~06] 그림은 북반구 어느 해양에서 해수면의 상대적인 높이를 $10\ cm$ 간격의 등고선으로 나타낸 것이다. (단, 해수의 밀도는 같다.)

05 A와 B 지점에 작용하는 수압 경도력의 방향을 옳게 짝지은 것은?

	A	B		A	B
①	↙	↙	②	↘	↘
③	↘	↘	④	↙	↘
⑤	↗	↙			

06 A와 B 지점에서 해수면의 기울기와 수압 경도력의 크기를 옳게 비교한 것은?

	해수면의 기울기	수압 경도력
①	A > B	A > B
②	A > B	A < B
③	A < B	A > B
④	A < B	A < B
⑤	A < B	A = B

07 그림은 어느 해역에서 등수압면을 나타낸 것이다.

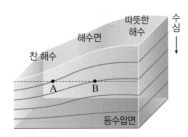

이에 대한 설명으로 옳은 것은?

① 수심이 깊어질수록 수압이 낮다.
② 수압은 A 지점이 B 지점보다 높다.
③ 수압 경도력은 A 지점에서 B 지점으로 작용한다.
④ 밀도는 A 지점이 B 지점보다 크다.
⑤ 해수는 연직 방향으로 이동한다.

08 서술형 해수는 연직 운동보다 수평 운동이 활발하다. 해수가 연직 방향으로는 잘 움직이지 않는 까닭을 서술하시오.

B 전향력

09 그림과 같이 적도에 위치한 (나) 지점에서 고위도인 (가)와 (다) 지점을 향해 각각 미사일을 발사하였다.

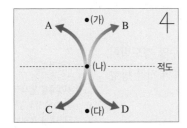

지표에 있는 관측자가 보았을 때, (나) 지점에서 미사일이 날아간 궤적을 A~D 중에서 골라 옳게 짝 지은 것은?

	(가)	(다)		(가)	(다)
①	A	C	②	A	D
③	B	A	④	B	C
⑤	B	D			

10 그림은 지표상의 A~C 지점에서 물체를 던진 방향을 나타낸 것이다.

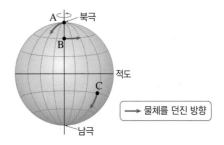

이에 대한 설명으로 옳은 것만을 [보기]에서 있는 대로 고른 것은? (단, 물체의 이동 속력은 같다.)

[보기]
ㄱ. A에서 물체의 이동 방향은 동쪽으로 치우친다.
ㄴ. B에서 물체의 이동 방향은 물체를 던진 방향과 같다.
ㄷ. 전향력은 C보다 A에서 크다.

① ㄱ　　② ㄷ　　③ ㄱ, ㄴ
④ ㄴ, ㄷ　　⑤ ㄱ, ㄴ, ㄷ

11 그림은 지구 자전에 따른 수직축에 대한 지표면의 회전 각속도를 위도별로 나타낸 것이다.

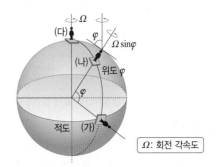

이에 대한 설명으로 옳은 것만을 [보기]에서 있는 대로 고른 것은?

[보기]
ㄱ. 회전 각속도가 가장 빠른 곳은 (다)이다.
ㄴ. 지표면이 회전하지 않는 곳은 (가)이다.
ㄷ. 위도가 높아짐에 따라 회전 각속도는 커진다.

① ㄱ　　② ㄷ　　③ ㄱ, ㄴ
④ ㄴ, ㄷ　　⑤ ㄱ, ㄴ, ㄷ

02 지형류

핵심 포인트
- 에크만 수송이 일어나는 방향 ★★
- 지형류 형성과 작용하는 힘 ★★★
  북반구 아열대 해양의 지형류 형성 ★★
- 서안 강화 현상의 발생 원인과 특징 ★★
  서안 경계류와 동안 경계류의 특징 ★★★

A 에크만 수송

해수면 위에서 지속적으로 일정한 방향으로 바람이 불면 에크만 수송이 일어나고, 에크만 수송의 영향으로 해수면 경사가 생기면 지형류가 발생해요.

1. *에크만 수송

(1) **에크만 나선:** 해수면 위에서 바람이 일정한 방향으로 지속적으로 불면, 표면 해수가 전향력을 받아 북반구에서는 바람 방향의 오른쪽 45° 방향으로 흐른다. 수심이 깊어질수록 유속은 느려지고, 해수의 이동 방향은 점점 더 오른쪽으로 휘어진다. ➡ 이러한 운동을 수평면에 투영하면 나선이 그려지므로 에크만 나선이라고 한다.

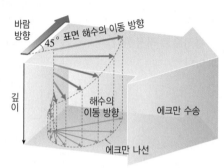
⬆ 에크만 나선과 에크만 수송

① **마찰 저항 심도:** 에크만 나선에서 해수의 이동 방향이 표면과 정반대가 되는 깊이 → 유속이 가장 작다.
② **마찰층(에크만층):** 해수 표면에서 마찰 저항 심도까지의 층으로, 수심 약 $100\,\text{m} \sim 200\,\text{m}$까지이다. 바람이 강할수록, 전향력이 약할수록 두꺼워진다.

(2) **에크만 수송:** 마찰층에서 평균적인 해수의 이동으로, 바람 방향의 90° 방향으로 일어난다.
① **북반구:** *에크만 수송이 바람 방향의 오른쪽 90° 방향으로 일어난다.
② **남반구:** 에크만 수송이 바람 방향의 왼쪽 90° 방향으로 일어난다.

B 지형류

1. 지형류 수압 경도력과 전향력이 평형을 이루는 상태에서 흐르는 해류

(1) **지형류의 발생:** 에크만 수송에 의해 해수가 이동하면 해수면 경사가 생기고, 수압 경도력이 작용하여 해수가 이동하기 시작한다. 전향력에 의해 휘어지다가 수압 경도력의 직각 방향으로 등수압선에 나란하게 지형류가 흐른다.

지형류의 발생 과정(북반구)

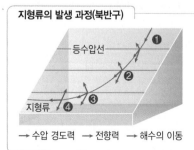

→ 수압 경도력 → 전향력 → 해수의 이동

❶ 수압 경도력이 작용하여 해수는 수압이 낮은 곳으로 이동한다.
❷ 해수가 이동하면 전향력이 작용하여 해수의 이동 방향이 오른쪽으로 휘어진다.
❸ 해수의 유속이 빨라지고, 전향력이 커지면서 해수의 이동 방향은 계속 휘어진다.
❹ 전향력이 수압 경도력과 크기가 같고 방향이 반대가 되면, 두 힘이 평형을 이루어 등수압선에 나란하게 지형류가 흐른다.

★ **에크만**
스웨덴의 해양 물리학자로, 난센이 관찰하였던 빙산의 이동 모습을 수학적으로 설명하여 해류 이론의 기초를 세웠다.

★ **북반구의 해수면에 저기압과 고기압이 위치할 때 에크만 수송**
• **저기압:** 중심 부근에서는 해수가 발산하여 주위보다 해수면이 낮아진다.

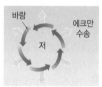

• **고기압:** 중심 부근에서는 해수가 수렴하여 주위보다 해수면이 높아진다.

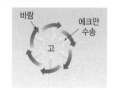

궁금해
지형류를 일으키는 해수면의 경사는 어느 정도일까?
지형류를 유지하는 해수면의 경사는 $\dfrac{1}{100000}$로, 매우 작아서 수온 약층이 기울어진 정도로 계산하여 추정한다. 쿠로시오 해류의 해수면 경사는 수평 거리 약 $400\,\text{km}$에 해수면 높이 차이가 약 $1\,\text{m}$에 불과하지만, 지형류가 발생하여 흐른다.

(2) **지형류 평형**: 수압 경도력과 전향력이 평형을 이룬 상태로, 두 힘의 크기는 같고 방향은 반대이다. ➡ 해양의 거의 모든 해류는 지형류 평형 상태에서 흐른다.

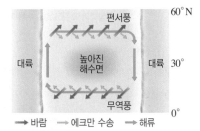
⬆ **지형류 평형(북반구)**

(3) **지형류의 방향**

① 북반구: 수압 경도력의 오른쪽 90° 방향

② 남반구: 수압 경도력의 왼쪽 90° 방향

(4) **지형류의 속력**: 저위도로 갈수록, 해수면의 경사가 클수록 빠르다.

3. **북반구 아열대 해양의 지형류 형성** 북반구 아열대 해양에서는 무역풍과 편서풍이 해수의 에크만 수송을 일으켜 지형류가 발생한다.

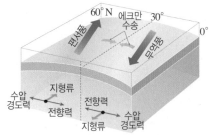
⬆ **북반구 아열대 해양에서 지형류 발생**

⬆ **아열대 순환(북반구)**

(1) **에크만 수송**: 무역풍은 해수를 바람 방향의 오른쪽 직각 방향인 북쪽으로 이동시키고, 편서풍은 해수를 바람 방향의 오른쪽 직각 방향인 남쪽으로 이동시킨다.

(2) **해수면 경사**: 해수의 이동으로 위도 30°N 부근의 해수면 높이가 상승하며 해수면이 높은 곳에서 낮은 곳으로 수압 경도력이 발생한다.

(3) **지형류 형성**: 전향력이 수압 경도력의 반대 방향으로 작용하여 평형을 이루면, 무역풍대에서는 동에서 서로, 편서풍대에서는 서에서 동으로 지형류가 흐른다.
└─예 북적도 해류   └─예 북태평양 해류

(4) **아열대 순환 형성**: 위도와 나란하게 흐르던 지형류가 대륙에 부딪혀 이동 방향이 휘어지면서 환류를 이루어 시계 방향의 아열대 순환이 형성된다. ➡ 남반구에서는 시계 반대 방향으로 흐른다.

탐구 자료창 **해수면 높이와 지형류의 방향**

그림 (가)는 태평양의 해수면 높이를, (나)는 쿠로시오 해류가 흐르는 A 해역의 수온 연직 분포를 나타낸 것이다.

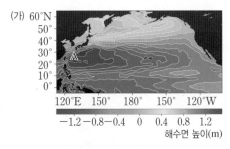

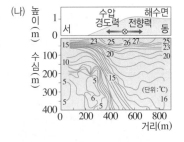

1. **태평양의 해수면 높이**: 대양의 중심 쪽이 높고 바깥쪽으로 갈수록 낮다. ➡ 수압 경도력이 중심에서 바깥쪽으로 작용하므로 지형류가 등고선에 나란하게 흐르며 환류를 이룬다.

2. **A 해역의 해수면 높이**: 수온이 높은 동쪽의 해수면이 더 높다. ➡ 수압 경도력이 서쪽으로 작용하고, 전향력은 동쪽으로 작용하여 지형류가 북쪽인 ⊗ 방향으로 흐른다. (쿠로시오 해류)

★ **지형류의 속력**

그림과 같은 단위 질량의 물 덩어리의 유속을 지형류 평형으로 유도하면 다음과 같다.

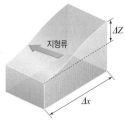

• 수압 경도력 $P_H = g\dfrac{\Delta Z}{\Delta x}$

• 전향력 $C = 2v\Omega\sin\varphi$

• 지형류 평형(수압 경도력=전향력)

$$g\dfrac{\Delta Z}{\Delta x} = 2v\Omega\sin\varphi$$

• 지형류의 속력(v)

$$v = \dfrac{1}{2\Omega\sin\varphi}\cdot g\dfrac{\Delta Z}{\Delta x}$$
└─● 유속은 해수면 경사($\dfrac{\Delta Z}{\Delta x}$)가 같을 때 고위도로 갈수록 느리고, 같은 위도에서는 해수면 경사가 클수록 빠르다.

암기해

에크만 수송의 방향
• 북반구: 풍향의 오른쪽 90°
• 남반구: 풍향의 왼쪽 90°

지형류의 방향
• 북반구: 수압 경도력의 오른쪽 90°
• 남반구: 수압 경도력의 왼쪽 90°

지형류의 속력
• 저위도일수록 빠르다.
• 해수면 경사가 클수록 빠르다.

C 서안 경계류와 동안 경계류

1. 서안 강화 현상 아열대 순환에서 해양의 서쪽에서 해류가 더 강하게 흐르는 현상

(1) 원인: *스토멜은 전향력의 크기가 고위도로 갈수록 커지기 때문에 발생한다고 설명하였다.

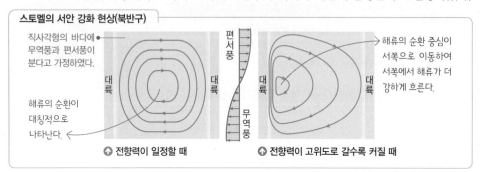

스토멜의 서안 강화 현상(북반구)

- 직사각형의 바다에 무역풍과 편서풍이 분다고 가정하였다.
- 해류의 순환이 대칭적으로 나타난다.
- 편서풍
- 무역풍
- 해류의 순환 중심이 서쪽으로 이동하여 서쪽에서 해류가 더 강하게 흐른다.
- 대륙

⬆ 전향력이 일정할 때　　⬆ 전향력이 고위도로 갈수록 커질 때

(2) **지형류의 세기**: 아열대 해양에서 순환의 중심이 서쪽으로 치우치므로 수압 경도력이 해양의 동쪽보다 서쪽에서 더 크기 때문에 해양의 서쪽에서 지형류가 더 강하게 흐른다.

⬆ 서안 강화 현상과 지형류

2. 서안 경계류와 동안 경계류

(1) **서안 경계류**: 해양의 서쪽을 따라 고위도 쪽으로 좁고 빠르게 흐르는 해류

(2) **동안 경계류**: 해양의 동쪽을 따라 저위도 쪽으로 비교적 넓고 느리게 흐르는 해류

북 / 서안 경계류 / 동안 경계류
- 폭이 좁고, 깊고, 따뜻하며, 강한 흐름
- 폭이 넓고, 얕고, 차며, 약한 흐름

⬆ 서안 경계류와 동안 경계류

구분	서안 경계류	동안 경계류
흐름의 특징	• 폭이 좁다. 100 km 이내 • 깊이가 깊다. 2 km까지 • 유속이 빠르다. 수백 km/일 • 유량이 많다. 50 Sv~100 Sv 이상	• 폭이 넓다. 1000 km까지 • 깊이가 얕다. 0.5 km 이내 • 유속이 느리다. 수십 km/일 • 유량이 적다. 10 Sv~15 Sv 정도
해수의 성질	• 저위도에서 고위도로 흐르는 난류 • 고온 고염분의 해수 • 영양 염류와 용존 산소량이 적다.	• 고위도에서 저위도로 흐르는 한류 • 저온 저염분의 해수 • 영양 염류와 용존 산소량이 많다.
예	쿠로시오 해류, 멕시코만류	캘리포니아 해류, 카나리아 해류
전 세계의 주요 해류	난류 / 한류 북태평양 해류, 북대서양 해류, 쿠로시오 해류, 캘리포니아 해류, 카나리아 해류, 북태평양 환류, 북적도 해류, 북대서양 환류, 멕시코 만류, 적도 반류, 동오스트레일리아 해류, 인도양 환류, 남적도 해류, 남태평양 환류, 페루 해류, 브라질 해류, 남대서양 환류, 벵겔라 해류, 남극 순환 해류	남극해에서는 대륙이 없기 때문에 남극 주위를 위도와 나란하게 해류가 흐른다.

★ 스토멜
미국의 해양학자로, 해류 대순환을 지구 자전과 연관시켜 설명한 서안 강화 이론을 발표하였다.

전향력이 고위도로 갈수록 커지므로 적도 부근에서 서쪽으로 흐르는 해류가 극 쪽으로 편향되는 것보다 고위도에서 동쪽으로 흐르는 해류가 적도 쪽으로 편향되기 쉬워요. 따라서 동쪽 경계에서는 해류가 퍼지면서 느려지고, 서쪽 경계에서는 해류가 집중되어 빨라집니다.

★ 해수의 운반 단위
Sv는 해류에 의해 이동하는 해수의 운반량을 나타내는 단위로, 1 Sv는 $10^6 \, m^3/s$이다.

암기해
서안 경계류와 동안 경계류

구분	서안 경계류	동안 경계류
이동 방향	저위도 → 고위도	고위도 → 저위도
폭	좁다	넓다
깊이	깊다	얕다
유량	많다	적다
유속	빠르다	느리다

개념 확인 문제

정답친해 73쪽

핵심
체크

- (❶   ): 마찰층에서 평균적인 해수의 이동
  ➡ 방향: 북반구에서는 바람 방향의 (❷   ) 90° 방향으로 일어난다.
  ┌ 마찰 저항 심도: 에크만 나선에서 해수의 이동 방향이 표면과 정반대가 되는 깊이
  └ (❸   ): 해수 표면에서 마찰 저항 심도까지의 층
- 지형류: (❹   )과 전향력이 평형을 이루는 상태에서 흐르는 해류
  ➡ 방향: 북반구에서는 수압 경도력의 (❺   ) 90° 방향으로 흐른다.
- 서안 강화 현상: 아열대 순환에서 해양의 (❻   )쪽에서 해류가 더 강하게 흐르는 현상
  ┌ (❼   ) 경계류: 해양의 서쪽을 따라 저위도에서 고위도로 좁고 빠르게 흐르는 해류
  └ (❽   ) 경계류: 해양의 동쪽을 따라 고위도에서 저위도로 넓고 느리게 흐르는 해류

1 북반구 어느 지역의 바다 위에서 그림과 같은 남서풍이 지속적으로 불고 있다.

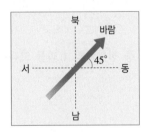

(1) 표면 해수가 흘러가는 방향을 쓰시오.

(2) 에크만 나선 운동으로 마찰층에서 유속이 가장 작은 흐름이 일어나는 방향을 쓰시오.

(3) 에크만 수송이 일어나는 방향을 쓰시오.

2 지형류에 대한 설명으로 옳은 것은 ○, 옳지 **않은** 것은 ×로 표시하시오.

(1) 지형류에 작용하는 수압 경도력과 전향력의 방향은 항상 반대이다. ……………………………… (   )
(2) 북반구에서는 지형류가 수압 경도력의 왼쪽 직각 방향으로 흐른다. ………………………………… (   )
(3) 유속이 빨라지면 전향력의 크기는 작아진다. (   )
(4) 해수면의 경사가 급할수록 유속이 빠르다. …… (   )
(5) 지형류는 등수압선에 나란하게 흐른다. ……… (   )

3 그림은 북반구 어느 해역에서 해수면 경사에 의해 지형류가 흐를 때 작용하는 힘 A, B를 나타낸 것이다.

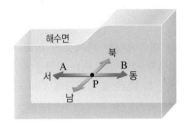

(1) A와 B에 해당하는 힘을 쓰시오.

(2) A와 B의 크기를 등호나 부등호로 비교하시오.

(3) 지형류가 흐르는 방향을 쓰시오.

(4) 해수면 경사가 커질 때 A와 B의 크기 변화를 쓰시오.

4 그림은 북반구에서 흐르는 아열대 순환을 나타낸 것이다.

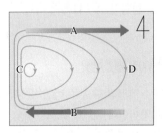

(1) A와 B에서 부는 대기 대순환의 바람을 각각 쓰시오.

(2) C와 D에서 흐르는 경계류의 이름을 각각 쓰시오.

(3) C에서 흐르는 해류는 D에서 흐르는 해류보다 폭이 ㉠(좁고, 넓고), 유속이 ㉡(느리다, 빠르다).

대표 자료 분석

🏠 학교 시험에 자주 출제되는 대표 자료와 그 자료에 대한 문제를 통해 자료를 완벽하게 이해할 수 있다.

자료 ① 아열대 해양의 지형류

기출 Point
• 에크만 수송에 따른 아열대 해역의 해수면 높이 변화 알기
• 아열대 해양에 흐르는 지형류에 작용하는 힘 해석하기

[1~5] 그림은 북반구에서 무역풍과 편서풍이 부는 해역의 해수 단면을 나타낸 것이다.

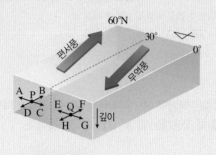

1 아열대 해역에서는 편서풍에 의해 에크만 수송이 ㉠(남, 북)쪽으로 일어나고, 무역풍에 의해 에크만 수송이 ㉡(남, 북)쪽으로 일어난다.

2 위도 30°N 해역의 해수면 높이는 주변 해역보다 (낮다, 높다).

3 수압 경도력은 편서풍대에서 ㉠(남, 북)쪽으로, 무역풍대에서 ㉡(남, 북)쪽으로 작용한다.

4 편서풍대의 P 지점과 무역풍대의 Q 지점에서 흐르는 지형류의 방향을 A~H에서 각각 고르시오.

5 빈출 선택지로 완벽 정리!!

(1) 그림에서 에크만 수송은 바람 방향의 오른쪽 90° 방향으로 일어난다. ·· (◯ / ✕)
(2) P 지점에서 작용하는 수압 경도력과 전향력의 방향은 같고, 크기는 다르다. ···························· (◯ / ✕)
(3) Q 지점에서 전향력은 G로 작용한다. ········· (◯ / ✕)
(4) 위도 0°~30°N 해역에서 지형류는 무역풍의 오른쪽 직각 방향으로 흐른다. ···························· (◯ / ✕)

자료 ② 서안 경계류와 동안 경계류

기출 Point
• 서안 강화 현상이 일어나는 원인 이해하기
• 서안 경계류와 동안 경계류의 특징 비교하기

[1~4] 그림 (가)와 (나)는 북반구의 아열대 해양에서 나타나는 해류의 분포로, 위도에 따른 전향력의 효과를 고려한 경우와 무시한 경우를 순서 없이 나타낸 것이다.

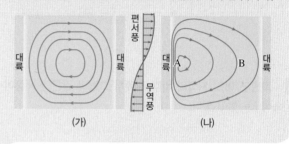

1 (가)와 (나) 중 전향력의 효과를 고려한 해수의 순환을 쓰시오.

2 (나)에서 순환 중심과 가장자리의 해수면 높이를 비교하시오.

3 북태평양의 아열대 해역에서 A와 B에 해당하는 해류는 무엇인지 각각 쓰시오.

4 빈출 선택지로 완벽 정리!!

(1) 아열대 해양에서 실제 해수의 흐름은 (가)에 가깝다. ·· (◯ / ✕)
(2) A는 B보다 폭이 좁고, 유속이 빠르다. ······· (◯ / ✕)
(3) A보다 B에서 수압 경도력은 더 크다. ········· (◯ / ✕)
(4) 해수면 경사는 B보다 A 해역에서 급하다. (◯ / ✕)
(5) (나)에서 순환하는 해류에 작용하는 전향력은 모두 순환의 바깥쪽으로 작용한다. ···················· (◯ / ✕)

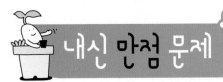

A 에크만 수송

01 그림은 어느 해역에서 일정한 방향으로 바람이 지속적으로 불 때 깊이에 따른 해수의 이동 방향과 속도를 나타낸 것이다.

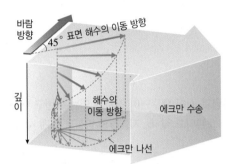

이에 대한 설명으로 옳은 것은?

① 이 해역은 남반구이다.
② 수심이 깊어질수록 유속이 점점 커진다.
③ 해수 표면에서 해저까지의 층을 마찰층이라고 한다.
④ 바람의 세기가 약할수록 에크만 수송이 강하게 일어난다.
⑤ 에크만 수송은 풍향의 오른쪽 직각 방향으로 나타난다.

02 그림은 북반구에서 연안을 따라 바람이 부는 모습을 나타낸 것이다.

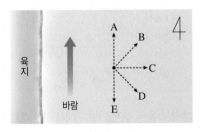

바람에 의한 (가) 표면 해수의 이동 방향과 (나) 에크만 수송의 방향을 옳게 짝 지은 것은?

	(가)	(나)		(가)	(나)
①	A	E	②	B	C
③	C	B	④	C	D
⑤	E	D			

03 남반구에서 해수면에 바람이 지속적으로 불 때 에크만 이론에 따른 해수의 이동 방향과 유속을 옳게 나타낸 것은? (단, 화살표의 방향은 해수의 이동 방향, 화살표의 길이는 유속, 숫자는 수심을 나타낸다.)

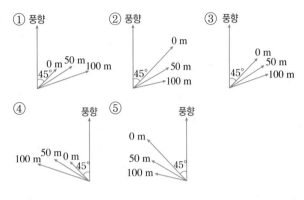

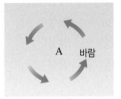

서술형

04 그림은 북반구의 저기압 중심 부근에서 부는 바람을 나타낸 것이다.
에크만 수송 방향을 화살표로 그리고, A 부근에서 해수의 수렴 또는 발산을 서술하시오.

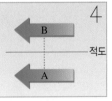

05 그림은 적도 부근의 해수면 위에 지속적으로 부는 바람을 나타낸 것이다.
A−B를 따라 자른 해수의 단면으로 옳은 것은?

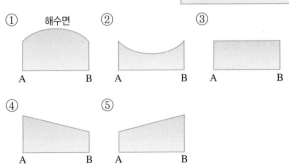

B 지형류

06 그림은 북반구의 어느 해역에서 지형류의 발생 과정을 모식적으로 나타낸 것이다.

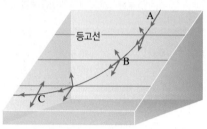

→ 수압 경도력   → 전향력   → 해수의 이동

C에서 지형류 평형 상태에 도달하였다고 할 때, A~C 과정에서 수압 경도력, 유속, 전향력의 크기 변화를 옳게 짝 지은 것은?

	수압 경도력	유속	전향력
①	커짐	커짐	커짐
②	커짐	커짐	일정
③	일정	일정	커짐
④	일정	커짐	일정
⑤	일정	커짐	커짐

07 그림은 북반구 어느 해역에서 경사진 해수면에 의해 흐르는 지형류와 그에 작용하는 힘을 나타낸 것이다.

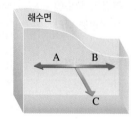

이에 대한 설명으로 옳지 <u>않은</u> 것은?

① A는 전향력이다.
② B는 해수를 움직이게 하는 원인이 되는 힘이다.
③ 지형류가 흐르는 방향은 C이다.
④ A는 B와 크기가 같다.
⑤ 해수면 경사가 커져도 A의 크기는 변하지 않는다.

08 그림은 어느 해역에서 지형류가 흐를 때, 해수면 경사를 나타낸 것이다.

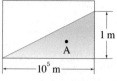

(1) A 지점에 작용하는 수압 경도력과 전향력의 방향을 화살표로 각각 표시하시오.
(2) 지형류의 속력은 몇 m/s인지 식을 세워 구하시오. (단, $2\Omega\sin\varphi ≒ 10^{-4}$/s, $g ≒ 10$ m/s²이다.)

09 그림과 같이 해수면이 경사져 있는 북반구 어느 해역에 지형류가 흐른다고 할 때, 지형류의 방향을 옳게 나타낸 것은?

① A   ② B   ③ C
④ D   ⑤ E

10 그림은 북반구에서 쿠로시오 해류가 흐르는 해역의 수온 연직 분포를 나타낸 것이다.

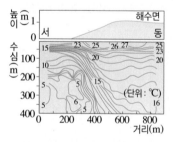

이에 대한 설명으로 옳은 것만을 [보기]에서 있는 대로 고른 것은?

─[보기]─
ㄱ. 수온이 높은 곳에서 해수면이 높다.
ㄴ. 수압 경도력은 서쪽으로 작용한다.
ㄷ. 쿠로시오 해류는 서쪽으로 흐른다.

① ㄱ   ② ㄷ   ③ ㄱ, ㄴ
④ ㄴ, ㄷ   ⑤ ㄱ, ㄴ, ㄷ

C 서안 경계류와 동안 경계류

11 지구의 자전 효과를 고려했을 때, 북태평양에서 아열대 해류의 순환 모형을 가장 잘 나타낸 것은?

① 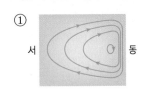 ②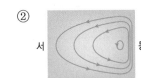

③ 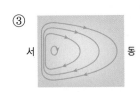 ④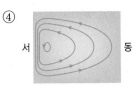

⑤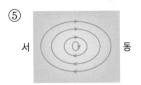

12 그림은 북반구의 아열대 해양에서 위도에 따라 전향력이 일정한 경우와 일정하지 않은 경우에 해류 순환을 순서 없이 나타낸 것이다.

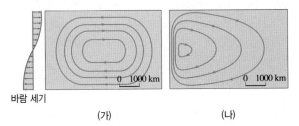

이에 대한 설명으로 옳은 것만을 [보기]에서 있는 대로 고른 것은?

[보기]
ㄱ. (가)는 고위도로 갈수록 전향력이 커지는 경우에 해당한다.
ㄴ. 서안 강화 현상은 (나)에서 나타난다.
ㄷ. (나)에서 해류의 순환 중심이 서쪽에 치우치는 것은 지구가 자전하기 때문이다.

① ㄱ   ② ㄴ   ③ ㄱ, ㄷ
④ ㄴ, ㄷ   ⑤ ㄱ, ㄴ, ㄷ

13 ^{서술형} 북반구 중위도 아열대 해양에서 서안 강화 현상이 나타나는 원인을 서술하시오.

14 서안 경계류와 동안 경계류의 특징을 옳게 비교한 것은?

구분	서안 경계류	동안 경계류
① 폭	넓음	좁음
② 깊이	얕음	깊음
③ 유속	느림	빠름
④ 용존 산소량	적음	많음
⑤ 예	캘리포니아 해류	쿠로시오 해류

15 그림은 북태평양 해역의 아열대 순환을 나타낸 것이다.

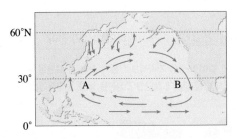

이에 대한 설명으로 옳은 것만을 [보기]에서 있는 대로 고른 것은?

[보기]
ㄱ. 해류의 순환 중심은 A쪽에 더 가깝다.
ㄴ. 해수면의 경사는 A쪽이 B쪽보다 급하다.
ㄷ. B의 해류는 A의 해류보다 깊이가 깊고, 유속이 빠르다.

① ㄱ   ② ㄷ   ③ ㄱ, ㄴ
④ ㄴ, ㄷ   ⑤ ㄱ, ㄴ, ㄷ

03 해파와 해일

핵심 포인트
- Ⓐ 해파의 발생과 전파 ★★
- 천해파와 심해파 ★★★
- 해파의 굴절 ★★
- Ⓑ 지진 해일의 발생과 전파 ★★★
- 폭풍 해일의 발생 ★★

Ⓐ 해파

바다에서는 끊임없이 해파가 만들어져 전파되고 있어요. 해파의 특징을 알아볼까요?

1. 해파의 발생과 전파

(1) **해파**: 해수면이 교란되어 생긴 출렁거림이 파동의 형태로 퍼져 나가면서 생기는 물 입자의 주기적인 상하 운동

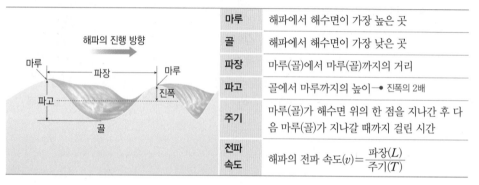

마루	해파에서 해수면이 가장 높은 곳
골	해파에서 해수면이 가장 낮은 곳
파장	마루(골)에서 마루(골)까지의 거리
파고	골에서 마루까지의 높이 → 진폭의 2배
주기	마루(골)가 해수면 위의 한 점을 지나간 후 다음 마루(골)가 지나갈 때까지 걸린 시간
전파 속도	해파의 전파 속도$(v) = \dfrac{파장(L)}{주기(T)}$

(2) **해파의 발생**: 해파는 주로 해수면 위를 부는 바람의 에너지를 받아 발생하지만, 해저 지진, 화산 활동 등에 의해서도 발생한다.

(3) **해파의 전파**: *해파가 전파될 때 에너지는 해파의 진행 방향으로 물 입자의 운동을 통해 전달되지만, 물 입자는 원궤도를 그리며 주기적으로 원운동을 하여 처음 위치로 되돌아올 뿐 해파를 따라 진행하지 않는다. → 해파는 물 입자가 거의 움직이지 않지만, 해류는 물 입자가 함께 이동한다.

탐구 자료창 ▶ 해파의 발생과 전파

그림과 같이 바람을 지속적으로 불게 하여 물 표면을 관찰하고, 탁구공을 띄운 후 탁구공의 움직임을 관찰한다. 해파 발생 장치에 해안선 조절판을 놓고, 해파를 발생시켜 파의 모양을 관찰한다.

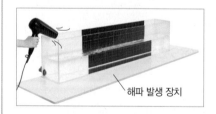

해파 발생 장치

해파 발생판 / 해안선 조절판

1. 해수면 위에 지속적으로 바람이 불면 해파가 발생한다. ➡ 바람의 에너지가 해수면에 전달되어 해파가 발생한다.
2. 해파가 전파될 때 탁구공은 제자리에서 원운동을 하며, 밀려오지 않는다. ➡ 물 입자가 제자리에서 상하 운동을 하며 에너지만 전달되기 때문이다.
3. 해파가 발생한 후 해안선 가까이 오면 수심이 얕아지면서 파장은 짧아지고, 파고는 높아진다.

★ **해파가 전파될 때 물 입자의 운동**

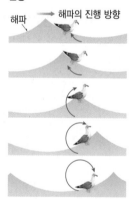

해파 / 해파의 진행 방향

해수면에 앉아 있는 새는 물 입자의 운동을 따라 움직이므로 제자리에서 원운동을 하여 처음 위치로 되돌아온다.

해파 발생판을 밀어 해파를 발생시킬 때, 발생판 아래는 수조에 닿게 놓고 위쪽만 짧게 흔들어 해파를 일으켜야 실험이 잘 돼요.

2. 해파의 분류

(1) 모양에 따른 해파의 분류: 풍랑, 너울, 연안 쇄파 → 해파의 크기는 바람의 세기, 지속 시간, 풍역대의 넓이 등에 따라 달라지며, 전파되면서 파의 모양이 변한다.

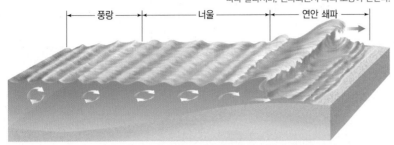

① **풍랑:** 바람이 불어 해수면이 거칠어지면서 발생한 여러 파장의 해파가 합쳐져 마루가 삼 각형 모양으로 뾰족하게 된 해파로, 파장과 주기가 짧다. ➡ *풍역대에서 발달하며, 발달 할 수 있는 최대 크기가 되면 바람이 불어도 더 이상은 커지지 않는다.

② *너울:** 풍랑이 전파되어 풍역대를 벗어나면서 마루가 둥글고 규칙적인 형태가 된 해파로, 풍랑에 비해 파장과 주기가 길다. → 너울은 바람이 불지 않는 다른 지역까지 전달된다.

③ **연안 쇄파:** 너울이 수심이 얕은 해안에 도달하여 해저의 마찰로 전파 속도가 느려지고, 파 장이 짧아지며, 파고가 높아져서 파의 봉우리가 해안 쪽으로 넘어지면서 부서지는 해파

(2) 수심과 파장에 따른 해파의 분류: 심해파, 천해파, *천이파

구분	심해파	천해파
그림	파의 진행 방향 → 파장	파의 진행 방향 → 해저면
정의	수심(h)이 파장(L)의 $\frac{1}{2}$보다 깊은 곳에서 진행하는 해파	수심(h)이 파장(L)의 $\frac{1}{20}$보다 얕은 곳에서 진행하는 해파
물 입자의 운동	해저면의 영향을 받지 않아 물 입자는 원 운동을 한다. ➡ 원의 크기는 수심이 깊어 질수록 급격히 작아진다.	해저면의 영향으로 물 입자는 타원 운동을 한다. ➡ 수심이 깊어질수록 더 납작한 타원 운동을 하 며 해저면에서 수평으로 왕복 운동을 한다.
전파 속도	전파 속도(v) = $\sqrt{\dfrac{gL}{2\pi}}$ (g: 중력 가속도) ➡ 파장(L)이 길수록 속도가 빠르다.	전파 속도(v) = $\sqrt{gh}$ ➡ 수심(h)이 깊을수록 속도가 빠르다.

3. 해파의 굴절
해안에 천해파가 접근하면, 수심이 얕아지면 서 전파 속도가 느려진다.

(1) 해파의 마루를 연결한 선은 등수심선과 평행하고, 파도는 대체로 해안선에 나란하게 다가오며, 해파의 진행 방향은 해안선에 수직이다. └ 수심이 같으면 전파 속도가 같기 때문

(2) *곶에서 수심이 먼저 얕아지면서 전파 속도가 느려지고, 만에서 전파 속도가 빠르므로 해파는 곶 쪽으로 휘어진다.

⊙ 해파의 굴절
└ 수심이 얕은 곳으로 이동하면서 속도가 감소하여 해파가 휘어진다.

★ 풍역대와 풍랑의 발달

바람이 같은 방향으로 지속적으 로 부는 영역인 풍역대에서 풍랑 이 일어난다. 풍랑은 평균 풍속이 마루의 이동 속도보다 빠르고 바 람의 지속 시간이 길 때 발달한 다.

★ 풍랑과 너울

구분	풍랑	너울
생성 원인	바람	풍랑에 의 한 전달
마루	뾰족하다	둥글다
파장	불규칙	규칙
	수 m~ 수십 m	수십 m~ 수백 m
주기	짧다	길다

★ 천이파

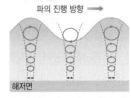

수심(h)이 파장(L)의 $\frac{1}{20} \sim \frac{1}{2}$ 인 곳에서 진행하는 해파로, 심해 파와 천해파의 중간에 해당하는 성질을 나타낸다.

★ 곶과 만

곶	만
해파의 에너지 가 집중되어 침 식 작용이 우세 하다. ➡ 해식 절벽 형성	해파의 에너지 가 분산되어 퇴 적 작용이 우세 하다. ➡ 해수 욕장 발달

B 해일

1. **①해일** 여러 원인에 의해 해수면이 급격하게 상승하여 해수가 육지로 밀려드는 현상으로, 주로 해저 지진과 폭풍에 의해 발생한다.

(1) **지진 해일(②쓰나미):** 해저에서 지진, 화산 폭발, *단층 등의 갑작스런 지각 변동이 발생할 때, 파장이 매우 긴 파동이 형성되어 해안가로 밀려오면서 생긴 해일 → 대부분 해저 지진으로 발생

❷ 해수면 진동 ❸ 먼 바다에서는 파도가 보이지 않음 ❹ 얕은 바다에서는 파고가 상승함 ❺ 해안 지역에 심각한 피해를 입힘

수심 4000 m 전파 속도 700 km/h~800 km/h 350 km/h 수심 1000 m 50 km/h 수심 20 m

단층 ❶ 해저 지진 발생 ◁ 지진 해일의 발생과 전파

① **파고:** 수심이 깊은 먼 바다에서는 파고가 약 1 m 정도로 낮지만, 수심이 얕은 해안가로 오면 속도가 느려지고 파장이 짧아지면서 파고가 수 m~수십 m로 높아진다.

② **파장:** 수백 km 이상으로 파장이 매우 길다. → 수심이 파장의 $\frac{1}{2}$에 미치지 못하므로 천해파의 성질을 띤다.

③ ***전파 속도:** 천해파의 성질을 띠므로 전파 속도는 수심에 따라 달라지며, 해안으로 올수록 느려진다.
└ 지진 해일의 전파 속도: $v=\sqrt{gh}$

지진 해일의 전파

3시간 6시간 12시간 9시간 15시간 18시간

◁ 지진 해일의 전파 예상 시간

- 지진 해일은 발생지에서 둥글게 퍼져 나간다.
- 가장 큰 파동의 전후로 에너지 일부가 작은 파로 퍼져 나간다.
  ➡ 큰 파동이 도달하기 전후에 15분~20분 주기로 작은 해일이 나타날 수 있다.
- 해안가에 도달할수록 3시간 동안 이동한 거리가 짧아진다.

(2) **폭풍 해일:** 태풍이나 강한 저기압이 해안으로 접근할 때, *낮은 중심 기압과 강한 바람에 의해 해수면이 급격하게 상승하여 일어나는 해일
└ 폭풍 해일의 발생 원인

① 폭풍 해일도 파장이 길어 천해파의 성질을 띤다. → 해안으로 올수록 파고가 높아지고, 파장이 짧아지며, 전파 속도가 느려진다.

② ***해수면 상승 원인:** 중심 기압이 낮으면 해수면이 상승하고, 저기압에 동반된 강한 바람이 해수를 밀어 올려 해수면이 더 상승한다.

2. **해일 피해** 해일 발생 당시의 기압, 만조 시기, 해안 및 해저 지형에 따라 달라진다.

(1) 해수면이 높아지는 ③만조 때 폭풍 해일이 발생하면 해일의 위력이 더 강해진다.

(2) 강풍이 불어오는 만과 같은 지역에서는 폭풍 해일의 위력이 강해진다.

(3) 우리나라에서는 태풍이 다가오는 여름철에 남해안 등에서 폭풍 해일 피해가 발생하며, 지진 해일보다 폭풍 해일의 발생 횟수가 많다.

3. **해일에 대처하는 방법** → 폭풍 해일과 지진 해일은 주기적인 현상이 아니므로 예측이 어렵다.

(1) 해안에 방파제 등의 구조물을 설치하여 해수가 직접 유입되는 것을 막는다.

(2) 해일 발생 예보나 경보가 발령되면 즉시 안전한 고지대로 대피한다.

(3) 태풍의 진로를 예상하여 폭풍 해일에 대비한다.

★ **2004년 인도네시아에서 발생한 지진 해일**
수렴 경계 지역에서 역단층이 만들어지면서 발생한 지진 해일이 육지로 전파되어 많은 인명과 피해가 발생하였다.

★ **지진 해일의 전파 속도**
수심이 4000 m인 깊은 해역에서는 전파 속도가 약 710 km/h에 이르러 비행기 속도에 가깝다.

★ **기압과 해수면의 상승**
기압이 1 hPa 낮아지면, 해수면은 1 cm 정도 상승한다. 따라서 주위보다 기압이 약 40 hPa 낮은 태풍이 지나가면, 기압 차이에 의해 해수면은 약 40 cm 높아진다.

★ **해수면 상승 원인**

강풍에 의한 해수면 상승   기압에 의한 해수면 상승

┤용어├
❶ **해일(海 바다, 溢 넘치다)** 해수면이 비정상적으로 높아져 육지로 넘치는 현상
❷ **쓰나미(tsunami)** 일본어로 '항구의 파도'라는 뜻으로, 1896년 6월 15일 일본 산리꾸 연안에서 발생한 지진 해일로 2200여 명이 사망한 후 지진 해일의 또 다른 이름으로 사용하고 있다.
❸ **만조(滿 차다, 潮 밀물)** 하루 중 해수면이 가장 높을 때

개념 확인 문제

정답친해 77쪽

핵심 체크

- **(❶**): 해수면이 교란되어 생긴 출렁거림이 파동의 형태로 퍼져 나가면서 생기는 물 입자의 주기적인 상하 운동

- 해파의 분류

모양에 따른 분류	• (❷): 바람에 의해 직접 발생한 해파
	• (❸): 풍랑이 발생지를 벗어나 멀리 전파되어 온 해파
	• (❹): 수심이 얕은 해안에서 파고가 높아져서 부서지는 해파
수심과 파장에 따른 분류	• (❺): 수심이 파장의 $\frac{1}{2}$보다 깊은 곳에서 진행하는 해파
	• (❻): 수심이 파장의 $\frac{1}{20}$보다 얕은 곳에서 진행하는 해파
	• (❼): 수심이 파장의 $\frac{1}{2}$보다 얕고 $\frac{1}{20}$보다 깊은 곳에서 진행하는 해파

- **(❽**): 해저 지진, 폭풍 등에 의해 해수면이 급격하게 상승하여 해수가 육지로 밀려드는 현상

---

1 해파와 해일의 발생 원인에 대한 설명 중 ( ) 안에 알맞은 말을 쓰시오.

> 해파는 주로 해수면 위에서 부는 ㉠( )에 의해 발생하며, 해일은 주로 태풍이나 강한 저기압에 의한 기압 변화, ㉡( ) 등에 의해 발생한다.

2 그림은 해파의 요소를 나타낸 것이다. A~D에 해당하는 명칭을 쓰시오.

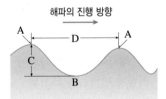
해파의 진행 방향

3 그림은 모양에 따른 해파의 종류와 물 입자의 운동을 나타낸 것이다.

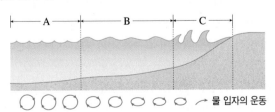
→ 물 입자의 운동

(1) A~C에 해당하는 해파의 이름을 쓰시오.

(2) A~C 중 바람에 의해 직접 발생한 것을 쓰시오.

4 심해파와 천해파를 구분한 다음 표에서 ( ) 안에 알맞은 말을 쓰시오. (단, h는 수심, L은 파장, g는 중력 가속도이다.)

구분	심해파	천해파
분류 기준	$h > \dfrac{L}{2}$	$h < $㉠( )
해저 마찰의 영향	없음	있음
물 입자의 운동	㉡( )운동	㉢( ) 운동
전파 속도	$\sqrt{\dfrac{gL}{2\pi}}$	㉣( )

5 해파의 굴절에 대한 설명으로 옳은 것은 ○, 옳지 않은 것은 ×로 표시하시오.

(1) 해파가 해안으로 접근하면 곶에서는 전파 속도가 빨라진다. ···················· ( )
(2) 만에서는 퇴적 작용이 우세하다. ················· ( )
(3) 해수욕장은 곶에 주로 발달한다. ················· ( )

6 해일에 대한 설명 중 ( ) 안에 알맞은 말을 고르시오.

(1) 지진 해일이 해안에 접근하면 파장은 ㉠(길어, 짧아)지고, 파고는 ㉡(높아, 낮아)진다.
(2) 지진 해일은 (천해파, 심해파)의 특성이 있다.
(3) 지진 해일이 해안에 접근하면 전파 속도가 (느려, 빨라)진다.
(4) 만조 때 폭풍 해일이 발생하면 해수면이 더 (높아, 낮아)진다.

대표 자료 분석

🏠 학교 시험에 자주 출제되는 대표 자료와 그 자료에 대한 문제를 통해 자료를 완벽하게 이해할 수 있다.

자료 ① 천해파와 심해파

기출 Point
• 천해파와 심해파의 형성 조건 이해하기
• 천해파와 심해파의 특성 비교하기

[1~4] 그림 (가)와 (나)는 서로 다른 해파의 수심에 따른 물 입자의 운동을 나타낸 것이다.

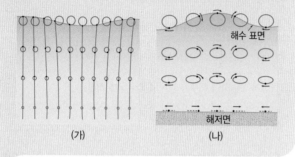

(가)　　　(나)

1 (가)와 (나)의 해파에서 물 입자의 운동을 각각 쓰시오.

2 (가)와 (나)에서 각각 해파의 파장(L)과 수심(h)의 관계를 쓰시오.

3 (가)와 (나) 해파의 전파 속도는 각각 무엇의 영향을 받는지 쓰시오.

4 빈출 선택지로 완벽 정리!

(1) (가) 해파는 해저면의 마찰에 의한 영향을 받지 않는다. ·············· (○ / ×)

(2) (나) 해파의 전파 속도는 파장에 비례한다. (○ / ×)

(3) 연흔을 형성할 수 있는 해파는 (나)이다. ···· (○ / ×)

(4) (가)는 (나)보다 수심이 깊은 바다에서 잘 형성된다.
·············· (○ / ×)

자료 ② 해일의 전파

기출 Point
• 해파로써 해일의 특성 이해하기
• 해안에 접근하는 해일의 물리적 특성 변화 이해하기

[1~4] 그림은 지진 해일이 발생한 후 전파되는 과정에서 수심 변화에 따른 전파 속도와 파장의 변화를 나타낸 것이다.

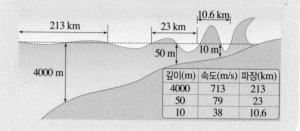

깊이(m)	속도(m/s)	파장(km)
4000	713	213
50	79	23
10	38	10.6

1 지진 해일은 심해파와 천해파 중 어느 것에 해당하는지 쓰고, 그 까닭을 설명하시오.

2 지진 해일이 해안에 가까이 오면서 전파 속도가 어떻게 변하는지 쓰시오.

3 해일이 해안에 가까이 오면서 파장과 파고가 각각 어떻게 변하는지 쓰시오.

4 빈출 선택지로 완벽 정리!

(1) 지진 해일의 파장은 항상 수심보다 값이 크다.
·············· (○ / ×)

(2) 지진 해일은 파장이 길수록 전파 속도가 빠르다.
·············· (○ / ×)

(3) 지진 해일은 해저 지진에 의해 지반의 상하 이동이 없어도 일어난다. ·············· (○ / ×)

(4) 우리나라는 폭풍 해일보다 지진 해일의 피해를 상대적으로 자주 받는다. ·············· (○ / ×)

내신 만점 문제

정답친해 78쪽

A 해파

01 해파에 대한 설명으로 옳은 것은?

① 주로 해저 지진에 의해 발생한다.
② 모양에 따라 천해파와 심해파로 구분한다.
③ 해안에 가까워지면 파고가 낮아진다.
④ 해안에 가까워지면 파장이 길어진다.
⑤ 해안에 가까워지면 전파 속도가 느려진다.

02 그림은 해파에서 물 입자의 운동 모습을 모식적으로 나타낸 것이다.
이에 대한 설명으로 옳은 것만을 [보기]에서 있는 대로 고른 것은?

┌─[보기]
ㄱ. 물 입자가 운동하는 궤도의 반지름은 파고에 해당한다.
ㄴ. 해파의 진행 방향은 오른쪽이다.
ㄷ. 물 입자는 해파를 따라 이동한다.
└

① ㄱ   ② ㄴ   ③ ㄱ, ㄷ
④ ㄴ, ㄷ   ⑤ ㄱ, ㄴ, ㄷ

03 그림은 풍랑이 발생하는 모습을 나타낸 것이다.
풍랑에 대한 설명으로 옳은 것만을 [보기]에서 있는 대로 고른 것은?

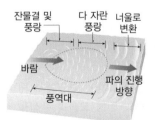

┌─[보기]
ㄱ. 풍랑은 바람이 같은 방향으로 지속적으로 불 때 일어난다.
ㄴ. 풍랑은 평균 풍속이 마루의 이동 속도보다 빨라야 일어난다.
ㄷ. 풍랑은 바람이 강하게 불면 계속 자라나 크기가 커진다.
└

① ㄱ   ② ㄷ   ③ ㄱ, ㄴ
④ ㄴ, ㄷ   ⑤ ㄱ, ㄴ, ㄷ

04 그림 (가)와 (나)는 모양에 따라 분류한 두 해파를 나타낸 것이다.

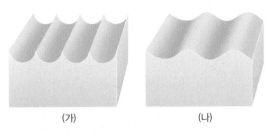

(가)   (나)

이에 대한 설명으로 옳지 <u>않은</u> 것은?

① (가)는 마루가 뾰족하다.
② (가)의 파장이 (나)보다 짧다.
③ (나)의 주기가 (가)보다 길다.
④ (나)가 전파되어 가다가 (가)로 변한다.
⑤ 바람에 의해 직접 발생한 해파는 (가)이다.

05 그림은 어떤 해파의 물 입자 운동 모습을 나타낸 것이다.
이에 대한 설명으로 옳은 것만을 [보기]에서 있는 대로 고른 것은?

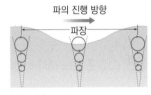

┌─[보기]
ㄱ. 이 해파는 심해파에 해당한다.
ㄴ. 해파의 전파 속도는 파장이 길수록 빠르다.
ㄷ. 이 해파는 수심이 파장의 $\frac{1}{2}$보다 깊을 때 생성된다.
└

① ㄱ   ② ㄴ   ③ ㄱ, ㄷ
④ ㄴ, ㄷ   ⑤ ㄱ, ㄴ, ㄷ

서술형
06 그림과 같이 어떤 해파가 전파될 때 전파 속도에 영향을 주는 요인을 쓰고, 물 입자의 운동이 타원을 그리는 까닭을 서술하시오.

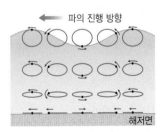

07 그림은 해안으로 접근하는 해파를 나타낸 것이다.

해파가 A 지점을 지난 이후 해파의 성질에 대한 설명으로 옳은 것만을 [보기]에서 있는 대로 고른 것은?

[보기]
ㄱ. 파고가 낮아진다.
ㄴ. 파장이 짧아진다.
ㄷ. 전파 속도가 느려진다.
ㄹ. 물 입자는 원운동을 한다.

① ㄱ, ㄷ   ② ㄱ, ㄹ   ③ ㄴ, ㄷ
④ ㄱ, ㄴ, ㄹ   ⑤ ㄴ, ㄷ, ㄹ

08 그림은 어느 해파의 전파 속도를 나타낸 것이다.

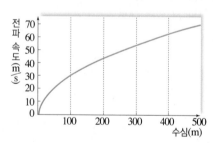

이 해파의 종류, 수심(h)과 파장(L)의 관계를 옳게 짝 지은 것은?

	해파의 종류	수심과 파장의 관계
①	천해파	$h > \dfrac{1}{20}L$
②	천해파	$h < \dfrac{1}{20}L$
③	천이파	$\dfrac{1}{20}L < h < \dfrac{1}{2}L$
④	심해파	$h > \dfrac{1}{2}L$
⑤	심해파	$h < \dfrac{1}{2}L$

[09~11] 표는 여러 해파의 수심과 파장을 나타낸 것이다.

해파	A	B	C	D
수심(m)	2	4	2	4
파장(m)	2	2	100	100

09 해파 A~D를 천해파와 심해파로 구분하시오.

10 이에 대한 설명으로 옳은 것만을 [보기]에서 있는 대로 고른 것은?

[보기]
ㄱ. A와 B는 물 입자가 타원 운동을 한다.
ㄴ. B는 A보다 전파 속도가 빠르다.
ㄷ. D는 C보다 전파 속도가 빠르다.

① ㄱ   ② ㄷ   ③ ㄱ, ㄴ
④ ㄴ, ㄷ   ⑤ ㄱ, ㄴ, ㄷ

11 서술형
해파 D의 전파 속도는 몇 m/s인지 식을 세워 구하시오. (단, 중력 가속도는 10 m/s^{2}이다.)

12 그림은 해안에서 해파의 진행 모습과 수심을 나타낸 것이다.
이에 대한 설명으로 옳지 않은 것은?

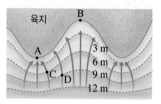

① A 지역은 퇴적 작용보다 침식 작용이 우세하다.
② 해수욕장은 A보다 B 지역에서 발달하기 쉽다.
③ 오랜 세월이 지나면 해안선의 굴곡은 더 단조로워진다.
④ D보다 C 해역에서 해파의 파장이 짧고, 전파 속도가 느리다.
⑤ 해파는 전파 속도가 빨라지는 쪽으로 굴절한다.

B 해일

13 해일에 대한 설명으로 옳지 <u>않은</u> 것은?

① 해저에서 발생한 지진이나 화산 폭발, 단층 등으로 지진 해일이 발생한다.

② 지진 해일은 파장이 매우 짧아 심해파의 성질을 띤다.

③ 지진 해일이 해안에 도달하기 직전 해안의 물이 일시적으로 바깥쪽으로 빠져나간다.

④ 태풍이나 강한 저기압에 의해 해수면이 급격하게 상승하여 폭풍 해일이 발생한다.

⑤ 해안에 방파제를 설치하면 폭풍 해일에 의한 피해를 줄일 수 있다.

14 그림은 지진 해일의 발생 과정을 나타낸 것이다.

이에 대한 설명으로 옳은 것만을 [보기]에서 있는 대로 고른 것은?

[보기]
ㄱ. 지진 해일은 주로 해저에 있는 판 경계 부근에서 발생한다.
ㄴ. 지진 해일은 단층 작용이 수직 방향보다 수평 방향으로 일어날 때 잘 발생한다.
ㄷ. 지진 해일은 해안가로 다가올수록 해파의 전파 속도가 느려지고, 해일이 높게 나타난다.

① ㄱ   ② ㄴ   ③ ㄱ, ㄷ
④ ㄴ, ㄷ   ⑤ ㄱ, ㄴ, ㄷ

15 그림은 동해의 북동쪽에서 발생한 어느 지진 해일이 전파되는 모습을 10분 간격으로 나타낸 것이다.

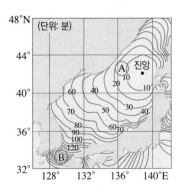

이에 대한 설명으로 옳은 것만을 [보기]에서 있는 대로 고른 것은?

[보기]
ㄱ. 해파의 진행 속도는 일정하였다.
ㄴ. A 해역은 B 해역보다 수심이 깊다.
ㄷ. 해일의 파고는 A 해역보다 B 해역에서 높다.

① ㄱ   ② ㄷ   ③ ㄱ, ㄴ
④ ㄴ, ㄷ   ⑤ ㄱ, ㄴ, ㄷ

16 그림은 폭풍 해일이 발생하는 모습을 모식적으로 나타낸 것이다.

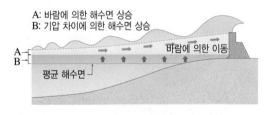

이에 대한 설명으로 옳은 것만을 [보기]에서 있는 대로 고른 것은?

[보기]
ㄱ. 풍속이 클수록 파고가 높다.
ㄴ. 고기압보다 저기압일 때 잘 발생한다.
ㄷ. 만조보다 간조와 겹칠 때 피해가 크다.

① ㄱ   ② ㄷ   ③ ㄱ, ㄴ
④ ㄴ, ㄷ   ⑤ ㄱ, ㄴ, ㄷ

04 조석

핵심 포인트

Ⓐ 기조력의 크기 ★★
달에 의한 기조력 ★★★

Ⓑ 하루 동안의 조석 양상 ★★
지역에 따른 조석 양상 ★★★

Ⓒ 대조와 소조일 때 달의 위상 ★★★

Ⓐ 기조력

해안에서 주기적으로 해수면의 높이가 변하는 조석 현상을 일으키는 힘에 대해 알아볼까요?

1. 조석 해수가 수평으로 이동하여 해수면의 높이가 주기적으로 높아졌다 낮아지는 현상

(1) **만조(고조)**: 조석으로 하루 중 해수면이 가장 높은 때

(2) **간조(저조)**: 조석으로 하루 중 해수면이 가장 낮은 때 → 갯벌 체험에 적합한 시간대

2. ❶기조력 조석 현상을 일으키는 힘으로, 지구와 천체(달, 태양 등)가 *공통 질량 중심을 중심으로 회전할 때 생기는 원심력과 천체가 지구에 작용하는 ❷인력의 합력

(1) **기조력의 크기**: 천체의 질량에 비례하고, 천체까지 거리의 세제곱에 반비례한다.

$$기조력(T) \propto \frac{천체의\ 질량(m)}{천체까지의\ 거리^3(r^3)}$$

(2) **달과 태양에 의한 기조력**: 달에 의한 기조력이 태양에 의한 기조력보다 약 2배 더 크다.
　➡ 달은 태양에 비해 질량이 훨씬 작지만, 지구로부터의 거리가 훨씬 가깝기 때문이다.

(3) **달에 의한 기조력**

① 원심력의 크기와 방향은 지구상의 어느 지점에서나 같다.

② 각 지점에 작용하는 달의 인력은 달에서 가까운 곳이 먼 곳보다 크다.

③ 각 지점에서 원심력과 인력의 차이가 기조력으로 작용한다.

④ 기조력은 달에서 가장 가까운 곳과 달에서 가장 먼 곳이 최대이다. ➡ 달을 향한 쪽과 달의 반대쪽에서는 만조가, 달과 직각을 이루는 쪽에서는 간조가 나타난다.

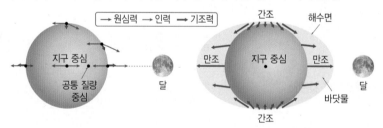

⊙ 기조력에 영향을 주는 힘　　　**⊙ 기조력의 크기에 따른 해수의 분포**

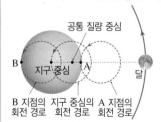

달의 반대쪽에도 기조력이 발생하는 까닭

• 지구가 공통 질량 중심 둘레를 한 바퀴 회전하는 동안 모든 지점은 같은 주기로 같은 크기의 원을 그리며 회전 운동한다.
• 원심력: A와 B 지점에서 원심력의 방향과 크기가 같다.
• 인력: A 지점이 B 지점보다 달에 가까우므로 인력이 크다.
• 기조력 ┌ A: 원심력 < 인력 ➡ 달 쪽으로 기조력 작용
　　　　└ B: 원심력 > 인력 ➡ 달 반대쪽으로 기조력 작용
➡ A와 B 지점에서 기조력의 크기는 같고, 방향은 반대이다.

주의해

기조력을 일으키는 천체
지구 주위에 있는 다른 천체들도 지구에 기조력을 미치지만, 달과 태양의 기조력에 비해 매우 작으므로 고려하지 않을 뿐이다.

★ **달과 지구의 공통 질량 중심**
지구의 질량이 달보다 매우 크므로 지구와 달의 공통 질량 중심은 지구 표면에서 안쪽으로 약 1650 km에 있다.

• 평형 조석론에 따른 기조력의 크기 관계로, 평형 조석론은 지구 표면이 모두 물로 덮여 있고, 대륙과 해저의 마찰을 무시한다고 가정하여 기조력을 설명한 것이다.

달에서 가장 가까운 지표면(달을 향한 쪽)에서는 달의 인력이 원심력보다 커서 달 쪽으로 기조력이 작용하여 해수면이 높아집니다. 달에서 가장 먼 지표면(달의 반대쪽)에서는 원심력이 인력보다 커서 달의 반대쪽으로 기조력이 작용하여 해수면이 높아집니다.

│ 용어 │
❶ **기조력**(起 일으키다, 潮 조수, 力 힘) 조석을 일으키는 힘
❷ **인력**(引 당기다, 力 힘) 질량을 가진 두 물체가 서로 당기는 힘

Ⓑ 조석 양상

1. 조석 양상

(1) 만조와 간조: *지구가 자전하기 때문에 하루 동안 만조와 간조가 반복되어 나타난다.

(2) 조류: 조석에 의해 만조와 간조 사이에 나타나는 *밀물, 썰물과 같은 수평 방향의 해수의 흐름

(3) 조차: 만조와 간조 때의 해수면의 높이 차이
┗● 조차가 가장 큰 지역은 캐나다의 펀디만으로, 15 m나 된다.

(4) 조석 주기: 만조(간조)에서 다음 만조(간조)까지 걸리는 시간으로, 약 12시간 25분이다.──┐
┌──────────────────────── 만조와 간조가 각각 하루에 약 2회씩 나타난다.
➡ 조석 주기가 약 12시간 25분인 까닭: 지구가 자전하는 동안 달이 지구 주위를 같은 방향으로 공전하기 때문이다.

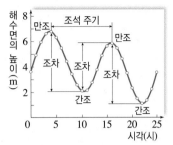
⬆ 하루 동안의 해수면 높이 변화

조석 주기

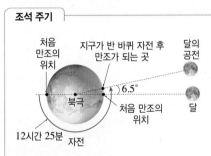

- 달의 공전 주기는 약 27.3일로, 달은 하루에 약 13°(=360°÷27.3일)씩 지구 주위를 공전한다.
- 달이 지구에 대해 같은 위치에 오는 데 걸리는 시간(조석일): 지구가 한 바퀴(24시간)를 자전하고, 약 13° 더 돌아야 한다. ➡ 지구는 1시간에 15°(=360°÷24시)씩 자전하므로 약 50분이 더 걸려 약 24시간 50분이 된다.
- 만조와 간조는 각각 하루에 약 2회씩 발생하므로 조석 주기는 약 12시간 25분이 된다.

2. 지역에 따른 조석 양상
지구의 자전축이 기울어져 달의 공전 궤도면과 지구의 적도면이 일치하지 않은 상태로 지구가 자전하기 때문에 위도에 따라 조석이 다르게 나타난다.
┗● 기조력이 크게 나타나는 지역이 위도에 평행하지 않은 상태가 된다.

(1) 조차: 하루 동안 나타나는 조차가 지역에 따라 달라질 수 있다.

(2) 조석 주기: 하루 동안 만조와 간조가 일어나는 횟수와 주기가 지역에 따라 다르다.

(3) 만조와 간조가 일어나는 양상: 일주조, 혼합조, 반일주조로 구분한다.

일주조(A)	하루 동안 만조와 간조가 각각 1회씩 나타난다. ➡ 고위도 지역
혼합조(B)	하루 동안 만조와 간조가 각각 2회씩 나타나지만 만조와 간조 사이의 시간 간격이 일정하지 않고, 조차가 다르다. ➡ 중위도 지역
반일주조(C)	하루 동안 만조와 간조가 각각 2회씩 나타나며, 조차가 비슷하다. ➡ 저위도 지역

┗● 반일주조의 조석 주기는 약 12시간 25분이다.

⬆ 위도별 만조와 간조의 횟수와 하루 동안 해수면의 높이 변화

04. 조석 175

★ 지구가 자전하는 동안 만조와 간조

지구가 자전하는 동안 약 12시간 25분 주기로 만조와 간조가 하루에 약 2회씩 나타난다.

★ 밀물과 썰물
- 밀물: 바닷물이 해안으로 밀려 들어오는 것 ➡ 간조에서 만조가 될 때
- 썰물: 바닷물이 해안에서 빠져 나가는 것 ➡ 만조에서 간조가 될 때

★ 조석일
조석 현상에서의 하루를 조석일이라고 하며, 달이 남중하여 다음 남중하는 데까지 걸리는 시간이다.

주의해
위도에 따른 조석 양상
같은 위도에 있는 지역이라도 대륙 분포나 해양의 수심이 모두 다르므로 조석 현상이 같은 형태로 나타나지는 않으며, 지구 자전의 효과가 더해져 실제 조석 양상은 매우 복잡하다.

용어
❸ 조위(潮 조수, 位 위치) 일정한 기준면에서 해수면을 측정했을 때의 높이

(4) **전 세계 대양의 조석 양상**: 반일주조가 가장 많이 나타나고, 일주조가 가장 적게 나타난다.

(5) **우리나라의 조석 양상**

① 서해안: 하루에 비슷한 높이의 만조와 간조가 각각 2번 나타난다. ➡ 반일주조

② 동해안: 하루 동안 나타나는 만조와 간조의 높이가 다르다. ➡ 혼합조

△ **전 세계 해양의 조석 양상**

C 대조와 소조

1. 태양, 지구, 달의 위치와 조차 달이 지구를 공전하면서 태양, 지구, 달의 상대적인 위치에 따라 기조력의 크기가 달라진다.

(1) 태양, 지구, 달이 일직선상에 있을 때 기조력의 크기가 가장 크다.

(2) 기조력이 가장 큰 시기에 조차가 가장 크게 나타난다.

2. 대조와 소조

(1) ＊**대조(사리)**: 조차가 가장 큰 시기로, 달의 위상이 삭과 망일 때 일어난다.

(2) **소조(조금)**: 조차가 가장 작은 시기로, 달의 위상이 상현과 하현일 때 일어난다.

(3) **대조와 소조가 나타나는 태양, 지구, 달의 상대적 위치**

구분	대조(사리)	소조(조금)
정의	조차가 최대가 되는 시기	조차가 최소가 되는 시기
태양, 지구, 달의 상대적 위치	(태양에 의한 조석 / 달 망 / 지구 / 삭 / 달에 의한 조석 / 태양)	(상현 달 / 달에 의한 조석 / 지구 / 태양 / 태양에 의한 조석 / 하현)
	• 태양, 지구, 달이 일직선상에 위치한다. ➡ 망 또는 삭 • 달과 태양의 기조력이 합해져서 조차가 최대가 된다.	• 태양, 지구, 달이 지구를 중심으로 직각을 이룬다. ➡ 상현 또는 하현 • 달과 태양의 기조력이 상쇄되어 조차가 최소가 된다.
달의 위상과 한 달 동안 해수면의 높이 변화	(그래프) 달의 위상 ◯삭 ◑상현 ●망 ◐하현 ◯삭 / 대조 소조 대조 소조 대조	

• 조차가 가장 큰 시기: 음력 1일경인 삭과 15일경인 망(보름) ─ 약 15일 주기로 조차 크기가 변한다.
• 조차가 가장 작은 시기: 음력 7일경인 상현과 22일경인 하현
• 한 달에 각각 약 2회의 대조와 소조가 나타난다.

★ **바다의 갈라짐 현상**
해수면이 낮아지면서 수심이 낮은 해저면이 드러나 바다가 갈라진 것처럼 보이는 현상으로, 한 달 중 조차가 가장 큰 대조에 간조가 될 때 주로 나타난다. 우리나라는 주로 서해안에서 볼 수 있다.

△ **평상시**

△ **바다 갈라짐 현상시**

주의해
달의 위상과 조차의 크기 변화
이론적으로는 달의 위상이 망이나 삭일 때 조차가 최대이고, 상현이나 하현일 때 조차가 최소이다. 그러나 실제로는 평형 조석론에서 고려하지 않은 지형적 효과, 대륙과 해저의 마찰력, 지구 타원체 등의 효과로 정확히 일치하지는 않는다.

개념 확인 문제

핵심 체크

- (❶ 　　　　): 해수면의 높이가 주기적으로 높아졌다 낮아지는 현상
- 기조력: 지구와 천체의 (❷ 　　　　)과 지구와 천체가 공통 질량 중심을 회전할 때 생기는 (❸ 　　　　)의 합력
- (❹ 　　　　): 만조(간조)에서 다음 만조(간조)까지 걸린 시간
- 조석 양상: 지구가 자전축이 기울어진 채 자전하므로 위도에 따라 조석 주기가 달라진다.
  - (❺ 　　　　): 하루에 1회씩 만조와 간조가 나타난다.
  - (❻ 　　　　): 하루에 2회씩 만조와 간조가 나타나지만 만조와 간조의 시간 간격이 일정하지 않다.
  - (❼ 　　　　): 하루에 2회씩 만조와 간조가 나타나면서 만조와 간조의 시간 간격이 일정하다.
- 대조와 소조: 태양, 지구, 달이 일직선상에 위치할 때 조차가 가장 크다.
  - (❽ 　　　　): 태양과 달의 기조력이 합해져서 조차가 최대가 되는 시기 ➡ 달의 위상: 삭, 망
  - (❾ 　　　　): 태양과 달의 기조력이 상쇄되어 조차가 최소가 되는 시기 ➡ 달의 위상: 상현, 하현

---

1 기조력에 대한 설명 중 (　　) 안에 알맞은 말을 쓰시오.

(1) 달의 기조력은 태양 기조력의 약 (　　　　)배이다.

(2) 기조력은 천체의 질량이 클수록 ㉠(　　　　)고, 천체까지의 거리가 멀수록 ㉡(　　　　)다.

(3) 지구상에서 달을 향한 쪽과 달 반대쪽의 기조력은 크기가 ㉠(　　　　)고, 방향이 ㉡(　　　　)이다.

(4) 달과 직각을 이루는 곳에서는 (　　　　)가 나타난다.

2 그림은 공통 질량 중심 G를 축으로 회전 운동을 하고 있는 지구와 달의 위치를 나타낸 것이다.

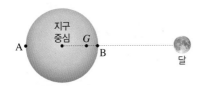

A와 B 지점에 작용하는 힘의 크기를 비교하시오.

(1) 달의 인력: A 　　　 B　　(2) 원심력: A 　　　 B

(3) 기조력: A 　　　 B

3 그림은 하루 동안 해수면의 높이 변화를 나타낸 것이다. A~F에 해당하는 것을 다음에서 골라 쓰시오.

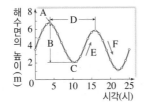

간조, 만조, 밀물, 썰물, 조차, 조석 주기

4 그림 (가)는 달의 기조력에 의해 해수면이 부푼 모습을 나타낸 것이고, (나)의 ㉠~㉢은 지표상의 A~C 지점에서 나타나는 조위 변화를 순서 없이 나타낸 것이다.

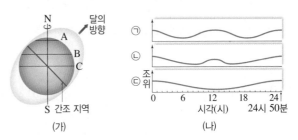

(가)　　　　　　　　(나)

A~C 지점의 조위 변화를 ㉠~㉢에서 각각 고르시오. (단, 위도 외의 조건은 같다고 가정한다.)

5 그림은 지구 주위를 공전하는 달의 위치 A~D를 나타낸 것이다.

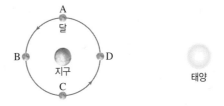

A~D에 해당하는 달의 위상과 조차를 옳게 연결하시오.

(1) A •　　　 • ① 삭 •

(2) B •　　　 • ② 망 •　　　 • ㉠ 대조(사리)

(3) C •　　　 • ③ 상현 •

(4) D •　　　 • ④ 하현 •　　　 • ㉡ 소조(조금)

대표 자료 분석

자료 ① 기조력

기출 Point
• 기조력을 이루는 힘의 크기와 방향 분석하기
• 기조력이 천체의 반대쪽에도 형성되는 원리 이해하기

[1~5] 그림은 지구와 달이 공통 질량 중심 G를 회전할 때, 지구의 각 지점에서 달의 인력, 원심력, 기조력을 나타낸 것이다.

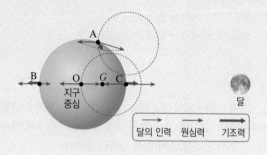

1 A~C 지점에서의 원심력 크기를 비교하시오.

2 A~C 지점에서의 달의 인력 크기를 비교하시오.

3 B, O, C 각 지점에서 달의 인력과 원심력의 크기를 비교하시오.

4 B와 C 지점에서 기조력의 방향을 쓰시오.

5 빈출 선택지로 완벽 정리!

(1) 기조력은 지구와 달이 공통 질량 중심을 도는 원심력과 달의 인력의 합력이다. ⋯⋯⋯⋯⋯ (○ / ×)

(2) 원심력은 A 지점에서 가장 작다. ⋯⋯⋯ (○ / ×)

(3) 달의 인력은 B 지점에서 가장 작다. ⋯⋯ (○ / ×)

(4) O 지점은 원심력과 인력이 평형을 이룬다. (○ / ×)

(5) 기조력은 항상 달의 중심을 향한다. ⋯⋯ (○ / ×)

(6) C 지점에서는 만조, B 지점에서는 간조가 나타난다.
⋯⋯⋯⋯⋯⋯⋯⋯⋯⋯⋯⋯⋯⋯⋯⋯ (○ / ×)

자료 ② 조석 양상, 대조와 소조

기출 Point
• 조석 양상을 해석하여 위도 판단하기
• 달의 위상과 대조와 소조의 관계 해석하기

[1~4] 그림 (가)는 우리나라 서해안 어느 지역에서 하루 동안 해수면의 높이 변화를, (나)는 한 달 동안 조위 변화를 측정한 것이다.

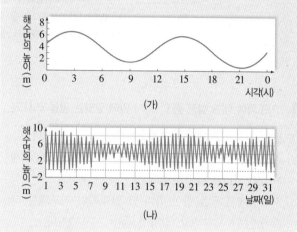

1 (가)에서 이 지역에 하루 동안 나타난 만조의 횟수와 조차에 대해 쓰시오.

2 (나)에서 소조(조금)에 해당하는 날짜를 쓰시오.

3 (나)에서 19일에 달의 위상을 쓰시오.

4 빈출 선택지로 완벽 정리!

(1) (가)의 조석 양상은 일주조에 해당한다. ⋯ (○ / ×)

(2) 이 지역의 조석 주기는 약 12시간 50분이다. (○ / ×)

(3) (가)에서 18시에는 밀물이 나타난다. ⋯⋯ (○ / ×)

(4) (나) 시기에 소조는 2번 일어난다. ⋯⋯⋯ (○ / ×)

(5) 기조력은 3일보다 11일에 작다. ⋯⋯⋯⋯ (○ / ×)

(6) 11일경에 달의 위상은 삭이다. ⋯⋯⋯⋯⋯ (○ / ×)

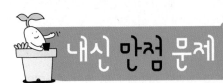

내신 만점 문제

A 기조력

01 기조력에 대한 설명으로 옳은 것은?

① 기조력은 천체의 질량에 비례한다.
② 태양계의 천체 중 지구에 가장 큰 기조력을 미치는 천체는 태양이다.
③ 지구와 달의 공통 질량 중심은 지구 밖의 지구와 달 사이에 있다.
④ 위도와 관계없이 만조와 간조는 하루에 각각 2번씩 일어난다.
⑤ 달의 위상이 상현일 때 달과 태양의 기조력의 합력은 태양 쪽으로 작용한다.

02 그림은 달에 의한 기조력으로 해수면이 부푼 모습을 나타낸 것이다.

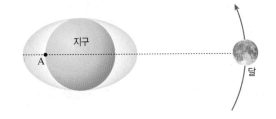

A 지역의 해수면이 부푼 까닭은?

① 달이 자전하기 때문
② 지구가 자전하기 때문
③ 태양이 자전하기 때문
④ 지구가 태양 주위를 공전하기 때문
⑤ 지구가 지구와 달의 공통 질량 중심을 회전하기 때문

03 (서술형) 지구와 달 사이의 거리가 현재보다 2배 멀어지고, 달의 질량이 현재보다 4배 커진다면 기조력의 크기는 현재의 몇 배가 되는지 식과 함께 서술하시오.

04 그림은 P점에서 달에 의한 기조력(T)과 기조력을 이루는 두 힘을 나타낸 것이다.

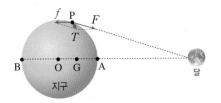

이에 대한 설명으로 옳지 <u>않은</u> 것은? (단, G는 지구와 달의 공통 질량 중심이다.)

① 기조력은 F와 f의 합력이다.
② 힘 T의 크기는 A에서 최대, B에서 최소가 된다.
③ 힘 f의 크기와 방향은 지구상의 어디에서나 같다.
④ 힘 T의 크기는 달까지 거리의 세제곱에 반비례한다.
⑤ 지구 중심 O에서 힘 F와 f는 평형을 이룬다.

B 조석 양상

05 조석 주기가 매일 약 50분씩 늦어지는 까닭은?

① 지구가 자전하는 동안 달이 자전하기 때문
② 지구가 공전하는 동안 달이 자전하기 때문
③ 지구가 자전하는 동안 달이 지구 주위를 공전하기 때문
④ 지구가 공전하는 동안 달이 지구 주위를 공전하기 때문
⑤ 지구의 공전 궤도면과 달의 공전 궤도면이 일치하지 않기 때문

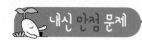

06 그림은 우리나라 서해안에서 하루 동안 측정한 해수면의 높이 변화를 나타낸 것이다.

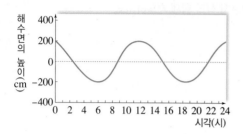

이에 대한 설명으로 옳은 것만을 [보기]에서 있는 대로 고른 것은?

[보기]
ㄱ. 조차는 약 4 m이다.
ㄴ. 조석 주기는 약 24시간이다.
ㄷ. 오전 10시에는 썰물이 나타났다.
ㄹ. 반일주조가 나타난다.

① ㄱ, ㄴ 　　② ㄱ, ㄹ 　　③ ㄴ, ㄷ
④ ㄱ, ㄷ, ㄹ 　　⑤ ㄴ, ㄷ, ㄹ

07 그림은 어느 시각에 달에 의한 해수면 높이와 지표상의 세 지점 A~C를 나타낸 것이다.

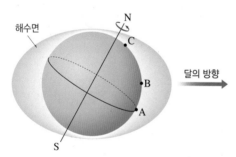

이에 대한 설명으로 옳은 것만을 [보기]에서 있는 대로 고른 것은?

[보기]
ㄱ. A 지점에서 조석 주기는 약 12시간 25분이다.
ㄴ. B 지점에서 조석 주기는 혼합조에 해당한다.
ㄷ. C 지점에서는 하루에 만조가 1회 나타난다.

① ㄱ 　　② ㄷ 　　③ ㄱ, ㄴ
④ ㄴ, ㄷ 　　⑤ ㄱ, ㄴ, ㄷ

08 ^{서술형} 그림은 고위도와 저위도 지역의 하루 동안 해수면의 높이 변화를 순서 없이 나타낸 것이다.

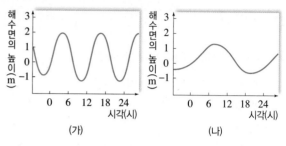

(가)　　　　　　　　(나)

(가)와 (나) 지역 중 위도가 더 높은 지역을 쓰고, 그 까닭을 서술하시오. (단, 위도 이외의 조건은 모두 같다고 가정한다.)

09 그림은 어느 날, 어느 시각에 태양과 달의 위치 및 지표상의 네 지점 A~D를 나타낸 것이다.

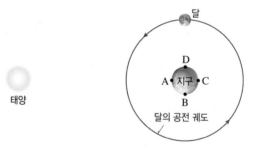

A~D 중에서 만조와 간조가 나타나는 지점을 옳게 짝 지은 것은?

	만조	간조
①	A	B
②	A	C
③	A, C	B, D
④	B	D
⑤	B, D	A, C

C 대조와 소조

10 그림은 태양, 지구, 달의 상대적인 위치를 나타낸 것이다.

이에 대한 설명으로 옳은 것만을 [보기]에서 있는 대로 고른 것은?

〔보기〕
ㄱ. 달의 위치가 A일 때 대조가 나타난다.
ㄴ. 달의 위치가 A일 때 지구의 ㉠에서는 간조이다.
ㄷ. 달이 B에 있을 때 달의 위상은 하현이다.
ㄹ. 달이 A에서 B로 가는 동안 조차는 점점 작아진다.

① ㄱ, ㄷ   ② ㄱ, ㄹ   ③ ㄴ, ㄷ
④ ㄴ, ㄹ   ⑤ ㄷ, ㄹ

11 그림은 우리나라 서해안의 어느 지역에서 한 달 동안 해수면의 높이 변화를 조사하여 나타낸 것이다.

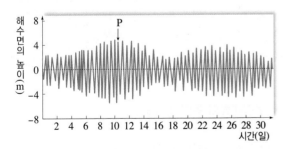

P 시기일 때, 조차와 달의 위상을 옳게 짝 지은 것은?

	조차	위상
①	사리	망
②	사리	하현
③	조금	상현
④	조금	망
⑤	조금	삭

12 표는 우리나라 서해안 어느 지역의 조석을 관측하여 나타낸 것이다.

달의 위상	날짜	시:분 해수면의 높이(cm)	시:분 해수면의 높이(cm)	시:분 해수면의 높이(cm)	시:분 해수면의 높이(cm)
	14일	3:43 (776)	10:04 (102)	15:57 (759)	22:19 (46)
	15일	4:25 (823)	10:49 (70)	16:38 (779)	22:59 (10)
● 삭	16일	5:06 (852)	11:32 (55)	17:19 (784)	23:40 (−8)

이에 대한 설명으로 옳은 것만을 [보기]에서 있는 대로 고른 것은?

〔보기〕
ㄱ. 14일 낮에 갯벌을 체험하기에 적당한 시각은 10시경이다.
ㄴ. 조차가 가장 작은 날은 16일이다.
ㄷ. 16일 이후에는 만조일 때 해수면의 높이가 낮아질 것이다.

① ㄱ   ② ㄴ   ③ ㄱ, ㄷ
④ ㄴ, ㄷ   ⑤ ㄱ, ㄴ, ㄷ

13 다음은 경기도 화성시에 위치한 제부도에서 나타나는 조석과 관련된 현상을 설명한 것이다.

경기도 화성시에 있는 제부도는 바닷길이 열리는 곳으로 유명하다. 송교리와 제부도 사이 2.3 km의 물길이 하루에 2번씩 어김없이 갈라져 국내에서 가장 잦은 '모세의 기적'을 낳는다.

바닷길이 열리는 현상에 대한 설명으로 옳은 것만을 [보기]에서 있는 대로 고른 것은?

〔보기〕
ㄱ. 바닷길이 열리는 시간은 썰물일 때이다.
ㄴ. 바닷길이 열리는 시각은 매일 일정하다.
ㄷ. 대조보다 소조일 때 바닷길이 더 열리는 면적이 넓다.

① ㄱ   ② ㄷ   ③ ㄱ, ㄴ
④ ㄴ, ㄷ   ⑤ ㄱ, ㄴ, ㄷ

01 해수를 움직이는 힘

1. 수압 경도력 (❶   ) 차이에 의해 수압이 높은 곳에서 낮은 곳으로 작용하는 힘

(1) 연직 방향의 수압 경도력: 해수의 깊이에 따른 수압 차이로 발생한다.

(2) 중력: 해수의 질량에 의해 중력이 위에서 아래로 작용한다.

(3) 정역학 평형: 연직 방향의 수압 경도력이 해수에 작용하는 (❷   )과 평형을 이룬 상태 ➡ 해수는 연직 방향으로는 잘 이동하지 않는다.

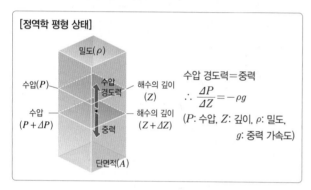

[정역학 평형 상태]

밀도(ρ)

수압(P)

수압 경도력

해수의 깊이(Z)

수압 ($P + \Delta P$)

중력

해수의 깊이 ($Z + \Delta Z$)

단면적(A)

수압 경도력=중력

$$\therefore \frac{\Delta P}{\Delta Z} = -\rho g$$

(P: 수압, Z: 깊이, ρ: 밀도, g: 중력 가속도)

(4) 수평 방향의 수압 경도력: 해수면 경사나 밀도 차이로 인한 수평 방향의 수압 차이로 발생한다.

밀도가 일정한 해수	• 해수면이 (❸) 곳에서 (❹) 곳으로 수압 경도력이 작용한다. • 수압 경도력은 두 지점의 수압 차이에 비례하고, 거리에 반비례한다.
밑면에서 수압이 같을 때	밀도가 작은 따뜻한 해수에서 밀도가 큰 차가운 해수 쪽으로 수압 경도력이 작용한다.

2. (❺   ) 지구의 자전으로 생기는 가상의 힘으로, 물체의 운동 방향을 바꾼다.

(1) 전향력의 방향: 북반구에서는 물체의 운동 방향에 오른쪽 직각 방향으로, 남반구에서는 물체의 운동 방향에 왼쪽 직각 방향으로 작용한다.

(2) 전향력의 크기: 물체의 속력에 비례하고, 고위도로 갈수록 커진다. ➡ 정지한 물체, 적도에서는 전향력이 작용하지 않는다.

02 지형류

1. 에크만 수송 마찰층에서 평균적인 해수의 이동, 북반구에서는 바람 방향의 (❻   ) 직각 방향으로 일어난다.

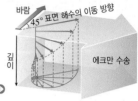

에크만 나선과 에크만 수송 ➡

2. 지형류 수압 경도력과 전향력이 평형을 이루는 상태에서 흐르는 해류

(1) 지형류의 특징

지형류 발생	수압 경도력에 의해 해수 이동 → 전향력이 작용하여 해수의 이동 방향이 편향 → 유속이 빨라짐에 따라 전향력 증가 → 전향력이 수압 경도력과 평형을 이룸 → 지형류 발생
지형류 평형	수압 경도력과 (❼)이 평형을 이룬다.
지형류 방향	북반구: (❽)의 오른쪽 직각 방향
지형류 유속	해수면 경사가 클수록, 저위도로 갈수록 증가

⬆ 지형류 발생

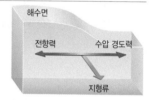

⬆ 지형류 평형

(2) 북반구 아열대 해양의 지형류 형성: (❾   )과 편서풍에 의한 에크만 수송으로 무역풍대에서는 서쪽으로, 편서풍대에서는 동쪽으로 지형류가 흐른다.

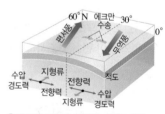

⬆ 북반구 아열대 해양의 지형류 형성

3. 서안 경계류와 동안 경계류

(1) 서안 강화 현상: 아열대 순환에서 해양의 서쪽에서 해류가 더 강하게 흐르는 현상 ➡ 원인: 전향력의 크기가 (❿   )로 갈수록 커지기 때문

(2) 서안 경계류와 동안 경계류의 특징

구분	이동 방향	폭	깊이	유량	유속	예
서안 경계류	저위도 → 고위도	좁음	깊음	많음	빠름	쿠로시오 해류
동안 경계류	고위도 → 저위도	넓음	얕음	적음	느림	캘리포니아 해류

해파와 해일

1. 해파

(1) 해파의 발생 원인: 주로 해수면 위를 부는 바람

(2) 해파의 전파: 해파의 진행 방향으로 에너지는 전달되지만, 물 입자는 원궤도를 그리며 해파를 따라 진행하지 않는다.

(3) 모양에 따른 해파의 분류

풍랑	(⑪)	연안 쇄파
• 바람에 의해 직접 발생한 해파 • 마루가 삼각형으로 뾰족하다.	• 풍랑이 발생지로부터 멀리 전파되어 온 해파 • 마루가 둥글다.	• 너울이 수심이 얕은 해안에 도달하여 파고가 높아지고 해안 쪽으로 부서지는 해파 • 파고가 높다.

(4) 수심(h)과 파장(L)에 따른 해파의 분류

구분	심해파	천해파	천이파
수심과 파장	$h > \dfrac{L}{2}$	$h < \dfrac{L}{20}$	$\dfrac{L}{20} < h < \dfrac{L}{2}$
물 입자의 운동	• (⑫)운동 • 해저면의 영향을 받지 않는다.	• (⑬) 운동 • 해저면의 영향을 받는다.	심해파와 천해파의 중간 특징
전파 속도	$\sqrt{\dfrac{gL}{2\pi}}$ ➡ 파장의 제곱근에 비례	$\sqrt{gh}$ ➡ 수심의 제곱근에 비례	

(5) 해파의 굴절: 해안에서 곶 부근의 수심이 먼저 얕아짐에 따라 해파의 전파 속도가 감소하여 만에서 곶 쪽으로 해파가 굴절한다.

곶	만
• 해파의 에너지 집중 • 침식 작용 우세 ➡ 해식 절벽 형성	• 해파의 에너지 분산 • (⑭) 작용 우세 ➡ 해수욕장 발달

2. 해일

지진 해일	폭풍 해일
• 발생 원인: 해저에서 지진, 화산 폭발, 단층 등에 의해 해수면 급격히 상승 • (⑮)의 성질 • 해안가로 오면 전파 속도가 느려지고, 파장이 짧아지며, 파고가 높아진다.	• 발생 원인: 태풍, 강한 저기압이 해안으로 접근할 때 해수면 급격히 상승 • 천해파의 성질 • 우리나라 여름철 남해안에서 주로 발생하고, 만조와 겹치면 피해가 커진다.

④ 조석

1. 기조력   조석 현상을 일으키는 힘

(1) 조석: 해수면의 높이가 주기적으로 높아졌다 낮아지는 현상

(2) 기조력: 지구와 천체(달, 태양 등)가 공통 질량 중심을 중심으로 회전할 때 생기는 (⑯   )과 천체가 지구에 작용하는 인력의 합력 ➡ 천체의 질량에 비례하고, 천체까지 거리의 세제곱에 반비례

(3) 달에 의한 기조력

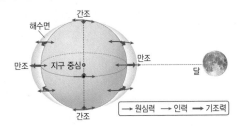

달의 반대쪽	달을 향한 쪽
원심력>달의 인력 ➡ 기조력이 달의 반대쪽으로 작용하여 (⑰)	원심력<달의 인력 ➡ 기조력이 달 쪽으로 작용하여 만조

2. 조석 양상

(1) 조석 주기: 만조(간조)에서 다음 만조(간조)까지 걸리는 시간 ➡ 반일주조일 때 약 12시간 25분

(2) 지역에 따른 조석 주기 변화

일주조	혼합조	(⑱)
하루에 각각 1회씩 만조와 간조	하루에 각각 2회씩 만조와 간조, 조차가 다르다.	하루에 각각 2회씩 만조와 간조, 조차가 비슷하다.

3. 대조와 소조

구분	(⑲)	소조(조금)
정의	조차가 가장 큰 시기	조차가 가장 작은 시기
시기	삭, 망	상현, (⑳)
상대적 위치	태양, 지구, 달이 일직선상에 위치	태양, 지구, 달이 지구를 중심으로 직각을 이루는 위치
달의 위상과 해수면의 높이	○ 삭 ◖ 상현 ● 망 ◗ 하현 ○ 삭	

난이도 ●●●

01 해수를 움직이는 힘에 대한 설명으로 옳은 것만을 [보기]에서 있는 대로 고른 것은? ●○○

[보기]
ㄱ. 수평 방향의 수압 경도력은 해수면의 경사가 급할수록 크다.
ㄴ. 전향력은 정지되어 있는 해수에도 작용한다.
ㄷ. 같은 위도를 따라 흐르는 해류에 작용하는 전향력의 크기는 항상 같다.

① ㄱ   ② ㄷ   ③ ㄱ, ㄴ
④ ㄴ, ㄷ   ⑤ ㄱ, ㄴ, ㄷ

02 북반구에서 지형류가 흐를 때 작용하는 힘과 지형류의 방향을 옳게 나타낸 것은? ●○○

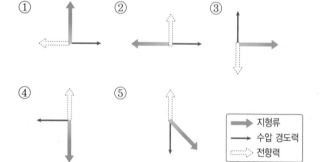

03 그림은 같은 위도에 위치한 북반구의 어느 두 지역에서 동서 방향의 해수면 기울기를 나타낸 것이다. ●●○

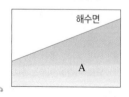

A 해역에 비해 B 해역에서 값이 큰 물리량만을 [보기]에서 있는 대로 고르시오.

[보기]
ㄱ. 수압 경도력   ㄴ. 지형류의 유속
ㄷ. 지형류에 작용하는 전향력의 크기

●●●

04 그림은 북반구 아열대 해양의 지형류 발생을 모식적으로 나타낸 것이다.

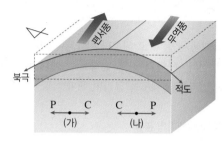

이에 대한 설명으로 옳은 것만 [보기]에서 있는 대로 고른 것은?

[보기]
ㄱ. 힘 P는 수압 경도력, 힘 C는 전향력이다.
ㄴ. (가) 지점에서 해류는 동에서 서로, (나) 지점에서 해류는 서에서 동으로 흐른다.
ㄷ. 에크만 수송이 편서풍대에서는 남쪽 방향으로, 무역풍대에서는 북쪽 방향으로 일어난다.

① ㄱ   ② ㄴ   ③ ㄱ, ㄷ
④ ㄴ, ㄷ   ⑤ ㄱ, ㄴ, ㄷ

●●○

05 그림은 아열대 순환을 일으키는 바람과 표층 순환을 모식적으로 나타낸 것이다.

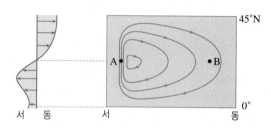

이에 대한 설명으로 옳은 것만을 [보기]에서 있는 대로 고른 것은?

[보기]
ㄱ. 해수면의 기울기는 A보다 B에서 더 급하다.
ㄴ. A에서 수압 경도력은 서쪽으로 작용한다.
ㄷ. 전향력은 B보다 A에서 흐르는 해류에 더 크게 작용한다.

① ㄱ   ② ㄷ   ③ ㄱ, ㄴ
④ ㄴ, ㄷ   ⑤ ㄱ, ㄴ, ㄷ

06 그림은 해파의 모양과 물 입자의 운동을 나타낸 것이다.

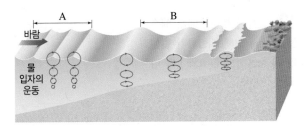

A 파와 B 파에 대한 설명으로 옳지 <u>않은</u> 것은?

① A는 바람에 의해 직접 발생한 해파이다.

② 주기는 A가 B보다 길다.

③ A의 전파 속도는 수심에 영향을 받지 않는다.

④ B는 해저 마찰의 영향을 받는다.

⑤ B는 천해파의 특성을 갖는다.

07 그림은 어떤 해파에서 물 입자의 운동을 나타낸 것이다.

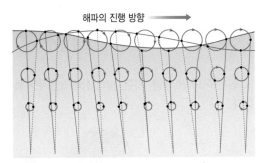

이 해파에 대한 설명으로 옳은 것만을 [보기]에서 있는 대로 고른 것은?

┌[보기]
ㄱ. 물 입자가 타원 궤도를 그리며 운동한다.
ㄴ. 전파 속도는 파장의 제곱근에 비례한다.
ㄷ. 물 입자의 운동이 해저면까지 전달되지 않는다.
ㄹ. 지진 해일에서 일어나는 물 입자의 운동에 해당한다.
└

① ㄱ, ㄴ ② ㄱ, ㄹ ③ ㄴ, ㄷ
④ ㄴ, ㄹ ⑤ ㄷ, ㄹ

08 그림은 해저에서 단층 작용에 의한 지진이 일어나면서 발생한 지진 해일이 전파되는 모습을 나타낸 것이다.

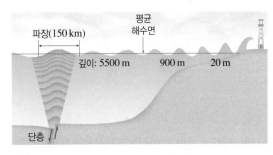

이 지진 해일에 대한 설명으로 옳은 것만을 [보기]에서 있는 대로 고른 것은?

┌[보기]
ㄱ. 발생 당시 심해파의 특성을 나타낸다.
ㄴ. 수심이 얕아질수록 전파 속도가 느려진다.
ㄷ. 해안에 다가오면서 파장이 길어진다.
└

① ㄱ ② ㄴ ③ ㄱ, ㄷ
④ ㄴ, ㄷ ⑤ ㄱ, ㄴ, ㄷ

09 그림은 지구와 달이 공통 질량 중심(G)에 대해 회전 운동을 할 때 지구 표면에 작용하는 힘 A~C를 나타낸 것이다.

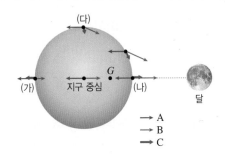

이에 대한 설명으로 옳은 것은?

① A는 달의 인력이다.

② B의 크기는 지표상의 모든 지점에서 같다.

③ (나)에서는 A의 크기가 B의 크기보다 작다.

④ (가), (나)에서 C의 크기는 다르고, 방향은 반대이다.

⑤ C의 크기는 (다)에서 가장 크다.

10 그림은 적도 지역에서 달의 위상이 상현이나 삭일 때 기조력에 의해 해수면이 부푼 모습을 순서 없이 나타낸 것이다.

(가)   (나)

이에 대한 설명으로 옳은 것만을 [보기]에서 있는 대로 고른 것은?

[보기]
ㄱ. 달의 위상은 (가)일 때 삭, (나)일 때 상현이다.
ㄴ. (가)일 때 사리, (나)일 때 조금이다.
ㄷ. (가)에서 (나)로 변하는 동안 조차가 커진다.

① ㄱ   ② ㄷ   ③ ㄱ, ㄴ
④ ㄴ, ㄷ   ⑤ ㄱ, ㄴ, ㄷ

11 그림은 우리나라 서해안의 인천만에서 약 한 달 동안 해수면 높이의 변화를 조사하여 나타낸 것이다.

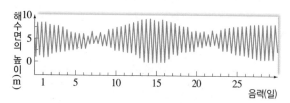

이에 대한 설명으로 옳은 것만을 [보기]에서 있는 대로 고른 것은?

[보기]
ㄱ. 기조력은 음력 1일경이 7일경보다 더 크다.
ㄴ. 음력 21일에는 달과 태양의 기조력의 방향이 같다.
ㄷ. 썰물일 때 드러나는 갯벌의 면적은 음력 7일경보다 15일경이 더 넓다.

① ㄱ   ② ㄴ   ③ ㄱ, ㄷ
④ ㄴ, ㄷ   ⑤ ㄱ, ㄴ, ㄷ

서술형 문제

12 그림은 북반구에서 해수면 경사에 의해 지형류가 발생할 때 작용하는 힘 a와 b를 나타낸 것이다.

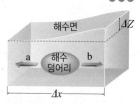

(1) $\dfrac{\Delta Z}{\Delta x}$ 값이 커질 때, a와 b의 변화를 쓰시오.

(2) 30°N 해역에서 흐르는 지형류의 유속이 $1\,\mathrm{m/s}$, Δx가 $100\,\mathrm{km}$일 때 ΔZ를 구하시오. (단, 지구의 자전 각속도는 $7.29 \times 10^{-5}/\mathrm{s}$, 중력 가속도는 $10\,\mathrm{m/s^2}$이다.)

13 어느 해안가에서 $1200\,\mathrm{km}$ 떨어진 수심 $1000\,\mathrm{m}$ 지점에서 발생한 해일의 전파 속도를 식을 세워 구하시오. (단, 해일의 파장은 $100\,\mathrm{km}$, 중력 가속도는 $10\,\mathrm{m/s^2}$이다.)

14 그림은 어느 날 태양, 지구, 달의 상대적인 위치를 나타낸 것이다.

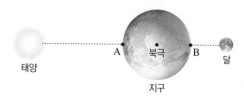

(1) 현재 A와 B 지점은 각각 만조인지 간조인지 쓰시오.

(2) 약 7일 후 조차는 어떻게 변하는지 달의 위상과 함께 서술하시오.

01 그림은 전향력의 크기와 방향을 알아보기 위해 시계 반대 방향으로 회전하는 큰 원판 위에서 공을 굴리는 실험을 한 결과이다.

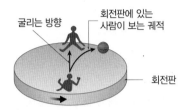

이에 대한 설명으로 옳은 것만을 [보기]에서 있는 대로 고른 것은?

[보기]
ㄱ. 북반구에서 작용하는 전향력의 방향을 설명할 수 있다.
ㄴ. 원판의 회전 속도가 빨라지면 공의 궤적이 더 많이 휜다.
ㄷ. 원판 밖에서 볼 때는 공의 궤적이 휘어지지 않는다.

① ㄱ   ② ㄷ   ③ ㄱ, ㄴ
④ ㄴ, ㄷ   ⑤ ㄱ, ㄴ, ㄷ

02 그림은 적도 해역에서 대기 대순환에 의해 지속적으로 부는 바람의 방향을 나타낸 것이다.

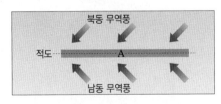

이에 대한 설명으로 옳은 것만을 [보기]에서 있는 대로 고른 것은?

[보기]
ㄱ. 두 무역풍에 의한 에크만 수송은 같은 방향으로 일어난다.
ㄴ. 적도 쪽으로 해수의 수렴이 일어난다.
ㄷ. A 해역의 해수면은 낮아진다.

① ㄱ   ② ㄷ   ③ ㄱ, ㄴ
④ ㄴ, ㄷ   ⑤ ㄱ, ㄴ, ㄷ

03 그림은 북반구의 해역 중 해수면이 경사진 곳에서 A 지점에서 움직이기 시작한 해수가 B 지점에 도달하여 지형류가 형성되는 과정을 나타낸 것이다.

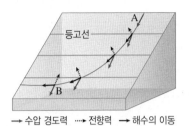

이에 대한 설명으로 옳은 것만을 [보기]에서 있는 대로 고른 것은?

[보기]
ㄱ. A에서 B로 가면서 수압 경도력은 점점 커진다.
ㄴ. A에서 B로 가면서 전향력은 일정하게 유지된다.
ㄷ. B 지점에서는 수압 경도력과 전향력의 크기가 같다.

① ㄱ   ② ㄷ   ③ ㄱ, ㄴ
④ ㄴ, ㄷ   ⑤ ㄱ, ㄴ, ㄷ

04 그림은 북반구에서 P 지점에 흐르는 지형류에 작용하는 힘 A, B를 나타낸 것이다.

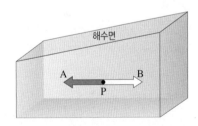

30°N 해역에 흐르는 지형류와 비교하여 60°N 해역에 흐르는 지형류의 특성에 대한 설명으로 옳은 것만을 [보기]에서 있는 대로 고른 것은? (단, 두 해역의 해수면의 기울기는 같다.)

[보기]
ㄱ. A의 크기는 같다.
ㄴ. B의 크기가 작다.
ㄷ. 유속이 빠르다.

① ㄱ   ② ㄷ   ③ ㄱ, ㄴ
④ ㄴ, ㄷ   ⑤ ㄱ, ㄴ, ㄷ

05 그림은 멕시코만류의 깊이에 따른 유속과 해수면의 경사를 나타낸 것이다.

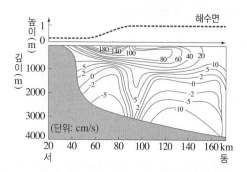

이에 대한 설명으로 옳은 것만을 [보기]에서 있는 대로 고른 것은?

─[보기]─
ㄱ. 수압 경도력은 서쪽으로 작용한다.
ㄴ. 멕시코만류는 남쪽으로 흐른다.
ㄷ. 유속이 큰 곳에서 해수면 경사가 급하다.

① ㄱ   ② ㄴ   ③ ㄱ, ㄷ
④ ㄴ, ㄷ   ⑤ ㄱ, ㄴ, ㄷ

06 그림은 어느 해안가의 수심을 나타낸 것으로, B에서 파장이 100 m인 해파가 해안에 접근하면서 C에서 파장이 80 m로 변하였다.

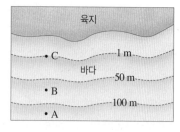

이에 대한 설명으로 옳은 것만을 [보기]에서 있는 대로 고른 것은?

─[보기]─
ㄱ. A에서 B로 가는 동안 파장이 일정할 때 해파의 전파 속도는 느려진다.
ㄴ. C에서 해파의 표층 물 입자는 타원 운동을 한다.
ㄷ. C에서 해안으로 가는 동안 해파의 파장은 짧아진다.

① ㄱ   ② ㄷ   ③ ㄱ, ㄴ
④ ㄴ, ㄷ   ⑤ ㄱ, ㄴ, ㄷ

07 그림 (가)와 (나)는 어느 해역에서 발생하여 전파되어 오면서 특성이 달라진 두 해파의 모양과 각 해파의 파장(L)과 수심(h)의 관계를 나타낸 것이다.

구분	(가)	(나)
모양		
파장과 수심의 관계	$h < \dfrac{L}{20}$	$h > \dfrac{L}{2}$

이에 대한 설명으로 옳은 것만을 [보기]에서 있는 대로 고른 것은?

─[보기]─
ㄱ. (가)는 바람에 의해 직접 형성된 해파이다.
ㄴ. (가)가 전파되면서 (나)로 변하였다.
ㄷ. (가)는 (나)보다 해저 마찰의 영향을 많이 받는다.

① ㄱ   ② ㄷ   ③ ㄱ, ㄴ
④ ㄴ, ㄷ   ⑤ ㄱ, ㄴ, ㄷ

08 그림은 2011년 일본에서 발생한 지진에 의한 해파가 도달한 시각을 나타낸 것이다.

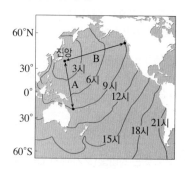

이에 대한 설명으로 옳은 것만을 [보기]에서 있는 대로 고른 것은?

─[보기]─
ㄱ. 해파가 전파되면서 해저의 영향을 받지 않았다.
ㄴ. 해안에 접근하면서 파고는 높아진다.
ㄷ. 평균 수심은 A보다 B 구간에서 깊다.

① ㄱ   ② ㄷ   ③ ㄱ, ㄴ
④ ㄴ, ㄷ   ⑤ ㄱ, ㄴ, ㄷ

09 그림 (가)와 (나)는 지구가 달과의 공통 질량 중심 G를 중심으로 회전 운동을 할 때, A~D 지점에 작용하는 원심력과 달의 인력을 나타낸 것이다.

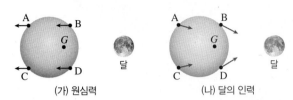

(가) 원심력   (나) 달의 인력

이에 대한 설명으로 옳은 것만을 [보기]에서 있는 대로 고른 것은?

[보기]
ㄱ. A와 D 지점에 작용하는 원심력의 크기와 방향은 모두 같다.
ㄴ. A와 C 지점에 작용하는 원심력과 달의 인력의 크기는 같다.
ㄷ. B와 D 지점에서 기조력은 달의 방향을 향한다.

① ㄱ   ② ㄴ   ③ ㄱ, ㄷ
④ ㄴ, ㄷ   ⑤ ㄱ, ㄴ, ㄷ

10 그림은 달의 위치와 지구가 1회 자전하는 동안 달이 공전한 각도를 나타낸 것이다.

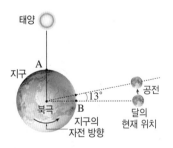

이에 대한 설명으로 옳은 것만을 [보기]에서 있는 대로 고른 것은? (단, 바다는 균질한 해수로 둘러싸여 있고, 해수의 마찰과 관성은 무시한다.)

[보기]
ㄱ. 현재 A 지점은 만조이다.
ㄴ. B 지점의 조석 주기는 약 24시간 50분이다.
ㄷ. 7일 후 조석 간만의 차는 이날보다 크다.

① ㄱ   ② ㄷ   ③ ㄱ, ㄴ
④ ㄴ, ㄷ   ⑤ ㄱ, ㄴ, ㄷ

11 그림은 북반구에서 위도가 서로 다른 (가)와 (나) 지역의 조석 그래프를 나타낸 것이다.

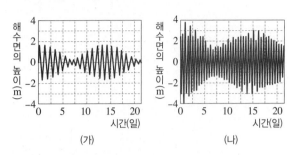

(가)   (나)

이에 대한 설명으로 옳은 것만을 [보기]에서 있는 대로 고른 것은? (단, 위도 외의 조건은 모두 같다고 가정한다.)

[보기]
ㄱ. (가)의 조석 주기는 일주조에 해당한다.
ㄴ. (나)는 (가)보다 저위도에 위치한다.
ㄷ. 대조일 때 조차는 (나) 지역이 더 크다.

① ㄱ   ② ㄷ   ③ ㄱ, ㄴ
④ ㄴ, ㄷ   ⑤ ㄱ, ㄴ, ㄷ

12 그림은 태양, 달, 지구의 상대적인 위치에 따라 조석에 의한 해수면의 높이 변화를 나타낸 것이다.

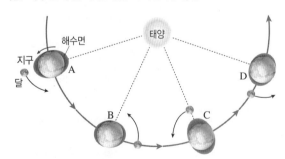

이에 대한 설명으로 옳은 것만을 [보기]에서 있는 대로 고른 것은?

[보기]
ㄱ. B보다 A일 때 조차가 더 작다.
ㄴ. C일 때는 대조가 된다.
ㄷ. D일 때 달보다 태양에 의한 기조력이 더 크다.

① ㄱ   ② ㄴ   ③ ㄱ, ㄷ
④ ㄴ, ㄷ   ⑤ ㄱ, ㄴ, ㄷ

2 대기의 운동과 순환

이 단원을 공부하기 전에 학습 계획을 세우고, 학습 진도를 스스로 체크해 보자.
학습이 미흡했던 부분은 다시 보기에 체크해 두고, 시험 전까지 꼭 완벽히 학습하자!

소단원	학습 내용	학습 일자	다시 보기
01. 단열 변화와 대기 안정도	**Ⓐ 단열 변화** 탐구 핀과 단열 변화	/	
	Ⓑ 대기 안정도 탐구 단열 선도를 이용한 대기 안정도 해석	/	
02. 대기를 움직이는 힘	**Ⓐ 기압과 정역학 평형**	/	
	Ⓑ 대기를 움직이는 힘 탐구 회전 원판을 이용한 전향력 실험	/	
03. 바람의 종류	**Ⓐ 지상 일기도와 상층 일기도** 탐구 지상 일기도와 상층 일기도에서 풍향과 풍속 비교	/	
	Ⓑ 상층에서 부는 바람	/	
	Ⓒ 지상에서 부는 바람	/	
04. 편서풍 파동	**Ⓐ 편서풍 파동과 제트류** 탐구 편서풍 파동의 발생 원리	/	
	Ⓑ 편서풍 파동과 날씨 탐구 편서풍 파동과 상층 일기도 분석	/	
05. 대기 대순환	**Ⓐ 대기 대순환**	/	
	Ⓑ 대기 순환의 규모	/	

RE VIEW

공기 중의 수증기

① **포화 수증기량**: 포화 상태의 공기 1 kg에 들어 있는 수증기의 양을 g으로 나타낸 것

➡ **포화 상태**: 어떤 공기가 수증기를 최대로 포함하고 있는 상태

② **❶** : 공기가 포화 상태에 도달하여 응결이 시작되는 온도

③ **❷** : 공기의 습한 정도를 백분율(%)로 나타낸 것

$$상대\ 습도(\%)=\frac{현재\ 공기\ 중에\ 포함된\ 수증기량(g/kg)}{현재\ 기온에서의\ 포화\ 수증기량(g/kg)}\times100$$

➡ **불포화 공기**: 이슬점보다 기온이 높아 상대 습도가 100 % 미만이다.

➡ **포화 공기**: 이슬점과 기온이 같아 상대 습도가 100 %이다.

④ **구름 생성 과정**: 불포화 공기가 상승하면서 기온이 하강하여 이슬점과 같아지면 포화 상태에 도달하여 수증기 응결이 일어나 구름이 생성된다.

⬆ **포화 수증기량 곡선**_기온이 상승하면 포화 수증기량이 증가한다.

전선

한랭 전선	온난 전선
찬 공기가 따뜻한 공기의 아래쪽으로 파고들면서 형성되는 전선 ➡ **❸** 형 구름 형성	따뜻한 공기가 찬 공기의 위를 타고 올라가면서 형성되는 전선 ➡ **❹** 형 구름 형성

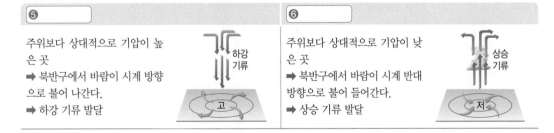

기압 공기의 질량이 단위 면적을 누르고 있는 압력

❺	❻
주위보다 상대적으로 기압이 높은 곳 ➡ 북반구에서 바람이 시계 방향으로 불어 나간다. ➡ 하강 기류 발달	주위보다 상대적으로 기압이 낮은 곳 ➡ 북반구에서 바람이 시계 반대 방향으로 불어 들어간다. ➡ 상승 기류 발달

대기 대순환 전 지구적인 규모로 일어나는 대기의 순환으로, 적도에서 가열된 공기가 상승하고 극에서 냉각된 공기가 하강하면서 순환을 이루고, 지구 자전에 의해 3개의 순환이 형성된다.

① **위도 60°~90°**: 지표 부근에 극동풍이 분다.

② **위도 30°~60°**: 지표 부근에 **❼** 이 분다.

③ **적도~30°**: 지표 부근에 **❽** 이 분다.

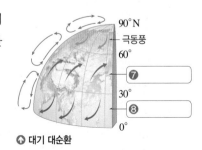
⬆ **대기 대순환**

01 단열 변화와 대기 안정도

핵심 포인트
- **Ⓐ** 단열 감률 비교 ★★
  상승 응결 고도 계산 ★★★
  푄에 의한 기온, 이슬점, 습도 변화 ★★★
- **Ⓑ** 대기 안정도 판단 ★★★
  대기 안정도에 따른 구름의 생성 ★★★
  안개의 발생 ★★

Ⓐ 단열 변화

공기 펌프를 이용하여 자전거 바퀴에 바람을 넣고 펌프를 만져 보면 따뜻해지는 것을 느낄 수 있어요. 이는 펌프를 누를 때 펌프 통 안의 공기가 압축되면서 기온이 올라가기 때문이에요. 이처럼 공기의 팽창이나 압축이 일어날 때 나타나는 기온 변화에 대해 알아볼까요?

1. 단열 변화 공기 덩어리가 외부와 열 교환 없이 팽창하거나 압축되면서 나타나는 기온 변화

(1) 상승 또는 하강하는 공기 덩어리의 단열 변화

① 단열 팽창: 공기 덩어리가 상승하면, 주변 기압이 낮아져 공기 덩어리가 팽창하면서 *내부 에너지가 감소하여 기온이 낮아진다.
└ 공기 분자들의 운동 에너지 일부가 공기 덩어리를 팽창시키는 데 사용되기 때문

② 단열 압축: 공기 덩어리가 하강하면, 주변 기압이 높아져 공기 덩어리가 압축되면서 내부 에너지가 증가하여 기온이 높아진다.
└ 공기 덩어리가 하강할 때 압축되면서 공기 분자들의 운동 에너지가 증가하기 때문

★ 내부 에너지
물체를 구성하는 분자나 원자의 위치 에너지와 운동 에너지의 총합으로, 기체는 위치 에너지가 0에 가까우므로 공기 분자의 운동 에너지의 총합으로 나타난다.

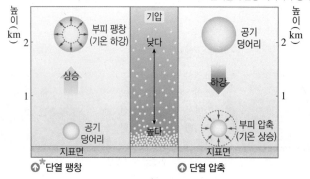

⬆ *단열 팽창　　⬆ 단열 압축

★ 단열 팽창과 단열 압축 비교

구분	단열 팽창	단열 압축
연직 운동	상승	하강
주변 기압	감소	증가
부피	증가	감소
내부 에너지	감소	증가
기온	하강	상승

(2) 단열 감률: 단열 변화에 의해 높이에 따라 기온이 변하는 비율

① 건조 단열 감률: 불포화 공기가 단열 변화할 때 높이에 따라 기온이 변하는 정도로, 높이가 100 m 상승할 때마다 약 1 ℃ 낮아진다. ➡ 1 ℃/100 m(10 ℃/km)

② *습윤 단열 감률: 포화 공기가 단열 변화할 때 높이에 따라 기온이 변하는 정도로, 높이가 100 m 상승할 때마다 약 0.5 ℃씩 낮아진다. ➡ 0.5 ℃/100 m(5 ℃/km)

★ 습윤 단열 감률이 건조 단열 감률보다 작은 까닭
수증기가 응결하면서 숨은열(응결열)을 방출하여 냉각률을 상쇄하기 때문이다.

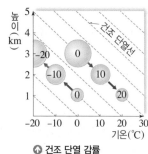

⬆ 건조 단열 감률

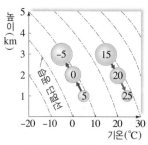

⬆ 습윤 단열 감률

③ 이슬점 감률: 높이에 따라 공기의 이슬점이 변하는 정도로, 불포화 공기는 높이가 100 m 상승할 때마다 약 0.2 ℃ 낮아지고, 포화 공기는 습윤 단열 감률(0.5 ℃/100 m)과 같다.
└ 불포화 상태의 공기 덩어리가 상승하여 단열 팽창하면 공기 덩어리 전체의 수증기량은 변하지 않지만, 단위 부피당 수증기량은 감소한다. 따라서 수증기가 응결하기 위해서는 기온이 더 낮아져야 하므로 이슬점이 낮아진다.

암기해
건조 단열 감률, 습윤 단열 감률, 이슬점 감률 비교
· 건조 단열 감률: 1 ℃/100 m
· 습윤 단열 감률: 0.5 ℃/100 m
· 이슬점 감률
┌ 불포화 공기: 0.2 ℃/100 m
└ 포화 공기: 0.5 ℃/100 m

2. 구름의 생성 구름은 공기 덩어리의 상승으로 인한 단열 팽창으로 생성된다.

(1) 상승 응결 고도: 불포화 공기가 상승하여 응결이 일어나 구름이 생성되기 시작하는 높이

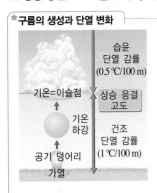
구름의 생성과 단열 변화

습윤 단열 감률 (0.5 ℃/100 m)
상승 응결 고도
기온=이슬점
건조 단열 감률 (1 ℃/100 m)
기온 하강
공기 덩어리
가열

❶ 수증기를 포함한 불포화 상태의 공기 덩어리가 상승하면, 단열 팽창하여 기온은 건조 단열 감률(1 ℃/100 m)을 따라 낮아지고, 이슬점은 이슬점 감률(0.2 ℃/ 100 m)을 따라 낮아진다.

❷ 공기 덩어리가 상승하면서 기온과 이슬점이 같아지면, 상대 습도가 100 %에 도달하고, 수증기가 응결하여 구름이 만들어지기 시작한다.
➡ 공기 덩어리가 상승 응결 고도에 도달하였다.

❸ 상승 응결 고도 이상으로 공기 덩어리가 계속 상승하면, 수증기가 응결하는 동안 상대 습도는 100 %를 유지하고, 습윤 단열 감률(0.5 ℃/100 m)을 따라 기온이 낮아진다. └─ 수증기량이 감소해도 공기 덩어리가 팽창하면서 기온이 하강하여 포화 수증기량도 감소하기 때문이다.

(2) *상승 응결 고도(H) 구하기: 기온과 이슬점이 같아지는 높이이다.

$$T-\left(\frac{1\ ℃}{100\ \mathrm{m}}\times H\right)=T_d-\left(\frac{0.2\ ℃}{100\ \mathrm{m}}\times H\right) \Rightarrow H(\mathrm{m})=125(T-T_d)\quad \left(\begin{array}{l}T:\text{지표에서의 기온}\\ T_d:\text{지표에서의 이슬점}\end{array}\right)$$

기온과 이슬점의 차이가 작을수록 상승 응결 고도는 낮아진다. ●

3. 푄 불포화 공기가 높은 산을 넘어오면서 산을 넘기 전보다 고온 건조해지는 현상

(1) 푄과 단열 변화: 산을 오르면서 단열 팽창하고, 산을 넘어 내려오면서 단열 압축한다.

완자쌤 비법특강 194쪽

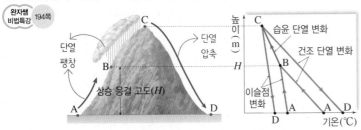

과정	A→B	B	B→C	C→D
	수증기를 포함한 불포화 공기 상승	상승 응결 고도 도달(포화 상태)	비나 눈을 내리며 포화 공기 상승	산을 넘어 공기 하강 (불포화 상태)
기온 변화	건조 단열 감률을 따라 1 ℃/100 m 하강	기온=이슬점	습윤 단열 감률을 따라 0.5 ℃/100 m 하강	건조 단열 감률을 따라 1 ℃/100 m 상승
이슬점 변화	이슬점 감률을 따라 0.2 ℃/100 m 하강		습윤 단열 감률을 따라 0.5 ℃/100 m 하강	이슬점 감률을 따라 0.2 ℃/100 m 상승
상대 습도 변화	증가 기온과 이슬점 차이 감소	100 % 구름 생성	일정 100 %	감소 기온과 이슬점 차이 증가

⬇

산을 넘어온 공기(D)는 산을 넘기 전(A)보다 기온은 상승하고 이슬점은 하강하여 상대 습도가 낮아진다.

(2) *높새바람: 우리나라 영서 지방에서 발생하는 푄으로, 늦봄과 초여름 사이에 오호츠크해 기단의 세력이 강해질 때 동해안에서 태백산맥을 넘어 불어오는 고온 건조한 바람이다.

(3) 비그늘 사막: 푄이 장기간 계속되는 경우 바람이 불어가는 쪽에 형성되는 건조한 사막
예 몽골의 고비 사막, 중국의 타커라마간 사막

★ **단열 변화에서 기온과 습도 변화**

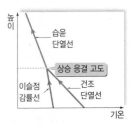

높이
습윤 단열선
상승 응결 고도
이슬점 감률선
건조 단열선
기온

• 지표면~상승 응결 고도: 공기 덩어리가 상승할수록 기온과 이슬점 차이가 줄어들면서 상대 습도 증가, 응결이 일어나지 않으므로 공기 1 kg당 수증기량(g)은 일정
• 상승 응결 고도 이후: 상대 습도 100 %로 유지, 응결이 일어나 공기 1 kg당 수증기량은 감소

★ **[예제] 상승 응결 고도**
지표에서 기온이 30 ℃, 이슬점이 26 ℃인 공기 덩어리의 상승 응결 고도(m)를 구하시오.

풀이 $H(\mathrm{m})=125\times(T-T_d)$
$=125\times(30-26)$
$=125\times4=500(\mathrm{m})$

답 500 m

★ **높새바람**

영서 지방   영동 지방   동해
태백산맥

태백산맥을 넘어오는 공기는 태백산맥의 동쪽 사면(영동 지방)에 비를 내린 후, 태백산맥의 서쪽 사면(영서 지방)에서 고온 건조한 바람이 분다.

푄과 단열 변화

정답친해 90쪽

늦은 봄에서 초여름 사이에 우리나라에서는 동해안을 지나 태백산맥을 넘어오는 높새바람이 불어요. 높새바람은 푄의 일종으로, 건조 단열 변화와 습윤 단열 변화로 설명할 수 있답니다. 푄과 관련된 문제는 시험에도 자주 출제 되므로 종합적으로 이해하고 있어야 합니다. 그럼 예시를 통해 푄을 자세히 알아볼까요?

> 지표에서 기온이 15 ℃이고, 이슬점이 11 ℃인 공기 덩어리가 높이 1500 m인 산을 만나 강제 상승하게 되었다. 이렇게 산을 넘은 공기는 산을 넘기 전보다 고온 건조한 바람이 되었다. 이 공기가 산을 넘으면서 어떤 변화를 겪었는지 구간별로 알아보자.

1 상승 응결 고도(H) 구하기 125 × (지표에서의 기온 − 지표에서의 이슬점) = 125 × (15 − 11) = 500(m)

└─ • 상승 응결 고도가 산 정상의 높이보다 높으면 구름이 생성되지 않아 푄이 일어나지 않는다.

2 공기가 이동하는 과정에서 나타나는 기온, 이슬점, 습도의 변화

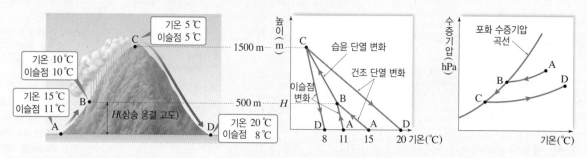

	A 지점	• 공기 덩어리의 기온은 15 ℃, 이슬점은 11 ℃이므로 불포화 상태이다.
산을 오를 때	A → B	• 공기가 불포화 상태이므로 기온은 건조 단열 감률(1 ℃/100 m)을 따라 하강하고, 이슬점은 이슬점 감률 (0.2 ℃/100 m)을 따라 하강한다. • 공기가 상승하면서 기온과 이슬점의 차이가 줄어들어 상대 습도가 증가한다.　• 공기 1 m³당 수증기량(g)으로, 수증기압에 비례한다. • 공기가 상승하면서 단열 팽창하기 때문에 단위 부피당 수증기량이 줄어들어 절대 습도가 감소한다.
	B 지점	[기온] $15 - \left(500 \times \dfrac{1}{100}\right) = 10(℃)$　　[이슬점] $11 - \left(500 \times \dfrac{0.2}{100}\right) = 10(℃)$ • 기온과 이슬점이 같아져서 응결이 시작되어 구름이 생성된다. • 공기가 포화 상태이므로 상대 습도가 100 %이다.
	B → C	• 공기가 포화 상태이므로 기온과 이슬점 모두 습윤 단열 감률(0.5 ℃/100 m)을 따라 하강한다. • 공기의 상대 습도는 100 %로 일정하고, 구름이 생성되어 비가 내린다. • 단열 팽창과 응결로 인한 수증기량 감소 때문에 절대 습도는 A → B 구간보다 더 많이 감소한다.
	C 지점	[기온=이슬점] $10 - \left(1000 \times \dfrac{0.5}{100}\right) = 5(℃)$　• B 지점에서 포화 상태가 된 공기는 C 지점까지 포화 상태가 유지되므로 상대 습도가 100 %이다. • 더 이상 공기의 상승이 일어나지 않는다.
산을 내려올 때	C → D	• 공기가 불포화 상태이므로 기온은 건조 단열 감률(1 ℃/100 m)을 따라 상승하고, 이슬점은 이슬점 감률 (0.2 ℃/ 100 m)을 따라 상승한다. • 포화 상태였던 공기가 하강하면서 기온이 상승하여 불포화 상태가 되므로 상대 습도가 감소한다. • 공기가 하강하면서 단열 압축되기 때문에 단위 부피당 수증기량이 많아져서 절대 습도가 증가한다.
	D 지점	[기온] $5 + \left(1500 \times \dfrac{1}{100}\right) = 20(℃)$　　[이슬점] $5 + \left(1500 \times \dfrac{0.2}{100}\right) = 8(℃)$ • 산을 넘기 전의 공기보다 기온은 5 ℃ 상승하고, 이슬점은 3 ℃ 하강하였으므로 공기는 고온 건조해졌다.

Q1 지표에서 기온이 같을 때, 상승 응결 고도가 낮을수록 푄에 의해 산을 넘어온 공기의 기온은 어떻게 변하는가?

개념 확인 문제

정답친해 90쪽

핵심 체크

- **단열 변화**: 공기 덩어리가 외부와 열 교환 없이 팽창하거나 압축되면서 나타나는 기온 변화
  - (❶   ): 상승하는 공기 덩어리의 부피가 팽창하면서 기온이 낮아진다.
  - (❷   ): 하강하는 공기 덩어리의 부피가 압축되면서 기온이 높아진다.
- **단열 감률**: 단열 변화에 의해 높이에 따라 기온이 변하는 비율
  - (❸   ) 단열 감률: 불포화 공기가 100 m 상승할 때마다 기온은 (❹   ) °C씩 낮아진다.
  - (❺   ) 단열 감률: 포화 공기가 100 m 상승할 때마다 기온은 (❻   ) °C씩 낮아진다.
- **구름의 생성**: 구름은 공기 덩어리의 상승으로 인한 단열 팽창으로 생성된다.
  - (❼   ): 불포화 공기가 상승하여 응결이 일어나 구름이 생성되기 시작하는 높이
  - 상승 응결 고도(H) 구하는 식: $H(\text{m}) = 125 \times (T - T_d)$ (T: 지표에서의 기온, T_d: 지표에서의 이슬점)
- (❽   ): 불포화 공기가 높은 산을 넘어오면서 산을 넘기 전보다 고온 건조해지는 현상
  - (❾   ): 우리나라 동해안에서 태백산맥을 넘어 영서 지방에 불어오는 고온 건조한 바람
  - 비그늘 사막: 푄이 장기간 계속되는 경우 바람이 불어가는 쪽에 형성되는 건조한 사막

1 단열 변화에 대한 설명 중 (   ) 안에 알맞은 말을 고르시오.

(1) 공기가 상승하면 기온이 (낮아, 높아)진다.

(2) 하강하는 공기의 부피는 ㉠(감소, 증가)하고, 내부 에너지는 ㉡(감소, 증가)한다.

(3) 상승하는 공기의 기온이 하강하는 원인은 (단열 압축, 단열 팽창)하기 때문이다.

(4) 불포화 상태인 공기 덩어리가 1 km 상승할 때마다 기온은 ㉠(5, 10) °C씩 ㉡(낮아, 높아)진다.

(5) 불포화 상태인 공기 덩어리가 1 km 하강할 때마다 이슬점은 ㉠(2, 5) °C씩 ㉡(낮아, 높아)진다.

2 건조 단열 감률, 습윤 단열 감률, 이슬점 감률의 크기를 부등호로 비교하시오. (단, 이슬점 감률은 불포화 공기만 가정한다.)

3 그림과 같이 A 구간에서 불포화 공기 덩어리가 상승하는 과정에서 값이 증가하는 물리량은?

① 기온
② 밀도
③ 이슬점
④ 상대 습도
⑤ 내부 에너지

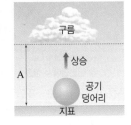

4 그림은 공기 덩어리가 A에서 B 지점까지 산을 넘는 모습을 나타낸 것이다. (단, 건조 단열 감률은 1 °C/100 m, 습윤 단열 감률은 0.5 °C/100 m, 이슬점 감률은 0.2 °C/100 m 이다.)

(1) 상승 응결 고도는 몇 m인지 구하시오.

(2) 산의 높이가 2000 m일 때, 산 정상에서의 기온은 몇 °C 인지 구하시오.

5 산을 넘어가는 공기 덩어리에 대한 설명으로 옳은 것은 ○, 옳지 않은 것은 ×로 표시하시오.

(1) 상승하는 공기 덩어리는 상승 응결 고도에 도달할 때까지 건조 단열 변화를 한다. .... (   )

(2) 상승 응결 고도에서 산 정상까지 상승하는 공기의 이슬점은 0.2 °C/100 m의 비율로 하강한다. .... (   )

(3) 산 정상에서 공기 덩어리가 지표로 내려오는 동안 상대 습도는 낮아진다. .... (   )

B 대기 안정도

1. 대기 안정도 공기 덩어리를 상승 또는 하강시켰을 때 원래의 높이로 되돌아가려는 정도

(1) 대기 안정도 판단: 강제로 상승이나 하강시킨 공기의 기온을 주변 공기의 기온과 비교한다.

구분	안정	불안정	중립
모식도	(높이(m), 기온선, 처음 위치, 건조 단열선, 기온(℃))	(높이(m), 건조 단열선, 처음 위치, 기온선, 기온(℃))	(높이(m), 기온선, 처음 위치, 건조 단열선, 기온(℃))
특징	*기온 감률<단열 감률 ➡ 강제로 상승 또는 하강시킨 공기 덩어리가 원래의 위치로 돌아가려고 한다.	기온 감률>단열 감률 ➡ 강제로 상승 또는 하강시킨 공기 덩어리가 계속 상승하거나 하강하려고 한다.	기온 감률=단열 감률 ➡ 강제로 상승 또는 하강시킨 공기 덩어리가 옮겨간 자리에 그대로 머무르려고 한다.
대기의 연직 운동	연직 운동 억제 ➡ 대기 오염 물질이 잘 확산되지 않는다.	연직 운동 활발 ➡ 대기 오염 물질이 잘 확산된다.	연직 운동이 약하다. ➡ 대기 오염 물질의 확산이 약하다.

(2) 수증기의 포화 여부에 따른 대기 안정도

절대 안정	기온 감률(A)<습윤 단열 감률 ➡ 공기 덩어리가 원래의 위치로 돌아오려고 한다.	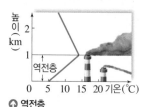
절대 불안정	기온 감률(C)>건조 단열 감률 ➡ 공기 덩어리가 원래의 위치에서 멀어지려고 한다.	
조건부 불안정	습윤 단열 감률<기온 감률(B)<건조 단열 감률 ➡ 공기 덩어리가 불포화 상태인 경우에는 안정하고, 포화 상태인 경우에는 불안정하다.	

(3) *역전층: 높이가 높아질수록 기온이 높아지는 층 ➡ 절대 안정

① **발생:** 바람이 약하고 날씨가 맑은 날 새벽에 지표면의 복사 냉각으로 발생한다.

② **특징:** 지상에 역전층이 형성되면 대기가 매우 안정하여 오염 물질이 확산되지 못하므로 대기 오염이 심해진다.

(높이(km), 역전층, 기온(℃) 0 5 10 15 20)

⬆ 역전층

2. 구름의 생성과 대기 안정도

(1) 구름이 생성되는 경우: 구름이 만들어지기 위해서는 공기 덩어리가 상승해야 한다.

   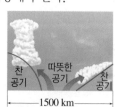

⬆ 국지적 가열로 상승 (5 km)　⬆ 지형의 영향으로 상승 (150 km)　⬆ 공기의 수렴으로 상승 (저기압, 500 km)　⬆ 전선면에서 상승 (찬 공기, 따뜻한 공기, 찬 공기, 1500 km)

(2) 기온의 연직 구조에 따른 구름의 형태: 안정한 대기에서는 층운형 구름이 나타나고, 불안정한 대기에서는 적운형 구름이 나타난다.

공기 덩어리가 주변 공기보다 기온이 낮으면 밀도가 커서 지표로 가라앉으려고 하고, 주변 공기보다 기온이 높으면 밀도가 작아서 상승하려고 해요.

★ **기온 감률**
위로 갈수록 기온이 낮아지는 비율로, 대류권의 평균 기온 감률은 0.65 ℃/100 m이다. 기온 감률은 라디오존데나 항공기 관측으로 얻을 수 있다.

•절대 안정과 절대 불안정 상태에서는 수증기의 포화 여부와 관계 없다.

★ **역전층**
대류권에서는 일반적으로 높이 올라갈수록 기온이 낮아지지만, 높이가 높아질수록 기온이 높아질 수도 있다. 이러한 기온 분포가 나타나는 대기를 역전층이라고 한다.

*단열 선도를 이용한 대기 안정도 해석

과정 및 결과

❶ 표는 A∼D 지점의 높이에 따른 기온(℃) 분포를 나타낸 것이다. 이를 단열 선도에 나타낸다.

높이(m) \ 지점	A	B	C	D
300	9.0	10.1	10.5	17.9
200	8.0	10.4	12.0	18.6
100	7.0	10.7	13.5	19.3
0	6.0	11.0	15.0	20.0

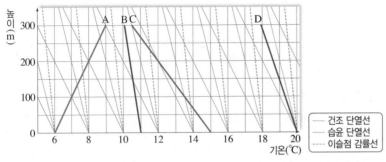

건조 단열선 —
습윤 단열선 —
이슬점 감률선 ----

목표 높이에 따른 기온 자료를 단열 선도에 그릴 수 있고, 단열 선도를 이용하여 대기 안정도를 해석할 수 있다.

* **단열 선도**
상층 대기 안정도를 판단하기 위해 가로축이 기온, 세로축이 높이인 그래프에 여러 가지 단열선을 함께 표시한 것

❷ A∼D 각 지점에서 지표에서의 기온이 같고 불포화된 공기 덩어리와 포화된 공기 덩어리를 각각 높이 300 m까지 강제로 상승시켰을 때 기온을 주변 공기와 비교하여 안정도를 판단한다.

구분	불포화 공기(건조 단열 감률을 따름)				포화 공기(습윤 단열 감률을 따름)			
	A	B	C	D	A	B	C	D
300 m 기온(℃)	3	8	12	17	4.5	9.5	13.5	18.5
주변 공기와의 기온 차이(℃)	6 낮음 (=3−9)	2.1 낮음 (=8−10.1)	1.5 높음 (=12−10.5)	0.9 낮음 (=17−17.9)	4.5 낮음 (=4.5−9)	0.6 낮음 (=9.5−10.1)	3 높음 (=13.5−10.5)	0.6 높음 (=18.5−17.9)
안정도 판단	안정	안정	불안정	안정	안정	안정	불안정	불안정

해석
• 대기 안정도: A, B 지점은 절대 안정, C 지점은 절대 불안정, D 지점은 조건부 불안정 상태이다.

같은 탐구 · 다른 실험

과정 표는 지표에서 이슬점이 5 ℃인 A∼C 지점의 높이에 따른 기온(℃) 분포를 나타낸 것이다. 이를 단열 선도에 나타내어 대기 안정도를 판단한다.

높이(m) \ 지점	0	100	200	300	400	500	600	700	800	900	1000
A	15.0	16.0	17.0	18.0	16.0	14.0	12.0	10.0	8.0	6.0	4.0
B	15.0	14.0	13.0	12.0	11.0	10.0	9.0	8.0	7.0	6.0	5.0
C	15.0	13.0	11.0	9.0	12.0	14.0	16.0	15.0	14.0	13.0	12.0

결과 및 해석

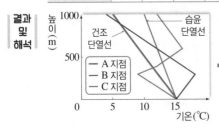

— A 지점
— B 지점
— C 지점

구간 \ 지점	지표면∼ 높이 300 m	높이 300 m ∼600 m	높이 600 m ∼1000 m
A	절대 안정	절대 불안정	절대 불안정
B	중립	중립	중립
C	절대 불안정	절대 안정	중립

확인 문제

1 위 탐구의 과정 ❶ 단열 선도에서 B 지점과 C 지점의 기온 감률을 부등호로 비교해 보자.

2 위 탐구의 과정 ❶ 단열 선도의 A 지점과 같이 높이가 높아질수록 기온이 높아지는 층을 무엇이라고 하는가?

확인 문제 답
1 B < C
2 역전층

3. 대기 안정도에 따른 구름의 생성과 유형

★ 절대 안정한 대기

① 절대 안정한 대기에서는 공기의 이동이 잘 일어나지 않는다.
② 공기 덩어리가 강제로 상승하면 얇고 넓게 퍼진 모양의 층운형 구름이 만들어지고, 흐리거나 약한 비가 내릴 수 있다.

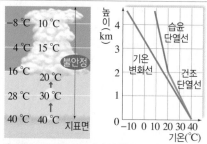

⊙ 절대 안정한 대기에서 생성되는 구름

★ 절대 불안정한 대기

① 절대 불안정한 대기에서 상승한 공기는 같은 높이의 주변 공기보다 가벼워서 계속 상승한다.
② 공기 덩어리가 상승하면서 기온이 이슬점과 같아지면 응결이 일어나 구름이 생기기 시작한다.
③ 구름 생성 후 공기 덩어리는 주변 공기보다 기온이 높으면 습윤 단열선을 따라 계속 상승하면서 좁고 두꺼운 적운형 구름이 만들어지고, 소나기가 내린다.

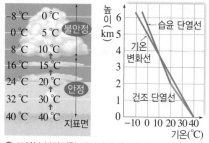

⊙ 절대 불안정한 대기에서 생성되는 구름

조건부 불안정한 대기

① 지표의 공기가 안정한 상태에서 강제로 상승이 일어나 포화되면 층운형 구름이 만들어진다.
② 공기 덩어리가 상승하면서 숨은열의 방출로 주변 공기보다 기온이 높아지면 불안정한 상태가 되어 스스로 상승하면서 적운형 구름이 만들어진다.

⊙ 조건부 불안정한 대기에서 생성되는 구름

★ 안정 상태

기표 기온<상공 기온일 때, 역전층이 형성되어 대기는 안정하다. 안정 상태가 될 수 있는 지표 공기의 기온 하강 요인은 다음과 같다.
• 밤 동안 지표면의 복사 냉각
• 바람에 의한 찬 공기 유입
• 찬 지표면 위로 공기 이동

★ 불안정 상태

지표 공기가 뜨거워 높이가 높아질수록 기온이 급격히 낮아질 때 대기는 불안정하다. 불안정 상태가 될 수 있는 지표 공기의 기온 상승 요인은 다음과 같다.
• 낮 동안 지표면의 가열
• 바람에 의한 따뜻한 공기 유입
• 따뜻한 지표면 위로 공기 이동

4. 안개의 발생과 유형

(1) 안개: 지표면 부근에서 수증기 응결로 생성된 작은 물방울이 공기 중에 떠 있는 현상

(2) 안개의 발생: 안개는 대기가 안정하고 바람이 약할 때 주로 발생한다.

냉각에 의한 안개	복사 안개	• 맑고 바람이 거의 없는 날 밤에 지표면의 복사 냉각이 활발하게 일어나 기온이 이슬점 아래로 내려가면서 발생하는 안개 • 복사 냉각으로 지표 부근에 역전층이 형성되면서 발생하며, 연직 운동이 억제되어 안개 입자가 쉽게 확산되지 못한다.	복사 / 냉각 / 맑은 날 밤
	이류 안개	• 따뜻하고 습윤한 공기가 차가운 지표면 위로 이동하여 공기의 밑부분이 냉각되면서 발생하는 안개 • 안정한 대기에서 발생한다. • 예 바다 안개(해무)— 우리나라에서 따뜻한 남서풍이 한반도 부근의 차가운 해수면 위를 지나면서 포화될 때 발생한다.	따뜻한 공기 / 찬 해수
	활승 안개	따뜻하고 습윤한 공기가 산을 오르면서 단열 팽창하여 냉각되어 발생하는 안개	
수증기량 증가에 의한 안개	증발 안개	• 찬 공기가 따뜻한 물 위를 지날 때 열과 수증기를 공급받아 수증기가 응결하여 발생하는 안개 • 안정한 대기뿐만 아니라 불안정한 대기에서도 발생한다.	찬 공기 / 따뜻한 물
	전선 안개	온난 전선이 통과할 때 약한 비가 내려 수증기가 증발하여 발생하는 안개	

주의해

안개와 구름의 차이

안개와 구름의 근본적인 차이는 없으며 외형과 구조도 같다. 가장 중요한 차이는 생성 방법 및 장소로, 구름은 공기가 상승해서 단열 팽창에 의해 냉각될 경우 발생하지만, 안개는 지표 부근에서 공기가 냉각되거나 수증기량의 증가로 포화되는 경우에 발생한다.

개념 확인 문제

핵심 체크

• 대기 안정도 판단
  ┌ (❶   ): 기온 감률<단열 감률 ➡ 공기 덩어리가 원래의 위치로 돌아가려고 한다.
  ├ (❷   ): 기온 감률>단열 감률 ➡ 공기 덩어리가 계속 상승하거나 하강하려고 한다.
  └ 중립: 기온 감률=단열 감률 ➡ 공기 덩어리가 옮겨간 자리에 그대로 머무르려고 한다.

• 수증기의 포화 여부에 따른 대기 안정도
  ┌ (❸   ): 기온 감률<습윤 단열 감률 ➡ 수증기의 포화 여부에 관계없이 안정하다.
  ├ (❹   ): 기온 감률>건조 단열 감률 ➡ 수증기의 포화 여부에 관계없이 불안정하다.
  └ (❺   ): 건조 단열 감률>기온 감률>습윤 단열 감률 ➡ 공기 덩어리가 불포화 상태인 경우에는 안정하고, 포화 상태인 경우에는 불안정하다.

• 대기 안정도에 따른 구름의 생성과 유형
  ┌ 절대 안정한 대기: 공기의 연직 운동이 억제되어 (❻   ) 구름 생성
  └ 절대 불안정한 대기: 공기의 연직 운동이 활발하여 (❼   ) 구름 생성

1 대기 안정도에 대한 설명 중 (   ) 안에 알맞은 말을 쓰시오.

(1) 기층이 (   )할 때는 공기의 연직 운동이 억제된다.

(2) 기층이 절대 불안정한 상태일 때는 기온 감률이 건조 단열 감률보다 (   ).

(3) 조건부 불안정한 상태일 때는 기온 감률이 ㉠(   ) 단열 감률보다 작고 ㉡(   ) 단열 감률보다 크다.

(4) 지상에 역전층이 형성되면 대기는 매우 (   )해진다.

(5) 안정한 대기에서는 ㉠(   ) 구름이, 불안정한 대기 에서는 ㉡(   ) 구름이 생성된다.

2 (   ) 안에 다음에서 설명하는 기층이 안정하면 '안', 불안정하면 '불'이라고 쓰시오.

(1) 공기 덩어리를 강제로 하강시켰더니 원래의 위치로 돌 아왔다. ──────────── (   )

(2) 공기 덩어리를 강제로 상승시켰더니 공기 덩어리의 기 온이 주변 공기의 기온보다 높았다. ────── (   )

3 그림은 대기 안정도를 나타낸 것이다.
기온 감률이 A~C일 경우의 대기 안정도를 각각 쓰시오.

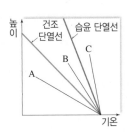

4 구름이 생성되기에 가장 적합하지 <u>않은</u> 조건은?

① 공기가 수렴할 때   ② 전선이 형성될 때
③ 높은 산을 넘을 때   ④ 고기압이 발달할 때
⑤ 국지적으로 가열될 때

5 그림은 (가)와 (나) 지역의 기온 변화선과 단열 변화선을 나타낸 것이다.

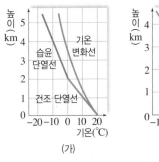
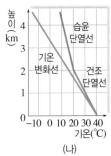

(1) (가)와 (나) 지역의 대기 안정도를 쓰시오.

(2) (가)와 (나) 지역의 지표에 있는 공기가 상승할 때 생성 되는 구름의 종류를 각각 쓰시오.

6 다음 설명에 해당하는 안개의 종류를 쓰시오.

(1) 지표면의 복사 냉각에 의해 공기가 냉각되어 발생

(2) 공기가 차가운 지표면으로 이동해 냉각되어 발생

(3) 온난 전선 부근에서 강수로 수증기가 증발하여 발생

대표 자료 분석

학교 시험에 자주 출제되는 대표 자료와 그 자료에 대한
문제를 통해 자료를 완벽하게 이해할 수 있다.

자료 ① 단열 변화와 구름의 생성

기출 Point
• 상승하는 공기 덩어리의 단열 변화 과정 이해하기
• 구름 분포 구간 파악하기

[1~4] 그림은 지표면에서 30 ℃로 가열된 공기 덩어리가 상승하는 동안의 기온 변화를 나타낸 것이다. 이 공기 덩어리는 높이 2 km에서 상승을 멈추었다.

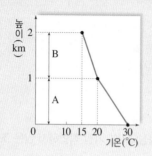

1 건조 단열 감률과 습윤 단열 감률 중 A, B 구간에서 어떤 단열 감률을 따라 공기 덩어리의 기온이 변하는지 각각 쓰시오.

2 지표면에서 이 공기 덩어리의 이슬점은 몇 ℃인지 구하시오.

3 B 구간에서 상승하는 공기의 상대 습도를 구하시오.

4 빈출 선택지로 완벽 정리!
(1) A 구간에서 습윤 단열 변화를 하였다. ──── (○ / ×)
(2) A 구간에서 높이 올라갈수록 기온과 이슬점의 차이는 감소하였다. ──────── (○ / ×)
(3) B 구간에서 건조 단열 변화를 하였다. ──── (○ / ×)
(4) B 구간에서 이슬점은 0.5 ℃/100 m의 비율로 낮아졌다. ──────────── (○ / ×)
(5) 구름은 B 구간에 분포한다. ──────── (○ / ×)

자료 ② 푄과 단열 변화

기출 Point
• 상승 응결 고도 및 공기의 기온과 이슬점 계산하기
• 푄에 의한 기온, 이슬점, 습도의 변화 이해하기

[1~4] 그림 (가)는 A 지점에서 기온이 28 ℃이고, 이슬점이 20 ℃인 공기 덩어리가 산을 넘는 모습이고, (나)는 이 공기 덩어리가 단열 과정으로 산을 넘는 동안의 상대 습도 변화를 나타낸 것이다.

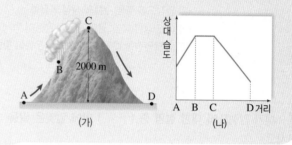

(가)   (나)

1 구름이 생성되기 시작하는 B 지점의 높이를 무엇이라고 하는지 쓰고, 높이는 몇 m인지 구하시오.

2 B → C 구간과 C → D 구간에서 이동하는 공기 덩어리의 이슬점 변화율을 순서대로 쓰시오.

3 공기 덩어리가 D 지점에 도달했을 때의 기온과 이슬점을 각각 구하시오.

4 빈출 선택지로 완벽 정리!
(1) A → B 구간에서 기온은 1 ℃/100 m의 비율로 낮아진다. ──────────────── (○ / ×)
(2) B → C 구간에서 숨은열이 방출된다. ──── (○ / ×)
(3) C → D 구간에서 상대 습도는 높아진다. ── (○ / ×)
(4) A → B, B → C로 갈수록 절대 습도가 낮아진다. ──────────────────── (○ / ×)
(5) D 지점에 도달한 공기 덩어리는 A 지점보다 고온 다습하다. ─────────────── (○ / ×)

200 Ⅱ-2 대기의 운동과 순환

자료 ③ 대기 안정도

기출 Point
• 연직 기온 분포에 따른 대기 안정도 판단하기
• 대기 안정도에 따라 생성되는 구름 파악하기

[1~4] 그림 (가)와 (나)는 두 지역에서 높이에 따른 기온 변화선과 단열 변화선을 나타낸 것이다.

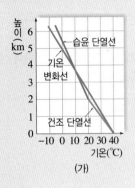
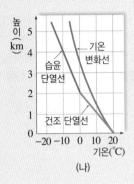

(가)   (나)

1 (가)와 (나)에서 기층의 대기 안정도를 각각 쓰시오.

2 (나)에서 생성되는 구름의 종류를 쓰시오.

3 (가)에서 적운형 구름이 생성되기 시작하는 높이는 약 몇 km인지 쓰시오.

4 빈출 선택지로 완벽 정리!

(1) (가)에서 기온 감률은 건조 단열 감률보다 작고 습윤 단열 감률보다 크다. ·············· (○ / ×)
(2) (가)에서 지표면~높이 2 km 구간의 기층은 불안정 상태이다. ·············· (○ / ×)
(3) (나)의 지표에서 강제로 상승한 공기는 계속 상승하려고 한다. ·············· (○ / ×)
(4) (나)에서는 대기 오염 물질이 잘 확산된다. (○ / ×)
(5) (가)와 (나)에서 구름이 처음으로 생성되는 높이는 같다. ·············· (○ / ×)

자료 ④ 안개의 발생과 유형

기출 Point
• 안개의 종류 구분하기
• 안개가 발생하는 원인 이해하기

[1~3] 다음은 여러 안개의 발생 과정을 나타낸 것이다.

안개	발생 과정
(가)	복사 냉각에 의해 지표면 부근의 공기가 냉각되어 발생
(나)	온난 습윤한 공기가 차가운 지표면으로 이동하면서 공기가 냉각되어 발생
(다)	공기가 산 사면을 타고 상승하면서 발생
(라)	찬 공기가 따뜻한 물 위를 지날 때 열과 수증기를 공급받아 발생
(마)	온난 전선 부근에서 약한 비가 내리면서 찬 공기에 수증기가 공급되어 발생

1 (가)~(마)에 해당하는 안개의 종류를 쓰시오.

2 (가)~(마) 중 공기 덩어리의 냉각에 의해 생성된 안개를 모두 고르시오.

3 빈출 선택지로 완벽 정리!

(1) (가)는 날씨가 맑고 바람이 약한 날 새벽에 잘 생성된다. ·············· (○ / ×)
(2) (나)는 대기가 불안정한 상태가 되면서 생성된다. ·············· (○ / ×)
(3) (다)는 단열 팽창이 일어나 기온이 내려가면서 생성된다. ·············· (○ / ×)
(4) (라)는 불안정한 대기에서도 생성될 수 있다. (○ / ×)
(5) (라)와 (마)는 포화 수증기압이 작아져서 생성된다. ·············· (○ / ×)

A 단열 변화

01 단열 변화에 대한 설명으로 옳은 것은?

① 공기 덩어리가 하강하면 부피가 감소한다.
② 공기 덩어리가 상승할 경우에는 이슬점이 높아진다.
③ 이슬점 감률은 공기 덩어리의 포화 여부와 관계없다.
④ 습윤 단열 감률은 공기 덩어리의 기온과 기압에 관계없이 일정하다.
⑤ 불포화 상태의 공기가 단열 변화할 때의 온도 변화율을 습윤 단열 감률이라고 한다.

02 (서술형) 습윤 단열 감률이 건조 단열 감률보다 작은 까닭을 서술하시오.

03 그림은 공기 덩어리가 상승하여 구름이 생성되는 과정을 나타낸 모식도이다.

이에 대한 설명으로 옳은 것만을 [보기]에서 있는 대로 고른 것은?

[보기]
ㄱ. 공기 덩어리가 상승하면 단열 팽창이 일어난다.
ㄴ. 상승 응결 고도에서 공기 덩어리의 기온은 이슬점과 같다.
ㄷ. 공기 덩어리의 기온과 이슬점의 차이가 클수록 상승 응결 고도가 높다.

① ㄱ   ② ㄷ   ③ ㄱ, ㄴ
④ ㄴ, ㄷ   ⑤ ㄱ, ㄴ, ㄷ

04 (서술형) 다음은 상승 응결 고도를 구하는 방법이다.

(가) 지표면에서 기온이 T이고 이슬점이 T_d인 불포화 상태의 공기 덩어리가 상승하여 상승 응결 고도에서 구름이 생성되었다.
(나) 상승 응결 고도에 이르는 동안 기온은 건조 단열 감률을 따라 낮아지고, 이슬점은 이슬점 감률을 따라 낮아진다.
(다) 상승 응결 고도에서 기온은 이슬점과 같아진다.

위 과정을 따라 지표면에서의 기온과 이슬점을 이용하여 상승 응결 고도(H)를 구하는 식을 유도하시오.

05 그림 (가)와 (나)는 서로 다른 두 지역에서 상승하는 공기 덩어리의 기온 변화를 나타낸 것이다.

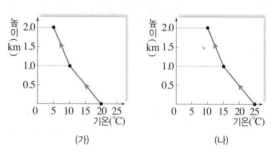

이에 대한 설명으로 옳지 <u>않은</u> 것은?

① 지표면에서 공기 덩어리의 기온은 (가)가 (나)보다 낮다.
② 상승 응결 고도는 (가)와 (나)가 같다.
③ 지표면에서 공기 덩어리의 이슬점은 (나)가 (가)보다 높다.
④ 높이 2 km에서의 이슬점은 (가)와 (나)가 같다.
⑤ 높이 1 km~2 km 구간에서 상승하는 공기의 상대 습도는 (가)와 (나) 모두 100 %이다.

[06~08] 그림은 A 지점의 공기 덩어리가 산을 넘으면서 비를 뿌리고 D 지점으로 이동하는 과정을 나타낸 것이다.

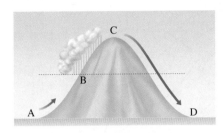

06 (가) 기온이 건조 단열 감률을 따라 낮아지는 구간과 (나) 이슬점 감률이 가장 큰 구간을 옳게 짝 지은 것은?

	(가)	(나)		(가)	(나)
①	A→B	B→C	②	A→B	C→D
③	B→C	A→B	④	B→C	C→D
⑤	C→D	B→C			

07 이에 대한 설명으로 옳은 것만을 [보기]에서 있는 대로 고른 것은?

[보기]
ㄱ. A의 공기는 불포화 상태이다.
ㄴ. B에서 기온이 이슬점보다 높다.
ㄷ. 기온과 이슬점의 차이는 A보다 D에서 작다.

① ㄱ ② ㄷ ③ ㄱ, ㄴ
④ ㄴ, ㄷ ⑤ ㄱ, ㄴ, ㄷ

08 D 지점의 기온과 상대 습도를 A 지점과 비교하여 옳게 짝 지은 것은?

	기온	상대 습도		기온	상대 습도
①	낮다	낮다	②	낮다	높다
③	같다	같다	④	높다	낮다
⑤	높다	높다			

09 그림은 A 지점에 있는 불포화 공기 덩어리가 산을 넘는 모습을 나타낸 것이다.
이 과정에서 구름이 생성되지 않았다면, A 지점과 비교하여 B 지점에서의 기온과 상대 습도를 옳게 설명한 것은?

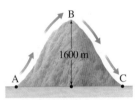

① 기온이 더 높다.
② 상대 습도가 더 낮다.
③ 기온은 같지만, 상대 습도가 더 높다.
④ 기온은 낮지만, 상대 습도는 같다.
⑤ 기온도 같고, 상대 습도도 같다.

10 그림은 지표면에서 기온이 25 °C이고, 이슬점이 17 °C인 공기가 높이 1600 m의 산을 넘어 반대편 지표면에 도달한 모습을 나타낸 것이다.
공기가 산을 넘는 동안의 기온 변화를 옳게 나타낸 것은? (단, 건조 단열 감률은 1 °C/100 m, 습윤 단열 감률은 0.5 °C/100 m, 이슬점 감률은 0.2 °C/100 m이다.)

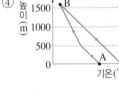
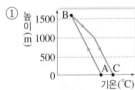
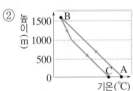
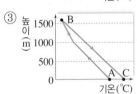
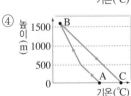
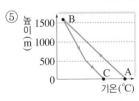

서술형
11 동해에서 태백산맥을 넘어 불어오는 높새바람의 기온과 상대 습도 변화를 까닭과 함께 서술하시오.

B 대기 안정도

12 그림은 어느 기층의 건조 단열 변화선과 실제 기온 변화선을 나타낸 것이다.

이에 대한 설명으로 옳은 것은?

① 이 기층은 불안정하다.
② 공기의 연직 운동이 활발하다.
③ 기온 감률이 건조 단열 감률보다 크다.
④ 공기 덩어리 A를 상승시키면 계속 상승하려고 한다.
⑤ 공기 덩어리 A를 하강시키면 원래의 위치로 돌아온다.

13 그림은 두 지역 A와 B의 연직 기온 분포를 나타낸 것이다.

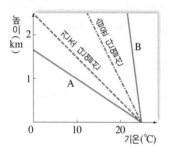

이에 대한 설명으로 옳은 것만을 [보기]에서 있는 대로 고른 것은?

[보기]
ㄱ. A의 기층은 절대 안정 상태이다.
ㄴ. B의 기온 감률은 습윤 단열 감률보다 크다.
ㄷ. 공기의 연직 운동은 A가 B보다 활발하게 일어난다.

① ㄱ   ② ㄷ   ③ ㄱ, ㄴ
④ ㄴ, ㄷ   ⑤ ㄱ, ㄴ, ㄷ

14 (서술형) 안정한 대기와 불안정한 대기에서 생성되는 구름의 유형을 연직 운동의 특징과 함께 각각 서술하시오.

15 그림은 어느 지역의 높이에 따른 기온 변화를 나타낸 단열 선도와 이 지역에서 상승하는 공기 X의 이동 경로를 나타낸 것이다.

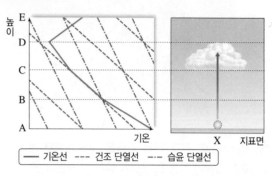

— 기온선 --- 건조 단열선 -·- 습윤 단열선

이에 대한 설명으로 옳은 것만을 [보기]에서 있는 대로 고른 것은?

[보기]
ㄱ. A−B 구간은 조건부 불안정층이다.
ㄴ. B−C 구간은 중립층이다.
ㄷ. C−D 구간은 안정층이다.
ㄹ. D−E 구간은 절대 안정층이다.

① ㄱ, ㄴ   ② ㄱ, ㄷ   ③ ㄴ, ㄷ
④ ㄴ, ㄹ   ⑤ ㄷ, ㄹ

16 그림은 어느 대도시의 연직 기온 분포를 나타낸 것이다.

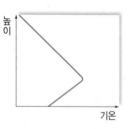

이와 같은 기온 분포가 나타날 때 이 지역 지표 부근의 대기에 대한 설명으로 옳은 것만을 [보기]에서 있는 대로 고른 것은?

[보기]
ㄱ. 높이 올라갈수록 기온이 낮아진다.
ㄴ. 절대 불안정한 상태이다.
ㄷ. 대기 오염이 심해진다.

① ㄱ   ② ㄷ   ③ ㄱ, ㄴ
④ ㄴ, ㄷ   ⑤ ㄱ, ㄴ, ㄷ

17 그림 (가)와 (나)는 다른 두 지점에서 높이에 따른 기온 감률과 상승하는 공기의 단열 감률을 나타낸 것이다.

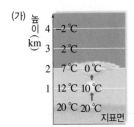
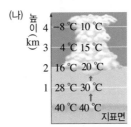

이에 대한 설명으로 옳은 것만을 [보기]에서 있는 대로 고른 것은? (단, 이슬점 감률은 2 °C/ km이다.)

┌─[보기]─────────────────────────────────┐
│ ㄱ. 지표면~높이 1 km에서 기온 감률은 (가)가 (나)보 │
│   다 크다.   │
│ ㄴ. 높이 2 km 이하에서 (가)의 대기는 안정하고, (나) │
│   의 대기는 불안정하다.   │
│ ㄷ. (나)의 지표면에서 공기의 이슬점은 24 °C이다.   │
└──────────────────────────────────────┘

① ㄱ   ② ㄴ   ③ ㄱ, ㄷ
④ ㄴ, ㄷ   ⑤ ㄱ, ㄴ, ㄷ

18 그림은 어느 지역의 연직 기온 분포와 지표면에서 단열 상승하는 공기 덩어리의 기온 변화를 나타낸 것이다.

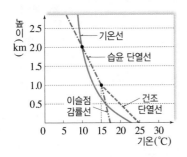

이에 대한 설명으로 옳은 것만을 [보기]에서 있는 대로 고른 것은? (단, 이슬점 감률은 0.2 °C/100 m이다.)

┌─[보기]─────────────────────────────────┐
│ ㄱ. 지표면에서의 이슬점은 17 °C이다.   │
│ ㄴ. 생성되는 구름의 두께는 약 2 km이다.   │
│ ㄷ. 높이 1 km에서 상대 습도는 100 %이다.   │
│ ㄹ. 지표면~높이 500 m에서 대기는 안정하다.   │
└──────────────────────────────────────┘

① ㄱ, ㄴ   ② ㄱ, ㄷ   ③ ㄴ, ㄷ
④ ㄴ, ㄹ   ⑤ ㄷ, ㄹ

19 그림은 어느 지역의 연직 기온 감률선과 상승하는 공기 덩어리의 단열 변화선 및 생성되는 구름을 나타낸 것이다.

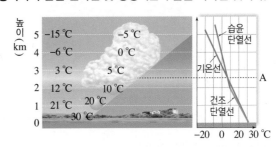

이에 대한 설명으로 옳은 것만을 [보기]에서 있는 대로 고른 것은?

┌─[보기]─────────────────────────────────┐
│ ㄱ. 상승 응결 고도는 약 1 km이다.   │
│ ㄴ. 높이 A 이상에서 층운형 구름이 생성된다.   │
│ ㄷ. 대기는 조건부 불안정 상태이다.   │
└──────────────────────────────────────┘

① ㄱ   ② ㄷ   ③ ㄱ, ㄴ
④ ㄴ, ㄷ   ⑤ ㄱ, ㄴ, ㄷ

20 그림은 어떤 안개가 생성되는 과정을 나타낸 것이다.

이 안개에 대한 설명으로 옳은 것만을 [보기]에서 있는 대로 고른 것은?

┌─[보기]─────────────────────────────────┐
│ ㄱ. 복사 안개이다.   │
│ ㄴ. 구름이 많은 흐린 날에 잘 생성된다.   │
│ ㄷ. 기층이 불안정한 경우에 잘 생성된다.   │
└──────────────────────────────────────┘

① ㄱ   ② ㄴ   ③ ㄱ, ㄷ
④ ㄴ, ㄷ   ⑤ ㄱ, ㄴ, ㄷ

⓪2 대기를 움직이는 힘

핵심 포인트

ⓐ 기압의 측정과 변화 ★★
정역학 평형 ★★★

ⓑ 기압 경도력 ★★★
전향력 ★★★
구심력, 마찰력 ★★

ⓐ 기압과 정역학 평형

지구를 둘러싸고 있는 공기의 무게 때문에 기압이 작용하는데, 이 기압 차이로 공기가 움직여요. 기압에 대해 알아볼까요?

1. 기압(대기압) 공기의 압력

(1) **기압(P)의 크기**: 단위 면적에 작용하는 힘의 크기로 측정한다.

$$^*P=\rho g Z$$
(ρ: 공기 기둥의 평균 밀도, g: 중력 가속도, Z: 공기 기둥의 높이)

⬆ 공기 기둥의 압력

(2) **기압의 단위**: *hPa(헥토파스칼)

(3) **1기압의 크기**: 1기압＝76 cmHg≒1013 hPa

토리첼리의 기압 실험

토리첼리는 수은을 이용하여 기압의 크기를 처음 측정하였다.
- 평균 기압(1기압)＝76 cm 높이의 수은 기둥이 수은 면을 누르는 압력
- *수은의 밀도(ρ)가 13595.1 kg/m³, 중력 가속도(g)가 9.80665 m/s²일 때,
  1기압＝$\rho g Z$＝13595.1 kg/m³×9.80665 m/s²×0.76 m
  ≒1013×100 N/m²≒1013×100 Pa≒1013 hPa
- 유리관의 굵기나 기울기에 관계없이 수은 기둥의 높이는 같다.

(4) **기압의 변화**
  - 공기의 밀도가 높이 올라갈수록 급격하게 감소하기 때문이다.
① 지표면에서 높이 올라갈수록 기압이 급격히 감소한다.
  ➡ 수평 방향보다 연직 방향의 기압 변화가 더 크다.
② 기압은 측정하는 시간과 장소에 따라 달라진다. ➡ 지상 일기도에서는 각 관측소에서 측정한 기압을 평균 해수면 값으로 보정하여 나타낸다.

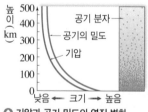

⬆ 기압과 공기 밀도의 연직 변화
높이 약 5.5 km 이하에 공기의 50 %가 분포

2. 정역학 평형 연직 방향의 기압 경도력(기압 차이에 의한 힘)과 중력이 평형을 이루는 상태

(1) 대기는 위쪽으로 작용하는 연직 방향의 기압 경도력과 지표로 향하는 중력이 평형을 이루어 공기의 상승이 일어나지 않는다.

(2) 단위 부피의 공기 기둥의 기압 차이를 ΔP, 밀도를 ρ, 높이 차이를 ΔZ라고 하면, 다음과 같은 정역학 방정식으로 나타낼 수 있다.

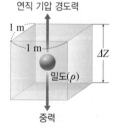

⬆ 정역학 평형

$$\frac{\Delta P}{\Delta Z}=-\rho g \Rightarrow \Delta P=-\rho g \Delta Z$$

(3) *규모가 큰 대기의 운동에서 대기는 정역학 평형 상태라고 가정할 수 있으므로 공기의 연직 방향 운동은 거의 일어나지 않아 수평 방향의 기압 차이에 의한 운동만 고려한다.

★ 기압의 크기

기압은 물체의 표면에 공기의 무게가 작용하기 때문에 나타난다. 공기의 질량을 m, 공기가 작용하는 면적을 A, 공기 기둥의 부피를 V라고 하면, 기압(P)은 $\frac{mg}{A}$이다.

이때, 공기의 밀도가 일정할 경우 $m=\rho V=\rho A Z$이므로
$P=\frac{mg}{A}=\frac{\rho V g}{A}=\frac{\rho A Z g}{A}$
$=\rho g Z$이다.

★ 압력의 여러 단위

- 1 Pa(파스칼)＝1 N/m²
  ＝1 kg/m·s²
- 100 Pa＝1 hPa＝1 mb
➡ 1 hPa은 1 m²에 100 N의 힘이 작용하는 압력이다.

★ 물을 이용한 기압 측정 실험

수은 대신 밀도가 1000 kg/m³인 물을 이용하여 기압을 측정할 경우, 수은 기둥의 압력과 물기둥의 압력은 같으므로 물기둥의 높이(x)는 다음과 같다.
13595.1 kg/m³
  ×9.80665 m/s²×0.76 m
＝1000 kg/m³
  ×9.80665 m/s²×x
∴ x≒10.33 m
즉, 약 10.33 m보다 긴 투명관이 필요하다.

★ 정역학 평형을 이루지 않는 대기의 운동

일반적으로 대기는 정역학 평형을 이루어 공기의 상승 운동이 수평 운동보다 약하다. 하지만, 외부의 힘이 작용하는 경우, 연직 방향의 기류가 강하게 나타나 뇌우, 태풍, 구름 등이 발생한다.

Ⓑ 대기를 움직이는 힘

1. 기압 경도력 두 지점 사이의 기압 차이로 나타나는 힘 ➡ *바람을 일으키는 근본적인 힘

(1) **방향**: 고기압에서 저기압 쪽으로 등압선에 직각인 방향으로 작용한다.

(2) **단위 질량당 크기**: 두 지점 사이의 기압 차이가 클수록, 등압선 간격(d)이 좁을수록 커진다.

기압 경도력의 크기

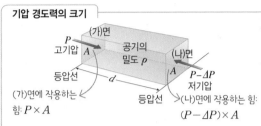

❶ (가)면에서 (나)면으로 공기 덩어리에 작용하는 힘: $P \times A - (P - \Delta P) \times A = \Delta P \times A$

❷ 단위 질량당 기압 경도력(P_H):
공기의 질량(m) $= \rho \times d \times A$이므로

$$P_H = \frac{\Delta P \times A}{m} = \frac{1}{\rho} \cdot \frac{\Delta P}{d}$$

2. 전향력(코리올리 힘) 지구의 자전 때문에 나타나는 겉보기 힘

(1) **방향**: 북반구에서는 운동 방향의 오른쪽 직각 방향, 남반구에서는 운동 방향의 왼쪽 직각 방향으로 작용한다.

(2) **단위 질량당 크기**: 고위도로 갈수록, 풍속이 빠를수록 커진다.

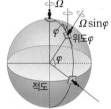
↟ 전향력

전향력(C) $= 2v\Omega \sin\varphi$ (v: 풍속, Ω: 지구 자전 각속도, φ: 위도)
└● 정지한 물체, 적도 지방(위도 0°)에서는 작용하지 않는다.

탐구 자료창 **회전 원판을 이용한 전향력 실험**

❶ 회전판 위에 원형 각도기를 올려놓고 중심에 굴림대를 설치한다.

❷ 회전판을 정지시킨 상태와 회전시킨 상태에서 회전판 중심에서 쇠구슬을 바깥쪽으로 굴린 후 궤적을 각각 관찰한다.

쇠구슬 / 굴림대 / 원형 각도기 / 회전판

1. **결과**: 회전판의 회전에 따른 쇠구슬의 궤적과 대응하는 실제 지구

정지	시계 반대 방향 회전	빠른 시계 반대 방향 회전	시계 방향 회전
(polar graph)	(polar graph)	(polar graph)	(polar graph)
적도 지방	북반구 저위도 지방	북반구 고위도 지방	남반구

2. **결론**: 회전판이 시계 반대 방향으로 회전할 때 궤적이 오른쪽으로 휘고, 회전 속도가 빠를수록 궤적이 많이 휜다. ➡ 북반구에서 전향력이 오른쪽으로 작용하고, 고위도로 갈수록 전향력이 커진다.

3. 구심력 원운동을 할 수 있도록 하는 힘

(1) *방향: 등압선으로 그려지는 원의 중심 방향으로 작용한다.

(2) **단위 질량당 크기**: 회전 속도가 빠를수록 커진다.

↟ 구심력

구심력(F_c) $= \dfrac{v^2}{r}$ (v: 회전 속도, r: 반지름)

★ **수평 기압 경도력**

기압 경도력의 수평 성분과 연직 성분 중 연직 기압 경도력은 중력과 상쇄되므로 실제로는 수평 기압 경도력이 바람을 일으키는 근본적인 힘이다.

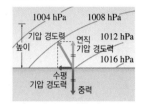

주의해

전향력의 영향
전향력은 움직이는 물체의 속력에는 영향을 주지 않고, 방향에만 영향을 준다.

⊙+ 확대경

위도와 풍속에 따른 전향력 크기
고위도로 갈수록 지구의 자전으로 지표면의 회전 속도가 빨라지므로 전향력이 커지고, 풍속이 빠를수록 전향력이 커진다.

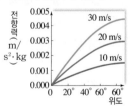

★ **구심력의 방향**
회전하는 물체가 받는 바깥쪽으로 쏠리는 힘을 원심력이라고 하는데, 구심력은 원심력과 크기는 같고 방향은 반대이다.

4. 마찰력 지표면이나 공기 자체의 마찰 때문에 나타나는 힘

(1) 방향: 바람의 반대 방향으로 작용한다.

(2) 단위 질량당 크기: 지표면이 거칠수록, 지표면에 가까울수록, 풍속이 클수록 커진다. ●마찰력은 풍속이 같을 경우 해양보다 육지에서, 평야보다 숲에서 더 크게 나타난다

마찰력$(F_r)=kv$　(k: 마찰 계수, v: 풍속)

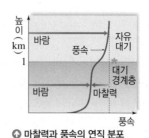
⬆ 마찰력과 풍속의 연직 분포

★ **대기 경계층(마찰층)**
지표면에서 높이 1 km까지 마찰력의 영향을 크게 받는 층을 대기 경계층이라 하고, 그 이상은 마찰력의 영향을 거의 받지 않는 자유 대기라고 한다. 마찰력의 영향으로 대기 경계층에서의 풍속이 자유 대기보다 작다.

개념 확인 문제

정답친해 96쪽

핵심 체크

• (❶　　　　　): 공기의 압력으로, 단위 면적에 작용하는 힘의 크기로 측정한다.
• 1기압=(❷　　　　　) cm 높이의 수은 기둥이 수은 면을 누르는 압력≒(❸　　　　　) hPa
• (❹　　　　　): 연직 방향의 기압 경도력과 중력이 평형을 이루는 상태
• 바람에 작용하는 힘
 ┌ (❺　　　　　): 두 지점 사이의 기압 차이로 나타나는 힘 ➡ 바람을 일으키는 근본적인 힘
 ├ (❻　　　　　): 지구의 자전 때문에 나타나는 겉보기 힘 ➡ 고위도로 갈수록 크기가 (❼　　　　　)진다.
 ├ (❽　　　　　): 원운동을 할 수 있도록 하는 힘 ➡ 원심력과 크기는 같고 방향은 반대이다.
 └ (❾　　　　　): 지표면이나 공기 자체의 마찰 때문에 나타나는 힘 ➡ 바람의 반대 방향으로 작용한다.

---

1 기압에 대한 설명으로 옳은 것은 ○, 옳지 않은 것은 ×로 표시하시오.

(1) 1기압의 크기는 약 76 hPa에 해당한다. ……… (　　　)

(2) 기압은 지표면에서 위로 갈수록 감소한다. …… (　　　)

2 그림은 높이 X에서 Y 사이의 정역학 평형 상태의 공기 기둥에 작용하는 힘 A와 B를 나타낸 것이다.

(1) X와 Y의 기압을 비교하시오.

(2) 연직 방향의 기압 차이로 발생하는 힘의 방향을 쓰시오.

(3) 힘 A와 B의 크기를 비교하시오.

3 기압 경도력은 두 지점 사이의 기압 차이가 ㉠(클, 작을)수록, 일기도에서 등압선 간격이 ㉡(넓을, 좁을)수록 크게 작용한다.

4 다음 설명에 해당하는 바람에 작용하는 힘은?

• 적도 지방을 제외한 모든 바람에 작용한다.
• 풍속이 빠를수록 크기가 커진다.
• 풍속에는 영향을 주지 않으며 풍향을 바꾸는 역할을 한다.

① 구심력　　② 마찰력　　③ 원심력
④ 전향력　　⑤ 기압 경도력

5 반지름이 r인 원을 따라 v의 속도로 원운동하는 공기 1 kg에 작용하는 구심력의 크기로 옳은 것은?

① rv　　② r^2v　　③ $2rv$　　④ $\dfrac{v}{r}$　　⑤ $\dfrac{v^2}{r}$

6 바람에 작용하는 마찰력의 크기를 증가시키는 경우에 해당하는 것만을 [보기]에서 있는 대로 고르시오.

[보기]
ㄱ. 풍속이 증가한다.
ㄴ. 지표면이 거칠어진다.
ㄷ. 지표면으로부터 고도가 높아진다.

대표 자료 분석

자료 1 정역학 평형

기출 Point
• 정역학 평형 이해하기
• 정역학 방정식 알기

[1~4] 그림은 정역학 평형을 이루고 있는 공기 덩어리를 나타낸 것이다.

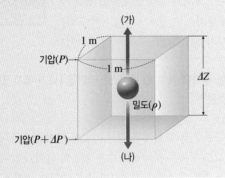

1 (가)와 (나)에 해당하는 힘을 쓰시오.

2 힘 (가)와 (나)의 크기를 등호 또는 부등호로 비교하시오.

3 중력 가속도를 g라고 할 때, 대기의 정역학 평형 상태의 조건을 만족하는 방정식을 쓰시오.

4 빈출 선택지로 완벽 정리!

(1) 정역학 평형 상태에서 공기 덩어리는 수평 방향으로 이동하지 않는다. ········· (○ / ×)

(2) (가)는 높이에 따른 기압 차 때문에 작용하는 힘이다. ········· (○ / ×)

(3) 공기의 밀도가 일정할 때 ΔZ가 커지면 (가)의 크기는 작아진다. ········· (○ / ×)

(4) (가)와 (나)는 크기가 같고 방향이 반대이다. (○ / ×)

자료 2 바람에 작용하는 힘

기출 Point
• 바람에 작용하는 힘의 종류 판단하기
• 바람에 작용하는 힘의 특징 비교하기

[1~4] 그림은 북반구에 있는 P 지점에서 직선 방향으로 부는 어느 바람에 작용하고 있는 힘을 나타낸 것이다.

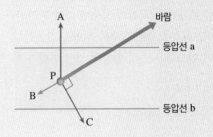

1 다음 중 A, B, C에 해당하는 힘을 골라 쓰시오.

기압 경도력, 전향력, 마찰력, 구심력

2 A~C 중 풍속이 빨라지면 증가하는 힘을 모두 고르시오.

3 등압선 a와 b 중 기압이 더 높은 것을 쓰시오.

4 빈출 선택지로 완벽 정리!

(1) A는 공기 덩어리를 움직이게 하여 바람을 일으킨다. ········· (○ / ×)

(2) B는 지표면에 가까울수록 크기가 작아진다. (○ / ×)

(3) C는 지구 자전 때문에 나타나는 가상적인 힘이다. ········· (○ / ×)

(4) C는 남반구에서 부는 바람의 방향과 같은 방향으로 작용한다. ········· (○ / ×)

(5) A와 B는 모든 바람에 작용하는 힘이다. ··· (○ / ×)

(6) A~C는 모두 풍속을 변화시킬 수 있다. ····· (○ / ×)

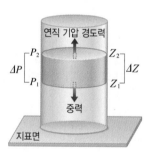ⓐ 기압과 정역학 평형

01 기압에 대한 설명으로 옳지 <u>않은</u> 것은?

① 기압은 단위 면적에 작용하는 대기의 무게이다.
② 기압의 단위로는 보통 hPa을 사용한다.
③ 기압은 측정하는 시간과 장소에 따라 달라진다.
④ 지표면으로부터 높아질수록 기압은 감소한다.
⑤ 연직 방향보다는 수평 방향의 기압 변화가 더 크다.

02 그림은 평균 밀도가 ρ, 높이가 Z인 공기 기둥을 나타낸 것이다.
중력 가속도를 g라고 할 때, 기압(P)을 옳게 나타낸 것은?

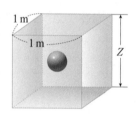

① $P = \rho g Z$
② $P = \rho g Z^2$
③ $P = \dfrac{gZ}{\rho}$

④ $P = \dfrac{\rho Z}{g}$
⑤ $P = \dfrac{Z}{\rho g}$

03 그림은 어떤 공기층을 나타낸 것이다.

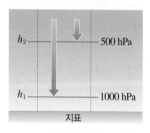

높이 h_1에서 h_2 사이에 있는 공기와 높이 h_2 이상에 있는 공기의 무게비는? (단, 화살표는 각 높이에서의 기압이다.)

① 1 : 1
② 1 : 2
③ 1 : 3
④ 1 : 4
⑤ 1 : 5

04 다음은 토리첼리의 기압 측정 실험을 나타낸 것이다.

[실험 과정]

(가) 한쪽 끝이 막힌 1 m 길이의 유리관에 수은을 가득 채운다.
(나) 유리관의 입구를 막고 수은이 담긴 그릇에 유리관을 거꾸로 뒤집어 세운 후 막았던 입구를 연다.

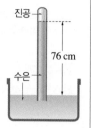

[실험 결과]

수은 기둥이 76 cm 높이에서 멈추었다.

이 실험 결과를 통해 알 수 있는 것만을 [보기]에서 있는 대로 고른 것은?

[보기]
ㄱ. 수은 기둥의 무게와 평균 기압이 평형을 이룬다.
ㄴ. 고도가 높은 곳에서는 수은 기둥의 높이가 낮아진다.
ㄷ. 두꺼운 유리관을 사용하면 수은 기둥의 높이는 더 낮아질 것이다.

① ㄱ
② ㄷ
③ ㄱ, ㄴ
④ ㄴ, ㄷ
⑤ ㄱ, ㄴ, ㄷ

05 그림은 높이 차이가 ΔZ, 기압 차이가 ΔP, 밀도가 ρ인 공기 덩어리가 정역학 평형을 이룬 모습을 나타낸 것이다.
이에 대한 설명으로 옳은 것만을 [보기]에서 있는 대로 고른 것은?

[보기]
ㄱ. 중력과 연직 방향의 기압 경도력이 평형을 이룬 상태이다.
ㄴ. $-\dfrac{1}{\rho} \cdot \dfrac{\Delta P}{\Delta Z} = g$와 같이 나타낼 수 있다.
ㄷ. 공기가 정역학 평형을 이루면 수평 방향의 운동은 일어나지 않는다.

① ㄱ
② ㄴ
③ ㄷ
④ ㄱ, ㄴ
⑤ ㄴ, ㄷ

B 대기를 움직이는 힘

06 그림은 기압 차이에 의해 발생하는 기압 경도력을 설명한 모식도이다.

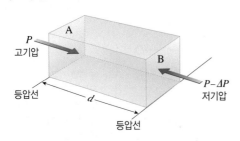

이에 대한 설명으로 옳지 <u>않은</u> 것은?

① 바람을 일으키는 근본적인 힘이다.
② A에서 B 쪽으로 작용한다.
③ ΔP가 클수록 크게 작용한다.
④ d가 좁을수록 크게 작용한다.
⑤ 높이 1 km 이하의 대기에서만 작용한다.

07 공기의 밀도가 같다고 할 때, 두 지점 사이의 기압 경도력이 가장 큰 것은?

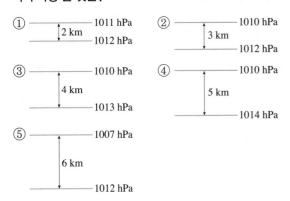

08 그림은 지표면 근처에서 등압면의 연직 단면을 나타낸 것으로, P와 Q 지점의 공기는 정역학 평형을 이루고 있다.

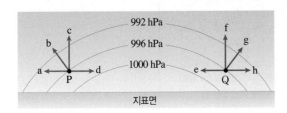

a~d, e~h 중 P와 Q 지점의 공기 덩어리가 이동하기 시작하는 방향을 순서대로 쓰고, 그렇게 생각한 까닭을 서술하시오.

09 그림은 전향력을 알아보기 위한 실험으로, 회전판의 회전 속도를 다르게 하면서 쇠구슬을 회전판의 중심에서 바깥쪽으로 굴렸을 때, 관측자가 회전판 위에서 관찰한 쇠구슬의 궤적을 나타낸 것이다.

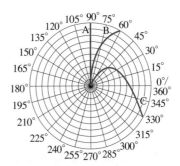

이에 대한 설명으로 옳은 것만을 [보기]에서 있는 대로 고른 것은?

[보기]
ㄱ. 회전판은 시계 반대 방향으로 회전하였다.
ㄴ. 회전판의 회전 속도가 가장 빠른 것은 C이다.
ㄷ. B는 고위도 지방, C는 저위도 지방을 의미한다.
ㄹ. 지구의 자전 속도가 느려지면 전향력은 약해질 것이다.

① ㄱ, ㄷ　　　② ㄴ, ㄷ　　　③ ㄴ, ㄹ
④ ㄱ, ㄴ, ㄹ　　　⑤ ㄴ, ㄷ, ㄹ

10 마찰력에 대한 설명으로 옳은 것은?

① 풍속이 작을수록 크게 작용한다.
② 풍향의 오른쪽 직각 방향으로 작용한다.
③ 지표면과 공기의 마찰 때문에 나타나는 힘이다.
④ 대기 경계층보다는 자유 대기에서 크게 작용한다.
⑤ 등압선의 모양이 직선일 때에는 작용하지 않는다.

03 바람의 종류

핵심 포인트

Ⓐ 지상 일기도와 상층 일기도 비교 ★★

Ⓑ 지균풍이 부는 원리 ★★★
경도풍이 부는 원리 ★★★

Ⓒ 지상풍이 부는 원리 ★★★

Ⓐ 지상 일기도와 상층 일기도

1. 지상 일기도 지상 관측소에서 측정한 기압을 *해면 기압으로 바꾼 후, 같은 기압의 지점을 연결한 등압선으로 나타낸 일기도 ➡ 등압선 간격이 조밀할수록 기압 경도력이 크다.

★ **해면 기압**
지상 관측소에서 측정한 기압을 고도에 따른 기압 변화를 고려하여 평균 해면 높이의 기압으로 보정한 값

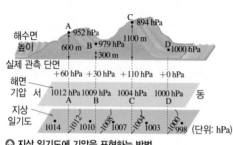

⬆ 지상 일기도에 기압을 표현하는 방법

⬆ 지상 일기도(단위: hPa)

2. 상층 일기도 등압면의 고도를 측정하여 값이 같은 지점을 연결한 등고선으로 나타낸 일기도
➡ 고도가 높은 지점은 고기압, 고도가 낮은 지점은 저기압이다.

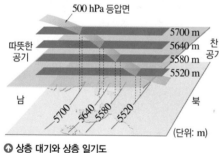

⬆ 상층 대기와 상층 일기도

⬆ 상층 500 hPa 등압면 일기도(단위: m)

500 hPa 등압면의 고도가 5700 m, 5640 m, 5580 m, 5520 m인 지점을 선으로 연결해 나타낸 것이 상층 500 hPa 등압면 일기도가 됩니다.

탐구 자료창 지상 일기도와 상층 일기도에서 풍향과 풍속 비교

그림 (가)는 우리나라 부근의 지상 일기도와 바람을, (나)는 같은 날 같은 시각에 작성한 상층 일기도와 바람을, (다)는 A~F에서 바람에 작용하는 힘을 나타낸 것이다. (단, 기압 경도력의 차이는 고려하지 않았다.)

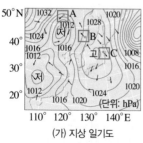

(가) 지상 일기도

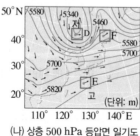

(나) 상층 500 hPa 등압면 일기도

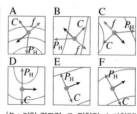

(P_H: 기압 경도력, C: 전향력, f: 마찰력)
(다) 바람에 작용하는 힘

1. **풍향:** (가)에서 풍향은 등압선과 각을 이루고, (나)에서 풍향은 등고선과 나란하다.
2. **풍속:** 기압 경도력이 같을 때 (가)보다 마찰력이 거의 작용하지 않는 (나)에서 풍속이 더 빠르다.

B 상층에서 부는 바람

1. 지균풍 높이 1 km 이상의 상공에서 등압선이 직선일 때 등압선에 나란하게 부는 바람

(1) 작용하는 힘: *기압 경도력과 전향력이 평형을 이루어 바람이 분다.

(2) 풍향

① 북반구: 기압 경도력의 오른쪽 직각 방향

② 남반구: 기압 경도력의 왼쪽 직각 방향

(3) 풍속: 위도가 일정할 때 기압 경도력이 클수록, 기압 경도력이 같을 때 저위도로 갈수록 풍속이 증가한다.

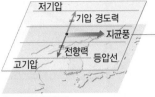

↑ 지균풍(북반구)

$$\text{기압 경도력} = \text{전향력} \Rightarrow \frac{1}{\rho} \cdot \frac{\Delta P}{d} = 2v\Omega\sin\varphi \quad \therefore \ ^*v = \frac{1}{2\Omega\sin\varphi} \cdot \frac{1}{\rho} \cdot \frac{\Delta P}{d}$$

(ρ: 공기의 밀도, ΔP: 두 지점의 기압 차이, d: 등압선 간격, v: 풍속, Ω: 지구 자전 각속도, φ: 위도)

지균풍이 부는 과정(북반구)

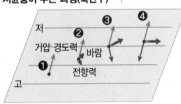

❶ 기압 경도력이 작용하여 공기가 움직이기 시작한다.

❷ 움직이는 공기에 전향력이 작용하여 풍향이 변한다.

❸ 풍속이 증가하면서 전향력의 크기가 커지고, 풍향이 더욱 오른쪽으로 휜다.

❹ 전향력이 기압 경도력과 평형을 이루면 지균풍이 된다.

2. 경도풍 높이 1 km 이상의 상공에서 등압선이 곡선일 때 등압선에 나란하게 부는 바람

(1) 작용하는 힘: 기압 경도력과 전향력의 차이가 구심력으로 작용하여 바람이 분다.

(2) 구분: 저기압성 경도풍과 고기압성 경도풍으로 구분된다.

구분	저기압성 경도풍(북반구)	고기압성 경도풍(북반구)
작용하는 힘	저기압 중심 방향으로 기압 경도력이 작용하고 전향력이 바깥쪽으로 작용하며, 이 두 힘의 차이가 구심력으로 작용하여 원형으로 바람이 분다. ➡ 기압 경도력>전향력 기압 경도력의 일부가 구심력 역할을 한다. 기압 경도력 - 전향력 = 구심력 $(\frac{1}{\rho} \cdot \frac{\Delta P}{d} - 2v\Omega\sin\varphi = \frac{v^2}{r})$	고기압 중심에서 바깥쪽으로 기압 경도력이 작용하고 전향력이 중심 방향으로 작용하며, 이 두 힘의 차이가 구심력으로 작용하여 원형으로 바람이 분다. ➡ 기압 경도력<전향력 전향력의 일부가 구심력 역할을 한다. 전향력 - 기압 경도력 = 구심력 $(2v\Omega\sin\varphi - \frac{1}{\rho} \cdot \frac{\Delta P}{d} = \frac{v^2}{r})$
풍향	시계 반대 방향	시계 방향
풍속	기압 경도력이 같다면 고기압성 경도풍은 저기압성 경도풍보다 전향력이 크게 작용하기 때문에 풍속이 더 빠르다. ➡ 풍속: 고기압성 경도풍>지균풍>저기압성 경도풍	

★ **지균풍에 작용하는 힘**
기압 경도력과 전향력의 크기가 같고 서로 반대 방향으로 작용하기 때문에 지균풍에 작용하는 힘의 총합은 0이다.

• 북반구에서 지균풍은 오른쪽에 고기압, 왼쪽에 저기압을 두고 분다.

★ **[예제] 지균풍의 속력**
위도 30°N에서 등압선 간격이 200 km이고 기압 차이가 4 hPa인 지역에서 부는 지균풍의 속력을 구하시오. (단, 지구 자전 각속도는 7.292×10^{-5}/s이고, 공기의 밀도는 0.7 kg/m³이다.)

풀이

$$v = \frac{1}{2\Omega\sin\varphi} \times \frac{1}{\rho} \times \frac{\Delta P}{d}$$

$$= \frac{1}{2\times7.292\times10^{-5}/s \times \frac{1}{2}}$$

$$\times \frac{1}{0.7 \text{ kg/m}^3}$$

$$\times \frac{4 \text{ hPa}(=400 \text{ kg/m·s}^2)}{200000 \text{ m}}$$

$$\fallingdotseq 39.2 \text{ m/s}$$

답 39.2 m/s

암기해

지균풍과 경도풍 비교

• 공통점: 높이 1 km 이상에서 등압선에 나란하게 부는 바람
• 차이점

구분	지균풍	경도풍
등압선	직선	곡선
작용하는 힘	기압 경도력, 전향력	기압 경도력, 전향력, 구심력

03 바람의 종류

C 지상에서 부는 바람

1. 지상풍 지표면의 마찰력이 작용하는 높이 1 km 이하에서 등압선을 가로질러 부는 바람

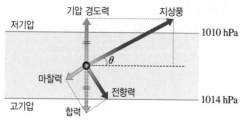

⬆ 지상풍이 부는 원리(북반구)

(1) **작용하는 힘**: 전향력과 마찰력의 합력이 기압 경도력과 평형을 이루어 바람이 분다.

(2) **풍향**

① 북반구: 기압 경도력에 대하여 오른쪽으로 비스듬하게 분다.

② 남반구: 기압 경도력에 대하여 왼쪽으로 비스듬하게 분다.

(3) **풍속**: 등압선의 간격이 좁을수록, 마찰력이 작을수록 증가한다.

(4) ***경각(θ)**: 바람과 등압선이 이루는 각으로, 마찰력이 클수록 커진다.

(5) **등압선이 곡선일 때의 지상풍**

① 작용하는 힘: 기압 경도력, 전향력, 구심력, 마찰력이 작용하여 바람이 분다.

② 풍향: 마찰력이 작용하므로 바람이 등압선과 각을 이루며 등압선을 가로질러 분다.

구분	지상 저기압일 때		지상 고기압일 때	
북반구	저	바람이 바깥쪽에서 저기압 중심부를 향해 시계 반대 방향으로 불어 들어간다.	고	바람이 고기압 중심부에서 바깥쪽을 향해 시계 방향으로 불어 나간다.
남반구	저	바람이 바깥쪽에서 저기압 중심부를 향해 시계 방향으로 불어 들어간다.	고	바람이 고기압 중심부에서 바깥쪽을 향해 시계 반대 방향으로 불어 나간다.

2. 대기 경계층과 자유 대기에서의 바람

(1) ***에크만 나선**

① 높이 올라갈수록 마찰력이 감소하므로 풍속이 증가하고, 경각이 점차 작아진다.

② 높이 올라갈수록 북반구에서는 풍향이 시계 방향으로 바뀌어 점차 등압선에 나란한 방향이 된다. ⦁ 높이 올라갈수록 풍속이 빨라져 전향력이 커지기 때문에 풍향이 시계 방향으로 바뀐다.

(2) **대기 경계층과 자유 대기에서의 바람**

① 대기 경계층(지표면~높이 약 1 km): 지표면의 마찰이 영향을 미치므로 지상풍이 분다.

② 자유 대기(높이 약 1 km 이상): 지표면의 마찰이 영향을 미치지 않으므로 지균풍과 경도풍이 분다.

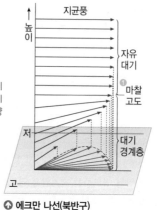

⬆ 에크만 나선(북반구)

개념 확인 문제

정답친해 99쪽

핵심 체크

- (❶) 일기도: 지표상 같은 기압의 지점을 연결한 등압선으로 나타낸다.
- (❷) 일기도: 등압면의 고도를 측정하여 값이 같은 지점을 연결한 등고선으로 나타낸다.
- 상층에서 부는 바람
  - (❸): 높이 1 km 이상의 상공에서 등압선이 직선일 때 등압선에 나란하게 부는 바람
  - (❹): 높이 1 km 이상의 상공에서 등압선이 곡선일 때 등압선에 나란하게 부는 바람
- 지상에서 부는 바람
  - (❺): 지표면의 마찰력이 작용하는 높이 1 km 이하에서 등압선을 가로질러 부는 바람
- 대기 경계층에서는 (❻)이 불고, 자유 대기에서는 (❼)과 경도풍이 분다.

1 지상 일기도와 상층 일기도에 대한 설명 중 ( ) 안에 알맞은 말을 고르시오.

(1) 지상 일기도에서 등압선 간격이 조밀할수록 기압 경도력이 (작다, 크다).

(2) 상층 일기도에서 고도가 높은 지점은 같은 높이의 주변보다 기압이 (낮다, 높다).

2 그림은 북반구 지상 1 km 이상에서의 등압선을 나타낸 것이다.
A~D 중 다음 설명에 해당하는 힘 또는 바람의 방향을 쓰시오.

```
            956 hPa
        A
B ←─────→ C
        D
            960 hPa
```

(1) 기압 차이로 발생하는 힘

(2) 지구의 자전 때문에 나타나는 겉보기 힘

(3) 기압 경도력과 전향력이 평형을 이룬 상태에서 부는 바람

3 그림 (가)와 (나)는 고기압성 경도풍과 저기압성 경도풍을 나타낸 것이다.

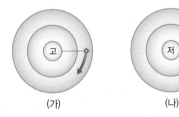

(가) (나)

(가)와 (나) 바람은 북반구와 남반구 중 어느 곳에서 불고 있는지 쓰시오.

4 그림은 북반구에 있는 (가)와 (나) 지역에서 등압선이 곡선일 때 지상에서 부는 바람을 나타낸 것이다.

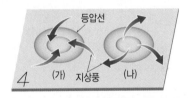
등압선
(가) 지상풍 (나)

고기압과 저기압 중 (가)와 (나) 지역의 중심부 기압을 쓰시오.

5 바람의 종류와 바람이 부는 조건을 옳게 연결하시오.

(1) 경도풍 • • ㉠ 자유 대기에서 등압선이 직선일 때

(2) 지균풍 • • ㉡ 자유 대기에서 등압선이 곡선일 때

(3) 지상풍 • • ㉢ 대기 경계층에서 등압선이 직선일 때

6 바람의 종류에 대한 설명으로 옳은 것은 ○, 옳지 않은 것은 ×로 표시하시오.

(1) 지균풍과 경도풍은 높이 1 km 이상에서 부는 바람이다. ·· ( )

(2) 지균풍은 등압선에 나란하게 불고, 경도풍은 등압선을 가로질러 분다. ······················· ( )

(3) 지상풍이 불 때 기압 경도력과 전향력은 평형을 이룬다. ··· ( )

(4) 등압선이 곡선일 때 중심부 기압이 고기압인 경우 지상풍은 등압선과 나란하게 분다. ···· ( )

(5) 북반구 지상에서 부는 바람은 높이 1 km로 올라갈수록 풍향이 시계 방향으로 바뀐다. ···· ( )

대표 자료 분석

자료 ① 지균풍과 경도풍

기출 Point
- 지균풍과 경도풍에 작용하는 힘의 평형 알기
- 지균풍과 경도풍의 풍속 이해하기

[1~4] 그림 (가)는 북반구 상공의 P 지점에서 부는 바
람과 작용하는 힘 A와 B를, (나)는 북반구 어느 지역
에서 경도풍이 형성되는 과정을 나타낸 것이다. (단,
(가)에서 두 등압선과 P, Q 지점은 동일 고도면에 위치
한다.)

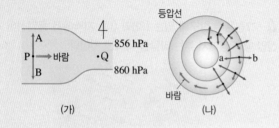

(가)　　　　　　(나)

1 (가)에서 힘 A와 B의 이름을 쓰고, 두 힘의 크기를
등호나 부등호로 비교하시오.

2 (가)에서 P 지점과 Q 지점의 풍속을 비교하시오.

3 (나)에서 경도풍이 형성될 때까지 힘 a와 b의 크기
는 어떻게 변하는지 각각 쓰시오.

4 빈출 선택지로 **완벽 정리!**

(1) (가)와 (나)는 대기 경계층에서 분다. ……… (○ / ×)

(2) (가)의 힘 A와 (나)의 힘 b는 바람을 일으키는 근원
　　적인 힘이다. ……………………………… (○ / ×)

(3) (가)에서 B의 크기는 P보다 Q에서 크다. ‥‥ (○ / ×)

(4) (나)에서 중심으로 갈수록 기압이 높아진다. (○ / ×)

(5) (나)에서 경도풍이 형성된 후 전향력과 구심력의 크기
　　를 합하면 기압 경도력의 크기와 같다. …… (○ / ×)

(6) 기압 경도력이 같다면, 풍속은 (가)가 (나)보다 크다.
　　…………………………………………………… (○ / ×)

자료 ② 지상풍

기출 Point
- 지상풍에 작용하는 힘의 평형 알기
- 지상풍의 풍속 변화에 영향을 주는 요인 이해하기

[1~4] 그림은 어느 지역에서 부는 지상풍과 이에 작용
하는 힘 A~C를 나타낸 것이다.

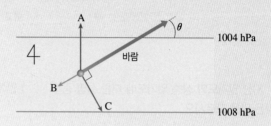

1 힘 A~C의 이름을 쓰시오.

2 이 지역이 북반구인지, 남반구인지 쓰시오.

3 등압선의 간격이 변하지 않는 상태에서 지표면으로
부터 고도가 높아질 경우 A, B, C, θ의 크기 변화를 쓰
시오. (단, 높이에 따른 공기의 밀도는 일정하다고 가정
한다.)

4 빈출 선택지로 **완벽 정리!**

(1) 그림은 높이 약 1 km 이상에서 부는 바람이다.
　　…………………………………………………… (○ / ×)

(2) A가 작아지면 C도 작아진다. ……………… (○ / ×)

(3) B가 커지면 풍속은 증가한다. ……………… (○ / ×)

(4) B가 커지면 θ의 크기는 작아진다. ………… (○ / ×)

(5) A의 크기는 B와 C 합력의 크기와 같다. ‥‥ (○ / ×)

(6) 남반구였다면, 바람의 방향은 남동풍이었을 것이다.
　　…………………………………………………… (○ / ×)

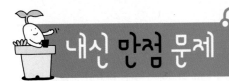

내신 만점 문제

A 지상 일기도와 상층 일기도

01 그림은 어느 날 우리나라 부근의 지상 일기도와 상층 일기도(850 hPa 등압면)를 순서 없이 나타낸 것이다.

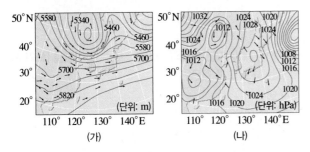

(가)   (나)

이에 대한 설명으로 옳지 <u>않은</u> 것은?

① (가)는 상층 일기도이다.
② (나)에서 바람은 등압선을 가로질러 불고 있다.
③ (가)에서 숫자가 작은 지점은 저기압이다.
④ (나)에서 등압선 간격이 좁을수록 기압 경도력이 작다.
⑤ 기압 경도력이 같다면, (나)보다 (가)에서 풍속이 더 빠르다.

B 상층에서 부는 바람

02 그림은 북반구 어느 지역의 높이 1 km 이상에서 부는 바람과 힘의 방향을 나타낸 것이다.

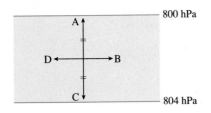

이에 대한 설명으로 옳은 것은?

① A는 기압 경도력이다.
② B는 지구의 자전으로 나타나는 힘이다.
③ C는 마찰력으로, 힘 A와 평형을 이룬다.
④ 지균풍이 불어가는 방향은 D이다.
⑤ 등압선의 간격이 좁아지면 지균풍의 속도는 느려진다.

서술형
03 그림은 지균풍이 형성되는 과정을 나타낸 것이다.

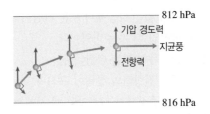

지균풍이 형성되는 과정에서 전향력의 방향과 크기가 계속 변하는 까닭을 서술하시오.

04 북반구에서 부는 지균풍의 풍향과 풍속을 옳게 나타낸 것은? (단, 화살표의 방향은 풍향을, 화살표의 길이는 풍속을 나타낸다.)

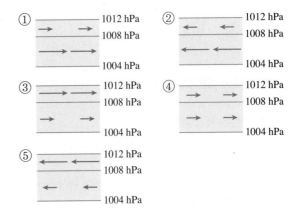

05 그림은 북반구 어느 지역 상공에서 등압선 분포와 부는 바람(→)을 나타낸 것이다. A와 B 지점에서 부는 바람에 대한 설명으로 옳은 것만을 [보기]에서 있는 대로 고른 것은?

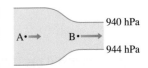

[보기]
ㄱ. 기압 경도력과 전향력이 평형을 이룬 상태에서 부는 바람이다.
ㄴ. A에서 B로 갈수록 기압 경도력은 작아진다.
ㄷ. 전향력은 A보다 B에서 크다.

① ㄱ   ② ㄴ   ③ ㄱ, ㄷ
④ ㄴ, ㄷ   ⑤ ㄱ, ㄴ, ㄷ

06 경도풍에 대한 설명으로 옳지 <u>않은</u> 것은?

① 마찰력이 거의 없는 상공에서 부는 바람이다.
② 등압선이 곡선일 때 부는 바람이다.
③ 등압선에 비스듬히 부는 바람이다.
④ 기압 경도력과 전향력의 합력이 구심력으로 작용한다.
⑤ 북반구에서는 중심부가 저기압일 때 시계 반대 방향으로 분다.

07 그림은 북반구의 상공에서 등압선이 곡선일 때 부는 바람의 풍향을 나타낸 것이다.

이에 대한 설명으로 옳은 것만을 [보기]에서 있는 대로 고른 것은?

〔보기〕
ㄱ. 중심 부분은 저기압이다.
ㄴ. 기압 경도력의 크기는 전향력에서 구심력을 뺀 힘의 크기와 같다.
ㄷ. 마찰력이 작용하면 바람은 중심부로 불어 들어간다.

① ㄱ   ② ㄴ   ③ ㄱ, ㄷ
④ ㄴ, ㄷ   ⑤ ㄱ, ㄴ, ㄷ

(서술형)
08 그림 (가)와 (나)는 북반구에서 저기압성 경도풍과 고기압성 경도풍에 작용하는 힘을 나타낸 것이다.

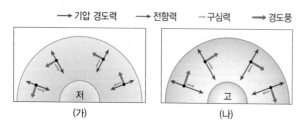

(가)와 (나)에서 작용하는 기압 경도력의 크기가 같을 때, (가)와 (나)의 풍속을 비교하고 그 까닭을 서술하시오.

09 그림은 높이 **1 km** 이상에서 부는 바람의 방향과 등압선을 나타낸 것이다.

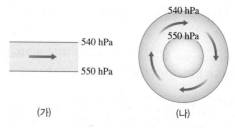

(가)와 (나)에서 부는 바람의 공통점으로 옳은 것만을 [보기]에서 있는 대로 고른 것은?

〔보기〕
ㄱ. 등압선에 나란하게 분다.
ㄴ. 북반구에서 부는 바람이다.
ㄷ. 지표면의 마찰이 영향을 미치지 않는다.

① ㄱ   ② ㄷ   ③ ㄱ, ㄴ
④ ㄴ, ㄷ   ⑤ ㄱ, ㄴ, ㄷ

© **지상에서 부는 바람**

10 북반구의 지상에서 지상풍이 부는 모습을 옳게 나타낸 것은?

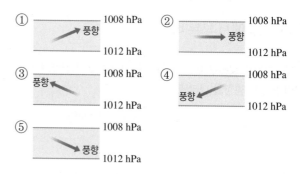

(서술형)
11 그림은 북반구의 지표면 근처에서 부는 바람의 방향과 공기에 작용하는 힘을 나타낸 것이다.
A가 일정할 경우, 고도가 높아질 때 풍속과 θ의 크기 변화를 서술하시오. (단, 높이에 따른 등압선 간격은 일정하다.)

12 그림은 북반구에서 고도에 따른 바람의 세기 및 방향 변화를 화살표의 길이와 방향으로 나타낸 것이다.

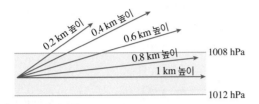

이에 대한 설명으로 옳은 것만을 [보기]에서 있는 대로 고른 것은?

[보기]
ㄱ. 마찰력이 클수록 풍향은 등압선에 나란해진다.
ㄴ. 1 km 높이에서 기압 경도력과 전향력의 크기는 같다.
ㄷ. 고도가 증가하면서 바람에 작용하는 전향력은 커진다.

① ㄱ　　　② ㄷ　　　③ ㄱ, ㄴ
④ ㄴ, ㄷ　　⑤ ㄱ, ㄴ, ㄷ

13 그림은 작용하는 힘에 따라 바람 A, B, C를 구분한 것이다.

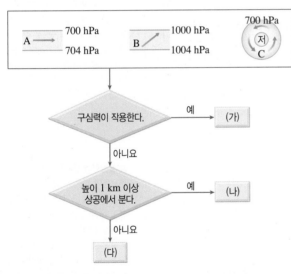

(가)~(다)에 해당하는 바람을 옳게 짝 지은 것은?

	(가)	(나)	(다)
①	A	B	C
②	A	C	B
③	B	A	C
④	C	B	A
⑤	C	A	B

14 그림 (가)와 (나)는 같은 지역의 서로 다른 높이에서 부는 바람을 나타낸 것이다.

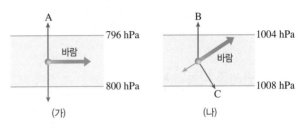

이에 대한 설명으로 옳은 것은? (단, (가)와 (나)의 공기의 밀도는 같다고 가정하며, 화살표 A~C는 힘의 방향을 의미한다.)

① 힘 A는 전향력이다.
② 힘 B는 마찰력이다.
③ 힘 C는 기압 경도력이다.
④ 풍속은 (가)가 (나)보다 빠르다.
⑤ (나)가 (가)보다 높은 곳에서 부는 바람이다.

15 그림 (가)와 (나)는 북반구의 동일 위도에서 등압선이 곡선일 때 부는 바람을 나타낸 것이다.

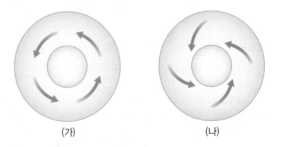

이에 대한 설명으로 옳지 <u>않은</u> 것은? (단, 기압 경도력의 크기는 같고, 화살표는 바람의 방향만을 의미한다.)

① (가)와 (나)의 중심부는 모두 저기압이다.
② (가)는 지상에서 불고, (나)는 상층에서 분다.
③ 기압 경도력은 (가)와 (나) 모두 중심을 향한다.
④ 마찰력은 (가)보다 (나)에 더 많이 작용한다.
⑤ (가)에는 기압 경도력, 전향력, 구심력이 작용한다.

04 편서풍 파동

핵심
포인트

편서풍 파동의 발생 ★★★
편서풍 파동의 발생 원리 탐구 ★★
제트류의 특징 ★★★

편서풍 파동과 지상의 기압 배치 ★★★
편서풍 파동과 상층 일기도 분석 ★★★

A 편서풍 파동과 제트류

뉴욕에서 인천으로 비행할 때보다 인천에서 뉴욕으로 비행할 때 시간이 더 짧게 걸립니다. 이는 중위도 상공에서 서에서 동으로 부는 편서풍을 타고 가기 때문이지요. 이러한 편서풍은 어떻게 불고 있는지 알아볼까요?

1. 편서풍

(1) **편서풍의 발생**: 저위도와 고위도의 기온 차이로 발생

① 저위도의 공기는 온난하고 고위도의 공기는 한랭하며, 한랭한 기층보다 온난한 기층이 더 두껍기 때문에 온난한 지역의 상층은 한랭한 지역의 상층보다 기압이 높다.

② 상공에서 기압 경도력은 저위도에서 고위도로 작용하며, 전향력과 평형을 이루면서 지균풍이 서에서 동으로 불어 편서풍이 된다.

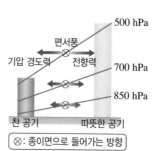

⊗ : 종이면으로 들어가는 방향

⬆ 북반구의 이상화된 기압 분포

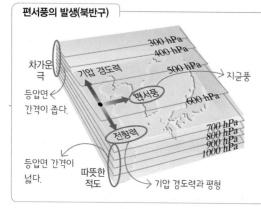

편서풍의 발생(북반구)

❶ 높이에 따른 등압면 간격이 적도 지방은 넓고, 극지방은 좁다.

❷ 적도에서 극으로 갈수록 등압면 고도가 낮아져 적도에서 극 쪽으로 기압 경도력이 작용한다.

❸ 기압 경도력의 반대 방향으로 전향력이 작용한다.

❹ 기압 경도력과 전향력이 평형을 이루면서 기압 경도력의 오른쪽 직각 방향으로 지균풍이 분다.
➡ 편서풍 발생

(2) **편서풍의 풍속**: *상공으로 갈수록 편서풍의 풍속이 증가하며, 상층에서는 전향력이 약한 적도 부근을 제외하고는 편서풍이 불고 있다.

┌● 로스뷔파라고도 한다.

2. 편서풍 파동
중위도 상공의 편서풍이 파장이 긴 파동의 형태로 지구 둘레를 돌고 있는 것

(1) **편서풍 파동의 모습**: 파장이 수천 km인 3개~6개의 파동이 지구 둘레를 감싸며 천천히 움직이고 있다.

(2) **발생 원인**: 저위도와 고위도의 기온 차이, 지구 자전에 의한 *전향력

(3) **역할**: 저위도의 과잉 에너지를 고위도로 수송하여 지구의 위도별 에너지 불균형을 해소한다.

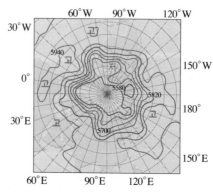

⬆ 상층 500 hPa 등압면 일기도의 편서풍 파동 모습

★ **편서풍의 풍속**
고도가 높아질수록 등압면 경사가 커지므로 기압 경도력 역시 커진다. 따라서 상공으로 갈수록 편서풍의 풍속이 증가하며, 지상에서 대류 권계면까지 계속 증가한다.└●대류권과 성층권의 경계면

★ **전향력과 편서풍 파동**
편서풍의 파동은 고위도로 갈수록 전향력의 크기가 커지기 때문에 발생한다. 북쪽으로 이동하던 공기는 전향력이 커지면서 고기압성 흐름이 생성되고, 이를 따라 남쪽으로 이동하면 전향력이 약해지면서 저기압성 흐름이 생성되며 이 과정이 반복되어 파동이 발생한다.

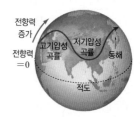

편서풍 파동의 발생 원리

❶ 실험 장치의 안쪽 원통에는 얼음물을 넣고, 바깥쪽 원통에는 물을 넣고 가열한다.

❷ 중간 원통에는 실온의 물을 넣고 반짝이 가루를 띄워 물의 움직임을 관찰한다.

└─▶ 지구 자전 방향

❸ 회전 원통을 시계 반대 방향으로 회전시켰을 때, 회전 속도를 빠르게 하면서 중간 원통에 담긴 물의 움직임을 관찰한다.

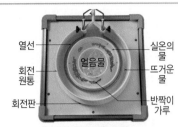

열선 / 실온의 물 / 얼음물 / 회전 원통 / 뜨거운 물 / 회전판 / 반짝이 가루

↑ 회전 원통 실험 장치

회전하지 않을 때	회전 속도가 느릴 때	회전 속도가 빠를 때
중간 원통 / 얼음물		시계 방향 (고기압성) / 시계 반대 방향 (저기압성)
온도 차이로 물이 외벽 쪽에서는 상승하고 내벽 쪽에서는 하강하여 가루가 내벽 쪽으로 이동	물이 수조의 회전 방향과 같은 방향으로 회전하면서 구불구불한 모양의 파동 형성	파동의 수가 증가하고, 내벽을 따라 고기압성 소용돌이, 외벽을 따라 저기압성 소용돌이 형성
해들리 순환에 해당	편서풍 파동에 해당	

1. 실험과 실제 지구 비교

실험	물	원통의 회전	얼음물	실온의 물	뜨거운 물
실제 지구	공기	지구의 자전	극지방 상공	중위도 지방 상공	적도 지방 상공

2. 파동의 형성: 실온의 물이(중위도 지방 상공의 공기가) 시계 반대 방향으로 회전하면서 파동(편서풍 파동)이 나타나며, 시계 방향의 소용돌이(고기압성 흐름)와 시계 반대 방향의 소용돌이(저기압성 흐름)가 생성된다.

3. 얼음물과 뜨거운 물의 온도 차이를 크게 할 경우: 대류가 더 활발하고 파동의 수가 증가할 것이다.

회전 원통 실험은 평면에서 일어나는 물의 운동이고, 실제 편서풍 파동은 구면인 지구를 둘러싸고 있는 대기의 운동입니다. 또한, 지구에서 나타나는 편서풍 파동은 3개~6개의 파동이 형성되었다가 없어지기도 하는 등 계속 변하므로 실험 결과가 편서풍 파동 모습과 정확히 일치하지는 않아요.

3. 편서풍 파동의 변동 파동의 진폭이 작을 때는 남북 간의 에너지 수송이 잘 일어나지 않아 기온 차이가 점점 커지고, 그 차이가 어느 한계를 넘어서면 이를 해소하기 위해 파동의 진폭이 커지면서 성장한다. 파동의 진폭이 커지면 에너지 수송이 활발하게 일어나 남북 간의 기온 차이가 줄어들면서 다시 파동의 진폭이 점점 작아지며, 이러한 변동이 반복된다.

편서풍 파동의 변동 과정

찬 공기 / 제트류 / 따뜻한 공기

찬 공기 / 따뜻한 공기

찬 공기 / 고 / 저 / 찬 공기 덩어리가 분리됨 / 따뜻한 공기

찬 공기 / 저 / 따뜻한 공기

❶ 남북 간의 열에너지 수송이 잘 일어나지 않아 남북 간의 기온 차이가 점점 커진다.

❷ 남북 간의 기온 차이가 커지면서 편서풍 파동이 발달하기 시작한다.

❸ 남북 방향으로 파동이 더 커지면서 성장하고, 파동의 일부가 분리되기 시작한다.

❹ 저기압이 떨어져 나가며 파동의 진폭이 작아지고, 남북 간의 에너지 불균형이 해소된다.

4. 제트류 편서풍 파동에서 축이 되는 좁고 강한 흐름

(1) **한대 제트류**: 남북 간의 기온 차이에 가장 급격한 변화가 나타나는 *중위도 지역의 대류권 계면에서 나타나는 제트류

(2) **아열대 제트류**: 위도 30° 부근의 대류권 계면에 나타나는 제트류로, 한대 제트류에 비해 풍속이 느리다.

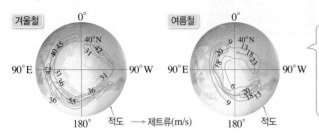

[계절에 따른 제트류의 변화]
· 위치: 겨울철에는 저위도로, 여름철에는 고위도로 이동한다.
· 풍속: 남북 간의 기온 차이가 큰 겨울철에 빨라진다.

★ 제트류의 발생 위치

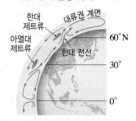

제트류는 편서풍 파동의 풍속이 최대인 대류권 계면 부근에 위치한다.
· 한대 제트류는 한대 전선을 따라 발생한다.
· 아열대 제트류는 해들리 순환에서 상승한 공기가 고위도로 이동하면서 전향력에 의해 동쪽으로 편향된다.

B 편서풍 파동과 날씨

1. 편서풍 파동과 지상의 기압 배치 등고선이 저위도로 내려온 부분은 주위보다 기압이 낮아 기압골을 이루고, 고위도로 올라간 부분은 주위보다 기압이 높아 기압 마루를 이룬다.

고기압과 고기압 사이의 기압이 낮은 골짜기   저기압과 저기압 사이의 주변보다 기압이 높은 부분

[상층 기압골 서쪽]
공기가 *수렴하면서 하강 기류가 생기고 지상에는 공기가 발산하여 고기압이 형성된다.

[상층 기압골 동쪽]
공기가 발산하면서 상승 기류가 생기고 지상에는 공기가 수렴하여 저기압이 형성된다.

◀ 편서풍 파동과 지상의 기압 배치

2. 날씨 변화 편서풍 파동을 따라 상층의 기압골과 기압 마루가 동쪽으로 이동하므로 지상의 기압 배치도 동쪽으로 이동하며 날씨가 변한다.

★ 편서풍 파동에서 공기의 수렴과 발산

· A, E: 고기압성 경도풍
· B, D: 지균풍
· C: 저기압성 경도풍
· 풍속: 고기압성 경도풍 > 지균풍 > 저기압성 경도풍
➡ 기압 마루에서 풍속이 빠르고 기압골에서 풍속이 느리다.
· A → C일 때는 풍속이 느려지므로 B에서 수렴이 일어나고, C → E일 때는 풍속이 빨라지므로 D에서 발산이 일어난다.

탐구 자료창 **편서풍 파동과 상층 일기도 분석**

그림은 같은 날 상층의 200 hPa, 500 hPa 일기도와 지상 일기도를 나타낸 것으로, 빨간색 선은 제트류이다.

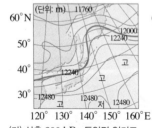

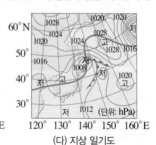

(가) 상층 200 hPa 등압면 일기도   (나) 상층 500 hPa 등압면 일기도   (다) 지상 일기도

1. (가) 제트류의 영향으로 편서풍 파동이 형성되면서 (나)에 기압골과 기압 마루가 형성된다.
2. (나)에서 기압골의 동쪽에는 지상에 저기압이, 기압골의 서쪽에는 지상에 고기압이 위치한다.
3. **일기 변화**: 편서풍 파동이 동쪽으로 이동하면서 지상의 고기압과 저기압도 동쪽으로*이동한다.

★ 지상 저기압의 소멸
상층 파동의 이동 속도가 빠르므로 상층의 기압골이 지상의 저기압과 수직선상에 오면 저기압의 세력이 점차 약화되어 소멸한다.

개념 확인 문제

핵심
체크

- **①(   )**: 중위도 상공에서 기압 경도력이 전향력과 평형을 이루면서 서에서 동으로 부는 바람
- **②(   )**: 중위도 상공의 편서풍이 파장이 긴 파동의 형태로 지구 둘레로 돌고 있는 것 ➡ 파장: 수천 km
  - 발생 원인: 저위도와 고위도의 **③(   )** 차이, 지구 자전에 의한 **④(   )**
  - 저위도의 과잉 에너지를 고위도로 수송하며, 파동의 진폭이 변화함에 따라 에너지 수송량이 변한다.
  - **⑤(   )**: 편서풍 파동에서 축이 되는 좁고 강한 흐름으로, **⑥(   )** 계면 부근에서 나타난다.
- 편서풍 파동과 지상의 기압 배치
  - 상층 기압골 서쪽: 상층 공기가 **⑦(   )** ➡ 하강 기류 발달 ➡ 지상에 **⑧(   )** 발달
  - 상층 기압골 동쪽: 상층 공기가 **⑨(   )** ➡ 상승 기류 발달 ➡ 지상에 **⑩(   )** 발달
- 편서풍 파동에서 형성된 지상의 고기압과 저기압은 파동을 따라 **⑪(   )**에서 **⑫(   )**으로 이동한다.

1 편서풍 파동에 대한 설명으로 옳은 것은 ○, 옳지 <u>않은</u> 것은 ×로 표시하시오.

(1) 중위도 지상 일기도의 등압선이 파동 형태로 나타나는 것이다. ·· (   )
(2) 지구 자전에 의한 전향력이 편서풍 파동의 발생에 영향을 미친다. ·· (   )
(3) 남북 간의 기온 차이가 클수록 편서풍 파동의 흐름이 빨라진다. ·· (   )
(4) 저위도의 과잉 에너지를 고위도로 수송한다. (   )
(5) 열대 저기압이 발생하는 데 중요한 역할을 한다. ·· (   )

2 그림은 편서풍 파동의 발생 원리를 알아보기 위한 실험 장치를 나타낸 것이다.

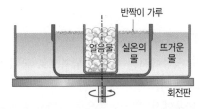

(1) 얼음물이 담긴 원통은 ⊙(   )지방에, 뜨거운 물이 담긴 원통은 ⓒ(   ) 지방에 해당한다.
(2) 원통이 회전하지 않을 때 나타나는 실온의 물의 흐름은 ⊙(   )에, 원통이 회전할 때 나타나는 실온의 물의 흐름은 ⓒ(   )에 해당한다.
(3) 회전 원통의 회전은 지구의 (   )에 해당한다.

3 한대 제트류는 아열대 제트류보다 풍속이 ⊙(   ). 또한, 여름철보다 겨울철에 더 ⓒ(   )위도에서 나타나고 풍속이 ⓒ(   ).

4 그림은 북반구 상공에서 나타나는 편서풍 파동을 모식적으로 나타낸 것이다.
각 설명에 해당하는 위치를 기호로 쓰시오.

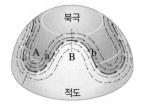

(1) 기압골에 해당한다. ··· (   )
(2) 기압 마루에 해당한다. ··· (   )
(3) 상공에서 공기의 수렴이 일어난다. ······················ (   )
(4) 지상 공기의 상승 운동을 유도한다. ····················· (   )
(5) 지상에 온대 저기압이 발달한다. ··························· (   )

5 그림은 북반구 중위도 상공에서 나타나는 편서풍 파동을 모식적으로 나타낸 것이다.

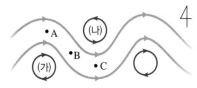

(1) (가)에는 ⊙(고기압, 저기압)이 발달하고, (나)에는 ⓒ(고기압, 저기압)이 발달한다.
(2) A~C 지점에서 풍속의 크기를 옳게 비교한 것은?
① A>B>C   ② A>C>B   ③ B>A>C
④ C>A>B   ⑤ C>B>A

대표 자료 분석

정답친해 103쪽

🏠 학교 시험에 자주 출제되는 대표 자료와 그 자료에 대한
문제를 통해 자료를 완벽하게 이해할 수 있다.

자료 ① 편서풍 파동의 변동

기출 Point
- 편서풍 파동의 발생 원인 이해하기
- 편서풍 파동의 변동 이해하기

[1~4] 그림은 편서풍 파동의 변동을 순서대로 나타낸 것이다.

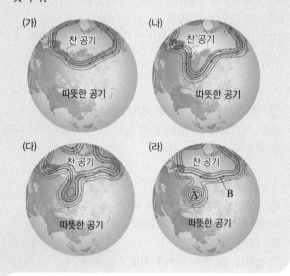

1 (가)와 (나) 중 중위도 지역에서 남북 간의 기온 차이가 더 큰 경우를 쓰시오.

2 A는 고기압과 저기압 중 어느 것에 해당하는지 쓰시오.

3 편서풍 파동 중심부의 풍속이 강한 흐름 B를 무엇이라 하는지 쓰시오.

4 빈출 선택지로 완벽 정리!

(1) 남북 간의 기온 차이가 커지면 편서풍 파동이 강해진다. ···································· (○ / ×)

(2) (라)에서 편서풍 파동은 소멸한다. ··············· (○ / ×)

(3) 편서풍 파동의 진폭이 작을수록 고위도로 열 수송이 잘 이루어진다. ·························· (○ / ×)

(4) 북반구의 편서풍 파동은 여름철보다 겨울철에 더 남쪽에서 일어난다. ·················· (○ / ×)

자료 ② 편서풍 파동과 지상의 기압 배치

기출 Point
- 편서풍 파동에서 상층 공기의 수렴과 발산 이해하기
- 편서풍 파동으로 지상의 기압 배치 유추하기

[1~5] 그림은 북반구 상층의 편서풍 파동과 그에 따른 지상의 기압 배치를 나타낸 모식도이다.

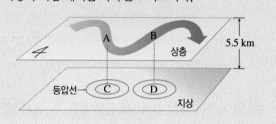

1 편서풍 파동 내의 A~B 구간에서 풍속의 변화를 쓰시오.

2 상층에서 A와 B 중 공기가 발산하는 곳과 수렴하는 곳을 각각 쓰시오.

3 지상에서 C와 D 중 고기압이 발달하는 곳과 저기압이 발달하는 곳을 각각 쓰시오.

4 B와 D 사이의 공기가 연직 운동함에 따라 일어나는 변화만을 [보기]에서 있는 대로 고르시오.

[보기]
ㄱ. 공기의 부피 팽창   ㄴ. 기온 상승   ㄷ. 구름 생성

5 빈출 선택지로 완벽 정리!

(1) 중위도 상층에서는 바람이 남북으로 굽이치며 동에서 서로 분다. ···························· (○ / ×)

(2) 기압 마루에서 기압골 쪽으로 가면서 편서풍의 풍속은 빨라진다. ·························· (○ / ×)

(3) 상층에서 공기의 수렴은 지표 공기의 상승을 유도한다. ···································· (○ / ×)

(4) 편서풍 파동을 따라 C, D의 기압은 모두 동쪽으로 이동한다. ···························· (○ / ×)

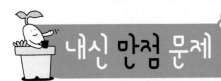

내신 만점 문제

A 편서풍 파동과 제트류

01 그림은 편서풍이 발생하는 원리를 나타낸 것이다.

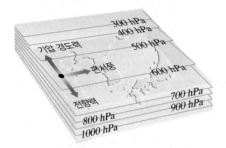

이에 대한 설명으로 옳은 것은?

① 공기가 냉각되면 등압면 간격이 넓어진다.
② 상공에서 부는 편서풍은 마찰력의 영향을 받는다.
③ 같은 높이의 상공에서는 적도 쪽의 기압이 낮다.
④ 고도가 높아질수록 남북 간의 기압 차이는 감소한다.
⑤ 상층으로 갈수록 편서풍의 풍속은 빨라진다.

02 (서술형) 그림은 북반구 중위도 어느 지역의 등압면 분포를 모식적으로 나타낸 것이다.

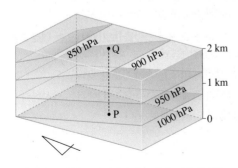

P와 Q 지점에서 풍향과 풍속을 비교하여 서술하시오.

[03~04] 다음은 편서풍 파동의 원리를 알아보기 위한 실험이다.

[실험 과정]
그림과 같은 회전 원통 실험 장치를 준비하여 회전판이 정지해 있을 때와 회전판을 회전시킬 때 중간 원통에서 물의 흐름을 관찰한다.

[실험 결과]
(가) 회전판이 정지해 있을 때 중간 원통의 물에 띄운 반짝이 가루가 안쪽 원통 쪽으로 이동한다.
(나) 회전판을 빠르게 회전시키면 반짝이 가루가 파동의 형태로 굽이치며 회전한다.
(다) 소용돌이 사이에서 흐름이 매우 빠른 구간이 보인다.

03 실험 결과에 대응하는 실제 대기 대순환 현상을 옳게 짝 지은 것은?

	(가)	(나)	(다)
①	극순환	편서풍 파동	계절풍
②	페렐 순환	편동풍 파동	제트류
③	페렐 순환	편서풍 파동	계절풍
④	해들리 순환	편동풍 파동	계절풍
⑤	해들리 순환	편서풍 파동	제트류

04 이에 대한 설명으로 옳은 것만을 [보기]에서 있는 대로 고른 것은?

[보기]
ㄱ. (나)에서 중간 원통의 물은 적도 지방의 공기에 해당한다.
ㄴ. 회전판의 회전은 전향력과 같은 역할을 한다.
ㄷ. 회전 속도가 증가할수록 파동이 복잡해진다.

① ㄱ   ② ㄷ   ③ ㄱ, ㄴ
④ ㄴ, ㄷ   ⑤ ㄱ, ㄴ, ㄷ

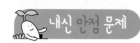

05 그림은 편서풍 파동의 변동 중 서로 다른 단계를 나타낸 것이다.

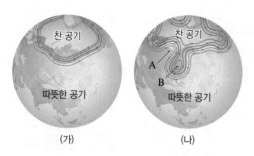

이에 대한 설명으로 옳은 것만을 [보기]에서 있는 대로 고른 것은?

─[보기]─
ㄱ. 파동의 진폭은 (가)가 (나)보다 더 크다.
ㄴ. 남북 간의 기온 차이는 (나)가 (가)보다 더 크다.
ㄷ. 열에너지 수송은 (나)가 (가)보다 더 활발하다.
ㄹ. A는 저기압성 흐름, B는 고기압성 흐름을 보인다.

① ㄱ, ㄹ   ② ㄱ, ㄷ   ③ ㄴ, ㄷ
④ ㄱ, ㄴ, ㄹ   ⑤ ㄴ, ㄷ, ㄹ

06 제트류에 대한 설명으로 옳지 <u>않은</u> 것은?

① 남북 간의 기온 차이 때문에 생성된다.
② 온대 저기압의 발달에 영향을 미친다.
③ 편서풍 파동 내에서 특히 강하게 부는 바람이다.
④ 한대 제트류는 아열대 제트류보다 풍속이 빠르다.
⑤ 성층권 계면 부근에서 가장 빠른 속도를 나타낸다.

07 (서술형) 그림은 상층 대기에서의 제트류를 나타낸 것이다.

(1) 제트류 A와 B의 이름을 각각 쓰시오.

(2) A의 위치와 풍속을 여름철과 겨울철을 비교하여 서술하시오.

08 그림은 계절에 따른 제트류의 위치와 풍속을 나타낸 것이다.

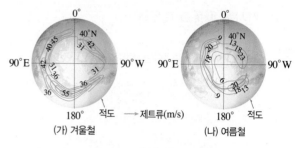

(가) 겨울철   →제트류(m/s)   (나) 여름철

이에 대한 설명으로 옳은 것만을 [보기]에서 있는 대로 고른 것은?

─[보기]─
ㄱ. 제트류의 풍속은 여름철보다 겨울철에 더 빠르다.
ㄴ. 남북 간의 기온 차이는 여름철보다 겨울철에 더 크다.
ㄷ. 제트류는 여름철보다 겨울철에 더 고위도 지역에서 나타난다.

① ㄱ   ② ㄷ   ③ ㄱ, ㄴ
④ ㄴ, ㄷ   ⑤ ㄱ, ㄴ, ㄷ

B 편서풍 파동과 날씨

09 그림은 북반구 중위도 상층의 편서풍 파동과 그에 따른 지상의 기압 배치를 나타낸 것이다.

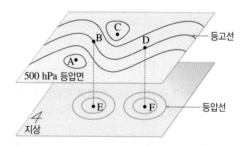

이에 대한 설명으로 옳은 것만을 [보기]에서 있는 대로 고른 것은?

─[보기]─
ㄱ. 등고선의 고도는 A가 C보다 낮다.
ㄴ. 공기가 B에서는 수렴하고, D에서는 발산한다.
ㄷ. E의 기압은 F보다 높다.

① ㄱ   ② ㄴ   ③ ㄱ, ㄷ
④ ㄴ, ㄷ   ⑤ ㄱ, ㄴ, ㄷ

10 그림은 상층의 편서풍 파동을 나타낸 것이다.

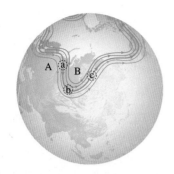

이에 대한 설명으로 옳은 것만을 [보기]에서 있는 대로 고른 것은? (단, A, B와 a, b, c는 편서풍 파동에 위치한다.)

┌─[보기]
│ ㄱ. 상층의 기온은 A 지점이 B 지점보다 낮다.
│ ㄴ. a~c 지점 중 풍속은 b에서 가장 빠르다.
│ ㄷ. B에는 남북 방향으로 기압골이 발달한다.
└─

① ㄱ   ② ㄷ   ③ ㄱ, ㄴ
④ ㄴ, ㄷ   ⑤ ㄱ, ㄴ, ㄷ

11 그림은 우리나라 부근 상공에서 500 hPa 등압면의 고도 분포를 나타낸 것이다.

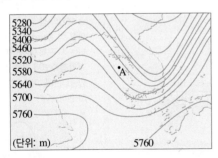

이에 대한 설명으로 옳은 것만을 [보기]에서 있는 대로 고른 것은?

┌─[보기]
│ ㄱ. A 지역의 지상에는 상승 기류가 형성된다.
│ ㄴ. 상공인 A에서는 북서풍이 우세하게 분다.
│ ㄷ. 우리나라 상공의 높이 5700 m에서는 북쪽으로 갈
│   수록 기압이 낮아진다.
└─

① ㄱ   ② ㄴ   ③ ㄱ, ㄷ
④ ㄴ, ㄷ   ⑤ ㄱ, ㄴ, ㄷ

12 그림은 우리나라 부근에서 발달하는 온대 저기압의 연직 구조를 나타낸 것이다.

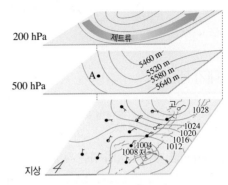

이에 대한 설명으로 옳은 것만을 [보기]에서 있는 대로 고른 것은?

┌─[보기]
│ ㄱ. A에서는 바람이 등압선을 가로질러 분다.
│ ㄴ. 상층 기압골의 동쪽에는 지상에 저기압이 발달한다.
│ ㄷ. 온대 저기압의 중심에서는 맑은 날씨가 나타난다.
└─

① ㄱ   ② ㄴ   ③ ㄱ, ㄷ
④ ㄴ, ㄷ   ⑤ ㄱ, ㄴ, ㄷ

13 그림 (가)와 (나)는 24시간 간격으로 작성된 우리나라 주변 500 hPa 등압면의 고도 분포를 순서 없이 나타낸 것으로, A 지점은 500 hPa 등압면에 위치한다.

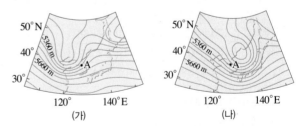

이에 대한 설명으로 옳은 것만을 [보기]에서 있는 대로 고른 것은?

┌─[보기]
│ ㄱ. 편서풍 파동은 (가)에서 (나)로 발달한다.
│ ㄴ. A 지점의 고도는 (가)가 (나)보다 높다.
│ ㄷ. A 지점의 지상에서 날씨는 (나)가 (가)보다 맑을 것
│   이다.
└─

① ㄱ   ② ㄷ   ③ ㄱ, ㄴ
④ ㄴ, ㄷ   ⑤ ㄱ, ㄴ, ㄷ

05 대기 대순환

핵심 포인트
Ⓐ 지구의 복사 평형 ★★
위도에 따른 복사 에너지 불균형 ★★
대기 대순환 ★★★

Ⓑ 대기 순환의 규모와 특징 ★★★
해륙풍과 계절풍 ★★

Ⓐ 대기 대순환

위도에 따른 에너지 분포 차이 때문에 지구 전체 규모의 대기 대순환이 나타나고, 편서풍도 그 순환 과정에서 만들어져요. 대기 대순환이 어떻게 일어나는지 차근차근 알아볼까요?

1. 지구의 복사 평형 지구는 흡수하는 태양 복사 에너지의 양과 우주 공간으로 방출하는 지구 복사 에너지의 양이 같아 복사 평형을 이루어 연평균 기온이 일정하게 유지된다.

(1) **지구의 열수지와 복사 평형**: 태양 복사 에너지 흡수량＝지구 복사 에너지 방출량

① 지구에 입사하는 *평균 태양 복사 에너지의 양을 100이라고 가정한다.

② 지구가 흡수하는 태양 복사 에너지의 양은 70이고, 대기와 지표면에 의해 30은 반사된다.
  └● 지구의 반사율: 약 30 %

③ 지구가 방출하는 지구 복사 에너지의 양은 70이다.

(2) 지구는 지구 전체뿐만 아니라 지표면, 대기 각각의 영역에서도 복사 평형을 이룬다.

지구의 열수지와 복사 평형

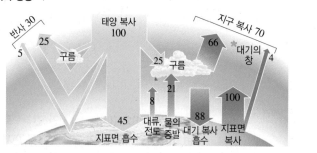

구분	흡수량	방출량
지구 전체	70＝태양 복사 100－반사 30	70＝대기에서 66＋지표면에서 4
지표면	133＝태양 복사 45＋대기 복사 88	133＝대기로 129＋우주로 4
대기	154＝태양 복사 25＋지표면으로부터 129	154＝지표면으로 88＋우주로 66

대류, 전도 8＋물의 증발 21＋지표면 복사 100 ●

● 대류, 전도 8＋물의 증발 21＋지표면 복사 100

2. 위도에 따른 복사 에너지 불균형

(1) **위도에 따른 복사 에너지 분포**

① **저위도**: *지구의 태양 복사 에너지 흡수량＞지구 복사 에너지 방출량 ➡ 에너지 과잉

② **고위도**: 지구의 태양 복사 에너지 흡수량＜지구 복사 에너지 방출량 ➡ 에너지 부족

(2) **위도별 에너지 불균형 해소**: 대기와 해수의 순환으로 저위도의 과잉 에너지가 고위도로 이동하여 지구 전체적으로는 복사 평형을 유지한다. ➡ 위도 38° 부근에서 에너지 이동량이 가장 많다.

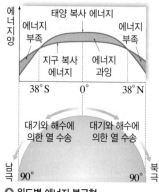

⬆ **위도별 에너지 불균형**

★ **지구의 단위 면적당 입사하는 평균 태양 복사 에너지의 양**

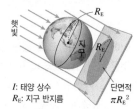

I: 태양 상수
R_E: 지구 반지름
단면적 πR_E^2

❶ 태양 상수(I): 지구 대기권 밖에서 햇빛에 수직인 $1 \, m^2$의 면이 1초 동안 받는 태양 복사 에너지의 양

❷ 지구가 1초 동안 받는 태양 복사 에너지의 양: 태양 복사 에너지를 수직으로 받는 면적은 πR_E^2이므로 $\pi R_E^2 I$이다.

❸ 단위 면적 당 입사하는 평균 태양 복사 에너지의 양: 지구의 표면적은 $4\pi R_E^2$이므로
$$\frac{\pi R_E^2 I}{4\pi R_E^2} = \frac{I}{4}$$이다.
  └● 태양 상수의 $\frac{1}{4}$

★ **대기의 창**
파장 약 $8 \, \mu m \sim 13 \, \mu m$에 해당하는 지구 복사 에너지는 대기에 거의 흡수되지 않고 바로 우주로 방출되는데, 이를 대기의 창이라고 한다.

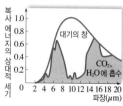

★ **위도에 따른 태양 복사 에너지 흡수량**
지구가 둥글기 때문에 고위도로 갈수록 태양의 고도가 낮아져 태양 빛이 비스듬히 입사하므로 단위 면적당 입사하는 태양 복사 에너지의 양이 적어진다.

3. 대기 대순환

(1) 발생 원인: 위도에 따른 에너지 불균형

(2) 대기 대순환 모델

⬆ 단일 세포 순환 모델(지구가 자전하지 않을 때)

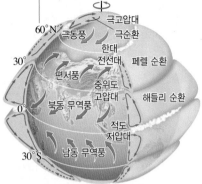

• 지구는 자전하므로 3세포 순환 모델에 가깝지만, 실제 지구는 지표면이 균질하지 않고 계절 변화가 나타나기 때문에 3세포 순환 모델보다 훨씬 더 복잡하다.

⬆ 3세포 순환 모델(지구가 자전할 때)

① **단일 세포 순환 모델:** 적도 지방의 따뜻한 공기는 상승하고, 극지방의 냉각된 공기는 하강하여 북반구와 남반구에 각각 하나의 대류 세포를 이룬다. → 해들리가 제시한 모델

가정	• 지구는 자전하지 않는다. ➡ 전향력이 작용하지 않는다. • 지구 표면은 물로 덮여 있어 균질하다. ➡ 육지와 바다의 차등 가열이 없다. • 태양은 항상 적도 상공에 있다. ➡ 바람의 계절 변화를 고려하지 않는다.
기압대	적도 부근에 저압대, 극 부근에 고압대 형성
지상의 바람	고위도에서 저위도로 기압 경도력이 작용하여 북반구에는 북풍이, 남반구에는 남풍이 분다.

② **3세포 순환 모델:** 지구 자전의 영향으로 남반구와 북반구에 각각 3개의 순환 세포를 이룬다.

해들리 순환	• 적도에서 가열된 공기가 상승하여 고위도로 이동한 후, 위도 30° 부근에서 하강하여 지표 부근에서 다시 적도로 이동하여 형성하는 순환 ➡ *직접 순환 • 기압대 ┌ 적도 부근에 적도 저압대(❶열대 수렴대) 형성 → 강수량이 많다. 　　　　 └ 위도 30° 부근에 중위도 고압대(아열대 고압대) 형성 → 사막이 많이 분포한다. • 지상의 바람: 공기가 위도 30° 부근에서 적도로 이동하면서 편향되어 무역풍이 된다.
페렐 순환	• 위도 30° 부근에서 하강한 공기가 지표 부근에서 고위도로 이동한 후, 위도 60° 부근에서 상승하여 형성하는 순환 ➡ 간접순환 • 기압대: 위도 60° 부근에 ❷한대 전선대(아한대 저압대) 형성 → 한대 전선의 파동으로 날씨 변화가 심하다. • 지상의 바람: 공기가 위도 30° 부근에서 60° 부근으로 이동하면서 편향되어 편서풍이 된다.
극순환	• 극에서 냉각된 공기가 하강하고 지표 부근에서 저위도로 이동한 후, 위도 60° 부근에서 상승하여 다시 극으로 이동하여 형성하는 순환 ➡ 직접 순환 • 기압대: 극고압대 형성 • 지상의 바람: 공기가 극에서 위도 60° 부근으로 이동하면서 편향되어 극동풍이 된다.

➕ 확대경　열대 수렴대의 위치

지구의 지표면은 균일하지 않고, 위도 간의 기온 차이도 시간에 따라 달라지므로 실제 기압대가 띠 모양으로 나타나지는 않지만, 열대 수렴대는 비교적 뚜렷하게 나타나며 겨울철에는 남하하고 여름철에는 북상한다.

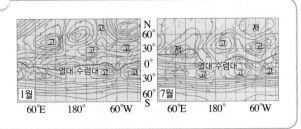

★ **직접 순환과 간접순환**

• **직접 순환:** 온도 차이에 의해 일어나는 열적 순환이다.
➡ 해들리 순환, 극순환

• **간접순환:** 해들리 순환과 극순환 사이에서 역학적으로 생기는 순환으로, 열적 순환과 직접 관련이 없다.
➡ 페렐 순환

암기해

지구가 자전할 때 대기 대순환의 모델에서 지상의 바람과 기압대

순환, 위도	바람, 기압대
극순환	극동풍
위도 60°	저압대
페렐 순환	편서풍
위도 30°	고압대
해들리 순환	무역풍
적도	저압대

| 용어 |

❶ **열대 수렴대(熱** 덥다, **帶** 띠, **收** 모으다, **斂** 모으다, **帶** 띠) 저위도에서 북동 무역풍과 남동 무역풍이 모이는 지역

❷ **한대 전선대(寒** 차다, **帶** 띠, **前** 앞, **線** 줄, **帶** 띠) 한랭한 극동풍과 온난한 편서풍이 만나는 경계

B 대기 순환의 규모

1. 대기 순환의 규모 *공간 규모(수평 규모)와 시간 규모에 따라 구분

(1) 미규모, 중규모(중간 규모), 종관 규모, 지구 규모(행성 규모) 등으로 구분한다.

(2) 수평 규모가 클수록 대체로 시간 규모가 커진다.→ 공간 규모가 클수록 보유하는 에너지가 많기 때문이다.

대기 순환	수평 규모	시간 규모	현상	전향력
미규모	수백 m 이내	수초~수분	난류, 작은 소용돌이	영향이 거의 없다.
중규모	수백 m~수백 km	수분~수일	토네이도, 뇌우, 해륙풍, 산곡풍, 높새바람	
종관 규모	수백 km~수천 km	수일~1주일	태풍, 고기압, 저기압	영향이 크다.
지구 규모	수천 km 이상	1주일 이상	대기 대순환, 편서풍 파동, 계절풍	

종관 규모 이상에서 규모가 커질수록 전향력이 크게 작용한다. ●

2. 미규모 순환   지속 시간이 가장 짧은 대기 운동

(1) 난류: 지표면의 불균등 가열에 따른 열대류와 마찰의 영향으로 대기 경계층에서 발생하는 복잡하고 불규칙한 흐름

① 대기가 불안정하고 지표면이 거칠수록, 풍속이 빠를수록 강해진다.

② 지표면의 열, 수증기, 대기 오염 물질 등을 상공으로 확산시킨다.

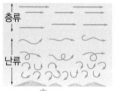

↑ 난류와 *층류

3. 중규모 순환
┌─────── 토네이도는 미규모로 분류하기도 하고 중규모로 분류하기도 한다.

(1) *토네이도: 깔때기 모양의 강력한 회오리바람으로, 거대한 뇌우가 발달할 때 잘 나타난다.

(2) 뇌우: 적란운이 발달하면서 천둥, 번개를 동반하며 강한 소나기가 내리는 현상

(3) 해륙풍: 해안가에서 육지와 바다의 열용량 차이로 하루를 주기로 풍향이 바뀌는 바람

① 낮에는 해풍이 불고, 밤에는 육풍이 분다.
　　　　　　　　　└● 바다가 육지보다 열용량이 커서 온도 변화가 작다.

② 바다보다 육지의 마찰이 크므로 해풍이 육풍보다 강하다.

③ 열대 지역에서 잘 나타나며 중위도에서는 고기압과 저기압의 이동이 잦아 뚜렷하지 않다.

해풍(낮)	육풍(밤)
육지가 바다보다 빨리 가열되어 육지에 저기압, 바다에 고기압 형성 ➡ 바다에서 육지로 해풍이 분다.	육지가 바다보다 빨리 냉각되어 육지에 고기압, 바다에 저기압 형성 ➡ 육지에서 바다로 육풍이 분다.

해풍(낮) 그림:
988 hPa 저─고
996 hPa
1004 hPa 고─저
바다　육지

지표 부근
• 기온: 바다< 육지
• 기압: 바다> 육지
• 바람: 바다 → 육지

육풍(밤) 그림:
고─저 988 hPa
996 hPa
저─고 1004 hPa
바다　육지

지표 부근
• 기온: 바다> 육지
• 기압: 바다< 육지
• 바람: 바다 ← 육지

오른쪽 여백

★ 공간 규모
적도에서 지구의 둘레는 약 40000 km이고, 지구 대기는 높이 약 1000 km까지 분포하며 대부분은 높이 약 100 km 이하에 분포한다. 따라서 큰 규모의 순환일수록 수평 규모가 연직 규모에 비해 매우 크다.

약 1000 km
대기
적도
약 40000 km

★ 층류
지표면 마찰의 영향을 받지 않는 자유 대기층에서 나타나는 고른 흐름으로, 난류는 상층으로 갈수록 마찰의 영향이 감소하여 규칙적인 층류가 된다.

★ 토네이도

토네이도는 중심 기압이 매우 낮아 풍속이 태풍보다 강하여 큰 피해를 준다. 세계 곳곳에서 발생하며 미국에서 강력한 토네이도가 자주 발생한다. 우리나라에서는 동해 먼 바다에서 관측되는 용오름이 토네이도에 해당한다.

(4) 산곡풍: 산 비탈면과 주변 공기의 부등 가열에 의해 하루를 주기로 풍향이 바뀌는 바람

① 바람이 약한 맑은 날에 나타난다.

② 낮에는 곡풍이 불고, 밤에는 산풍이 분다.

바람의 방향을 기억하는 방법
• 바다에서 불어오는 해풍
• 육지에서 불어오는 육풍
• 산 위에서 불어오는 산풍
• 골짜기에서 불어오는 곡풍

곡풍(낮)	산풍(밤)
산 비탈면이 가열되어 경사면에 접해 있는 공기가 주변 공기보다 기온이 높아진다. ➡ 계곡에서 산 경사면을 따라 위쪽으로 곡풍이 분다.	산 비탈면이 빠르게 복사 냉각되어 경사면에 접해 있는 공기가 주변 공기보다 기온이 낮아진다. ➡ 산 위에서 경사면을 따라 계곡으로 산풍이 분다.
 가열 ➡ 공기 상승 ➡ 계곡에서 바람이 불어온다.	 냉각 ➡ 공기 하강 ➡ 산 위에서 바람이 불어온다.

4. 종관 규모 순환

(1) 고기압: 주위보다 기압이 높은 지역으로, 하강 기류가 발달하여 날씨가 맑다.

종관 규모는 일기도에 표현되어 있는 보통의 이동성 고기압이나 저기압의 공간적 크기 및 수명 정도를 나타내는 규모로, 일기도 규모라고도 합니다.

온난 고기압	한랭 고기압
위도 30° 부근 상공에서 수렴한 공기가 하강하면서 단열 압축되어 생성된 고기압 <u>예</u> 북태평양 고기압	고위도 지방에서 지표면의 냉각으로 공기가 지표면에 퇴적되어 생성된 고기압 <u>예</u> 시베리아 고기압
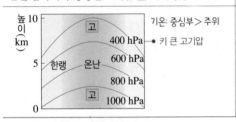 기온: 중심부 > 주위 ➡ 키 큰 고기압	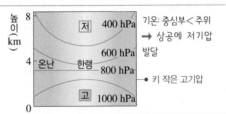 기온: 중심부 < 주위 ➡ 상공에 저기압 발달 • 키 작은 고기압

(2) 저기압: 주위보다 기압이 낮은 지역으로, 상승 기류가 발달하여 날씨가 흐리다.

① 온대 저기압: 중위도 지방에서 발생하여 한랭 전선과 온난 전선을 동반하는 저기압

② 열대 저기압: 위도 5°~25° 열대 해상에서 발생하고 전선을 동반하지 않으며, 일기도에서 등압선 모양이 원형인 저기압 ➡ 태풍: 중심 부근 최대 풍속이 17 m/s 이상인 열대 저기압

5. 지구 규모 순환

(1) 계절풍: 대륙과 해양의 열용량 차이로 1년을 주기로 풍향이 변하는 바람

해륙풍
• 발생 원인: 육지와 바다의 열용량 차이
• 풍향 변화 주기: 하루
• 낮에는 해풍
• 밤에는 육풍
계절풍
• 발생 원인: 대륙과 해양의 열용량 차이
• 풍향 변화 주기: 1년
• 우리나라의 계절풍
┌ 여름철: 남동 계절풍
└ 겨울철: 북서 계절풍

여름철	겨울철
대륙이 빨리 가열되어 해양에서 대륙으로 바람이 분다.	대륙이 빨리 냉각되어 대륙에서 해양으로 바람이 분다.
• 기온: 대륙 > 해양 • 기압: 대륙 < 해양 • 바람: 대륙 ← 해양	• 기온: 대륙 < 해양 • 기압: 대륙 > 해양 • 바람: 대륙 → 해양

(2) 편서풍 파동: 파장이 수천 km에 이르고, 파동의 변화는 1주~6주 정도에 걸쳐 일어난다.

(3) 대기 대순환: 지구 규모의 열에너지 이동이 일으키는 가장 큰 규모의 대기 순환이다.

개념 확인 문제

핵심 체크

- (❶　　　　　): 지구 대기권 밖에서 햇빛에 수직인 1 m²의 면이 1초 동안 받는 태양 복사 에너지의 양
- 지구의 (❷　　　　): 지구의 태양 복사 에너지 흡수량＝지구 복사 에너지 방출량
- 위도별 에너지 불균형: 저위도는 에너지 (❸　　　　), 고위도는 에너지 (❹　　　　)
- 대기 대순환
  - (❺　　　　) 모델: 지구가 자전하지 않을 때, 북반구와 남반구에 각각 하나의 대류 세포 형성
  - 3세포 순환 모델: 지구가 자전할 때, 해들리 순환, (❻　　　　), 극순환의 3개의 순환 세포 형성
  - ➡ 지상에서 부는 바람: 해들리 순환-(❼　　　　), 페렐 순환-(❽　　　　), 극순환-극동풍
- 대기 순환의 규모: 미규모, 중규모, 종관 규모, 지구 규모 ➡ 수평 규모가 클수록 시간 규모가 (❾　　　　).
  - 해륙풍: (❿　　　　) 규모에 해당, 해안가에서 하루를 주기로 풍향이 변한다. ➡ 낮에는 (⓫　　　　)
  - (⓬　　　　): 중규모에 해당, 산 비탈면에서 하루를 주기로 풍향이 변한다. ➡ 낮에는 (⓭　　　　)
  - 계절풍: (⓮　　　　) 규모에 해당, 해안가에서 1년을 주기로 풍향이 변한다.

---

1 그림은 복사 평형 상태의 지구의 열수지를 나타낸 것이다.

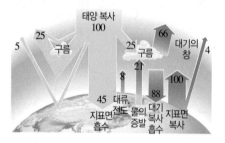

(1) 지구의 반사율: (　　　) %
(2) 지표면이 태양과 대기로부터 흡수하는 에너지: (　　　)
(3) 대기가 지표면과 우주로 방출하는 에너지: (　　　)

2 (　　　) 안에 알맞은 말을 고르시오.

(1) 저위도 지방에서는 흡수하는 태양 복사 에너지의 양이 방출하는 지구 복사 에너지의 양보다 (많다, 적다).
(2) 에너지는 (저위도 → 고위도, 고위도 → 저위도)로 이동한다.
(3) 대기와 해수에 의한 열 수송량은 (위도 0°, 위도 38°) 부근에서 가장 많다.

3 그림은 대기 대순환의 연직 단면을 나타낸 것이다.

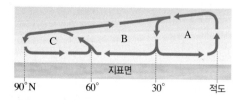

A~C 순환의 이름을 쓰시오.

4 지구의 대기 대순환에 대한 설명으로 옳은 것은 ○, 옳지 않은 것은 ×로 표시하시오.

(1) 위도에 따른 에너지의 불균형으로 발생한다. (　　　)
(2) 북반구에 3개의 순환 세포가 형성된다. ……… (　　　)
(3) 지구가 자전하지 않는다면 적도와 극 사이에 하나의 거대한 순환이 나타날 것이다. ……… (　　　)
(4) 위도 30°~60°의 지상에서 무역풍이 분다. ‥ (　　　)
(5) 위도 30° 부근에 저압대가 형성된다. ……… (　　　)

5 대기 순환 규모와 해당하는 현상을 옳게 연결하시오.

(1) 미규모　　·　　　·　㉠ 편서풍 파동
(2) 중규모　　·　　　·　㉡ 태풍, 고기압
(3) 종관 규모·　　　·　㉢ 뇌우, 해륙풍
(4) 지구 규모·　　　·　㉣ 난류, 작은 소용돌이

6 수평 규모와 시간 규모가 가장 작은 현상은?

① 난류　② 뇌우　③ 태풍　④ 계절풍　⑤ 산곡풍

7 그림은 해륙풍이 불 때 기압 분포를 나타낸 것이다.
A, B 중 각 설명에 해당하는 곳을 골라 쓰시오.

988 hPa
996 hPa
1004 hPa
바다　A　육지　B

(1) 상대적으로 기압이 높다. ……………… (　　　)
(2) 상대적으로 기온이 높다. ……………… (　　　)
(3) 상승 기류가 나타난다. ……………… (　　　)

대표 자료 분석

🏠 학교 시험에 자주 출제되는 대표 자료와 그 자료에 대한
문제를 통해 자료를 완벽하게 이해할 수 있다.

자료 1 **위도별 에너지 불균형**

기출 Point
• 위도별 복사 에너지 분포 그래프 해석하기
• 위도에 따른 에너지 이동 이해하기

[1~5] 그림은 위도에 따른 태양 복사 에너지와 지구 복사 에너지의 분포를 나타낸 것이다.

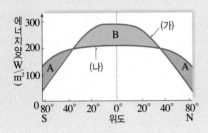

1 (가)와 (나)가 각각 무엇인지 쓰시오.

2 A와 B에서 지구의 태양 복사 에너지 흡수량과 지구 복사 에너지 방출량을 등호나 부등호로 비교하시오.

(1) A: 태양 복사 에너지 [　　　] 지구 복사 에너지
(2) B: 태양 복사 에너지 [　　　] 지구 복사 에너지

3 A와 B 중 에너지가 과잉 상태인 곳을 쓰시오.

4 위도에 따라 태양 복사 에너지의 흡수량 차이가 나는 까닭을 쓰시오.

5 빈출 선택지로 [완벽 정리!]

(1) A와 B의 양은 거의 같다. ……………………… (○ / ×)
(2) 적도 부근에서 에너지 이동량이 가장 많다. (○ / ×)
(3) 고위도로 갈수록 지구 복사 에너지의 방출량은 증가한다. ………………………………………… (○ / ×)
(4) 위도에 따른 태양 복사 에너지 흡수량 차이는 지구 복사 에너지 방출량 차이보다 크다. ……… (○ / ×)
(5) 위도 38° 이상의 지역에서는 에너지가 남는다.
……………………………………………………… (○ / ×)

자료 2 **대기 대순환**

기출 Point
• 대기 대순환에 따른 위도별 기압대 이해하기
• 대기 대순환에 의해 지상에서 부는 바람 알기

[1~6] 그림 (가)는 지구가 자전하지 않는 경우, (나)는 지구가 자전하는 경우의 북반구의 대기 대순환을 모식적으로 나타낸 것이다.

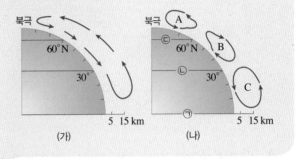

1 (가)와 (나)에서 대기 순환이 형성되는 원인을 각각 쓰시오.

2 (가)의 북반구 지상에서 부는 바람을 쓰시오.

3 (나)에서 ㉠~㉢에 해당하는 기압대를 각각 쓰시오.

4 A~C 중 직접 순환을 모두 고르시오.

5 A~C 순환의 지상에서 부는 바람을 각각 쓰시오.

6 빈출 선택지로 [완벽 정리!]

(1) (가)에서 부는 바람에는 전향력이 작용한다. (○ / ×)
(2) (가)와 (나)의 적도 지방에는 모두 저기압이 형성된다.
……………………………………………………… (○ / ×)
(3) 편서풍은 (나)에서만 분다. ……………… (○ / ×)
(4) (나)에서 B는 직접 순환에 해당한다. ……… (○ / ×)
(5) (가)의 경우 남반구에서는 북풍이 분다. …… (○ / ×)

자료 ③ 대기 순환의 규모

기출 Point
· 대기 순환의 규모에 따른 특징 이해하기
· 각 규모의 순환에 해당하는 현상의 예 알기

[1~4] 그림은 대기 순환을 수평 규모와 시간 규모로 나타낸 것이다.

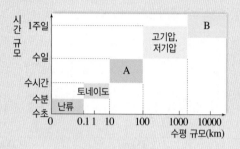

1 A, B에 해당하는 대기 순환 규모의 이름을 각각 쓰고, 둘 중 전향력의 영향을 크게 받는 규모를 고르시오.

2 A 규모의 대기 순환에 해당하는 것만을 [보기]에서 있는 대로 고르시오.

┌─ 보기 ┐
ㄱ. 태풍　　　　　　　ㄴ. 해륙풍
ㄷ. 높새바람　　　　　ㄹ. 편서풍 파동
└──────────────────┘

3 지상 일기도에 나타내는 대기 순환 규모를 쓰시오.

4 빈출 선택지로 완벽 정리!

(1) 보통 수평 규모가 크면 시간 규모도 크다. (○ / ×)
(2) 난류는 전향력의 영향을 크게 받는다. ──── (○ / ×)
(3) 뇌우의 수평 규모는 1000 km 이상이다. ── (○ / ×)
(4) 태풍과 고기압은 시간 규모가 비슷하다. ──── (○ / ×)
(5) 해륙풍과 같은 규모의 운동은 지상 일기도에서 확인하기 쉽다. ──────────────── (○ / ×)
(6) B 규모의 대기 순환에서는 수평 규모가 연직 규모보다 크다. ──────────────── (○ / ×)

자료 ④ 해륙풍

기출 Point
· 해륙풍이 부는 원인 이해하기
· 해륙풍이 불 때 육지와 바다의 기압 분포 해석하기

[1~4] 그림은 어느 해안 지방에서 해륙풍이 불 때 높이에 따른 기압 분포를 나타낸 것이다.

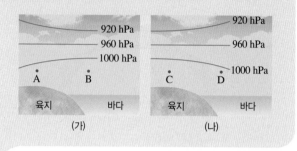

1 (가)와 (나)는 하루 중 어느 시기인지 각각 쓰시오.

2 (가)와 (나)의 지표 부근에서 부는 바람을 각각 쓰시오.

3 A~D 지점 중 상승 기류가 나타나는 곳을 모두 쓰시오.

4 빈출 선택지로 완벽 정리!

(1) 바다의 열용량은 육지보다 크다. ────────── (○ / ×)
(2) (가)는 낮의 기압 분포이다. ─────────── (○ / ×)
(3) (나)에서는 육풍이 분다. ───────────── (○ / ×)
(4) (가)보다 (나)에서 부는 바람의 풍속이 더 강하다.
　────────────────────────── (○ / ×)
(5) (가)와 (나)에서 960 hPa 등압면보다 상층에서는 지표 부근과 같은 방향으로 바람이 분다. ─── (○ / ×)
(6) 종관 규모에서 일어나는 대기 순환이다. ── (○ / ×)

내신 만점 문제

A 대기 대순환

01 그림은 지구에 입사하는 태양 복사 에너지를 100이라고 할 때, 복사 평형 상태의 지구 열수지를 나타낸 것이다.

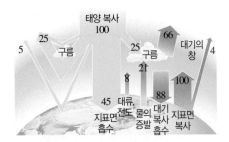

이에 대한 설명으로 옳지 <u>않은</u> 것은?

① 지구의 연평균 기온은 거의 일정하게 유지된다.
② 대기가 지표면으로부터 받는 총 에너지의 양은 129이다.
③ 지표면에서 우주로 바로 방출되는 에너지의 양은 4이다.
④ 지구가 방출하는 복사 에너지의 양은 태양으로부터 흡수한 복사 에너지의 양보다 적다.
⑤ 태양 복사 에너지 중 대기에 산란되고 구름과 지표면에 반사되어 우주로 되돌아가는 양은 30이다.

02 그림은 위도에 따른 태양 복사 에너지 흡수량과 지구 복사 에너지 방출량을 나타낸 것이다.

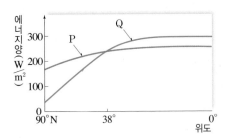

이에 대한 설명으로 옳은 것만을 [보기]에서 있는 대로 고른 것은?

[보기]
ㄱ. 위도에 따른 Q 차이는 지구가 구형이기 때문이다.
ㄴ. P와 Q의 총 에너지양은 서로 같다.
ㄷ. 열에너지 이동량은 위도 38° 부근에서 가장 적다.

① ㄱ   ② ㄷ   ③ ㄱ, ㄴ
④ ㄴ, ㄷ   ⑤ ㄱ, ㄴ, ㄷ

03 그림은 위도에 따른 태양 복사와 지구 복사를 나타낸 것이다.
이와 같은 위도에 따른 에너지의 불균형을 해소하기 위해 발생하는 현상은?

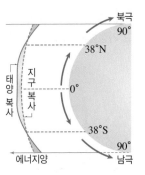

① 조석 현상
② 판의 이동
③ 맨틀의 대류
④ 대기와 해수의 순환
⑤ 지구 자기장의 변화

04 지구가 자전하지 않는다고 가정할 경우, 대기 대순환에 대한 설명으로 옳은 것만을 [보기]에서 있는 대로 고른 것은?

[보기]
ㄱ. 중위도에 고압대가 형성된다.
ㄴ. 북반구의 지상에서 부는 바람은 북풍이다.
ㄷ. 저위도 지방의 에너지가 고위도 지방으로 수송되지 못한다.

① ㄱ   ② ㄴ   ③ ㄱ, ㄷ
④ ㄴ, ㄷ   ⑤ ㄱ, ㄴ, ㄷ

05 그림은 대기 대순환의 모델을 나타낸 것이다.

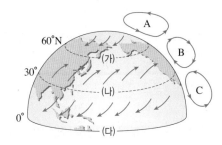

이에 대한 설명으로 옳지 <u>않은</u> 것은?

① A는 극순환이다.
② B는 간접순환이다.
③ B 순환의 지상에서는 편서풍이 분다.
④ (가)의 기압대에는 저기압이 잘 발달한다.
⑤ 강수량은 (다)보다 (나)의 기압대에서 많다.

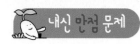

06 그림 (가)와 (나)는 지구가 자전할 때와 자전하지 않는다고 가정할 때의 대기 대순환 모델을 순서 없이 나타낸 것이다.

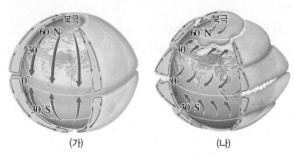

(가)   (나)

이에 대한 설명으로 옳은 것만을 [보기]에서 있는 대로 고른 것은?

[보기]
ㄱ. 지구가 자전할 때의 모델은 (가)이다.
ㄴ. (가)와 (나)에서는 모두 저위도의 에너지가 고위도로 수송된다.
ㄷ. (가)와 (나)에서 북반구 위도 50° 지역의 지상에서 부는 바람은 북풍 계열이다.

① ㄱ   ② ㄴ   ③ ㄱ, ㄷ
④ ㄴ, ㄷ   ⑤ ㄱ, ㄴ, ㄷ

07 그림은 북반구에서 남북 방향의 대기 대순환을 간략히 나타낸 것이다.

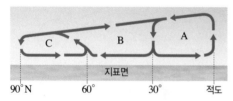

이에 대한 설명으로 옳은 것만을 [보기]에서 있는 대로 고른 것은?

[보기]
ㄱ. A는 간접순환에 해당한다.
ㄴ. A와 B의 경계 부근의 지상에는 고기압이 잘 발달한다.
ㄷ. C의 지상에서는 무역풍이 분다.

① ㄴ   ② ㄷ   ③ ㄱ, ㄴ
④ ㄱ, ㄷ   ⑤ ㄱ, ㄴ, ㄷ

B 대기 순환의 규모

08 대기 순환 규모의 특징으로 옳은 것은?

① 수평 규모가 클수록 대체로 시간 규모는 작다.
② 중규모의 순환에서는 구름이 생성되기 어렵다.
③ 종관 규모의 순환에서는 전향력을 고려해야 한다.
④ 종관 규모의 순환은 일기도에 거의 나타나지 않는다.
⑤ 큰 규모의 순환에서는 연직 규모가 수평 규모보다 훨씬 크다.

09 그림은 대기 순환의 규모를 나타낸 것이다.

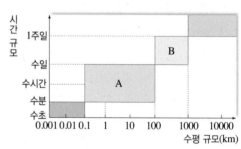

A, B 규모의 대기 순환에 대한 설명으로 옳은 것만을 [보기]에서 있는 대로 고른 것은?

[보기]
ㄱ. A 규모의 대기 순환은 주로 지상 일기도에 나타난다.
ㄴ. 토네이도는 B에 해당한다.
ㄷ. 전향력의 영향은 A보다 B 규모에서 크게 받는다.

① ㄱ   ② ㄷ   ③ ㄱ, ㄴ
④ ㄴ, ㄷ   ⑤ ㄱ, ㄴ, ㄷ

서술형
10 그림은 순환 규모가 다른 대기 현상을 나타낸 것이다.

(가) 뇌우   (나) 태풍   (다) 난류

(가)~(다)의 대기 순환 규모의 이름을 각각 쓰고, 시간 규모가 큰 것부터 순서대로 나열하시오.

11 그림은 어느 해안 지방에서 해륙풍이 불 때 높이에 따른 기압 분포를 나타낸 것이다.

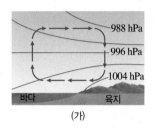

(가)

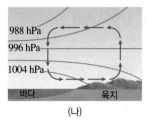

(나)

이에 대한 설명으로 옳은 것만을 [보기]에서 있는 대로 고른 것은?

─〔보기〕─
ㄱ. (가)에서는 육풍이 분다.
ㄴ. (나)는 낮의 기압 분포이다.
ㄷ. (가)와 (나)의 변화는 1년 주기로 나타난다.

① ㄱ   ② ㄷ   ③ ㄱ, ㄴ
④ ㄴ, ㄷ   ⑤ ㄱ, ㄴ, ㄷ

서술형

12 그림은 어느 해안에 위치한 관측소에서 측정한 하루 중 해륙풍의 풍속과 풍향 변화를 화살표로 나타낸 것이다.
A, B에 해당하는 바람을 쓰고, 바다는 관측소의 어느 쪽에 있는지 서술하시오.

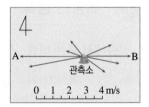

13 그림은 어느 산악 지방에서 관측한 등압면의 연직 분포를 나타낸 것이다.
이에 대한 설명으로 옳은 것만을 [보기]에서 있는 대로 고른 것은?

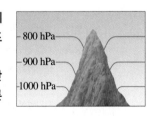

─〔보기〕─
ㄱ. 맑은 날 밤에 나타나는 기압 분포이다.
ㄴ. 산 비탈면에서 곡풍이 분다.
ㄷ. 대기 순환의 규모는 종관 규모에 해당한다.

① ㄱ   ② ㄴ   ③ ㄱ, ㄷ
④ ㄴ, ㄷ   ⑤ ㄱ, ㄴ, ㄷ

14 그림은 어느 고기압의 연직 등압면 분포를 그래프로 나타낸 것이다.

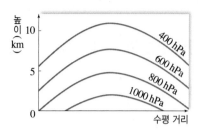

이에 대한 설명으로 옳은 것만을 [보기]에서 있는 대로 고른 것은?

─〔보기〕─
ㄱ. 중위도 고압대에서 형성된다.
ㄴ. 북태평양 고기압이 이에 해당한다.
ㄷ. 고기압 중심부는 주변 지역보다 기온이 낮다.

① ㄱ   ② ㄷ   ③ ㄱ, ㄴ
④ ㄴ, ㄷ   ⑤ ㄱ, ㄴ, ㄷ

15 그림은 아시아 대륙 주변에서 부는 계절풍을 모식적으로 나타낸 것이다.

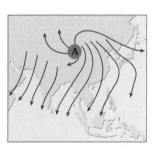

이에 대한 설명으로 옳은 것은?

① A 부근에는 저기압이 분포하고 있다.
② 겨울철에 부는 계절풍의 모습이다.
③ 하루를 주기로 바람의 방향이 바뀐다.
④ 남북 간의 기온 차이로 발생하는 바람이다.
⑤ 중규모의 대기 순환이다.

01 단열 변화와 대기 안정도

1. 단열 변화와 푄

(1) 단열 변화

단열 변화	(❶)	(❷)
연직 운동	상승	하강
주변 기압	감소	증가
부피	증가	감소
기온 변화	건조 공기	1 ℃/100 m 하강	1 ℃/100 m 상승
	습윤 공기	0.5 ℃/100 m 하강	0.5 ℃/100 m 상승
이슬점 변화	건조 공기	0.2 ℃/100 m 하강	0.2 ℃/100 m 상승
	습윤 공기	0.5 ℃/100 m 하강	0.5 ℃/100 m 상승

(2) 상승 응결 고도(H): (❸)이 생성되기 시작하는 높이

$$H(\text{m})=125(T-T_d) \ (T: \text{지표에서 기온}, \ T_d: \text{지표에서 이슬점})$$

(3) 푄: 높은 산을 넘어온 공기가 산을 넘기 전에 비하여 따뜻하고 (❹)해지는 현상

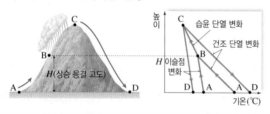

구간	A → B	B → C	C → D
단열 변화	건조 단열 변화	습윤 단열 변화	건조 단열 변화
기온	1 ℃/100 m 하강	0.5 ℃/100 m 하강	1 ℃/100 m 상승
이슬점	0.2 ℃/100 m 하강	0.5 ℃/100 m 하강	0.2 ℃/100 m 상승
상대 습도	증가	일정(100 %)	감소

2. 대기 안정도 판정

(1) 절대 안정: 기온 감률＜습윤 단열 감률 ➡ 연직 운동 억제

(2) 절대 불안정: 기온 감률＞건조 단열 감률 ➡ 연직 운동 활발

(3) (❺): 건조 단열 감률＞기온 감률＞습윤 단열 감률

3. 안개

(1) 냉각에 의한 안개: 복사 안개, 이류 안개, 활승 안개

(2) 수증기량 증가에 의한 안개: 증발 안개, 전선 안개

02 대기를 움직이는 힘

1. 정역학 평형
위쪽으로 작용하는 연직 방향의 기압 경도력과 아래쪽으로 작용하는 (❻)이 평형을 이루는 상태

2. 바람에 작용하는 힘

기압 경도력	정의	두 지점 사이의 기압 차이로 나타나는 힘 ➡ 바람을 발생시키는 근본적인 힘
	방향	고기압에서 저기압 쪽으로 등압선에 직각인 방향으로 작용
전향력	정의	지구의 자전 때문에 나타나는 겉보기 힘
	방향	북반구: 운동 방향의 (❼) 직각 방향으로 작용
		남반구: 운동 방향의 (❽) 직각 방향으로 작용
구심력	정의	원운동을 할 수 있도록 하는 힘
	방향	등압선으로 그려지는 원의 중심을 향한다.
마찰력	정의	지표면이나 공기 자체의 마찰 때문에 나타나는 힘
	방향	바람 방향의 (❾) 방향으로 작용

03 바람의 종류

1. 상층에서 부는 바람
등압선에 나란하게 분다.

바람	특징(북반구)	
(❿)	힘	등압선이 직선일 때 기압 경도력과 전향력이 평형을 이룬다.
	모습	저기압 896 hPa / 기압 경도력 ↑ → 지균풍 / 전향력 ↓ / 900 hPa 고기압
	풍향	기압 경도력의 오른쪽 직각 방향
	풍속	기압 경도력이 같을 경우, 저위도로 갈수록 빠르다.
경도풍	힘	등압선이 곡선일 때 기압 경도력과 전향력의 차이가 구심력으로 작용한다.
	모습	저기압성 경도풍 / 고기압성 경도풍
	풍향	시계 반대 방향	시계 방향
	풍속	기압 경도력이 같을 경우, 고기압성 경도풍이 저기압성 경도풍보다 빠르다.

2. 지상에서 부는 바람 등압선을 가로질러 분다.

바람		특징(북반구)
(⑪　)	힘	전향력과 마찰력의 합력이 기압 경도력과 평형을 이룬다.
	모습	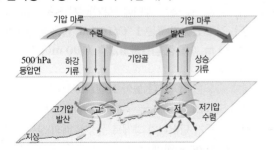
	풍향	기압 경도력에 대하여 오른쪽으로 비스듬히 분다.
	풍속	등압선 간격이 좁을수록, 마찰력이 작을수록 빠르다.

04 편서풍 파동

1. 편서풍 파동 중위도 상공의 편서풍이 파장이 긴 파동의 형태로 지구 둘레를 돌고 있는 것

(1) 발생 원인: 저위도와 고위도의 기온 차이, (⑫　　)

(2) 역할: 저위도의 과잉 에너지를 고위도로 수송

(3) 변동: 남북 간의 기온 차이가 커지면 파동의 진폭이 커졌다가 저기압이 떨어져 나가면서 진폭이 다시 작아진다.

2. 제트류 편서풍 파동에서 축어 되는 좁고 강한 흐름 ➡ 겨울철은 여름철보다 제트류가 더 저위도에서 나타나며 풍속이 더 빠르다.

(⑬　) 제트류	(⑭　) 제트류
남북 간의 기온 차이가 가장 급격한 중위도 지역의 대류권 계면에서 나타난다.	위도 30° 부근의 대류권 계면에 나타나며, 한대 제트류보다 풍속이 느리다.

3. 편서풍 파동과 지상의 기압 배치

상층 기압골의 서쪽	상층 기압골의 동쪽
상층의 공기 수렴 → 하강 기류 → 지상에 (⑮　) 발달	상층의 공기 발산 → 상승 기류 → 지상에 (⑯　) 발달

05 대기 대순환

1. 대기 대순환

(1) 지구의 복사 평형: 지구의 태양 복사 에너지 흡수량＝지구 복사 에너지 방출량 ➡ 연평균 기온 일정

(2) 지구의 위도별 에너지 불균형

구간	저위도	고위도
에너지 분포	에너지 과잉 (태양 복사 에너지 흡수량> 지구 복사 에너지 방출량)	에너지 부족 (태양 복사 에너지 흡수량< 지구 복사 에너지 방출량)
에너지 이동	(⑰　　　)와 해수의 순환을 통해 저위도에서 고위도로 에너지 이동 ➡ 에너지 불균형 해소	

(3) 대기 대순환: 위도별 에너지 불균형으로 발생

지구가 자전하지 않을 때	지구가 자전할 때
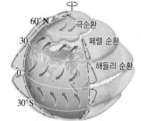	
• 직접 순환 • 적도와 극 사이에 하나의 대류 세포 형성 • 지상에서 부는 바람 　ー 북반구: 북풍 　ー 남반구: 남풍	• 극순환: 직접 순환, 지상에서 극동풍 • 페렐 순환: 간접순환, 지상에서 편서풍 • 해들리 순환: 직접 순환, 지상에서 (⑱　　　) • 극, 위도 30° 부근: 고압대 • 위도 60° 부근, 적도: 저압대

2. 대기 순환의 규모

구분	현상	전향력의 영향
미규모	난류, 작은 소용돌이	영향이 거의 없다.
중규모	토네이도, 뇌우, 해륙풍, 산곡풍	
(⑲　)	고기압, 저기압, 태풍	영향이 크다.
지구 규모	대기 대순환, 계절풍, 편서풍 파동	

(1) 해륙풍: 육지와 바다의 (⑳　　) 차이로 해안가에서 하루를 주기로 분다.

① 낮: 바다(고기압)에서 육지(저기압)로 해풍이 분다.

② 밤: 육지(고기압)에서 바다(저기압)로 육풍이 분다.

(2) 계절풍: 대륙과 해양의 열용량 차이로 1년을 주기로 분다.

① 여름철: 해양(고기압)에서 대륙(저기압)으로 바람이 분다.

② 겨울철: 대륙(고기압)에서 해양(저기압)으로 바람이 분다.

난이도 ●○○

01 그림은 공기 덩어리의 연직 운동에 의해 일어나는 단열 변화 과정 A와 B를 나타낸 것이다.

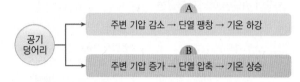

공기 덩어리
A
주변 기압 감소 → 단열 팽창 → 기온 하강
B
주변 기압 증가 → 단열 압축 → 기온 상승

이에 대한 설명으로 옳은 것만을 [보기]에서 있는 대로 고른 것은?

〔보기〕
ㄱ. 구름은 A 과정으로 만들어진다.
ㄴ. B 과정은 공기 덩어리가 하강할 때 일어난다.
ㄷ. A와 B 과정은 외부와 열을 교환하면서 공기 덩어리의 기온이 변화한다.

① ㄱ ② ㄷ ③ ㄱ, ㄴ
④ ㄴ, ㄷ ⑤ ㄱ, ㄴ, ㄷ

02 다음은 단열 변화를 알아보기 위한 실험이다.

●●○

[실험 과정]
(가) 그림과 같이 밀폐 용기에 물을 약간 넣고, 온도계를 끼운 후 공기 펌프로 용기 안의 공기를 압축시킨다.

온도계
공기 펌프
밀폐 용기

(나) 공기 펌프의 마개를 열어 공기를 밖으로 빼낸다.
[실험 결과]
밀폐 용기의 내부가 뿌옇게 흐려졌다.

과정 (나)에서 밀폐 용기 내부 공기의 변화에 대한 설명으로 옳은 것만을 [보기]에서 있는 대로 고른 것은?

〔보기〕
ㄱ. 기압이 낮아졌다.
ㄴ. 기온이 낮아졌다.
ㄷ. 상대 습도가 높아졌다.

① ㄱ ② ㄴ ③ ㄱ, ㄷ
④ ㄴ, ㄷ ⑤ ㄱ, ㄴ, ㄷ

●●●

03 그림은 산을 넘는 어느 공기 덩어리의 기온과 상대 습도의 변화를 나타낸 것이다.

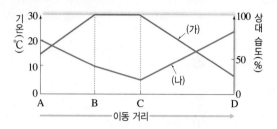

이에 대한 설명으로 옳은 것만을 [보기]에서 있는 대로 고른 것은? (단, A~D는 산을 넘는 동안의 지점들이고, 공기 덩어리가 산을 넘는 동안 구름이 생성되었다.)

〔보기〕
ㄱ. 기온의 변화를 나타낸 것은 (가)이다.
ㄴ. 구름은 B 지점부터 생성되었다.
ㄷ. 기온과 이슬점의 차이는 A보다 D 지점에서 크다.

① ㄱ ② ㄴ ③ ㄱ, ㄷ
④ ㄴ, ㄷ ⑤ ㄱ, ㄴ, ㄷ

04 표는 어느 지역의 높이에 따른 기온과 이슬점을 나타낸 것이다.

높이(m)	기온(°C)	이슬점(°C)
2000	18	10
1500	20	20
1000	25	20
500	27	21
0	30	26

이에 대한 설명으로 옳은 것만을 [보기]에서 있는 대로 고른 것은? (단, 건조 단열 감률은 1 °C/100 m, 습윤 단열 감률은 0.5 °C/100 m, 이슬점 감률은 0.2 °C/100 m이다.)

〔보기〕
ㄱ. 상대 습도는 지표보다 높이 1500 m에서 더 높다.
ㄴ. 높이 500 m~1000 m 구간의 대기는 안정하다.
ㄷ. 지표의 공기 덩어리가 강제로 상승될 때의 상승 응결 고도는 1500 m이다.

① ㄱ ② ㄷ ③ ㄱ, ㄴ
④ ㄴ, ㄷ ⑤ ㄱ, ㄴ, ㄷ

05 그림은 굴뚝에서 연기가 나오는 모습을 나타낸 것이다. 연기가 퍼져 나가는 모습으로 판단할 때, 기온의 연직 분포로 가장 적절한 것은?

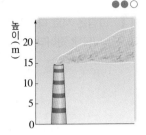

①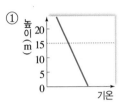

②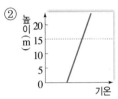

③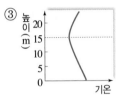

④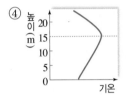

⑤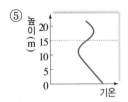

06 그림은 지표면 부근의 등압면과 정역학 평형을 이루고 있는 P 지점의 공기에 작용하는 힘을 나타낸 것이다.

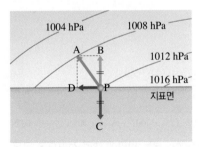

이에 대한 설명으로 옳은 것만을 [보기]에서 있는 대로 고른 것은?

[보기]
ㄱ. A는 기압 경도력이다.
ㄴ. B와 C는 크기와 작용 방향이 다르다.
ㄷ. P 지점의 공기는 D 방향으로 이동한다.

① ㄱ
② ㄴ
③ ㄷ
④ ㄱ, ㄷ
⑤ ㄴ, ㄷ

07 그림은 북반구 어느 지역에서 지표면의 등압선 분포를 나타낸 것이다.

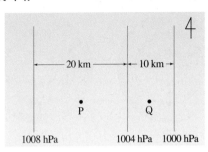

이에 대한 설명으로 옳은 것만을 [보기]에서 있는 대로 고른 것은? (단, P와 Q 지점은 동일 위도상에 위치하며, 지표면의 상태는 같다.)

[보기]
ㄱ. P 지점에서 기압 경도력은 동쪽으로 작용한다.
ㄴ. 기압 경도력은 P보다 Q 지점에서 작다.
ㄷ. 풍속은 P보다 Q 지점에서 빠르다.

① ㄱ
② ㄴ
③ ㄱ, ㄷ
④ ㄴ, ㄷ
⑤ ㄱ, ㄴ, ㄷ

08 그림은 어느 지역의 상공 A에서 부는 지균풍의 형성 과정을 나타낸 모식도이다.

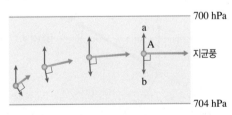

이에 대한 설명으로 옳은 것만을 [보기]에서 있는 대로 고른 것은?

[보기]
ㄱ. 이 지역은 남반구에 위치한다.
ㄴ. A에서 a와 b가 평형을 이룬다.
ㄷ. 등압선의 간격이 좁아지면 b가 감소한다.

① ㄱ
② ㄴ
③ ㄱ, ㄷ
④ ㄴ, ㄷ
⑤ ㄱ, ㄴ, ㄷ

09 그림 (가)와 (나)는 북반구에서 경도풍이 불 때 등압선과 기압 경도력(→)을 나타낸 것이다.

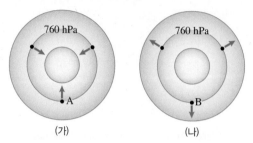

(가)   (나)

이에 대한 설명으로 옳은 것만을 [보기]에서 있는 대로 고른 것은? (단, A와 B는 동일 위도상에 위치하며, 각각에 작용하는 기압 경도력의 크기는 같다.)

[보기]
ㄱ. (가)에서 바람은 시계 반대 방향으로 등압선에 나란하게 분다.
ㄴ. (나)에서 전향력과 구심력의 크기의 합은 기압 경도력의 크기와 같다.
ㄷ. 풍속은 B보다 A에서 더 빠르다.

① ㄱ   ② ㄴ   ③ ㄷ
④ ㄱ, ㄷ   ⑤ ㄴ, ㄷ

10 그림은 북반구의 어느 지역에서 부는 바람과 이에 작용하는 힘 A~C를 나타낸 것이다.

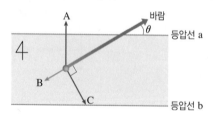

이에 대한 설명으로 옳은 것만을 [보기]에서 있는 대로 고른 것은?

[보기]
ㄱ. a는 b보다 기압이 높다.
ㄴ. A의 크기는 B와 C의 합력의 크기와 같다.
ㄷ. B가 커질수록 θ와 C의 크기는 작아진다.

① ㄱ   ② ㄴ   ③ ㄱ, ㄷ
④ ㄴ, ㄷ   ⑤ ㄱ, ㄴ, ㄷ

11 그림은 서로 다른 종류의 바람을 특징에 따라 구분하는 과정을 나타낸 것이다.

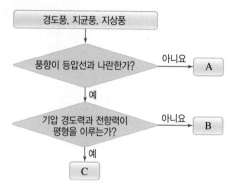

A~C에 대한 설명으로 옳은 것만을 [보기]에서 있는 대로 고른 것은?

[보기]
ㄱ. A에는 마찰력이 작용한다.
ㄴ. B에는 구심력이 작용한다.
ㄷ. 기압 경도력이 일정하다면, C는 고위도로 갈수록 풍속이 느려진다.

① ㄱ   ② ㄷ   ③ ㄱ, ㄴ
④ ㄱ, ㄷ   ⑤ ㄱ, ㄴ, ㄷ

12 그림은 북반구 중위도 지역에서 남북 간의 기온 차이에 따른 등압면의 기울기를 나타낸 것이다.

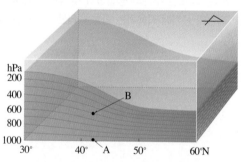

A와 B 지점에서 부는 바람에 대한 설명으로 옳은 것은?

① A 지점에서는 지균풍이 분다.
② A 지점에서 부는 바람에 작용하는 전향력은 북쪽으로 작용한다.
③ B 지점에서 부는 바람에 작용하는 전향력의 크기는 기압 경도력보다 크다.
④ B 지점에서 서풍이 분다.
⑤ A → B로 고도가 높아짐에 따라 풍속은 느려진다.

13 그림 (가)는 편서풍 파동의 원리를 알아보기 위한 실험 장치를 나타낸 것이고, (나)는 시계 반대 방향으로 회전 원통을 회전시켰을 때 회전 속도에 따라 관찰되는 실온의 물의 흐름을 나타낸 것이다.

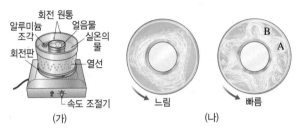

이에 대한 설명으로 옳은 것만을 [보기]에서 있는 대로 고른 것은?

〔보기〕
ㄱ. 회전 속도를 증가시키면 파동의 수가 증가한다.
ㄴ. A에는 시계 방향의 소용돌이가 생긴다.
ㄷ. B에는 고기압성 소용돌이가 생긴다.
ㄹ. 알루미늄 조각은 물의 파동을 잘 관찰하기 위해 넣은 것이다.

① ㄱ, ㄴ ② ㄱ, ㄹ ③ ㄴ, ㄷ
④ ㄱ, ㄷ, ㄹ ⑤ ㄴ, ㄷ, ㄹ

14 그림은 북반구의 편서풍 파동이 한 변동 주기 안에서 시간에 따라 변화되는 모습을 순서 없이 나타낸 것이다.

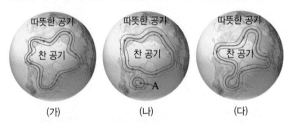

이에 대한 설명으로 옳은 것만을 [보기]에서 있는 대로 고른 것은?

〔보기〕
ㄱ. (가) → (나) → (다) 순으로 변화한다.
ㄴ. 이 과정은 주로 대기 상층에서 발생한다.
ㄷ. 공기 덩어리 A는 고기압성 회전을 한다.

① ㄱ ② ㄴ ③ ㄷ
④ ㄱ, ㄴ ⑤ ㄴ, ㄷ

15 그림은 북반구의 겨울철과 여름철의 평균 풍속(m/s)을 위도와 고도에 따라 나타낸 것이다.

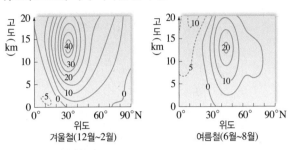

이에 대한 설명으로 옳은 것만을 [보기]에서 있는 대로 고른 것은? (단, 실선은 서풍, 점선은 동풍이다.)

〔보기〕
ㄱ. 최대 풍속은 겨울철이 여름철보다 크다.
ㄴ. 제트류의 중심은 대류권 계면 가까이에 위치한다.
ㄷ. 제트류의 중심은 겨울철이 여름철보다 고위도에 위치한다.

① ㄱ ② ㄷ ③ ㄱ, ㄴ
④ ㄴ, ㄷ ⑤ ㄱ, ㄴ, ㄷ

16 그림은 북반구에서 편서풍 파동과 지상의 기압 배치를 나타낸 것이다.

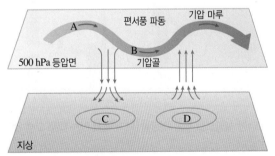

이에 대한 설명으로 옳은 것은?

① A와 B에서 부는 바람에는 마찰력이 작용한다.
② A에서 B로 가면서 풍속은 빨라진다.
③ C에는 이동성 고기압이 생성된다.
④ D에서 생성된 저기압은 거의 이동하지 않는다.
⑤ 상층 기압골의 동쪽에서는 공기가 수렴한다.

17 그림은 어느 날 우리나라 주변의 상층 500 hPa 등압면 일기도를 나타낸 것이다.

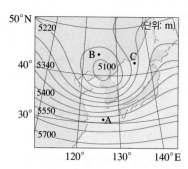

이에 대한 설명으로 옳은 것만을 [보기]에서 있는 대로 고른 것은? (단, A~C 지점은 500 hPa 등압면에 위치한다.)

[보기]
ㄱ. A에서 바람은 동에서 서로 분다.
ㄴ. B에서 기압 경도력의 크기는 전향력의 크기보다 크다.
ㄷ. C의 지상에는 저기압이 발달한다.

① ㄱ   ② ㄷ   ③ ㄱ, ㄴ
④ ㄴ, ㄷ   ⑤ ㄱ, ㄴ, ㄷ

18 그림은 복사 평형을 이루고 있는 지구의 열수지를 나타낸 것이다.

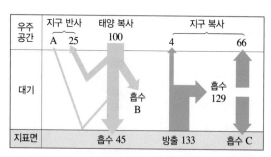

이에 대한 설명으로 옳은 것만을 [보기]에서 있는 대로 고른 것은?

[보기]
ㄱ. 빙하의 면적이 감소하면 A가 증가한다.
ㄴ. B는 대기가 지표면으로부터 흡수하는 지구 복사 에너지의 양보다 적다.
ㄷ. 대기 중 온실 기체의 농도가 증가하면 C가 증가한다.

① ㄱ   ② ㄷ   ③ ㄱ, ㄴ
④ ㄴ, ㄷ   ⑤ ㄱ, ㄴ, ㄷ

19 그림은 대기 대순환에서 남북 방향의 대기 운동을 평균한 평균 자오면 순환을 모식적으로 나타낸 것이다.

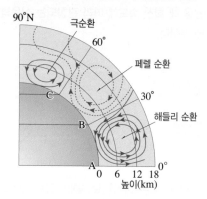

이에 대한 설명으로 옳지 않은 것은?

① A와 B 사이의 지표면에서는 편서풍이 분다.
② A에는 구름이 많이 발생하고 강수량이 많다.
③ B의 해양에서는 증발량이 강수량보다 많다.
④ C의 상공에는 한대 제트류가 발달한다.
⑤ B에서 C로 일어나는 열에너지 수송은 주로 편서풍 파동에 의해 일어난다.

20 표는 규모가 다른 대기 순환 A~C의 공간 규모와 순환의 예를 나타낸 것이다.

구분	공간 규모(수평 규모)	예
A	수백 m 이내	난류
B	수백 m~수백 km	해륙풍
C	수백 km~수천 km	태풍

이에 대한 설명으로 옳은 것만을 [보기]에서 있는 대로 고른 것은?

[보기]
ㄱ. 순환이 지속되는 시간은 A가 B보다 길다.
ㄴ. B의 풍향을 결정할 때 전향력의 영향을 반드시 고려해야 한다.
ㄷ. 일기도에 잘 나타나는 규모는 C이다.

① ㄱ   ② ㄴ   ③ ㄷ
④ ㄱ, ㄴ   ⑤ ㄴ, ㄷ

21 그림은 서로 다른 지역에 위치한 공기 덩어리 A, B, C 가 지표면에서 단열 상승하여 구름이 생성된 모습을 나타낸 것이다. (단, 지표면에서 A, B, C의 기온은 30 °C이다.)

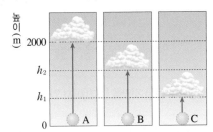

(1) A~C 중 지표면의 이슬점이 가장 낮은 것을 고르시오.

(2) A~C 중 높이 h_1에서 상대 습도가 가장 높은 것을 고르고, 그 까닭을 서술하시오.

22 그림과 같이 A 지점에서 기온이 22 °C, 이슬점이 14 °C 인 공기 덩어리가 산을 넘어 B 지점에 도달하였을 때, 기온과 이슬점이 몇 °C인지 식을 세워 구하시오. (단, 건조 단열 감률은 1 °C/100 m, 습윤 단열 감률은 0.5 °C/100 m, 이슬점 감률은 0.2 °C/100 m이다.)

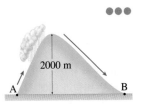

23 그림과 같이 나타나는 지균풍의 속력(m/s)을 계산 과정과 함께 구하시오. (단, 공기의 밀도는 0.7 kg/m³, 지구 자전 각속도는 7.292×10^{-5}/s이고, 이 지역은 위도 30°N에 위치한다.)

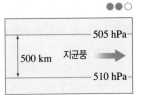

24 그림은 편서풍 파동을 나타낸 것이다.
편서풍 파동의 발생 원인과 역할을 서술하시오.

25 그림은 편서풍 파동과 지상의 기압 배치를 나타낸 것이다.

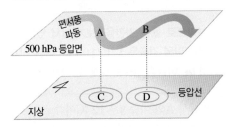

A와 B 지점에서 일어나는 공기의 수렴 및 발산으로 C와 D 지점에서 형성되는 기압을 설명하시오.

26 그림은 대기 대순환 모형을 나타낸 것이다.

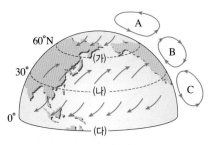

(1) A~C 순환의 이름을 각각 쓰고, 직접 순환에 해당하는 것을 모두 고르시오.

(2) (가)~(다) 중 사막이 잘 발달하는 지역을 고르고, 그 까닭을 서술하시오.

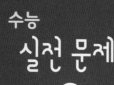

01 그림은 지표면에 있는 공기 덩어리 A와 B가 단열 상승할 때의 기온 변화를 나타낸 것이다. 이때 A와 B는 높이 1 km까지 불포화 상태로 상승하였다.

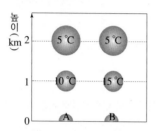

이에 대한 설명으로 옳은 것만을 [보기]에서 있는 대로 고른 것은? (단, 건조 단열 감률은 1 °C/100 m, 습윤 단열 감률은 0.5 °C/100 m, 이슬점 감률은 0.2 °C/ 100 m이다.)

[보기]
ㄱ. 지표면에서 A의 이슬점은 12 °C이다.
ㄴ. B가 상승하는 동안 상대 습도는 일정하다.
ㄷ. 지표면에서 기온은 A가 B보다 높다.

① ㄱ 　　　② ㄷ 　　　③ ㄱ, ㄴ
④ ㄱ, ㄷ 　　　⑤ ㄴ, ㄷ

02 그림은 이슬점이 같은 공기 덩어리 A와 B가 지표면으로부터 h_2의 높이까지 상승하는 동안 기온과 이슬점 차이의 변화를 나타낸 것이다.

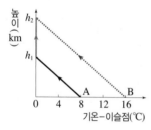

이에 대한 설명으로 옳은 것만을 [보기]에서 있는 대로 고른 것은?

[보기]
ㄱ. 상승 응결 고도는 A가 B보다 높다.
ㄴ. 높이 $h_1 \sim h_2$에서 이슬점 감률은 A가 B보다 크다.
ㄷ. 높이 h_2에서 이슬점은 A와 B가 같다.

① ㄱ 　　　② ㄴ 　　　③ ㄱ, ㄷ
④ ㄴ, ㄷ 　　　⑤ ㄱ, ㄴ, ㄷ

03 그림은 어느 지역의 기온 변화선과 단열 변화선을 나타낸 것이다.

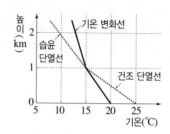

이에 대한 설명으로 옳은 것만을 [보기]에서 있는 대로 고른 것은?

[보기]
ㄱ. 기온 감률은 단열 감률보다 작다.
ㄴ. 이 지역의 기층은 안정하다.
ㄷ. 지표에서 기온이 25 °C인 공기 덩어리는 높이 2 km까지 상승할 것이다.

① ㄱ 　　　② ㄷ 　　　③ ㄱ, ㄴ
④ ㄴ, ㄷ 　　　⑤ ㄱ, ㄴ, ㄷ

04 그림 (가)와 (나)는 공기의 밀도가 같은 어떤 두 지점에서 부는 바람과 이에 작용하는 힘을 나타낸 것이다.

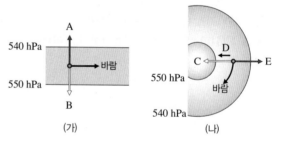

이에 대한 설명으로 옳은 것만을 [보기]에서 있는 대로 고른 것은? (단, 두 지점의 위도와 등압선 간격은 동일하다.)

[보기]
ㄱ. (가)는 북반구에서, (나)는 남반구에서 부는 바람이다.
ㄴ. 힘 A와 E는 크기가 같다.
ㄷ. 풍속은 (나)가 (가)보다 빠르다.

① ㄱ 　　　② ㄴ 　　　③ ㄱ, ㄷ
④ ㄴ, ㄷ 　　　⑤ ㄱ, ㄴ, ㄷ

05 그림 (가)와 (나)는 북반구 어느 지역의 지상과 연직 상공의 등고도면에서 부는 바람을 순서 없이 나타낸 것이다.

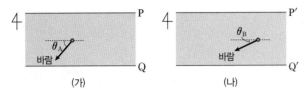

이에 대한 설명으로 옳은 것만을 [보기]에서 있는 대로 고른 것은? (단, 두 등고도면에서 등압선 사이의 거리와 기압 차이는 같다.)

〔보기〕
ㄱ. (나)는 (가)보다 상공의 지점이다.
ㄴ. 마찰력은 (가)가 (나)보다 크다.
ㄷ. 전향력은 (가)가 (나)보다 작다.

① ㄱ   ② ㄴ   ③ ㄱ, ㄷ
④ ㄴ, ㄷ   ⑤ ㄱ, ㄴ, ㄷ

06 그림은 북반구 중위도 어느 지역에서 지상과 상층 등고도면의 등압선이 분포하고 있는 모습을 나타낸 것이다.

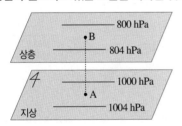

A와 B 지점에 대한 설명으로 옳은 것만을 [보기]에서 있는 대로 고른 것은? (단, 등압선은 서로 평행하고 A와 B 지점은 연직선상에 위치한다.)

〔보기〕
ㄱ. A에서는 남서풍이 분다.
ㄴ. 기압 경도력의 방향은 A와 B에서 다르다.
ㄷ. 바람과 등압선이 이루는 각은 A보다 B에서 크다.

① ㄱ   ② ㄴ   ③ ㄱ, ㄷ
④ ㄴ, ㄷ   ⑤ ㄱ, ㄴ, ㄷ

07 그림 (가)와 (나)는 북반구에서 등압선이 원형인 경우에 서로 같은 지점의 다른 높이에서 부는 바람을 나타낸 것이다.

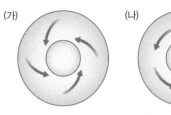

이에 대한 설명으로 옳은 것만을 [보기]에서 있는 대로 고른 것은? (단, (가)와 (나)에 작용하는 기압 경도력은 같다.)

〔보기〕
ㄱ. (가)와 (나)의 중심부 기압은 주위보다 낮다.
ㄴ. 풍속은 (가)보다 (나)에서 빠르다.
ㄷ. (나)에서 전향력과 기압 경도력의 크기가 같다.

① ㄱ   ② ㄷ   ③ ㄱ, ㄴ ④ ㄴ, ㄷ ⑤ ㄱ, ㄴ, ㄷ

08 다음은 편서풍 파동을 알아보기 위한 실험이다.

[실험 과정]
회전 원통에 각각 얼음물, 실온의 물, 뜨거운 물을 넣고, 회전 원통을 시계 반대 방향으로 돌린다.

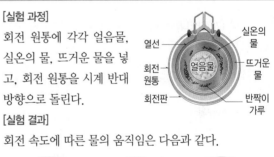

[실험 결과]
회전 속도에 따른 물의 움직임은 다음과 같다.

A 정지   B 회전 속도 느림   C 회전 속도 빠름

이에 대한 설명으로 옳은 것만을 [보기]에서 있는 대로 고른 것은?

〔보기〕
ㄱ. 실온의 물은 중위도 지방의 공기에 해당한다.
ㄴ. A에서 나타나는 흐름은 편서풍 파동에 해당한다.
ㄷ. 얼음물과 뜨거운 물의 위치를 바꾸어 실험하면 파동이 나타나지 않는다.

① ㄱ   ② ㄴ   ③ ㄷ   ④ ㄱ, ㄴ ⑤ ㄴ, ㄷ

09 그림 (가)와 (나)는 여름철과 겨울철의 북반구 200 hPa 등압면의 등고도선을 순서 없이 나타낸 것이다.

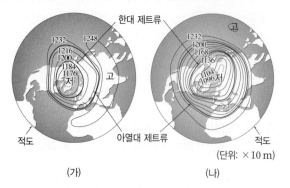

(가)　　　　　　　(나)

(단위: ×10 m)

이에 대한 설명으로 옳은 것만을 [보기]에서 있는 대로 고른 것은?

〔보기〕
ㄱ. (가)는 겨울철에 관측한 모습이다.
ㄴ. 한대 제트류의 풍속은 (나)가 (가)보다 빠르다.
ㄷ. 아열대 제트류는 동풍 계열의 바람이다.

① ㄱ　　　　　　② ㄴ　　　　　　③ ㄷ
④ ㄱ, ㄴ　　　　⑤ ㄴ, ㄷ

10 그림 (가)와 (나)는 서로 다른 경우 지상의 기압 분포와 상층의 편서풍 파동을 모식적으로 나타낸 것이다.

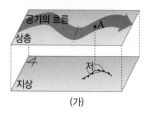 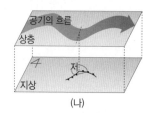

(가)　　　　　　　(나)

이에 대한 설명으로 옳은 것만을 [보기]에서 있는 대로 고른 것은? (단, 편서풍 파동의 기압골과 기압 마루에서 기압 경도력은 같다.)

〔보기〕
ㄱ. (가)에서 편서풍 파동은 지상 저기압의 발달을 유도한다.
ㄴ. (가)에서 기압골을 지나 A 지점을 통과하는 공기의 이동 속도는 증가한다.
ㄷ. (가)와 (나) 중 지상 저기압이 발달하는 과정에 있는 것은 (나)이다.

① ㄱ　　　　　　② ㄷ　　　　　　③ ㄱ, ㄴ
④ ㄴ, ㄷ　　　　⑤ ㄱ, ㄴ, ㄷ

11 그림 (가)는 상층 500 hPa 등압면 일기도이고, (나)는 같은 시각의 지상 일기도이다.

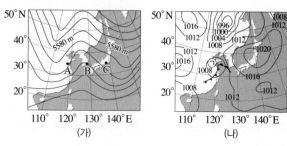

(가)　　　　　　　(나)

이에 대한 설명으로 옳은 것만을 [보기]에서 있는 대로 고른 것은? (단, A, B, C는 500 hPa 등압면에 위치한 지점이다.)

〔보기〕
ㄱ. A의 고도는 B보다 높다.
ㄴ. C의 지상에는 하강 기류가 우세하다.
ㄷ. A에서 공기의 발산이 강해지면 ㉠의 중심 기압이 낮아진다.

① ㄱ　　　　　　② ㄷ　　　　　　③ ㄱ, ㄴ
④ ㄴ, ㄷ　　　　⑤ ㄱ, ㄴ, ㄷ

12 그림 (가)와 (나)는 지구가 복사 평형을 이룰 때 위도별 복사 에너지 분포와 대기와 해양의 에너지 수송량을 나타낸 것이다.

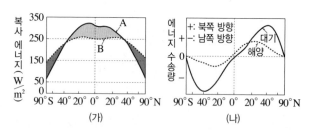

(가)　　　　　　　(나)

이에 대한 설명으로 옳은 것만을 [보기]에서 있는 대로 고른 것은?

〔보기〕
ㄱ. (가)에서 태양 복사 에너지는 A이다.
ㄴ. (나)에서 에너지 수송량은 대기가 해양보다 많다.
ㄷ. A와 B의 차이가 가장 작은 위도에서 에너지 수송량이 최대이다.

① ㄱ　　　　　　② ㄷ　　　　　　③ ㄱ, ㄴ
④ ㄴ, ㄷ　　　　⑤ ㄱ, ㄴ, ㄷ

13 그림은 지구에 입사하는 태양 복사 에너지를 100이라고 할 때, 지구에서 복사 에너지 평형을 나타낸 것이다.

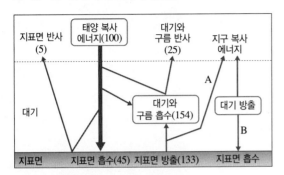

이에 대한 설명으로 옳은 것만을 [보기]에서 있는 대로 고른 것은?

[보기]
ㄱ. 지표면에서 우주로 방출되는 A는 4이다.
ㄴ. 대기에서 지표면으로 방출되는 B는 97이다.
ㄷ. 우주 공간으로 방출되는 지구 복사 에너지의 대부분은 대기에서 방출된다.

① ㄱ   ② ㄴ   ③ ㄱ, ㄷ
④ ㄴ, ㄷ   ⑤ ㄱ, ㄴ, ㄷ

14 그림은 대기 대순환의 해들리 순환을 모식적으로 나타낸 것이다.

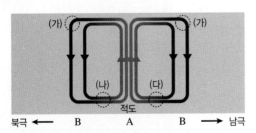

이에 대한 설명으로 옳은 것만을 [보기]에서 있는 대로 고른 것은?

[보기]
ㄱ. 연강수량은 A보다 B에서 많다.
ㄴ. (가)에서는 아열대 제트류가 나타난다.
ㄷ. (나)와 (다)에서는 동풍 계열의 바람이 우세하게 분다.

① ㄱ   ② ㄴ   ③ ㄱ, ㄷ
④ ㄴ, ㄷ   ⑤ ㄱ, ㄴ, ㄷ

15 그림 (가)는 해안가에서 부는 해륙풍을, (나)는 우리나라 주변에서 부는 계절풍을 모식적으로 나타낸 것이다.

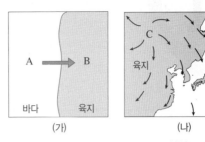

이에 대한 설명으로 옳은 것만을 [보기]에서 있는 대로 고른 것은? (단, A, B, C는 지표면 부근의 지점이다.)

[보기]
ㄱ. (가)에서 기온은 A 지역이 B 지역보다 높다.
ㄴ. (나)에서 C 지역에는 저기압이 위치한다.
ㄷ. (가)와 (나)에서 부는 바람은 주로 육지와 바다의 열용량 차이 때문에 발생한다.

① ㄱ   ② ㄷ   ③ ㄱ, ㄴ
④ ㄴ, ㄷ   ⑤ ㄱ, ㄴ, ㄷ

16 그림 (가)는 어느 해안 지역에서 육지와 바다의 위치를, (나)는 이 지역에서 하루 동안 관측한 지표면과 해수면의 온도를 나타낸 것이다.

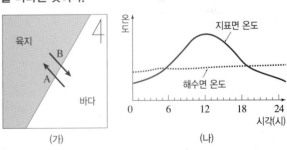

이 지역의 해륙풍에 대한 설명으로 옳은 것만을 [보기]에서 있는 대로 고른 것은?

[보기]
ㄱ. 풍속은 6시경보다 12시경에 빠르다.
ㄴ. 12시경에 풍향은 A보다 B 방향이 우세하다.
ㄷ. 24시경에는 육지에 고기압, 바다에 저기압이 형성된다.

① ㄱ   ② ㄴ   ③ ㄱ, ㄷ
④ ㄴ, ㄷ   ⑤ ㄱ, ㄴ, ㄷ

우주

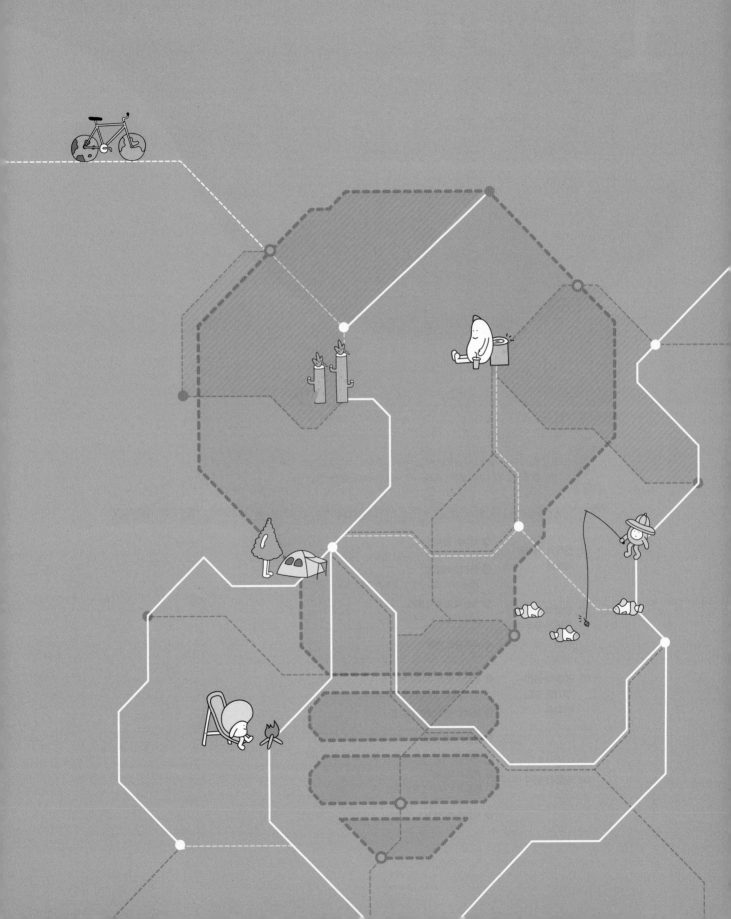

1 행성의 운동

이 단원을 공부하기 전에 학습 계획을 세우고, 학습 진도를 스스로 체크해 보자.
학습이 미흡했던 부분은 다시 보기에 체크해 두고, 시험 전까지 꼭 완벽히 학습하자!

소단원	학습 내용		학습 일자	다시 보기
01. 천체의 위치와 좌표계	Ⓐ 지구의 좌표계		/	
	Ⓑ 천구의 좌표계 탐구 별의 위치와 적도 좌표계, 특강 천체의 위치와 좌표계, 천체의 일주권		/	
02. 행성의 겉보기 운동과 우주관의 변천	Ⓐ 행성의 겉보기 운동 특강 내행성과 외행성의 관측		/	
	Ⓑ 우주관의 변천		/	
03. 행성의 공전 주기와 궤도 반지름	Ⓐ 행성의 공전 주기와 회합 주기		/	
	Ⓑ 행성의 공전 궤도 반지름		/	
04. 케플러 법칙	Ⓐ 케플러 제1법칙 탐구 이심률과 공전 궤도의 긴반지름으로 타원 궤도 작도		/	
	Ⓑ 케플러 제2법칙 탐구 화성의 공전 궤도 작도		/	
	Ⓒ 케플러 제3법칙		/	

지구의 자전

① **지구의 자전**: 지구는 자전축을 중심으로 하루에 한 바퀴(1시간에 **❶**[⬜]°)씩 서에서 동으로 돈다.

② **지구의 자전으로 나타나는 현상**

- 천체의 **❷**[⬜]: 지구의 자전으로 천체들(태양, 달, 별 등)이 하루를 주기로 동에서 서로 이동하는 것처럼 보인다.
- 낮과 밤의 반복: 매일 낮과 밤이 반복된다.

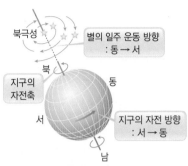

⬆ 지구의 자전과 별의 일주 운동

지구의 공전

① **지구의 공전**: 지구는 태양을 중심으로 1년에 한 바퀴(하루에 약 **❸**[⬜]°)씩 서에서 동으로 돈다.

② **지구의 공전으로 나타나는 현상**

- 태양의 **❹**[⬜]: 지구의 공전으로 태양이 별자리를 기준으로 1년에 한 바퀴씩 서에서 동으로 이동하는 것처럼 보인다.
- 계절에 따른 별자리 변화: 지구의 공전에 의해 태양이 보이는 위치가 달라지면서 계절에 따라 보이는 별자리가 달라진다.

⬆ 계절에 따른 별자리 변화

지구의 위치	태양이 위치한 별자리	한밤중에 남쪽 하늘에서 보이는 별자리
A	게자리	**❻**[⬜]
B	**❺**[⬜]	물병자리

태양계 태양의 중력에 묶여 태양 주위에서 궤도를 따라 운동하는 모든 천체들의 집단

① **구성 천체**: 태양, 8개 행성, 위성, 왜소행성, 소행성, 혜성 등

② **태양에서 행성까지 거리**: 수성 < 금성 < **❼**[⬜] < 화성 < 목성 < 토성 < 천왕성 < 해왕성

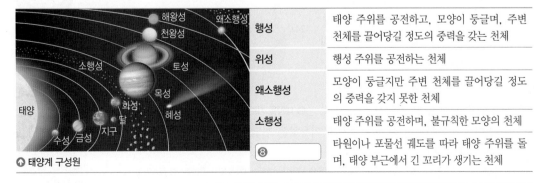

⬆ 태양계 구성원

행성	태양 주위를 공전하고, 모양이 둥글며, 주변 천체를 끌어당길 정도의 중력을 갖는 천체
위성	행성 주위를 공전하는 천체
왜소행성	모양이 둥글지만 주변 천체를 끌어당길 정도의 중력을 갖지 못한 천체
소행성	태양 주위를 공전하며, 불규칙한 모양의 천체
❽[⬜]	타원이나 포물선 궤도를 따라 태양 주위를 돌며, 태양 부근에서 긴 꼬리가 생기는 천체

01 천체의 위치와 좌표계

핵심
포인트

Ⓐ 방위 표시와 표준시 ★
　경도와 위도 ★★

Ⓑ 지평 좌표계와 적도 좌표계의 특징 ★★★
　천체의 운동에 따른 좌표의 변화 ★★★
　태양의 남중 고도 변화와 적도 좌표계 ★★★

Ⓐ 지구의 좌표계

좌표는 어떤 위치를 지정하는 숫자를 말해요. 어떤 한 점의 위치를 표현하는 데는 다양한 좌표계가 이용됩니다. 좌표의 기본이 되는 방위와 시각에 대해 먼저 알아볼까요?

1. 방위와 시각

(1) **방위**: 동, 서, 남, 북의 네 방향을 기준으로 나타내는 위치
① 보통 동서남북의 4방위로 나타내며, 8방위, 16방위, 32방위도 사용한다.
② 관측자를 중심으로 위치를 나타낸다. ➡ 관측자 위치에 따라 동일 지점의 방위가 다르게 표시된다.
③ 지도에서 방위 표시: 다양한 기호로 방위를 나타내며, 방위가 표시되지 않은 경우에는 지도의 위쪽이 북쪽, 아래쪽이 남쪽, 오른쪽이 동쪽, 왼쪽이 서쪽에 해당한다.

　　　4방위　　　　　8방위
⬆ 지도에서 방위 표시

④ ★지구에서의 방위

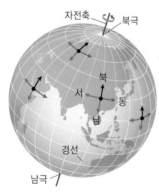

- 북쪽과 남쪽: 북극점을 향하는 쪽을 북쪽, 남극점을 향하는 쪽을 남쪽으로 한다.
- 동쪽과 서쪽: 구면상에서 북극과 남극을 최단으로 잇는 선을 경선이라고 하고, 관측자를 통과하는 경선을 기준으로 이에 수직하는 방향을 동쪽과 서쪽으로 나눈다.
  ┌ 관측자가 북쪽을 바라볼 때: 오른쪽이 동쪽, 왼쪽이 서쪽이다.
  └ 관측자가 남쪽을 바라볼 때: 왼쪽이 동쪽, 오른쪽이 서쪽이다.

(2) **시각**: 자연에서 규칙적으로 반복되는 현상을 기준으로 정하는데, 일반적으로 태양을 기준으로 정한다.
① 태양을 기준으로 한 시각: 하루 중 태양이 정남쪽에 있을 때(=남중했을 때)를 12시(정오)로 정하고, 하루가 지나 다시 정남쪽에 올 때까지 걸린 시간을 24등분하여 시각을 정한다. ➡ 지구는 1시간에 $15°(=360°÷24$시간)씩 자전하므로 경도가 $15°$ 차이 나는 두 지역의 시각은 1시간 차이가 난다.
② ❶표준시: 태양의 남중 시각이 큰 차이가 없는 여러 지방을 묶어 통일하여 사용하는 시각 ➡ 표준시를 이용하는 까닭: 태양의 남중 시각(정오)이 지역마다 다르기 때문이다.

　예 서울에서 태양이 남중할 때 서울의 동쪽에 있는 춘천에서는 태양이 남중한 뒤이고, 서울의 서쪽에 있는 인천에서는 태양이 남중하기 전이다.

⬆ 태양을 기준으로 한 지구 관측자의 시각

★ **방위를 알 수 있는 방법**
- 나침반: 자침의 N극이 가리키는 쪽이 북쪽이며, 북쪽을 바라보고 섰을 때 오른쪽이 동쪽, 왼쪽이 서쪽, 뒤쪽이 남쪽이다.
- 일출, 일몰: 해가 뜨는 쪽은 동쪽, 해가 지는 쪽은 서쪽이다.
- 별: 밤에 북극성이 떠 있는 쪽이 북쪽이다.
- 시계: 시계의 짧은바늘을 태양쪽으로 향하게 하였을 때, 12시 눈금과 짧은바늘이 가리키는 눈금의 중간이 남쪽이다.

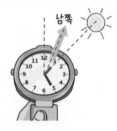

┃용어┃
❶ 표준시(標 나타내다, 準 본보기로 삼다, 時 때) 각 나라나 지방에서 쓰는 표준 시각

③ *세계 각국의 표준시: 국제 표준시(세계시)를 기준으로 1시간(=경도 15°) 단위로 시차를 두어 표준시를 정하여 이용한다.

- 국제 표준시: 태양이 영국의 그리니치 천문대를 지나는 경선(경도 0°)에 남중할 때를 정오(12시)로 정한 시간 체계
- *우리나라는 동경 135°를 표준시로 정하였기 때문에 국제 표준시보다 9시간이 빠르다.
  $\overline{135° \div 15°/\text{시간} = 9\text{시간}}$

2. 경도와 위도
지구를 중심으로 위치를 나타내는 방법 ➡ 관측자가 이동하여 기준이 자주 바뀌는 환경에서는 방위보다 경도와 위도를 이용하는 것이 더 편리하다.

(1) 경선과 위선 → 지구를 나누는 가상의 선
① 경선: 남극과 북극을 잇는 세로선으로, 적도에 수직이다.
② 위선: 지구의 자전축에 대해 수직인 가로선으로, 적도에 평행하며, 위선 중 반지름이 가장 큰 원인 적도를 위도 0°로 한다.
  └● 지구의 북극과 남극으로부터 같은 거리에 있는 지구 표면의 점을 연결한 선

(2) 경도와 위도

경도	• 경도: 영국의 그리니치 천문대를 지나는 경선(경도 0°)과 어떤 위치를 지나는 경선이 이루는 각도로, 0°~180°로 나타낸다. • 0°선을 기준으로 동쪽으로 180°까지는 동경(E), 서쪽으로 180°까지는 서경(W)이라고 한다. • 동경 180°와 서경 180°는 같은 경도선에 있으며, 이 선에 따라 날짜 변경선이 정해진다.
위도	• 위도: 적도(위도 0°)와 어떤 위치를 지나는 위선이 이루는 각도로, 0°~90°로 나타낸다. • 적도를 기준으로 북반구와 남반구를 나누어 북위(N), 남위(S)라고 한다. • 위도는 적도에서 남극과 북극으로 떨어진 정도를 나타낸다.

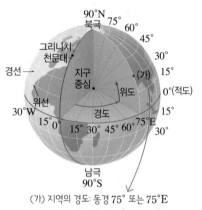

(가) 지역의 경도: 동경 75° 또는 75°E
위도: 북위 30° 또는 30°N

(3) 경도와 시간
① 지구는 서에서 동으로 자전하므로 동쪽으로 갈수록 시간이 빨라진다.
② 태평양 한가운데를 지나는 경도 180°선에서는 경도 0°선을 기준으로 동쪽과 서쪽으로 계산한 시각에 하루 차이가 생긴다.
③ 날짜 변경선: 영국 그리니치 천문대의 180° 반대쪽인 태평양 한가운데(경도 180°)에 세로로 그은 가상의 선으로, 이 곳을 지날 때 날짜를 더하거나 뺀다.

날짜 변경선

- ❶ 날짜 변경선을 서에서 동으로 지날 때: 날짜를 하루 늦춘다.
  예 우리나라에서 미국으로 갈 때는 그 날의 날짜에서 하루를 뺀다.
- ❷ 날짜 변경선을 동에서 서로 지날 때: 날짜를 하루 앞당긴다.
  예 미국에서 우리나라로 올 때는 그 날의 날짜에 하루를 더한다.
- 날짜 변경선이 경도 180°선과 일치하지 않는 까닭: 태평양에 있는 여러 섬나라의 경계에 맞춰 그었기 때문

★ 세계 각국의 표준시
한 나라 안에서도 동쪽과 서쪽의 거리가 너무 멀어서 몇 개의 표준시가 필요한 곳도 있고(예 미국 4개, 러시아 11개), 중국처럼 영토가 넓지만 정책상 하나의 표준시만 정하여 이용하기도 한다.

★ 우리나라의 표준 경선
우리나라는 동경 135°(135°E)를 표준 경선으로 사용하지만, 실제로 우리나라 중앙을 지나는 경선은 동경 127°이다. 따라서 우리나라는 일본보다 태양이 약 32분(경도 8° 차이)씩 늦게 뜨고 지므로, 태양은 우리나라에서 12시 32분경에 남중한다.

지구가 둥글기 때문에 어느 곳의 시간이 가장 빠르다고 말할 수 없어요. 그래서 인위적으로 경도 180°선을 날짜 변경선으로 정하여 이 선의 바로 서쪽이 가장 빠르고 바로 동쪽이 가장 늦어 24시간 차이가 난다고 가정하였어요.

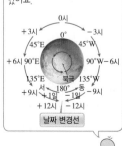

개념 확인 문제

정답친해 120쪽

핵심 체크

- (❶   ): 동, 서, 남, 북의 네 방향을 기준으로 나타내는 위치로, 관측자 중심으로 위치를 나타낼 때 이용한다.
- 시각: 하루 중 태양이 정남쪽에 있을 때, 즉, (❷   )했을 때를 12시(정오)로 정한다.
  ➡ 우리나라의 표준시: (❸   ) 경선에 태양이 남중하는 시각을 정오(12시)로 한다.
- 경도와 위도: 지구를 중심으로 위치를 나타낼 때 이용한다.
  - (❹   ): 영국의 그리니치 천문대를 지나는 경선과 어떤 위치를 지나는 경선이 이루는 각도
  - (❺   ): 적도와 어떤 위치를 지나는 위선이 이루는 각도
- (❻   ): 영국 그리니치 천문대의 180° 반대쪽인 태평양 한가운데(경도 180°)에 세로로 그은 가상의 선

---

1 방위에 대한 설명으로 옳은 것은 ○, 옳지 <u>않은</u> 것은 ×로 표시하시오.

(1) 방위는 동서남북의 방향을 알려 주는 것으로, 보통 4방위나 8방위로 나타낸다. ·············· (   )

(2) 동일한 지점의 방위는 관측자의 위치에 따라 달라진다.
·· (   )

(3) 지도에 방위 표시가 없는 경우에는 지도의 위쪽이 남쪽이 된다. ·· (   )

(4) 지구상에서 관측자를 통과하는 위선을 기준으로 이에 수직하는 방향을 동쪽과 서쪽으로 나타낸다. (   )

(5) 시계의 짧은바늘을 태양 쪽으로 향하게 하였을 때, 12시 눈금과 짧은바늘이 가리키는 눈금의 중간은 동쪽이다.
·· (   )

(6) 해가 뜨는 쪽은 동쪽이다. ·············· (   )

2 국제 표준시에 대한 설명 중 (   ) 안에 알맞은 말을 쓰시오.

(1) 국제 표준시는 영국의 (   ) 천문대를 지나는 경선에 태양이 남중할 때를 12시(정오)로 한다.

(2) 경도 0°선을 기준으로 (   )쪽으로 갈수록 시간이 빨라진다.

(3) 경도 (   )°마다 1시간의 차이가 난다.

(4) 우리나라는 영국의 런던보다 (   )시간이 빠르다.

3 그림은 지구상에서 좌표를 나타내기 위한 경선과 위선을 나타낸 것이다.
이에 대한 설명으로 옳은 것은 ○, 옳지 <u>않은</u> 것은 ×로 표시하시오.

(1) 북극과 남극을 잇는 세로선을 위선이라고 한다. (   )

(2) 경도 0°인 경선은 영국의 그리니치 천문대를 지난다.
·· (   )

(3) 경도는 그리니치 천문대를 지나는 경선을 기준으로 동쪽으로 90°, 서쪽으로 90°까지 나타낸다. ······ (   )

(4) 위도는 적도를 기준으로 북쪽으로 90°, 남쪽으로 90°까지 나누어져 있다. ························ (   )

(5) 경도와 위도는 관측자 중심으로 지표상의 위치를 나타낸다. ·· (   )

4 날짜 변경선에 대한 설명 중 (   ) 안에 알맞은 말을 쓰시오.

> 경도 0°인 영국의 그리니치 천문대에서 동쪽으로 180° 지점은 12시간 빠르고, 서쪽으로 180° 지점은 12시간 느리다. 따라서 경도 180° 지점은 같은 지점임에도 동쪽으로 측정했을 때와 서쪽으로 측정했을 때 ㉠(   ) 시간의 차이가 생긴다.
> 이를 해결하기 위해 경도 180°의 태평양 부근에 날짜 변경선을 설정하였는데, 이 선을 ㉡(   )쪽으로 지날 때는 날짜를 하루 늦추고, ㉢(   )쪽으로 지날 때는 날짜를 하루 앞당긴다.

Ⓑ 천구의 좌표계

별들은 밤하늘에 붙어 있는 것처럼 보이는데, 이 하늘을 '천구'라고 해요. 천구를 이용하여 천체의 위치를 표시하는 방법을 알아볼까요?

1. 천구 지구를 중심으로 반지름이 무한대인 가상의 구

지구 중심	천구 북극과 천구 남극	지구의 자전축을 무한히 연장할 때 천구와 만나는 두 점
	천구 적도	지구의 적도면을 연장하여 천구와 만나는 대원
	시간권	천구 북극과 천구 남극을 지나는 대원 └●천구 적도에 수직이고, 무수히 많다.
관측자 중심	천정과 천저	관측자의 머리 위와 발 밑을 무한히 연장하여 천구와 만나는 두 점
	지평선	관측자의 지평면을 천구까지 연장시킨 대원
	수직권	천정과 천저를 지나는 대원 → 지평선에 수직이고, 무수히 많다.
	자오선	천구 북극과 천구 남극, 천정과 천저를 동시에 지나는 대원 → 시간권인 동시에 수직권이다.
	북점과 남점, 동점과 서점	• 북점: 자오선이 지평선과 만나는 두 점 중 천구 북극과 가까운 점 • 남점: 자오선이 지평선과 만나는 두 점 중 천구 남극과 가까운 점 • 동점: 북점으로부터 시계 방향으로 90°가 되는 점 • 서점: 남점으로부터 시계 방향으로 90°가 되는 점

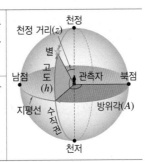

2. 지평 좌표계 천체의 위치를 방위각과 고도로 나타내는 좌표계로, 북점(또는 남점)과 지평선을 기준으로 한다. [완자쌤 비법특강 261쪽]

(1) 방위각과 고도

방위각	• 방위각(A): 북점(또는 남점)을 기준으로 지평선을 따라 시계 방향으로 천체를 지나는 수직권까지 잰 각도로, 0°~360°로 나타낸다.
고도	• 고도(h): 지평선에서부터 천체를 지나는 수직권을 따라 천체까지 잰 각도로, 0°~90°로 나타낸다. • 천정 거리(z): 천정에서 수직권을 따라 천체까지 잰 각도 ➡ 천정 거리(z)=90°-고도(h) └●천정 근처에 있는 천체는 고도보다 천정 거리 측정이 편리하다.

(2) 지평 좌표의 예(북점 기준일 때)

구분	북점	동점	남점	서점	위도 35°N 지방의 북극성
방위각	0°	90°	180°	270°	0° → 북극성의 수직권은 북점을 지난다.
고도	0°	0°	0°	0°	35° → 북극성의 고도 =그 지방의 위도

(3) 지평 좌표계의 특징

① 장점: 관측자 중심의 좌표계이므로 천체의 위치를 쉽게 표시할 수 있다.

② 단점: 관측 장소와 시각에 따라 좌표가 달라진다. → 지평 좌표계로 천체의 위치를 나타낼 때는 반드시 관측 장소와 시각을 표시해야 한다.

• 관측자의 위치에 따라 지평면이 달라지므로 방위각과 고도가 다르다.

• *천체들은 일주 운동을 하므로 시간이 지남에 따라 방위각과 고도가 계속 달라진다.

(암기해)

천구 구조의 특징

구분	관측자의 위치에 관계없이 고정된 것	관측자의 위치에 따라 변하는 것
기준점	천구 북극, 천구 남극	천정, 천저, 북점, 남점, 동점, 서점
기준선	천구 적도, 시간권	지평선, 수직권, 자오선

★ 관측자의 위도(φ)

관측자의 위도는 북점에서 천구 북극(북극성)까지의 각도로, 천정에서 천구 적도까지의 각도와 같다.

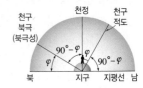

★ 천체의 일주 운동과 지평 좌표의 변화(중위도 지방)

• 방위각: 북점 기준일 때 천체가 동쪽에서 떠서 서쪽으로 지는 동안 방위각은 증가한다.

• 고도: 천체가 남중하기 전까지 고도가 높아지다가 남중한 이후 고도가 낮아진다.

[완자쌤 비법특강 262쪽~263쪽]

┃용어┃

❶ 일주권(日 날, 周 낮, 圈 동그라미) 천체의 일주 운동 경로로, 천구 적도와 나란하다.

01 천체의 위치와 좌표계

3. 적도 좌표계 천체의 위치를 적경과 적위로 나타내는 좌표계로, 춘분점과 천구 적도를 기준으로 한다. 261쪽

완자쌤 비법특강 261쪽

(1) 적경과 적위

적경	• 적경(α): 춘분점을 기준으로 천구 적도를 따라 시계 반대 방향으로 천체를 지나는 시간권까지 잰 각도 • 일반적으로 $15°$를 1시간으로 환산하여 $0^h \sim 24^h$로 나타낸다.
적위	• 적위(δ): 천구 적도에서 천체를 지나는 시간권을 따라 천체까지 잰 각도 • $-90° \sim +90°$로 나타낸다. • 천구의 북반구에 있는 천체는 적위를 (+), 남반구에 있는 천체는 적위를 (−) 값으로 나타낸다. • 적위는 천구 북극으로 갈수록 커지고, 적도면으로 갈수록 $0°$에 가깝다.

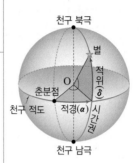

적도 좌표계는 지구 중심의 좌표계로, 지구의 적도를 천구로 연장한 천구 적도를 기준으로 하므로 지구의 경도와 위도를 천구에 투영한 것과 같아요.

(2) 춘분점: 황도와 천구 적도가 만나는 두 교점 중 하나

① **황도:** 천구상에서 태양이 연주 운동하는 경로로, 지구의 공전 궤도면을 연장하여 천구와 만나는 대원이다.

② **천구 적도:** 지구의 적도면을 연장하여 천구와 만나는 대원으로, 천구 적도는 황도와 약 $23.5°$ 기울어져 있다. ➡ 지구의 자전축이 공전 궤도면에 약 $66.5°$ 기울어져 있기 때문이다.

춘분점	황도와 천구 적도가 만나는 두 교점 중 태양이 남쪽에서 북쪽으로 올라갈 때 만나는 점
추분점	황도와 천구 적도가 만나는 두 교점 중 태양이 북쪽에서 남쪽으로 내려갈 때 만나는 점
하지점	천구 적도를 기준으로 태양이 북쪽으로 가장 높이 올라가 있는 점
동지점	천구 적도를 기준으로 태양이 남쪽으로 가장 낮게 내려가 있는 점

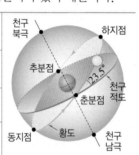

주의해
방위각과 적경의 측정 방향
• 방위각: 북점(또는 남점)으로부터 시계 방향으로 측정
• 적경: 춘분점으로부터 시계 반대 방향으로 측정

(3) *적도 좌표의 예

구분	춘분점	하지점	추분점	동지점
적경	0^h	6^h	12^h	18^h
적위	$0°$	$+23.5°$	$0°$	$-23.5°$

(4) 적도 좌표계의 특징

① **장점:** 춘분점이 천체와 함께 일주 운동을 하므로 천체의 좌표가 관측자의 위치나 시간에 관계없이 일정하다. ➡ 천구에서 위치가 변하지 않는 별의 목록이나 성도를 작성하는 데 이용된다.
　　　　└─ 천구상의 별이나 별자리를 평면 위에 나타낸 그림

② **단점:** 지평 좌표계에 비해 천체의 위치를 나타내기 어렵다. ➡ 천구상에서 천구 적도와 춘분점의 위치를 알아야 하기 때문이다.

③ 멀리 있는 별과 달리 태양, 달, 행성처럼 지구와 가까이 있는 천체의 적경과 적위는 계속 변한다. └─ 달과 행성은 각각 공전하여 위치가 변하고, 태양은 황도를 따라 연주 운동하므로 적경과 적위가 변한다.

④ 적위가 같은 천체는 일주권이 같다.

★ 태양의 연주 운동과 적도 좌표의 변화
• 적경: 춘분점에서 동지점으로 갈수록 증가한다.
• 적위: 동지점에서 하지점으로 갈 때 증가하고, 하지점에서 동지점으로 갈 때 감소한다.

(5) 천체의 남중 고도와 적위

① *남중 고도: 천체가 남쪽 자오선을 통과할 때의 고도로, 하루 중 고도가 가장 높다. ➡ 천체의 남중 고도(h)는 천체의 적위(δ)와 관측자의 위도(φ)에 따라 달라진다.

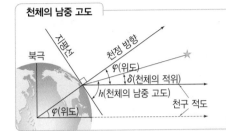

천체의 남중 고도

❶ 천구 적도는 지구의 적도면과 나란하고, 천체의 적위(δ)는 천구 적도에서 천체까지의 각도이다.

❷ 관측자의 위도(φ) > 천체의 적위(δ)일 때

$$남중 고도(h) = 90° - \varphi + \delta$$

└ 천체의 적위가 높을수록 남중 고도가 높다.

② *태양의 남중 고도: 태양이 연주 운동하면 적위가 변하여 일주권이 변하므로 남중 고도와 밤낮의 길이가 변하여 계절 변화가 생긴다. ➡ 남중 고도가 높아지면 *지표면이 단위 면적당 받는 태양 복사 에너지양이 많아지고, 낮이 길어지면서 일조 시간이 증가한다.

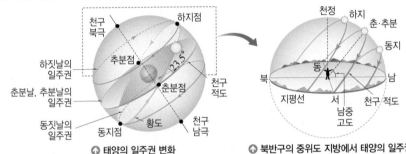

🔼 태양의 일주권 변화   🔼 북반구의 중위도 지방에서 태양의 일주권

계절	태양의 적위	태양의 일주권	남중 고도	밤낮의 길이	계절
춘·추분	0°	태양이 정동쪽에서 떠서 정서쪽으로 진다.	중간	밤=낮	봄, 가을
하지	+23.5°	태양이 북동쪽에서 떠서 북서쪽으로 진다.	가장 높다.	밤<낮	여름
동지	-23.5°	태양이 남동쪽에서 떠서 남서쪽으로 진다.	가장 낮다.	밤>낮	겨울

└ 시간이 지남에 따라 태양의 방위각은 증가한다.

탐구 자료창   별의 위치와 적도 좌표계

표는 별자리의 적도 좌표를 나타낸 것이고, 그림은 별자리의 좌표, 황도, 계절별 태양의 좌표를 적도 좌표계에 표시한 것이다.

별자리	적경(^{h})	적위($°$)	별자리	적경(^{h})	적위($°$)
카시오페이아	1	60	사자자리	11	15
물고기자리	1	15	처녀자리	13	0
황소자리	4	15	천칭자리	15	-15
마차부자리	6	40	전갈자리	17	-40
쌍둥이자리	7	20	염소자리	21	-20
게자리	9	20	물병자리	23	-15

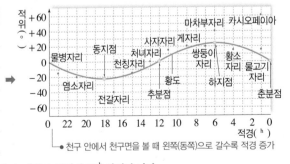

└ 천구 안에서 천구면을 볼 때 왼쪽(동쪽)으로 갈수록 적경 증가

1. **자정에 남쪽 하늘에서 관측 가능한 별자리**: 태양의 반대편에 위치한 별자리 ➡ 태양과 적경이 12^h 차이가 난다.

   예 동짓날에는 태양이 동지점(적경: 18^h)에 있으므로 하지점 부근(적경: 6^h)에 있는 마차부자리가 잘 관측된다.

2. **계절별 별자리**: 봄에는 추분점, 여름에는 동지점, 가을에 춘분점, 겨울에 하지점 부근의 별자리가 잘 관측된다.

3. **서울(37.5°N)에서 관측할 때 남중 고도가 가장 높은 별자리**: 적위가 가장 큰 별자리 ➡ 카시오페이아

★ 천체의 남중 시각과 적경

• 적경은 천구 적도를 $0^h \sim 24^h$로 나눈 것이고, 시각은 지구가 $360°$ 자전하는 데 걸린 시간을 24시간으로 나눈 것이므로 천체의 남중 시각 차이는 적경 차이와 같다.

• 천체의 적경이 태양보다 크면 태양보다 나중에 남중한다.

★ 서울(37.5°N)에서 계절별 태양의 남중 고도

춘분	$90° - 37.5° + 0° = 52.5°$
하지	$90° - 37.5° + 23.5° = 76°$
추분	$90° - 37.5° + 0° = 52.5°$
동지	$90° - 37.5° - 23.5° = 29°$

★ 지표면이 단위 면적당 받는 태양 복사 에너지양

태양의 남중 고도가 높을수록 같은 양의 태양 복사 에너지를 받는 지표면의 면적이 좁아져 단위 면적당 받는 태양 복사 에너지양이 많아진다.

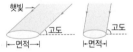

🔼 남중 고도가   🔼 남중 고도가
낮을 때   높을 때

개념 확인 문제

정답친해 120쪽

핵심 체크

- (**❶**   ): 지구를 중심으로 반지름이 무한대인 가상의 구
  - (**❷**   ): 천정과 천저를 지나고, 지평선에 수직인 대원
  - (**❸**   ): 천구 북극과 천구 남극을 지나고, 천구 적도에 수직인 대원
- 지평 좌표계 ┬ 방위각: 북점(또는 남점)을 기준으로 지평선을 따라 (**❹**   ) 방향으로 천체를 지나는 수직권까지 잰 각도
  - └ 고도: 지평선에서 천체를 지나는 (**❺**   )을 따라 천체까지 잰 각도
- 적도 좌표계 ┬ 적경: (**❻**   )을 기준으로 천구 적도를 따라 시계 반대 방향으로 천체를 지나는 시간권까지 잰 각도
  - └ 적위: 천구 적도에서 천체를 지나는 (**❼**   )을 따라 천체까지 잰 각도
- 남중 고도: 천체가 남쪽 자오선을 통과할 때의 고도 ➡ 90° − 관측자의 위도 + 천체의 (**❽**   )

---

1 다음에서 각 설명에 해당하는 것을 골라 쓰시오.

> ㉠ 북점 ㉡ 천정 ㉢ 지평선 ㉣ 시간권
> ㉤ 자오선 ㉥ 천구 적도 ㉦ 천구 북극

(1) 관측자의 머리 위를 연장할 때 천구와 만나는 점
(2) 관측자의 지평면을 연장하여 천구와 만나는 대원
(3) 지구의 북극을 연장하여 천구와 만나는 점
(4) 지구의 적도를 연장하여 천구와 만나는 대원
(5) 천구 북극과 천구 남극을 지나는 대원
(6) 수직권 중에서 천구 북극과 천구 남극을 지나는 대원
(7) 자오선이 지평선과 만나는 두 점 중 천구 북극에 가까운 점

2 천구의 좌표계에 대한 설명으로 옳은 것은 ○, 옳지 <u>않은</u> 것은 ×로 표시하시오.

(1) 방위각은 북점(또는 남점)을 기준으로 지평선을 따라 시계 방향으로 잰다. ……………………… (   )
(2) 고도는 천정에서 수직권을 따라 천체까지 잰다. (   )
(3) 지평 좌표계에서는 좌표가 관측 시각과 장소에 따라 달라진다. ……………………………… (   )
(4) 적경은 춘분점을 기준으로 천구 적도를 따라 시계 방향으로 잰다. ………………………… (   )
(5) 적위는 천구 적도에서 시간권을 따라 천체까지 잰다. ……………………………………… (   )
(6) 적경이 같은 천체는 일주권이 같다. ……… (   )

3 그림에서 별 S의 방위각, 고도, 천정 거리를 구하시오. (단, 방위각은 남점을 기준으로 한다.)

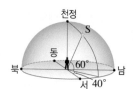

4 그림은 천구에서 황도상에 위치한 세 별을 나타낸 것이다.
A~C 중 적경이 가장 큰 별은 ㉠(   )이고, 적위가 가장 큰 별은 ㉡(   )이다.

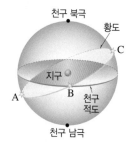

5 위도 35°N인 지역에서 계절별 태양의 남중 고도를 구하시오.

춘분날	하짓날	추분날	동짓날
㉠( )	㉡( )	㉢( )	㉣( )

6 그림은 어느 지역에서 계절별 태양의 일주권을 나타낸 것이다.

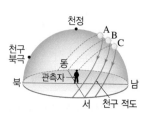

(1) 태양의 남중 고도는 (   )가 가장 높다.
(2) 태양의 적위는 (   )가 가장 높다.
(3) 낮의 길이는 (   )가 가장 길다.
(4) 겨울철에 해당하는 경우는 (   )이다.

천체의 위치와 좌표계

정답친해 121쪽

천체의 위치를 나타내는 방법으로는 관측자 중심의 지평 좌표계와 지구 중심의 적도 좌표계가 있어요. 각 좌표계의 특징과 천체의 위치를 표현하는 방법을 비교해 보고, 천구상에서 천체의 위치를 지평 좌표계와 적도 좌표계로 나타낸 후 방위각, 고도, 적경, 적위의 값을 비교해 볼까요?

1 지평 좌표계와 적도 좌표계 비교

구분	지평 좌표계		적도 좌표계	
	방위각(A)	고도(h)	적경(α)	적위(δ)
기준	북점 또는 남점	지평선	춘분점	천구 적도
측정 방향	시계 방향	수직권을 따라	시계 반대 방향	시간권을 따라
표시 방법	$0°\sim360°$	$0°\sim90°$	$0^h\sim24^h$	$-90°\sim+90°$
특징	관측 시각과 관측자의 위치에 따라 좌표가 달라진다.		관측자의 위치에 관계없이 좌표가 일정하다. (단, 태양, 달, 행성처럼 지구와 가까이 있는 천체는 해당이 안 된다.)	
그림	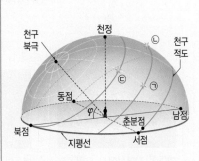			

Q1 어떤 천체의 위치를 나타낼 때 방위각, 고도, 적경, 적위 중 서울과 제주도에서 좌표가 같은 것은?

2 천체의 좌표 비교(단, φ는 관측자의 위도이고, 방위각은 북점을 기준으로 한다.)

지평 좌표계

❶ 북점을 찾고, 각 별을 지나는 수직권을 긋는다.
❷ 각 수직권이 북점에서 떨어져 있는 각도를 비교한다. ➡ **방위각 측정**
❸ 지평선에서 수직권을 따라 별까지의 각도를 비교한다. ➡ **고도 측정**

- 방위각: ㉡<㉠<㉢
- 고도: ㉠<㉢<㉡

적도 좌표계

❶ 춘분점을 찾고, 각 별을 지나는 시간권을 긋는다.
❷ 각 시간권이 춘분점에서 떨어져 있는 각도를 비교한다. ➡ **적경 측정**
❸ 천구 적도에서 시간권을 따라 별까지의 각도를 비교한다. ➡ **적위 측정**

- 적경: ㉠=㉢<㉡
- 적위: ㉠=㉡<㉢

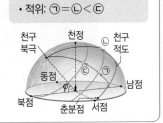

천체의 일주권 교학사 교과서에만 나와요.

○ 정답친해 121쪽

지구가 자전하면서 나타나는 천체의 일주 운동 경로, 즉 천체의 일주권은 위도에 따라 다르게 나타납니다. 따라서 뜨고 지는 별도 위도에 따라 달라지지요. 천체의 일주권에 대해 자세히 알아볼까요? 일부 교과서에만 나오지만, 알아두면 천체의 운동을 한층 쉽게 이해할 수 있어요.

1 위도별 천체의 일주권

천구 밖에서 북쪽을 바라볼 때 왼쪽이 서쪽, 오른쪽이 동쪽입니다.
지구가 하루에 한 바퀴씩 서에서 동으로 자전하기 때문에 밤하늘의 별들은 매일 지구의 자전 방향과 반대인 동에서 서로 일주 운동하는 것처럼 보입니다.
이때, 위도에 따라 지평선이 다르기 때문에 별의 일주권이 다음과 같이 나타납니다.

북극 지방

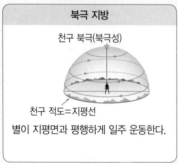

별이 지평면과 평행하게 일주 운동한다.

중위도 지방

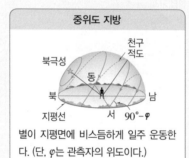

별이 지평면에 비스듬하게 일주 운동한다. (단, φ는 관측자의 위도이다.)

적도 지방

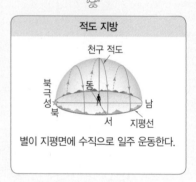

별이 지평면에 수직으로 일주 운동한다.

2 중위도 지역에서 관측되는 천체의 일주 운동 모습

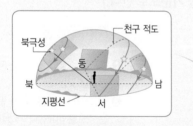

천구 안에서 관측자가 천구를 바라보면, 북쪽 하늘을 볼 때는 왼쪽이 서쪽, 오른쪽이 동쪽이고, 남쪽 하늘을 볼 때는 왼쪽이 동쪽, 오른쪽이 서쪽입니다.
방위에 따라 일주권의 모습은 다음과 같으며, 천구 적도는 일주권에 나란하기 때문에 천구 적도가 기울어진 모양으로 관측한 하늘의 방위를 알 수 있어요.

북쪽 하늘

별들이 북극성을 중심으로 시계 반대 방향으로 회전한다.

동쪽 하늘

별들이 지평선에서 오른쪽으로 비스듬히 뜬다. ➡ 천구 적도가 오른쪽 위로 비스듬히 나타난다.

남쪽 하늘

별들이 지평선과 평행하게 일주 운동한다. ➡ 천구 적도가 지평선에 평행하게 나타난다.

서쪽 하늘

별들이 지평선에서 오른쪽으로 비스듬히 진다. ➡ 천구 적도가 오른쪽 아래로 비스듬히 나타난다.

3 주극성, 출몰성, 전몰성

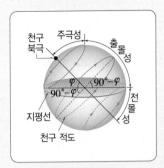

일주권에 따라 밤새 떠 있는 별, 뜨고 지는 별, 뜨지 않는 별이 있는데, 관측자의 위도(φ)와 별의 적위(δ)로부터 별이 어느 경우에 해당하는지 알 수 있어요.

주극성	출몰성	전몰성
• 천구의 극 둘레를 돌며 지평선 아래로 지지 않는 별 • 별의 적위 범위: $90° \geqq \delta \geqq (90° - \varphi)$	• 동쪽 지평선에서 떠서 서쪽 지평선으로 지는 별 • 별의 적위 범위: $(90° - \varphi) > \delta > -(90° - \varphi)$	• 항상 지평선 아래에 있어서 볼 수 없는 별 • 별의 적위 범위: $(90° - \varphi) \geqq \delta \geqq -90°$

Q2 그림은 어느 위도에서 별을 관측한 모습을 나타낸 것이다.
(1) 이 별을 관측한 위도를 극, 중위도, 적도 중 고르시오.
(2) 어느 쪽 하늘을 관측한 모습인지 쓰시오.

Q3 그림은 중위도 지역인 우리나라에서 별의 일주 운동을 약 3시간 동안 관측한 것이다.
(1) 어느 쪽 하늘을 관측한 것인지 쓰시오.
(2) 별 P의 이름을 쓰시오.
(3) 관측을 끝낸 시점에 고도가 가장 높은 별을 쓰시오.
(4) 북점을 기준으로 할 때 방위각이 가장 작은 별을 쓰시오.

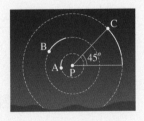

Q4 위도가 30°인 지방에서 적위가 50°인 별은 주극성, 출몰성, 전몰성 중 어느 별에 해당하는지 쓰시오.

대표 자료 분석

학교 시험에 자주 출제되는 대표 자료와 그 자료에 대한 문제를 통해 자료를 완벽하게 이해할 수 있다.

자료 ① 지구의 좌표계

기출 Point
- 방위와 시각 판단하기
- 지구상의 위치를 경도와 위도로 표시하기

[1~4] 그림은 지구 표면의 위치를 나타내기 위해 사용하는 가상적인 각도와 선을 나타낸 것이다.

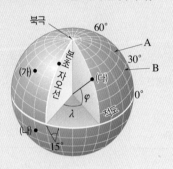

1 (가) 지점의 관측자가 볼 때 (다) 지점은 ㉠( ) 쪽에 위치하고, (다) 지점은 (나) 지점보다 태양이 남중하는 시각이 ㉡ ( )시간 빠르다.

2 지표상에서 위치를 경도와 위도로 나타낼 때, 선 A, B와 각도 λ, φ가 의미하는 것을 쓰시오.

3 (가)~(다) 지점의 위도와 경도를 각각 쓰시오.

4 빈출 선택지로 완벽 정리!
(1) (다) 지점의 관측자가 볼 때 (가) 지점은 서쪽에 위치한다. ··· (○ / ×)
(2) (가) 지점은 (나) 지점보다 태양이 1시간 먼저 남중한다. ································· (○ / ×)
(3) 위선의 길이는 고위도로 갈수록 짧다. ······· (○ / ×)
(4) (가) 지점에서 최단거리로 (다) 지점으로 이동할 때는 날짜를 1일 뺀다. ························· (○ / ×)

자료 ② 지평 좌표계

기출 Point
- 방위각과 고도 비교하기
- 일주 운동에 따른 방위각과 고도 변화 해석하기

[1~3] 그림 (가)는 북반구 어느 지방에서 계절에 따른 태양의 일주권을, (나)는 같은 장소에서 관측한 별 A, B의 일주 운동을 나타낸 것이다. (단, 방위각은 북점을 기준으로 한다.)

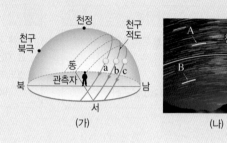

1 (가)에서 a~c 경로로 태양이 뜰 때의 방위각을 등호나 부등호로 비교하시오.

2 (나)에서 별 A와 B의 방위각, 고도, 천정 거리를 등호나 부등호로 비교하시오.
(1) 방위각 : A [ ] B
(2) 고도 : A [ ] B
(3) 천정 거리 : A [ ] B

3 빈출 선택지로 완벽 정리!
(1) (가)에서 태양이 b 경로로 일주 운동을 하는 동안 방위각이 계속 증가한다. ··································· (○ / ×)
(2) (가)에서 태양이 질 때 방위각은 c 경로가 가장 크다. ·· (○ / ×)
(3) (가)에서 태양의 남중 고도는 a 경로가 가장 높다. ·· (○ / ×)
(4) (나)에서 별 A와 B의 방위각은 점점 커진다. (○ / ×)
(5) (나)에서 별 A와 B의 고도는 점점 낮아진다. (○ / ×)

자료 ③ 적도 좌표계와 천체의 남중 고도

기출 Point
· 별의 적경과 적위 구하기
· 별의 남중 고도 해석하기

[1~4] 그림은 춘분날에 우리나라(37.5°N)의 남쪽 하늘에서 관측한 별 A와 B의 고도 변화를 나타낸 것이다.

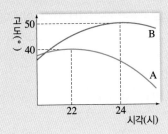

1 이날 태양의 적경과 적위를 쓰시오.

2 별과 태양의 남중 시각 차이로 별의 적경을 구하는 과정에서 ( ) 안에 알맞은 말을 쓰시오.

(1) 별 A의 남중 시각은 ㉠( )시로, 태양보다 ㉡( )시간 늦게 남중하므로 적경은 ㉢( )이다.

(2) 별 B의 남중 시각은 ㉠( )시로, 태양보다 ㉡( )시간 늦게 남중하므로 적경은 ㉢( )이다.

3 별의 남중 고도, 적위를 구하시오.

(1) 별 A의 남중 고도: ㉠( )°, 적위: ㉡( )°

(2) 별 B의 남중 고도: ㉠( )°, 적위: ㉡( )°

4 빈출 선택지로 완벽 정리!

(1) 적경은 별 A가 B보다 크다. ──────── (○ / ×)

(2) 적위는 별 A가 B보다 크다. ──────── (○ / ×)

(3) 별 A와 B의 적경 차이는 2시간이다. ───── (○ / ×)

(4) 남중 고도는 별 A가 B보다 높다. ──────── (○ / ×)

(5) 남중 고도는 태양이 별 B보다 높다. ───── (○ / ×)

자료 ④ 황도와 별의 적도 좌표계

기출 Point
· 별의 적경과 적위 해석하기
· 계절에 따라 관측되는 별 판단하기

[1~4] 그림은 황도상에 위치한 별 A~D의 적경과 적위를 나타낸 것이다.

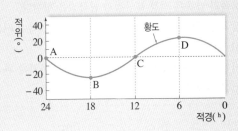

1 북반구에서 관측할 때 별 A~D 중 남중 고도가 가장 높은 별은 ㉠( )이고, 남중 고도가 가장 낮은 별은 ㉡( )이다.

2 별 A~D 중 다음 시기에 관측하였을 때 자정에 남중하는 별을 각각 쓰시오.

(1) 춘분날 : ( )   (2) 하짓날 : ( )

(3) 추분날 : ( )   (4) 동짓날 : ( )

3 북반구 어느 지역에서 별 B의 남중 고도가 30°로 관측되었다면, 이 지역의 위도를 구하시오.

4 빈출 선택지로 완벽 정리!

(1) 별 A는 천구 적도를 따라 일주 운동한다. (○ / ×)

(2) 별 B는 하지점에 위치한다. ──────── (○ / ×)

(3) 별 C가 자정에 남중한 날 계절은 봄철이다. (○ / ×)

(4) 별 D가 자정에 남중한 날 태양의 적위는 23.5°이다.
──────────────────── (○ / ×)

(5) 별 D는 일주 운동하는 동안 적경이 감소한다.
──────────────────── (○ / ×)

내신 만점 문제

Ⓐ 지구의 좌표계

01 방위에 대한 설명으로 옳은 것만을 [보기]에서 있는 대로 고른 것은?

〔보기〕
ㄱ. 북쪽과 남쪽은 각각 북극점과 남극점을 향한다.
ㄴ. 남쪽을 바라보고 섰을 때 오른쪽이 동쪽, 왼쪽이 서쪽이 된다.
ㄷ. 어떤 지점을 가리키는 방위는 관측자의 위치에 관계없이 일정하다.

① ㄱ   ② ㄷ   ③ ㄱ, ㄴ
④ ㄴ, ㄷ   ⑤ ㄱ, ㄴ, ㄷ

02 다음은 지구의 좌표계에 대한 설명이다.

지구상의 좌표는 위도와 경도로 나타낼 수 있다. 위도의 경우에는 ㉠기준으로 삼을 만한 객관적 지표가 있었기 때문에 예로부터 태양이나 북극성의 고도를 이용하여 쉽게 예측할 수 있었다. 반면에, 경도의 경우에는 객관적 기준점을 쉽게 정할 수 없었기 때문에 ㉡시계를 발명한 이후부터 측정할 수 있게 되었다. 우리나라는 동경 124°~132°에 위치하지만, ㉢동경 135°를 표준 경선으로 정하였다.

㉠~㉢에 대한 설명으로 옳은 것만을 [보기]에서 있는 대로 고른 것은? (단, 서울의 경도는 동경 127°이다.)

〔보기〕
ㄱ. ㉠: 북극과 남극의 중간 지점을 연결한 위선인 적도를 의미한다.
ㄴ. ㉡: 영국과의 시간 차이를 계산하여 경도를 알 수 있다.
ㄷ. ㉢: 서울에서 태양이 남중했을 때의 시각은 12시 이전이다.

① ㄱ   ② ㄷ   ③ ㄱ, ㄴ
④ ㄴ, ㄷ   ⑤ ㄱ, ㄴ, ㄷ

03 그림은 위도와 경도를 나타낸 것이다.

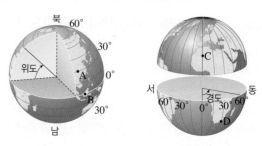

이에 대한 설명으로 옳은 것만을 [보기]에서 있는 대로 고른 것은?

〔보기〕
ㄱ. A는 B보다 연평균 기온이 높다.
ㄴ. B는 적도에 위치한다.
ㄷ. C는 D보다 표준시가 빠르다.

① ㄱ   ② ㄴ   ③ ㄱ, ㄷ
④ ㄴ, ㄷ   ⑤ ㄱ, ㄴ, ㄷ

04 그림은 국제 표준시를 나타낸 것이다.

이에 대한 설명으로 옳은 것만을 [보기]에서 있는 대로 고른 것은?

〔보기〕
ㄱ 경도 15°마다 1시간씩 차이가 난다.
ㄴ. 서울은 런던보다 9시간 느리다.
ㄷ. 경도 0°선에서 서쪽으로 갈수록 시간이 빨라진다.

① ㄱ   ② ㄷ   ③ ㄱ, ㄴ
④ ㄴ, ㄷ   ⑤ ㄱ, ㄴ, ㄷ

(서술형)
05 비행기를 타고 우리나라에서 미국으로 여행을 갈 때, 태평양 상공에서 날짜 변경선을 지나면서 어떤 조치를 해야 할지 서술하시오.

B 천구의 좌표계

06 천구에서 관측자의 위치에 따라 달라지는 것은?

① 황도　　　② 수직권　　　③ 시간권

④ 천구 북극　　⑤ 천구 적도

07 지평 좌표계와 적도 좌표계에 대한 설명으로 옳은 것만을 [보기]에서 있는 대로 고른 것은?

〔보기〕
ㄱ. 방위각은 춘분점을 기준으로 측정한다.
ㄴ. 지평 좌표계에서 별의 좌표는 시간과 장소에 따라 변한다.
ㄷ. 적위는 지평선으로부터 수직권을 따라 천체까지 측정한 각도로 나타낸다.
ㄹ. 적도 좌표계에서 태양계 행성의 좌표는 시간에 따라 변한다.

① ㄱ, ㄴ　　② ㄱ, ㄷ　　③ ㄴ, ㄷ

④ ㄴ, ㄹ　　⑤ ㄷ, ㄹ

08 그림은 북반구 어느 지방에서 관측한 별 S의 위치를 나타낸 것이다.

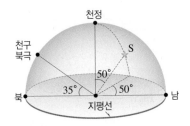

이에 대한 설명으로 옳지 <u>않은</u> 것은? (단, 방위각은 북점을 기준으로 한다.)

① 관측 지방의 위도는 55°N이다.
② 별 S의 천정 거리는 50°이다.
③ 천구 북극의 고도는 35°이다.
④ 별 S의 방위각은 130°이다.
⑤ 별 S의 고도는 40°이다.

09 그림은 서울(37.5°N)에서 관측하였을 때 남중한 어떤 별 S의 위치를 천구상에 나타낸 것이다.

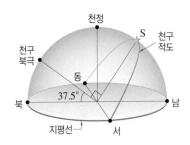

이후 별 S가 3시간 동안 일주 운동할 때 방위각과 고도 변화를 옳게 짝 지은 것은? (단, 방위각은 북점을 기준으로 한다.)

	방위각	고도
①	증가	증가
②	증가	감소
③	감소	증가
④	감소	감소
⑤	일정	일정

10 그림은 천구상에서 천구 적도와 황도를 나타낸 것이다.

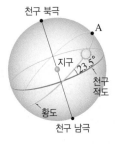

태양이 A 지점을 지날 때 적경과 적위를 옳게 짝 지은 것은?

	적경	적위
①	6^h	$0°$
②	6^h	$+23.5°$
③	12^h	$+23.5°$
④	12^h	$-23.5°$
⑤	18^h	$0°$

11 ^{서술형} 그림은 하짓날 자정에 남중한 별 S를 나타낸 것이다. (단, 방위각은 북점을 기준으로 한다.)

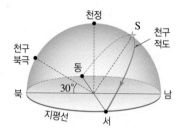

(1) 별 S의 방위각, 고도, 천정 거리를 구하시오.

(2) 별 S의 적경과 적위를 구하시오.

12 서울(37.5°N)에서 관측할 때, 춘분날 지평선에 막 떠오르고 있는 태양의 좌표에 대한 설명으로 옳지 <u>않은</u> 것은? (단, 방위각은 북점을 기준으로 한다.)

① 고도는 0°이다.
② 적경은 0^h이다.
③ 적위는 37.5°이다.
④ 방위각은 90°이다.
⑤ 이후 방위각은 점점 증가한다.

13 ^{서술형} 그림과 같이 대전(36.5°N)에 남북 방향으로 높이가 40 m인 두 동의 아파트를 건축하려고 한다.

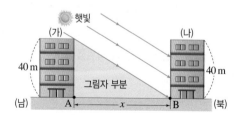

동짓날 태양이 남중하였을 때 고도를 구하고, (가)동 아파트의 그림자 끝이 B에 도달하게 하여 일조권을 확보하려고 할 때 두 동 사이의 거리(x)는 최소 몇 m가 되어야 하는지 계산하시오. (단, $\sqrt{3}=1.7$이다.)

14 그림은 서울(37.5°N)에서 계절별 태양의 일주권을 나타낸 것이다.

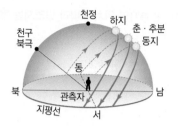

이에 대한 설명으로 옳은 것만을 [보기]에서 있는 대로 고른 것은?

[보기]
ㄱ. 낮의 길이는 춘분보다 하지일 때 더 길다.
ㄴ. 태양의 남중 고도는 추분보다 동지일 때 더 높다.
ㄷ. 태양이 뜨고 지는 지평선상의 지점은 계절에 따라 달라진다.

① ㄱ   ② ㄴ   ③ ㄱ, ㄷ
④ ㄴ, ㄷ   ⑤ ㄱ, ㄴ, ㄷ

15 그림은 어느 날 30°N 지역에서 태양의 일주 운동 경로를 나타낸 것이다.

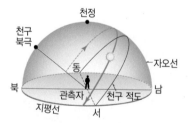

이에 대한 설명으로 옳은 것만을 [보기]에서 있는 대로 고른 것은?

[보기]
ㄱ. 이 날은 겨울철에 해당한다.
ㄴ. 태양의 남중 고도는 60°이다.
ㄷ. 이 날 낮의 길이는 12시간보다 길다.

① ㄱ   ② ㄷ   ③ ㄱ, ㄴ
④ ㄴ, ㄷ   ⑤ ㄱ, ㄴ, ㄷ

16 그림은 황도 주변의 별자리를 나타낸 것이다.

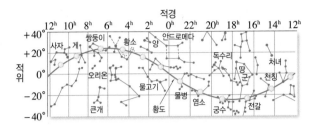

하짓날에 대한 설명으로 옳은 것만을 [보기]에서 있는 대로 고른 것은?

┌─[보기]─────────────────────────────┐
│ ㄱ. 태양의 적위는 0°이다.
│ ㄴ. 다음날 태양의 적경은 감소한다.
│ ㄷ. 이 날 자정에는 궁수자리를 볼 수 있다.
└───────────────────────────────────┘

① ㄱ   ② ㄷ   ③ ㄱ, ㄴ
④ ㄴ, ㄷ   ⑤ ㄱ, ㄴ, ㄷ

17 그림은 위도 40°N인 지역에서 측정한 별 A와 B의 시간에 따른 고도 변화를 나타낸 것이다.

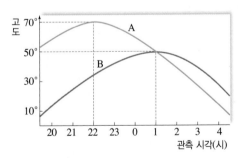

별 A, B에 대한 설명으로 옳은 것은?

① A는 B보다 나중에 떴다.
② A는 B보다 남중 고도가 낮다.
③ A와 B의 적경 차이는 12시간이다.
④ A는 B보다 적위가 크다.
⑤ 별 A는 천구 적도상에서 일주 운동한다.

18 그림은 북반구 어느 지역에서 관측한 세 별 A~C의 위치를 천구상에 나타낸 것이다.

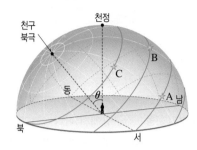

이에 대한 설명으로 옳지 <u>않은</u> 것은? (단, 방위각은 북점을 기준으로 한다.)

① 관측자의 위도는 90°−θ이다.
② 별 A는 천구 적도에 위치한다.
③ 방위각이 가장 큰 별은 C이다.
④ 고도가 가장 낮은 별은 A이다.
⑤ 남중 고도가 가장 높은 별은 B이다.

19 그림은 북반구의 어느 지역에서 1년 동안 태양의 남중 고도 변화를 나타낸 것이다.

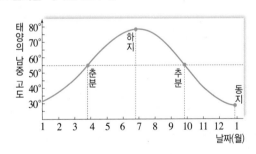

이에 대한 설명으로 옳은 것만을 [보기]에서 있는 대로 고른 것은?

┌─[보기]─────────────────────────────┐
│ ㄱ. 이 지역의 위도는 35°N이다.
│ ㄴ. 일조 시간은 5월이 11월보다 길 것이다.
│ ㄷ. 태양의 남중 고도 변화는 태양과 지구 사이의 거리가
│   달라지기 때문에 생긴다.
└───────────────────────────────────┘

① ㄱ   ② ㄷ   ③ ㄱ, ㄴ
④ ㄴ, ㄷ   ⑤ ㄱ, ㄴ, ㄷ

02 행성의 겉보기 운동과 우주관의 변천

핵심
포인트

A 내행성의 위치와 겉보기 운동 ★★★
외행성의 위치와 겉보기 운동 ★★★

B 지구 중심설과 태양 중심설 ★★★
티코 브라헤의 수정된 지구 중심설 ★★
태양 중심설의 관측적 증거 ★★

A 행성의 겉보기 운동

1. 행성의 겉보기 운동 천구상에서 나타나는 행성의 운동

(1) **원인**: 지구와 행성의 공전 속도 차이 때문 → 내행성은 지구보다 공전 속도가 빠르고, 외행성은 지구보다 공전 속도가 느리다.

(2) **순행과 역행**: 천구상에서 행성은 순행과 역행을 반복한다.

순행	행성이 천구상에서 서에서 동으로 이동하는 것(A, E) ➡ 행성의 적경 증가 → 적경은 춘분점을 기준으로 서에서 동으로 갈수록 증가하기 때문
역행	행성이 천구상에서 동에서 서로 이동하는 것(C) ➡ 행성의 적경 감소
유	행성의 운동 방향이 바뀌면서 잠시 멈춘 것처럼 보이는 것(B, D)

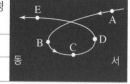

> 천구상에 나타나는 행성의 운동은 실제 운동이 아니라 지구에서 보았을 때의 모습이므로 '겉보기 운동'이라고 해요.

★ **내행성과 외행성**
• 내행성: 지구의 공전 궤도 안에서 공전하는 행성
➡ 수성, 금성
• 외행성: 지구의 공전 궤도 밖에서 공전하는 행성
➡ 화성, 목성, 토성, 천왕성, 해왕성

2. ★**내행성의 위치와 겉보기 운동**

(1) **내행성과 지구의 상대적 위치 관계**

① 외합	내행성 – 태양 – 지구의 순으로 일직선에 놓이는 위치 ➡ 지구에서 거리가 가장 멀다.
내합	태양 – 내행성 – 지구의 순으로 일직선에 놓이는 위치 ➡ 지구에서 거리가 가장 가깝다.
최대 ②이각	내행성이 태양으로부터 가장 큰 각도로 떨어져 있는 위치 • 동방 최대 이각: 태양보다 동쪽에 있는 최대 이각 • 서방 최대 이각: 태양보다 서쪽에 있는 최대 이각

★ **내행성의 관측 가능 시간**
태양과 행성의 이각(각거리)÷15° ➡ 지구가 1시간에 15°씩 자전하기 때문

내행성	최대이각	관측 가능 시간
수성	28°	최대 약 2시간
금성	48°	최대 약 3시간

(2) **내행성의 위치에 따른 관측**

① 공전에 따른 위치 변화: 외합 → 동방 최대 이각 → 내합 → 서방 최대 이각 → 외합 ← 태양 근처(최대 이각 범위 내)에서만 관측되기 때문

② 관측 시각: 새벽이나 초저녁에만 관측되고, 자정 무렵(한밤중)에는 관측되지 않는다.

③ ③위상: 상현달, 초승달, 그믐달, 하현달, 보름달에 가까운 모양이 관측된다. ← 지구를 사이에 두고 태양의 반대쪽에 위치할 수 없기 때문

④ ④시지름(시직경): 내합에 가까울수록 크고, 외합에 가까울수록 작다.

⑤ ★관측하기 좋은 위치: 최대 이각 ➡ 가장 오래 관측되기 때문이다. [완자쌤 비법특강 272쪽]

|용어|

❶ **합(合 합하다)** 행성과 태양이 같은 방향에 위치할 때

❷ **이각(離 떼어놓다, 角 각도)** 지구에서 볼 때 행성과 태양이 이루는 각도(각거리)

❸ **위상(位 자리, 相 모양)** 행성과 달은 태양 빛을 반사하여 빛나는데, 이때 빛나는 면이 지구를 향하는 정도

❹ **시(視 보다)지름** 천체의 겉보기 크기를 각도로 나타낸 것으로, 거리가 가까울수록 시지름이 크다.

상대적 위치	관측 시각과 방향	위상	시지름
외합	태양과 함께 뜨고 지므로 관측이 불가능하다.	● 보름달 모양	가장 작다
동방 최대 이각	해 진 후, 서쪽 하늘에서 관측된다.	◗ 상현달 모양	↓ 커진다
동방 최대 이각~내합	해 진 후, 서쪽 하늘에서 잠깐 동안 관측된다.	◗ 초승달 모양	
내합	태양과 함께 뜨고 지므로 관측이 불가능하다.	○ 삭	가장 크다
내합~서방 최대 이각	해 뜨기 전, 동쪽 하늘에서 잠깐 동안 관측된다.	◖ 그믐달 모양	↓ 작아진다
서방 최대 이각	해 뜨기 전, 동쪽 하늘에서 관측된다.	◖ 하현달 모양	

시지름(크다)

시지름(작다)

(3) *내행성의 겉보기 운동

① 원인: 내행성의 공전 속도가 지구보다 빠르기 때문

② 겉보기 운동: 내합 부근에서 역행하고, 그 외에는 순행한다.

> • 순행: $V_1' \sim V_2'$, $V_6' \sim V_7'$ → 서방 최대 이각 부근(V_6) → 외합 → 동방 최대 이각 부근(V_2)
> • 유: V_2', V_6'
> • 역행: $V_2' \sim V_6'$ ➡ 내합(V_4) 부근

내행성의 겉보기 운동 ➡

3. 외행성의 위치와 겉보기 운동

(1) 외행성과 지구의 상대적 위치 관계

합	외행성 − 태양 − 지구의 순으로 일직선에 놓이는 위치 ➡ 이각이 $0°$이고, 지구에서 가장 멀다. ┗ 태양과 적경이 같다.
충	태양 − 지구 − 외행성의 순으로 일직선에 놓이는 위치 ➡ 이각이 $180°$이고, 지구에서 가장 가깝다. ┗ 태양과 적경 차이: 12^h
구	외행성이 지구를 중심으로 태양과 직각으로 놓이는 위치 • 동구: 태양보다 동쪽으로 $90°$ 떨어져 있을 때 • 서구: 태양보다 서쪽으로 $90°$ 떨어져 있을 때 ┗ 외행성에서 보면 지구가 서방 최대 이각에 있다.

(2) 외행성의 위치에 따른 관측

① 공전에 따른 위치 변화: 합 → 서구 → 충 → 동구 → 합 → *(지구가 외행성보다 더 빨리 공전하기 때문에 위치 관계는 공전 방향과 반대로 나타난다.)*

② 관측 시각: 새벽, 초저녁뿐만 아니라 자정 무렵(한밤중)에도 관측될 수 있다.

③ 위상: 보름달이나 보름달에 가까운 모양으로만 관측된다. → *외행성은 태양과 지구 사이에 위치할 수 없기 때문에 반달 모양이나 초승달, 그믐달 모양의 위상을 볼 수 없다.*

④ 시지름: 충에 가까울수록 크고, 합에 가까울수록 작다.

⑤ 관측하기 좋은 위치: 충 ➡ 가장 크고 밝게 보이며, 가장 오래 관측되기 때문이다.

완자쌤 비법특강 272쪽

상대적 위치	*관측 시각과 방향	위상	시지름
합	태양과 함께 뜨고 지므로 관측이 불가능하다.	보름달 모양	가장 작다
서구	자정에 동쪽 하늘 ~ 새벽에 남쪽 하늘	하현달과 보름달 사이	커진다
충	초저녁에 동쪽 하늘 ~ 자정에 남쪽 하늘 ~ 새벽에 서쪽 하늘	보름달 모양	가장 크다
동구	초저녁에 남쪽 하늘 ~ 자정에 서쪽 하늘	상현달과 보름달 사이	작아진다

(3) *외행성의 겉보기 운동

① 원인: 외행성의 공전 속도가 지구보다 느리기 때문

② 겉보기 운동: 공전하는 동안 대부분 순행하고, 충 전후에서 역행한다.

> • 순행: $M_1' \to M_3'$, $M_5' \to M_7'$
> • 유: M_3', M_5'
> • 역행: $M_3' \sim M_5'$ ➡ 충(M_4) 부근

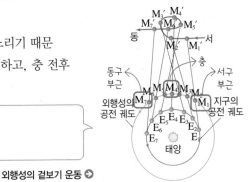

외행성의 겉보기 운동 ➡

★ 내행성의 겉보기 운동
어떤 별을 기준으로 할 때 행성이 이동한 정도로 겉보기 운동을 알 수 있다.

암기해

충일 때 외행성의 특징
• 보름달 모양, 시지름 최대
• 가장 오래 관측 가능
• 역행이 일어남 ➡ 적경 감소

★ 외행성의 관측 가능 시간
태양과 행성의 이각 ÷ 15°

위치	이각	관측 가능 시간
합	0°	관측 불가능
서구	90°	해뜨기 전약 6시간
충	180°	해 진 후 약 12시간
동구	90°	해 진 후 약 6시간

★ 외행성의 겉보기 운동
어떤 별을 기준으로 할 때 행성이 이동한 정도로 겉보기 운동을 알 수 있다.

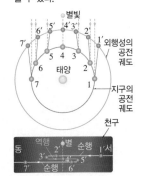

내행성과 외행성의 관측

정답친해 126쪽

내행성은 새벽이나 초저녁에만 관측되고, 자정 무렵(한밤중)에는 관측되지 않아요. 그러나 외행성은 새벽, 초저녁 뿐만 아니라 자정 무렵에도 관측될 수 있어요. 그럼, 행성이 관측되는 시각과 방향을 알아볼까요?

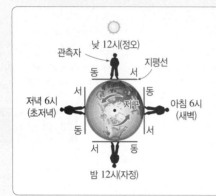

관측 시각 알아내기 태양의 위치에 의해 결정된다.
- 정오: 태양이 관측자의 머리 위에 있을 때(남중할 때)
- 저녁 6시: 태양이 관측자의 남쪽과 90°를 이루어 서쪽 지평선으로 질 때
- 자정: 태양이 관측자의 남쪽과 180°를 이루어 지평선 아래에 있을 때
- 새벽 6시: 태양이 관측자의 남쪽과 90°를 이루어 동쪽 지평선에서 뜰 때

행성을 관측하는 방향 알아내기 태양을 기준으로 판단한다.
정오에는 태양이 있는 쪽이 남쪽, 자정에는 태양의 반대쪽이 남쪽, 새벽에는 태양이 있는 쪽이 동쪽, 초저녁에는 태양이 있는 쪽이 서쪽이다.
㉔ 태양의 서쪽으로 이각이 90°인 행성은 새벽에 남쪽 하늘에 위치한다.

1 내행성(금성)의 관측

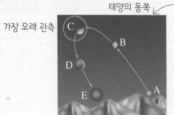

태양보다 늦게 지므로 초저녁에 서쪽 하늘에서 관측된다.

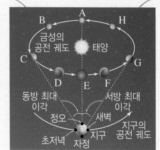

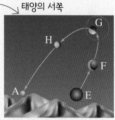

태양보다 먼저 뜨므로 새벽에 동쪽 하늘에서 관측된다.

위치 관계 변화	A(외합)	B	C(동방 최대 이각)	D	E(내합)	F	G(서방 최대 이각)	H
관측 시각, 방향	관측 ×	초저녁, 서쪽 하늘 → 금방 서쪽 지평선 아래로 진다.			관측 ×	새벽녘, 동쪽 하늘 → 해뜨기 전까지만 보인다.		
관측 가능 시간	0시간	→ 증가	약 3시간	→ 감소	0시간	→ 증가	약 3시간	→ 감소

이각÷15°/시간 · 이각 0° · 48°÷15°/시간 · 이각 0° · 48°÷15°/시간

Q1 금성이 천구상에서 태양보다 동쪽에 있을 때는 하루 중 언제, 어느 쪽 하늘에서 관측할 수 있는가?

2 외행성(화성)의 관측

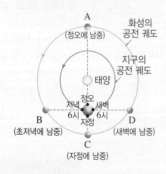

※ 관측 가능 시간: 로 표시

위치 관계 변화	A(합)	D(서구)	C(충)	B(동구)
뜨는 시각(동쪽 하늘)	새벽	자정	초저녁	정오
남중 시각(남쪽 하늘)	정오	새벽	자정	초저녁
지는 시각(서쪽 하늘)	초저녁	정오	새벽	자정
관측 가능 시간	0시간	약 6시간	약 12시간	약 6시간

이각÷15°/시간 · 이각 0° · 90°÷15°/시간 · 180°÷15°/시간 · 90°÷15°/시간

Q2 화성을 가장 오랫동안 관측할 수 있는 위치는?

개념 확인 문제

핵심 체크

- 행성의 겉보기 운동: 천구상에서 나타나는 행성의 운동 ➡ 원인: 지구와 행성의 공전 속도 차이 때문
  - (❶   ): 행성이 천구상에서 서에서 동으로 이동하는 것 ➡ 행성의 적경 (❷   )
  - (❸   ): 행성이 천구상에서 동에서 서로 이동하는 것 ➡ 행성의 적경 (❹   )
  - (❺   ): 행성의 운동 방향이 바뀌면서 잠시 멈춘 것처럼 보이는 것
- 내행성과 외행성의 위치와 겉보기 운동

내행성	외행성
• 상대적 위치 관계	• 상대적 위치 관계
┌ (❻): 내행성 – 태양 – 지구의 순으로 배열	┌ 합: 외행성 – 태양 – 지구의 순으로 배열
├ 내합: 태양 – 내행성 – 지구의 순으로 배열	├ (❾): 태양 – 지구 – 외행성의 순으로 배열
└ (❼): 내행성의 이각이 가장 클 때	└ (❿): 외행성의 이각이 90°일 때
• 관측 시각: 새벽이나 초저녁	• 관측 시각: 초저녁~한밤중~새벽
• 위상: 다양한 위상으로 관측	• 위상: 보름달이나 보름달에 가까운 모양으로만 관측
• 겉보기 운동: (❽) 부근에서 역행	• 겉보기 운동: (⓫) 부근에서 역행

---

1 내행성의 상대적 위치 관계에 대한 설명으로 옳은 것은 ○, 옳지 <u>않은</u> 것은 ×로 표시하시오.

(1) 내행성이 지구에서 거리가 가장 가까울 때는 외합이다.
─────────────────────────── ( )

(2) 내행성이 태양의 동쪽에 있으며, 태양과 이각이 최대일 때는 동방 최대 이각이다. ─────── ( )

(3) 내행성이 외합 부근에 있을 때는 한밤중에 남쪽 하늘에서 보인다. ─────────────── ( )

(4) 내행성의 위치 관계는 외합 → 동방 최대 이각 → 내합 → 서방 최대 이각의 순으로 변한다. ──── ( )

2 그림은 지구에 대한 내행성의 상대적 위치 관계를 나타낸 것이다. A~D 중 다음 설명에 해당하는 내행성의 위치를 쓰시오.

(1) 태양과 함께 뜨고 지므로 관측이 어렵다. ───── ( )

(2) 초저녁에 보이며, 가장 오래 관측된다. ──────── ( )

(3) 이 위치 부근에서 시지름이 가장 크다. ───── ( )

(4) 하현달 모양으로 동쪽 하늘에서 관측된다. ─── ( )

3 내행성은 지구보다 공전 속도가 ㉠(빠르기, 느리기) 때문에 내합 부근에서 ㉡(순행, 역행)한다.

4 외행성의 상대적 위치 관계에 대한 설명으로 옳은 것은 ○, 옳지 <u>않은</u> 것은 ×로 표시하시오.

(1) 지구에서 거리가 가장 가까우며, 보름달 모양으로 관측되는 때는 충이다. ─────────── ( )

(2) 지구에서 볼 때 태양의 서쪽으로 직각 방향에 있을 때는 서구이다. ─────────────── ( )

(3) 외행성은 초승달 모양으로 보이는 때가 있다. ( )

(4) 외행성의 위치 관계는 충 → 동구 → 합 → 서구의 순으로 변한다. ─────────────── ( )

5 그림은 지구에 대한 외행성의 상대적 위치 관계를 나타낸 것이다. A~D 중 다음 설명에 해당하는 외행성의 위치를 쓰시오.

(1) 관측할 수 있는 시간이 가장 길다.
─────────────────── ( )

(2) 상현달과 보름달 사이 모양으로 보인다. ──────── ( )

(3) 자정부터 새벽까지 보인다. ─────────── ( )

(4) 행성과 태양의 적경이 같아 관측이 어렵다. ─ ( )

6 외행성은 지구보다 공전 속도가 ㉠(빠르기, 느리기) 때문에 ㉡(합, 충) 부근에서 역행한다.

B 우주관의 변천

1. 프톨레마이오스의 지구 중심설(천동설)

(1) 프톨레마이오스의 지구 중심설 모형

① 천체 배열: 우주의 중심에 지구가 있고, 지구 주위를 달, 수성, 금성, 태양, 화성, 목성, 토성, 항성구가 돈다. → 별이 고정되어 있는 천구

② 지구: 자전과 공전을 하지 않는다.

③ *이심원과 주전원: 태양과 달은 이심원을 따라 돌고, 행성들은 주전원을 따라 돌면서 주전원 중심이 이심원을 따라 돈다. → 태양과 달은 순행만 하고 역행이 일어나지 않으므로 주전원이 필요 없다.

④ 내행성의 주전원: 수성과 금성의 주전원 중심을 지구와 태양을 잇는 직선상에 둔다.

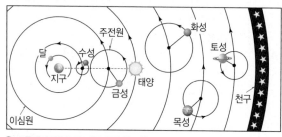

⚙ 프톨레마이오스의 지구 중심설 모형

(2) 설명할 수 있는 현상

① 행성의 역행: 주전원을 도입하여 설명한다. ➡ 행성이 주전원을 따라 도는 속도가 주전원 중심이 이심원을 따라 지구를 공전하는 속도보다 빠르다고 가정하여 역행을 설명하였다.

② 내행성의 최대 이각: 내행성의 주전원 중심을 지구와 태양을 잇는 직선상에 두어 설명한다. ➡ 내행성이 초저녁이나 새벽에만 관측되는 현상이 설명된다. → 태양에서 일정한 각도 이상 멀어지지 않기 때문이다.

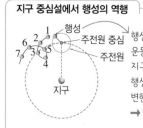

지구 중심설에서 행성의 역행

행성은 주전원 중심을 원운동하고, 주전원 중심은 지구 주위를 원운동하여 행성의 위치가 1 → 7로 변한다.
➡ 역행: 3 → 4 → 5

지구 중심설에서 내행성의 최대 이각

내행성의 주전원 중심이 항상 태양과 일직선상에 있기 때문에 태양이 지구 주위를 φ만큼 이동하면 내행성의 주전원 중심도 φ만큼 이동하여 지구에서 볼 때 내행성은 항상 태양 근처에서 관측된다.

(3) 한계

① 금성의 보름달 모양 위상: 금성이 항상 태양과 지구 사이에만 위치하므로 실제로 금성의 위상이 반달에서 보름달에 가까운 모양으로 관측되는 현상을 설명하지 못한다.

② *별의 연주 시차: 지구가 움직이지 않으므로 별의 연주 시차를 설명하지 못한다.

③ 점점 많은 원을 도입하여 수정이 되었고, 행성의 운동을 매우 복잡하게 설명하였다.

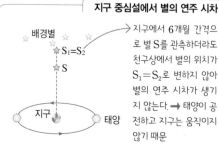

지구 중심설에서 금성의 위상 변화

금성의 위상이 항상 초승달이나 그믐달 모양으로만 나타날 수 있고, 시지름 변화가 작다. ➡ 금성이 태양과 지구 사이에만 위치하기 때문

지구 중심설에서 별의 연주 시차

지구에서 6개월 간격으로 별 S를 관측하더라도 천구상에서 별의 위치가 $S_1 = S_2$로 변하지 않아 별의 연주 시차가 생기지 않는다. ➡ 태양이 공전하고 지구는 움직이지 않기 때문

★ 지구 중심설에서 설명하는 일주 운동과 연주 운동 및 계절 변화
- 일주 운동: 항성구가 북극을 축으로 동에서 서로 하루에 한 바퀴를 돈다.
- 연주 운동: 태양과 행성이 있는 행성구는 항성구와 반대 방향으로 1년에 한 바퀴를 돈다.
- 계절 변화: 행성구와 항성구의 회전축이 서로 기울어져 있어 천체들의 남중 고도가 달라지므로 계절이 바뀐다.

★ 이심원과 주전원
- 이심원: 지구를 중심으로 공전하면서 그리는 큰 원
- 주전원: 중심이 이심원 위에 있는 작은 원

★ 별의 연주 시차
별의 연주 시차는 지구에서 6개월 간격으로 가까이 있는 별 S를 관측할 때 별이 천구상에서 이동한 각거리의 $\frac{1}{2}$로, 지구가 공전해야만 나타나는 현상이다.

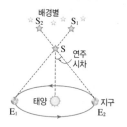

(암기해)

지구 중심설로 설명되는 현상
- 행성의 역행
- 내행성의 최대 이각

지구 중심설로 설명이 안 되는 현상
- 금성의 반달에서 보름달에 가까운 모양의 위상
- 별의 연주 시차

2. 코페르니쿠스의 태양 중심설(지동설)

(1) 코페르니쿠스의 태양 중심설 모형

① 천체 배열: 우주의 중심에 태양
이 있고, 행성들이 태양 주위를
공전하며, 달은 지구 주위를 공
전한다.

② 지구: 공전하면서 자전도 한다.

③ 행성의 공전 속도: 행성은 태양에
서 멀수록 공전 속도가 느리다.

⬆ **코페르니쿠스의 태양 중심설 모형** — 지구 중심설보다 단순하다.

(2) 설명할 수 있는 현상

① 행성의 역행: 지구와 행성의 공전 속도 차이로 지구에서 볼 때 행성이 역행하는 구간이 나
타난다.
└─● 내행성은 지구보다 공전 속도가 빠르고, 외행성은 지구보다 공전 속도가 느리다.

② 내행성의 최대 이각: 수성과 금성은 지구의 공전 궤도 안쪽에 있기 때문에 태양에서 일정한
각도 이상 멀어지지 않는다.

③ 금성의 보름달 모양 위상: 금성이 태양의 건너편에 위치할 수 있으므로 설명할 수 있다.
└─● 금성 − 태양 − 지구의 순으로 일직선상에 위치 ➡ 외합

④ 별의 연주 시차: 지구가 공전하여 위치가 변하므로 설명할 수 있다.

(3) 한계

① 행성들은 완전한 원운동을 하고, 같은 속력으로 운동을 한다고 설명하였다.
└─● 행성들은 실제로 타원 궤도로 운동하고, 공전 궤도의 위치마다 속력이 달라진다.

② 지구 중심설에서와 마찬가지로 별들이 고정된 채로 천구에 붙어 있다고 생각하였다.

③ 과학적 증거를 제시하지 못하였다. ➡ 금성의 위상과 별의 연주 시차가 관측되지 않았다.

3. ★티코 브라헤의 수정된 지구 중심설(절충설)

(1) 티코 브라헤의 수정된 지구 중심설 모형

① 천체 배열: 우주의 중심에 지구가 있고, 달과 태양은 지
구 주위를 공전하며, 지구를 제외한 행성들은 태양 주
위를 공전한다.

② 지구: 자전과 공전을 하지 않는다.

(2) 설명할 수 있는 현상

① 행성의 역행: 행성들은 태양 주위를 공전하고, 태양은
지구 주위를 공전하면서 태양과 행성의 공전 속도 차
이로 행성의 역행이 일어난다.
└─● 외행성과 태양의 이각이 180°일 때 태양의 공전 속도가 외행성의
    공전 속도보다 빠르므로 외행성의 역행이 일어난다.

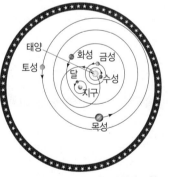

⬆ **티코 브라헤의 수정된 지구 중심설 모형**

② 내행성의 최대 이각: 내행성이 태양의 공전 궤도보다 작은 궤도로 공전하므로 태양에서 일
정한 각도 이상 멀어지지 않는다.

③ 금성의 보름달 모양 위상: 금성이 태양의 건너편에 위치할 수 있으므로 보름달 모양으로 보
일 수 있다.

(3) 한계: 행성의 운동을 단순하게 설명할 수 있지만, 지구가 움직이지 않으므로 별의 연주 시
차를 설명할 수 없다.

암기해

**수정된 지구 중심설(절충설)로 설
명되는 현상**
• 행성의 역행
• 내행성의 최대 이각
• 금성의 보름달 모양 위상

4. 태양 중심설의 관측적 증거 관측 기기의 발달로 태양 중심설의 증거들이 관측되었다.

(1) 갈릴레이의 관측: 1609년 갈릴레이는 태양 중심설을 뒷받침하는 증거를 관측하였다.

달과 태양의 표면 관측	• 달의 기복이 있는 지형, 태양의 흑점 등을 관측하였다. ➡ 지구 중심설의 '천체는 완전 무결하다'는 주장을 부정하는 사실이다.
목성의 위성 관측	• 목성 주위를 공전하는 4개의 위성(이오, 유로파, 가니메데, 칼리스토)을 발견하였다. ➡ '모든 천체가 지구를 중심으로 돈다'는 지구 중심설을 반박하는 사실이다.
금성의 위상과 시지름 변화 관측	• 금성의 보름달에 가까운 위상을 관측하였다. ➡ 지구 중심설에서는 보름달 모양의 위상이 나타날 수 없다. • 금성의 시지름 변화가 크다는 것을 관측하였다. ➡ 지구 중심설에서는 금성이 항상 태양과 지구 사이에만 위치하므로 시지름 변화가 크지 않다.

갈릴레이가 관측한 목성의 위성과 금성의 위상 변화

목성을 기준으로 위성의 위치가 변하는 것은 위성이 목성 주위를 공전한다는 것을 의미한다.

금성이 초승달, 반달, 보름달에 가까운 모양으로 관측되며, 시지름 변화가 크다.

태양 중심설에서 금성의 위상 변화

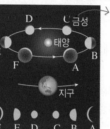

• 금성이 태양의 건너편(외합)에 위치할 수 있으므로, 금성의 보름달 모양의 위상을 설명할 수 있다.
• 금성의 주전원이 태양과 지구 사이에 있는 지구 중심설보다 시지름 차이가 크게 나타난다.

암기해

태양 중심설의 관측적 증거
• 달과 태양의 표면 관측
• 목성의 위성 관측
• 금성의 위상 변화 관측
• 금성의 시지름 변화 관측
• 별의 연주 시차 관측

(2) 별의 연주 시차 관측: 1838년 베셀은 처음으로 별의 연주 시차를 측정하는 데 성공하였다.
➡ 지구 공전의 가장 확실한 증거로, 현재는 태양 중심의 우주관이 확립되었다.

세 우주관에서 천체의 운동을 무엇으로 설명하였는지 비교해 볼까요?

구분	프톨레마이오스의 천동설	코페르니쿠스의 지동설	티코 브라헤의 절충설
모형	지구, 달, 수성, 금성, 태양, 화성, 목성, 토성	태양, 수성, 금성, 지구, 달, 화성, 목성, 토성	지구, 달, 태양, 수성, 금성, 목성, 화성, 토성
우주의 중심	지구	태양	지구
별의 일주 운동	항성구의 회전으로 설명	지구의 자전으로 설명	항성구의 회전으로 설명
별의 연주 운동	행성구의 회전으로 설명	지구의 공전으로 설명	행성구의 회전으로 설명
행성의 역행	주전원을 도입하여 설명	지구와 행성의 공전 속도 차이로 설명	행성과 태양의 공전 속도 차이로 설명
내행성의 최대 이각	내행성의 주전원 중심을 태양과 지구를 잇는 일직선상에 설정하여 설명	내행성이 지구의 공전 궤도 안에서 태양 주위를 공전하는 것으로 설명	내행성의 공전 궤도 반지름을 지구와 태양의 거리보다 작게 설정하여 설명
보름달 모양의 금성 위상	설명 불가능	지구-태양-금성 배열로 설명	지구-태양-금성 배열로 설명
별의 연주 시차	설명 불가능	지구 공전으로 설명	설명 불가능

🔍 확대경 우주관의 발전 순서

프톨레마이오스	코페르니쿠스	티코 브라헤	케플러
지구 중심설	태양 중심설	수정된 지구 중심설	케플러 법칙
모든 천체는 지구 주위를 회전한다.	지구를 비롯한 행성은 태양 주위를 회전한다.	지구를 제외한 행성은 태양 주위를 회전하며, 태양은 지구 주위를 회전한다.	행성의 타원 궤도 모양, 행성의 공전 속도의 변화, 행성의 공전 주기와 공전 궤도 긴반지름의 관계 설명

베셀	뉴턴	갈릴레이
태양 중심설의 증거 관측	만유인력 법칙, 운동 법칙	태양 중심설의 증거 발견
지구 공전의 확실한 증거인 별의 연주 시차 측정	태양 중심설에 바탕을 두고 케플러 법칙을 이론적으로 설명	목성의 위성 관측, 금성의 위상과 시지름 변화 관측

행성의 운동 법칙과 관련된 케플러 법칙은 Ⅲ-1-04. 케플러 법칙에서 자세히 배워요.

개념 확인 문제

정답친해 127쪽

핵심 체크

- 지구 중심설: 프톨레마이오스의 우주관으로, 행성의 역행을 설명하기 위해 (❶   )을 도입하였다.
  ➡ 행성의 역행, 내행성의 (❷   ) 설명 가능
- 태양 중심설: 코페르니쿠스의 우주관으로, 지구와 행성의 (❸   ) 차이로 행성의 역행을 설명한다.
  ➡ 행성의 역행, 내행성의 최대 이각, 금성의 보름달 모양 위상, 별의 (❹   ) 설명 가능
- 티코 브라헤의 수정된 지구 중심설: 달과 태양은 (❺   )를 중심으로, 지구를 제외한 행성은 (❻   )을 중심으로 공전한다. ➡ 행성의 역행, 내행성의 최대 이각, 금성의 보름달 모양 위상 설명 가능
- 태양 중심설의 관측적 증거: 달과 태양의 표면, 목성의 위성, (❼   )의 위상과 시지름 변화, 별의 연주 시차 관측

1 프톨레마이오스의 지구 중심설에 대한 설명으로 옳은 것은 ○, 옳지 <u>않은</u> 것은 ×로 표시하시오.

(1) 지구로부터 달, 태양, 수성, 금성 등의 순으로 배열된다.
 ·· (   )

(2) 달은 주전원 중심이 지구 주위를 공전한다. ··· (   )

(3) 수성의 최대 이각을 설명하기 위해 주전원 중심을 지구와 태양을 잇는 직선상에 둔다. ················· (   )

(4) 행성들은 천구상에서 일정한 속도로 이동한다. (   )

2 프톨레마이오스의 지구 중심설로 설명할 수 있는 현상만을 [보기]에서 있는 대로 고르시오.

┌─[보기]──────────────────────────┐
ㄱ. 행성의 역행   ㄴ. 별의 일주 운동
ㄷ. 별의 연주 시차   ㄹ. 금성의 최대 이각
ㅁ. 보름달에 가까운 금성의 위상
└─────────────────────────────┘

3 코페르니쿠스의 태양 중심설에 대한 설명으로 옳은 것은 ○, 옳지 <u>않은</u> 것은 ×로 표시하시오.

(1) 금성의 최대 이각을 주전원으로 설명한다. ···· (   )

(2) 행성의 역행은 지구와 행성의 공전 속도 차이로 설명한다. ·· (   )

(3) 갈릴레이가 관측한 금성의 위상 변화를 설명할 수 있다.
 ·· (   )

(4) 행성의 궤도를 타원 궤도로 제시하였다. ········· (   )

4 우주관에 대한 설명 중 (   ) 안에 알맞은 말을 고르시오.

┌─────────────────────────────┐
티코 브라헤가 주장한 태양계 모형에서 우주의 중심은 ㉠(지구, 태양)이고, ㉡(금성의 보름달 모양의 위상, 별의 연주 시차)를 설명할 수 없다.
└─────────────────────────────┘

대표 자료 분석

자료 ① 내행성과 외행성의 상대적 위치 관계

기출 Point
- 행성의 위치에 따른 관측 시각과 관측 방향 해석하기
- 행성의 공전에 따른 위치 변화 이해하기

[1~4] 그림은 지구, 금성, 화성의 상대적 위치 관계를 나타낸 것이다.

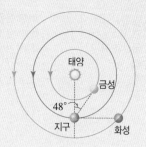

1 지구에 대한 금성과 화성의 상대적 위치 관계를 각각 쓰시오.

2 금성과 화성의 관측 시간과 방향을 쓰시오.

(1) 금성은 ㉠(   )에 ㉡(   ) 하늘에서 약 ㉢(   )시간 동안 관측된다.

(2) 화성은 ㉠(   )에 남중하고, 약 ㉡(   )시간 동안 관측된다.

3 다음날 지구에서 금성의 거리는 ㉠(멀어지고, 가까워지고) 지구에서 화성의 거리는 ㉡(멀어진다, 가까워진다).

4 빈출 선택지로 **완벽 정리!**

(1) 금성은 새벽에 서쪽 하늘에서 관측된다. ····· (○ / ×)

(2) 화성은 자정에 동쪽 하늘에서 관측된다. ····· (○ / ×)

(3) 금성은 상현달 모양으로 관측된다. ·········· (○ / ×)

(4) 이날 이후 금성의 시지름은 작아진다. ······· (○ / ×)

(5) 이날 이후 화성의 위치는 합에 가까워진다. (○ / ×)

자료 ② 외행성의 겉보기 운동

기출 Point
- 외행성의 겉보기 운동과 적경 변화 이해하기
- 외행성의 겉보기 운동으로 행성의 위치 유추하기

[1~5] 그림은 화성의 겉보기 운동을 나타낸 것이다.

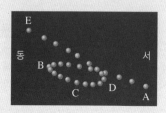

1 다음 구간에서 화성의 겉보기 운동을 쓰시오.

(1) A~B 구간: (   )   (2) B~D 구간: (   )

(3) D~E 구간: (   )

2 A~E 중 유가 나타나는 위치를 쓰시오.

3 다음 구간에서 화성의 적경 변화를 쓰시오.

(1) A~B 구간: (   )   (2) B~D 구간: (   )

(3) D~E 구간: (   )

4 B~D 구간일 때, 화성은 (합, 충, 동구, 서구) 부근에 위치한다.

5 빈출 선택지로 **완벽 정리!**

(1) A~B 기간 동안 화성은 역행한다. ··········· (○ / ×)

(2) B~D 기간 동안 화성의 적경은 감소한다. (○ / ×)

(3) 화성의 시지름이 가장 큰 시기는 E이다. ··· (○ / ×)

(4) E보다 C 시기에 화성이 오랫동안 관측된다. (○ / ×)

자료 ③ 내행성과 외행성의 적경과 겉보기 운동

기출 Point
• 수성과 화성의 적경으로 순행과 역행 판단하기
• 겉보기 운동, 밝기 등급, 적경으로 행성의 위치 관계 판단하기

[1~3] 표는 2016년 4월~7월 동안 관측한 수성, 화성의 적경과 겉보기 등급, 태양의 적경을 나타낸 것이다.

날짜 (월/일)	수성		화성		태양
	적경 (^{h} ^{m})	겉보기 등급	적경 (^{h} ^{m})	겉보기 등급	적경 (^{h} ^{m})
4/ 5	01 41	−1.3	16 25	−0.6	00 58
4/20	03 06	0.2	16 29	−1.1	01 53
4/30	03 22	2.6	16 25	−1.4	02 30
5/10	03 08	4.5	16 15	−1.7	03 09
5/25	02 52	1.8	15 54	−2.1	04 09
6/ 9	03 32	0.2	15 33	−1.9	05 10
6/19	04 28	−0.5	15 24	−1.7	05 52
6/29	05 48	−1.4	15 20	−1.5	06 33
7/ 9	07 22	−2.1	15 22	−1.2	07 25

1 수성과 화성이 역행하는 날짜 구간을 각각 쓰시오.

(1) 수성: (   )

(2) 화성: (   )

2 수성이 내합 부근에 위치할 때는 ㉠(   )이고, 화성이 충 부근에 위치할 때는 ㉡(   )이다.

3 빈출 선택지로 완벽 정리!

(1) 이 기간 동안 수성은 유가 2회 있었다. ……… (○ / ×)

(2) 5월 10일경 수성은 외합 부근에 있었다. … (○ / ×)

(3) 5월 25일경 지구에서 화성까지 거리가 가장 멀었다.
……………………………………………… (○ / ×)

(4) 화성을 가장 오래 관측할 수 있었던 날은 5월 25일경이다. ……………………………………… (○ / ×)

(5) 6월에 화성의 시지름은 증가하였다. ……… (○ / ×)

자료 ④ 지구 중심설과 태양 중심설 모형

기출 Point
• 지구 중심설과 태양 중심설 모형 이해하기
• 지구 중심설과 태양 중심설로 설명되는 현상 알기

[1~3] 그림 (가)~(다)는 서로 다른 우주관을 모식적으로 나타낸 것이다.

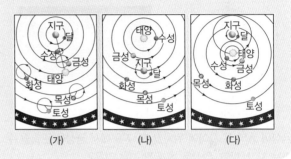

(가)   (나)   (다)

1 (가)~(다)의 우주관의 명칭을 각각 쓰시오.

2 다음 설명에 해당하는 것을 각각 (가)~(다) 중에서 있는 대로 쓰시오.

(1) 행성의 역행은 주전원으로 설명된다.

(2) 행성의 역행은 지구와 행성의 공전 속도 차이로 설명된다.

(3) 수성과 금성이 초저녁이나 새벽에만 관측되는 것이 설명된다.

(4) 지구 − 태양 − 금성의 순으로 배열되기도 한다.

3 빈출 선택지로 완벽 정리!

(1) 우주의 중심이 지구인 것은 (나)이다. ……… (○ / ×)

(2) (가)~(다)는 모두 수성의 최대 이각을 설명할 수 있다.
……………………………………………… (○ / ×)

(3) (나)에서는 보름달에 가까운 금성의 위상이 설명된다.
……………………………………………… (○ / ×)

(4) 별의 연주 시차는 (다)에서만 설명된다. … (○ / ×)

내신 만점 문제

A 행성의 겉보기 운동

01 그림 (가)는 금성과 지구의 상대적 위치를, (나)는 금성의 위상 변화 모습을 나타낸 것이다.

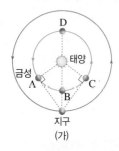

(가)

(나)

금성이 A와 B 사이에 위치할 때, 지구에서 금성을 관측할 수 있는 시기, 방향, 위상을 옳게 짝 지은 것은?

	관측 시기	관측 방향	위상
①	새벽	동쪽 하늘	a
②	새벽	서쪽 하늘	c
③	자정	남쪽 하늘	b
④	초저녁	동쪽 하늘	c
⑤	초저녁	서쪽 하늘	a

02 그림은 금성의 이각 변화를 나타낸 것이다.

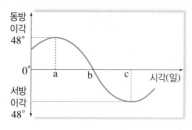

이에 대한 설명으로 옳은 것만을 [보기]에서 있는 대로 고른 것은?

[보기]
ㄱ. a일 때는 금성이 상현달 모양으로 관측된다.
ㄴ. b일 때는 금성이 천구상에서 순행한다.
ㄷ. b → c일 때에는 금성의 시지름이 점차 커진다.
ㄹ. c일 때는 해 뜨기 전에 약 3시간 동안 금성을 관측할 수 있다.

① ㄱ, ㄷ　　② ㄱ, ㄹ　　③ ㄴ, ㄷ
④ ㄱ, ㄴ, ㄹ　　⑤ ㄴ, ㄷ, ㄹ

서술형
03 며칠 동안 동쪽 하늘에서 같은 시각에 관측된 금성의 위치가 그림과 같을 때, P_1에서 P_2로 진행하는 동안 금성의 이각, 적경, 시지름의 변화를 서술하시오.

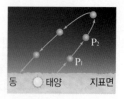

04 그림은 금성의 겉보기 운동을 나타낸 것이다.

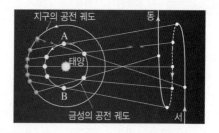

이에 대한 설명으로 옳은 것만을 [보기]에서 있는 대로 고른 것은?

[보기]
ㄱ. 금성은 내합 부근에서 역행한다.
ㄴ. A와 B에서 유가 관측된다.
ㄷ. A에서 B로 공전하는 동안 금성의 적경이 감소한다.

① ㄱ　　② ㄷ　　③ ㄱ, ㄴ
④ ㄴ, ㄷ　　⑤ ㄱ, ㄴ, ㄷ

05 그림은 지구, 금성, 화성의 상대적 위치 관계를 나타낸 것이다. 금성과 화성에서 공통적으로 나타나는 현상만을 [보기]에서 있는 대로 고른 것은?

[보기]
ㄱ. 시지름이 최대가 된다.
ㄴ. 겉보기 등급이 최소가 된다.
ㄷ. 배경 별자리에 대해 역행을 한다.
ㄹ. 관측할 수 있는 시간이 가장 짧다.

① ㄱ, ㄷ　　② ㄱ, ㄹ　　③ ㄴ, ㄹ
④ ㄱ, ㄴ, ㄷ　　⑤ ㄴ, ㄷ, ㄹ

06 그림은 천구상에서 목성의 이동 경로를 나타낸 것이다.

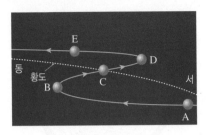

이에 대한 설명으로 옳지 <u>않은</u> 것은?

① A에서 B까지 순행한다.
② 합에서 C에 이르는 사이에 서구 위치를 통과하였다.
③ C에 있을 때 관측 가능 시간이 가장 길다.
④ C 부근에 있을 때 시지름이 가장 크다.
⑤ D~E에 있을 때 새벽에 관측된다.

07 그림은 화성의 겉보기 운동을 나타낸 것이다.

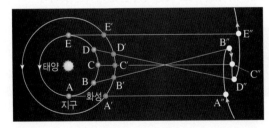

이에 대한 설명으로 옳은 것만을 [보기]에서 있는 대로 고른 것은?

[보기]
ㄱ. 화성은 충 부근에서 역행이 일어난다.
ㄴ. 화성이 서구에 있을 때는 배경 별자리에 대해 서에서 동으로 겉보기 운동한다.
ㄷ. 화성의 역행은 지구와 화성의 공전 속도 차이에 의해 일어난다.

① ㄱ
② ㄷ
③ ㄱ, ㄴ
④ ㄴ, ㄷ
⑤ ㄱ, ㄴ, ㄷ

08 표는 몇 개월 동안 관측한 화성의 적경을 나타낸 것이다.

날짜(월/일)	적경(^{h} ^{m})	날짜(월/일)	적경(^{h} ^{m})
2/20	13 44	4/21	12 57
3/ 2	13 46	5/ 1	12 45
3/12	13 44	5/11	12 37
3/22	13 37	5/21	12 34
4/ 1	13 25	5/31	12 36
4/11	13 11	6/10	12 43

이에 대한 설명으로 옳은 것만을 [보기]에서 있는 대로 고른 것은?

[보기]
ㄱ. 4월에 화성은 충 부근에 위치하였다.
ㄴ. 이 기간 동안 화성의 겉보기 운동은 1회의 유가 있었다.
ㄷ. 6월에는 화성이 배경 별자리에 대해 동에서 서로 겉보기 운동을 하였다.

① ㄱ
② ㄷ
③ ㄱ, ㄴ
④ ㄴ, ㄷ
⑤ ㄱ, ㄴ, ㄷ

09 그림은 어느 날 동쪽 하늘에서 관측된 수성, 화성의 모습을 나타낸 것이다.

이에 대한 설명으로 옳은 것만을 [보기]에서 있는 대로 고른 것은? (단, 이날 수성의 위상은 하현달 모양이었다.)

[보기]
ㄱ. 새벽에 관측한 모습이다.
ㄴ. 화성의 위상은 그믐달 모양이다.
ㄷ. 다음날 화성이 뜨는 시각은 빨라질 것이다.

① ㄱ
② ㄴ
③ ㄱ, ㄷ
④ ㄴ, ㄷ
⑤ ㄱ, ㄴ, ㄷ

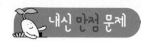

B 우주관의 변천

10 표는 행성의 역행과 내행성의 최대 이각에 대한 프톨레마이오스의 지구 중심설과 코페르니쿠스의 태양 중심설에 대한 설명을 비교한 것이다.

관측 현상	지구 중심설	태양 중심설
행성의 역행	(㉠)을(를) 이용하여 설명한다.	지구와 행성의 (㉡) 차이로 설명한다.
내행성의 최대 이각	(㉠)의 중심이 항상 태양과 지구를 잇는 일직선상에 있는 것으로 설명한다.	내행성이 지구보다 공전 궤도 반지름이 작은 것으로 설명한다.

㉠, ㉡에 해당하는 것을 옳게 짝 지은 것은?

<table>
<tr><td></td><td>㉠</td><td>㉡</td></tr>
<tr><td>①</td><td>주전원</td><td>공전 속도</td></tr>
<tr><td>②</td><td>주전원</td><td>자전 속도</td></tr>
<tr><td>③</td><td>공전 궤도</td><td>공전 속도</td></tr>
<tr><td>④</td><td>공전 궤도</td><td>공전 궤도의 이심률</td></tr>
<tr><td>⑤</td><td>타원 궤도</td><td>공전 궤도의 이심률</td></tr>
</table>

11 다음은 프톨레마이오스의 지구 중심설에 대한 설명을 바탕으로 민수가 그린 태양계 모형이다.

지구가 우주의 중심에 있고, 달이 지구 주위를 원궤도로 돌며, 그 바깥에는 행성들과 항성구가 돈다. 행성의 역행은 공전 궤도를 따라 도는 작은 원인 주전원 위에 행성을 운행시켜 설명하였고, 최대 이각은 수성과 금성의 주전원 중심을 태양과 지구를 연결한 선 위에 고정시켜 설명하였다.

그림에서 프톨레마이오스의 우주론과 일치하게 그린 천체들만을 옳게 짝 지은 것은?

① 달, 화성, 목성　　② 달, 수성, 토성
③ 달, 수성, 금성, 토성　　④ 수성, 금성, 태양, 화성
⑤ 금성, 태양, 목성, 토성

12 그림은 프톨레마이오스의 우주관을 나타낸 것이다.

이에 대한 설명으로 옳지 <u>않은</u> 것은?

① 달과 태양은 역행하지 않는다.
② 수성은 자정 무렵에는 볼 수 없다.
③ 금성은 남쪽 하늘에서는 보이지 않는다.
④ 금성의 겉보기 밝기는 변한다.
⑤ 모든 천체들은 지구를 중심으로 하루에 한 바퀴씩 서에서 동으로 회전한다.

13 그림 (가)는 일정 기간 동안 관측한 화성의 겉보기 운동을, (나)와 (다)는 서로 다른 우주관을 나타낸 것이다.

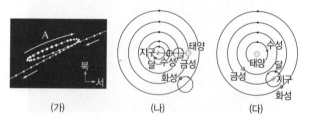

(가)　　(나)　　(다)

A 방향의 겉보기 운동에 대한 설명으로 옳은 것만을 [보기]에서 있는 대로 고른 것은?

[보기]
ㄱ. 천체가 역행하는 모습이다.
ㄴ. (나)에서는 이심원으로 설명할 수 있다.
ㄷ. (다)에서는 지구와 화성의 공전 속도 차이로 설명할 수 있다.

① ㄱ　　② ㄴ　　③ ㄱ, ㄷ
④ ㄴ, ㄷ　　⑤ ㄱ, ㄴ, ㄷ

14 그림은 서로 다른 우주관을 나타낸 것이다.

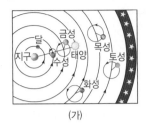 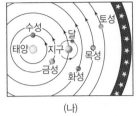

(가)   (나)

이에 대한 설명으로 옳은 것만을 [보기]에서 있는 대로 고른 것은?

[보기]
ㄱ. (가)에서는 행성의 역행을 설명하기 위해 주전원을 도입하였다.
ㄴ. 내행성의 최대 이각은 (나)에서만 설명된다.
ㄷ. 보름달 모양에 가까운 금성의 위상은 (가)와 (나)에서 모두 설명된다.

① ㄱ   ② ㄷ   ③ ㄱ, ㄴ
④ ㄴ, ㄷ   ⑤ ㄱ, ㄴ, ㄷ

15 그림 (가)와 (나)는 서로 다른 우주관에서 금성의 운동을 나타낸 것이다.

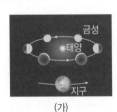 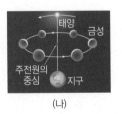

(가)   (나)

이에 대한 설명으로 옳은 것만을 [보기]에서 있는 대로 고른 것은?

[보기]
ㄱ. (가)와 (나)에서는 모두 보름달 모양의 금성이 관측된다.
ㄴ. (가)와 (나)에서는 모두 금성의 역행이 일어난다.
ㄷ. (나)에서 금성의 주전원 중심을 태양과 지구를 잇는 직선상에 둔 것은 최대 이각을 설명하기 위해서이다.

① ㄱ   ② ㄷ   ③ ㄱ, ㄴ
④ ㄴ, ㄷ   ⑤ ㄱ, ㄴ, ㄷ

16 그림 (가)는 티코 브라헤의 우주관을, (나)는 (가)에서 시간에 따른 지구와 금성 사이의 거리 변화를 나타낸 것이다.

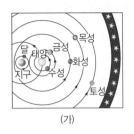 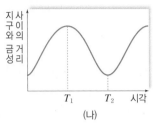

(가)   (나)

이에 대한 설명으로 옳은 것만을 [보기]에서 있는 대로 고른 것은?

[보기]
ㄱ. (가)의 우주관으로 실제 금성의 위상 변화를 설명할 수 있다.
ㄴ. (가)의 우주관으로 별의 연주 시차를 설명할 수 있다.
ㄷ. (나)의 $T_1 \rightarrow T_2$ 동안 금성의 시지름은 증가한다.

① ㄱ   ② ㄴ   ③ ㄱ, ㄷ
④ ㄴ, ㄷ   ⑤ ㄱ, ㄴ, ㄷ

17 태양 중심설의 관측적 증거에 해당하는 것만을 [보기]에서 있는 대로 고른 것은?

[보기]
ㄱ. 태양의 일주 운동   ㄴ. 목성의 위성
ㄷ. 금성의 위상 변화   ㄹ. 별의 연주 시차

① ㄱ, ㄷ   ② ㄱ, ㄹ   ③ ㄴ, ㄷ
④ ㄱ, ㄴ, ㄹ   ⑤ ㄴ, ㄷ, ㄹ

18 (서술형) 다음은 갈릴레이가 관측한 행성의 위상 변화를 그림으로 나타낸 것이다.

이 행성이 내행성인지 외행성인지 쓰고, 그렇게 판단한 까닭을 서술하시오.

03 행성의 공전 주기와 궤도 반지름

핵심
포인트
Ⓐ 행성의 공전 주기와 회합 주기의 관계 ★★★
태양계 행성의 공전 주기와 회합 주기 ★★★

Ⓑ 내행성의 공전 궤도 반지름 작도 ★★
외행성의 공전 궤도 반지름 작도 ★★★

Ⓐ 행성의 공전 주기와 회합 주기

1. 공전 주기 행성이 태양 둘레를 한 바퀴 도는 데 걸리는 시간

(1) 태양으로부터 거리가 먼 행성일수록 공전 궤도 반지름이 크고, 공전 주기가 길다.

(2) 행성의 공전 주기를 구하는 방법: *지구의 공전 주기와 행성의 ❶회합 주기로 구한다.
　　　　　　　　　　　　　　 └─● 행성의 공전 주기보다 상대적으로 관측하기 쉽다.

2. 회합 주기 내행성이 내합(또는 외합)에서 다음 내합(또는 외합), 외행성이 합(또는 충)에서 다음 합(또는 충)이 될 때까지 걸리는 시간 → 태양, 지구에 대한 행성의 상대적 위치가 반복되는 주기이다.

(1) *공전 주기와 회합 주기의 관계
　　　　　　　　　　　●─ 공전 각속도가 일정하다는 것을 의미한다.

① 가정: 지구와 행성들의 공전 궤도는 원궤도이고, 각 공전 궤도는 같은 평면에 있다.

② 관계식 유도: 행성의 공전 주기를 P, 지구의 공전 주기를 E라고 할 때, 행성이 하루 동안 이동한 각도는 $\frac{360°}{P}$이고, 지구가 하루 동안 이동한 각도는 $\frac{360°}{E}$이다.

내행성의 회합 주기	외행성의 회합 주기
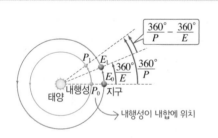 내행성이 내합에 위치	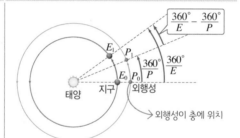 외행성이 충에 위치
• 내행성은 지구보다 공전 속도가 빠르므로 하루 동안 $\left(\frac{360°}{P}-\frac{360°}{E}\right)$ 만큼 더 이동한다.	• 지구는 외행성보다 공전 속도가 빠르므로 하루 동안 $\left(\frac{360°}{E}-\frac{360°}{P}\right)$ 만큼 더 이동한다.
• 내합에서 시작하여 이 각도 차이가 360°가 되면 내행성이 지구를 따라 잡아 다시 내합이 되고, 이때 걸린 시간이 회합 주기(S)이다.	• 충에서 시작하여 이 각도 차이가 360°가 되면 지구가 외행성을 따라 잡아 다시 충이 되고, 이때 걸린 시간이 회합 주기(S)이다.
$\left(\frac{360°}{P}-\frac{360°}{E}\right)\times S=360°$ ➡ $\frac{1}{S}=\frac{1}{P}-\frac{1}{E}$	$\left(\frac{360°}{E}-\frac{360°}{P}\right)\times S=360°$ ➡ $\frac{1}{S}=\frac{1}{E}-\frac{1}{P}$

(2) **태양계 행성의 회합 주기**: 지구에 가까운 행성일수록 회합 주기가 길다. ➡ 행성과 지구의 공전 속도 차이가 작아지기 때문이다.

① 내행성: 수성보다 금성의 회합 주기가 더 길다.

② 외행성: 지구에서 멀어질수록 회합 주기가 짧아져 지구의 공전 주기(1년)에 가까워진다.

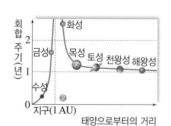
❶ 태양계 행성의 회합 주기

★ **행성의 공전 주기를 직접 관측하기 어려운 까닭**
행성이 공전하는 동안 지구도 공전하기 때문이다.

★ **행성의 공전 주기와 회합 주기가 다른 까닭**
지구와 행성의 공전 속도가 다르기 때문이다.

암기해

회합 주기 관계식
회합 주기(S) 역수=공전 속도가 빠른 행성의 공전 주기 역수—공전 속도가 느린 행성의 공전 주기 역수
• **내행성**: 행성(P), 지구(E)
$$\frac{1}{S}=\frac{1}{P}-\frac{1}{E}$$
• **외행성**: 지구(E), 행성(P)
$$\frac{1}{S}=\frac{1}{E}-\frac{1}{P}$$

주의해

회합 주기 관계식의 적용
천체의 공전 궤도가 매우 찌그러진 타원 궤도인 경우에는 원궤도를 가정하고 유도한 회합 주기 공식이 성립하지 않는다.

용어

❶ **회합**(會 모이다, 合 만난다) **주기** 두 행성이 처음 위치에서 공전하여 다시 같은 위치로 돌아오는 데 걸리는 시간

❷ **AU**(astronomical unit) 천문학에서 사용하는 거리의 단위로, 1 AU는 태양에서 지구까지의 평균 거리(약 1억 5000만 km)

③ 태양계 행성의 공전 주기와 회합 주기

행성	수성	금성	지구	화성	목성	토성	천왕성	해왕성
공전 주기(일)	88 (0.24년)	225 (0.62년)	365 (1년)	687 (1.88년)	4333 (11.86년)	10759 (29.46년)	30685 (84.02년)	60189 (164.78년)
회합 주기(일)	116	584	—	780	399	378	370	367

└─● 어느 날 자정에 화성이 남중했다면(충) 다음에 화성이 자정에 남중하는 시기는 약 780일 후이다.

Ⓑ 행성의 공전 궤도 반지름

1. 내행성의 공전 궤도 반지름
내행성의 최대 이각을 관측하여 구할 수 있다.

(1) **관측 자료**: 내행성의 최대 이각

(2) **가정**: *지구와 행성의 공전 궤도를 원궤도로 가정한다.

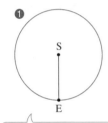 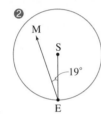 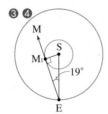

관측 자료
지구(E)에서 수성의 동방 최대 이각: 19°

❶ 지구의 공전 궤도 반지름($\overline{SE}$) 1 AU를 10 cm로 하고, 태양(S)을 중심으로 하여 원을 그린다.
❷ 지구 공전 궤도상의 한 지점(E)에서 태양과 이루는 각도가 19°인 직선(M)을 그린다.
❸ 최대 이각을 연장한 직선 위에 태양으로부터 수선을 그어 수성의 위치(M_1)를 표시한다.
❹ 태양에서 수성까지의 거리($\overline{SM_1}$)가 수성의 공전 궤도 반지름이 되므로, 자로 길이를 잰다.
❺ *비례식을 세워 공전 궤도 반지름을 구한다. ➡ 10 cm : 1 AU = 측정한 반지름 : 수성의 실제 공전 궤도 반지름

2. 외행성의 공전 궤도 반지름
지구에서 관측한 태양과 외행성의 상대적 위치, 외행성의 공전 주기를 이용하여 구한다.

(1) **관측 자료**: 처음 관측한 날과 행성의 공전 주기만큼 지난 날 행성의 이각

(2) **가정**: 지구와 행성의 공전 궤도를 원궤도로 가정한다.

 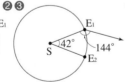 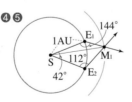

관측 자료
• 태양-지구(E_1)-화성이 이루는 각도: 144°
• 687일 후 태양-지구(E_2)-화성이 이루는 각도: 112°

❶ 지구의 공전 궤도 반지름($\overline{SE_1}$) 1 AU를 10 cm로 하고, 태양(S)을 중심으로 하여 원을 그린다.
❷ 지구 공전 궤도상의 한 지점(E_1)에서 태양과 이루는 각도가 144°인 직선을 그린다.
❸ 태양을 중심으로 E_1과 이루는 각도가 *42°가 되도록 지구 공전 궤도상에 E_2를 표시한다.
❹ E_2에서 태양과 112°를 이루는 직선을 그리고, 두 직선이 만나는 곳에 화성의 위치(M_1)를 표시한다.
❺ 태양에서 화성까지의 거리($\overline{SM_1}$)가 화성의 공전 궤도 반지름이 되므로, 자로 길이를 잰다.
❻ 비례식을 세워 공전 궤도 반지름을 구한다. ➡ 10 cm : 1 AU = 측정한 반지름 : 화성의 실제 공전 궤도 반지름

3. 행성의 공전 궤도
실제로 행성의 공전 궤도는 원궤도가 아닌 타원 궤도이므로 행성의 최대 이각이나 공전 궤도 반지름이 일정하지 않다.

★ **내행성의 공전 궤도를 원궤도로 가정하지 않을 경우에 공전 궤도 반지름 구하는 방법**
여러 관측 자료로 행성의 위치를 결정하여 이으면 공전 궤도가 그려지므로 그려진 공전 궤도의 반지름의 길이를 잰다.

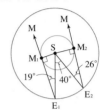

예 수성이 다음 최대 이각이 될 때, 지구가 이동한 각도(40°)와 다음 최대 이각(26°)으로 수성의 위치(M_2)를 나타낼 수 있다.

★ **내행성의 공전 궤도 반지름**
공전 궤도를 원궤도로 가정할 경우에는 내행성의 최대 이각과 삼각 함수로 공전 궤도 반지름을 계산할 수 있다.
예 금성의 최대 이각이 48°일 때, 공전 궤도 반지름은 1 AU × sin48°이다.

★ **지구의 위치 E_1, E_2 사이의 각도가 42°인 까닭**
화성의 공전 주기가 687일이기 때문에 화성이 한 바퀴 공전하는 동안 지구가 공전한 각도는 $\frac{687일}{365일} \times 360° ≒ 678°$이다. 이것은 지구가 2번 공전한 각도(360° × 2 = 720°)에서 42°를 덜 공전한 값이다.

개념 확인 문제

정답친해 133쪽

핵심
체크

- 행성의 (❶   ): 행성이 태양 둘레를 한 바퀴 도는 데 걸리는 시간
- 행성의 (❷   ): 태양, 지구에 대한 행성의 상대적 위치가 반복되는 주기
  - 공전 주기와 회합 주기의 관계식(S: 회합 주기, P: 행성의 공전 주기, E: 지구의 공전 주기)
    ➡ 내행성: (❸   ), 외행성: (❹   )
  - 태양계 행성의 회합 주기: 행성과 지구의 공전 속도 차이가 (❺   ) 행성의 외합 주기가 길어진다.
    ➡ 외행성의 회합 주기는 지구에서 멀어질수록 감소하여 (❻   )년에 가까워진다.
- 행성의 공전 궤도 반지름
  - 내행성: 내행성의 (❼   )을 관측하여 구할 수 있다.
  - 외행성: 지구에서 관측한 태양과 외행성의 상대적 위치, 외행성의 (❽   )를 이용하여 구할 수 있다.

1 행성의 공전 주기를 구하는 방법에 대한 설명 중 (   ) 안에 알맞은 말을 쓰시오.

> 행성이 공전하는 동안 지구도 ㉠(   )하기 때문에 지구에서 행성의 공전 주기를 직접 측정하는 것은 어렵다. 따라서 상대적으로 관측하기 쉬운 행성의 ㉡(   )로 공전 주기를 구한다.

2 공전 주기가 687일인 어떤 행성의 위치가 그림 (가)에서 (나)와 같이 되는 데 390일이 걸렸다면, 이 행성의 회합 주기는 몇 일인지 구하시오.

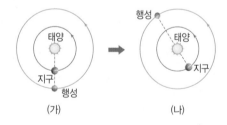

(가)   (나)

3 행성의 공전 주기와 회합 주기의 관계에 대한 설명 중 (   ) 안에 알맞은 말을 고르시오.

(1) 내행성은 공전 주기가 길수록 회합 주기가 (짧아진다, 길어진다).

(2) 외행성은 공전 주기가 길수록 회합 주기가 (짧아진다, 길어진다).

4 행성의 공전 주기 또는 회합 주기를 구하시오. (단, 소수점 셋째자리에서 반올림하시오.)

(1) 금성의 회합 주기가 1.6년일 때 금성의 공전 주기

(2) 충에서 다음 충이 될 때까지 2년이 걸린 행성의 공전 주기

(3) 수성의 공전 주기가 0.24년일 때, 수성이 내합에서 다음 내합이 될 때까지 걸리는 시간

5 태양계 행성의 회합 주기에 대한 설명으로 옳은 것은 ○, 옳지 않은 것은 ×로 표시하시오.

(1) 태양으로부터 멀리 있는 행성일수록 회합 주기가 길다. .... (   )

(2) 지구와 행성의 공전 속도 차이가 작을수록 회합 주기는 짧아진다. .... (   )

(3) 외행성은 지구로부터 거리가 멀수록 회합 주기가 1년에 가까워진다. .... (   )

6 행성의 공전 궤도 반지름에 대한 설명으로 옳은 것은 ○, 옳지 않은 것은 ×로 표시하시오.

(1) 겉보기 운동 자료를 이용하여 금성과 목성의 공전 궤도 반지름을 구할 수 있다. .... (   )

(2) 내행성은 원궤도로 공전하므로 최대 이각이 항상 일정하다. .... (   )

대표 자료 분석

자료 ① 행성의 공전 주기와 회합 주기의 관계

기출 Point
· 내행성과 외행성의 회합 주기 특징 알기
· 행성의 공전 주기와 회합 주기의 관계 이해하기

[1~3] 그림은 지구에 대한 태양계 행성들의 회합 주기를, 표는 공전 주기를 나타낸 것이다.

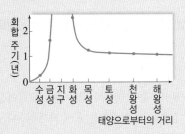

행성	수성	금성	지구	화성
공전 주기	0.24년	0.62년	1년	1.88년
행성	목성	토성	천왕성	해왕성
공전 주기	11.86년	29.46년	84.02년	164.78년

1 태양으로부터 거리가 멀어질수록 내행성의 회합 주기는 ㉠( )지고, 외행성의 회합 주기는 ㉡( )진다.

2 회합 주기가 지구의 공전 주기와 가장 비슷한 행성은?

① 수성　　　② 금성　　　③ 화성
④ 토성　　　⑤ 해왕성

3 빈출 선택지로 완벽 정리!

(1) 태양으로부터 거리가 멀수록 행성의 공전 주기가 길다. ······ (○ / ×)
(2) 행성의 공전 주기가 길수록 회합 주기가 길어진다. ······ (○ / ×)
(3) 지구에 가까운 행성일수록 회합 주기가 짧아진다. ······ (○ / ×)
(4) 해왕성보다 멀리 있는 태양계 소천체는 지구와의 회합 주기가 약 1년일 것이다. ······ (○ / ×)

자료 ② 행성의 공전 궤도 반지름 작도

기출 Point
· 행성의 공전 궤도 작도 과정 이해하기
· 행성의 공전 궤도 반지름 구하기

[1~3] 다음은 화성의 공전 궤도 반지름을 구하는 과정을 나타낸 것이다.

[화성의 겉보기 관측 자료]

관측일	지구의 위치	태양-지구-화성이 이루는 각
2014년 5월 26일	E_1	125°
2016년 4월 12일	E_2	226°

[실험 과정]

지구의 공전 궤도 반지름을 10 cm로 그리고, 표의 자료를 이용하여 화성의 위치 M을 결정하여 화성의 공전 궤도 반지름을 구한다.

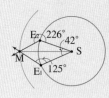

1 E_1에서 E_2까지의 시간 간격은 687일로, 화성의 ( )에 해당한다.

2 $\angle E_1SE_2$가 42°가 되는 까닭을 쓰시오.

3 빈출 선택지로 완벽 정리!

(1) 행성의 공전 궤도는 원이라고 가정한다. ····· (○ / ×)
(2) 화성의 공전 궤도 반지름은 화성의 공전 주기를 이용하여 구할 수 있다. ····· (○ / ×)
(3) E_1과 E_2 사이의 시간 간격은 화성의 회합 주기에 해당한다. ····· (○ / ×)
(4) $\overline{SE_1}$의 길이는 실제 1 AU를 나타낸다. ····· (○ / ×)
(5) 화성의 공전 궤도 반지름은 '1 AU : 10 cm = 화성의 공전 궤도 반지름 : $\overline{SM}$의 길이'로 구한다. ····· (○ / ×)

내신 만점 문제

A 행성의 공전 주기와 회합 주기

01 행성의 공전 주기와 회합 주기에 대한 설명으로 옳지 않은 것은?

① 회합 주기는 행성이 태양 주위를 한 바퀴 도는 데 걸리는 시간이다.
② 행성의 공전 주기는 회합 주기에 비해 측정하기 어렵다.
③ 행성의 회합 주기를 이용하여 공전 주기를 구할 수 있다.
④ 수성은 금성보다 공전 주기와 회합 주기가 짧다.
⑤ 지구에서 관측한 금성의 회합 주기가 584일이라면, 금성에서 관측한 지구의 회합 주기는 584일이다.

02 그림은 내행성의 상대적 위치를 나타낸 것이다.

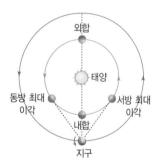

내행성이 내합에서 외합의 위치로 이동하는 데 걸린 시간(A)을 계산하는 식으로 옳은 것은? (단, P는 내행성의 공전 주기, E는 지구의 공전 주기이다.)

① $\left(\dfrac{360°}{E}-\dfrac{360°}{P}\right)\times A=90°$

② $\left(\dfrac{360°}{E}-\dfrac{360°}{P}\right)\times A=180°$

③ $\left(\dfrac{360°}{E}-\dfrac{360°}{P}\right)\times A=360°$

④ $\left(\dfrac{360°}{P}-\dfrac{360°}{E}\right)\times A=180°$

⑤ $\left(\dfrac{360°}{P}-\dfrac{360°}{E}\right)\times A=360°$

03 그림은 지구와 외행성이 각각 하루 동안 공전한 각도를, 표는 지구와 외행성의 공전 주기를 나타낸 것이다.

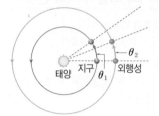

구분	공전 주기
지구	E
외행성	P

이에 대한 설명으로 옳은 것만을 [보기]에서 있는 대로 고른 것은?

[보기]
ㄱ. θ_1은 $\dfrac{360°}{E}$ 이다.
ㄴ. $(\theta_1-\theta_2)$의 값이 클수록 회합 주기는 길어진다.
ㄷ. P가 길수록 회합 주기는 E에 가까워진다.

① ㄱ
② ㄴ
③ ㄱ, ㄷ
④ ㄴ, ㄷ
⑤ ㄱ, ㄴ, ㄷ

서술형

04 그림은 태양과 금성이 서쪽 지평선으로 지는 시각을 매월 조사하여 그래프로 나타낸 것이다.

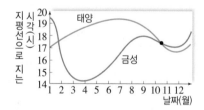

대략적인 금성의 회합 주기를 구하고, 그 근거를 금성의 상대적 위치 관계를 포함하여 서술하시오.

05 어떤 행성이 충에서 다음 충까지 되는 데 $\dfrac{28}{27}$년이 걸렸다. 이 행성의 공전 주기는?

① $\dfrac{27}{28}$년
② 1년
③ $\dfrac{28}{27}$년
④ 27년
⑤ 28년

06 다음은 행성 A, B를 관측한 내용이다.

- 행성 A를 초저녁에 관측하였더니 위상이 초승달 모양
  이었고, 회합 주기는 1.5년이었다.
- 행성 B를 자정에 관측하였더니 위상이 보름달 모양이
  었고, 회합 주기는 2년이었다.

이에 대한 설명으로 옳은 것만을 [보기]에서 있는 대로 고른 것은?

┌─[보기]─────────────────────────────┐
│ ㄱ. 행성 A는 외행성, 행성 B는 내행성이다.   │
│ ㄴ. 행성 A의 공전 주기는 0.6년이다.   │
│ ㄷ. 행성 A와 행성 B의 공전 주기 차이는 0.5년이다.   │
└────────────────────────────────────┘

① ㄱ   ② ㄴ   ③ ㄱ, ㄷ
④ ㄴ, ㄷ   ⑤ ㄱ, ㄴ, ㄷ

07 그림은 태양으로부터의 거리에 따른 행성의 회합 주기를 나타낸 것이다.

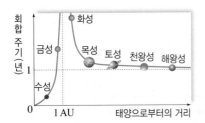

이에 대한 설명으로 옳은 것만을 [보기]에서 있는 대로 고른 것은?

┌─[보기]─────────────────────────────┐
│ ㄱ. 외행성은 지구에 가까울수록 회합 주기가 길다.   │
│ ㄴ. 지구로부터 무한히 멀리 있는 가상의 행성은 회합 주 │
│   기가 1년보다 짧다.   │
│ ㄷ. 금성에서 관측한 수성의 회합 주기는 지구에서 관측 │
│   한 수성의 회합 주기보다 짧다.   │
└────────────────────────────────────┘

① ㄱ   ② ㄴ   ③ ㄱ, ㄷ
④ ㄴ, ㄷ   ⑤ ㄱ, ㄴ, ㄷ

서술형
08 지구에 가까운 태양계 행성일수록 회합 주기가 길어지는 까닭을 행성의 공전 속도를 이용하여 서술하시오.

09 그림은 행성의 공전 궤도 반지름과 공전 주기를 나타낸 것이다.

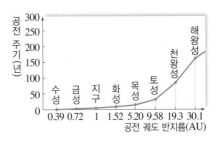

이에 대한 설명으로 옳은 것만을 [보기]에서 있는 대로 고른 것은? (단, 행성의 공전 궤도는 원이라고 가정한다.)

┌─[보기]─────────────────────────────┐
│ ㄱ. 행성의 공전 궤도 반지름이 클수록 공전 주기는 길어 │
│   진다.   │
│ ㄴ. 지구로부터 멀리 있는 외행성일수록 회합 주기는 길 │
│   어진다.   │
│ ㄷ. 지구와 천왕성의 회합 주기는 10년이다.   │
└────────────────────────────────────┘

① ㄱ   ② ㄴ   ③ ㄱ, ㄷ
④ ㄴ, ㄷ   ⑤ ㄱ, ㄴ, ㄷ

10 표는 태양계에서 지구보다 바깥쪽 궤도를 공전하는 가상의 두 행성 A와 B의 회합 주기를 나타낸 것이다.

행성	회합 주기
A	430일
B	572일

이에 대한 설명으로 옳은 것은? (단, 행성의 공전 궤도는 원이라고 가정한다.)

① 질량은 행성 A가 B보다 크다.
② 크기는 행성 B가 A보다 크다.
③ 자전 주기는 행성 B가 A보다 길다.
④ 공전 주기는 행성 B가 A보다 길다.
⑤ 공전 궤도 반지름은 행성 A가 B보다 크다.

11 표는 외행성과 지구의 회합 주기를 나타낸 것이다.

행성	A	B	C	D
회합 주기(년)	1.090	1.014	2.140	1.036

이에 대한 설명으로 옳은 것만을 [보기]에서 있는 대로 고른 것은? (단, 지구의 공전 주기는 1년이다.)

[보기]
ㄱ. 공전 궤도 반지름이 가장 긴 행성은 B이다.
ㄴ. 공전 속도는 행성 A가 D보다 느리다.
ㄷ. 행성 C의 공전 주기는 2.140년보다 길다.

① ㄱ　　　　② ㄴ　　　　③ ㄱ, ㄴ
④ ㄴ, ㄷ　　　⑤ ㄱ, ㄴ, ㄷ

12 표는 어느 해 1월부터 9월까지 주요 행성의 위치 관계를 나타낸 것이다.

날짜	수성	금성	목성	천왕성
1월 15일		동방 최대 이각		
1월 21일	내합			
1월 24일			합	
2월 14일	서방 최대 이각			
3월 13일				합
3월 28일		내합		
3월 31일	외합			
4월 26일	동방 최대 이각			
5월 18일	내합			
6월 6일		서방 최대 이각		
6월 13일	서방 최대 이각			
7월 14일	외합			
8월 15일			충	
9월 17일				충

이에 대한 설명으로 옳은 것만을 [보기]에서 있는 대로 고른 것은?

[보기]
ㄱ. 6월 10일경 수성과 금성은 새벽에 관측된다.
ㄴ. 이 기간 중 4개 행성은 모두 역행한 적이 있다.
ㄷ. 4개 행성 중 회합 주기는 수성이 가장 길다.

① ㄱ　　　　② ㄷ　　　　③ ㄱ, ㄴ
④ ㄴ, ㄷ　　　⑤ ㄱ, ㄴ, ㄷ

13 그림은 2014년~2016년 동안 금성과 화성의 겉보기 등급 변화를 나타낸 것이다.

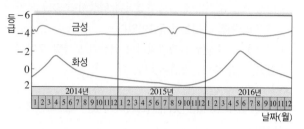

이에 대한 설명으로 옳은 것만을 [보기]에서 있는 대로 고른 것은?

[보기]
ㄱ. 2015년 8월 금성은 내합 부근에 위치한다.
ㄴ. 금성의 공전 주기는 약 1년 7개월이다.
ㄷ. 2016년 5월 말에 화성은 충 부근에 위치한다.
ㄹ. 화성은 금성보다 회합 주기가 길다.

① ㄱ, ㄷ　　　② ㄴ, ㄷ　　　③ ㄴ, ㄹ
④ ㄱ, ㄴ, ㄹ　　⑤ ㄱ, ㄷ, ㄹ

14 그림 (가)는 어느 날 금성과 화성의 위치를, (나)는 태양계 행성의 회합 주기를 나타낸 것이다.

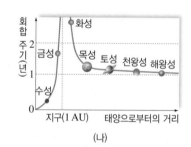

앞으로 2년 동안 나타날 수 있는 현상으로 옳은 것만을 [보기]에서 있는 대로 고른 것은?

[보기]
ㄱ. 금성이 내합에 위치한다.
ㄴ. 화성이 동구에 위치한다.
ㄷ. 세 행성이 다시 현재와 같은 위치 관계가 된다.

① ㄱ　　　　② ㄷ　　　　③ ㄱ, ㄴ
④ ㄴ, ㄷ　　　⑤ ㄱ, ㄴ, ㄷ

B 행성의 공전 궤도 반지름

15 그림은 어느 날의 수성의 겉보기 운동 자료로 수성의 공전 궤도를 작도하여 공전 궤도 반지름을 구하는 과정을 나타낸 것이다. 이에 대한 설명으로 옳지 않은 것은? (단, 태양에서 지구까지의 거리는 1 AU이다.)

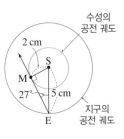

① 이용한 관측 자료는 수성의 최대 이각이다.
② 지구의 공전 궤도는 원으로 가정하였다.
③ 수성의 공전 궤도 반지름은 $\overline{\text{EM}}$에 해당한다.
④ 수성의 공전 궤도 반지름을 구하면 0.4 AU이다.
⑤ 실제로 관측되는 ∠SEM은 일정하지 않다.

16 다음은 화성의 공전 궤도를 그리는 과정이다.

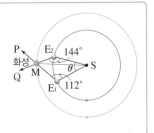

(가) 반지름이 5 cm인 원으로 지구의 공전 궤도를 그리고, 중심에는 태양(S)을 표시하고, 궤도 위에는 지구(E_1)를 표시한다.

(나) E_1에서 화성은 태양의 동쪽으로 112° 떨어진 P 방향에 있다.

(다) 687일 후, 화성은 태양 주위를 한 바퀴 돌고 지구는 E_2에 위치한다. E_2에서 화성은 태양의 서쪽으로 144° 떨어진 Q 방향에 있다.

(라) P 방향과 Q 방향의 교점이 화성의 위치(M)이다.

(마) $\overline{\text{SM}}$을 반지름으로 하는 원을 그린다.

이에 대한 설명으로 옳은 것만을 [보기]에서 있는 대로 고른 것은? (단, 행성의 공전 궤도는 원이라고 가정한다.)

┌─[보기]──────────────────────────
│ ㄱ. 687일은 화성의 회합 주기이다.
│ ㄴ. 태양과 E_1, E_2가 이루는 각(θ)은 약 42°이다.
│ ㄷ. 이 과정으로 화성의 공전 궤도 반지름을 구할 수 있다.
└────────────────────────────────

① ㄱ   ② ㄷ   ③ ㄱ, ㄴ
④ ㄴ, ㄷ   ⑤ ㄱ, ㄴ, ㄷ

17 ^{서술형} 그림은 어느 날 태양이 뜨기 직전 동쪽 하늘에서 금성을 관측한 모습이다. 금성의 위상은 하현달 모양이었고, 금성과 태양 사이의 각거리는 45°였다.

금성의 공전 궤도 반지름은 몇 AU인지 삼각 함수를 이용하여 식을 세워 계산하시오. (단, 행성의 공전 궤도는 원이라고 가정하며, 지구의 공전 궤도 반지름은 1 AU이다.)

18 그림은 2006년~2008년에 지구에서 화성을 관측하여 알아낸 지구로부터의 거리를 나타낸 것이다.

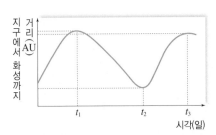

이에 대한 설명으로 옳은 것만을 [보기]에서 있는 대로 고른 것은?

┌─[보기]──────────────────────────
│ ㄱ. $(t_3 - t_1)$은 화성의 공전 주기에 해당한다.
│ ㄴ. t_2일 때 화성은 역행을 한다.
│ ㄷ. t_1과 t_3에서 지구로부터의 거리가 다른 것은 두 행성의 공전 궤도가 원이 아니기 때문이다.
└────────────────────────────────

① ㄱ   ② ㄷ   ③ ㄱ, ㄴ
④ ㄴ, ㄷ   ⑤ ㄱ, ㄴ, ㄷ

04 케플러 법칙

| 핵심 포인트 | Ⓐ 타원 궤도 법칙과 타원의 성질 ★★★
행성의 공전 궤도 이심률 ★★★ | Ⓑ 면적 속도 일정 법칙 ★★
근일점과 원일점에서 행성의 공전 속도 ★★★ | Ⓒ 공전 주기와 궤도 긴반지름의 관계 ★★★
케플러 제3법칙의 응용 ★★ |

Ⓐ 케플러 제1법칙

17세기 초 당대 최고의 천문학자였던 티코 브라헤는 방대한 관측 자료를 제자인 케플러에게 남겼고, 케플러는 이 자료를 분석하여 행성의 운동에 관한 3가지 경험 법칙을 발표했습니다. 그럼, 케플러가 발표한 법칙은 어떤 내용인지 자세히 알아볼까요?

1. 케플러 제1법칙(타원 궤도 법칙) 행성은 태양을 하나의 초점으로 하는 타원 궤도를 그리며 공전한다.

(1) **타원**: 평면 위의 두 초점에서의 거리의 합이 일정한 점들의 자취

(2) **★근일점과 원일점**: 행성의 타원 궤도에서 태양으로부터 가장 가까운 곳을 근일점, 가장 먼 곳을 원일점이라고 한다. → 행성이 타원 궤도로 공전하면서 태양과 행성의 거리는 계속 변한다.

(3) **공전 궤도 긴반지름**: 근일점의 거리와 원일점의 거리를 합하여 반으로 나눈 값으로, 태양과 행성 사이의 평균 거리라고 할 수 있다.

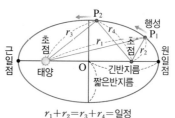

$r_1 + r_2 = r_3 + r_4 =$ 일정
⬆ 케플러 제1법칙

2. 이심률 타원이 찌그러진 정도를 나타낸 값

(1) **이심률(e)**: 타원의 긴반지름(a)에 대한 초점 거리(c)의 비로 구한다.
➡ 이심률이 클수록 납작한 타원 모양이 된다.

$$e = \frac{c}{a} = \frac{\sqrt{a^2-b^2}}{a} \quad \begin{pmatrix} a: \text{긴반지름} \\ b: \text{짧은반지름} \\ c: \text{초점 거리} \end{pmatrix}$$

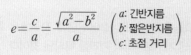
⬆ 이심률

(2) **이심률과 원의 모양**

$e=0$	$0<e<1$	$e=1$	$e>1$
원 → 초점 1개	타원 → 초점 2개	포물선	쌍곡선

탐구 자료창 이심률과 공전 궤도의 긴반지름으로 타원 궤도 작도

그림과 같이 스타이로폼 위에 종이를 얹고, 그 위에 압정을 2개 꽂는다. 2개의 압정에 끈의 양쪽을 걸치고, 연필을 끈에 걸어 고리의 팽팽함을 유지하면서 타원을 그린다.

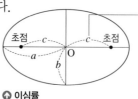

$r_1 + r_2 = 2a$

1. 압정은 타원의 초점이고, 실의 길이는 긴반지름의 2배이다.
2. 초점 거리(c)는 긴반지름(a)×이심률(e)로 구할 수 있다.
3. **압정은 그대로 두고, 끈의 길이를 길게 할 때**: 초점 거리는 일정한데 긴반지름이 길어지므로 이심률이 작아진다. ➡ 원에 가까운 타원이 그려진다.
4. **끈은 그대로 두고, 압정 사이의 거리를 멀게 할 때**: 타원의 긴반지름은 일정한데 초점 거리가 길어지므로 이심률이 커진다. ➡ 더 납작한 타원이 그려진다.

★ 지구에서 태양의 크기가 다르게 관측되는 까닭

지구가 타원 궤도로 공전하기 때문에 근일점에서 관측한 태양의 시지름이 크고, 원일점에서 관측한 태양의 시지름이 작다.

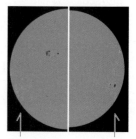

근일점에서 본 태양의 크기 / 원일점에서 본 태양의 크기

● $c = \sqrt{a^2-b^2}$ 인 까닭

타원에서 두 초점에서의 거리의 합은 일정하다. 행성이 짧은반지름에 있을 때 초점에서 행성까지의 거리를 r이라고 하면, $r+r=2r$이다. 행성이 긴반지름에 있을 때 $a+c+(a-c)= 2a$이다. $2r=2a$이므로 $r=a$이다. 피타고라스 정의에 따라 $a^2=b^2+ c^2$이므로 $c=\sqrt{a^2-b^2}$이 된다.

암기해

$$\text{이심률}(e) = \frac{\sqrt{a^2-b^2}}{a}$$

$\begin{pmatrix} a: \text{긴반지름} \\ b: \text{짧은반지름} \end{pmatrix}$

➡ 이심률이 클수록 납작한 타원 모양
· $e=0$: 원(초점 1개)
· $0<e<1$: 타원(초점 2개)
· $e=1$: 포물선
· $e>1$: 쌍곡선

(3) 태양계 행성의 공전 궤도 이심률: 수성을 제외한 행성들의 공전 궤도 이심률은 0에 가깝다.

➡ 행성들의 공전 궤도는 원궤도에 가까운 타원 궤도이다.

행성	수성	금성	지구	화성	목성	토성	천왕성	해왕성
궤도 긴반지름(AU)	0.387	0.723	1	1.524	5.203	9.537	19.189	30.070
공전 궤도 이심률	<u>0.206</u>	0.007	0.017	0.093	0.048	0.054	0.047	0.009

└● 이심률이 제일 크다.

3. 천체의 궤도 총에너지에 따라 다양하게 나타난다.

(1) 이심률과 천체의 궤도

이심률(e)	천체의 궤도
$e=0$	원궤도
$0<e<1$	타원 궤도
$e=1$	포물선 궤도
$e>1$	쌍곡선 궤도

⬆ 다양한 천체의 궤도

(2) 총에너지(＝운동 에너지＋*중력 퍼텐셜 에너지)와 천체의 궤도

총에너지(E)	천체의 궤도	천체의 특징
$E<0$	운동 에너지<중력 퍼텐셜 에너지 ➡ 원궤도나 타원 궤도로 운동	천체는 태양에 구속되어 태양 둘레를 공전한다.
$E=0$	운동 에너지=중력 퍼텐셜 에너지 ➡ 포물선 궤도로 운동	천체는 한 번 태양에 다가온 후 구속되지 않고 계속 멀어진다.
$E>0$	운동 에너지>중력 퍼텐셜 에너지 ➡ 쌍곡선 궤도로 운동	

B 케플러 제2법칙

1. 케플러 제2법칙(면적 속도 일정 법칙) 태양과 행성을 잇는 직선이 동일한 시간 동안 쓸고 지나가는 면적은 항상 일정하다. ➡ *각운동량이 보존된다.

(1) 태양으로부터의 거리에 따른 행성의 공전 속도: *태양에서 멀리 있을수록 행성의 공전 속도가 느려진다. ➡ 근일점에서 가장 빠르고, 원일점에서 가장 느리다.

(2) 공전 궤도의 모양과 공전 속도: 공전 궤도의 모양이 납작한 타원일수록(공전 궤도 이심률이 클수록) 근일점과 원일점에서 행성의 공전 속도 차이가 커진다.

예 혜성은 이심률이 매우 큰 납작한 타원 궤도나 포물선 궤도로 운동하므로 공전 속도의 변화도 크다.

┌─ 케플러 제2법칙 ─┐

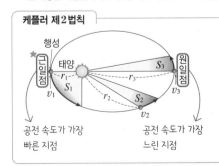

- 각운동량 보존: $r_1v_1=r_2v_2=r_3v_3=\cdots\cdots=k$(일정)
- 태양과 행성을 잇는 직선이 동일한 시간 동안 쓸고 지나간 면적: $S_1=S_2=S_3$
- 태양과 행성 사이의 거리: $r_1<r_2<r_3$
- 행성의 공전 속도: $v_1>v_2>v_3$
- ➡ 태양과 행성 사이의 거리(r)가 가까울수록 행성의 공전 속도(v)가 빠르다.

공전 속도가 가장 빠른 지점 / 공전 속도가 가장 느린 지점

★ **중력 퍼텐셜 에너지**
질량 M인 물체를 기준으로 거리 r에 있는 질량 m인 물체가 중력의 작용으로 갖는 에너지양으로, $-\dfrac{GMm}{r}$으로 나타낸다 (G: 만유인력 상수).

★ **각운동량 보존 법칙**
물체에 외부로부터 힘이 작용하지 않으면 물체의 각운동량(L)은 보존된다. $L=mrv$(m: 질량, r: 회전 반지름, v: 선속도) ➡ 질량 m인 물체가 운동할 때 rv는 일정하다. ─● 거리가 짧아지면 속도가 빨라진다.

★ **각운동량 보존 법칙과 행성의 공전 속도 변화**
피겨스케이팅 선수가 팔다리를 몸에 가까이 할수록 회전 속도가 빨라지듯이 행성의 거리가 태양에 가까워지면 공전 속도가 커진다.

★ **지구가 근일점, 원일점에 위치할 때 북반구에서의 계절**
┌ 근일점에 위치: 겨울(동지)
└ 원일점에 위치: 여름(하지)
지구가 원일점에 있을 때는 지구와 태양 사이의 거리가 가장 멀지만 북반구에서는 태양의 남중고도가 가장 높기 때문에 기온이 가장 높은 여름이 된다.

04 케플러 법칙

탐구 자료창 화성의 공전 궤도 작도

|과정| 표는 태양과 화성의 위치를 관측한 자료를 나타낸 것이다.

관측일	지구 위치	지구-태양 -춘분점 사이의 각	춘분점- 지구-화성 사이의 각	화성 위치	관측일	지구 위치	지구-태양 -춘분점 사이의 각	춘분점- 지구-화성 사이의 각	화성 위치
1965. 4. 13.	E_1	202.5°	159.0°	M_1	1973. 10. 28.	E_5	34.0°	30.5°	M_5
1967. 3. 1.	E_1'	160.0°	212.0°		1975. 9. 15.	E_5'	351.5°	77.5°	
1967. 6. 2.	E_2	251.0°	196.0°	M_2	1975. 12. 17.	E_6	84.5°	82.5°	M_6
1969. 4. 19.	E_2'	208.5°	256.5°		1977. 11. 3.	E_6'	40.0°	123.0°	
1969. 7. 21.	E_3	297.5°	243.0°	M_3	1978. 2. 4.	E_7	134.5°	118.0°	M_7
1971. 6. 8.	E_3'	256.5°	316.0°		1979. 12. 23.	E_7'	90.5°	162.5°	
1971. 9. 9.	E_4	345.5°	313.0°	M_4	1980. 3. 25.	E_8	184.0°	146.5°	M_8
1973. 7. 27.	E_4'	303.2°	22.0°		1982. 2. 10.	E_8'	140.5°	199.0°	

목표 지구의 공전 주기와 화성의 관측 자료를 이용하여 화성의 공전 궤도를 작도할 수 있다.

❶ 지구의 공전 궤도를 반지름 5 cm인 원으로 그리고, 중심에 태양이 있다고 가정한다.

❷ 지구 공전 궤도 위에 임의의 한 점을 잡아 태양과 선으로 잇고, 춘분점을 표시한다.

❸ 춘분점과 태양을 이은 선에서 시계 반대 방향으로 202.5°가 되는 지점에 E_1을 표시한 후, E_1에서 춘분점과 태양을 이은 선과 평행한 선을 긋고 시계 반대 방향으로 159°를 이루는 선을 긋는다.

❹ 춘분점과 태양을 이은 선에서 시계 반대 방향으로 160°가 되는 지점에 E_1'을 표시한 후, E_1'에서 춘분점과 태양을 이은 선과 평행한 선을 긋고 시계 반대 방향으로 212°를 이루는 선을 긋는다.

❺ 과정 ❸과 ❹에서 그은 두 선이 만나는 곳에 화성의 위치 M_1을 표시한다.

❻ 표의 나머지 자료로 화성의 위치를 M_8까지 표시한 후, 점을 연결하여 공전 궤도를 그린다.

유의점
• $E_n \sim E_n'$ 사이의 기간은 화성의 공전 주기(약 687일)에 해당한다.
• $E_n \sim E_{n+1}$ 사이의 기간은 회합 주기(약 780일)에 해당한다.
• 작도를 할 때, 각은 시계 반대 방향으로 측정한다.
• 춘분점이 무한히 먼 곳이라고 가정하면 각 점에서 춘분점 방향은 항상 평행하게 나타낼 수 있다.

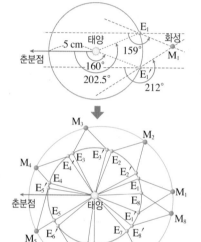

|해석|
1. **화성의 공전 궤도 반지름:** 긴반지름이 약 7.5 cm, 짧은반지름이 약 7.47 cm이다.
2. **화성의 공전 궤도 모양:** 거의 원에 가까운 타원 궤도
3. **춘분점을 기준으로 삼은 까닭:** 지구의 위치와 상관없이 항상 천구상에서 같은 지점에 있기 때문

확인 문제
1 실험 결과를 이용하여 화성의 공전 궤도 이심률을 구하시오.
2 행성의 궤도 이심률이 작을수록 궤도는 어떤 모양에 가까워지는가?
3 $E_1 \sim E_1'$ 사이의 기간은 화성의 ( ) 주기에 해당한다.
4 $E_1 \sim E_2$ 사이의 기간은 화성의 ( ) 주기에 해당한다.

확인 문제 답
1 $e = \dfrac{\sqrt{a^2 - b^2}}{a}$
$= \dfrac{\sqrt{7.5^2 - 7.47^2}}{7.5} ≒ 0.09$
2 원 모양
3 공전
4 회합

같은 탐구 다른 실험

태양과 화성의 관측 자료 중 E_n을 화성이 충일 때로 하고, 화성의 이각은 '춘분점-지구-화성 사이의 각' 대신 '화성-지구-태양이 이루는 각(화성의 이각)'으로 하여 화성의 공전 궤도를 작도할 수도 있다.

관측일	지구 위치	지구-태양-춘분점 사이의 각	화성의 이각	화성 위치
1980. 2. 25.	E_1	156°	충(180°)	M_1
1982. 1. 12.	E_1'	112°	100°	
1982. 3. 31.	E_2	190°	충(180°)	M_2
1984. 2. 16.	E_2'	147°	99°	

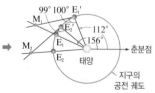

C 케플러 제3법칙

1. 케플러 제3법칙(조화 법칙) 행성의 공전 주기(P)의 제곱은 공전 궤도 긴반지름(a)의 세제곱에 비례한다.

$$P^2 \propto a^3 \Rightarrow \frac{a^3}{P^2} = k(\text{일정})$$

(1) 공전 주기(P)의 단위를 '년', 공전 궤도 긴반지름(a)의 단위를 'AU'로 하면, *$P^2 = a^3$이 된다.

(2) 공전 주기(P)를 알면 공전 궤도 긴반지름(a)을 구할 수 있다. → 공전 주기는 회합 주기로 구할 수 있다.

그래프: 세로축 P^2(년^2), 가로축 a^3(AU^3), 수성, 금성, 지구, 화성, 소행성, 목성, 토성, 천왕성, 해왕성

◑ 케플러 제3법칙

2. 케플러 제3법칙 증명 뉴턴은 만유인력 법칙으로 케플러 제3법칙을 증명하였다.

질량 M과 m인 두 천체가 공통 질량 중심을 중심으로 거리가 각각 R, r에서 속도 V, v로 원운동을 한다고 가정한다. (단, 두 천체의 공전 주기는 P로 같다.)

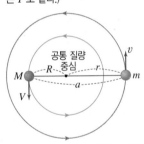

◑ 공통 질량 중심을 공전하는 두 천체

[**케플러 제3법칙 증명**] 두 천체가 공통 질량 중심을 중심으로 공전하게 하는 구심력은 두 천체 사이에 작용하는 만유인력과 같다.

두 천체의 구심력은 각각 $F_M = \dfrac{MV^2}{R}$, $F_m = \dfrac{mv^2}{r}$이다. ··········· ❶

두 천체의 공전 속도는 각각 $V = \dfrac{2\pi R}{P}$, $v = \dfrac{2\pi r}{P}$이다. ··········· ❷

➡ ❷를 ❶에 대입하면, $F_M = \dfrac{4\pi^2 RM}{P^2}$, $F_m = \dfrac{4\pi^2 rm}{P^2}$이다.

두 천체 사이에 작용하는 만유인력은 $F = \dfrac{GMm}{a^2}$이고, 구심력은 만

유인력과 같으므로 $\dfrac{4\pi^2 RM}{P^2} = \dfrac{GMm}{a^2}$, $\dfrac{4\pi^2 rm}{P^2} = \dfrac{GMm}{a^2}$이다.

각 식의 양변을 더하면 $\dfrac{4\pi^2(R+r)}{P^2} = \dfrac{G(m+M)}{a^2}$이고

$R+r=a$이므로 $\dfrac{a^3}{P^2} = \dfrac{G(M+m)}{4\pi^2}$이 된다.

➡ $M_\odot$을 태양의 질량, m을 행성의 질량이라고 하면, 행성의 질량은 태양의 질량에 비해 매우 작으므로 $\dfrac{a^3}{P^2} \simeq \dfrac{GM_\odot}{4\pi^2} = k(\text{일정})$가 된다.
└● 케플러 제3법칙

3. *케플러 제3법칙 응용 ❶쌍성계나 행성의 질량을 결정할 때 이용한다.

(1) **쌍성계에 적용된 케플러 법칙**: 질량이 m_1, m_2인 두 별이 공통 질량 중심으로부터 a_1, a_2인 거리에서 같은 공전 주기 P로 원운동을 할 때, 케플러 법칙을 적용하면 다음과 같다.

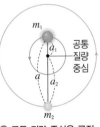

◑ 공통 질량 중심을 공전하는 쌍성계

(공전 주기, 거리, 질량의 단위를 각각 '년', 'AU', '태양 질량($M_\odot$)'으로 하면,

$\dfrac{a^3}{P^2} = \dfrac{GM_\odot}{4\pi^2} = 1$이므로 $\dfrac{4\pi^2}{G} = 1M_\odot$이고, 이를 $\dfrac{a^3}{P^2} = \dfrac{G(m_1+m_2)}{4\pi^2}$에 대입한다.)

$$(m_1 + m_2) = \frac{a^3}{P^2} M_\odot$$

(2) **쌍성계 질량($m_1 + m_2$)**: 공전 주기(P)와 두 별 사이의 거리(a)를 알면 구할 수 있다.

(3) ***쌍성을 이루는 각 별의 질량**: $m_1 a_1 = m_2 a_2$가 성립하므로 공통 질량 중심으로부터 별까지의 거리비($a_1 : a_2$)를 알면 구할 수 있다. → 거리비가 1 : 2라면 질량비는 2 : 1이다.

★ 케플러 제3법칙
행성의 공전 주기(P)의 단위를 '년', 공전 궤도 긴반지름(a)의 단위를 'AU'로 하면, 지구의 공전 주기가 1년, 공전 궤도 반지름이 1 AU이므로

$\dfrac{a^3_{수성}}{P^2_{수성}} = \dfrac{a^3_{금성}}{P^2_{금성}} = \dfrac{a^3_{지구}}{P^2_{지구}}$

$= \cdots \dfrac{a^3_{해왕성}}{P^2_{해왕성}} = 1$이므로

$P^2 = a^3$이 된다.

★ 케플러 법칙의 적용
케플러의 3가지 법칙은 태양 주위를 공전하는 행성뿐만 아니라 행성의 위성, 별, 은하, 인공위성 등 만유인력에 의해 궤도 운동을 하는 모든 천체에 적용된다.

★ 쌍성을 이루는 각 별의 질량
[예제 1] 공전 궤도 긴반지름이 각각 4 AU, 6 AU인 두 별 A와 B가 10년을 주기로 공통 질량 중심을 중심으로 공전하고 있을 때, 두 별의 질량은 태양 질량의 몇 배인지 구하시오.
[풀이] 쌍성계의 질량은

$(m_1 + m_2) = \dfrac{a^3}{P^2} M_\odot$

$= \dfrac{(4\,\text{AU} + 6\,\text{AU})^3}{(10년)^2} = 10M_\odot$

이므로 태양 질량($M_\odot$)의 10배이다. 공통 질량 중심에서 별 A와 B의 거리비가 4 : 6이므로 질량비는 6 : 4이다. 따라서 별 A의 질량은 태양 질량의 6배이고, 별 B의 질량은 태양 질량의 4배이다.

⫯ 용어
❶ 쌍성계(雙 둘, 星 별, 系 매다)
두 별이 중력으로 묶여서 공통 질량 중심 주위를 동일한 주기로 회전하는 계

개념 확인 문제

정답친해 138쪽

핵심 체크

- 케플러 제1법칙(타원 궤도 법칙): 행성은 태양을 하나의 초점으로 하는 (❶　　　　) 궤도를 그리며 공전한다.
  - 타원의 (❷　　　　): 타원의 찌그러진 정도를 나타낸 값으로, 숫자가 클수록 납작한 타원 모양이 된다.
  - 행성의 공전 궤도 이심률: 태양계 행성들의 공전 궤도 이심률은 수성을 제외하고는 0에 가깝다.
- 케플러 제2법칙(❸　　　　): 태양과 행성을 잇는 직선이 동일한 시간 동안 쓸고 지나가는 면적은 일정하다.
  - 행성들의 공전 속도는 (❹　　　　)에서 가장 빠르고, (❺　　　　)에서 가장 느리다.
  - 공전 궤도 이심률이 (❻　　　　) 근일점과 원일점에서 행성의 공전 속도 차이가 (❼　　　　).
- 케플러 제3법칙(조화 법칙): 행성의 공전 주기(P)의 제곱은 공전 궤도 긴반지름(a)의 세제곱에 (❽　　　　)한다.
  - ➡ $\dfrac{a^3}{P^2} = k$(일정)
  - 공전 주기(P)의 단위를 '년', 공전 궤도 긴반지름(a)의 단위를 'AU'로 할 때 관계식 ➡ (❾　　　　)
  - 케플러 제3법칙은 쌍성계나 행성의 질량을 결정할 때 이용한다.

---

1 케플러 법칙에 대한 설명으로 옳은 것은 ○, 옳지 <u>않은</u> 것은 ×로 표시하시오.

(1) 태양계 행성들은 태양 주위를 이심률이 큰 타원 궤도를 그리며 공전한다. ……………………… (　　)

(2) 행성들의 공전 속도는 공전 궤도상의 위치에 따라 달라진다. ……………………… (　　)

(3) 케플러 법칙은 위성의 공전 운동에는 적용되지 않는다.
………………………………………… (　　)

2 그림은 행성의 공전 궤도를 나타낸 것이다.

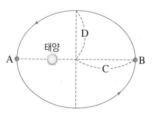

(1) A, B 지점과 C, D 거리의 이름을 각각 쓰시오.

(2) C의 거리가 10 AU, D의 거리가 8 AU일 때, 타원 궤도의 이심률을 구하시오.

3 표는 총에너지와 이심률에 따른 천체의 궤도를 나타낸 것이다. (　　) 안에 알맞은 말을 쓰시오.

총에너지(E)	이심률(e)	천체의 궤도
$E < 0$	㉠(　　)	원궤도
	$0 < e < 1$	㉡(　　) 궤도
$E = 0$	$e = 1$	㉢(　　) 궤도
㉣(　　)	$e > 1$	쌍곡선 궤도

4 그림은 어떤 행성의 공전 궤도를 나타낸 것이다. (단, 이 행성이 a에서 b로, c에서 d로 공전하는 데 걸린 시간은 같았다.)

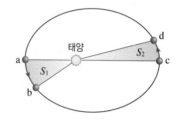

(1) 행성이 쓸고 지나간 면적 S_1과 S_2를 등호나 부등호로 비교하시오.

(2) a~d 중 행성의 공전 속도가 가장 빠른 지점을 쓰시오.

5 태양 주위를 타원 궤도로 공전하는 어떤 혜성이 근일점에 있을 때 태양으로부터 거리가 0.5 AU, 원일점에 있을 때 태양으로부터 거리가 17.5 AU이었다.

(1) 이 혜성의 공전 궤도 긴반지름은 (　　) AU이다.

(2) 이 혜성의 공전 주기는 (　　)년이다.

6 4년을 주기로 공전하고 있는 두 별 사이의 거리가 8 AU일 때 케플러 제3법칙을 이용하여 두 별의 질량의 합은 태양 질량의 몇 배인지 구하시오.

대표 자료 분석

자료 ① 케플러 제1, 2법칙

기출 Point
- 타원 궤도 법칙과 이심률 이해하기
- 면적 속도 일정 법칙과 공전 속도 이해하기

[1~4] 그림은 어떤 행성이 1년 동안 A에서 B로, C에서 D로 공전하면서 태양과 행성을 잇는 직선이 쓸고 지나간 면적 S_1과 S_2를 나타낸 것이다. (단, F는 타원의 한 초점이다.)

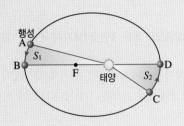

1 행성의 공전 궤도는 초점이 ㉠(1개, 2개)인 ㉡(원, 타원, 포물선, 쌍곡선) 궤도이다.

2 근일점은 ㉠(   ), 원일점은 ㉡(   )이다.

3 F와 태양 사이의 거리가 현재보다 가까워지면 공전 궤도의 이심률이 (커진다, 작아진다).

4 빈출 선택지로 [완벽 정리!]
(1) 태양은 타원 궤도의 한 초점에 위치한다. ···· (○ / ×)
(2) $\overline{BD}$는 공전 궤도의 긴반지름이다. ············· (○ / ×)
(3) 이 행성의 운동 에너지는 중력 퍼텐셜 에너지보다 작아 태양 주위를 계속 공전한다. ············· (○ / ×)
(4) 케플러 제2법칙에 따라 S_1과 S_2는 같다. ··· (○ / ×)
(5) 행성은 B 지점보다 D 지점에서 공전 속도가 느리다. ··· (○ / ×)
(6) 행성이 이동한 거리 $\overparen{AB}$와 $\overparen{CD}$는 같다. ··· (○ / ×)

자료 ② 케플러 제3법칙

기출 Point
- 공전 궤도 긴반지름과 공전 주기 구하기
- 공전 주기로 회합 주기 구하기

[1~4] 그림과 같이 어떤 행성이 P_1에서 P_2까지 공전하는 데 걸리는 시간은 1년이고, 색칠한 부분의 면적 S는 전체 궤도 면적의 $\frac{1}{8}$이다.

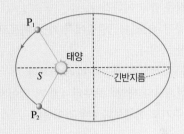

1 이 행성의 공전 주기를 구하시오.
(1) 공전 주기: (   )년
(2) 적용한 케플러 법칙: (   )

2 이 행성의 공전 궤도 긴반지름을 구하시오.
(1) 공전 궤도 긴반지름: (   ) AU
(2) 적용한 케플러 법칙: (   )

3 지구와의 회합 주기는 몇 년인지 구하시오. (단, 소수점 셋째자리에서 반올림하시오.)

4 빈출 선택지로 [완벽 정리!]
(1) 이 행성이 원일점에서 근일점까지 이동하는 데는 4년이 걸린다. ·· (○ / ×)
(2) 행성의 공전 주기를 알면 공전 궤도 긴반지름을 구할 수 있다. ·· (○ / ×)
(3) 이 행성은 내행성에 해당한다. ··················· (○ / ×)
(4) 이 행성보다 공전 궤도 긴반지름이 더 긴 행성은 회합 주기가 더 짧다. ······························ (○ / ×)

내신 만점 문제

Ⓐ 케플러 제1법칙

01 케플러 법칙에 대한 설명으로 옳지 <u>않은</u> 것은?

① 태양계의 모든 행성의 공전 궤도는 태양을 하나의 초점으로 하는 타원 궤도이다.
② 행성과 태양을 잇는 직선은 언제나 동일한 시간 동안 같은 면적을 쓸고 지나간다.
③ 행성의 공전 속도는 근일점에서 가장 빠르고, 원일점에서 가장 느리다.
④ 지구의 공전 속도는 계절에 따라 다르다.
⑤ 지구가 현재보다 태양으로부터 4배 더 멀어지면, 지구의 공전 주기도 현재보다 4배 길어진다.

02 그림은 태양을 한 초점으로 공전하는 어떤 소행성의 공전 궤도를 나타낸 것이다.

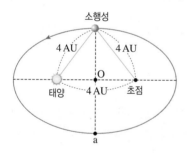

이에 대한 설명으로 옳은 것만을 [보기]에서 있는 대로 고른 것은? (단, O점은 공전 궤도의 중심이다.)

[보기]
ㄱ. 소행성의 공전 궤도 긴반지름은 4 AU이다.
ㄴ. 근일점과 원일점 거리의 비는 1 : 3이다.
ㄷ. 소행성의 공전 주기는 8년이다.
ㄹ. 소행성이 현재 위치에서 a까지 이동하는 데 걸리는 시간은 4년이다.

① ㄱ, ㄹ   ② ㄴ, ㄷ   ③ ㄴ, ㄹ
④ ㄱ, ㄴ, ㄷ   ⑤ ㄱ, ㄷ, ㄹ

03 다음은 태양 둘레를 타원 궤도로 공전하는 행성의 운동을 이해하기 위한 실험이다.

> (가) 압정 2개를 고정한 후 실의 양끝을 압정에 묶고, 연필을 실에 걸어 실을 팽팽히 잡아당긴 채 곡선을 그린다.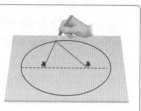
> (나) 실은 그대로 둔 채 두 압정 사이의 간격을 벌려 같은 과정을 반복한다.

이에 대한 설명으로 옳은 것만을 [보기]에서 있는 대로 고른 것은?

[보기]
ㄱ. (가)보다 (나)에서 그려진 타원의 이심률이 더 크다.
ㄴ. 근일점에서의 속도는 (가)보다 (나)의 타원에서 더 빠르다.
ㄷ. 행성의 공전 주기는 (가)보다 (나)의 타원의 경우가 더 길다.

① ㄱ   ② ㄷ   ③ ㄱ, ㄴ
④ ㄴ, ㄷ   ⑤ ㄱ, ㄴ, ㄷ

04 표는 천체 A와 지구의 근일점과 원일점 거리를 나타낸 것이다.

구분	천체 A	지구
근일점(AU)	0.74	0.98
원일점(AU)	1.10	1.02

천체 A에 대한 설명으로 옳은 것만을 [보기]에서 있는 대로 고른 것은?

[보기]
ㄱ. 공전 궤도는 항상 화성과 목성 사이에만 있다.
ㄴ. 공전 궤도 이심률은 지구보다 크다.
ㄷ. 공전 주기는 지구보다 짧다.

① ㄱ   ② ㄷ   ③ ㄱ, ㄴ
④ ㄴ, ㄷ   ⑤ ㄱ, ㄴ, ㄷ

05 그림은 다양한 천체의 궤도를 나타낸 것이다.
A~D 궤도에 대한 설명으로 옳은 것만을 [보기]에서 있는 대로 고른 것은?

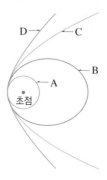

┌─[보기]─────────────────────────────┐
│ ㄱ. 이심률은 A가 가장 크다.
│ ㄴ. 천체의 총에너지는 D가 가장 크다.
│ ㄷ. 태양에 구속되지 않고 멀어지는 천체의 궤도는 C와
│   D이다.
└──────────────────────────────────┘

① ㄱ   ② ㄷ   ③ ㄱ, ㄴ
④ ㄴ, ㄷ   ⑤ ㄱ, ㄴ, ㄷ

B 케플러 제2법칙

06 그림은 각 월별로 지구의 공전 궤도상의 위치 변화를 나타낸 것이다.

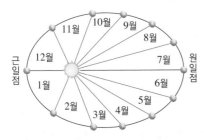

이에 대한 설명으로 옳은 것만을 [보기]에서 있는 대로 고른 것은? (단, 계절은 북반구에 있는 관찰자를 기준으로 한다.)

┌─[보기]─────────────────────────────┐
│ ㄱ. 공전 속도는 원일점보다 근일점에서 빠르다.
│ ㄴ. 지구와 태양을 잇는 직선이 쓸고 지나간 면적은 1월
│   이 7월보다 크다.
│ ㄷ. 지구가 원일점에 있을 때, 태양의 적경은 약 6^h이다.
└──────────────────────────────────┘

① ㄱ   ② ㄴ   ③ ㄱ, ㄷ
④ ㄴ, ㄷ   ⑤ ㄱ, ㄴ, ㄷ

07 그림은 어떤 행성이 태양 주위를 1회 공전하는 동안 태양과의 거리 변화를 나타낸 것이다.

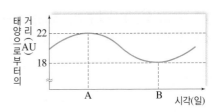

이에 대한 설명으로 옳지 않은 것은?

① A 시기에 행성은 원일점에 있다.
② 공전 속도는 A보다 B 시기에 빠르다.
③ 이 행성은 타원 궤도를 그리면서 공전한다.
④ 이 행성의 공전 궤도 긴반지름은 22 AU이다.
⑤ 이 행성은 지구보다 공전 주기가 길다.

08 그림은 인공위성이 촬영한 태양의 관측 사진에서 태양의 적도 부분만 나타낸 것이다.

이에 대한 설명으로 옳은 것만을 [보기]에서 있는 대로 고른 것은?

┌─[보기]─────────────────────────────┐
│ ㄱ. 지구는 타원 궤도를 그리며 공전한다.
│ ㄴ. 지구는 6월에는 근일점 부근에, 12월에는 원일점
│   부근에 위치한다.
│ ㄷ. 지구의 공전 속도는 6월보다 12월에 더 빠르다.
└──────────────────────────────────┘

① ㄱ   ② ㄴ   ③ ㄱ, ㄷ
④ ㄴ, ㄷ   ⑤ ㄱ, ㄴ, ㄷ

서술형
09 혜성은 태양 근처에서 긴 꼬리를 형성한다. 혜성의 공전 주기에 비해 지구에서 혜성의 꼬리를 관측할 수 있는 시간이 매우 짧은 까닭을 서술하시오.

ⓒ 케플러 제3법칙

10 그림은 태양계 행성 P가 공전하는 모습을 나타낸 것이다. 이 행성이 P_1에서 P_2, P_3에서 P_4로 이동하는 데 걸리는 시간은 각각 1년이고, 면적 S_1은 전체 궤도 면적의 $\frac{1}{27}$이다.

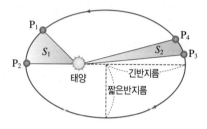

이에 대한 설명으로 옳은 것은?

① S_1은 S_2보다 면적이 넓다.
② 태양은 타원의 중심에 위치한다.
③ 행성 P의 공전 주기는 8년이다.
④ 행성 P의 공전 궤도 긴반지름은 9 AU이다.
⑤ 행성 P의 공전 속도는 P_2보다 P_3에서 빠르다.

11 그림은 행성 A와 B의 공전 궤도를 나타낸 것이다. 행성 A와 B는 1년 동안에 각각 전체 궤도 면적의 $\frac{1}{8}$과 $\frac{1}{27}$을 쓸고 지나갔다.

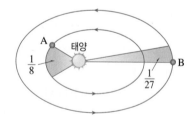

이에 대한 설명으로 옳은 것만을 [보기]에서 있는 대로 고른 것은?

[보기]
ㄱ. A와 B의 공전 주기는 각각 8년, 27년이다.
ㄴ. B의 공전 궤도 긴반지름은 A의 $\frac{9}{4}$배이다.
ㄷ. 지구에서 볼 때 회합 주기는 A가 B보다 길 것이다.

① ㄱ   ② ㄷ   ③ ㄱ, ㄴ
④ ㄴ, ㄷ   ⑤ ㄱ, ㄴ, ㄷ

12 ^{서술형} 그림은 공전 주기가 64년인 어떤 행성의 공전 궤도를 나타낸 것이다.

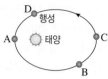

(1) A~D 중 이 행성의 공전 속도가 가장 빠를 때와 가장 느릴 때의 위치를 순서대로 쓰시오.

(2) 행성의 공전 궤도 긴반지름을 구하시오.

13 ^{서술형} 표는 태양계의 가상의 행성에 대한 자료를 나타낸 것이다.

근일점 거리	2 AU
원일점 거리	6 AU

(1) 행성의 공전 궤도 긴반지름과 공전 궤도의 중심에서 태양까지 거리를 각각 순서대로 구하시오.

(2) 행성의 공전 주기와 회합 주기를 각각 구하시오. (단, 소수점 셋째 자리에서 반올림하시오.)

14 그림은 어느 항성 주위를 공전하고 있는 두 행성의 공전 궤도를 나타낸 것이다.

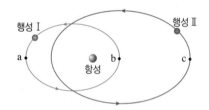

이에 대한 설명으로 옳은 것만을 [보기]에서 있는 대로 고른 것은? (단, 두 행성의 공전 궤도 이심률은 같다.)

[보기]
ㄱ. 두 행성은 모두 항성을 한 초점으로 하는 타원 궤도를 돌고 있다.
ㄴ. a에서의 공전 속도가 b에서보다 빠르다.
ㄷ. c에서의 공전 속도가 a에서보다 빠르다.
ㄹ. 공전 주기는 행성 Ⅰ이 행성 Ⅱ보다 짧다.

① ㄱ, ㄴ   ② ㄱ, ㄹ   ③ ㄴ, ㄷ
④ ㄴ, ㄹ   ⑤ ㄷ, ㄹ

15 그림은 태양 둘레를 공전하는 가상의 행성 A, B의 공전 궤도를 나타낸 것이다. 점 P, Q는 행성 A의 공전 궤도상에 있는 지점이다.

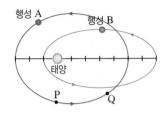

이에 대한 설명으로 옳은 것만을 [보기]에서 있는 대로 고른 것은?

─[보기]─
ㄱ. 행성의 공전 주기는 A가 B보다 길다.
ㄴ. 행성 A가 P에서 Q로 이동하는 동안 공전 속도가 느려진다.
ㄷ. 태양과 행성을 잇는 직선이 동일한 시간 동안 쓸고 지나간 면적 속도는 행성 A와 B가 같다.

① ㄱ   ② ㄴ   ③ ㄱ, ㄷ
④ ㄴ, ㄷ   ⑤ ㄱ, ㄴ, ㄷ

16 그림은 태양을 초점으로 각각 원궤도와 타원 궤도로 운동하는 가상의 두 행성을 나타낸 것이다.

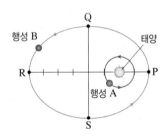

이에 대한 설명으로 옳은 것만을 [보기]에서 있는 대로 고른 것은?

─[보기]─
ㄱ. 행성 A는 공전할 때 속력이 일정하다.
ㄴ. 공전 주기는 행성 B가 행성 A의 8배이다.
ㄷ. 행성 B가 P에서 R까지 공전하는 데 걸리는 시간은 Q에서 S까지 공전하는 데 걸리는 시간보다 짧다.

① ㄱ   ② ㄴ   ③ ㄱ, ㄷ
④ ㄴ, ㄷ   ⑤ ㄱ, ㄴ, ㄷ

17 그림은 어느 소행성의 시간에 따른 공전 속도 변화를 나타낸 것이다. A에서 B까지 걸린 시간은 4년이었다.

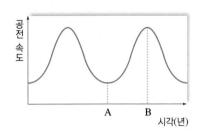

이에 대한 설명으로 옳은 것만을 [보기]에서 있는 대로 고른 것은?

─[보기]─
ㄱ. 소행성은 A일 때 근일점에, B일 때 원일점에 위치하였다.
ㄴ. 소행성의 공전 주기는 4년이다.
ㄷ. 소행성의 공전 궤도 긴반지름은 4 AU이다.

① ㄱ   ② ㄷ   ③ ㄱ, ㄴ
④ ㄴ, ㄷ   ⑤ ㄱ, ㄴ, ㄷ

18 그림은 질량이 각각 m_1, m_2인 두 별이 공통 질량 중심을 공전하는 모습을 나타낸 것이다.

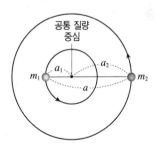

이에 대한 설명으로 옳은 것만을 [보기]에서 있는 대로 고른 것은?

─[보기]─
ㄱ. 두 별의 공전 주기는 같다.
ㄴ. 두 별의 공전 속력은 같다.
ㄷ. 질량은 m_1이 m_2보다 크다.
ㄹ. 공전 주기와 두 별 사이의 거리(a)만 알면 두 별의 질량을 각각 알 수 있다.

① ㄱ, ㄷ   ② ㄴ, ㄷ   ③ ㄴ, ㄹ
④ ㄱ, ㄴ, ㄹ   ⑤ ㄱ, ㄷ, ㄹ

중단원
핵심 정리

01 천체의 위치와 좌표계

1. 방위와 시각, 경도와 위도

방위	• 북극점을 향하는 쪽이 북쪽, 남극점을 향하는 쪽이 남쪽이다. • 관측자가 북쪽을 볼 때 오른쪽이 동쪽, 왼쪽이 서쪽이다.
시각	• 태양을 기준으로 한 시각: 하루 중 태양이 정남쪽에 있을 때(=남중했을 때)를 정오로 정하고, 하루가 지나 다시 정남쪽에 올 때까지 걸린 시간을 24등분하여 시각을 정한다. • 세계 표준시: 국제 표준시를 기준으로 1시간 단위(=경도 15°)로 시차를 두어 정한다. • 우리나라의 표준시: 표준 경선으로 (❶)를 사용
경도	영국의 그리니치 천문대를 지나는 경선(경도 0°)과 어떤 위치를 지나는 경선이 이루는 각도 ➡ 동쪽으로 갈수록 시각이 (❷).
위도	적도(위도 0°)와 어떤 위치를 지나는 위선이 이루는 각도

2. 천구의 좌표계

지평 좌표계	적도 좌표계
• 방위각과 고도로 나타낸다. • 기준: 북점 또는 남점, (❸) • 천정 거리: 90°−고도	• 적경과 적위로 나타낸다. • 기준: (❹), 천구 적도

3. 천체의 남중 고도

$$\text{남중 고도}(h)=90°-\varphi+\delta \begin{pmatrix} \varphi: \text{관측자의 위도} \\ \delta: \text{천체의 적위} \end{pmatrix}$$

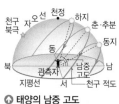

계절	태양의 적위	태양의 남중 고도
춘분	0°	중간
하지	+23.5°	가장 높음
추분	0°	중간
동지	−23.5°	가장 낮음

↑ 태양의 남중 고도

02 행성의 겉보기 운동과 우주관의 변천

1. 행성의 위치 관계와 겉보기 운동

(1) 행성의 위치 관계

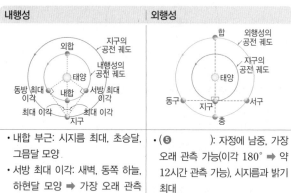

내행성	외행성
• 내합 부근: 시지름 최대, 초승달, 그믐달 모양 • 서방 최대 이각: 새벽, 동쪽 하늘, 하현달 모양 ➡ 가장 오래 관측 가능 • 동방 최대 이각: 초저녁, 서쪽 하늘, 상현달 모양 ➡ 가장 오래 관측 가능 • 외합 부근: 보름달 모양	• (❺): 자정에 남중, 가장 오래 관측 가능(이각 180° ➡ 약 12시간 관측 가능), 시지름과 밝기 최대 • 동구: 초저녁에 남중 • 서구: 새벽에 남중

(2) 행성의 겉보기 운동: 내행성은 (❻) 부근, 외행성은 (❼) 부근에서 역행한다. ➡ 적경 감소

2. 우주관의 변천

(1) 지구 중심설과 태양 중심설

구분	지구 중심설	태양 중심설
주창자	프톨레마이오스	코페르니쿠스
우주의 중심	지구	태양
별의 일주 운동	항성구의 회전에 의해	지구의 자전에 의해
별의 연주 운동	행성구의 회전에 의해	지구의 공전에 의해
행성의 역행	(❽)을 도입하여 설명	지구와 행성의 공전 속도 차이로 설명
내행성의 최대 이각	내행성의 주전원 중심을 태양과 지구를 잇는 직선 상에 위치시켜서 설명	내행성이 지구의 공전 궤도 안쪽에서 태양 주위를 공전하는 것으로 설명
보름달 모양의 금성 위상	설명 불가능 ➡ 지구−태양−금성 순으로 배열 ×	설명 가능 ➡ 지구−태양−금성 순으로 배열 ○
별의 연주 시차	설명 불가능	지구의 공전으로 설명

(2) 티코 브라헤의 수정된 지구 중심설: 우주의 중심은 지구이고, 지구를 중심으로 태양이 돌며, 지구를 제외한 행성들은 태양 주위를 돈다. ➡ 설명 불가능한 현상: 별의 (❾)

(3) 태양 중심설의 관측적 증거: 달 표면, 태양의 흑점, 목성의 위성, 금성의 위상과 시지름 변화, 별의 연주 시차 관측

03 행성의 공전 주기와 궤도 반지름

1. 행성의 공전 주기

(1) 공전 주기와 회합 주기

공전 주기	행성이 태양 둘레를 한 바퀴 도는 데 걸리는 시간 ➡ 회합 주기를 관측하여 구할 수 있다.
(⑩　　)	내행성의 위치가 내합(또는 외합)에서 다음 내합(또는 외합)이 될 때까지, 외행성의 위치가 충(또는 합)에서 다음 충(또는 합)이 될 때까지 걸리는 시간

(2) 회합 주기와 공전 주기의 관계

- 내행성: $\dfrac{1}{S} = \dfrac{1}{P} - \dfrac{1}{E}$
- 외행성: $\dfrac{1}{S} = \dfrac{1}{E} - \dfrac{1}{P}$

$\left(\begin{array}{l} S: \text{회합 주기} \\ P: \text{행성의 공전 주기} \\ E: \text{지구의 공전 주기} \end{array} \right)$

(3) 태양계 행성의 회합 주기

① 내행성: 지구에 가까울수록 회합 주기가 길다.

② 외행성: 지구에서 멀어질수록 공전 주기가 길어지므로 회합 주기가 (⑪　　)하여 지구의 공전 주기(1년)에 가까워진다.

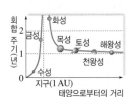
⬆ 태양계 행성의 회합 주기

2. 행성의 공전 궤도 반지름 구하기

내행성	• 내행성의 (⑫　　) 자료로 공전 궤도를 작도하여 반지름을 측정한 후, 비례식으로 공전 궤도 반지름을 구할 수 있다. • 내행성의 공전 궤도를 원궤도라고 가정하면, 최대 이각과 삼각 함수로 공전 궤도 반지름을 구할 수 있다. ➡ 1 AU×sin(최대 이각)

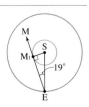
⬆ 수성의 공전 궤도 작도

외행성	• 외행성의 겉보기 자료와 공전 주기로 공전 궤도를 작도하여 공전 궤도 반지름을 구할 수 있다.

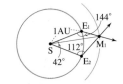
⬆ 화성의 공전 궤도 작도

04 케플러 법칙

행성은 태양을 하나의 초점으로 하는 타원 궤도를 그리며 공전한다.

⬆ 케플러 제1법칙

케플러 제1법칙 (⑬　　)	• 태양은 타원 궤도의 두 초점 중 하나이다. • 공전 궤도 긴반지름$=\dfrac{근일점\ 거리+원일점\ 거리}{2}$ • 이심률이 클수록 더 납작한 타원 궤도가 된다.

$$\text{이심률}(e)=\dfrac{c}{a}=\dfrac{\sqrt{a^2-b^2}}{a} \quad \left(\begin{array}{l} a: \text{긴반지름} \\ b: \text{짧은반지름} \\ c: \text{초점 거리} \end{array} \right)$$

- 태양계 행성들은 원에 가까운 타원 궤도로 돈다.
- 천체의 궤도: $e=0$이면 원궤도, $0<e<1$이면 타원 궤도, $e=1$이면 포물선 궤도, $e>1$이면 쌍곡선 궤도

태양과 행성을 잇는 직선은 동일한 시간 동안 같은 면적을 쓸고 지나간다($S_1=S_2=S_3$).

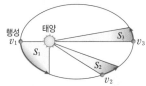
⬆ 케플러 제2법칙

케플러 제2법칙 (면적 속도 일정 법칙)	• 행성의 공전 속도는 (⑭　　)에서 가장 빠르고, (⑮　　)에서 가장 느리다. • 공전 궤도의 이심률이 클수록 근일점과 원일점에서 행성의 공전 속도 차이가 커진다.

행성의 공전 주기(P)의 제곱은 공전 궤도 긴반지름(a)의 세제곱에 비례한다.

$$\dfrac{a^3}{P^2}=k(\text{일정}), \quad \dfrac{a^3}{P^2}=1(\text{AU}^3/\text{년}^2)$$

케플러 제3법칙 (⑯　　)	• 행성의 공전 궤도 긴반지름이 길수록 공전 주기가 길다. • 케플러 제3법칙의 증명: 뉴턴이 만유인력의 법칙을 적용하여 수학적으로 증명하였다. • 케플러 제3법칙의 응용: 쌍성계의 질량, 행성의 질량 ➡ 공전 주기의 단위가 '년', 거리의 단위가 'AU', 질량의 단위가 '태양 질량($M_\odot$)'인 경우

$$(m_1+m_2)=\dfrac{a^3}{P^2}M_\odot$$

난이도 ●●●

01 다음은 고대 이집트(30°N)에서 방위와 절기를 알아내는 방법을 순서대로 나타낸 것이다.

> (가) 지면에 수직으로 꽂은 막대를 중심으로 원을 그린다.
> (나) 하루 중 오전과 오후에 각각 가장 긴 그림자와 원이 만나는 점 A, B를 표시한다.
> (다) $\overline{AB}$가 동서 방향이고, 이 선분에 수직인 $\overline{CD}$가 남북 방향이 된다.
> (라) $\overline{CD}$상의 그림자 길이 변화로 절기를 알아낸다.

오후 중 가장 긴 그림자 방향

오전 중 가장 긴 그림자 방향

이에 대한 설명으로 옳은 것만을 [보기]에서 있는 대로 고른 것은?

[보기]
ㄱ. 태양은 막대를 기준으로 A 방향에서 뜬다.
ㄴ. 막대를 기준으로 D 방향이 남쪽이다.
ㄷ. $\overline{CD}$상의 그림자 길이는 1년 중 하짓날에 가장 길다.

① ㄴ   ② ㄷ   ③ ㄱ, ㄴ
④ ㄱ, ㄷ   ⑤ ㄱ, ㄴ, ㄷ

●●○

02 우리나라(135°E)가 7월 2일 오전 4시일 때, 영국의 런던(0°)과 미국의 로스앤젤레스(120°W)의 현지 시각을 각각 쓰시오.

●○○

03 천구에 대한 설명으로 옳은 것은?

① 지구의 자전축을 연장하여 천구와 만나는 두 점을 천정, 천저라고 한다.
② 시간권은 천정과 천저를 지나는 대원이다.
③ 수직권은 항상 천구 적도에 수직이다.
④ 자오선은 천구 북극, 천구 남극, 천정, 천저를 지난다.
⑤ 한 관측자에게 자오선은 여러 개 있을 수 있다.

●●○

04 그림은 태양의 일주 운동 경로를 나타낸 것이다.

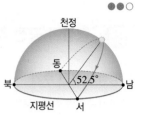

이에 대한 설명으로 옳은 것만을 [보기]에서 있는 대로 고른 것은? (단, 방위각은 북점을 기준으로 한다.)

[보기]
ㄱ. 이날 태양의 적위는 23.5°이다.
ㄴ. 해가 뜰 무렵에는 태양의 방위각이 270°이다.
ㄷ. 태양을 관측한 지방의 위도는 37.5°N이다.

① ㄱ   ② ㄴ   ③ ㄷ
④ ㄱ, ㄴ   ⑤ ㄱ, ㄷ

●●○

05 그림은 위도 37.5°N 지역에서 계절별 태양의 일주권을 나타낸 것이다.

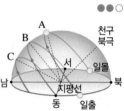

일주권이 A → B → C로 변할 때 나타나는 현상으로 옳은 것만을 [보기]에서 있는 대로 고른 것은?

[보기]
ㄱ. 태양의 적경은 일정하다.
ㄴ. 태양의 적위는 증가한다.
ㄷ. 태양이 뜨는 시각은 점차 늦어진다.

① ㄱ   ② ㄷ   ③ ㄱ, ㄴ
④ ㄴ, ㄷ   ⑤ ㄱ, ㄴ, ㄷ

●●●

06 그림은 위도 37°N 지역에서 춘분날 자정에 동쪽 하늘을 관측한 것이다.

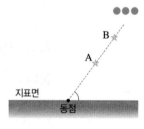

일주권이 같은 두 별 A, B에 대한 설명으로 옳지 않은 것은? (단, 방위각은 북점을 기준으로 한다.)

① 적위는 두 별이 모두 0°이다.
② 적경은 A별이 B별보다 크다.
③ 방위각은 A별이 B별보다 작다.
④ 고도는 A별이 B별보다 낮다.
⑤ 남중 고도는 A별이 B별보다 작다.

07 그림은 금성, 지구, 화성의 공전 궤도를 나타낸 것이다.

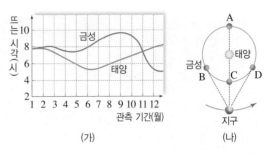

이에 대한 설명으로 옳지 <u>않은</u> 것은?

① 금성은 내합 부근, 화성은 충 부근을 지날 때 천구상에서 역행한다.

② 화성은 충의 위치에 있을 때 시지름이 가장 크고, 겉보기 밝기가 가장 밝다.

③ 금성은 외합이나 내합, 화성은 합의 위치에 있을 때 육안으로 관측할 수 없다.

④ 금성과 화성은 모두 지구에서 가장 가까울 때 보름달 모양의 위상으로 관측된다.

⑤ 화성은 한밤중에 관측할 수 있지만, 금성은 새벽이나 초저녁에만 관측할 수 있다.

08 그림은 일정한 기간 동안 동쪽 하늘에서 해 뜨기 전 같은 시각에 관측된 금성의 위치를 나타낸 것이다.

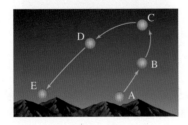

이에 대한 설명으로 옳지 <u>않은</u> 것은?

① A 부근에서 역행이 일어난다.

② A보다 B 위치에서 시지름이 작다.

③ C에서 금성의 위상은 하현달 모양이다.

④ C에서 E로 갈수록 관측 가능 시간이 짧아진다.

⑤ E 부근에서 금성은 점점 더 빨리 뜬다.

09 그림 (가)는 2010년 태양과 금성이 동쪽 지평선에 뜨는 시각을, (나)는 태양, 금성, 지구의 상대적 위치 관계를 나타낸 것이다.

이에 대한 설명으로 옳은 것만을 [보기]에서 있는 대로 고른 것은?

[보기]
ㄱ. 1월에 금성은 A 부근에 위치한다.
ㄴ. 8월에는 금성을 새벽에 관측할 수 있다.
ㄷ. 10월 말에 금성의 적경은 감소할 것이다.

① ㄱ   ② ㄴ   ③ ㄱ, ㄷ
④ ㄴ, ㄷ   ⑤ ㄱ, ㄴ, ㄷ

10 그림 (가)는 2006년 수성이 시간에 따라 태양의 앞면을 통과한 경로를, (나)는 수성의 공전 궤도상의 위치를 나타낸 것이다.

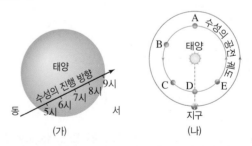

이에 대한 설명으로 옳은 것만을 [보기]에서 있는 대로 고른 것은?

[보기]
ㄱ. 수성은 A의 위치를 지나고 있다.
ㄴ. 수성의 적경은 증가하고 있다.
ㄷ. 이 기간이 지난 직후 수성은 새벽에 관측된다.

① ㄱ   ② ㄷ   ③ ㄱ, ㄴ
④ ㄴ, ㄷ   ⑤ ㄱ, ㄴ, ㄷ

11 그림은 1993년 12월부터 1995년 12월까지 2년 동안 태양 주위를 공전하는 어떤 소행성의 겉보기 운동을 관측하여 천구상에 그 위치 변화를 나타낸 것이다.

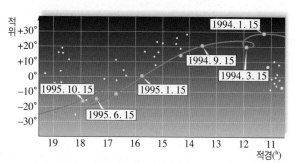

이 소행성에 대한 설명으로 옳지 <u>않은</u> 것은? (단, 소행성은 원에 가까운 타원 궤도를 공전한다.)

① 관측 기간 중 역행이 2번 있었다.
② 1994년 3월 중순에는 지구에서 가장 멀어졌다.
③ 1994년 9월 중순에는 순행하였다.
④ 1995년 6월 중순에는 자정 무렵에 남중하였다.
⑤ 회합 주기는 약 1년 3개월이다.

12 그림은 지구에서 관측한 태양과 어느 내행성의 이각 변화를 나타낸 것이다.

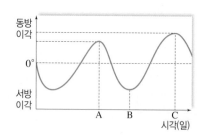

이에 대한 설명으로 옳은 것만을 [보기]에서 있는 대로 고른 것은?

[보기]
ㄱ. A에서 C까지 걸린 시간은 공전 주기에 해당한다.
ㄴ. A와 C에서의 이각이 다른 것은 케플러 제1법칙과 관련이 있다.
ㄷ. B와 C 사이의 시기에 행성이 역행한 적이 있다.

① ㄱ   ② ㄴ   ③ ㄱ, ㄷ
④ ㄴ, ㄷ   ⑤ ㄱ, ㄴ, ㄷ

13 그림 (가)~(다)는 여러 우주관을 나타낸 것이다.

(가)   (나)   (다)

이에 대한 설명으로 옳은 것만을 [보기]에서 있는 대로 고른 것은?

[보기]
ㄱ. 별의 연주 시차는 (나)에서만 설명이 가능하다.
ㄴ. (나)에서는 금성의 보름달에 가까운 모양의 위상을 설명할 수 있다.
ㄷ. (가)에서 (다)로 바뀌면서 행성의 역행 현상을 설명할 수 있게 되었다.

① ㄱ   ② ㄴ   ③ ㄱ, ㄷ
④ ㄴ, ㄷ   ⑤ ㄱ, ㄴ, ㄷ

14 그림은 어떤 우주관에서 금성의 공전 궤도를 나타낸 것이다.

이 우주관에서 설명할 수 있는 금성과 관련된 현상만을 [보기]에서 있는 대로 고른 것은?

[보기]
ㄱ. 금성이 새벽 또는 초저녁에만 보인다.
ㄴ. 금성은 천구상에서 동에서 서로 움직일 때가 있다.
ㄷ. 금성은 보름달 모양의 위상이 관측될 때가 있다.

① ㄱ   ② ㄷ   ③ ㄱ, ㄴ
④ ㄴ, ㄷ   ⑤ ㄱ, ㄴ, ㄷ

15 표는 지구보다 바깥쪽 궤도에서 태양 주위를 공전하는 두 소행성 A와 B의 회합 주기를 나타낸 것이다.

소행성	회합 주기
A	469일
B	534일

A가 B보다 큰 값을 갖는 물리량만을 [보기]에서 있는 대로 고른 것은? (단, 소행성 A, B의 궤도는 원궤도로 가정한다.)

[보기]
ㄱ. 질량 　　　　　ㄴ. 공전 주기
ㄷ. 반지름 　　　　ㄹ. 지구와의 거리

① ㄱ, ㄷ　　　② ㄱ, ㄹ　　　③ ㄴ, ㄹ
④ ㄱ, ㄴ, ㄷ　　⑤ ㄴ, ㄷ, ㄹ

16 그림은 가상의 행성 A, B의 공전 궤도를 나타낸 것이다. S는 행성 B가 1년 동안 공전한 궤도 면적이고, 전체 공전 궤도 면적의 $\frac{1}{27}$이다.

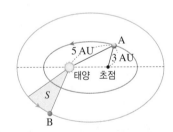

이에 대한 설명으로 옳은 것만을 [보기]에서 있는 대로 고른 것은?

[보기]
ㄱ. A의 공전 궤도 긴반지름은 8 AU이다.
ㄴ. A와 B의 공전 주기의 비는 8 : 27이다.
ㄷ. 지구와의 회합 주기는 A가 B보다 짧다.

① ㄱ　　　② ㄴ　　　③ ㄱ, ㄷ
④ ㄴ, ㄷ　　⑤ ㄱ, ㄴ, ㄷ

서술형 문제

17 위도 $36.5°$N 지역에서 길이 1 m인 막대를 수직으로 세우고 그림자의 길이를 재었더니 $\sqrt{3}$ m였다.

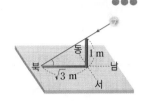

이때, 태양의 방위각(북점 기준)과 고도를 쓰고, 계절은 언제인지 까닭과 함께 서술하시오.

18 그림과 같이 태양, 지구, 화성이 위치할 때, (가) 하루 중 지구에서 화성을 관측할 수 있는 시간을 쓰고, (나) 화성에서 관측할 때 지구의 상대적 위치와 위상을 서술하시오.

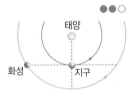

19 그림은 프톨레마이오스의 우주관을 나타낸 것이다.

(가) 행성의 궤도상에 주전원을 도입한 까닭과 (나) 수성과 금성의 주전원 중심을 지구와 태양을 잇는 일직선상에 둔 까닭을 각각 서술하시오.

20 태양 주위를 64년 주기로 타원 궤도를 따라 공전하는 혜성의 공전 궤도 긴반지름(AU)과 회합 주기(년)를 구하시오. (단, 회합 주기는 소수점 셋째 자리에서 반올림하시오.)

01 그림은 세계 각 도시의 현재 시각을 나타낸 것이다.

파리　모스크바　런던　베이징　시드니

우리나라의 현재 시각이 정오일 때, 다음 조건을 만족하는 도시는?

- 이 도시의 표준 경선은 우리나라와 120° 차이가 난다.
- 이 도시는 서머타임을 시행하여 1시간이 빨라진다.

① 파리　　② 모스크바　　③ 런던
④ 베이징　　⑤ 시드니

02 그림은 어느 날 해가 진 후 서쪽 하늘에 있는 별 A와 B의 적도 좌표를 천구상에 나타낸 것이다.

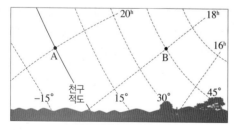

이에 대한 설명으로 옳은 것은?

① 적경은 별 A가 B보다 작다.
② 적위는 별 A가 B보다 크다.
③ 방위각은 별 A가 B보다 크다.
④ 별 A는 B보다 나중에 진다.
⑤ 보름 후 별 A와 B는 이날보다 일찍 진다.

03 그림은 어느 날 자정에 우리나라에서 관측한 별 A~C의 위치를 나타낸 것이다.

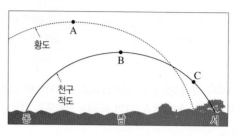

이에 대한 설명으로 옳은 것만을 [보기]에서 있는 대로 고른 것은?

[보기]
ㄱ. 적위는 A가 B보다 크다.
ㄴ. 적경은 B가 C보다 크다.
ㄷ. 이 시간 이후 A의 고도는 점점 낮아진다.

① ㄱ　　② ㄴ　　③ ㄱ, ㄷ
④ ㄴ, ㄷ　　⑤ ㄱ, ㄴ, ㄷ

04 그림은 북반구 어느 지역에서 하짓날과 동짓날 태양의 일주 운동을 방위각과 고도로 나타낸 것이다.

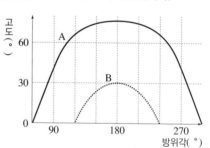

이에 대한 설명으로 옳은 것만을 [보기]에서 있는 대로 고른 것은? (단, 방위각은 북점을 기준으로 한다.)

[보기]
ㄱ. 태양을 관측한 지역의 위도는 36.5°N이다.
ㄴ. A일 때, 낮의 길이가 밤의 길이보다 길었다.
ㄷ. B일 때, 태양이 지는 방향은 북서쪽의 지평선이다.

① ㄱ　　② ㄷ　　③ ㄱ, ㄴ
④ ㄴ, ㄷ　　⑤ ㄱ, ㄴ, ㄷ

05 그림은 우리나라에서 한 달 간격으로 오전 9시에 관측한 태양의 위치를 주변의 별자리와 함께 나타낸 것이다.

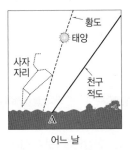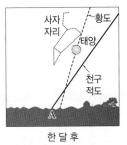

어느 날 / 한 달 후

이에 대한 설명으로 옳은 것만을 [보기]에서 있는 대로 고른 것은?

[보기]
ㄱ. 한 달 동안 태양의 적위는 감소하였다.
ㄴ. 한 달 동안 태양이 뜨는 위치는 A점보다 북쪽이다.
ㄷ. 사자자리를 관측할 수 있는 시간은 9월보다 3월에 더 길다.

① ㄱ　　　　② ㄷ　　　　③ ㄱ, ㄴ
④ ㄴ, ㄷ　　　⑤ ㄱ, ㄴ, ㄷ

06 그림은 2016년에 관측된 금성의 적경 변화를 나타낸 것이다.

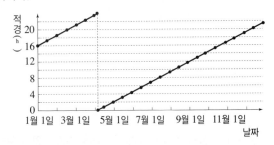

이에 대한 설명으로 옳은 것만을 [보기]에서 있는 대로 고른 것은?

[보기]
ㄱ. 금성은 9월 1일에 추분점 방향에서 관찰된다.
ㄴ. 1월 1일에는 금성이 태양보다 먼저 뜬다.
ㄷ. 2016년에는 금성이 역행하는 시기가 없었다.

① ㄱ　　　　② ㄴ　　　　③ ㄱ, ㄷ
④ ㄴ, ㄷ　　　⑤ ㄱ, ㄴ, ㄷ

07 그림은 어느 해 지구의 한 지점에서 매일 같은 별자리에 대해 화성의 위치를 관측하여 하루 동안 움직여 간 각거리($°$)를 나타낸 것이다. 그림에서 (+) 값은 지구의 공전 방향과 같은 방향(서 → 동)으로 이동해 간 것을 의미한다.

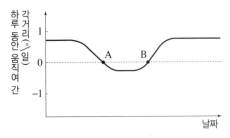

A → B 기간 동안 화성에 대한 설명으로 옳은 것만을 [보기]에서 있는 대로 고른 것은?

[보기]
ㄱ. 별자리에 대해 역행을 한다.
ㄴ. 초저녁에 서쪽 하늘에서 관측된다.
ㄷ. 상현달 모양의 위상을 이룬다.

① ㄱ　　　　② ㄷ　　　　③ ㄱ, ㄴ
④ ㄴ, ㄷ　　　⑤ ㄱ, ㄴ, ㄷ

08 그림은 어느 해 6월 19일부터 10월 7일까지 20일 간격으로 관측한 목성과 토성의 시지름 변화를 나타낸 것이다.

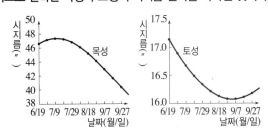

이에 대한 설명으로 옳은 것만을 [보기]에서 있는 대로 고른 것은?

[보기]
ㄱ. 7월 9일경에 목성은 자정에 남쪽 하늘에서 관측되었다.
ㄴ. 9월 말에 토성은 새벽에 동쪽 하늘에서 관측되었다.
ㄷ. 이 기간 동안 목성은 천구상에서 동에서 서로 겉보기 운동을 한 적이 있었을 것이다.

① ㄱ　　　　② ㄷ　　　　③ ㄱ, ㄴ
④ ㄴ, ㄷ　　　⑤ ㄱ, ㄴ, ㄷ

09 그림은 어느 날 지구, 금성, 화성의 상대적 위치를, 표는 세 행성의 공전 주기를 나타낸 것이다.

행성	공전 주기(년)
지구	1.0
금성	0.6
화성	1.9

이날부터 1년 동안 우리나라에서 관측할 수 있는 현상에 대한 설명으로 옳은 것만을 [보기]에서 있는 대로 고른 것은?

[보기]
ㄱ. 금성이 새벽에 관측되는 시기가 있다.
ㄴ. 금성이 상현달 모양으로 관측되는 시기가 있다.
ㄷ. 화성이 역행하는 시기가 있다.

① ㄱ   ② ㄷ   ③ ㄱ, ㄴ
④ ㄴ, ㄷ   ⑤ ㄱ, ㄴ, ㄷ

10 그림은 태양 중심설과 지구 중심설에서 시간에 따른 지구와 금성 사이의 상대적 거리 변화를 순서 없이 나타낸 것이다.

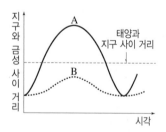

이에 대한 설명으로 옳은 것만을 [보기]에서 있는 대로 고른 것은?

[보기]
ㄱ. 태양이 우주의 중심인 우주관은 A이다.
ㄴ. B에서는 금성이 보름달 모양으로 보이는 것을 설명할 수 있다.
ㄷ. 금성이 한밤중에 관측되지 않는 것을 A에서는 설명할 수 있지만, B에서는 설명할 수 없다.

① ㄱ   ② ㄷ   ③ ㄱ, ㄴ
④ ㄴ, ㄷ   ⑤ ㄱ, ㄴ, ㄷ

11 그림 (가)~(다)는 서로 다른 우주관을 나타낸 것이다.

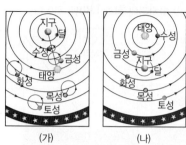

(가)   (나)   (다)

세 우주관으로 모두 설명할 수 있는 현상만을 [보기]에서 있는 대로 고른 것은?

[보기]
ㄱ. 수성과 금성은 새벽과 초저녁에만 관측할 수 있다.
ㄴ. 행성들이 별자리를 배경으로 동에서 서로 움직일 때가 있다.
ㄷ. 금성의 위상이 보름달 모양으로 보일 때가 있다.
ㄹ. 배경이 되는 별에 대한 가까운 별의 위치가 주기적으로 변한다.

① ㄱ, ㄴ   ② ㄱ, ㄷ   ③ ㄷ, ㄹ
④ ㄱ, ㄴ, ㄹ   ⑤ ㄴ, ㄷ, ㄹ

12 그림은 태양계 행성들의 회합 주기를 나타낸 것이다.

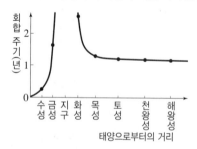

어느 날 화성이 합의 위치에 있었다면, 이후 1년 동안 화성을 관측한 내용으로 옳은 것만을 [보기]에서 있는 대로 고른 것은?

[보기]
ㄱ. 초저녁에 서쪽 하늘에서 관측된다.
ㄴ. 시지름이 계속 증가한다.
ㄷ. 천구상에서 역행하다가 순행한다.

① ㄱ   ② ㄴ   ③ ㄱ, ㄴ
④ ㄱ, ㄷ   ⑤ ㄴ, ㄷ

13 그림은 지구와 가상의 행성 A, B의 공전 궤도를, 표는 두 행성의 공전 주기를 순서 없이 나타낸 것이다.

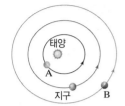

행성	(가)	(나)
공전 주기	$\frac{1}{2}$년	$\frac{3}{2}$년

이에 대한 설명으로 옳은 것만을 [보기]에서 있는 대로 고른 것은?

┌─[보기]
ㄱ. A의 공전 주기는 $\frac{1}{2}$년이다.

ㄴ. B가 근일점에서 원일점까지 공전하는 데 걸리는 시간은 $\frac{3}{4}$년이다.

ㄷ. 회합 주기는 B가 A보다 3배 길다.
└

① ㄱ   ② ㄷ   ③ ㄱ, ㄴ
④ ㄴ, ㄷ   ⑤ ㄱ, ㄴ, ㄷ

14 표는 태양계 행성들의 회합 주기를 짧은 것에서 긴 것 순으로 나타낸 것이고, A~F 중 내행성은 1개이다.

행성	A	B	C	D	E	F
회합 주기(일)	116	367	370	378	399	780

이에 대한 설명으로 옳은 것만을 [보기]에서 있는 대로 고른 것은?

┌─[보기]
ㄱ. 내행성은 A이다.

ㄴ. 지구와 공전 속도의 차이가 가장 작은 행성은 B이다.

ㄷ. 공전 궤도의 긴반지름이 가장 큰 행성은 F이다.

ㄹ. 1년 동안 지나간 궤도 면적이 전체 궤도 면적에서 차지하는 비율은 A가 가장 크다.
└

① ㄱ, ㄹ   ② ㄴ, ㄷ   ③ ㄷ, ㄹ
④ ㄱ, ㄴ, ㄷ   ⑤ ㄱ, ㄴ, ㄹ

15 그림은 소행성 A와 B의 공전 궤도를 나타낸 것이다. 어느 날 소행성 A는 근일점에, 소행성 B는 원일점에 위치하였다.

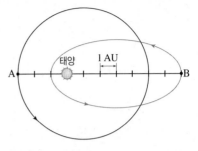

이에 대한 설명으로 옳은 것만을 [보기]에서 있는 대로 고른 것은?

┌─[보기]
ㄱ. 이날부터 2년 동안 소행성 A가 공전한 각도는 소행성 B가 공전한 각도보다 크다.

ㄴ. 태양과 소행성을 잇는 직선이 1년 동안 쓸고 지나간 면적은 A가 B보다 크다.

ㄷ. 소행성 A와 B는 충돌하지 않는다.
└

① ㄱ   ② ㄷ   ③ ㄱ, ㄴ
④ ㄴ, ㄷ   ⑤ ㄱ, ㄴ, ㄷ

16 그림 (가)와 (나)는 태양계의 소행성 A, B의 공전 궤도를 나타낸 것이다.

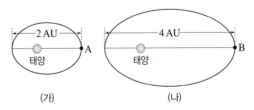

(가)   (나)

이에 대한 설명으로 옳은 것만을 [보기]에서 있는 대로 고른 것은?

┌─[보기]
ㄱ. 평균 공전 속도는 A가 B보다 빠르다.

ㄴ. 공전 주기는 B가 A의 2배이다.

ㄷ. A에서 관측한 B의 회합 주기는 1년보다 짧다.
└

① ㄱ   ② ㄷ   ③ ㄱ, ㄴ
④ ㄴ, ㄷ   ⑤ ㄱ, ㄴ, ㄷ

2 우리은하와 우주의 구조

- 01. 천체의 거리
- 02. 우리은하와 성간 물질
- 03. 우리은하의 나선 구조와 질량
- 04. 우주의 구조

이 단원을 공부하기 전에 학습 계획을 세우고, 학습 진도를 스스로 체크해 보자.
학습이 미흡했던 부분은 다시 보기에 체크해 두고, 시험 전까지 꼭 완벽히 학습하자!

소단원	학습 내용	학습 일자	다시 보기
01. 천체의 거리	Ⓐ 별의 밝기와 거리	/	
	Ⓑ 세페이드 변광성의 주기 광도 관계를 이용한 거리 측정 탐구 세페이드 변광성을 이용한 거리 측정	/	
	Ⓒ 성단의 색등급도를 이용한 거리 측정 탐구 주계열 맞추기로 성단까지의 거리 추정 특강 천체의 거리 측정 방법	/	
02. 우리은하와 성간 물질	Ⓐ 성단의 분포와 우리은하의 구조	/	
	Ⓑ 성간 물질 탐구 항성 계수법으로 암흑 성운이 있는 지역과 없는 지역의 성간 소광량 비교	/	
03. 우리은하의 나선 구조와 질량	Ⓐ 21 cm 수소선	/	
	Ⓑ 별의 공간 운동과 우리은하의 나선팔 구조	/	
	Ⓒ 우리은하의 회전 속도 분포와 질량 탐구 우리은하의 회전 속도 분포 그래프 그리기	/	
04. 우주의 구조	Ⓐ 은하의 집단 탐구 우주에서 우리은하의 위치	/	
	Ⓑ 우주 거대 구조	/	

◆ **별의 색과 표면 온도** 별의 표면 온도가 높을수록 파란색을 띠고, 표면 온도가 낮을수록 붉은색을 띤다.

① **빈의 법칙**: 표면 온도(T)가 높을수록 최대 에너지를 방출하는 파장(λ_{max})이 **①** ⬜. ➡ $T \propto \dfrac{1}{\lambda_{max}}$

② **별의 분광형**: 별의 표면 온도에 따라 스펙트럼 유형을 분류한 것으로, 분광형이 O형인 별의 표면 온도가 가장 높고, M형인 별의 표면 온도가 가장 낮다.

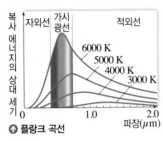
⬆ 플랑크 곡선

분광형	O형	B형	A형	F형	G형	K형	M형
표면 온도 (K)	30000 이상	10000 ~ 30000	7500 ~ 10000	6000 ~ 7500	5000 ~ 6000	3500 ~ 5000	3500 이하
색	파란색	청백색	흰색	황백색	노란색	주황색	붉은색

⬆ 별의 분광형

◆ **은하의 구성 천체** 별, 성단, 성운, 성간 물질 등

성단: 별이 집단을 이루는 것		**성운**: 성간 물질이 모여 구름처럼 보이는 것		
산개 성단	**❷** ⬜	방출 성운(발광 성운)	**❸** ⬜	암흑 성운
수백 개~수천 개의 별들이 엉성하게 모여 있는 천체	수만 개~수백만 개의 별들이 빽빽하게 모여 있는 천체	주변의 별빛을 흡수하여 가열되어 스스로 빛을 내는 성운	성간 물질이 주변의 별빛을 반사하여 밝게 보이는 성운	뒤쪽에서 오는 별빛을 가로막아 어둡게 보이는 성운

◆ **허블의 은하 분류** 허블은 은하를 모양에 따라 분류하였다.

◆ **암흑 물질과 암흑 에너지**

❻ ⬜	빛을 방출하지 않아 보이지 않지만, 질량이 있으므로 중력적인 방법으로 그 존재를 추정할 수 있는 물질
❼ ⬜	우주에 있는 물질의 중력과 반대 방향(척력)으로 작용하여 우주를 가속 팽창시키는 우주의 성분

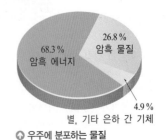
⬆ 우주에 분포하는 물질

천체의 거리

Ⓐ 별의 밝기와 거리

1. *별의 밝기와 등급 별의 밝기는 등급으로 나타내며, 등급이 작을수록 밝은 별이다.

(1) **1등급 사이의 밝기 비**: 1등급의 별은 6등급의 별보다 100배 밝다. ➡ 1등급 간의 밝기 비는 $\sqrt[5]{100}=10^{\frac{2}{5}}$배, 즉 약 2.5배이다.

(2) **별의 밝기와 등급의 관계(포그슨 공식)**: 겉보기 등급이 m_1, m_2인 두 별의 밝기가 각각 l_1, l_2일 때, 두 별의 등급 차와 밝기 비는 다음과 같다.

$$\frac{l_1}{l_2}=10^{\frac{2}{5}(m_2-m_1)} \qquad \therefore m_2-m_1=2.5\log\frac{l_1}{l_2}$$

2. 별의 밝기와 거리

(1) **별의 밝기와 거리 관계**: 별까지의 거리가 2배, 3배, …로 멀어지면 밝기는 $\frac{1}{4}$, $\frac{1}{9}$, …로 줄어든다. 즉, 별의 밝기(l)는 거리(r)의 제곱에 반비례한다. ➡ $l \propto \dfrac{1}{r^2}$

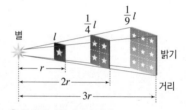
❶ 별의 밝기와 거리의 관계

(2) **겉보기 등급과 절대 등급**

겉보기 등급	별의 등급을 우리 눈에 보이는 밝기에 따라 정한 것으로, 같은 광도의 별이라도 가까이 있는 별은 밝게 보이고 멀리 있는 별은 어둡게 보인다.
절대 등급	모든 별을 *10 pc의 거리에 옮겨 놓았다고 가정했을 때의 밝기를 등급으로 정한 것으로, 별의 광도를 비교할 때 기준이 된다.

3. 별의 밝기를 이용한 거리 측정 ●━ $(m-M)$을 알면 거리를 알 수 있으므로 거리 지수라고 부른다.

(1) **거리 지수($m-M$)**: 별의 겉보기 등급(m)과 절대 등급(M)의 차이로, 거리가 r(pc)인 어떤 별의 겉보기 밝기를 l, 절대 밝기를 L이라고 할 때, 거리 지수는 다음과 같다.

$$m-M=2.5\log\frac{L}{l}=2.5\log\left(\frac{r}{10}\right)^2 \qquad \therefore m-M=5\log r-5$$

(2) **거리 지수를 이용한 거리 판단**: 거리 지수가 클수록 별까지의 거리가 멀다.

거리 지수	$m-M<0$	$m-M=0$	$m-M>0$	
별까지의 거리	거리가 10 pc 보다 가까운 별 $m<M$	거리가 10 pc 인 별 $m=M$	거리가 10 pc 보다 먼 별 $m>M$	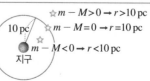 ☆ $m-M>0 \rightarrow r>10$ pc ☆ $m-M=0 \rightarrow r=10$ pc ☆ $m-M<0 \rightarrow r<10$ pc

★ 별의 등급과 밝기
기원전 2세기경, 히파르코스는 육안으로 보이는 별들을 밝기에 따라 6개의 등급으로 나누어 가장 밝게 보이는 별을 1등성, 가장 어둡게 보이는 별을 6등성으로 정하였다. 19세기 중엽, 포그슨은 1등성의 밝기가 6등성의 약 100배라는 사실을 밝혀내었다.

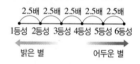

2.5배 2.5배 2.5배 2.5배 2.5배
1등성 2등성 3등성 4등성 5등성 6등성
밝은 별 ←————————→ 어두운 별

★ 천문학에서 사용하는 거리 단위
· 1 pc(parsec, 파섹): 연주 시차가 $1''$인 별까지의 거리≒3.26 LY≒3.086×10^{13} km
· 1 LY(Light Year, 광년): 빛의 속도(약 30만 km/s)로 1년 동안 이동한 거리≒9.46×10^{12} km
· 1 AU(Astronomical Unit, 천문 단위): 태양과 지구 사이의 평균 거리≒1.496×10^8 km

(암기해)
거리 지수
· 거리 지수=겉보기 등급(m)−절대 등급(M)
· 거리 지수가 클수록 별까지의 거리가 멀다.

B ## 세페이드 변광성의 주기 광도 관계를 이용한 거리 측정

리비트는 세페이드 변광성의 주기 광도 관계를 알아내었고, 이를 이용하여 별의 거리를 측정하는 방법을 알아내었어요.

1. 세페이드 변광성

(1) **＊변광성**: 밝기가 일정하지 않고 변하는 별 예 맥동 변광성, 식변광성, 폭발 변광성

(2) **맥동 변광성**: 내부 구조가 불안정하여 팽창과 수축을 반복하면서 광도가 주기적으로 변하는 변광성 예 세페이드 변광성, ＊거문고자리 RR형 변광성

(3) **세페이드 변광성**: 변광 주기가 1일~100일 정도인 맥동 변광성으로, ＊종족 Ⅰ형과 종족 Ⅱ형이 있으며 같은 주기일 때 종족 Ⅰ형이 종족 Ⅱ형보다 밝다.

(4) **세페이드 변광성의 주기 광도 관계**: 세페이드 변광성은 변광 주기가 길수록 광도가 크다.
└─ 변광 주기를 관측하면 별의 절대 등급을 정할 수 있다.

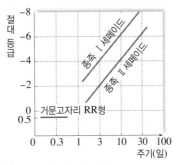
⬆ 변광성의 주기 광도 관계

2. 세페이드 변광성의 주기 광도 관계를 이용한 거리 측정 → 연주 시차를 이용할 때보다 더 먼 천체까지의 거리를 구할 수 있다.

(1) 변광 주기를 측정하여 주기 광도 관계로부터 절대 등급을 구한 다음, 겉보기 등급과 비교하여 별까지의 거리를 구한다.

(2) 거리가 먼 ＊구상 성단이나 외부 은하의 거리도 측정할 수 있다.

세페이드 변광성의 겉보기 등급과 변광 주기 관측	➡	변광 주기로 주기 광도 관계에서 절대 등급 구하기	➡	거리 지수(겉보기 등급 −절대 등급) 구하기	➡	거리 지수 공식으로 변광성까지의 거리 구하기

탐구 자료창 ### 세페이드 변광성을 이용한 거리 측정

그림은 어느 세페이드 변광성의 겉보기 등급 관측 자료와 주기 광도 관계를 나타낸 것이다.

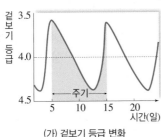
(가) 겉보기 등급 변화

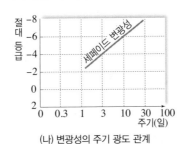
(나) 변광성의 주기 광도 관계

1. **겉보기 등급과 변광 주기**: (가)에서 이 변광성의 평균 겉보기 등급은 약 4등급, 변광 주기는 약 10일이다.
2. **절대 등급**: (나)에서 변광 주기가 약 10일이므로 절대 등급은 −6등급이다.
3. **거리 지수**: 평균 겉보기 등급이 4등급, 절대 등급이 −6등급이므로 거리 지수(겉보기 등급−절대 등급)는 $4-(-6)=10$이다.
4. **변광성까지의 거리**: $m-M=5\log r-5$(m: 겉보기 등급, M: 절대 등급, r: 거리)에서 거리 지수가 10이므로 $10=5\log r-5$, $\log r=3$이다. 따라서 변광성까지의 거리(r)는 1000 pc이다.

＊ 변광성의 종류
• 식변광성: 쌍성이 공통 질량 중심을 공전할 때 공전 궤도면이 시선 방향에 나란하여 식 현상이 일어날 경우 밝기가 주기적으로 변하는 것처럼 보이는 별 예 알골
• 폭발 변광성: 별이 폭발하여 밝기가 급격히 밝아졌다가 어두워지는 별 예 신성, 초신성

＊ 거문고자리 RR형 변광성
변광 주기가 1일 이내인 맥동 변광성이다. 변광 주기에 관계없이 절대 등급이 거의 일정하므로 겉보기 등급만 측정하면 거리 지수 공식으로 별까지의 거리를 구할 수 있다.

＊ 별의 종족
• 종족 Ⅰ형: 무거운 원소의 함량이 많고, 젊은 별 예 태양, 종족 Ⅰ세페이드 변광성, 산개 성단
• 종족 Ⅱ형: 무거운 원소의 함량이 적고, 오래된 별 예 거문고자리 RR형 변광성, 종족 Ⅱ 세페이드 변광성, 구상 성단

＊ 구상 성단과 외부 은하
세페이드 변광성을 포함하는 구상 성단이나 외부 은하까지의 거리는 세페이드 변광성의 거리로 결정할 수 있다. 예 한때 성운으로 알려져 있던 마젤란은하와 안드로메다은하는 그 안에 속해 있던 세페이드 변광성의 거리를 측정하여 우리은하 밖에 있는 외부 은하라는 것이 밝혀졌다.

개념 확인 문제

정답친해 151쪽

핵심 체크

- 별의 밝기와 등급의 관계(포그슨 공식): 겉보기 등급이 m_1, m_2인 두 별의 밝기가 각각 l_1, l_2일 때, 두 별의 등급 차와 밝기 비 사이에는 $m_2 - m_1 = ($❶ $)$의 관계가 성립한다.
- (❷   ): 별의 겉보기 등급(m)과 절대 등급(M)의 차이 ➡ $m - M = 5 \log r - 5$
- 세페이드 변광성을 이용한 거리 측정
  - (❸   ): 변광 주기가 1일~100일 정도인 맥동 변광성
  - 주기 광도 관계: 변광 주기가 길수록 광도가 (❹   ).
  - 별의 거리 측정: 변광 주기와 주기 광도 관계로부터 (❺   )을 구한 다음, 겉보기 등급과 비교하여 거리를 구한다.

1 별의 밝기와 거리에 대한 설명 중 (   ) 안에 알맞은 말을 쓰시오.

(1) 별은 등급의 숫자가 (   )수록 밝다.

(2) 1등급 사이의 밝기는 약 (   )배 차이가 난다.

(3) 별의 밝기는 거리의 제곱에 (   )한다.

(4) 거리 지수가 클수록 별까지의 거리가 (   ).

2 거리 지수에 대한 설명 중 (   ) 안에 알맞은 말을 고르시오.

(1) 거리 지수(겉보기 등급－절대 등급)가 0보다 크면 별의 거리는 10 pc보다 (멀다, 가깝다).

(2) 거리 지수(겉보기 등급－절대 등급)가 0보다 작으면 별의 거리는 10 pc보다 (멀다, 가깝다).

3 표는 별 A~D의 겉보기 등급과 절대 등급을 나타낸 것이다.

별	A	B	C	D
겉보기 등급	6	2	1	3
절대 등급	-2	-3	-2	3

(1) 우리 눈에 가장 밝게 보이는 별을 쓰시오.

(2) 실제로 가장 밝은 별을 쓰시오.

(3) 별 A보다 100배 어두운 별을 쓰시오.

(4) 거리가 10 pc인 별을 쓰시오.

(5) 가장 멀리 있는 별을 쓰시오.

4 그림은 변광성의 주기 광도 관계를 나타낸 것이다. 이에 대한 설명으로 옳은 것은 ○, 옳지 <u>않은</u> 것은 ×로 표시하시오.

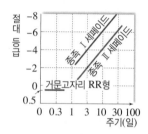

(1) 세페이드 변광성은 변광 주기가 길수록 광도가 크다. ··· (   )

(2) 주기가 같은 세페이드 변광성의 경우 종족 I형이 종족 II형보다 실제 밝기가 밝다. ········ (   )

(3) 거문고자리 RR형 변광성은 변광 주기가 주로 10일 이상이다. ································· (   )

5 세페이드 변광성의 주기 광도 관계를 이용하여 거리를 구할 때, ㉠(   )와 ㉡(   )을 관측해야 한다.

6 그림은 세페이드 변광성의 주기 광도 관계를 나타낸 것이다. 변광 주기가 10일, 평균 겉보기 등급이 6등급인 세페이드 변광성이 발견된 은하까지의 거리는 몇 pc인지 구하시오.

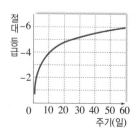

들어가기 전에

색등급도를 공부하기 전에 H-R도와 별의 진화에 대해 알아보아요.

- **H-R도**: 별의 표면 온도(분광형)와 광도(절대 등급)를 축으로 하여 별의 분포를 나타낸 그래프

H-R도	별의 분류	특징
	주계열성	H-R도상의 왼쪽 위에서 오른쪽 아래로 이어지는 좁은 띠 영역에 분포하는 별들로, 왼쪽 위에 분포할수록 질량이 크고, 표면 온도가 높다.
	거성	H-R도에서 주계열성의 오른쪽 위에 분포하는 별들로, 표면 온도가 낮지만 반지름이 커서 광도가 크다.
	초거성	H-R도에서 거성보다 위에 분포하는 별들로, 반지름이 매우 커서 광도가 매우 크다.
	백색 왜성	H-R도에서 주계열성의 왼쪽 아래에 분포하는 별들로, 표면 온도는 높지만 반지름이 매우 작아 광도가 작고, 평균 밀도가 매우 크다.

- **별의 진화 과정** ┌ **질량이 태양 정도인 별**: 성운 → 원시별 → 주계열성 → 적색 거성 → 백색 왜성, 행성상 성운
  └ **질량이 태양보다 매우 큰 별**: 성운 → 원시별 → 주계열성 → 초거성 → 초신성 → 중성자별이나 블랙홀

C 성단의 색등급도를 이용한 거리 측정

색등급도(C-M도)는 H-R도에서 가로축을 색지수로, 세로축을 등급으로 나타낸 것과 같아요.

1. 색지수 하나의 별을 서로 다른 파장대에서 측정했을 때 나타나는 등급의 차이로, 별의 표면 온도를 나타내는 척도가 된다.

(1) **색지수**: 사진 등급(m_P)에서 안시 등급(m_V)을 뺀 값

① 사진 등급(m_P): 별을 사진으로 찍었을 때의 밝기 등급 ➡ 사진 건판은 파란색에 민감하므로, 표면 온도가 높아 파란색을 띠는 별은 사진 등급이 작게 나타난다.

② 안시 등급(m_V): 별을 맨눈으로 관측했을 때의 밝기 등급 ➡ 사람의 눈은 노란색에 민감하므로, 표면 온도가 낮아 노란색을 띠는 별은 안시 등급이 작게 나타난다.

③ 별의 표면 온도와 색지수: 별의 표면 온도가 높을수록 색지수가 작다.

고온의 별(파란색)	사진 등급(m_P) < 안시 등급(m_V) ➡ 색지수($m_P - m_V$): (−) 값
저온의 별(붉은색)	사진 등급(m_P) > 안시 등급(m_V) ➡ 색지수($m_P - m_V$): (+) 값

(2) **U, B, V 등급**: 별의 색을 정확히 나타내기 위해 특정한 파장의 빛만을 통과시키는 필터가 사용되는데, *U, B, V 필터를 통과한 빛으로 정한 별의 겉보기 등급을 각각 U, B, V 등급이라고 한다. ➡ B 등급은 사진 등급(m_P)과 비슷하고, V 등급은 안시 등급(m_V)과 비슷하므로 보통 ($B-V$)를 색지수로 많이 사용한다.

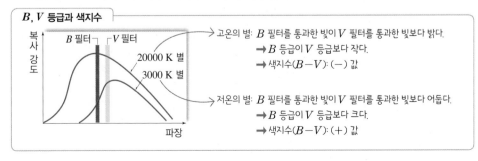

B, V 등급과 색지수

- 고온의 별: B 필터를 통과한 빛이 V 필터를 통과한 빛보다 밝다.
  ➡ B 등급이 V 등급보다 작다.
  ➡ 색지수($B-V$): (−) 값
- 저온의 별: B 필터를 통과한 빛이 V 필터를 통과한 빛보다 어둡다.
  ➡ B 등급이 V 등급보다 크다.
  ➡ 색지수($B-V$): (+) 값

일반적으로 색지수는 서로 다른 파장대에서 측정한 등급의 차이를 나타내요. 사진 등급과 안시 등급의 차, B 등급과 V 등급의 차 모두 색지수입니다.

★ U, B, V 필터
- U 필터: 보라색 빛(0.36 μm 부근)을 통과시키는 필터
- B 필터: 파란색 빛(0.42 μm 부근)을 통과시키는 필터
- V 필터: 노란색 빛(0.54 μm 부근)을 통과시키는 필터

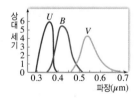

◑ 파장에 따른 빛의 투과 영역

★ 주계열성의 색지수

분광형	표면 온도(K)	$B-V$
O	42000	−0.33
B	30000	−0.30
Ⓐ	9800	0.00
F	7300	0.30
G	5940	0.58
K	5150	0.81
M	3840	1.40

● A형은 색지수가 0인 기준이 된다.

01 천체의 거리

2. 색등급도(C-M도) 별의 색지수를 가로축에, 별의 등급을 세로축에 표현한 도표

(1) *성단의 색등급도와 거리

① **주계열 맞추기**: 색등급도에서 성단을 이루는 주계열성의 겉보기 등급(m_V)과 표준 주계열성의 절대 등급(M_V)의 차이(거리 지수)로 성단의 거리를 구하는 방법 ➡ *연주 시차를 이용할 때보다 더 멀리 있는 성단의 거리를 측정할 수 있다.

② 성단의 색등급도에서 주계열성 분포에 따른 거리

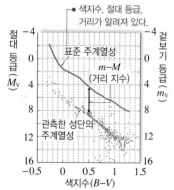

● 색지수, 절대 등급, 거리가 알려져 있다.
● 주로 우리은하 내

⬆ 주계열 맞추기

성단의 주계열성 분포	거리 지수	성단의 거리
표준 주계열성 위	−	10 pc보다 가까이 있다.
표준 주계열성과 일치	0	10 pc
표준 주계열성 아래	+	10 pc보다 멀리 있다.

탐구 자료창 주계열 맞추기로 성단까지의 거리 추정

그림은 플레이아데스 성단과 표준 주계열성의 색등급도이다.

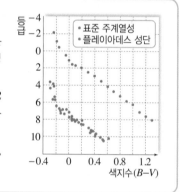

1. **가정**: 성단의 주계열성과 표준 주계열성에서 색지수가 같은 별은 절대 등급이 같다. 성단 내 별 사이의 거리는 지구와 성단의 거리에 비해 무시할 정도로 작다.

2. **거리 지수**: 색지수가 0.2인 표준 주계열성의 절대 등급은 약 2등급, 성단에서 색지수가 0.2인 주계열성의 겉보기 등급은 약 8등급이므로 거리 지수는 6이다.

3. **성단까지의 거리**: $m-M=5\log r-5$에서 $6=5\log r-5$, $r=10^{\frac{11}{5}}$ pc이다.

---

(2) 성단의 색등급도와 나이: 성단에는 다양한 질량의 별들이 존재하는데, 질량이 큰 별은 수명이 짧아 주계열 단계를 빠르게 벗어난다.

① **전향점**: 성단의 색등급도에서 별이 진화하여 주계열을 벗어나는 지점

② *성단의 나이: 성단의 나이가 많을수록 전향점이 아래로 이동한다.

구분	산개 성단	구상 성단
색등급도	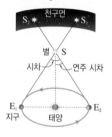전향점이 온도가 높고 광도가 큰 위쪽에 위치한다.	전향점이 온도가 낮고 광도가 작은 아래쪽에 위치한다.
나이	별들이 대부분 주계열 단계에 머물러 있고, 온도가 높고 광도가 큰 별이 많다. ➡ 성단의 나이가 적다.	온도와 광도가 낮은 별을 제외한 대부분의 별이 주계열 단계를 떠나*거성 단계에 진입하였다. ➡ 성단의 나이가 많다.

★ 성단
성단을 이루는 별들은 색, 밝기, 질량 등은 각각 다르지만, 지구로부터의 거리와 나이가 거의 같다.

★ 연주 시차
지구 공전 궤도 양쪽 끝에서 별을 바라본 각도의 절반(p)으로, 별의 거리(r)에 반비례한다.

➡ $r(\text{pc})=\dfrac{1}{p''}$

★ 여러 산개 성단을 겹쳐서 나타낸 색등급도

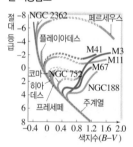

전향점이 아래에 있는 성단일수록 질량이 작아 진화 속도가 느린 별까지도 거성으로 진화한 것이다.

★ 별의 진화 단계
• 적색 거성 가지: 주계열에서 적색 거성으로 진화하고 있는 단계
• 수평 가지: 적색 거성 가지를 지난 다음의 단계
• 점근 거성 가지: 중심핵 바깥쪽의 헬륨층과 수소층의 연소가 진행되는 단계

정답친해 151쪽

핵심 체크

- (**①**   ): 사진 등급(m_P)에서 안시 등급(m_V)을 뺀 값으로, ($B-V$)를 많이 사용한다.
  - 사진 등급(m_P) : 별을 사진으로 찍었을 때의 밝기 등급 ➡ 사진 건판은 (**②**   )색에 민감하다.
  - 안시 등급(m_V) : 별을 맨눈으로 관측했을 때의 밝기 등급 ➡ 사람의 눈은 (**③**   )색에 민감하다.
  - ➡ 별의 표면 온도가 높을수록 색지수가 (**④**   ).
- 색등급도(C-M도): 별의 (**⑤**   )를 가로축에, 별의 등급을 세로축에 표현한 도표
  - 성단의 색등급도를 이용하여 거리 구하기: 색등급도에서 성단을 이루는 주계열성의 겉보기 등급과 표준 주계열성의 절대 등급의 차이로 성단까지의 거리를 구한다. ➡ (**⑥**   ) 맞추기
  - 성단의 색등급도와 나이: 성단의 나이가 (**⑦**   )수록 색등급도에서 전향점이 아래에 위치한다.

1 파란색을 띠는 별은 노란색을 띠는 별보다 표면 온도가 ㉠(   )고, 색지수가 ㉡(   )다.

2 그림은 (가)와 (나)별에서 B, V 필터를 투과하는 빛의 세기와 파장 영역을 나타낸 것이다.

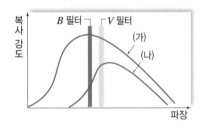

(   ) 안에 알맞은 말을 고르시오.

(1) (가)별은 B 등급이 V 등급보다 (크다, 작다).
(2) (가)별은 색지수($B-V$)가 ($+$, $-$) 값이다.
(3) (나)별은 B 등급이 V 등급보다 (크다, 작다).
(4) (나)별은 색지수($B-V$)가 ($+$, $-$) 값이다.
(5) 별의 표면 온도는 (가)가 (나)보다 (높다, 낮다).

3 색지수와 절대 등급을 표시한 표준 주계열성의 색등급도에 성단을 이루는 주계열성의 색지수와 겉보기 등급을 표시하였을 때, 성단의 주계열성 위치에 따른 거리를 옳게 연결하시오. (단, 세로축에서 등급은 위로 갈수록 작아진다.)

(1) 표준 주계열성 위   •   • ㉠ 10 pc
(2) 표준 주계열성 아래   •   • ㉡ 10 pc보다 멀다.
(3) 표준 주계열성과 일치   •   • ㉢ 10 pc보다 가깝다.

4 다음은 색등급도에서 주계열 맞추기로 성단까지의 거리를 구하는 과정이다.

색지수가 0.8일 때, 성단을 이루는 별의 겉보기 등급은 약 ㉠(   ) 등급이고, 표준 주계열성의 절대 등급은 약 ㉡(   )등급이므로 거리 지수는 ㉢(   )이다. 따라서 이 성단까지의 거리는 ㉣(   ) pc이다.

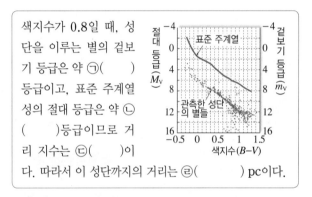

5 색등급도에 나타나는 산개 성단과 구상 성단을 비교하여 설명한 것 중 산개 성단에 해당하는 것은 '산', 구상 성단에 해당하는 것은 '구'라고 쓰시오.

(1) 대부분의 별이 주계열성이다. ·············· (   )
(2) 전향점은 온도와 광도가 높은 곳에 있다. ········ (   )
(3) 전향점에 위치하는 별의 색지수가 크다. ········ (   )
(4) 점근 거성 가지와 수평 가지에도 별이 분포한다.
····························· (   )

6 그림은 산개 성단들의 색등급도를 겹쳐 그린 것이다. 그림에서 나이가 가장 적은 성단과 가장 많은 성단을 순서대로 쓰시오.

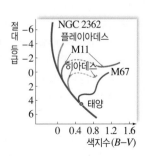

완자쌤 **비법 특강**

천체의 거리 측정 방법

○ 정답친해 152쪽

가까운 천체의 거리는 연주 시차를 이용해서 알 수 있지만, 먼 천체까지의 거리는 다른 방법을 이용해야 알 수 있어요. 천체의 거리를 측정하는 방법을 살펴볼까요?

1 레이더

지구에서 행성에 전파를 쏘았을 때 되돌아오는 시간을 측정하여 거리를 구한다.

2 연주 시차

연주 시차를 측정하여 비교적 가까운 천체의 거리를 구한다.

❶ 지구가 공전하면서 6개월 간격으로 관측한 시차의 $\frac{1}{2}$이 연주 시차이다.

❷ 연주 시차(p)는 거리에 반비례하므로 이를 이용하여 거리(r)를 구할 수 있다. ➡ $r(\text{pc}) = \dfrac{1}{p''}$

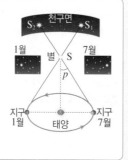

Q1 6개월 동안 관측한 시차가 0.2″인 별의 거리는 몇 pc인가?

3 주계열 맞추기

주로 우리은하 내에서 거리가 알려진 성단의 주계열과 비교하여 성단의 거리를 구한다.

❶ 표준 주계열성의 색등급도에 거리를 구하고자 하는 성단의 겉보기 등급과 색지수를 겹쳐서 나타낸다.

❷ 두 색등급도를 비교하여 거리 지수를 결정하고, 거리 지수 공식을 이용하여 성단까지의 거리(r)를 구한다.
➡ $m - M = 5 \log r - 5$ (m: 겉보기 등급, M: 절대 등급)

Q2 거리 지수가 5일 때 성단까지의 거리는 몇 pc인가?

4 세페이드 변광성의 주기 광도 관계

먼 성단이나 가까운 은하의 거리를 구한다.

❶ 세페이드 변광성의 겉보기 등급, 변광 주기를 측정한다.

❷ 세페이드 변광성의 주기 광도 관계에서 절대 등급을 알아낸다.

❸ 거리 지수(겉보기 등급－절대 등급) 값을 구한다.

❹ 거리 지수 공식을 이용하여 변광성의 거리(r)를 구한다.
➡ $m - M = 5 \log r - 5$ (m: 겉보기 등급, M: 절대 등급)

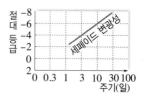

⤴ 세페이드 변광성의 주기 광도 관계

Q3 어느 세페이드 변광성의 평균 겉보기 등급이 6등급이고, 변광 주기가 3일일 때, 이 변광성까지의 거리는 몇 pc인가?

5 허블 법칙

멀리 떨어진 은하의 거리를 구한다.

❶ 외부 은하의 스펙트럼에서 적색 편이량($\Delta\lambda$)을 측정한다.

❷ 측정한 적색 편이량을 이용하여 외부 은하의 후퇴 속도(v)를 구한다. ➡ $v = c \times \dfrac{\Delta\lambda}{\lambda}$ (c: 광속, λ: 원래 파장)

❸ 허블 법칙으로부터 외부 은하까지의 거리(r)를 구한다.
➡ $v = H \cdot r$ (v: 은하의 후퇴 속도, H: 허블 상수)

Q4 후퇴 속도가 3×10^4 km/s이고, 허블 상수가 80 km/s/Mpc 일 때, 은하까지의 거리는 몇 pc인가?

대표 자료 분석

정답친해 153쪽

🔖 학교 시험에 자주 출제되는 대표 자료와 그 자료에 대한
문제를 통해 자료를 완벽하게 이해할 수 있다.

자료 ① 거리 지수

기출 Point
• 겉보기 등급과 절대 등급 이해하기
• 거리 지수를 이용하여 별까지의 거리 판단하기

[1~4] 표는 별 A~E의 겉보기 등급과 절대 등급을 나타낸 것이다.

별	A	B	C	D	E
겉보기 등급	0.0	0.1	1.2	3.0	5.0
절대 등급	3.0	1.5	1.0	3.0	0.0

1 우리 눈에 가장 밝게 보이는 별과 광도가 가장 큰 별을 순서대로 쓰시오.

2 별 B의 거리 지수는 ㉠(−, +) 값을 가지므로 거리가 10 pc보다 ㉡(가깝다, 멀다).

3 별 A~E의 거리를 비교하여 지구로부터 가까운 것부터 순서대로 나열하시오.

4 빈출 선택지로 완벽 정리!

(1) 별 D까지의 거리는 10 pc이다. ············ (○ / ×)

(2) 거리 지수가 가장 큰 별은 A이다. ············ (○ / ×)

(3) 연주 시차가 가장 큰 별은 E이다. ············ (○ / ×)

(4) 별 E까지의 거리는 100 pc이다. ············ (○ / ×)

자료 ② 세페이드 변광성을 이용한 거리 측정

기출 Point
• 세페이드 변광성의 변광 주기로부터 별의 광도 구하기
• 거리 지수를 이용하여 변광성의 거리 구하기

[1~4] 그림 (가)는 맥동 변광성의 주기 광도 관계를, (나)는 어느 종족 I 세페이드 변광성의 밝기 변화를 나타낸 것이다.

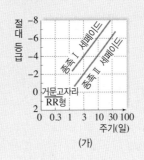 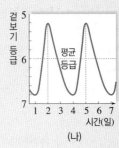

| (가) | (나) |

1 세페이드 변광성의 변광 주기와 광도 사이에는 어떤 관계가 있는지 쓰시오.

2 (나) 변광성은 변광 주기가 같은 종족 II 세페이드 변광성보다 실제로 몇 배 밝은가?

① 약 2배   ② 약 2.5배   ③ 약 6.3배

④ 약 10배   ⑤ 같다.

3 변광 주기가 0.3일인 거문고자리 RR형 변광성의 겉보기 등급이 5.5등급일 때, 이 별의 실제 밝기는 겉보기 밝기보다 몇 배 밝은지 쓰시오.

4 빈출 선택지로 완벽 정리!

(1) (나) 변광성의 변광 주기는 약 3일이다. ·········· (○ / ×)

(2) (나) 변광성의 평균 겉보기 등급은 약 6등급이다.
·········· (○ / ×)

(3) (나) 변광성의 절대 등급은 약 −2등급이다. ······· (○ / ×)

(4) (나) 변광성까지의 거리는 100 pc이다. ········ (○ / ×)

대표 자료 분석

자료 ③ 성단의 색등급도를 이용한 거리 측정

기출 Point
- 색등급도 이해하기
- 성단의 색등급도를 이용하여 거리 구하기

[1~3] 그림은 표준 주계열성의 색지수와 절대 등급을 나타낸 색등급도에 플레이아데스 성단에 있는 일부 주계열성의 색지수와 겉보기 등급을 나타낸 것이다.

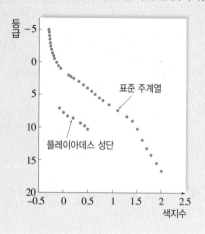

1 색등급도에서 표준 주계열성과 플레이아데스 성단을 이루는 주계열성은 (평행하게, 수직으로) 분포한다.

2 색지수가 0인 표준 주계열성의 절대 등급이 1.5등급, 플레이아데스 성단에 있는 주계열성의 겉보기 등급이 7.5등급일 때, 플레이아데스 성단까지의 거리는 몇 pc인지 구하시오.(단, $10^{\frac{1}{5}}≒1.6$으로 계산한다.)

3 빈출 선택지로 완벽 정리!

(1) 플레이아데스 성단을 이루는 별들은 지구로부터 거의 같은 거리에 있다. .... (○ / ×)

(2) 플레이아데스 성단의 거리 지수는 0보다 작다. .... (○ / ×)

(3) 플레이아데스 성단의 거리는 10 pc보다 가깝다. .... (○ / ×)

자료 ④ 성단의 색등급도를 이용한 나이 추정

기출 Point
- 구상 성단과 산개 성단의 색등급도 이해하기
- 성단의 색등급도를 이용하여 나이 추정하기

[1~3] 그림 (가)와 (나)는 산개 성단과 구상 성단의 색등급도를 순서 없이 나타낸 것이다.

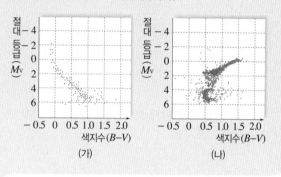

1 (가)와 (나) 중 다음 설명에 해당하는 성단을 고르시오.

(1) 색등급도에서 전향점이 더 아래에 있는 것

(2) 성단의 나이가 더 많은 것

(3) 성단에서 주계열성의 비율이 더 높은 것

2 (가)와 (나)는 각각 어떤 성단인지 쓰시오.

3 빈출 선택지로 완벽 정리!

(1) (가) 성단을 이루는 별들은 대부분 거성 단계에 있다. .... (○ / ×)

(2) (나) 성단에는 주계열 이후의 진화 단계에 있는 별들이 많이 있다. .... (○ / ×)

(3) 질량이 큰 별일수록 진화 속도가 빨라 주계열 단계를 빨리 벗어난다. .... (○ / ×)

(4) 전향점에 있는 별의 질량은 (가)가 (나)보다 크다. .... (○ / ×)

내신 만점 문제

A 별의 밝기와 거리

01 절대 등급이 같은 두 별 A와 B의 겉보기 등급이 각각 1등급과 6등급일 때, 지구로부터 별 A와 B까지의 거리 비는?

① 1 : 1   ② 1 : 10   ③ 1 : 100
④ 1 : 10000   ⑤ 100 : 1

02 표는 별 A~E의 절대 등급과 겉보기 등급을 나타낸 것이다.

별	A	B	C	D	E
절대 등급	−1.0	1.0	1.0	6.0	4.0
겉보기 등급	0.0	3.0	1.0	3.0	5.0

지구에서 가장 멀리 있는 별과 실제로 가장 밝은 별을 순서대로 옳게 짝 지은 것은?

① A, B   ② B, A   ③ C, D
④ D, E   ⑤ E, C

03 표는 별 A~D의 겉보기 등급과 절대 등급을 나타낸 것이다.

별	A	B	C	D
겉보기 등급	−2.0	2.0	0.0	−1.0
절대 등급	−2.0	−3.0	2.0	−1.0

이에 대한 설명으로 옳은 것만을 [보기]에서 있는 대로 고른 것은?

[보기]
ㄱ. 별 B까지의 거리는 100 pc이다.
ㄴ. 가장 가까운 거리에 있는 별은 A이다.
ㄷ. 별 A와 D는 같은 거리에 있는 별이다.
ㄹ. 가장 많은 에너지를 방출하는 별은 C이다.

① ㄱ, ㄷ   ② ㄱ, ㄹ   ③ ㄴ, ㄷ
④ ㄴ, ㄹ   ⑤ ㄷ, ㄹ

(서술형)
04 어떤 별의 겉보기 등급이 3.5등급이고, 절대 등급이 −11.5등급일 때, 이 별까지의 거리는 몇 pc인지 계산 과정과 함께 구하시오.

B 세페이드 변광성의 주기 광도 관계를 이용한 거리 측정

05 세페이드 변광성에 대한 설명으로 옳은 것은?

① 변광 주기가 1일 이내이다.
② 밝기가 변하는 주기가 길수록 절대 등급이 작다.
③ 식 현상이 일어나 밝기가 주기적으로 변하는 별이다.
④ 변광 주기가 같을 경우 종족 Ⅱ에 해당하는 별은 종족 Ⅰ에 해당하는 별보다 밝다.
⑤ 세페이드 변광성의 주기 광도 관계로 안드로메다성운이 우리은하 안에 있는 천체임을 밝혀내었다.

06 그림 (가)는 변광성 A, B의 밝기 변화를, (나)는 맥동 변광성의 주기 광도 관계를 나타낸 것이다.

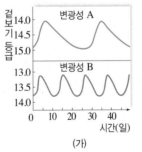
(가)

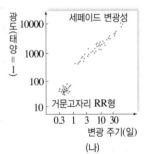
(나)

이에 대한 설명으로 옳은 것만을 [보기]에서 있는 대로 고른 것은?

[보기]
ㄱ. 겉보기 밝기는 A가 B보다 밝다.
ㄴ. 절대 등급은 A가 B보다 작다.
ㄷ. A는 세페이드 변광성, B는 거문고자리 RR형 변광성이다.

① ㄱ   ② ㄴ   ③ ㄱ, ㄷ
④ ㄴ, ㄷ   ⑤ ㄱ, ㄴ, ㄷ

07 그림 (가)는 종족 Ⅱ형에 해당하는 어느 세페이드 변광성의 겉보기 등급 변화를, (나)는 세페이드 변광성의 주기와 절대 등급의 관계를 나타낸 것이다.

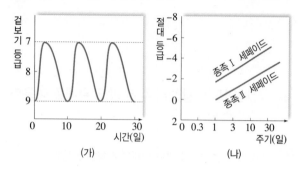

(가)   (나)

(1) 이 세페이드 변광성의 변광 주기와 평균 겉보기 등급을 쓰시오.

(2) 절대 등급을 구하고, 변광성까지의 거리를 구하는 과정을 식과 함께 서술하시오.

08 그림 (가)는 세페이드 변광성의 변광 주기와 절대 등급의 관계를, (나)는 서로 다른 성단에 속해 있는 세페이드 변광성 A, B의 광도 곡선을 나타낸 것이다.

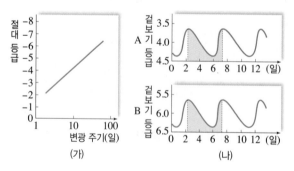

(가)   (나)

이에 대한 설명으로 옳은 것은?

① A의 변광 주기는 약 7일이다.
② B의 절대 등급은 −5등급이다.
③ 광도는 A가 B보다 크다.
④ 거리는 A가 B보다 가깝다.
⑤ 육안으로 관찰하면 A가 B보다 어둡게 보인다.

Ⓒ 성단의 색등급도를 이용한 거리 측정

09 그림은 별 S_1과 S_2의 파장에 따른 복사 에너지의 세기 분포와 B, V 필터의 파장 영역을 나타낸 것이다.

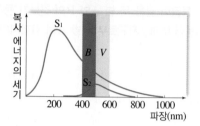

이에 대한 설명으로 옳은 것만을 [보기]에서 있는 대로 고른 것은?

[보기]
ㄱ. 안시 등급은 B 필터로 측정한 등급에 가깝다.
ㄴ. $(B-V)$ 색지수는 S_1이 S_2보다 작다.
ㄷ. 별의 표면 온도는 S_1이 S_2보다 높다.

① ㄱ   ② ㄷ   ③ ㄱ, ㄴ
④ ㄴ, ㄷ   ⑤ ㄱ, ㄴ, ㄷ

10 그림은 표준 주계열성의 절대 등급과 색지수를 나타낸 색등급도에 어느 성단을 이루는 별들의 겉보기 등급과 색지수를 나타낸 것이다.

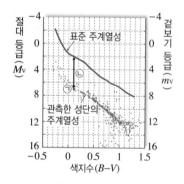

이에 대한 설명으로 옳지 <u>않은</u> 것은?

① 성단에 속한 별 ㉠은 주계열성이다.
② 별 ㉠의 절대 등급은 2등급이다.
③ 이 성단의 거리 지수는 5이다.
④ 이 성단은 지구로부터 10 pc보다 가까운 거리에 있다.
⑤ ㉡이 클수록 성단까지의 거리는 멀다.

11 민호는 플레이아데스 성단의 거리를 구하기 위해 다음과 같은 탐구 활동을 하였다.

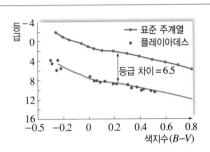

(가) 색등급도에 표준 주계열성의 색지수($B-V$)와 절대 등급을 나타낸다.

(나) 위에서 그린 색등급도에 플레이아데스 성단을 이루는 별의 색지수($B-V$)와 겉보기 등급을 함께 나타낸다.

(다) 플레이아데스 성단의 주계열성과 표준 주계열성 사이의 등급 차이를 구한다.

이에 대한 설명으로 옳은 것만을 [보기]에서 있는 대로 고른 것은?

[보기]
ㄱ. 성단 내 별들의 거리는 거의 같다.
ㄴ. 플레이아데스 성단의 거리 지수는 +6.5이다.
ㄷ. 이 방법은 우리은하 밖에 있는 천체의 거리를 구할 때 주로 이용된다.

① ㄱ   ② ㄷ   ③ ㄱ, ㄴ
④ ㄴ, ㄷ   ⑤ ㄱ, ㄴ, ㄷ

서술형
12 그림 (가)는 플레이아데스 성단의 색등급도를, (나)는 **M13** 성단의 색등급도를 나타낸 것이다.

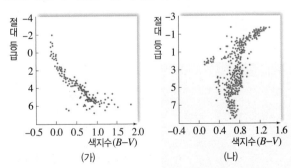

(가)와 (나) 중 성단의 나이가 많은 것을 고르고, 그렇게 판단한 까닭을 서술하시오.

---

13 그림 (가)와 (나)는 산개 성단과 구상 성단의 색등급도를 순서 없이 나타낸 것이다.

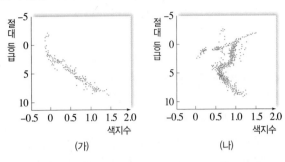

이에 대한 설명으로 옳은 것만을 [보기]에서 있는 대로 고른 것은?

[보기]
ㄱ. (가)에서 질량이 큰 별일수록 진화 속도가 느리다.
ㄴ. 성단에서 주계열성의 비율은 (가)가 (나)보다 높다.
ㄷ. 성단의 나이는 (나)가 (가)보다 적다.

① ㄱ   ② ㄴ   ③ ㄱ, ㄷ
④ ㄴ, ㄷ   ⑤ ㄱ, ㄴ, ㄷ

---

14 그림은 여러 산개 성단의 색등급도를 겹쳐서 나타낸 것이다.

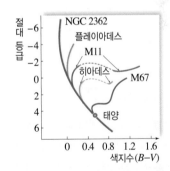

이에 대한 설명으로 옳은 것만을 [보기]에서 있는 대로 고른 것은?

[보기]
ㄱ. 주계열성의 구성비가 가장 큰 성단은 M11이다.
ㄴ. 전향점이 가장 아래에 위치한 성단은 M67이다.
ㄷ. 플레이아데스 성단은 히아데스 성단보다 진화가 많이 이루어졌다.

① ㄱ   ② ㄴ   ③ ㄱ, ㄷ
④ ㄴ, ㄷ   ⑤ ㄱ, ㄴ, ㄷ

02 우리은하와 성간 물질

핵심 포인트
ⓐ 산개 성단과 구상 성단의 특징 ★★
　우리은하의 구조 ★★★
ⓑ 성간 물질로 나타나는 성간 소광과 성간 적색화 ★★★
　성운의 종류와 특징 ★★★

Ⓐ 성단의 분포와 우리은하의 구조

1. 산개 성단과 구상 성단

(1) *성단: 수많은 별들이 무리를 지어 모여 있는 집단이다.

(2) 성단의 분류: 모양에 따라 산개 성단과 구상 성단으로 구분한다.

구분	산개 성단	구상 성단
모습		
정의	수백 개~수천 개의 별들이 비교적 엉성하게 모여 있는 성단	수만 개~수백만 개의 별들이 공 모양으로 빽빽하게 모여 있는 성단
구성 별	주계열 단계의 질량과 광도가 매우 큰 별들이 있다. ➡ 비교적 최근에 형성된 별들이 많다.	대부분 적색 거성이나 질량이 작은 주계열성이다. ➡ 질량이 큰 별들은 이미 주계열 단계를 벗어났다.
구성 별의 온도와 색	온도가 높은 파란색 별	온도가 낮은 붉은색 별
성단의 나이	적다	많다
성단의 분포	우리은하의 나선팔에 주로 분포한다.	우리은하 중심부(은하핵)와 은하를 둘러싼 구형 공간(헤일로)에 주로 분포한다.

2. 성단 연구와 우리은하의 구조

●태양계가 속해 있는 은하

(1) **구상 성단의 분포와 우리은하의 중심**: 구상 성단은 많은 별이 모여 있어 질량이 매우 크므로 *구상 성단이 분포하는 영역의 중심을 *우리은하의 중심이라고 생각할 수 있다.

(2) **우리은하의 중심 위치**: 섀플리는 구상 성단의 공간 분포를 연구하여 우리은하 중심 위치를 추정하였다.

① 관측 방법: 구상 성단에 있는 변광성의 주기 광도 관계를 이용하여 구상 성단의 거리를 구하였다.

② 관측 결과: 구상 성단들이 태양을 중심으로 분포하지 않았다. ➡ 태양이 은하 중심으로부터 벗어난 곳에 위치함을 의미한다.

③ 결론(주장): 우리은하 중심은 태양이 아닌 궁수자리 방향에 있으며, 태양은 우리은하의 가장자리에 위치한다.

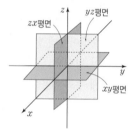

↥ 섀플리가 그린 구상 성단(노란 점) 분포

★ 성단의 생성
성단을 이루는 별들은 하나의 거대한 성운에서 거의 동시에 생성되어 화학 조성이나 전체적인 운동, 나이, 지구로부터의 거리 등이 거의 같다. 따라서 항성 연구 시 유용하게 활용된다.
┗● 구상 성단은 우리은하가 형성된 시기에 탄생했다고 추정된다.

★ 3차원 공간 좌표에서 여러 구상 성단의 무게 중심

구상 성단의 질량이 모두 같다고 가정하고, N개의 구상 성단의 좌푯값이 있을 때, 좌푯값의 평균을 구하면 무게 중심의 좌표를 구할 수 있다.

$(x_1, y_1, z_1) \cdots (x_N, y_N, z_N)$

$\Rightarrow \left(\dfrac{x_1 + \cdots x_N}{N}, \dfrac{y_1 + \cdots y_N}{N}, \dfrac{z_1 + \cdots z_N}{N} \right)$

★ 우리은하 중심을 찾는 데 구상 성단을 이용하는 까닭
구상 성단의 질량은 매우 크기 때문에 은하가 역학적으로 안정하려면 이들이 은하 중심을 기준으로 공간적인 대칭 구조를 이루고 있어야 한다. 따라서 구상 성단 분포의 중심을 우리은하의 중심으로 생각할 수 있다.

(3) 우리은하의 모양과 크기 및 구조

① 모양: 우리은하는 위에서 보면 막대 모양의 중심 구조와 나선팔을 가지고 있는 막대 나선 은하이다. *옆에서 보면 중심부가 볼록한 원반 모양이다.

⬆ 우리은하를 위에서 본 모양

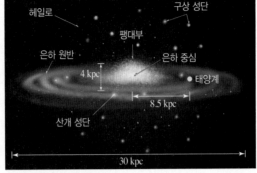
⬆ 우리은하를 옆에서 본 모양

② 크기: 지름은 약 30 kpc(10만 광년)이고, 태양계는 은하 중심에서 약 8.5 kpc 떨어진 오리온 나선팔의 안쪽 가장자리에 위치하고 있다.

③ 구조: 팽대부, 은하 원반, 헤일로로 이루어져 있다.

팽대부	은하 중심부에 별들이 모여 볼록하게 부풀어 오른 부분으로, 은하핵을 포함한 막대 구조가 가로지르고 있다. ➡ 주로 나이가 많고 붉은색을 띠는 별들이 분포하며, 중앙 팽대부에 *구상 성단이 집중되어 있다.
은하 원반	막대 구조의 양끝에서 나선팔이 하나씩 뻗어 있고, 나선팔 중간쯤에서 가지가 갈라지는 구조로 되어 있다. ➡ 성간 물질이 풍부하여 나이가 적은 별들과 산개 성단이 분포한다.
헤일로 (halo)	우리은하를 둘러싸고 있는 공 모양의 공간 ➡ 나이가 많고 붉은색을 띠는 별들로 이루어진 구상 성단이 분포한다.

🔍 확대경 　우리은하의 구조에 대한 연구

1. **허셜**(1785년): 별의 개수를 세어 우주의 모습을 지름 약 6000광년의 볼록 렌즈 모양으로 그렸다. 우리은하가 곧 우주이고, 우리은하 중심에 태양이 있다고 하였다.

2. **캅테인**(1901년): 별의 분포를 통계적으로 연구하여 우리은하는 태양을 중심으로 지름이 약 10 kpc인 납작한 회전 타원체라고 하였다.—● 허셜의 우주보다 9배 정도 크다.

3. **섀플리**(1917년): 구상 성단의 분포를 연구하여 태양이 우리은하의 중심이 아님을 밝히고, 우리은하의 크기를 실제보다 3배 정도 큰 약 90 kpc(약 30만 광년)으로 계산하였다.

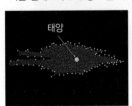
⬆ 허셜의 우주

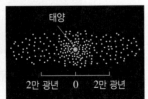
⬆ 캅테인의 우주

⬆ 섀플리의 우주

4. **허블**(1923년): 안드로메다성운이 외부 은하임을 밝혀내 우주의 크기가 우리은하보다 크다는 것을 알아냈다.

5. **잰스키**(1937년): 전파 망원경으로 우주 전파를 수신하는 데 최초로 성공하였다. 전파 천문학을 개척하여 우리은하의 상세한 규모와 나선팔 구조를 규명할 수 있는 기초를 마련하였다.—● 1950년대에 전파 연구로 우리은하가 나선 은하임이 밝혀졌다.

6. **스피처 우주 망원경**(2005년): 우리은하가 막대 나선 은하임이 확인되었다.

★ 은하수(milky way)

지구에서 바라본 우리은하의 모습으로, 천구상에서 띠 모양으로 보인다. 은하수 중간 부분이 어둡게 보이는 까닭은 성간 물질이 별빛을 흡수하기 때문이다.

★ 우리은하에서 구상 성단과 산개 성단의 분포

🔔 암기해

우리은하의 특징
· 모양: 막대 나선 은하
· 지름: 약 30 kpc
· 태양계 위치: 은하 중심에서 약 8.5 kpc 떨어진 나선팔
· 산개 성단: 주로 나선팔에 분포
· 구상 성단: 은하핵, 헤일로에 분포

개념 확인 문제

정답친해 157쪽

핵심 체크

- 성단: 수많은 별들이 무리를 지어 모여 있는 집단

(❶) 성단	(❷) 성단
• 나이가 많고, 붉은색을 띤다.	• 나이가 적고, 파란색을 띤다.
• 우리은하의 은하핵과 헤일로에 주로 분포한다.	• 우리은하의 나선팔에 주로 분포한다.

- 우리은하의 중심: (❸   ) 성단이 분포하는 영역의 중심을 우리은하의 중심이라고 생각할 수 있다.
- 우리은하의 모양과 크기 및 구조
  - 모양: 위에서 보면 막대 모양의 중심 구조와 나선팔을 가지고 있는 (❹   ) 은하이다.
  - 크기: 지름이 약 (❺   ) kpc이고, 태양계는 은하 중심에서 약 (❻   ) kpc 떨어져 있다.
  - 구조: 팽대부, 은하 원반, (❼   )로 이루어져 있다.

---

1 그림은 구상 성단과 산개 성단을 순서 없이 나타낸 것이다.

 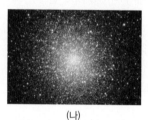

(가)   (나)

(가)와 (나)의 명칭을 쓰시오.

2 구상 성단과 산개 성단을 비교한 표에서 (   ) 안에 알맞은 말을 쓰시오.

특징	구상 성단	산개 성단
별의 수	수만 개~수백만 개 정도	수백 개~수천 개 정도
나이	㉠( )	㉡( )
별의 색	㉢( )	㉣( )
우리은하 내 분포 위치	은하핵, 헤일로	㉤( )

3 우리은하의 중심에 대한 설명 중 (   ) 안에 알맞은 말을 고르시오.

은하의 중심은 ㉠(구상 성단, 산개 성단)이 분포하는 영역의 중심으로 볼 수 있다. 섀플리는 변광성의 주기 광도 관계를 이용해 여러 ㉡(구상 성단, 산개 성단)의 공간 분포를 연구하여 우리은하의 중심은 ㉢(태양, 궁수자리 방향)에 있다고 주장하였다.

4 우리은하에 대한 설명으로 옳은 것은 ○, 옳지 <u>않은</u> 것은 ×로 표시하시오.

(1) 위에서 보면 막대 나선 모양이다. ┈┈┈┈┈ (   )
(2) 지름은 약 30 kpc이다. ┈┈┈┈┈┈┈┈┈ (   )
(3) 구상 성단은 주로 나선팔에 분포한다. ┈┈┈┈ (   )

5 우리은하의 구조와 설명을 옳게 연결하시오.

(1) 은하 원반 •   • ㉠ 우리은하를 둘러싸고 있는 공 모양의 공간

(2) 팽대부 •   • ㉡ 젊은 별과 성간 물질이 많이 분포

(3) 헤일로 •   • ㉢ 은하 중심에 볼록하게 부풀어 오른 부분

6 그림은 우리은하를 옆에서 본 모습을 나타낸 것이다.

이에 대한 설명으로 옳은 것은 ○, 옳지 <u>않은</u> 것은 ×로 표시하시오.

(1) P는 태양계의 위치를 나타낸 것이다. ┈┈┈┈ (   )
(2) Q는 산개 성단을 나타낸 것이다. ┈┈┈┈┈ (   )
(3) A에서 B까지의 거리는 약 15 kpc이다. ┈┈┈ (   )
(4) P에서 (가) 방향을 볼 때 은하수의 폭이 가장 넓고 밝게 보인다. ┈┈┈┈┈┈┈┈┈┈┈┈┈ (   )

B 성간 물질

1. 성간 물질 별과 별 사이의 우주 공간에 희박하게 분포하는 물질로, 성간 티끌과 성간 기체로 구분된다. → 뒤편에 놓인 별빛의 진행에 영향을 준다.

성간 티끌	• 성간 물질의 약 1 %를 차지하며, 흑연이나 규산염 같은 것이 얼음에 덮여 있는 미세한 고체 입자 • 성간 물질에서 차지하는 비율은 매우 낮지만, 별빛을 흡수하거나 ❶산란시키기 때문에 성간 소광이나 성간 적색화를 일으킨다. • *성간 티끌은 별빛을 흡수하여 적외선을 방출한다.
성간 기체	• 성간 물질의 약 99 %를 차지하는 기체 • 주로 수소와 헬륨 등으로 이루어져 있으며, 그중에서 수소가 가장 큰 비율을 차지한다.

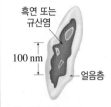
흑연 또는 규산염
100 nm
얼음층
↑ 성간 티끌 모형

2. 성간 티끌에 의한 현상 *우리은하 원반에는 성간 물질이 많이 분포하며, 별빛이 이들을 통과할 때 성간 소광과 성간 적색화가 나타난다.

(1) 성간 소광: 성간 티끌이 별빛을 산란시키거나 흡수하여 우리 눈에 도달하는 별빛의 양이 줄어들어 별빛이 원래보다 어두워 보이는 현상

① 두꺼운 성간 티끌층 뒤쪽에 위치한 별이나 거리가 매우 멀리 떨어져 있는 별을 관측할 때에는 성간 소광의 효과를 보정하여 별의 밝기를 추정해야 한다.

② 소광 보정: 성간 소광이 일어나면 별들은 실제보다 더 어둡게 보이므로 관측된 겉보기 등급은 티끌이 없는 경우보다 더 큰 값이 되고, 거리 지수가 증가하여 별은 실제보다 더 멀리 있는 것으로 관측된다. 따라서 *관측한 별의 겉보기 등급에 소광량만큼 보정해 주어야 정확한 거리를 구할 수 있다. ➡ $m - A - M = 5 \log r - 5$ (A: 소광량)

(2) 성간 적색화: *별빛이 성간 티끌을 통과할 때 파장이 짧은 파란색 빛은 줄어들고, 파장이 긴 붉은색 빛은 상대적으로 많이 도달하여 별이 실제보다 붉게 보이는 현상

① 원인: 파장이 짧은 빛은 성간 티끌층에 쉽게 흡수되거나 산란되고, 파장이 긴 빛은 성간 티끌층을 상대적으로 잘 통과하기 때문에 나타난다.

② 성간 적색화가 일어나면 별의 색지수는 실제보다 큰 값으로 관측된다.

③ 색초과: 관측한 별의 색지수에서 실제 별의 색지수를 뺀 값 ➡ 색초과 값이 클수록 성간 적색화가 더 크게 일어난 것을 의미한다.

성간 소광과 성간 적색화의 원리

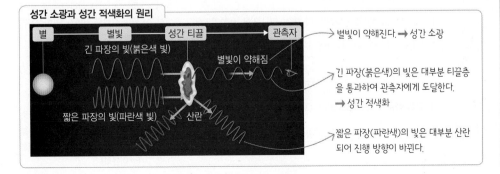

별 | 별빛 | 성간 티끌 | 관측자
긴 파장의 빛(붉은색 빛)
별빛이 약해짐
짧은 파장의 빛(파란색 빛) | 산란

→ 별빛이 약해진다. → 성간 소광
→ 긴 파장(붉은색)의 빛은 대부분 티끌층을 통과하여 관측자에게 도달한다. → 성간 적색화
→ 짧은 파장(파란색)의 빛은 대부분 산란되어 진행 방향이 바뀐다.

★ 적외선 관측
• 성간 티끌은 적외선보다 가시광선 영역의 빛을 잘 흡수하거나 산란시킨다. 따라서 가시광선 관측에서 보이지 않던 성간 티끌과 별을 적외선 관측에서는 볼 수 있다.
• 성간 티끌은 빛을 흡수하기도 하지만 자신의 온도에 해당하는 빛을 방출하기도 하는데, 온도가 낮아 적외선을 방출하므로 적외선 관측으로 성간 티끌의 존재를 알 수 있다.

★ 우리은하 천체의 성간 소광과 성간 적색화 정도
은하 원반에 성간 물질이 많이 분포하므로 은하 원반에 있는 별이 은하 원반에 수직 방향으로 있는 별보다 성간 소광이나 성간 적색화 정도가 크다.

★ 섀플리가 계산한 우리은하의 크기가 실제보다 큰 까닭
소광 보정을 하지 않아 별까지의 거리가 실제보다 멀게 계산되었기 때문이다.

★ 파장이 긴 붉은색 빛이 티끌층을 상대적으로 잘 통과하기 때문에 생기는 현상의 예
• 해가 뜨거나 질 무렵 지평선 부근의 태양이 붉게 보인다.
• 황사가 심한 날은 태양이 붉게 보인다.

❘ 용어 ❘
❶ 산란(散 흩어지다, 亂 어지럽다) 티끌에 입사된 빛이 원래 진행 방향과 다른 방향으로 진행하는 현상으로, 빛이 시선 방향에서 사라져 별빛이 흐려지는 요인이 된다.

3. 성간 기체 수소의 온도, 밀도에 따라 이온, 중성 원자, 분자 상태로 존재한다.

(1) **성간 기체에서 수소**: 저온에서는 분자로 존재하지만 고온에서는 ❶전리되어 이온으로 존재하며, 온도가 높을수록 개수 밀도가 낮은 경향을 보인다.→ 대부분은 원자 상태로 존재한다.

분포	온도(K)		개수 밀도(개수/m³)		수소의 상태
*H Ⅱ 영역	10000	온도 ↑	5000	개수 밀도 ↓	이온
H Ⅰ 영역	100		10^8		중성 원자
분자운	10		10^9 이상		분자

(2) **성간 기체의 분포 영역**: H Ⅱ 영역, H Ⅰ 영역, 분자운 등

① *H Ⅱ 영역(전리된 수소 영역): 고온의 별(O형 별이나 B형 별) 주위에 있는 성운의 수소 기체가 별에서 방출된 자외선을 흡수하여 완전히 전리되어 있는 영역

② H Ⅰ 영역(중성 수소 영역): 온도가 비교적 낮아 수소가 중성 원자 상태로 밀집되어 있는 영역 ➡ 은하 원반에 넓게 분포한다.

③ 분자운: 성간 물질의 밀도가 높고 온도가 매우 낮은 곳에서 수소가 분자 상태로 존재하는 영역 ➡ 주로 은하 원반에서 발견되며, *별은 대부분 이 영역에서 탄생한다.

4. 성운 *성간 물질이 밀집되어 구름처럼 보이는 것

암흑 성운	성운 속의 성간 티끌이 뒤에서 오는 별빛을 가로막아 별빛이 통과하지 못하여 어둡게 보이는 성운	말머리성운
반사 성운	성운 속의 성간 티끌이 성운 주변의 별빛을 산란시켜 뿌옇게 보이는 성운 ➡ 산란은 파장이 짧은 파란색 빛에서 잘 일어나므로 반사 성운은 대체로 파랗게 보인다. 메로페성운은 플레이아데스 성단 내에 있다. ●	메로페성운
방출 성운	H Ⅱ 영역의 전리된 수소가 자유 전자와 재결합하여 중성 수소로 되돌아가는 과정에서 에너지(가시광선)를 방출하여 밝게 보이는 성운 ➡ 수소 방출선은 스펙트럼에서 붉은색이 강하므로 방출 성운은 대체로 붉은색으로 보인다.	오리온 대성운

탐구 자료창 **항성 계수법으로 암흑 성운이 있는 지역과 없는 지역의 성간 소광량 비교**

그림은 암흑 성운 B68을 관측하여 암흑 성운의 중심과 암흑 성운이 나타나지 않는 곳을 확대한 모습이다. (단, (가)의 밝기를 L_0, 겉보기 등급을 m_0, (나)의 밝기를 L, 겉보기 등급을 m이라고 한다.)

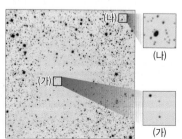

1. **(가)와 (나) 영역에 포함된 별의 개수**: (가) 3개, (나) 23개

2. **(가)와 (나) 영역의 밝기 비($\frac{L}{L_0}$)**: 영역 안에 포함된 별의 개수비($\frac{N}{N_0}$) ➡ $\frac{L}{L_0} = \frac{N}{N_0} = \frac{23}{3} \fallingdotseq 7.7$

3. **암흑 성운의 성간 소광량**: 겉보기 등급의 변화량에 해당 ➡ $\Delta m = m_0 - m = 2.5 \log \frac{L}{L_0} = 2.5 \log 7.7 \fallingdotseq 2.2$

★ H Ⅱ 영역과 H Ⅰ 영역
H Ⅱ는 수소의 전자 1개가 떨어져 나가 이온화된 것을 의미하며, H Ⅰ은 전리되지 않은 중성 수소를 의미한다.

★ H Ⅱ 영역과 H Ⅰ 영역의 일반적 분포

H Ⅱ 영역의 주 구성원: 수소 이온(수소 원자핵), 자유 전자

★ 별의 탄생과 거대 분자운
거대 분자운 중심부에는 밀도가 높은 중심핵이 존재할 수 있으며, 낮은 온도와 높은 밀도 때문에 중력 수축이 잘 일어나므로 별이 탄생하기 좋은 환경이다. 거대 분자운이 수축하여 밀도가 높아지면 여러 개로 분열되며, 각 덩어리는 별도로 중력 수축하여 별이 된다. 거대 분자운에서는 여러 개의 별이 동시에 만들어져 성단을 형성한다.

★ 성간 물질의 공급원
성간 물질은 별의 진화 과정에서 행성상 성운이나 초신성 폭발 때 방출된 물질로부터 공급된다. 초신성 폭발 때 뜨거워진 기체가 우주 공간으로 고속 팽창하면서 주위의 물질을 초고온으로 가열하는데, 이때 전리된 각종 이온들이 포함된 기체가 모여 성운이 만들어지기도 한다.

｜용어｜
❶ 전리(電 번개, 離 떼놓다) 중성인 원자 또는 분자에서 전자를 방출시켜 이온을 생성하는 과정(=이온화)

개념 확인 문제

정답친해 158쪽

핵심 체크

• 성간 물질: 우주 공간에 존재하는 기체와 티끌 등의 물질 ➡ 종류: 성간 티끌, 성간 기체
- (❶　　　): 성간 물질의 약 1 %를 차지하며, 흑연이나 규산염 같은 것이 얼음에 덮여 있는 미세한 고체 입자이다.
- (❷　　　): 성간 물질의 약 99 %를 차지하며, 대부분 (❸　　　　)와 헬륨으로 이루어져 있다.

• 성간 티끌에 의한 현상
- (❹　　　): 성간 티끌이 별빛을 산란시키거나 흡수하여 별빛의 세기가 원래보다 약해지는 현상
- (❺　　　): 성간 티끌층을 긴 파장의 별빛이 많이 통과하여 별이 실제보다 붉게 보이는 현상
  ➡ (❻　　　　): 관측한 별의 색지수에서 고유의 색지수를 뺀 값으로, 성간 적색화가 클수록 크게 나타난다.

• 성간 기체의 분포: 성간 기체를 이루는 수소는 (❼　　　　)에서는 전리되어 주로 이온 상태로, (❽　　　　)에서는 주로 중성 원자 상태로, (❾　　　　)에서는 분자 상태로 존재한다.

• (❿　　　　): 성간 물질이 밀집되어 있어 구름처럼 보이는 것 ➡ 종류: 암흑 성운, 반사 성운, 방출 성운

---

1 성간 물질에 대한 설명으로 옳은 것은 ○, 옳지 않은 것은 ×로 표시하시오.

(1) 성간 티끌이 성간 기체보다 더 많다. ┄┄┄┄┄ (　　)
(2) 성간 기체의 대부분은 수소와 헬륨이다. ┄┄┄ (　　)
(3) 성간 소광은 주로 성간 기체에 의해 일어난다. (　　)

2 성간 티끌을 통과하는 빛에 대한 설명 중 (　　) 안에 알맞은 말을 고르시오.

(1) 성간 티끌을 통과한 별빛은 성간 티끌이 없을 때보다 (밝게, 어둡게) 관측된다.
(2) 빛의 파장이 (길수록, 짧을수록) 성간 티끌을 잘 통과한다.
(3) 별빛이 성간 티끌을 통과하면, 실제보다 ㉠(파랗게, 붉게) 보이고, 색지수($B-V$)는 고유한 색지수보다 ㉡(크게, 작게) 나타난다.

3 그림은 성간 티끌에 의해 별빛이 원래의 빛과는 다르게 보이는 현상을 나타낸 것이다. 이에 대한 설명 중 (　　) 안에 알맞은 말을 고르시오.

(1) A에서 별빛은 실제보다 (붉게, 파랗게) 보인다.
(2) B에서는 (반사 성운, 암흑 성운)이 관측된다.

4 성간 기체를 이루는 수소가 분포하는 영역(분자운, H I 영역, H II 영역) 중 다음 설명에 해당하는 것을 쓰시오.

(1) 온도가 가장 높은 영역
(2) 수소의 개수 밀도가 가장 높은 영역
(3) 수소가 원자 상태로 존재하는 영역

5 다음에서 설명하는 성운의 명칭을 쓰시오.

(1) 성간 티끌에 의해 별빛이 통과하지 못해 어둡게 보이는 성운
(2) 전리된 수소가 방출하는 빛에 의해 붉은색으로 보이는 성운
(3) 성간 티끌이 주위의 별빛을 산란시켜 파랗게 보이는 성운

6 그림은 어떤 성운의 모습이다. 이에 대한 설명으로 옳은 것은 ○, 옳지 않은 것은 ×로 표시하시오.

(1) 말머리성운이다. ┄┄┄ (　　)
(2) 반사 성운에 속한다. (　　)
(3) 스스로 빛을 내는 성운이다. ┄┄┄┄┄ (　　)
(4) 성간 물질이 넓게 흩어지면서 만들어진다. ┄┄ (　　)
(5) 뒤쪽에서 오는 별빛을 가려 어둡게 보인다. ┄ (　　)

대표 자료 분석

🔖 학교 시험에 자주 출제되는 대표 자료와 그 자료에 대한 문제를 통해 자료를 완벽하게 이해할 수 있다.

자료 ① 우리은하의 모양과 구조

기출 Point
• 우리은하의 모습과 각 구조의 특징 알기
• 우리은하에 분포하는 성단의 위치 파악하기

[1~4] 그림은 우리은하를 옆에서 본 모습이다. (가)와 (나)는 산개 성단과 구상 성단을 순서 없이 나타낸 것이고, A~C는 우리은하의 구조를 나타낸 것이다.

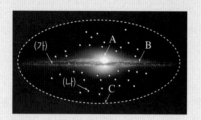

1 우리은하의 구조 A~C의 명칭을 각각 쓰시오.

2 A~C에 대한 설명 중 ( ) 안에 알맞은 말을 고르시오.

(1) A는 B보다 (젊은, 늙은) 별이 많이 분포한다.
(2) 별의 탄생이 가장 활발한 곳은 (A, B, C)이다.
(3) C에는 (파란색, 붉은색) 별이 많이 분포한다.
(4) 태양은 (A, B, C)에 분포한다.

3 우리은하를 위에서 본 모습은?

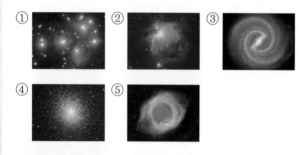

4 빈출 선택지로 완벽 정리!

(1) (가)는 산개 성단, (나)는 구상 성단이다.…… (○ / ×)
(2) (가) 성단은 A와 C에 주로 분포한다. ……… (○ / ×)
(3) (나) 성단은 태양계를 중심으로 분포한다. (○ / ×)

자료 ② 성간 티끌에 의한 현상

기출 Point
• 성간 티끌로 나타나는 성간 소광의 원리 이해하기
• 성간 적색화로 나타나는 색초과 이해하기

[1~3] 그림 (가)는 어느 별에서 방출된 빛이 관측자에게 도달한 모습을, (나)는 같은 별에서 방출된 빛이 성간 티끌을 통과하였을 때 관측자에게 도달한 모습을 나타낸 것이다.

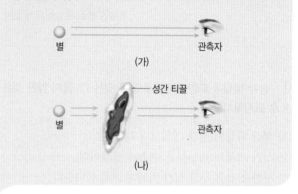

1 (가)와 (나) 중 성간 소광이 일어나는 경우와 성간 적색화가 일어나는 경우를 각각 순서대로 쓰시오.

2 (가)와 (나)를 등호 또는 부등호로 비교하시오.

(1) 관측된 별빛의 겉보기 등급: (가) ☐ (나)
(2) 거리 지수: (가) ☐ (나)
(3) 관측된 별까지의 거리: (가) ☐ (나)
(4) 관측된 색지수($B-V$): (가) ☐ (나)

3 빈출 선택지로 완벽 정리!

(1) 별빛은 (가)보다 (나)에서 밝게 보인다. …… (○ / ×)
(2) 소광 보정이 필요한 경우는 (나)이다. ………… (○ / ×)
(3) (나)에서 별빛은 원래보다 파랗게 보인다. … (○ / ×)
(4) (나)에서 성간 티끌이 많아지면 색초과 값이 커진다.
　　　　　　　　　　　　　　　　　　　　　 (○ / ×)

자료 3 성간 기체

기출 Point
• 성간 기체를 이루는 수소의 분포 영역 비교하기
• 성간 기체에서 나타나는 성운 알기

[1~4] 그림은 고온의 밝은 별 주위에 형성된 H I 영역과 H II 영역을 나타낸 것이다.

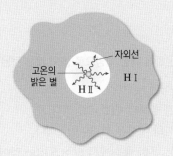

1 H I 영역과 H II 영역의 구성 물질을 각각 쓰시오.

(1) H I 영역: (   )

(2) H II 영역: (   )

2 H I 영역과 H II 영역의 온도와 각 영역에서 수소의 개수 밀도를 비교하시오.

(1) 온도: H I 영역 [   ] H II 영역

(2) 수소의 개수 밀도: H I 영역 [   ] H II 영역

3 H II 영역에서는 수소 이온이 전자와 재결합하는 과정에서 에너지를 방출하여 밝게 보이기도 한다. 이때 방출되는 빛은 ㉠(파란색, 붉은색)이 강하게 나타나며, ㉡(방출, 반사, 암흑) 성운이 관측된다.

4 빈출 선택지로 완벽 정리!

(1) 대부분의 별은 H II 영역에서 탄생한다. ····· (○ / ×)

(2) O형 또는 B형 별에서 방출된 자외선은 수소를 전리시킨다. ····························· (○ / ×)

(3) H II 영역은 H I 영역보다 온도와 수소의 개수 밀도가 높다. ························ (○ / ×)

자료 4 성운의 종류와 특징

기출 Point
• 암흑 성운, 반사 성운, 방출 성운의 발생 원리 알기
• 각 성운의 특징 이해하기

[1~3] 그림 (가)~(다)는 여러 가지 성운의 대표적인 모습이다.

(가)

(나)   (다)

1 (가)~(다) 성운의 종류를 각각 쓰시오.

2 성운 (가)~(다) 중 성간 티끌에 의해 발생하는 성운만을 있는 대로 고르시오.

3 빈출 선택지로 완벽 정리!

(1) (가)는 먼 곳에서 오는 별빛을 차단하여 어둡게 보이는 성운이다. ···················· (○ / ×)

(2) (나)는 성간 티끌에 의해 붉은색 빛이 산란되어 파랗게 보인다. ···················· (○ / ×)

(3) (다)는 H II 영역의 전리된 수소가 에너지를 방출하여 밝게 보인다. ················ (○ / ×)

(4) (나)는 (다)보다 온도가 높다. ············· (○ / ×)

A 성단의 분포와 우리은하의 구조

01 그림 (가)와 (나)는 천체 망원경으로 관측한 천체의 모습이다.

(가)　　　　　　　(나)

이에 대한 설명으로 옳은 것만을 [보기]에서 있는 대로 고른 것은?

[보기]
ㄱ. (가)와 (나)는 모두 성운의 모습이다.
ㄴ. (가)는 (나)에 비해 구성하는 별의 개수가 많다.
ㄷ. (가)는 (나)에 비해 주계열성의 비율이 높다.
ㄹ. (나)는 주로 우리은하의 나선팔에 분포한다.

① ㄱ, ㄴ　　　② ㄱ, ㄷ　　　③ ㄴ, ㄹ
④ ㄱ, ㄷ, ㄹ　　　⑤ ㄴ, ㄷ, ㄹ

02 그림은 우리은하 내에 있는 구상 성단의 분포를 나타낸 것이고, 그림에서 노란 점은 구상 성단이다.

이로부터 알아낼 수 있는 사실만을 [보기]에서 있는 대로 고른 것은?

[보기]
ㄱ. 우리은하의 크기
ㄴ. 우리은하의 중심 위치
ㄷ. 우리은하에서 태양계의 위치

① ㄱ　　　② ㄷ　　　③ ㄱ, ㄴ
④ ㄴ, ㄷ　　　⑤ ㄱ, ㄴ, ㄷ

03 우리은하에서 구상 성단이 집중적으로 분포하는 곳이 우리은하의 중심이라고 할 수 있는 까닭을 서술하시오.

04 우리은하에 대한 설명으로 옳지 않은 것은?

① 나선 은하에 속한다.
② 중심부가 볼록한 원반 모양이다.
③ 우리은하의 지름은 약 30 kpc이다.
④ 태양계는 은하 중심에서 약 8.5 kpc 떨어진 나선팔에 있다.
⑤ 은하 원반에는 헤일로에 비해 성간 물질이 적게 분포한다.

05 그림은 우리은하의 모습을 나타낸 것이다.

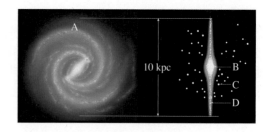

이에 대한 설명으로 옳지 않은 것은?

① 은하 중심에는 막대 모양의 구조가 있다.
② A 부분에는 산개 성단이 주로 분포한다.
③ B보다 D 부분에 별들이 밀집되어 있다.
④ C 천체는 주로 나이가 많고 붉은색을 띠는 별들로 이루어져 있다.
⑤ 젊은 별의 비율은 B보다 D에서 높다.

06 그림 (가)~(다)는 우리은하의 구조를 알아내기 위한 여러 과학자들의 연구 내용을 나타낸 것이다.

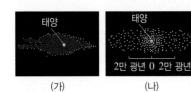

(가) (나) (다)

이에 대한 설명으로 옳은 것만을 [보기]에서 있는 대로 고른 것은?

[보기]
ㄱ. (가)는 구상 성단의 분포를 통해 알아낸 것이다.
ㄴ. (가)~(다) 모두 은하의 중심에 태양이 있다고 생각하였다.
ㄷ. 연구 내용을 오래된 것부터 나열하면 (가) → (나) → (다) 순이다.

① ㄱ   ② ㄴ   ③ ㄷ
④ ㄱ, ㄷ   ⑤ ㄴ, ㄷ

B 성간 물질

07 성간 물질에 대한 설명으로 옳은 것만을 [보기]에서 있는 대로 고른 것은?

[보기]
ㄱ. 성간 물질의 대부분은 성간 기체가 차지한다.
ㄴ. 성간 소광을 관측하면 성간 티끌의 존재를 알 수 있다.
ㄷ. 성간 적색화는 주로 성간 티끌 때문에 생긴다.

① ㄱ   ② ㄴ   ③ ㄱ, ㄷ
④ ㄴ, ㄷ   ⑤ ㄱ, ㄴ, ㄷ

08 성간 티끌에 대한 설명으로 옳지 <u>않은</u> 것은?
① 적외선과 전파 영역의 빛을 잘 통과한다.
② 성간 티끌을 통과한 별빛은 붉게 보인다.
③ 성간 물질 전체 질량의 대부분을 차지한다.
④ 파장이 긴 빛일수록 성간 티끌을 잘 통과한다.
⑤ 주로 얼음, 흑연, 규산염 등으로 이루어져 있다.

09 (서술형) 그림은 은하수의 모습을 가시광선 영역에서 관측한 것이다.

(1) 은하수에서 밝게 보이는 영역의 중앙부를 따라 어두운 부분이 존재하는 까닭을 서술하시오.

(2) 우리은하의 구조를 탐사하기 위해서 적외선 관측을 수행하는 까닭을 서술하시오.

(3) 우리은하를 관측한 후, 결과를 보정해야 하는 까닭을 서술하시오.

10 다음은 절대 등급이 M인 별의 겉보기 등급이 성간 소광 효과로 실제와 다르게 관측되는 현상과 이로 인한 거리 지수의 변화를 설명한 것이다.

성간 소광이 없을 때의 겉보기 등급과 거리를 각각 m, r이라 하고, 성간 소광이 일어나 실제보다 A 등급만큼 ㉠(　　　) 별의 겉보기 등급과 이를 바탕으로 산출한 거리를 m', r'이라고 하면, 거리 지수 공식은 $m'-M=5 \log r-5+A$이 된다. 즉, 실제 거리 지수보다 A만큼 ㉡(　　　), 이로 인해 성간 소광을 보정하지 않은 거리 r'은 실제 거리 r보다 ㉢(　　　) 구해진다.

㉠~㉢에 알맞은 내용을 옳게 짝 지은 것은?

	㉠	㉡	㉢
①	밝아진	커지며	가깝게
②	밝아진	작아지며	가깝게
③	어두워진	커지며	가깝게
④	어두워진	커지며	멀게
⑤	어두워진	작아지며	멀게

11 그림은 성간 티끌에 의해 별빛이 원래의 빛과는 다르게 보이는 현상을 나타낸 것이다.

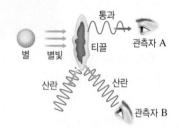

이에 대한 설명으로 옳은 것만을 [보기]에서 있는 대로 고른 것은?

〔보기〕
ㄱ. A에서 관측한 별빛은 실제보다 붉게 보인다.
ㄴ. B에서는 반사 성운이 관측된다.
ㄷ. 별빛의 파장이 길어져 A에서 성간 적색화가 나타난다.

① ㄱ ② ㄷ ③ ㄱ, ㄴ
④ ㄴ, ㄷ ⑤ ㄱ, ㄴ, ㄷ

12 표는 표면 온도, 절대 등급, 거리가 같은 별 (가)와 (나)의 관측 결과를 나타낸 것이다.

별	성간 소광 효과	겉보기 등급	V 등급
(가)	받지 않음	6.0	5.0
(나)	받음	( )	( )

이에 대한 설명으로 옳은 것만을 [보기]에서 있는 대로 고른 것은?

〔보기〕
ㄱ. (나)의 겉보기 등급은 6.0보다 작다.
ㄴ. (나)의 V 등급은 5.0보다 크다.
ㄷ. 관측된 색지수는 (나)가 (가)보다 크다.
ㄹ. 거리 지수는 (나)가 (가)보다 작다.

① ㄱ, ㄴ ② ㄱ, ㄹ ③ ㄴ, ㄷ
④ ㄴ, ㄹ ⑤ ㄷ, ㄹ

13 성간 기체에 대한 설명으로 옳지 않은 것은?

① 성간 물질의 약 99 %를 차지한다.
② 주로 수소와 헬륨으로 이루어져 있다.
③ 성간 기체를 이루는 수소는 대부분 원자 상태이다.
④ 온도가 매우 낮은 곳의 수소는 전리되어 이온으로 존재한다.
⑤ 수소가 분자로 존재하는 분자운은 은하 원반에서 주로 발견되며 새로운 별이 탄생한다.

14 다음은 우리은하에서 관측할 수 있는 전형적인 성간 기체 A~C를 나타낸 것이다.

• A: 중성 수소(H I)로 이루어진 구름
• B: 수소 분자로 이루어진 고밀도의 구름
• C: 전리된 수소(H II) 기체로 이루어진 가스

A~C를 온도가 높은 것부터 순서대로 옳게 나열한 것은?

① A－B－C ② A－C－B
③ B－A－C ④ B－C－A
⑤ C－A－B

서술형
15 그림은 페르세우스자리에 있는 반사 성운 NGC 1333의 모습이다.
이 성운이 파란색으로 보이는 까닭을 서술하시오.

16 그림 (가)~(다)는 여러 종류의 성운의 모습이다.

(가)　　　　　　(나)　　　　　　(다)

이에 대한 설명으로 옳은 것만을 [보기]에서 있는 대로 고른 것은?

─〔보기〕
ㄱ. (가)는 성간 티끌이 별빛을 산란시켜 밝게 보인다.
ㄴ. (나)의 내부에는 고온의 별이 있다.
ㄷ. (다)의 어두운 부분에서는 별빛의 흡수가 일어난다.

① ㄱ　　　　　② ㄷ　　　　　③ ㄱ, ㄴ
④ ㄴ, ㄷ　　　　⑤ ㄱ, ㄴ, ㄷ

17 다음은 우리은하 내에서 성간 기체가 분포하는 영역 (가)와 (나)에 대한 설명이다.

- (가) 영역: 방출 성운이 나타나 밝게 보인다.
- (나) 영역: 반사 성운이 나타나 밝게 보인다.

이에 대한 설명으로 옳은 것만을 [보기]에서 있는 대로 고른 것은?

─〔보기〕
ㄱ. (가)에서 수소는 주로 분자 상태로 존재한다.
ㄴ. (나)의 성운은 주로 붉은색으로 관측된다.
ㄷ. 온도는 (가)가 (나)보다 높다.

① ㄱ　　　　　② ㄷ　　　　　③ ㄱ, ㄴ
④ ㄴ, ㄷ　　　　⑤ ㄱ, ㄴ, ㄷ

18 그림은 황소자리에 있는 플레이아데스 성단이다.

이 성단 주변에서 보이는 성운에 대한 설명으로 옳은 것은?

① 뒤쪽에서 오는 별빛을 흡수하는 암흑 성운이다.
② 성운이 별빛에 의해 가열되어 파란색으로 보인다.
③ 질량이 매우 큰 별의 폭발 과정에서 형성된 잔해이다.
④ 별의 진화 마지막 단계에서 만들어지는 행성상 성운이다.
⑤ 성간 티끌에 의해 짧은 파장의 빛이 산란되어 파란색으로 보인다.

19 그림은 암흑 성운인 석탄자루성운을 포함한 밤하늘의 모습이고, A와 B는 암흑 성운이 있는 지역과 없는 지역을 순서 없이 나타낸 것이다.

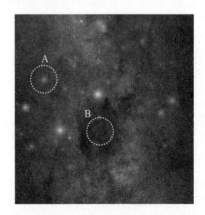

이에 대한 설명으로 옳은 것만을 [보기]에서 있는 대로 고른 것은?

─〔보기〕
ㄱ. 암흑 성운이 있는 지역은 A이다.
ㄴ. 실제 별의 개수는 A가 B보다 많을 것이다.
ㄷ. 가시광선보다 적외선으로 관측하면 B에서 더 많은 별을 볼 수 있다.

① ㄱ　　　　　② ㄷ　　　　　③ ㄱ, ㄴ
④ ㄴ, ㄷ　　　　⑤ ㄱ, ㄴ, ㄷ

03 우리은하의 나선 구조와 질량

핵심 포인트
ⓐ 21 cm 수소선의 관측 ★★
21 cm 수소선과 나선 구조 ★★★
ⓑ 별의 공간 운동 ★★
ⓒ 우리은하의 회전 속도 분포 ★★★
우리은하의 질량 분포 ★★

Ⓐ 21 cm 수소선

1. 21 cm 수소선 성간 물질의 대부분을 차지하는 중성 수소 원자에서는 파장이 21 cm인 전파가 방출되는데, 이를 21 cm 수소선이라고 한다.

(1) **21 cm 수소선 방출 원리**: 중성 수소 원자에서 전자와 양성자는 각각 자신의 축을 중심으로 자전하며, 양성자와 전자의 자전 방향이 서로 같을 때의 에너지 상태가 자전 방향이 서로 다를 때의 에너지 상태보다 약간 높다. ➡ 높은 에너지 상태에서 낮은 에너지 상태로 바뀌는 과정에서 파장이 21 cm인 전파가 방출된다.

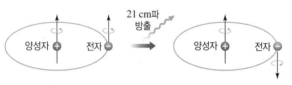

> **21 cm 수소선 방출 원리**
>
> 21 cm파 방출
>
> 양성자 ⊕ 전자 ⊖   양성자 ⊕ 전자 ⊖
>
> ⬆ 같은 방향으로 회전   ⬆ 반대 방향으로 회전
>
> • 양성자와 전자가 서로 같은 방향으로 자전한다. ➡ 약간 높은 에너지 상태
> • 양성자와 전자가 서로 다른 방향으로 자전한다. ➡ 낮은 에너지 상태
> • 중성 수소 원자가 다른 원자와 충돌하여 약간의 에너지를 얻으면 곧 다시 에너지가 낮은 상태로 되돌아가는데, 이때 두 에너지 차이에 의해 파장이 21 cm인 전파가 방출된다.

(2) ***21 cm 수소선의 이용**: 21 cm 수소선은 파장이 길어 성간 물질을 통과할 때 성간 소광이 거의 일어나지 않으므로 우리은하의 구조를 밝히는 데 중요하게 이용된다.

2. 21 cm 수소선을 관측하여 밝혀진 사실

(1) ***나선팔 구조의 발견**: 성간 물질은 우리은하의 은하면에 집중되어 있고, 은하면에 고르게 분포하지 않고 군데군데 집중되어 분포하며, 전체적으로 나선 구조를 이룬다.

(2) **은하의 회전**: 밝혀진 나선팔의 형태를 통해 은하를 이루는 별들이 은하 중심을 기준으로 일정한 방향으로 회전한다는 것을 알게 되었다.

은하 중심에 가려 은하 중심 방향의 정보는 알 수 없으므로 검게 나타난다.

은하 중심

태양

⬆ 21 cm파로 알아낸 나선팔 구조

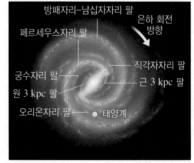

방패자리-남십자자리 팔
은하 회전 방향
페르세우스자리 팔
직각자리 팔
궁수자리 팔
근 3 kpc 팔
원 3 kpc 팔
오리온자리 팔
태양계

⬆ 우리은하의 나선팔 구조

★ 21 cm 수소선의 이용
21 cm 수소선이 집중된 곳은 성간 물질이 많이 분포하는 곳을 의미하며, 이를 이용해 은하의 구조를 추정할 수 있다.

★ 외부 은하 M83을 다른 파장으로 관측한 모습

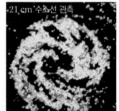
21 cm 수소선 관측

가시광선 관측

21 cm 수소선이 관측된 곳은 중성 수소가 집중적으로 분포하는 곳으로, 가시광선 사진과 비교해 보면 나선팔과 일치한다.

(암기해)
전파 관측이 우리은하 구조를 밝히는 데 중요하게 사용된 까닭
21 cm 수소선은 파장이 길어 성간 물질을 통과할 때 성간 소광이 거의 일어나지 않기 때문이다.

B 별의 공간 운동과 우리은하의 나선팔 구조

우리은하의 나선팔 구조와 회전을 밝혀내는 데 별의 공간 운동이 이용되었어요. 별은 움직이지 않는 것처럼 보이지만 실제로는 공간상에서 이동하고 있어요. 별의 공간 운동과 나선팔 구조를 밝힌 과정을 알아보아요.

1. 공간 운동 별이 우주 공간에서 실제로 운동하는 것

(1) 공간 속도(V): 별의 접선 속도(V_T)와 시선 속도(V_R)의 벡터 합으로 구한다.

$$V=\sqrt{V_T{}^2+V_R{}^2}$$

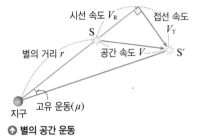

↑ 별의 공간 운동

(2) 접선 속도(V_T): 별이 ❶시선 방향에 대해 수직인 방향으로 이동하는 속도 ➡ 고유 운동(μ)과 별의 거리(r)를 이용하여 구한다.

① *고유 운동: 별은 실제로 공간상에서 운동하지만, 우리 눈에는 평면상에서 움직인 것처럼 보인다. 별이 1년 동안 천구상에서 움직여 간 각 거리를 고유 운동이라고 하며, 단위는 ″/년으로 나타낸다. → 고유 운동이 큰 별일수록 천구상에서 위치 변화가 크다.

② 접선 속도: 고유 운동이 클수록, 별의 거리가 멀수록 접선 속도가 크다.

$$V_T=4.7\mu r\,(\text{km/s})$$

(3) 시선 속도: 별이 관측자의 시선 방향으로 가까워지거나 멀어지는 속도 ➡ 도플러 효과에 의한 별빛의 파장 변화를 측정하여 구한다.

① 도플러 효과: 빛이나 소리 등이 ❷파동의 형태로 전달될 때, 파원이 관측자에게 접근하면 파장이 짧아지고, 관측자에게서 멀어지면 파장이 길어지는 현상

• 청색 편이: 별이 접근할 때 별빛의 파장이 원래의 파장보다 짧은 청색 쪽으로 치우친다.

• 적색 편이: 별이 후퇴할 때 별빛의 파장이 원래의 파장보다 긴 적색 쪽으로 치우친다.

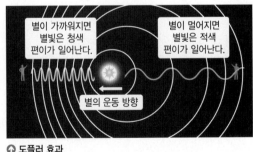

↑ 도플러 효과

청색 편이된 스펙트럼

정상 스펙트럼

적색 편이된 스펙트럼

↑ 청색 편이와 적색 편이

② 시선 속도: 어떤 별빛 스펙트럼의 원래 파장을 λ_0, 관측된 파장을 λ, 별빛의 속도(광속)를 c라고 할 때, 별의 시선 속도(V_R)는 다음과 같다.

$$V_R=c\times\frac{\lambda-\lambda_0}{\lambda_0}$$ → 파장의 변화량이 클수록 시선 속도가 크다.

• 별이 접근할 때: $\lambda-\lambda_0<0$이므로, 시선 속도(V_R)는 ($-$) 값을 나타낸다.

• 별이 멀어질 때: $\lambda-\lambda_0>0$이므로, 시선 속도(V_R)는 ($+$) 값을 나타낸다.

★ **바너드별의 고유 운동**
바너드별은 고유 운동의 크기가 가장 큰 별로, 1년 동안 10.25″의 변화가 나타난다.

1991년

2007년

└ 별의 고유 운동 때문에 오랜 시간이 지나면 별자리의 모양이 변한다.

● 별이 1년 동안 천구상에서 움직인 거리를 원호의 일부로 생각하면 고유 운동(μ)과 별까지의 거리(r)로 접선 속도(V_T)를 구할 수 있다.

$\mu:V_T=360:2\pi r$

$V_T=\dfrac{2\pi r(\text{pc})}{360\times60\times60(″)}\times\mu(″/\text{년})$

$\quad=\dfrac{2\pi r\times3.08\times10^{13}(\text{km})}{360\times60\times60(″)}$

$\quad\quad\times\dfrac{\mu''}{365\times24\times3600\,\text{s}}$

$\quad\fallingdotseq4.7\mu r(\text{km/s})$

| 용어 |

❶ **시선 방향**(視 보이다, 線 선, 方向 방향) 관측자의 눈에 보이는 천체의 방향
❷ **파동**(波 물결, 動 움직이다) 한 곳에서 생긴 물질의 진동이 이웃한 곳으로 퍼져 나가는 현상

03 우리은하의 나선 구조와 질량

2. 21 cm 수소선의 도플러 효과를 이용한 나선팔 구조 해석

(1) **21 cm 수소선의 도플러 효과 관측:** 은하면에 분포하는 중성 수소가 방출하는 21 cm파는 은하의 회전 때문에 도플러 효과를 일으킨다. ➡ 중성 수소의 원자 수가 많을수록 21 cm 수소선의 세기가 강하게 나타난다.

(2) **우리은하의 나선팔 구조:** 여러 시선 방향에서 21 cm 수소선의 세기와 도플러 이동을 분석하면 우리은하의 나선팔 구조 및 회전을 알 수 있다.

[*은하에서 별의 공간 운동(단, 케플러 회전을 한다고 가정)]
- 21 cm파의 세기: 성운 A가 성운 B보다 성간 물질이 많으므로 21 cm파의 세기가 더 강하게 나타난다.
- 관측자보다 은하 중심에 가까운 성운 A: 회전 속도가 빨라 관측자에게서 멀어지므로 적색 편이가 나타난다. ➡ 시선 속도 (+) 값
- 관측자보다 은하 중심으로부터 먼 성운 B: 회전 속도가 느려 관측자에게 가까워지므로 청색 편이가 나타난다. ➡ 시선 속도 (−) 값

21 cm파의 도플러 효과 관측과 우리은하의 나선팔 구조 및 회전
그림은 태양계에서 같은 시선 방향에 놓인 A~D 지점과 각 지점에서 중성 수소가 방출하는 21 cm 수소선을 관측하여 알아낸 수소선의 상대적 복사 세기와 시선 속도를 나타낸 것이다.

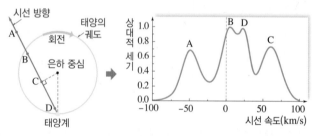

- 21 cm파의 복사 세기가 균질하지 않다. ➡ A, B, C, D 지점에 성간 물질이 밀집한 나선팔이 위치한다.
- 21 cm파의 도플러 이동이 나타난다. ➡ 나선팔이 회전하고 있다.
  - A 지점: 청색 편이 ➡ 시선 속도 (−) 값 ➡ 태양보다 느리게 회전하여 태양계에 가까워진다.
  - B, C, D 지점: 적색 편이 ➡ 시선 속도 (+) 값 ➡ 태양보다 빠르게 회전하여 태양계에서 멀어진다.
- C 지점: 시선 속도가 가장 빠르다. ➡ 회전 속도가 가장 빠르므로 은하 중심에 가장 가깝다.

★ **강체 회전과 케플러 회전**
- **강체 회전:** 레코드판의 회전처럼 회전 중심으로부터의 거리에 상관없이 모든 지점에서 회전 주기가 동일한 회전

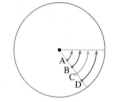

➡ 회전 속도: A<B<C<D

- **케플러 회전:** 중심에서 멀어질수록 회전 속도가 감소하는 회전

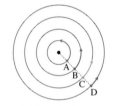

➡ 회전 속도: A>B>C>D

Ⓒ 우리은하의 회전 속도 분포와 질량

1. 태양계 부근에서 별의 공간 운동 *케플러 제3법칙에 따라 은하 중심에서 멀어질수록 회전 속도가 감소하므로 태양에 대한 상대 속도가 다르게 나타난다.

⬆ 태양 부근 별들의 회전 속도

⬆ 태양에 대한 상대 속도

태양보다 바깥쪽 궤도에서 회전하는 별들은 회전 속도가 느리므로 태양보다 뒤처지는 것처럼 보인다.

태양보다 안쪽 궤도에서 회전하는 별들은 회전 속도가 빠르므로 태양을 앞질러가는 것처럼 보인다.

★ **일정한 방향의 별의 회전 속도와 시선 속도**

2. 우리은하의 회전 속도 분포 21 cm 수소선의 도플러 이동을 관측하여 얻은 시선 속도를 이용하면 우리은하의 회전 속도를 구할 수 있다.

우리은하의 회전 속도 분포 그래프 그리기

목표 21 cm 수소선 관측 자료를 분석하여 회전 속도를 구하는 방법을 이해하고, 우리은하의 회전 속도 분포를 그릴 수 있다.

과정 표는 태양계에서 각 시선 방향 θ에 대하여 관측한 21 cm 수소선의 파장 중 최대로 변이된 파장값 λ(cm)를 기록한 결과이다. (단, θ는 은하 중심과 시선 방향이 이루는 각도이고, 정지 상태에서 수소선의 파장값(λ_0)은 21.106 cm로 계산한다.)

θ	20°	30°	40°	50°	60°	70°
λ(cm)	21.116	21.115	21.112	21.111	21.110	21.107

❶ 식을 이용하여 각 시선 방향에서 관측되는 최대 시선 속도 V_{max}를 구한다.

$$V_{max} = c \times \frac{\lambda - \lambda_0}{\lambda_0} \ (단, c = 3 \times 10^5 \ km/s)$$

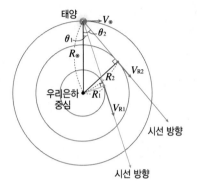

예 θ가 20°일 때,

$V_{max} = 3 \times 10^5 \ km/s \times \dfrac{21.116 - 21.106}{21.106}$

$≒ 142.14 \ km/s$

❷ 식을 이용하여 V_{max}가 나타나는 지점이 은하 중심으로부터 떨어진 거리 R을 구한다.

$$R = R_\odot \times \sin\theta \ (단, R_\odot = 8.5 \ kpc)$$

예 θ가 20°일 때, $R = 8.5 \ kpc \times \sin 20° ≒ 2.9 \ kpc$

❸ 식을 이용하여 은하 중심으로부터 거리가 R인 지점에서 실제 회전 속도 V_R을 구한다.

$$V_R = V_{max} + V_\odot \times \sin\theta \ (단, V_\odot = 220 \ km/s)$$

예 θ가 20°일 때, $V_R = 142.14 \ km/s + 220 \ km/s \times \sin 20° ≒ 217.38 \ km/s$

❹ 은하 중심으로부터의 거리에 따른 회전 속도 그래프를 그린다.

결과

θ	20°	30°	40°	50°	60°	70°
❶ V_{max}(km/s)	142	128	85	71	57	14
❷ R(kpc)	2.9	4.3	5.5	6.5	7.4	8.0
❸ V_R(km/s)	217	238	227	240	247	219

❹ [그래프: 은하 중심으로부터의 거리(kpc)에 따른 회전 속도(km/s)]

해석 1. **시선 속도**: 관측된 지점의 시선 속도는 (+) 값이므로 적색 편이가 나타났다.

2. **은하 중심으로부터의 거리에 따른 우리은하의 회전 속도**: 은하 중심으로부터 약 3 kpc~7.4 kpc 구간에서는 회전 속도가 대체로 증가하다가 8 kpc 부근에서 감소하였다.

확인 문제 **1** 중성 수소 구름에서 나오는 21 cm 수소선의 도플러 효과가 나타나는 까닭은 우리은하가 (　　　)하기 때문이다.

2 21 cm 수소선 관측으로 알아낸 시선 속도 자료로 우리은하의 (　　　) 속도를 계산할 수 있다.

확인 문제 **답**

1 회전

2 회전

우리은하의 회전 속도 곡선	거리	회전 속도 분포
회전 속도 300 275 250 225 200 175 150 (km/s) · 실제 회전 속도 곡선 · 태양 · 예측한 회전 속도 곡선 · 은하 중심으로부터의 거리(kpc) 0 2 4 6 8 10 12 14 16 ❶❷ ❸ ❹	❶ 은하 중심부 ~약 1 kpc 이내	회전 속도가 급격히 증가하여 최댓값을 나타내며, 강체 회전을 한다.
	❷ 약 1 kpc ~약 3 kpc	은하 중심에서 멀어질수록 회전 속도가 감소하는 케플러 회전을 한다.
	❸ 태양 부근	3 kpc 이후부터 회전 속도가 다시 증가하다가 태양 부근에서 감소한다.
	❹ 약 10 kpc 이후	회전 속도가 증가하다가 약 15 kpc 이후부터는 거의 일정해진다.

(1) **예측한 회전 속도 곡선**: 우리은하에서 빛을 내는(전자기파로 관측되는) 물질은 대부분 태양계 안쪽에서 관측된다. 우리은하의 질량이 은하 중심에 집중되어 있다면, 은하 외곽에서는 케플러 회전을 하여 회전 속도가 감소할 것으로 예측된다.

(2) **실제 회전 속도 곡선**: 관측 결과 은하 외곽에서 회전 속도가 감소하지 않고 거의 일정하게 나타난다. ➡ 우리은하의 질량이 은하 중심에 집중되어 있지 않으며, 외곽에도 빛을 내지 않지만 상당한 질량을 가진 물질이 존재한다고 추정할 수 있다.

3. 우리은하의 질량 측정 방법

(1) **역학적인 방법**: 별이 은하 중심 주위를 회전할 때, 궤도 안쪽에 있는 물질이 별에 미치는 만유인력은 별의 구심력과 같다는 관계를 이용하여 은하의 질량을 구할 수 있다.

$$\underset{\text{만유인력}}{G\frac{M_{은하}m_{별}}{r^2}} = \underset{\text{구심력}}{\frac{m_{별}v^2}{r}} \implies M_{은하} = \frac{rv^2}{G}$$

(G: 만유인력 상수, $M_{은하}$: 별 궤도 안쪽의 은하 질량, $m_{별}$: 별의 질량, r: 은하 중심에서 별까지의 거리, v: 별의 회전 속도)

① 태양계 안쪽의 은하 질량: *태양의 회전 속도로 구할 수 있으며, 태양 질량의 약 10^{11}배이다.
└─ 은하 중심에서 태양까지의 거리: 약 8.5 kpc, 회전 속도: 약 220 km/s

② 우리은하의 질량: 우리은하 최외곽부의 회전 속도로 구할 수 있으며, 태양 질량의 약 1.845×10^{11}배이다.
└─ 은하 반지름: 약 15 kpc, 최외곽부 회전 속도: 약 230 km/s

③ 태양 궤도 안쪽의 질량과 비슷한 정도로 바깥쪽에도 물질이 분포하는 것으로 계산된다.

(2) **광학적인 방법**: 우리은하에서 빛을 내는 물질들의 광도로 은하의 질량을 추정할 수 있으며, 광학적으로 추정한 값이 역학적으로 계산한 값보다 작다. ➡ 태양계 안쪽뿐만 아니라 바깥쪽에도 암흑 물질이 많이 존재하는 것으로 추정된다.
└─ 주계열성의 질량 광도 관계는 은하에도 적용되기 때문이다.

4. *암흑 물질
빛을 방출하지 않아 보이지 않지만 질량을 가지는 미지의 물질로, 중력적인 방법으로 존재를 추정한다.
└─ 중력 렌즈 현상

암흑 물질과 중력 렌즈 현상

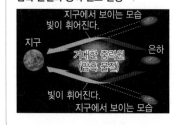

지구에서 보이는 모습 · 빛이 휘어진다. · 지구 · 거대한 중력원 (암흑 물질) · 은하 · 빛이 휘어진다. · 지구에서 보이는 모습

- 멀리 있는 은하에서 출발한 빛이 휘어져 여러 개의 상이 만들어지는 *중력 렌즈 현상이 관측되면, 은하와 관측자 사이에 암흑 물질이 존재함을 추정할 수 있다.
- 외부 은하에 의한 중력 렌즈 효과는 보이는 물질에 의한 것보다 크게 나타난다. ➡ 보통 물질보다 암흑 물질이 더 많다고 추정된다.
  └─ 질량이 있는 물질의 약 90 %가 암흑 물질로 추정된다.

암기해

약 15 kpc 이후 우리은하의 회전 속도가 감소하지 않고 일정한 까닭

우리은하 외곽에 빛을 내지 않지만 상당한 질량을 가진 물질(암흑 물질)이 존재하고 있기 때문이다.

★ 태양과 케플러 제3법칙으로 측정한 우리은하 질량

케플러 제3법칙을 이용하면 공전 주기와 공전 궤도 반지름으로 천체의 질량을 구할 수 있다. 우리은하의 질량이 태양 궤도 안쪽에 집중되어 있다고 가정하면, 케플러 제3법칙에 태양의 물리량을 대입하여 우리은하의 질량을 구할 수 있다.

$$M_{은하} + M_{\odot} = \frac{4\pi^2}{G} \cdot \frac{a^3}{P^2}$$

($M_{\odot}$: 태양의 질량, a: 은하 중심에서 태양까지 거리=8.5 kpc, P: 은하 중심에 대한 태양의 회전 주기=2억 2500만년)

★ 암흑 물질의 후보 물질

블랙홀, 백색 왜성, 떠돌이 행성 등 빛을 내지 않는 천체나 엑시온, 웜프, 비활성 중성미자 등의 작은 입자 등

★ 중력 렌즈 현상

매우 멀리 떨어진 천체에서 나온 빛이 지구까지 도달하기 전, 강력한 중력을 가진 천체 부근을 통과하면 굴절된다. 이때 굴절된 빛은 한 곳에 모이지 않고 여러 개의 상을 만들게 되는데, 이러한 현상을 중력 렌즈 현상이라 한다.

개념 확인 문제

정답친해 163쪽

- (❶): 중성 수소 원자에서 방출되는 파장이 21 cm인 전파 ➡ 우리은하의 은하면에 있는 중성 수소에서 방출되는 21 cm파의 세기와 도플러 이동을 분석하면 우리은하의 (❷) 구조 및 회전을 알 수 있다.
- 공간 운동: 별이 우주 공간에서 실제로 운동하는 것 ➡ 공간 속도는 별의 접선 속도와 시선 속도의 벡터 합
  - (❸): 별이 시선 방향에 대해 수직인 방향으로 이동하는 속도 ➡ 고유 운동, 별까지의 거리로 구한다.
  - (❹): 별이 관측자의 시선 방향으로 가까워지거나 멀어지는 속도 ➡ 도플러 효과를 측정하여 구한다.
- 우리은하의 회전 속도 분포
  - 태양계 안쪽: 은하 중심에서 약 1 kpc 이내에서는 강체 회전, 약 1 kpc~약 3 kpc에서는 (❺)을 한다.
  - 태양계 바깥쪽: 회전 속도가 감소하지 않고, 약 15 kpc 이상에서는 거의 일정하게 나타난다. ➡ 우리은하의 외곽에도 많은 물질이 분포한다는 것을 추정할 수 있다.
- 우리은하의 질량 측정: 역학적인 방법으로 측정한 값이 광학적인 방법으로 측정한 값보다 (❻). ➡ 우리은하에는 전자기파로 관측되지는 않지만 상당한 질량을 가진 물질이 존재한다.
- (❼): 보이지 않지만 질량을 가지는 미지의 물질 ➡ (❽) 현상으로 추정할 수 있다.

---

1 우리은하의 나선 구조에 대한 설명 중 ( ) 안에 알맞은 말을 쓰시오.

(1) 우리은하의 나선팔 구조는 중성 ㉠( )가 방출하는 ㉡( ) cm 전파를 관측하여 알아내었다.

(2) 우리은하의 은하면에서 방출되는 21 cm 수소선의 ( ) 이동 해석으로 은하의 회전을 알 수 있다.

(3) 중성 수소 원자에서 방출되는 21 cm 수소선의 세기는 수소 ( )에 비례한다.

2 21 cm 수소선은 성간 소광이 잘 (일어나므로, 일어나지 않으므로) 우리은하 구조 연구에 중요한 역할을 하였다.

3 그림은 별이 A에서 B로 움직인 모습을 나타낸 것이다.

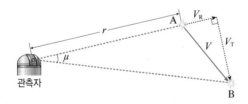

이에 대한 설명으로 옳은 것은 ○, 옳지 않은 것은 ×로 표시하시오.

(1) μ는 고유 운동으로, 단위는 ″/년이다. ────── ( )

(2) 별의 공간 속도 V는 $\sqrt{V_R + V_T}$ 로 구한다. ─── ( )

(3) V_T는 고유 운동과 별의 광도로 구한다. ────── ( )

(4) V_R은 도플러 효과에 의한 별빛의 파장 변화를 측정하여 구한다. ────────── ( )

4 그림은 케플러 회전을 하는 태양 부근 별들의 운동을 나타낸 것이다.

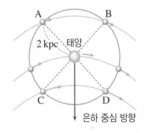

(1) A~D 중 적색 편이가 나타나는 별을 고르시오.

(2) A~D 중 청색 편이가 나타나는 별을 고르시오.

5 우리은하의 회전에 대한 설명으로 옳은 것은 ○, 옳지 않은 것은 ×로 표시하시오.

(1) 나선팔에 분포하는 중성 수소가 방출하는 21 cm 수소선의 시선 속도를 측정하면 우리은하가 회전하고 있음을 알 수 있다. ───────── ( )

(2) 은하 중심부에서 멀어질수록 회전 속도가 계속 감소한다. ──────────────── ( )

(3) 우리은하의 회전 속도로부터 은하의 질량을 계산할 수 있다. ───────────────── ( )

6 우리은하 외곽에서 회전 속도가 (감소, 일정, 증가)하기 때문에 은하의 물질이 중심부에 집중되어 있지 않고 외곽부에도 많이 존재한다고 추정할 수 있다.

대표 자료 분석

정답친해 164쪽

🖊 학교 시험에 자주 출제되는 대표 자료와 그 자료에 대한 문제를 통해 자료를 완벽하게 이해할 수 있다.

자료 ① 별의 고유 운동과 공간 운동

기출 Point
• 별의 고유 운동의 크기 비교하기
• 별의 접선 속도와 시선 속도의 크기 비교하기

[1~3] 그림은 별 A와 B가 우주 공간에서 1년 동안 이동한 모습을 나타낸 것이다.

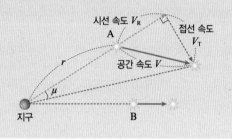

1 별 A와 B의 고유 운동과 접선 속도의 크기를 부등호를 이용하여 비교하시오.

(1) 고유 운동: A [　　] B
(2) 접선 속도: A [　　] B

2 별 A가 실제로 우주 공간에서 운동하는 속도 V를 시선 속도 V_R과 접선 속도 V_T로 나타내시오.

3 빈출 선택지로 완벽 정리!

(1) 별 A는 청색 편이가 나타난다. ············· (○ / ×)
(2) 별 B는 천구상에서 위치가 변한 것처럼 보인다.
　　 ·· (○ / ×)
(3) 공간 속도는 별의 실제 이동 속도이다. ······· (○ / ×)
(4) 접선 속도는 별의 거리에 반비례한다. ······· (○ / ×)
(5) 시선 속도는 별빛의 도플러 이동으로 구한다.
　　 ·· (○ / ×)
(6) 별자리의 모양이 달라지는 것은 고유 운동 때문이다.
　　 ·· (○ / ×)

자료 ② 우리은하의 회전 속도 곡선

기출 Point
• 우리은하의 회전 속도 곡선 해석하기
• 우리은하의 질량 분포 이해하기

[1~4] 그림은 우리은하의 실제 회전 속도 곡선과 예측된 회전 속도 곡선을 나타낸 것이다.

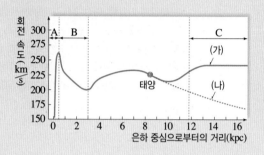

1 (가)와 (나) 중 우리은하의 실제 회전 속도 곡선은 무엇인지 쓰시오.

2 A~C 중 우리은하가 강체 회전을 하는 구간을 쓰시오.

3 C 구간에서 은하 중심으로부터 멀어질수록 회전 속도가 ㉠(감소하는, 거의 일정한) 것으로부터 우리은하 ㉡(중심부, 외곽)에 많은 물질이 존재함을 추정할 수 있다.

4 빈출 선택지로 완벽 정리!

(1) 우리은하의 회전 속도 분포는 중성 수소에서 방출되는 21 cm 수소선의 도플러 효과를 분석하여 파악한다. ··· (○ / ×)
(2) 태양 부근에 있는 별들은 은하 중심으로부터의 거리가 증가할수록 회전 속도가 증가한다. ········· (○ / ×)
(3) 우리은하 중심에 대부분의 질량이 집중되어 있다.
　　 ·· (○ / ×)

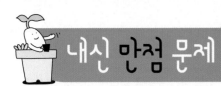

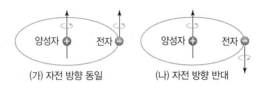

A 21 cm 수소선

01 그림 (가)와 (나)는 중성 수소 원자의 초미세 구조를 나타낸 것이다.

(가) 자전 방향 동일   (나) 자전 방향 반대

이에 대한 설명으로 옳은 것만을 [보기]에서 있는 대로 고른 것은? (단, 화살표는 전자와 양성자의 자전 방향을 의미한다.)

〔보기〕
ㄱ. 원자의 에너지는 (가)가 (나)보다 조금 낮다.
ㄴ. (가)와 (나)의 에너지 차이로 방출되는 전자기파의 파장은 21 cm이다.
ㄷ. (가)와 (나)의 에너지 차이로 방출되는 전자기파는 주로 은하핵에서 관측된다.
ㄹ. 중성 수소의 분포를 통해 나선팔 구조가 밝혀졌다.

① ㄱ, ㄴ　　　② ㄱ, ㄹ　　　③ ㄴ, ㄷ
④ ㄴ, ㄹ　　　⑤ ㄷ, ㄹ

02 21 cm 수소선에 대한 설명으로 옳지 <u>않은</u> 것은?

① 우리은하에서 성간 물질의 분포를 파악할 수 있다.
② 21 cm 수소선을 이용하여 우리은하의 나선팔 구조를 확인하였다.
③ 21 cm 수소선의 파장 변화로부터 우리은하가 회전한다는 것을 알 수 있다.
④ 수소가 에너지가 높은 상태에서 낮은 상태로 되돌아갈 때 방출되는 전자기파이다.
⑤ 성간 물질에 잘 흡수되기 때문에 우리은하의 구조 연구에 적합하다.

03 우리은하가 (가) 나선 구조를 이루고 있다는 사실과 (나) 지름 약 10만 광년인 구형의 공간(헤일로)으로 이루어진다는 사실을 밝혀낸 자료를 옳게 짝 지은 것은?

	(가)	(나)
①	세페이드 변광성 관측	21 cm 전파 관측
②	21 cm 전파 관측	구상 성단의 분포
③	21 cm 전파 관측	산개 성단의 분포
④	산개 성단의 분포	구상 성단의 분포
⑤	초신성의 관측	세페이드 변광성 관측

04 그림은 21 cm 수소선을 이용하여 알아낸 우리은하의 나선팔 구조를 나타낸 것이다.

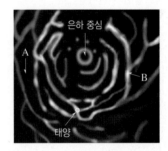

이에 대한 설명으로 옳은 것만을 [보기]에서 있는 대로 고른 것은? (단, 위쪽의 부채꼴 모양의 검은 부분은 은하 중심에 가려 지구에서는 보이지 않는 부분이다.)

〔보기〕
ㄱ. 성간 물질은 고르게 분포되어 있다.
ㄴ. 관측되는 21 cm 수소선의 세기는 A보다 B 부분에서 강하다.
ㄷ. 21 cm 수소선은 전파 망원경으로 관측할 수 있다.

① ㄱ　　　② ㄷ　　　③ ㄱ, ㄴ
④ ㄴ, ㄷ　　　⑤ ㄱ, ㄴ, ㄷ

05 (서술형) 우리은하의 나선팔에 중성 수소가 많이 존재하고 있음을 알 수 있는 방법을 서술하고, 전파 관측이 우리은하의 구조를 밝히는 데 중요한 까닭을 서술하시오.

B 별의 공간 운동과 우리은하의 나선팔 구조

06 그림은 어느 별이 1년 동안 A에서 B 위치로 이동한 모습을 나타낸 것이다.

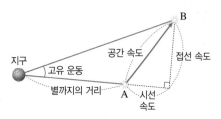

별의 공간 속도를 계산하기 위해 알아야 할 물리량만을 [보기]에서 있는 대로 고른 것은?

〔보기〕
ㄱ. 고유 운동　　　　ㄴ. 별의 질량
ㄷ. 별의 절대 등급　　ㄹ. 별까지의 거리
ㅁ. 별빛 스펙트럼선의 편이량

① ㄱ, ㄴ, ㄷ　　② ㄱ, ㄷ, ㅁ　　③ ㄱ, ㄹ, ㅁ
④ ㄴ, ㄹ, ㅁ　　⑤ ㄷ, ㄹ, ㅁ

07 (서술형) 어느 별의 스펙트럼을 관측하였더니 (가)와 같이 원래 480 nm로 나타나는 흡수선이 (나)와 같이 500 nm로 측정되었다.

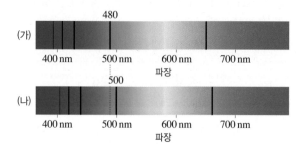

(1) 이 별은 지구로부터의 거리가 어떻게 변하고 있는지 근거를 들어 서술하시오.

(2) 이 별의 시선 속도는 몇 km/s인지 식을 세워 계산하시오. (단, 광속은 3×10^5 km/s이다.)

08 그림은 별 A~C의 공간 운동을 나타낸 것으로, 화살표의 방향과 길이는 각각 별의 운동 방향과 상대적인 운동 속력을 나타낸다.

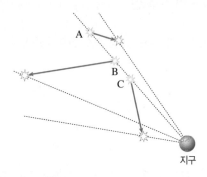

이에 대한 설명으로 옳은 것은?

① A는 적색 편이가 나타난다.
② 접선 속도의 크기는 A가 가장 크다.
③ 고유 운동의 크기는 B가 가장 크다.
④ 공간 속도의 크기는 C가 가장 크다.
⑤ B의 시선 속도는 (+) 값으로 나타난다.

09 그림 (가)는 태양계에서 우리은하를 관측한 방향을, (나)는 태양계에서 같은 시선 방향에 놓인 A~D 지점에서 관측된 시선 속도와 21 cm 수소선의 상대 복사 세기를 나타낸 것이다.

 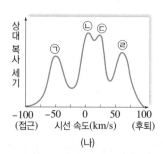

(가)　　　　　　　(나)

이에 대한 설명으로 옳은 것만을 [보기]에서 있는 대로 고른 것은? (단, A~D는 케플러 회전을 한다고 가정한다.)

〔보기〕
ㄱ. (가)의 A는 태양계로부터 점점 멀어진다.
ㄴ. (나)의 ㉠~㉣에서 중성 수소 원자 수가 가장 많은 곳은 ㉣이다.
ㄷ. (가)의 C를 관측한 자료는 (나)의 ㉣이다.

① ㄱ　　　　② ㄷ　　　　③ ㄱ, ㄴ
④ ㄴ, ㄷ　　⑤ ㄱ, ㄴ, ㄷ

C 우리은하의 회전 속도 분포와 질량

10 그림은 케플러 회전을 하는 태양 부근 중성 수소 구름의 운동을 나타낸 것이다.

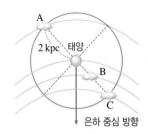

이에 대한 설명으로 옳은 것만을 [보기]에서 있는 대로 고른 것은?

---[보기]---
ㄱ. A는 회전 속도가 태양보다 빠르다.
ㄴ. B는 시선 속도가 (+) 값으로 나타난다.
ㄷ. A~C는 모두 적색 편이가 나타난다.

① ㄱ   ② ㄴ   ③ ㄷ
④ ㄴ, ㄷ   ⑤ ㄱ, ㄴ, ㄷ

11 그림은 우리은하의 회전 속도 곡선을 나타낸 것이다.

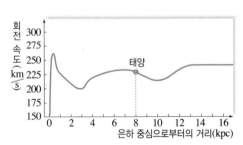

이에 대한 설명으로 옳은 것만을 [보기]에서 있는 대로 고른 것은?

---[보기]---
ㄱ. 은하 중심~약 1 kpc 이내에서는 강체 회전을 한다.
ㄴ. 은하 중심으로부터의 거리가 약 1 kpc~3 kpc 구간에서는 은하 중심에서 멀어질수록 회전 속도가 감소한다.
ㄷ. 우리은하의 질량은 은하 중심에 집중되어 있음을 알 수 있다.

① ㄱ   ② ㄴ   ③ ㄷ
④ ㄱ, ㄴ   ⑤ ㄱ, ㄴ, ㄷ

12 다음은 태양을 이용하여 태양 궤도 안쪽의 은하 질량($M_{은하}$)을 구하는 과정을 나타낸 것이다.

(가) 태양의 궤도 안쪽에 있는 물질의 질량이 은하 중심에 집중되어 있다고 가정한다.
(나) 태양은 은하 중심으로부터 거리 r인 지점에서 주기 P로 회전한다.
(다) 태양에 작용하는 만유인력과 구심력의 크기가 같으므로 $M_{은하} = ($ $)$이다(G: 만유인력 상수).

(   ) 안에 들어갈 계산식으로 옳은 것은?

① $\dfrac{4\pi^2}{G} \cdot \dfrac{r^3}{P^2}$ ② $\dfrac{4\pi^2}{G} \cdot \dfrac{r}{P}$ ③ $\dfrac{4\pi^2}{G} \cdot \dfrac{r^3}{P^3}$

④ $\dfrac{4\pi^2}{G} \cdot \dfrac{P^3}{r^2}$ ⑤ $\dfrac{4\pi^2}{G} \cdot \dfrac{P^2}{r^3}$

13 암흑 물질에 대한 설명으로 옳은 것만을 [보기]에서 있는 대로 고르시오.

---[보기]---
ㄱ. 암흑 물질의 존재는 전자기파로 확인할 수 있다.
ㄴ. 우리은하에는 보이는 물질이 암흑 물질보다 많은 질량을 차지한다.
ㄷ. 우리은하의 외곽에서 회전 속도가 감소하지 않는 까닭은 암흑 물질 때문이다.

14 그림은 천체 (나)의 중력에 의한 천체 (가)의 중력 렌즈 현상을 나타낸 것이다.
이에 대한 설명으로 옳은 것만을 [보기]에서 있는 대로 고른 것은?

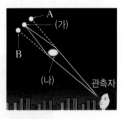

---[보기]---
ㄱ. A와 B는 서로 다른 천체이다.
ㄴ. (나)는 강한 중력을 가지는 천체이다.
ㄷ. 중력 렌즈 현상은 암흑 물질이 존재한다는 간접적인 증거이다.

① ㄱ   ② ㄷ   ③ ㄱ, ㄴ
④ ㄴ, ㄷ   ⑤ ㄱ, ㄴ, ㄷ

04 우주의 구조

핵심 포인트
Ⓐ 은하 집단의 규모 ★★
  은하군, 은하단, 초은하단의 특징 ★★
Ⓑ 우주 거대 구조 ★★★
  우주의 진화와 우주 거대 구조의 형성 ★★

Ⓐ 은하의 집단

1. 은하의 분포 은하들은 독립적으로 존재하는 것이 아니라 다양한 규모의 집단을 이루고 있다.

(1) 가까이 있는 은하들 사이에는 중력이 작용하여 집단을 이룬다.

(2) **은하의 집단**: 은하들이 모여 있는 규모에 따라 은하군, 은하단, 초은하단으로 구분한다.

| 은하 | ➡ | 은하군 | ➡ | 은하단 | ➡ | 초은하단 | ➡ | 우주 거대 구조 |

은하군	• 수십 개의 은하들이 모인 집단→ • 은하들이 서로의 중력에 묶여 있다. • 지름은 1 Mpc~2 Mpc 정도이며, 질량은 태양 질량의 약 10^{13}배이다. • 예 **국부 은하군**: 우리은하가 포함된 은하군으로, 40여 개의 은하가 속해 있고, 지름이 약 400만 광년이다. 다른 은하군에 비해 은하 수가 적고, 질량이 큰 은하가 적다.
은하단	• 수백 개~수천 개 이상의 은하들이 모인 집단→ • 서로의 중력에 묶인 천체 중 가장 큰 규모 • 지름은 2 Mpc~10 Mpc 정도이며, 질량은 태양 질량의 약 10^{14}배~10^{15}배이다. • 예 **처녀자리 은하단**: 우리은하에서 가장 가까운 은하단으로, 약 17 Mpc(5천만 광년) 거리에 있고, 약 2500개의 은하로 구성되어 있다. • 처녀자리 은하단 방향으로 국부 은하군이 서서히 움직이고 있다.→ 처녀자리 은하단의 중력이 매우 강력하기 때문이다.
초은하단	• 은하군과 은하단으로 이루어진 대규모 은하 집단 → 규모가 커서 은하단들은 중력에 묶여 있지 않고 우주 팽창에 의해 흩어지고 있다. • 관측 가능한 우주에서 초은하단의 수는 1000만 개 정도로 추정된다. • 국부 은하군이 포함된 초은하단을 국부 초은하단이라고 하는데, 처녀자리 초은하단이 국부 초은하단으로 알려져 있으며, 2014년에 ★라니아케아 초은하단이 발견되었다. • 예 **처녀자리 초은하단**: 국부 은하군이 처녀자리 은하단과 함께 속해 있는 초은하단으로, 100여 개의 은하군과 은하단이 모여 있고, 지름은 약 33 Mpc(1억 광년)이다.

2. ★우주에서 우리은하의 위치 우리은하는 국부 은하군의 중력의 중심 부근에 있으며, 국부 은하군은 처녀자리 초은하단에서 주변부에 위치한다.

탐구 자료창 우주에서 우리은하의 위치

↑ 국부 은하군

↑ 처녀자리 초은하단

1. **국부 은하군**: 중심 은하는 우리은하와 안드로메다은하이고, 국부 은하군의 중력의 중심은 우리은하와 안드로메다은하 사이에 있다.→ 두 은하를 제외하면 대부분 왜소 은하이므로 두 은하 주변에 은하가 집중적으로 분포하고 있다.

2. **처녀자리 초은하단**: 중심 은하는 처녀자리 은하단이고, 국부 은하군은 처녀자리 초은하단에서 주변부에 위치한다.→ 국부 은하군이 다른 은하 집단에 비해 질량이 크지 않기 때문

주의해

은하군과 은하단
은하단은 은하군보다 더 큰 규모의 집단일 뿐, 은하군이 모여 은하단을 이루는 것은 아니다.

★ **라니아케아 초은하단**

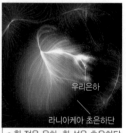

우리은하

라니아케아 초은하단

→ 흰 점은 은하, 흰 선은 초은하단 중심부를 향한 움직임이다.

2014년 처녀자리 초은하단보다 규모가 훨씬 큰 라니아케아 초은하단이 발견되었다. 연구 결과에 따르면, 처녀자리 초은하단은 라니아케아 초은하단의 외곽에 분포하며, 라니아케아 초은하단에 포함된다. 이 연구 결과가 충분히 검증된다면, 국부 초은하단은 라니아케아 초은하단으로 볼 수도 있다.

★ **우주에서 지구의 위치**

라니아케아 초은하단
처녀자리 초은하단
국부 은하군
우리은하
태양계
지구

B 우주 거대 구조

1. 우주 거대 구조 우주에서 은하들이 이루는 최대 규모의 구조로, 은하 장성과 거대 공동을 둘러싼 거품처럼 생긴 거대한 구조이다.

(1) 은하 장성과 거대 공동

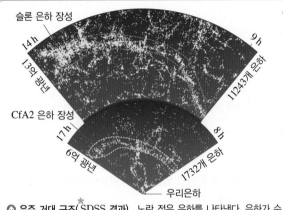

슬론 은하 장성
14 h
13억 광년
9 h
1243개 은하
CfA2 은하 장성
17 h
6억 광년
8 h
1732개 은하
우리은하

⬆ **우주 거대 구조**(SDSS 결과) 노란 점은 은하를 나타낸다. 은하가 수백만 광년 이상의 긴 끈 모양으로 이어져 있고, 그물처럼 얽혀 있는 지점에 은하단과 초은하단이 분포한다.

은하 장성(Great Wall)
수많은 은하들로 이루어진 거대한 벽과 같은 3차원 구조로, 은하 장성의 길이는 약 10억 광년 이상이다.

거대 공동(void)
은하가 존재하지 않는 거대 공간으로, 우주 전체 공간에서 은하가 차지하는 부피는 일부분이고, 거대 공동이 대부분을 차지한다.

거대 공동

(2) 우주 거대 구조의 발견 → 1980년대 은하의 3차원 공간 분포를 연구하면서 알려졌다.

① 1980년대 초반까지 과학자들은 초은하단들이 우주에 고르게 분포되어 있을 것으로 생각했으나, 이후 더 먼 거리의 은하들을 관측하면서 은하들이 일부 지역에 몰려 집중적으로 분포하고 있음을 알게 되었다.

② 1989년 은하들이 연결되어 분포해 있는 은하 장성이 발견되면서 초은하단보다 더 큰 구조가 존재한다는 사실이 밝혀졌다. ➡ 1989년에 최초로 CfA2 은하 장성이 발견되었고, 2003년에는 슬론 은하 장성이 발견되었다. 2013년에는 극히 거대한 구조인 헤르쿨레스자리 – 북쪽왕관자리 은하 장성이 발견되었는데, 그 크기는 약 3000 Mpc에 이를 것으로 추정된다.

2. 우주의 진화와 우주 거대 구조의 형성

(1) 우주 거대 구조의 형성 원인: 우주 초기 밀도 분포 차이로 추정 ➡ *플랑크 망원경이 관측한 우주 배경 복사에 의하면 초기 우주의 밀도 분포에 미세한 차이가 있었음을 알 수 있다.

(2) *초기 우주의 밀도 분포와 우주 거대 구조의 형성

① 밀도가 상대적으로 높은 지역: 시간이 지날수록 좀 더 많은 물질이 끌려들어가면서 은하, 은하단, 초은하단, 은하 장성 등이 만들어졌다.

② 밀도가 상대적으로 낮은 지역: 거대 공동이 형성되었을 것으로 추정된다.— 거대 공동의 밀도는 우주 평균 밀도의 $\frac{1}{10}$ 보다 작다.

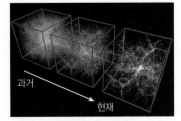
과거
현재
⬆ **우주 거대 구조 형성 모의실험**

(3) 암흑 물질과 우주 거대 구조: 우주 거대 구조는 암흑 물질에 의해 형성된 것으로 추정된다. 암흑 물질이 은하들을 중력으로 끌어당겨 우주 거대 구조라는 형태로 관측된다는 것이다.
└ 암흑 물질은 질량이 있으므로 우리가 관측할 수 있는 보통 물질을 끌어당긴다.

★ **슬로언 디지털 전천 탐사**
(SDSS: Sloan Digital Sky Survey)
우주의 거대 구조를 알기 위하여 전 세계적으로 수행 중인 프로젝트이다. 전체 하늘의 $\frac{1}{4}$ 정도 되는 영역 안에서 백만 개가 넘는 은하와 퀘이사들을 관측하여 우주 지도 제작을 주목적으로 하고 있다. 슬론 은하 장성은 이 프로젝트에 의해 발견되어 붙여진 이름이다.

★ **플랑크 망원경이 관측한 우주 배경 복사**

우주 전역에서 우주 탄생 초기에 형성된 우주 배경 복사가 관측된다. 붉은색은 상대적으로 뜨거운 영역을, 파란색은 상대적으로 차가운 영역을 나타내며, 붉은색과 파란색의 온도 차이는 매우 작다. 이는 초기 우주의 밀도 분포에 미세한 차이가 있었음을 알려준다.—뜨거운 영역은 은하 장성, 차가운 영역은 거대 공동의 분포와 관련이 있다.

★ **우주 거대 구조의 시작**
빅뱅으로 시작된 초기 우주에서 물질의 분포는 미세하게 불균일 하였고, 매우 느리게 중력에 의해 조금씩 뭉치기 시작하였다. 뭉쳐진 곳(성운)에서 별과 은하가 탄생하였고 현재의 우주 거대 구조를 형성하게 되었다. ➡ 우주 거대 구조는 우주 초기 밀도가 불균일했다는 증거가 된다.

개념 확인 문제

정답친해 167쪽

핵심 체크

- 은하의 집단: 은하는 단독으로 존재하는 것보다 집단을 형성하고 있는 경우가 많다.
  → 규모: 은하군＜은하단＜(❶   )
  - (❷   ): 수십 개의 은하들이 모인 집단 예 우리은하가 속한 은하군: 국부 은하군
  - 은하단: 수백 개~수천 개의 은하들이 모인 집단 예 우리은하에서 가장 가까운 은하단: (❸   ) 은하단
  - 초은하단: 은하군과 은하단으로 이루어진 대규모 은하 집단 예 국부 은하군이 속한 초은하단: (❹   ) 초은하단
- (❺   ): 은하들이 이루는 최대 규모의 구조로, 은하 장성과 거대 공동을 둘러싼 거품처럼 생긴 구조
  - (❻   ): 수많은 은하로 이루어진 거대한 벽과 같은 3차원 구조
  - (❼   ): 은하가 존재하지 않는 거대 공간
- 우주의 진화와 우주 거대 구조의 형성: 우주 초기 (❽   ) 분포 차이로 형성된 것으로 추정된다.
  → (❾   )이 중력에 의해 주변의 보통 물질을 끌어당겨 우주 거대 구조라는 형태로 관측된다는 것이다.

1 은하의 집단에 대한 설명으로 옳은 것은 ○, 옳지 <u>않은</u> 것은 ×로 표시하시오.

(1) 중력에 의해 수십 개의 은하가 모인 집단을 은하군이라고 한다. ·· (   )

(2) 은하군보다 더 큰 규모의 은하 집단을 은하단이라고 한다. ·· (   )

(3) 은하군은 은하단에 속한다. ··························· (   )

(4) 우리은하에서 가장 가까운 은하단은 처녀자리 은하단이다. ·· (   )

2 다음은 은하와 은하의 집단을 규모가 작은 것부터 큰 것 순으로 나열하시오.

(가) 우리은하	(나) 국부 은하군
(다) 사자자리 초은하단	(라) 처녀자리 은하단

3 국부 은하군에 속한 천체를 [보기]에서 있는 대로 고르시오.

[보기]
ㄱ. 퀘이사	ㄴ. 우리은하
ㄷ. 안드로메다은하	ㄹ. 오리온 대성운

4 태양계를 포함하고 있는 더 큰 규모의 은하 집단을 [보기]에서 있는 대로 고르시오.

[보기]
ㄱ. 우리은하	ㄴ. 국부 은하군
ㄷ. 처녀자리 은하단	ㄹ. 코마 초은하단
ㅁ. 처녀자리 초은하단	ㅂ. 라니아케아 초은하단

5 그림은 우주에서 은하의 분포를 나타낸 것이다.

A와 B의 명칭을 쓰시오.

6 우주 거대 구조 형성에 대한 설명 중 (   ) 안에 알맞은 말을 고르시오.

(1) 우주 초기 밀도가 상대적으로 높은 부분에서 (거대 공동, 은하 장성)이 형성되었을 것이다.

(2) 거대 공동의 밀도는 우주의 평균 밀도보다 (높다, 낮다).

(3) 초기 우주의 미세한 밀도 차이는 시간이 지날수록 점점 더 (커졌다, 작아졌다).

대표 자료 분석

자료 1 규모에 따른 은하 집단의 특징

기출 Point
· 은하 집단의 규모 비교하기
· 각 은하 집단의 특징 이해하기

[1~3] 다음은 은하의 집단에 대한 설명이다.

> (가) 우리은하는 안드로메다은하와 대마젤란은하를 비롯한 약 40여 개의 크고 작은 은하들과 함께 집단을 이루고 있다.
>
> (나) 은하단과 초은하단들이 거품 모양으로 얽혀 거대한 구조를 형성하고 있다.
>
> (다) (가)와 같은 집단 100여 개와 은하단이 모여 규모 약 1억 광년의 집단을 이루고 있다.

1 우리은하가 속해 있는 (가) 집단을 무엇이라고 하는지 쓰시오.

2 (가)~(다)의 집단을 규모가 큰 것부터 순서대로 나열하시오.

3 빈출 선택지로 완벽 정리!

(1) (가)에서 우리은하는 국부 은하군의 중력의 가장자리에 위치한다. ·········· (○ / ×)

(2) (가) 집단은 처녀자리 은하단 쪽으로 이동하고 있다. ·········· (○ / ×)

(3) (나)는 우주에서 은하들이 이루는 최대 규모의 구조이다. ·········· (○ / ×)

(4) (나)에는 수많은 은하들로 이루어진 거대한 벽과 같은 구조가 있다. ·········· (○ / ×)

(5) (나)에서 은하들이 보이지 않는 매우 넓은 공간을 은하장성이라고 한다. ·········· (○ / ×)

(6) 우리은하가 속해 있는 은하 집단 (다)는 사자자리 초은하단이다. ·········· (○ / ×)

자료 2 우주 거대 구조

기출 Point
· 우주 거대 구조의 규모 이해하기
· 우주 거대 구조가 형성된 과정 파악하기

[1~3] 그림은 우주 거대 구조를 나타낸 것으로, 그림에서 노란 점은 은하를 나타낸다.

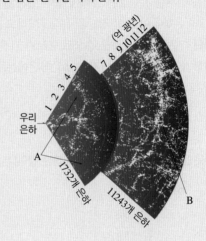

1 우주 거대 구조에서 보이는 A와 B의 명칭을 쓰시오.

2 ( ) 안에 알맞은 말을 쓰시오.

(1) ( )의 관측 결과, 우주 초기의 밀도 분포는 불균일하였음을 알 수 있다.

(2) 우주가 팽창하면서 물질이 밀도가 ( ) 지역으로 끌려가 우주 거대 구조가 형성된 것으로 추정된다.

(3) ㉠( )은 눈에 보이지 않지만 질량을 가지고 있으므로 은하들을 중력으로 끌어당겨 수많은 은하들로 이루어진 거대한 벽과 같은 3차원 구조인 ㉡( )이 형성되는 데 중요한 역할을 하였다.

3 빈출 선택지로 완벽 정리!

(1) A에서 발견된 은하는 거의 없다. ·········· (○ / ×)

(2) 그림은 처녀자리 초은하단을 구성하는 은하들의 분포를 나타낸 것이다. ·········· (○ / ×)

(3) 우주 거대 구조에서 은하들이 차지하는 부피는 거대공동이 차지하는 부피보다 작다. ·········· (○ / ×)

내신 만점 문제

Ⓐ 은하의 집단

01 은하의 집단에 대한 설명으로 옳은 것은?

① 은하군은 은하단보다 더 많은 은하로 구성된다.
② 은하단을 이루는 은하들은 중력에 묶여 있지 않다.
③ 수십 개의 은하들이 모인 집단을 은하군이라고 한다.
④ 초은하단<은하단<은하군 순으로 규모가 커진다.
⑤ 우리은하가 속해 있는 처녀자리 초은하단에는 은하들이 매우 고르게 분포되어 있다.

02 그림은 은하 집단을 규모에 따라 나타낸 것이다.

(가)~(다)에 해당하는 천체를 옳게 짝 지은 것은?

	(가)	(나)	(다)
①	은하	은하단	성단
②	성단	은하	은하단
③	성단	은하단	은하
④	은하단	은하	성단
⑤	은하단	성단	은하

03 국부 은하군에 대한 설명으로 옳은 것만을 [보기]에서 있는 대로 고른 것은?

[보기]
ㄱ. 우리은하와 모양이 비슷한 은하들의 집단이다.
ㄴ. 안드로메다은하는 국부 은하군에 속해 있다.
ㄷ. 수십 개의 초은하단이 모여 국부 은하군을 이룬다.

① ㄱ　　　　② ㄴ　　　　③ ㄱ, ㄷ
④ ㄴ, ㄷ　　　⑤ ㄱ, ㄴ, ㄷ

04 그림은 처녀자리 초은하단에서 우리은하의 위치를 나타낸 것이다.
이에 대한 설명으로 옳은 것만을 [보기]에서 있는 대로 고른 것은? (단, 표시된 점들은 은하에 해당한다.)

[보기]
ㄱ. 우리은하는 처녀자리 초은하단의 질량 중심에 위치한다.
ㄴ. 처녀자리 초은하단 내의 은하단들은 띠 모양의 구조를 형성한다.
ㄷ. 초은하단은 우주에서 은하들이 이루는 가장 큰 구조이다.

① ㄱ　　　　② ㄴ　　　　③ ㄱ, ㄷ
④ ㄴ, ㄷ　　　⑤ ㄱ, ㄴ, ㄷ

05 (서술형) 우주에서 우리은하의 위치를 은하군과 초은하단을 언급하여 서술하시오.

Ⓑ 우주 거대 구조

06 우주 거대 구조에 대한 설명으로 옳은 것만을 [보기]에서 있는 대로 고른 것은?

[보기]
ㄱ. 은하 장성과 거대 공동을 둘러싼 거품처럼 생긴 거대한 구조이다.
ㄴ. 우주 진화의 초기 단계가 그대로 남은 흔적으로 추정된다.
ㄷ. 눈에는 보이지 않고 중력을 통해서만 알 수 있는 암흑 물질에 의해 형성된 것으로 추정된다.
ㄹ. 우주 거대 구조가 밝혀지면서 우주를 구성하는 거의 모든 물질을 관측할 수 있게 되었다.

① ㄱ, ㄹ　　　② ㄴ, ㄷ　　　③ ㄷ, ㄹ
④ ㄱ, ㄴ, ㄷ　　⑤ ㄱ, ㄴ, ㄹ

07 그림 (가)~(라)는 우주를 구성하는 천체 및 구조를 나타낸 것이다.

(가) 처녀자리 은하단

(나) 우주 거대 구조

(다) 은하 M83

(라) 구상 성단 M13

이에 대한 설명으로 옳은 것만을 [보기]에서 있는 대로 고른 것은?

[보기]
ㄱ. (가)는 국부 은하군보다 규모가 작다.
ㄴ. (나)에서 작은 점들은 별에 해당한다.
ㄷ. 공간 규모가 작은 것부터 큰 것 순으로 나열하면 (라)-(다)-(가)-(나)이다.

① ㄱ   ② ㄷ   ③ ㄱ, ㄴ
④ ㄴ, ㄷ   ⑤ ㄱ, ㄴ, ㄷ

08 그림은 약 13억 광년 내에 있는 은하들의 분포를 나타낸 것이다.

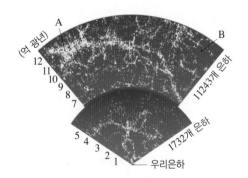

이에 대한 설명으로 옳지 않은 것은?

① 수많은 은하가 거품과 같은 구조를 이룬다.
② 은하들이 거의 존재하지 않는 부분이 있다.
③ A는 초기 우주의 밀도가 낮은 곳에서 만들어졌다.
④ B는 거대 공동이다.
⑤ 은하가 그물처럼 얽혀 있는 지점에 은하단과 초은하단이 분포한다.

09 그림은 빅뱅 이후 시간에 따른 공간의 크기 변화와 물질 분포 변화를 나타낸 것이다.

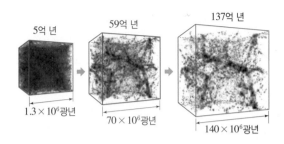

이에 대한 설명으로 옳은 것만을 [보기]에서 있는 대로 고른 것은?

[보기]
ㄱ. 우주는 팽창하고 있다.
ㄴ. 물질의 밀도가 높은 곳에서 은하가 생성된다.
ㄷ. 시간이 지나면서 공간의 물질 분포는 균일해진다.

① ㄱ   ② ㄷ   ③ ㄱ, ㄴ
④ ㄴ, ㄷ   ⑤ ㄱ, ㄴ, ㄷ

10 그림 (가)는 우주 배경 복사의 온도 분포를, (나)는 우주 거대 구조를 나타낸 것이다.

이에 대한 설명으로 옳은 것만을 [보기]에서 있는 대로 고른 것은? (단, 우주 거대 구조에서 흰 점은 은하를 나타낸다.)

[보기]
ㄱ. 우주 배경 복사에는 미세한 온도 차이가 존재한다.
ㄴ. (가)의 관측 결과는 (나)의 은하 분포를 설명할 수 있다.
ㄷ. (나)에서 은하들은 일부 지역에 집중적으로 분포한다.

① ㄱ   ② ㄷ   ③ ㄱ, ㄴ
④ ㄴ, ㄷ   ⑤ ㄱ, ㄴ, ㄷ

01 천체의 거리

1. 별의 밝기와 거리

밝기와 등급	$m_2 - m_1 = 2.5\log\dfrac{l_1}{l_2}$ (m: 겉보기 등급, l: 밝기) ➡ 별의 밝기는 1등급 사이에 2.5배, 5등급 사이에 100배 차이가 난다.
밝기와 거리	$l \propto \dfrac{1}{r^2}$ (r: 별까지의 거리)
거리 지수	$m - M = 5\log r - 5$ (M: 절대 등급) ➡ 거리 지수($m-M$)가 클수록 별까지의 거리가 (❶).

2. 세페이드 변광성의 주기 광도 관계와 거리

(1) 변광성: 밝기가 일정하지 않고 변하는 별

(2) 세페이드 변광성의 주기 광도 관계: 세페이드 변광성의 변광 주기가 길수록 광도가 (❷).

(3) 세페이드 변광성을 이용한 거리 측정

> 세페이드 변광성의 겉보기 등급과 변광 주기 측정하기 ➡ 변광 주기와 세페이드 변광성의 주기 광도 관계를 이용하여 절대 등급 구하기 ➡ 거리 지수 공식으로 거리 구하기

3. 성단의 색등급도와 거리

(1) 성단의 색등급도를 이용한 거리 측정(주계열 맞추기)

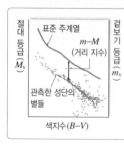

[주계열 맞추기]
색지수와 절대 등급이 알려진 표준 주계열성의 색등급도에 성단을 이루는 별의 색지수와 겉보기 등급 표시하기 ➡ 두 곡선 사이의 수직 방향 등급 차가 성단의 (❸)에 해당 ➡ 거리 지수 공식으로 거리 구하기

(2) 산개 성단과 구상 성단의 색등급도

구분	산개 성단	구상 성단
전향점	색등급도에서 위쪽	색등급도에서 아래쪽
구성 별	주로 주계열성	여러 진화 단계의 별
나이	적다	많다

02 우리은하와 성간 물질

1. 성단의 종류

구분	(❹) 성단	(❺) 성단
특징	• 수백 개~수천 개의 별들이 비교적 엉성하게 모여 있는 집단 • 나이: 적다 • 색: 파란색 • 표면 온도: 높다	• 수만 개~수백만 개의 별들이 공 모양으로 빽빽하게 모여 있는 집단 • 나이: 많다 • 색: 붉은색 • 표면 온도: 낮다
분포	나선팔	은하핵, 헤일로

2. 우리은하의 구조

(1) 우리은하의 중심: 구상 성단은 질량이 크므로 구상 성단이 분포하는 영역의 중심이 우리은하의 중심이 된다.

(2) 우리은하의 구조

모습	• 옆에서 본 모습: 중심부가 볼록한 원반 모양 • 위에서 본 모습: 막대 모양 구조와 나선팔이 있는 (❻) 은하	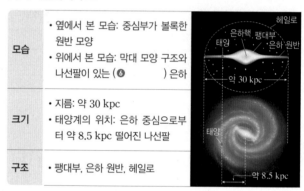
크기	• 지름: 약 30 kpc • 태양계의 위치: 은하 중심으로부터 약 8.5 kpc 떨어진 나선팔	
구조	• 팽대부, 은하 원반, 헤일로	

3. 성간 물질

성간 티끌	• 흑연, 규산염 등이 얼음에 덮여 있는 고체 입자 • (❼): 성간 티끌에 의한 빛의 흡수와 산란으로 별빛의 세기가 약해지는 현상 • (❽): 별빛이 성간 티끌층을 통과할 때 파장이 짧은 파란색 빛은 산란되고, 파장이 긴 붉은색 빛은 상대적으로 많이 도달하여 별이 붉게 보이는 현상 ➡ 성간 적색화가 클수록 색초과 값이 크다. • 암흑 성운: 성운 속의 성간 티끌에 의해 별빛이 통과하지 못해서 어둡게 보이는 성운 • 반사 성운: 성간 티끌이 성운 주변의 밝은 별빛을 산란시켜 뿌옇게 보이는 성운
성간 기체	• 성간 물질의 약 99 %를 차지하는 기체 ➡ 주로 수소와 헬륨 • 성간 기체는 주로 수소 분자로 이루어진 분자운, 원자 상태의 수소가 주성분인 H I 영역, 이온화된 수소로 이루어진 (❾) 등에 분포한다. • (❿): H II 영역의 전리된 수소가 에너지를 방출하여 밝게 보이는 성운

03 우리은하의 나선 구조와 질량

1. 21 cm 수소선과 우리은하의 나선 구조

(1) 21 cm 수소선: 성간 물질의 대부분을 차지하는 중성 수소 원자에서 방출되는 파장이 21 cm인 전파 ➡ 성간 물질을 잘 통과하여 성간 소광이 잘 일어나지 않으므로 우리은하 구조 연구에 중요하다.

(2) 우리은하의 나선팔 구조와 회전: (❶   )의 세기와 도플러 이동을 분석하여 알 수 있다.

2. 별의 공간 운동   별이 실제로 운동하는 것

속도	구하는 방법
공간 속도(V)	별의 접선 속도(V_T)와 시선 속도(V_R)의 벡터 합으로 구한다. ➡ $V=\sqrt{V_T{}^2+V_R{}^2}$
접선 속도	고유 운동(μ)과 별의 거리(r)를 이용하여 구한다. ➡ $V_T=4.7\mu r$(km/s)
(❷)	도플러 효과에 의한 별빛의 파장 변화를 측정하여 구한다. ➡ $V_R=c\times\dfrac{\lambda-\lambda_0}{\lambda_0}$ (λ_0: 원래 파장, λ: 관측된 파장, c: 광속) • 별이 접근할 때: (−) 값 • 별이 멀어질 때: (+) 값

3. 우리은하의 회전 속도   21 cm 수소선의 도플러 이동을 관측하여 얻은 (❸   ) 속도로 구한다.

(1) 회전 속도 분포: 은하 외곽에서 회전 속도가 감소하지 않고 일정하다. ➡ 은하 질량이 중심에 집중되어 있지 않고, 은하 외곽에도 많은 물질(암흑 물질)이 존재함을 의미한다.

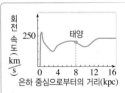

[회전 속도 곡선 해석]
• 중심~약 1 kpc 이내: 강체 회전
• 약 1 kpc~약 3 kpc: 케플러 회전
• 태양 부근에서 감소(케플러 회전)
• 약 15 kpc 이후: 회전 속도가 거의 일정

(2) 우리은하의 질량: 역학적으로 계산한 질량이 광학적으로 측정한 질량보다 크다. ➡ 우리은하에 빛을 내지 않는 (❹   )이 존재함을 의미한다.

$$M_{은하}=\frac{rv^2}{G}\left(\begin{array}{l}M_{은하}: \text{별 궤도 안쪽의 은하 질량, } G: \text{만유인력 상수}\\ r: \text{별까지의 거리, } v: \text{별의 회전 속도}\end{array}\right)$$

(3) 암흑 물질의 관측: (❺   ) 현상 이용

04 우주의 구조

1. 은하의 분포

(1) 은하는 우주를 구성하는 기본 단위로, 단독으로 존재하는 경우보다 집단을 이루는 경우가 많다.

(2) 은하의 집단

은하군	• 수십 개의 은하들이 모인 집단으로, 서로의 중력에 속박되어 있다. • 우리은하가 속한 은하군: (❻) • 국부 은하군의 중심: 우리은하, 안드로메다은하
은하단	• 수백 개~수천 개의 은하들이 모인 집단으로, 서로의 중력에 속박되어 있다. • 우리은하에서 가장 가까운 은하단: 처녀자리 은하단
초은하단	• 은하군과 은하단이 여러 개 모인 집단으로, 서로의 중력에 속박되지 않는다. • 국부 은하군과 처녀자리 은하단이 속해 있는 초은하단: 처녀자리 초은하단, 라니아케아 초은하단

(3) 우주 구조의 규모: 은하 < 은하군 < 은하단 < 초은하단 < 우주 거대 구조

(4) 우리은하의 위치: 국부 은하군의 중력의 중심 부근에 있으며, 국부 은하군은 처녀자리 초은하단의 주변부에 위치한다.

2. 우주 거대 구조

(1) 우주 거대 구조: 은하 장성과 (❼   )을 둘러싼 거품처럼 생긴 거대한 구조

은하 장성	• 수많은 은하로 이루어진 거대한 벽과 같은 3차원 구조이다. • 1989년에 CfA2 은하 장성, 2003년에 슬론 은하 장성이 발견되었다.
거대 공동	• 은하가 존재하지 않는 거대 공간이다. • 우주 전체 공간에서 은하가 차지하는 부피는 일부분이고, 거대 공동이 대부분을 차지한다.

(2) 우주의 진화와 우주 거대 구조의 형성

① 초기 우주의 밀도 분포: 미세하게 불균일하였다.

② 우주 거대 구조의 형성
• 밀도가 상대적으로 높았던 지역: 은하와 은하단, 초은하단, 은하 장성 등이 만들어졌을 것으로 추정된다.
• 밀도가 상대적으로 낮았던 지역: 거대 공동이 만들어졌을 것으로 추정된다.

(3) 암흑 물질과 우주 거대 구조: 우주 공간에 분포하는 암흑 물질이 은하들을 중력으로 끌어당겨 우주 거대 구조가 형성되었을 것으로 추정된다.

난이도 ●●●

01 그림 (가)와 (나)는 서로 다른 종족 I 세페이드 변광성의 시간에 따른 겉보기 등급 변화를 나타낸 것이다.

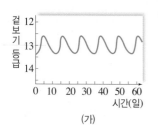
(가)

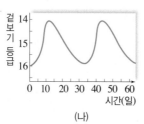
(나)

이에 대한 설명으로 옳은 것만을 [보기]에서 있는 대로 고른 것은?

[보기]
ㄱ. (가)가 (나)보다 밝게 보인다.
ㄴ. 광도는 (가)가 (나)보다 크다.
ㄷ. 지구에서 거리는 (가)가 (나)보다 멀다.

① ㄱ　　　　② ㄷ　　　　③ ㄱ, ㄴ
④ ㄴ, ㄷ　　　⑤ ㄱ, ㄴ, ㄷ

●●●

02 그림은 표준 주계열성의 절대 등급과 플레이아데스 성단 내 별들의 겉보기 등급을 나타낸 색등급도이다.

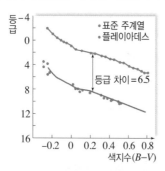

플레이아데스 성단 내 별들에 대한 설명으로 옳은 것만을 [보기]에서 있는 대로 고른 것은?

[보기]
ㄱ. 성단을 이루는 별들의 거리는 거의 같다.
ㄴ. 광도가 큰 별일수록 표면 온도가 낮다.
ㄷ. 거리 지수는 약 6.5이다.
ㄹ. 이 성단의 거리는 10 pc보다 가깝다.

① ㄱ, ㄷ　　　② ㄱ, ㄹ　　　③ ㄴ, ㄷ
④ ㄱ, ㄴ, ㄹ　　⑤ ㄴ, ㄷ, ㄹ

●●●

03 그림 (가)는 우리은하를 위에서 본 모습이고, (나)는 은하수를 가시광선 영역으로 촬영한 사진이다.

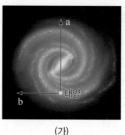
(가)

(나)

이에 대한 설명으로 옳은 것만을 [보기]에서 있는 대로 고른 것은?

[보기]
ㄱ. (가)에서 구상 성단은 b 방향보다 a 방향의 천구 상에 더 많이 분포한다.
ㄴ. (나)에서 은하수는 우리은하의 헤일로에 해당한다.
ㄷ. (가)의 a 방향은 다른 방향에 비해 은하수의 폭이 넓게 관측된다.

① ㄱ　　　　② ㄴ　　　　③ ㄱ, ㄷ
④ ㄴ, ㄷ　　　⑤ ㄱ, ㄴ, ㄷ

●●○

04 그림 (가)는 성간 물질의 구성 비율을, (나)는 성간 티끌의 모형을 나타낸 것이다.

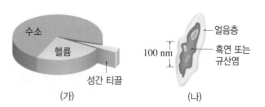
(가)　　　　　(나)

이에 대한 설명으로 옳은 것만을 [보기]에서 있는 대로 고른 것은?

[보기]
ㄱ. 성간 물질의 대부분은 성간 기체이다.
ㄴ. 성간 티끌은 성간 소광을 일으킨다.
ㄷ. 방출 성운은 주로 성간 티끌이 빛나는 것이다.

① ㄱ　　　　② ㄷ　　　　③ ㄱ, ㄴ
④ ㄴ, ㄷ　　　⑤ ㄱ, ㄴ, ㄷ

05 그림은 붉게 빛나는 오리온 대성운의 모습이다.

이 성운의 종류와 붉게 빛나는 영역에 분포하는 수소의 주된 상태를 옳게 짝 지은 것은?

	성운의 종류	수소의 상태
①	반사 성운	중성 수소(H)
②	반사 성운	이온화된 수소(H^+)
③	암흑 성운	중성 수소(H)
④	방출 성운	수소 분자(H_2)
⑤	방출 성운	이온화된 수소(H^+)

06 그림은 고온의 밝은 별 주위에 형성된 HⅡ 영역과 HⅠ 영역을 나타낸 것이다.

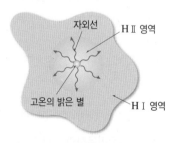

이에 대한 설명으로 옳은 것만을 [보기]에서 있는 대로 고른 것은?

[보기]
ㄱ. HⅡ 영역의 수소는 대부분 이온화되어 있다.
ㄴ. 방출 성운은 HⅠ 영역의 수소가 빛나는 것이다.
ㄷ. HⅠ 영역과 HⅡ 영역의 성간 티끌은 별이 원래보다 파란색으로 보이게 한다.

① ㄱ   ② ㄴ   ③ ㄱ, ㄷ
④ ㄴ, ㄷ   ⑤ ㄱ, ㄴ, ㄷ

07 그림은 지구로부터 같은 거리에서 같은 공간 속도로 운동하는 별 A, B, C를 나타낸 것이다.

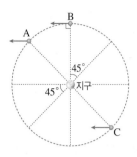

이에 대한 설명으로 옳은 것만을 [보기]에서 있는 대로 고른 것은?

[보기]
ㄱ. 접선 속도가 가장 큰 별은 A이다.
ㄴ. 고유 운동이 가장 큰 별은 B이다.
ㄷ. C는 적색 편이가 나타난다.

① ㄱ   ② ㄴ   ③ ㄷ
④ ㄱ, ㄴ   ⑤ ㄱ, ㄴ, ㄷ

08 그림 (가)는 은하 중심에 대해 케플러 회전을 하고 있는 가상의 은하를, (나)는 A와 B에서 방출하는 21 cm 수소선을 관측한 결과를 나타낸 것이다.

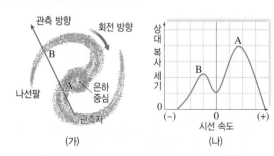

(가)   (나)

이에 대한 설명으로 옳은 것만을 [보기]에서 있는 대로 고른 것은?

[보기]
ㄱ. A의 수소 구름은 관측자로부터 멀어지고 있다.
ㄴ. A는 B보다 중성 수소 원자 수가 많다.
ㄷ. B에서는 적색 편이가 관측된다.

① ㄱ   ② ㄴ   ③ ㄷ
④ ㄱ, ㄴ   ⑤ ㄱ, ㄴ, ㄷ

09 그림은 실제 우리은하의 회전 속도 곡선과 보이는 물질만으로 예측한 회전 속도 곡선을 순서 없이 나타낸 것이다.

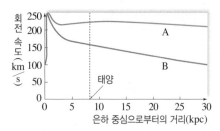

이에 대한 설명으로 옳은 것만을 [보기]에서 있는 대로 고른 것은?

〔보기〕
ㄱ. 실제 우리은하의 회전 속도 곡선은 A이다.
ㄴ. 우리은하 질량의 대부분은 중심부에 분포한다.
ㄷ. A와 B의 차이로 암흑 물질의 존재를 추정할 수 있다.

① ㄱ   ② ㄴ   ③ ㄱ, ㄷ
④ ㄴ, ㄷ   ⑤ ㄱ, ㄴ, ㄷ

10 다음은 은하들의 집단을 나타낸 것이다.

A	B	C
처녀자리 초은하단	처녀자리 은하단	국부 은하군

이에 대한 설명으로 옳은 것만을 [보기]에서 있는 대로 고른 것은?

〔보기〕
ㄱ. A는 우주에서 가장 큰 규모의 구조이다.
ㄴ. A는 B보다 구성 은하 수가 많다.
ㄷ. A~C 중 규모가 가장 작은 것은 C이다.

① ㄱ   ② ㄷ   ③ ㄱ, ㄴ
④ ㄴ, ㄷ   ⑤ ㄱ, ㄴ, ㄷ

11 그림은 우주를 구성하는 천체 및 그 천체가 존재하는 영역을 규모의 크기와 관계없이 나타낸 것이다.

A~D를 공간 규모가 작은 것부터 옳게 나열한 것은?

① A → B → C → D
② A → D → B → C
③ D → A → B → C
④ D → B → A → C
⑤ D → C → A → B

서술형 문제

12 그림은 종족 Ⅰ 세페이드 변광성의 주기 광도 관계를, 표는 변광성 A와 B의 관측 결과를 나타낸 것이다.

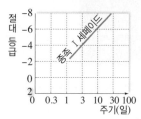

변광성	A	B
겉보기 등급	1	1
변광 주기(일)	3	30

(1) A와 B의 광도를 비교하고, 그 까닭을 서술하시오.

(2) A와 B의 지구로부터의 거리를 비교하고, 그 까닭을 서술하시오.

13 방출 성운을 가시광선 영역에서 관측할 때 붉게 보이는 까닭을 서술하시오.

14 그림은 우리은하의 회전 속도 곡선을 나타낸 것이다.

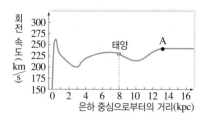

태양 또는 별 A로 구한 우리은하의 질량 중 더 크게 계산되는 것을 고르고, 그 까닭을 회전 속도 곡선을 이용해 서술하시오.

15 지구가 속해 있는 항성계, 은하, 은하의 집단을 언급하여 우주에서 지구의 위치를 서술하시오.

01 표는 여러 가지 별들의 물리량을 나타낸 것이다.

별	겉보기 등급	절대 등급	색지수	고유 운동(")
센타우루스	−0.29	4.1	0.72	3.68
시리우스	−1.46	1.4	0.00	1.33
프로키온	0.37	2.6	0.42	1.25
스피카	0.96	−3.6	−0.23	0.05

이에 대한 설명으로 옳은 것만을 [보기]에서 있는 대로 고른 것은?

[보기]
ㄱ. 우리 눈에 가장 밝게 보이는 별은 시리우스이다.
ㄴ. 10 pc보다 멀리 있는 별은 스피카이다.
ㄷ. 표면 온도가 가장 높은 별은 센타우루스이다.
ㄹ. 10년 후에 관측할 때 천구상에서 위치 변화가 가장
   큰 별은 스피카이다.

① ㄱ, ㄴ   ② ㄱ, ㄷ   ③ ㄷ, ㄹ
④ ㄱ, ㄴ, ㄹ   ⑤ ㄴ, ㄷ, ㄹ

02 표는 겉보기 등급이 같은 변광성 A, B의 변광 주기를, 그림은 A, B와 종류가 같은 변광성의 변광 주기와 광도 사이의 관계를 나타낸 것이다.

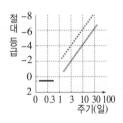

변광성	변광 주기
A	0.3일
B	3일

이에 대한 설명으로 옳은 것만을 [보기]에서 있는 대로 고른 것은?

[보기]
ㄱ. 별 A와 B는 식 변광성이다.
ㄴ. 절대 등급은 A가 B보다 크다.
ㄷ. 별까지의 거리는 A가 B보다 멀다.

① ㄱ   ② ㄴ   ③ ㄱ, ㄷ
④ ㄴ, ㄷ   ⑤ ㄱ, ㄴ, ㄷ

03 그림 (가)와 (나)는 종류가 다른 두 성단의 색등급도를 나타낸 것이다.

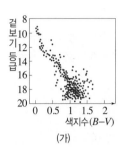 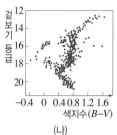

(가)   (나)

이에 대한 설명으로 옳은 것만을 [보기]에서 있는 대로 고른 것은?

[보기]
ㄱ. 파란색 주계열성의 비율은 (가)보다 (나)가 더 높다.
ㄴ. 성단의 나이는 (가)보다 (나)가 더 많다.
ㄷ. 성단까지의 거리는 (가)보다 (나)가 더 멀다.
ㄹ. (가)와 같은 성단은 헤일로에 주로 분포한다.

① ㄱ, ㄴ   ② ㄴ, ㄷ   ③ ㄷ, ㄹ
④ ㄱ, ㄴ, ㄹ   ⑤ ㄱ, ㄷ, ㄹ

04 그림 (가)는 어느 별의 겉보기 등급이 성간 소광에 의해 m에서 $m+A$로 변한 모습을, (나)는 옆에서 본 우리은하의 모습을 나타낸 것이다.

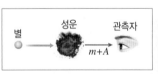 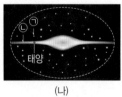

(A: 성간 소광에 의한 겉보기 등급의 변화량)
(가)   (나)

이에 대한 설명으로 옳은 것만을 [보기]에서 있는 대로 고른 것은? (단, 별 ㉠과 ㉡은 태양으로부터 같은 거리에 있다.)

[보기]
ㄱ. A는 ㉠이 ㉡보다 크게 나타난다.
ㄴ. V 필터보다 B 필터로 관측할 때 A가 더 크다.
ㄷ. 은하 중심 방향의 별을 관측할 때 거리가 멀수록 A가
   크다.

① ㄱ   ② ㄷ   ③ ㄱ, ㄴ
④ ㄴ, ㄷ   ⑤ ㄱ, ㄴ, ㄷ

05 그림은 독수리성운과 이 성운에서 많은 별이 동시에 탄생하는 곳으로 여겨지는 A 영역을 확대하여 각각 나타낸 것이다.

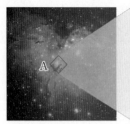

성운의 A 영역에 대한 설명으로 옳은 것만을 [보기]에서 있는 대로 고른 것은?

〔보기〕
ㄱ. 분자운에 해당한다.
ㄴ. 성운의 온도는 수천 K 정도이다.
ㄷ. A에서 동시에 만들어진 별들은 성단을 구성할 것이다.

① ㄱ   ② ㄴ   ③ ㄱ, ㄷ
④ ㄴ, ㄷ   ⑤ ㄱ, ㄴ, ㄷ

06 그림은 태양 부근의 은하면에 위치하며 은하 중심에 대해 케플러 회전을 하고 있는 중성 수소 구름 영역 A, B, C를 나타낸 것이다.

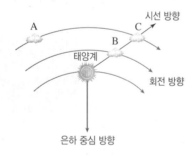

이에 대한 설명으로 옳은 것만을 [보기]에서 있는 대로 고른 것은?

〔보기〕
ㄱ. A의 스펙트럼에서는 적색 편이가 나타난다.
ㄴ. 은하 중심에 대한 회전 속도는 B가 C보다 빠르다.
ㄷ. 스펙트럼에 나타나는 중성 수소의 방출선 파장은 C가 B보다 짧다.

① ㄱ   ② ㄷ   ③ ㄱ, ㄴ
④ ㄴ, ㄷ   ⑤ ㄱ, ㄴ, ㄷ

07 그림 (가)는 우리은하 원반에서 태양과 중성 수소 영역 A, B, C의 위치를, (나)는 A, B, C에서 방출된 21 cm 수소선을 이용하여 관측한 시선 속도와 복사 세기를 순서 없이 나타낸 것이다.

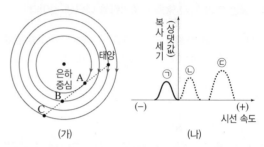

이에 대한 설명으로 옳은 것만을 [보기]에서 있는 대로 고른 것은? (단, 태양과 A, B, C 영역은 은하 중심에 대해 케플러 회전을 한다.)

〔보기〕
ㄱ. 태양과 A의 거리는 가까워지고 있다.
ㄴ. B에 해당하는 것은 ㉡이다.
ㄷ. A~C 중 중성 수소가 가장 많이 분포하는 영역은 C이다.

① ㄱ   ② ㄴ   ③ ㄱ, ㄷ
④ ㄴ, ㄷ   ⑤ ㄱ, ㄴ, ㄷ

08 그림 (가)~(다)는 우주 내에 존재하는 천체와 그 천체들이 존재하는 영역을 나타낸 것이다.

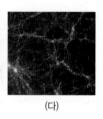

(가)   (나)   (다)

이에 대한 설명으로 옳은 것만을 [보기]에서 있는 대로 고른 것은?

〔보기〕
ㄱ. 우리은하 내에서 관측할 수 있는 것은 (가)이다.
ㄴ. 공간 규모가 가장 큰 것은 (다)이다.
ㄷ. (가)~(다)에서는 물질의 분포가 모두 균일하다.

① ㄱ   ② ㄷ   ③ ㄱ, ㄴ
④ ㄴ, ㄷ   ⑤ ㄱ, ㄴ, ㄷ

완벽한 자율학습서
완자

자율학습시
비상구
정답친해로
53

정확한 답과 친절한 해설

지구과학 II

I. 고체 지구

1 지구의 형성과 역장

01 지구의 탄생과 지구 내부 에너지

1 (1) 태양계는 현재 우리은하의 나선팔에 위치하고 있으므로 태양계 성운 역시 우리은하의 나선팔에 있었을 것이다.
(2) 태양계 성운은 우리은하 나선팔에 있는 거대 성운에서 초신성 폭발 등 외부로부터 주어진 충격파에 의해 분열되어 형성되었다.
(3) 각운동량 보존 법칙에 따르면, 회전하는 물체의 운동 속도는 회전 반지름이 작아지면 빨라진다. 태양계 성운은 수축하면서 크기가 작아져 회전 속도가 점점 빨라졌다.
(4) 태양계 성운이 거대 성운에서 분열되어 회전하는 동안 회전 중심으로 모여든 물질들이 뭉쳐 원시 태양을 만들었고, 원반에서 원시 행성들이 형성되었다.

2 태양이 수소 핵융합 반응으로 에너지를 방출하면서 태양 가까이에 있는 가벼운 물질들은 가열되어 운동 에너지가 증가함에 따라 바깥쪽으로 밀려나갔다. 이로 인해 태양 가까운 곳에서는 주로 무거운 원소로 이루어진 지구형 행성이, 태양에서 먼 곳에서는 주로 가벼운 원소로 이루어진 목성형 행성이 만들어졌다.

3 (1) 지구는 많은 미행성체들과 충돌하면서 합쳐져 질량과 반지름이 커졌으며, 충돌하면서 발생한 열에너지, 중력 수축으로 발생한 열에너지 등에 의해 온도가 상승하였다.
(2) 마그마 바다에서 철, 니켈 등의 밀도가 큰 물질은 중심 쪽으로 가라앉아 핵을 형성하였고, 규산염 물질 등의 밀도가 작은 물질은 위로 떠올라 맨틀을 형성하였으므로 핵과 맨틀은 밀도 차이에 의해 분리되었다.

(3) 지구의 표면이 식어 원시 지각이 형성된 후에 빗물이 지각의 낮은 곳에 모여 원시 바다가 형성되었으므로 원시 지각은 원시 바다보다 먼저 형성되었다.

4 해저 화산 활동으로 방출된 많은 양의 염소 기체가 해수에 녹아 염화 이온이 되었으며, 지각을 구성하는 암석의 성분인 나트륨, 마그네슘 등은 빗물이나 강물에 녹아 바다로 이동하여 염류를 이루었다. 이에 따라 해수의 염분이 점차 증가하였다.

5 지구 대기에서 기체의 분압이 높고 일정하게 유지되어 온 A는 질소이고, 기체의 분압이 크게 감소한 B는 이산화 탄소이며, 약 27억 년 전부터 기체의 분압이 상승한 C는 산소이다. 이산화 탄소는 바다에 녹아 기체의 분압이 점점 감소하였고, 산소는 광합성을 하는 생명체 탄생 이후 해수와 대기에 공급되어 기체의 분압이 점점 증가하였다.

6 태양 빛에 의해 수증기 등이 광분해되어 생긴 산소는 주로 지구 표면에 있는 물질들을 산화시키는 데 사용되었으며, 식물의 광합성으로 생긴 산소는 해양과 대기에 축적되었다.

7 (1) 원시 지구에는 오존층이 형성되어 있지 않아서 자외선이 매우 강하였다. 따라서 원시 생명체는 수권이 형성된 이후 자외선이 차단되는 바다 속에서 처음 탄생한 것으로 추정된다.
(2) 약 35억 년 전에 광합성 작용을 하는 남세균이 출현하였다. 약 4억 년 전에는 오존층이 자외선을 차단하여 육상 생물이 서식할 수 있는 환경이 조성되었다.
(3) 오존층은 태양의 자외선을 흡수하며, 자외선은 생명체의 세포를 파괴하는 화학적 반응을 일으킨다. 따라서 오존층이 형성되기 전에는 주로 바다에서 생물이 서식하였고, 오존층이 형성된 후, 지표면에 도달하는 자외선의 양이 크게 줄어들면서 육상에서도 생물이 살 수 있는 환경이 조성되었다.

1 지구 내부 에너지의 열원은 미행성 충돌에 의해 지구에 축적된 에너지(ㄱ), 방사성 동위 원소가 붕괴되는 동안 방출되는 열에너지(ㄷ), 핵과 맨틀이 분리되는 동안 위치 에너지로부터 전환된 열에너지(ㄹ) 등이 있다. ㄴ은 태양 에너지, ㅁ은 조력 에너지의 에너지원으로, 지구 외부에서 발생하는 에너지이다.

2 (1) 방사성 동위 원소는 규산염 마그마에 농집되는 성질이 있으므로 핵에는 거의 없으며, 대부분 지각과 맨틀에 존재한다.
(2) 화강암은 감람암보다 방사성 동위 원소의 함량이 많으므로 단위 부피당 방사성 동위 원소의 방출 열량이 더 많다.
(3) 맨틀은 감람암질 암석으로 이루어져 있고, 지각은 화강암질 암석이나 현무암질 암석으로 이루어져 있다. 방사성 동위 원소는 감람암보다 현무암이나 화강암에 더 많이 분포하므로 단위 부피당 방사성 동위 원소의 방출 열량은 맨틀이 지각보다 적다.
(4) 맨틀은 지각보다 단위 부피당 방사성 동위 원소의 방출 열량은 적지만, 전체 부피가 매우 크므로 전체적으로는 방사성 동위 원소의 방출 열량이 더 많다.

3 지각은 고체이므로 전도에 의해 지구 내부의 열에너지를 전달한다. 맨틀은 고체이면서도 약하게 대류를 일으키는 층이 있으므로 전도와 유동하는 물질이 에너지를 전달하는 방식인 대류에 의해 지구 내부의 열에너지를 지표면 쪽으로 전달한다. 지구 내부는 불투명하여 복사의 효과는 매우 작다.

4 열점, 해령, 열곡대, 호상 열도는 모두 마그마가 분출하는 곳이므로 지각 열류량이 높게 나타나고, 해령에서 멀리 떨어진 해구에서는 지각 열류량이 낮게 나타난다.

5 지구 내부 에너지의 방출은 오래된 조산대일수록 적고, 순상지는 조산대보다 더 적다. 따라서 지각 열류량을 비교하면, 선캄브리아 시대 순상지 < 고생대 조산대 < 신생대 조산대의 순이다.

6 꼼꼼 문제 분석

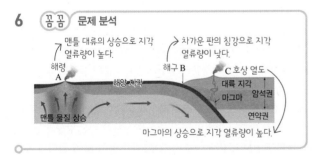

A(해령)는 맨틀 대류의 상승부이므로 지각 열류량이 높으며, B(해구)는 맨틀 대류의 하강부로 오래된 지각이 섭입하여 지각 열류량이 낮다. C(호상 열도)는 마그마의 상승으로 주변 지역에 비해 지각 열류량이 높지만, 해령 부근보다는 낮다.

7 지구 내부 에너지는 지각 변동을 일으키는 원동력이 된다. 지구 내부 에너지의 방출 과정에서 단층, 화산 활동, 지진, 온천 등이 형성되고, 지구 내부 에너지로 인한 맨틀 대류 과정에서 습곡 산맥이 형성된다. 하지만 석회동굴은 태양 에너지로 인해 물이 순환하는 과정에서 석회암이 녹아 형성된다.

대표 자료 분석   18쪽

자료 ① **1** (1) 증가 (2) 증가 (3) 증가   **2** (1) 감소 (2) 감소
      (3) 증가   **3** 지권 → 수권 → 생물권   **4** (1) ○
      (2) × (3) × (4) ○ (5) ○ (6) ○

자료 ② **1** (1) < (2) >   **2** 해령에서는 뜨거운 맨틀 물질이 상승하고 있기 때문이다.   **3** (1) × (2) ○ (3) ○

①-1 꼼꼼 문제 분석
(나)는 마그마 바다 형성, (다)는 핵과 맨틀의 분리, (라)는 원시 지각과 원시 바다의 형성 시기이다.

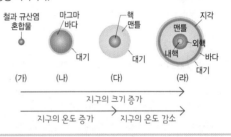

(1) (가)는 마그마 바다가 형성되기 전이고, (다)는 지구 내부가 녹아 마그마 바다가 형성된 상태에서 핵과 맨틀이 분리된 시기이므로 지구 표면의 평균 온도는 (가) → (다) 시기에 증가하였다.
(2) (가) → (다) 시기에는 많은 미행성체들이 충돌하여 지구의 질량과 크기가 증가하였다.
(3) 철과 규산염 혼합물 상태인 (가)는 지구의 밀도가 균일하였지만, 핵과 맨틀의 분리가 이루어진 (다)에서는 지구 표면에서 중심 쪽으로 갈수록 밀도가 커지며, 지구 중심부는 철 등의 무거운 물질로 이루어져 있다. 따라서 지구 중심부의 밀도는 (가)보다 (다)에서 증가하였다.

①-2 (1), (2) (다)에서 핵과 맨틀이 분리된 이후 지구는 미행성체의 충돌 횟수가 감소하였다. 미행성체의 충돌열 공급이 줄어들면서 지구의 평균 온도가 서서히 감소하였고, (라)에서는 지구 표면이 식어 지각이 형성되었다.
(3) 미행성체들의 연간 충돌 수는 감소하였지만, 계속 충돌이 일어나 지구에 합쳐졌으므로 지구의 크기는 지속적으로 커졌다. 따라서 평균 반지름은 (라)까지 계속 증가하였다.

①-3 원시 지각이 형성된 후, 지각의 낮은 곳에 빗물이 모여 원시 바다가 형성되었고, 원시 바다에서 생명체가 등장하였으므로 지권 → 수권 → 생물권 순으로 형성되었다.

①-4 (1) 철과 규산염 혼합물 상태인 (가)의 시기에는 지구의 밀도가 거의 균일하였다.

(2) (나) 시기에 처음 만들어진 원시 지구 대기는 지구 중력에 의해 주변에 흩어져 있던 수소, 헬륨, 메테인, 암모니아 등 기체 성분들이 모여 만들어졌기 때문에 성분이 현재와는 다르다.

(3) 규산염 물질은 상대적으로 가벼워 표면 쪽으로 떠올라 맨틀을 형성하였고, 상대적으로 무거운 철 등이 핵을 형성하였다.

(4) 바다가 형성된 후 대기에 있던 많은 이산화 탄소가 바다에 녹아들어가 지각으로부터 유입된 칼슘 이온과 결합하여 석회암으로 퇴적됨에 따라 대기 중 이산화 탄소 농도가 급격히 감소하였다.

(5) (다)에서 물질의 밀도 차이에 의해 무거운 물질이 지구 중심부로 가라앉아 지권이 핵과 맨틀로 나누어졌다.

(6) 기권의 기체가 수권에 녹거나 수권의 기체가 기권으로 방출되기도 하므로 수권의 형성은 기권의 성분 변화에 영향을 미친다.

②-1 꼼꼼 **문제 분석**

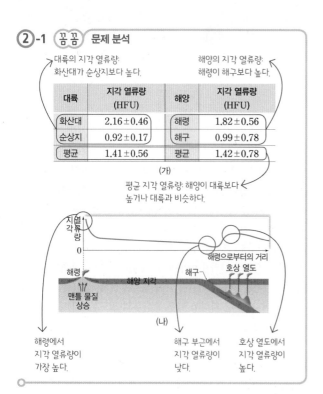

대륙의 지각 열류량: 화산대가 순상지보다 높다.

해양의 지각 열류량: 해령이 해구보다 높다.

대륙	지각 열류량 (HFU)	해양	지각 열류량 (HFU)
화산대	2.16±0.46	해령	1.82±0.56
순상지	0.92±0.17	해구	0.99±0.78
평균	1.41±0.56	평균	1.42±0.78

(가)

평균 지각 열류량: 해양이 대륙보다 높거나 대륙과 비슷하다.

(나)

해령에서 지각 열류량이 가장 높다.

해구 부근에서 지각 열류량이 낮다.

호상 열도에서 지각 열류량이 높다.

(1) 순상지는 지각 변동이 거의 없는 안정한 지역이다. 지각 열류량이 높은 지역에서 지각 변동이 활발하므로 순상지보다 화산 활동이 활발한 화산대에서 지각 열류량이 높다.

(2) 해령은 뜨거운 맨틀 물질이 상승하고 있으므로 해령에서 멀어져 해구 쪽으로 갈수록 지각 열류량이 낮아진다.

②-2 해령에서 상승한 뜨거운 맨틀 물질은 열에너지를 방출하면서 해구 쪽으로 이동하므로 지각 열류량은 해령에서 가장 높다.

②-3 (1) 해양 지각은 대륙 지각보다 방사성 동위 원소의 함량이 적으므로 단위 부피당 방사성 동위 원소로 인한 방출 열량이 적다. 해양 지각의 지각 열류량이 대륙 지각과 비슷하거나 대륙 지각보다 높게 나타나는 까닭은 방사성 동위 원소의 붕괴열 외의 열원인 맨틀 대류로 전달되는 지구 내부 에너지의 영향을 크게 받기 때문이다.

(2) 해구에서는 오래되어 냉각된 해양판이 대륙판 아래로 섭입하고, 호상 열도에서는 화산 활동이 활발하므로 해구보다 호상 열도에서 지각 열류량이 높다.

(3) 지구 내부 에너지는 지각 변동의 원동력이 되므로 지각 열류량이 높은 지역에서 지각 변동이 활발한 경향이 있다.

내신 만점 문제 19쪽~21쪽

01 ⑤	02 ④	03 해설 참조	04 ④	05 ③
06 ②	07 ①	08 ③	09 ④	10 ③	11 ③
12 ④	13 ②	14 ㄴ, ㄷ	15 ④	16 ②

01 꼼꼼 **문제 분석**

태양계 성운의 회전 방향=행성의 공전 방향=태양의 자전 방향

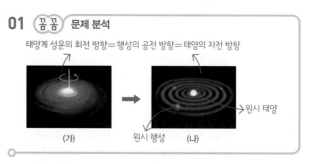

(가) (나) 원시 행성 원시 태양

① (가) 태양계 성운이 수축하면서 중심으로 모여든 물질이 뭉쳐서 (나)와 같이 회전 중심에서 태양이 만들어졌다.

② 태양계 성운은 성간 물질이 밀집되어 중력에 의해 수축하므로 (가) → (나)에서 중심부의 온도와 밀도가 높아진다.

③ 회전하는 태양계 성운의 중심으로 대부분의 물질이 모여들어 태양을 형성하였으므로 태양은 태양계 질량의 대부분을 차지한다.

④ 회전하는 태양계 성운에서 태양과 행성이 형성되었으므로 태양의 자전 방향과 행성의 공전 방향은 성운의 회전 방향과 같다.

바로알기 ⑤ 태양계 성운은 기체, 티끌 등이 모여 물이 소용돌이 치는 것과 같이 회전하므로 회전 중심에서 멀어질수록 회전 속도가 느려진다. 태양계 행성들은 태양계 성운이 회전하여 형성된 원반에서 형성되므로 태양에 가까울수록 공전 속도가 빠르고, 태양에서 멀수록 공전 속도가 느리다.

02 ㄱ. 회전하는 성운의 납작한 원반 부분에서 고리가 만들어 지고 고리를 이루던 미행성체들이 뭉쳐 행성이 되었다.

ㄷ. 태양이 에너지를 방출하면서 태양풍에 의해 가벼운 기체 성분들은 바깥쪽으로 밀려 나갔고, 밀려나간 가벼운 기체들이 뭉쳐서 밀도가 작은 목성형 행성이 만들어졌다.

┃바로알기┃ ㄴ. 태양에 가까운 영역은 온도가 높아서 가벼운 물질은 증발하고 녹는점이 높은 무거운 물질이 남아 지구형 행성을 형성하였다.

03 태양에 가까운 곳(태양계 성운의 안쪽)에는 밀도가 큰 지구형 행성이 존재하고, 태양에서 먼 곳(태양계 성운의 바깥쪽)에는 밀도가 작은 목성형 행성이 존재한다.

모범답안 지구형 행성은 태양에 가까운 곳에서 생성되어 주로 티끌, 금속 등 무거운 성분으로 이루어져 밀도가 크고, 목성형 행성은 태양에서 먼 곳에서 생성되어 주로 가벼운 기체로 이루어져 밀도가 작다.

채점 기준	배점
지구형 행성과 목성형 행성의 형성 위치, 구성 물질, 밀도를 옳게 비교하여 서술한 경우	100 %
형성 위치, 구성 물질, 밀도 중 한 가지만 옳게 비교한 경우	30 %

04 수많은 미행성체의 충돌로 지구의 온도가 상승하여 지구의 상당 부분이 녹아서 마그마 바다가 만들어졌고(다), 이때 물질의 이동이 일어나 밀도가 큰 금속 성분이 가라앉고 밀도가 작은 규산염 물질이 위로 떠올라 핵과 맨틀이 분리되었다(가). 이후 미행성체의 충돌 횟수가 줄어들면서 지구의 온도가 낮아지고, 지표가 굳어서 원시 지각이 형성되었다(나). 화산 활동에 의해 대기 중으로 방출된 수증기가 응결하여 많은 비가 내렸고, 빗물이 지각의 낮은 곳으로 모여 원시 바다가 형성되었다(라).

05 꼼꼼 문제 분석

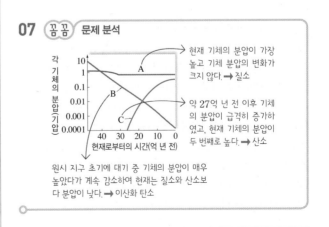

미행성체 충돌 → (A) 표면 온도 상승, 원시 지구의 크기 증가 → 마그마 바다 형성

(B) 원시 지각의 형성
- 밀도 차이에 의해 핵과 맨틀 분리
- 표면 온도 하강으로 원시 지각 형성

(C) 원시 바다의 형성
- 지각에서 화산 활동이 일어나 대기로 이산화 탄소 및 수증기 방출
- 수증기가 빗물로 내려 원시 바다 형성

ㄱ. A 시기에는 미행성체의 충돌로 원시 지구에 미행성체의 질량이 더해져 원시 지구의 크기가 커졌다.

ㄴ. 대부분의 물질이 녹아서 마그마 바다가 형성된 후 B 시기에는 밀도가 큰 물질은 중심 쪽으로, 밀도가 작은 물질은 표면 쪽으로 이동하여 지구 내부가 핵과 맨틀로 분리되어 층상 구조를 이루었다.

┃바로알기┃ ㄷ. A 시기에는 미행성체의 충돌열로 지구의 온도가 높아졌지만, B 시기부터는 미행성체의 충돌 횟수가 줄어 지구의 온도가 낮아지면서 지구 표면이 식어 원시 지각이 형성되었다.

06 꼼꼼 문제 분석

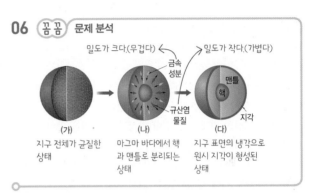

밀도가 크다.(무겁다) / 밀도가 작다.(가볍다)

(가) 지구 전체가 균질한 상태 → (나) 마그마 바다에서 핵과 맨틀로 분리되는 상태 → (다) 지구 표면의 냉각으로 원시 지각이 형성된 상태

금속 성분 / 규산염 물질 / 맨틀 / 핵 / 지각

ㄱ. (가) → (나)에서 미행성체의 충돌로 발생한 열과 방사성 동위원소의 붕괴열, 중력 수축으로 발생한 열 등으로 지구의 온도가 높아져 마그마 바다가 형성되었다.

ㄷ. 지권이 (나) → (다)로 변화하는 동안 지구 표면이 냉각되어 마그마가 굳으면서 원시 지각이 형성되었으므로 지구 표면의 온도는 낮아졌다.

┃바로알기┃ ㄴ. (나)의 마그마 바다에서 밀도 차이에 의해 무거운 금속 성분인 철과 니켈은 중심 쪽으로 가라앉아 핵을 이루었고, 가벼운 규산염 물질은 표면 쪽으로 떠올라 맨틀을 이루었다.

ㄹ. 마그마 바다에서 핵과 맨틀이 분리되었고, 이후 지구 표면이 식으면서 지각이 형성되었으므로 지권은 핵과 맨틀 → 지각 순으로 형성되었다.

07 꼼꼼 문제 분석

각 기체의 분압(기압) — 10, 1, 0.1, 0.01, 0.001, 0.0001 — 현재로부터의 시간(억 년 전) 40 30 20 10 0

A: 현재 기체의 분압이 가장 높고 기체 분압의 변화가 크지 않다. → 질소

C: 약 27억 년 전 이후 기체의 분압이 급격히 증가하였고, 현재 기체의 분압이 두 번째로 높다. → 산소

B: 원시 지구 초기에 대기 중 기체의 분압이 매우 높았다가 계속 감소하여 현재는 질소와 산소보다 분압이 낮다. → 이산화 탄소

ㄱ. A는 시간에 따른 기체의 분압 변화가 거의 없고 현재 대기 중 기체 분압이 가장 높으므로 질소이다.

바로알기 ㄴ. B는 이산화 탄소로, 지각이 형성된 후 활발한 화산 활동에 의해 대기에 축적되었다가 원시 바다가 형성된 후 바다에 녹아 기체의 분압이 감소하였다. 주로 생물의 광합성으로 생성된 기체는 C(산소)이다.

ㄷ. C는 산소로, 산소는 바다에서 광합성 생물이 등장한 후 해수 중의 농도가 증가하다가 대기로 방출되어 점차 대기에 축적되었고, 축적된 양이 증가하면서 오존층을 형성하였다. 따라서 오존층은 대기 중에 산소가 축적된 이후 형성된 것이다.

08 현재 대기의 약 20.9 %를 차지하는 (가)는 산소이고, 원시 대기에 많았다가 현재 대기에 약 0.03 %로 감소한 (나)는 이산화 탄소이다.

ㄱ. 산소는 (가)이고, 표의 원시 대기 성분에서 산소의 부피비가 0 %이므로 원시 대기 속에는 산소가 없었다.

ㄷ. (나)는 이산화 탄소로, 수권이 형성된 이후 많은 양이 수권에 녹아 대기 중의 양이 급격히 감소하였다.

바로알기 ㄴ. (가)는 산소로, 광합성 생물이 등장한 후 생물의 광합성 작용에 의해 생성되었다. 원시 지각에서 일어난 활발한 화산 활동으로 대기 중에 축적된 기체는 (나) 이산화 탄소이다.

09 ㄱ. 지구의 진화 과정에서 지권, 기권, 수권이 먼저 생성되었고, 생명체는 수권에서 탄생하였다. 따라서 생명체가 탄생하였을 때에 지구에는 이미 기권, 수권, 지권이 모두 존재하였다.

ㄷ. 수권에 존재하는 염화 이온은 원시 지각 형성 후 해저 화산 활동에서 배출된 염소가 바닷물에 녹아서 공급되었다.

바로알기 ㄴ. 지구 대기 중의 산소는 대부분 광합성 생물이 등장한 후, 생물의 광합성 작용으로 공급된 산소가 대기에 축적된 것이다. 따라서 생명체가 탄생하기 직전에는 대기 중에 산소가 풍부하지 않았다.

10 ㄱ. 최초의 생명체(A)는 자외선을 막아주는 바다 속에서 처음 탄생하였다.

ㄷ. 자외선은 화학 작용을 통해 생명체의 세포를 파괴하는데, 태양에서 지구로 들어오는 자외선은 오존층에 흡수된다. 따라서 오존층이 존재하지 않는 지구 표면에서는 자외선에 의해 세포가 파괴되므로 생명체가 존재하기 어려웠다. 따라서 오존층이 만들어진 이후 육상 생물(C)이 서식하기 적합한 환경이 조성되었다.

바로알기 ㄴ. 광합성 생물은 약 35억 년 전에 바다에서 처음 출현하였으며, 대기에 산소가 축적되기 시작한 시기는 약 27억 년 전부터이다. 광합성 생물이 출현한 초기에는 해수 중에 산소가 축적되었다가 충분히 축적된 후에 대기 중으로 방출되면서 대기 중의 산소가 증가하기 시작하였다.

11 ③ 대륙 지각은 나이가 많고 안정한 곳일수록 방출하는 열량이 적으므로 지각 열류량이 낮다.

바로알기 ① 현재는 방사성 동위 원소의 붕괴열이 가장 많이 생성되고 있지만, 그보다 더 많은 양의 지구 내부 에너지가 지구 탄생 초기에 미행성체 충돌이나 지구 내부 분화 과정에서 생성되어 지구 내부에 축적되어 있다.

② 방사성 동위 원소는 불안정하므로 자연적으로 붕괴되어 안정한 원소로 바뀌면서 열을 방출한다.

④ 해양 지각은 대륙 지각보다 방사성 동위 원소의 붕괴열은 적지만, 지각의 두께가 얇고 맨틀이 상승하는 곳에서 생성되어 이동하므로 대륙 지각보다 지각 열류량이 높다.

⑤ 지구 내부 에너지는 지표로 전달되어 서서히 방출되며, 지구 중심부에 많은 양이 축적되어 있으므로 지구 중심으로 갈수록 온도가 상승한다.

12 암석 속에 포함된 방사성 동위 원소의 함량을 비교해 보면, 화강암 > 현무암 > 감람암 순이다.

13 (꼼꼼) **문제 분석**

암석	방사성 동위 원소의 함량(ppm)			방출 열량 $(10^{-5}\,\mathrm{mW/m^3})$	구성
	$^{238}\mathrm{U},\ ^{235}\mathrm{U}$	$^{232}\mathrm{Th}$	$^{40}\mathrm{K}$		
화강암	5	18	38000	295	대륙 지각
현무암	0.5	3	8000	56	해양 지각
감람암	0.015	0.06	100	1	맨틀

방사성 동위 원소의 함량:
화강암 > 현무암 > 감람암

방사성 동위 원소의 단위 부피당 방출 열량:
화강암 > 현무암 > 감람암

ㄴ. 방사성 동위 원소의 붕괴로 단위 부피당 방출되는 열량은 대륙 지각(화강암)이 해양 지각(현무암)보다 많다.

바로알기 ㄱ. 화강암은 대륙 지각의 구성 암석, 현무암은 해양 지각의 구성 암석, 감람암은 맨틀의 구성 암석이다. 방사성 동위 원소의 함량은 화강암 > 현무암 > 감람암이므로, 맨틀을 이루는 암석보다 지각을 이루는 암석에 많다.

ㄷ. 단위 부피당 방사성 동위 원소의 붕괴열은 맨틀을 이루는 감람암보다 지각을 이루는 화강암과 현무암이 더 많지만, 맨틀의 부피가 지각에 비해 매우 크므로 전체 방사성 동위 원소의 붕괴열은 맨틀이 지각보다 많다.

14 (꼼꼼) **문제 분석**

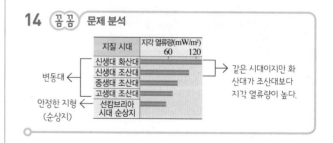

006 정답친해

ㄴ. 그림에서 신생대의 화산대는 신생대의 조산대보다 지각 열류량이 높으므로 화산대는 조산대보다 지각 열류량이 높다.

ㄷ. 순상지는 지각 변동이 거의 없는 지역이며, 변동대는 지각 변동이 매우 활발한 지역이다. 따라서 지각 변동이 활발한 변동대가 지각 변동이 거의 없는 순상지보다 지각 열류량이 높다.

▮바로알기▮ ㄱ. 조산대의 지각 열류량을 비교하면, 고생대 조산대 < 중생대 조산대 < 신생대 조산대이다. 신생대에서 고생대로 갈수록 오래된 지질 시대이므로 지각 열류량은 오래된 지질 시대의 조산대일수록 낮다.

15 꼼꼼 문제 분석

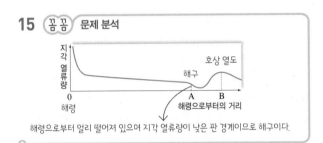

해령으로부터 멀리 떨어져 있으며 지각 열류량이 낮은 판 경계이므로 해구이다.

ㄴ. 화산 활동이 활발한 곳은 마그마가 상승하여 지각 열류량이 높다. A보다 B에서 지각 열류량이 높으므로 화산 활동은 A보다 B에서 더 활발하다. 호상 열도인 B에서는 해양 지각이 섭입되면서 생성된 마그마가 분출된다.

ㄷ. A(해구)는 맨틀 대류가 하강하는 곳으로, 지각 열류량이 낮다. 해구에서 해양판이 다른 판 아래로 섭입되면서 수심이 매우 깊은 골짜기가 형성된다.

▮바로알기▮ ㄱ. 해령보다 A에서 지각 열류량이 낮으므로 맨틀이 방출하는 열이 더 적다. 해령에서는 뜨거운 맨틀 물질이 상승하고, 상승한 맨틀 물질은 열을 방출하면서 해구 쪽으로 이동하므로 차가워져 해구에서 침강한다.

16 꼼꼼 문제 분석

B를 중심으로 양쪽의 지각 열류량 분포가 대칭을 이룬다.

ㄴ. 해령에서는 맨틀 물질이 상승하여 지각 열류량이 높다. 그림에서 B는 지각 열류량이 가장 높고 양쪽으로 지각 열류량 분포가 대칭을 이루므로 해령이다.

▮바로알기▮ ㄱ. A는 B보다 지각 열류량이 낮으므로 지구 내부에너지를 더 적게 방출한다.

ㄷ. C는 A~C 중 지각 열류량이 가장 낮고 해령에서 가장 먼 판의 내부 지역이므로 가장 안정하여 지각 변동이 적을 것이다.

02 지구 내부 구조

25쪽

완자쌤 비법특강 ⓠ1 25 km

ⓠ1 지각의 두께가 d, B 지점까지의 거리가 l, 직접파의 속도를 V_1, 굴절파의 속도를 V_2라고 할 때, $d = \dfrac{l}{2}\sqrt{\dfrac{V_2-V_1}{V_2+V_1}}$ 이고, $l = 130$ km, $V_1 = 6$ km/s, $V_2 = 8$ km/s, $\sqrt{7} = 2.6$이므로 $d = \dfrac{130\ \text{km}}{2}\sqrt{\dfrac{8\ \text{km/s}-6\ \text{km/s}}{8\ \text{km/s}+6\ \text{km/s}}} = 25$ km이다.

개념 확인 문제
26쪽

❶ 지진파 연구 ❷ 진원 ❸ 진앙 ❹ P파 ❺ 횡파
❻ 고체 ❼ PS시 ❽ 멀다 ❾ 주시 곡선 ❿ 교차 거리

1 (가) ㄱ, ㅂ (나) ㄴ, ㄷ, ㄹ, ㅁ　　**2** (1) × (2) ○ (3) ○ (4) ×
(5) ×　　**3** (1) (가) P파 (나) S파 (다) L파 (2) 4분　　**4** C
5 (1) ⊙ S, ⊙ P (2) 3000　　**6** 3

1 (가) 시추(ㄱ)와 화산 분출물 연구(ㅂ)는 지구 내부 물질의 시료를 직접 얻어 연구하는 방법이다.

(나) 운석 연구(ㄴ)는 운석을 연구하여 지구 내부 물질을 추정한다. 지진파 연구(ㄷ)는 지구 내부를 통과한 지진파를 연구하여 지구 내부 물질을 추정한다. 고온 고압 실험(ㄹ)은 지구 내부와 비슷한 온도와 압력 조건을 만들어 실험하는 방법이다. 지각 열류량 연구(ㅁ)는 지각의 열류량을 측정하여 지구 내부에 있는 물질을 추정한다.

2 (1) P파는 매질의 진동 방향과 파의 진행 방향이 같은 종파이고, S파는 매질의 진동 방향과 파의 진행 방향이 수직인 횡파이다.

(2) P파와 S파는 지구 내부를 통과하는 실체파이다.

(3) P파는 S파보다 전파 속도가 빠르므로 지진 관측소에 항상 먼저 도착한다.

(4) 지진파의 진폭을 비교하면 P파 < S파 < L파이다.

(5) S파는 고체인 매질을 통해서만 전달된다.

3 (1) 지진파는 관측소에 P파, S파, L파의 순으로 도착한다. (가)는 P파, (나)는 S파, 가장 늦게 도착한 (다)는 L파이다.

(2) PS시는 P파가 도착한 후 S파가 도착할 때까지 걸린 시간이다. P파는 1분, S파는 5분에 도착하였으므로 PS시는 4분이다.

4 꼼꼼 **문제 분석**

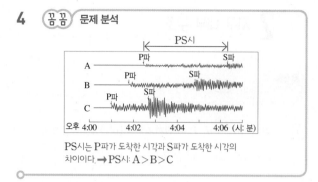

PS시는 P파가 도착한 시각과 S파가 도착한 시각의
차이이다. → PS시: A>B>C

진원 거리는 PS시가 길수록 멀다. 따라서 진원 거리가 가장 가까운 곳은 PS시가 가장 짧은 C이다.

5 꼼꼼 **문제 분석**

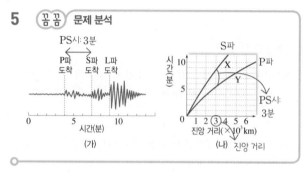

(1) X는 Y보다 관측소에 늦게 도착하였으므로 X는 S파의 도착 시간을, Y는 P파의 도착 시간을 나타낸다.
(2) (가)에서 PS시는 3분이고, (나)에서 X와 Y의 시간 차이가 3분인 지점의 진앙 거리는 약 3000 km이다.

6 진앙의 위치를 결정하기 위해서는 최소한 하나의 지진을 세 지점에서 관측하여 구한 진원 거리를 활용한다. 각 지점에서 진원 거리를 반지름으로 하는 원을 그렸을 때, 세 원의 공통현의 교점이 진앙의 위치가 된다.

개념 확인 문제   30쪽

❶ 지진파 ❷ 4 ❸ 대륙 ❹ 연약권 ❺ S ❻ 밀도
❼ 지각 평형설 ❽ 프래트설 ❾ 에어리설

1 A: 지각, B: 맨틀, C: 외핵, D: 내핵 **2** (1) × (2) ○ (3) ×
3 (1) 두껍다 (2) 작다 (3) 현무암질 (4) 맨틀 (5) 연약권 (6) 외핵
4 A: 온도, B: 압력, C: 밀도 **5** ㉠ 에어리설, ㉡ 두껍고,
㉢ 깊다 **6** 융기

1 지구 내부의 층상 구조는 지표면에서 지구 중심 쪽으로 가면서 지각, 맨틀, 외핵, 내핵으로 구분한다.

2 (1) 모호면(모호로비치치 불연속면)은 지각과 맨틀의 경계면으로, 대륙 지각에서는 약 30 km~70 km 깊이에 존재하고, 해양 지각에서는 약 5 km~8 km 깊이에 존재한다.
(2) 구텐베르크 불연속면은 맨틀과 외핵의 경계면으로, 지진파가 모두 도달하지 않는 암영대(P파 암영대)가 존재한다는 사실로부터 그 존재가 밝혀졌다.
(3) 레만 불연속면은 외핵과 내핵의 경계면이다. 레만 불연속면을 경계로 바깥쪽에는 액체인 외핵이 존재하고, 안쪽에는 고체인 내핵이 존재한다.

3 (1) 대륙 지각의 두께는 약 30 km~70 km이고, 해양 지각의 두께는 약 5 km~8 km이므로 대륙 지각이 더 두껍다.
(2) 대륙 지각은 해양 지각보다 밀도가 작은 암석으로 이루어져 있다. 대륙 지각의 평균 밀도는 약 2.7 g/cm³이고, 해양 지각의 평균 밀도는 약 3.0 g/cm³이다.
(3) 대륙 지각은 화강암질 암석으로 이루어져 있고, 해양 지각은 현무암질 암석으로 이루어져 있다.
(4) 지구 내부에서 가장 많은 부피를 차지하는 층은 맨틀이며, 맨틀은 지구 내부 전체 부피의 약 82 %를 차지하고 있다.
(5) 연약권에서는 맨틀이 부분적으로 용융되어 있어 고체이지만 유동성이 있고, 지진파의 속도가 느려지는 저속도층이 나타난다.
(6) 외핵은 주요 구성 물질이 철이고, S파가 통과하지 못하므로 액체 상태일 것으로 추정된다.

4 • A: 지구 중심으로 갈수록 값이 증가하지만, 증가율은 감소하므로 A는 온도의 변화이다.
• B: 지구 중심으로 갈수록 S자 곡선의 모습으로 증가하고, 증가율은 외핵에서 가장 크므로 B는 압력의 변화이다.
• C: 지구 중심으로 갈수록 각 층의 경계면에서 불연속적으로 증가하여 계단 모양의 분포를 이루므로 C는 밀도의 변화이다.

5 꼼꼼 **문제 분석**

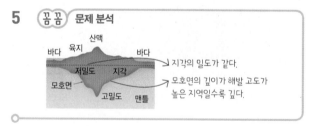

모호면의 깊이가 달라지는 것을 설명하는 지각 평형설은 에어리설이다. 에어리설에 따르면, 해발 고도가 높은 지역일수록 지각의 두께가 두껍게 나타난다. 따라서 해발 고도가 높은 지역은 모호면의 깊이가 깊고, 해발 고도가 낮은 지역은 모호면의 깊이도 얕다.

6 해발 고도가 높은 지역이 풍화, 침식 작용을 받으면 지각의 무게가 감소하여 평형을 유지하기 위해 지각이 융기한다.

자료 ① 1 A: S파, B: P파　　2 A: (나), B: (가)　　3 속도
4 (1) ×　(2) ○　(3) ○　(4) ×

자료 ② 1 ㉠ P파, ㉡ S파, A: 지각, B: 맨틀, C: 외핵, D: 내핵
2 B층과 C층: 구텐베르크 불연속면, C층과 D층: 레만
불연속면　　3 C　　4 (1) ×　(2) ○　(3) ○　(4) ×　(5) ○

자료 ③ 1 지구 내부 온도가 구성 물질의 용융 온도보다 높거나
비슷하기 때문이다.　　2 B　　3 밀도　　4 (1) ○
(2) ○　(3) ○　(4) ×

자료 ④ 1 (가) 에어리설 (나) 프래트설　　2 (가)　　3 융기
4 (1) ○　(2) ○　(3) ○　(4) ×　(5) ×

---

①-1 꼼꼼 문제 분석

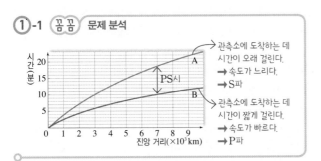

같은 진앙 거리에 도착하는 데 걸린 시간이 B가 A보다 짧으므로
전파 속도는 B가 A보다 빠르다. 지진파의 속도는 P파가 S파보
다 빠르므로 B는 P파, A는 S파이다.

①-2 꼼꼼 문제 분석

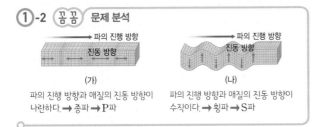

(가)는 종파이므로 P파이고, (나)는 횡파이므로 S파이다. 따라서
A는 (나)에 해당하고, B는 (가)에 해당한다.

①-3 주시 곡선은 가로축에 진앙 거리를, 세로축에 이동한 시
간을 표시하므로 기울기의 역수는 진앙 거리를 시간으로 나눈
값, 즉 속도에 해당한다.

①-4 (1) 관측소에 도착하는 데 걸린 시간이 B가 A보다 짧으
므로 B가 A보다 빠른 속도로 이동한다.
(2) S파인 A는 고체인 매질을 통해서만 전파되고, P파인 B는 고
체, 액체, 기체인 모든 매질을 통해 전파된다.
(3) PS시는 S파와 P파의 도착 시간 차로, 그래프에서 PS시가
길수록 진앙과 지진 관측소 사이의 거리, 즉 진앙 거리가 멀다.

---

(4) 주시 곡선에서 기울기의 역수가 속도이므로 기울기가 완만할
수록 지진파의 속도가 빠르다.

②-1 꼼꼼 문제 분석

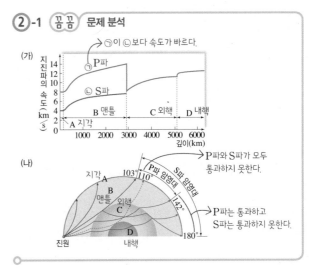

(가)에서 속도가 빠른 ㉠은 P파이고, 고체, 액체, 기체인 모든 매
질을 통해 전달된다. 속도가 느린 ㉡은 S파이고, 고체인 매질만
을 통해 전달된다. 지진파의 속도가 급격히 변하는 곳을 경계로
지구 내부는 4개 층으로 구분할 수 있으며 지표에서부터 지각
(A), 맨틀(B), 외핵(C), 내핵(D)으로 구분한다.

②-2 B층과 C층의 경계면은 지하 약 2900 km 지점에 있는
구텐베르크 불연속면이며, C층과 D층의 경계면은 지하 약
5100 km에 위치한 레만 불연속면이다.

②-3 B층의 아래인 C층을 지진파 ㉡(S파)이 통과하지 못하므
로 C층이 고체가 아님을 알 수 있으며, 이러한 사실은 S파 암영대
가 진앙에서 각거리 103°~180°에 나타나는 것으로 입증된다.

②-4 (1) (가)에서 ㉠은 P파이므로 고체, 액체, 기체인 매질에
서 모두 전파된다. 고체인 매질에서만 전파되는 것은 S파이다.
(2) (가)에서 지진파의 속도가 가장 크게 변하는 곳은 물질의 상
태가 고체에서 액체로 변하는 경계인 B층과 C층의 경계면이다.
(3) S파는 진앙에서 각거리 103°~180° 사이인 지표면에는 도달
하지 않으며, 이 지역을 S파 암영대라고 한다.
(4) S파는 액체인 매질을 통과할 수 없으므로 C층이 고체가 아니
라 액체라는 사실은 S파 암영대를 통해 알 수 있다. P파 암영대
는 지하 약 2900 km에 구텐베르크 불연속면이 존재한다는 사
실을 알려준다.
(5) 진앙에서 각거리 약 110°인 지표면에 도달한 약한 P파는 지하
약 5100 km지점에 있는 레만 불연속면에서 굴절한 파가 도달
하며, 레만 불연속면이 존재하지 않으면 도달하지 못하므로 C층
과 D층의 경계를 알게 해준다.

③-1 꼼꼼 문제 분석

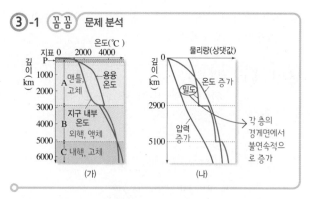

P 구간에서는 지구 내부 온도가 맨틀 물질의 용융 온도보다 높거나 비슷하므로 맨틀 물질이 부분적으로 용융되어 있다.

③-2 지구 내부 온도가 물질의 용융 온도보다 높으면 물질은 녹아 액체 상태로 존재할 수 있으며, 이에 해당하는 층은 B이다.

③-3 지진파의 속도는 지구 내부 각 층의 경계면에서 크게 변하는데, 이는 각 층을 이루는 물질의 밀도가 크게 다르기 때문이다.

③-4 (1) A층은 맨틀이다. 맨틀은 지구 내부 부피의 약 82 %로, 가장 많은 부피를 차지한다.

(2) B층은 외핵, C층은 내핵이다. 외핵과 내핵을 이루는 주요 물질은 철(Fe)이다. 지구 내부 온도가 구성 물질의 용융 온도보다 높은 B층은 액체 상태이고, 구성 물질의 용융 온도보다 낮은 C층은 고체 상태이다.

(3) 지구 내부 층상 구조의 경계면에서 밀도가 불연속적으로 커진다.

(4) 지구 내부로 갈수록 온도는 상승하지만, 지온 상승률은 작아진다. 따라서 지온 상승률은 맨틀보다 외핵에서 작다.

④-1 꼼꼼 문제 분석

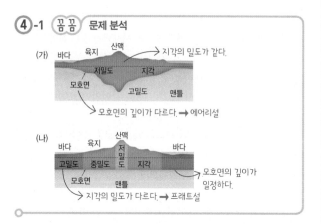

그림 (가)는 모호면의 깊이가 지역에 따라 다르게 나타난다고 생각하는 에어리설을, (나)는 모호면의 깊이가 일정하다고 생각하는 프래트설을 나타낸다.

④-2 현재 육지의 경우는 해발 고도가 높은 지역은 모호면의 깊이가 깊게 나타나고 해발 고도가 낮은 지역은 모호면의 깊이가 얕게 나타나는 것으로 알려져 있으며, 이는 에어리설인 (가)로 설명할 수 있다.

④-3 해발 고도가 높은 지역은 풍화와 침식 작용을 받게 되고 이로 인해 지각의 무게가 감소하여 융기가 일어난다. 해발 고도가 낮은 지역은 주변으로부터 운반되어 온 퇴적물이 쌓여 지각의 무게가 증가하므로 침강이 나타난다.

④-4 (1) (가) 에어리설에서는 해발 고도가 달라져도 육지의 밀도는 모두 같다.

(2) (가) 에어리설에서는 해발 고도가 높을수록 모호면이 깊은 곳에 나타나므로 모호면의 깊이는 결국 지형에 따라 달라진다.

(3) (나) 프래트설에서는 지형이 달라져도 모호면이 항상 같은 깊이에서 나타나며, 지각의 밀도가 달라진다.

(4) (나) 프래트설을 근거로 할 때 해발 고도가 높은 지역은 밀도가 작게 나타난다.

(5) 지표면에 퇴적물이 쌓이면, 지각의 무게가 증가하여 지각 평형을 이루기 위해 침강이 일어난다.

내신 만점 문제   33쪽~37쪽

01 ①	02 ④	03 ④	04 ④	05 ③	06 ①
07 ③	08 해설 참조	09 ③	10 ②	11 ①	
12 ⑤	13 ④	14 ④	15 ④	16 ①	17 ⑤
18 ③	19 ③	20 ⑤	21 ②	22 ⑤	23 해설 참조

01 (가)는 지하의 물질을 직접 채취하는 시추이다. 시추는 비용이 많이 들고, 시추한 지점의 정보만 알 수 있으며, 탐사할 수 있는 깊이에 한계가 있다.

(나)는 지구 내부 에너지가 지표로 방출되는 열량인 지각 열류량 연구이다. 지각 열류량을 측정하면 지구 내부 물질의 열적 성질과 에너지원의 분포를 알아낼 수 있다.

02 ㄴ. 화산 분출물 중에는 마그마에 포획된 맨틀 물질을 포함하는 경우가 있으므로 (나)로 상부 맨틀 물질을 분석할 수 있다.

ㄷ. 지진파는 지구 내부를 통과하므로 지구 내부의 층상 구조를 밝히는 데 화산 분출물 연구보다 지진파 연구가 효과적이다.

┃바로알기┃ ㄱ. 지진파 연구를 통해 지구 내부 물질을 직접 얻을 수는 없으므로 (가)는 간접적인 방법이다.

03 ㄴ. A(진원)에서 관측소까지의 거리를 진원 거리라 하고, B(진앙)에서 관측소까지의 거리를 진앙 거리라고 한다.

ㄷ. P파가 S파보다 전파 속도가 빠르므로 진앙 거리가 멀수록 P파와 S파의 도착 시간 차이(PS시)가 커진다.

‖바로알기‖ ㄱ. A는 지진의 에너지가 방출되는 지점이므로 진원, B는 진원의 연직 방향에 있는 지표상의 지점이므로 진앙이다.

04 ① P파는 지진파 중에서 이동 속도가 가장 빠르다. 따라서 지진 관측소에 가장 먼저 도착한다.

② 지진파의 진폭은 P파<S파<L파이다. 따라서 P파보다 S파의 진폭이 더 크다.

③ S파는 고체인 매질만을 통해 전달되며, 기체나 액체인 매질은 통과하지 못한다.

⑤ 피해를 가장 많이 주는 지진파는 진폭이 가장 큰 L파이다.

‖바로알기‖ ④ S파는 횡파이므로 매질의 진동 방향과 파의 진행 방향이 서로 수직이다. 매질의 진동 방향과 파의 진행 방향이 같은 것은 종파인 P파이다.

05 지진이 발생한 C는 진원이고, 진원에서 수직으로 지표면과 만나는 A는 진앙이다. 지표면을 따라 전달되는 L파는 표면파이고, 지구 내부를 통과하여 전달되는 P파와 S파는 실체파이다.

ㄱ. 지진은 지구 내부 에너지가 모인 장소에서 단층 활동 등의 지각 변동이 일어날 때 생긴다.

ㄷ. L파는 진앙으로부터 지표면을 따라 전달되는 표면파이다.

‖바로알기‖ ㄴ. 지진파는 진폭이 클수록 많은 에너지를 전달하고 더 많은 피해를 발생시킨다. P파는 S파보다 진폭이 작으므로 적은 에너지를 전달한다.

06 ㄱ. P파는 종파에 해당하고, S파는 횡파에 해당한다. (가)는 파의 진행 방향과 매질의 진동 방향이 같은 종파이므로 P파에 해당하고, (나)는 파의 진행 방향과 매질의 진동 방향이 서로 수직인 횡파이므로 S파에 해당한다.

‖바로알기‖ ㄴ. (나) S파는 (가) P파보다 더 느린 속도로 이동한다.

ㄷ. S파는 P파보다 진폭이 커서 더 큰 피해를 발생시키므로 (나)가 (가)보다 더 큰 피해를 발생시킨다.

07 (꼼꼼) **문제 분석**

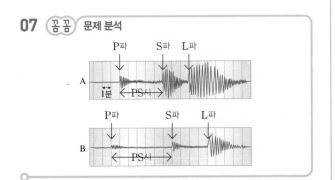

07 ㄱ. PS시는 P파와 S파의 도착 시간 차이로, A는 약 5분, B는 약 7분이다.

ㄴ. PS시가 길수록 진원까지의 거리가 멀다. A보다 B의 PS시가 길기 때문에 진원까지의 거리는 B가 A보다 멀다.

‖바로알기‖ ㄷ. S파는 액체 매질을 통과하지 못한다. A와 B에는 모두 S파가 도착하였으므로 지진파가 고체 매질을 통과하였다.

08 P파는 01시 16분 43초에 도착하였고, S파는 01시 16분 55초에 도착하였으므로 PS시는 12초이다. P파의 속도는 8 km/s, S파의 속도는 4 km/s이므로 진원 거리를 구하는 식에 PS시, P파의 속도, S파의 속도를 대입하면 진원 거리를 구할 수 있다.

(모범답안) 진원 거리$(d) = \dfrac{V_P \times V_S}{V_P - V_S} \times$ PS시 $= \dfrac{8 \text{ km/s} \times 4 \text{ km/s}}{8 \text{ km/s} - 4 \text{ km/s}}$ $\times 12 \text{ s}$이므로 진원 거리는 96 km이다.

채점 기준	배점
PS시를 포함하여 식을 옳게 세우고, 진원 거리를 옳게 구한 경우	100 %
PS시를 포함하여 식만 옳게 세우고, 답이 틀린 경우	50 %

09 (꼼꼼) **문제 분석**

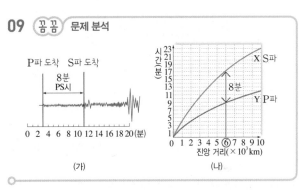

ㄱ. (가)에서 P파가 약 3분에, S파가 약 11분에 도착하였으므로 PS시(S파의 도착 시각−P파의 도착 시각)는 약 8분이다.

ㄴ. (나)의 주시 곡선에서 가장 먼저 도착한 Y는 P파의 곡선이고, 두 번째로 도착한 X는 S파의 곡선이다.

‖바로알기‖ ㄷ. 관측소와 진앙 사이의 거리는 그래프에서 X선과 Y선 사이의 간격, 즉 PS시가 8분인 지점의 가로축 값을 읽으면 되는데, 약 6000 km이다.

10 (꼼꼼) **문제 분석**

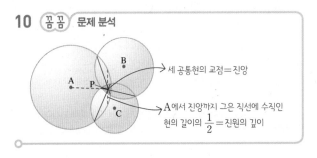

ㄴ. 세 관측소의 진원 거리를 반지름으로 하여 그린 세 개의 원에서 두 원이 이루는 공통현을 각각 그리면 한 점에서 만나는데, 그 점의 위치가 진앙이다. 이 지진의 진앙은 P 영역 내에 위치한다.

ㄷ. 정확한 진앙의 위치를 파악하기 위해 3개 이상의 관측소에서 측정한 자료가 필요하다.

┃바로알기┃ ㄱ. 진원 거리를 반지름으로 하여 원을 그렸으므로 진원 거리를 비교하면 A>B>C이다. 진원 거리가 멀수록 PS시가 길므로 PS시를 비교하면 A>B>C이다.

ㄹ. A에서 진앙까지 그은 직선에 수직인 현의 길이의 $\frac{1}{2}$이 진원의 깊이에 해당한다.

11 꼼꼼 문제 분석

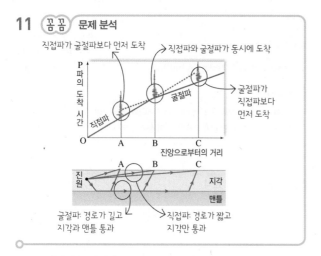

ㄱ. B 지점에는 직접파와 굴절파가 동시에 도착하는데 지각만 통과한 직접파보다 지각과 맨틀을 통과한 굴절파의 전파 경로가 더 길다. 따라서 P파의 속도는 지각보다 맨틀에서 **빠르다**는 것을 알 수 있다.

ㄴ. A 지점에는 직접파의 도착 시간이 굴절파의 도착 시간보다 빠르므로 직접파가 굴절파보다 먼저 도착하였다.

┃바로알기┃ ㄷ. C 지점에는 직접파가 굴절파보다 나중에 도착한다.

ㄹ. B 지점은 직접파와 굴절파가 동시에 도착하는 지점으로, 진앙에서 B 지점까지의 거리는 지각의 두께가 두꺼울수록 멀어진다.

12 꼼꼼 문제 분석

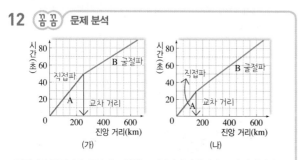

직접파와 굴절파가 동시에 도착하는 지점까지의 거리가 교차 거리이다. (가)에서 교차 거리는 250 km, (나)에서 교차 거리는 150 km이다.

ㄱ. 교차 거리보다 진앙에 가까운 지점에는 직접파가 굴절파보다 먼저 도착한다. 따라서 A는 직접파, B는 굴절파이다.

ㄴ. (가)에서 직접파는 진앙에서 200 km 거리를 이동하는 데 40초가 걸렸다. 속도=$\frac{거리}{시간}=\frac{200\ km}{40\ s}=5\ km/s$

ㄷ. 지각의 두께가 두꺼울수록 교차 거리가 길므로 지각의 두께는 교차 거리가 더 긴 (가) 지역이 (나) 지역보다 두껍다.

13
ㄱ. 그림에서 속도가 더 빠른 (가)는 P파, 속도가 더 느린 (나)는 S파에 해당한다.

ㄴ. S파인 (나)는 액체로 이루어진 C층에서는 전달되지 못한다.

┃바로알기┃ ㄷ. C층은 외핵, D층은 내핵이다. C층과 D층은 주로 철로 이루어져 있어 구성 성분의 차이는 크지 않으며, 상태가 달라 경계에서 밀도의 변화가 크므로 지진파의 속도 변화가 크다.

14 꼼꼼 문제 분석

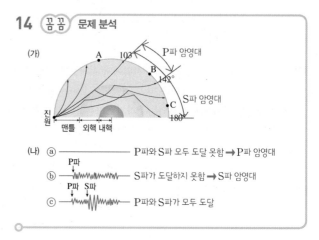

A에는 지각과 맨틀을 통과한 P파와 S파가 모두 도달하므로 지진 기록은 ⓒ이다.

B는 진앙에서 각거리가 103°~142° 사이인 P파 암영대에 있어 P파와 S파가 모두 도달하지 못하므로 지진 기록은 ⓐ이다.

C는 진앙에서 각거리가 103°~180° 사이인 S파 암영대에 있어 외핵을 통과한 P파가 도달하지만, S파는 도달하지 않으므로 지진 기록은 ⓑ이다.

15 꼼꼼 문제 분석

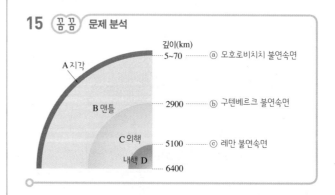

① A층은 지각으로, 대륙 지각과 해양 지각으로 이루어져 있다.
② B층은 맨틀로, 지구 내부 전체 부피의 약 82 %를 차지한다. 따라서 B층이 지구 내부에서 가장 많은 부피를 차지한다.
③ B층과 C층의 경계인 ⓑ는 지하 약 2900 km에 존재하는 구텐베르크 불연속면이며, 지진파의 암영대가 존재한다는 사실로부터 확인되었다.
⑤ 지구 내부에서 평균 밀도는 지구 중심 쪽으로 갈수록 증가하므로 밀도를 비교하면, A<B<C<D이다.
┃**바로알기**┃ ④ C층은 액체 상태이므로 고체인 매질을 통해서만 전달되는 S파는 진행하지 못하지만, 고체, 액체, 기체인 매질을 통해 전달되는 P파는 진행할 수 있다.

16 ㄱ. 지각은 산소(O)와 규소(Si)가 주요 구성 원소이므로, 산소와 규소가 화학적으로 결합한 규산염 광물이 대부분을 차지한다.
┃**바로알기**┃ ㄴ. 지구 전체에는 철이 가장 많다.
ㄷ. 지구 전체에는 철의 질량비가 가장 큰데, 맨틀과 지각에는 산소와 규소의 질량비가 가장 크므로 핵에는 철의 질량비가 매우 클 것이다. 맨틀은 산소와 규소의 질량비가 가장 크므로 주요 구성 성분이 핵보다 지각에 가깝다.

17 (꼼꼼) 문제 분석

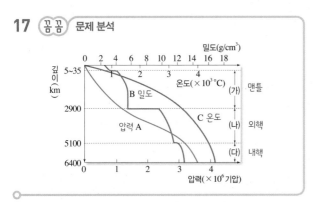

① 증가하는 양상은 다르지만, A∼C는 모두 지구 중심 쪽으로 갈수록 증가한다.
② A는 지구 내부의 압력 분포로, A의 증가율은 (가) 맨틀에서 커지다가 (나) 외핵에서 가장 크고, (다) 내핵에서 감소한다.
③ B는 지구 내부의 밀도 분포로, 밀도는 지구 내부 각 층의 경계면에서 크게 증가한다. 지진파는 밀도가 클수록 전파 속도가 빨라지므로 밀도가 크게 증가하는 곳에서 지진파의 속도도 크게 증가한다.
④ C는 지구 내부의 온도 분포로, 지온 증가율은 지표 부근에서 가장 크고, (다) 내핵에서 가장 작다.
┃**바로알기**┃ ⑤ (가)∼(다)층을 구분하는 데 가장 유용한 물리량은 각 층의 경계면에서 변화가 뚜렷한 B 밀도의 분포이다.

18 ㄱ. A 구간에서는 지구 내부 온도가 맨틀 물질의 용융 온도보다 높거나 비슷하므로 맨틀 물질이 부분 용융되어 있다.
ㄴ. 외핵에서는 지구 내부 온도가 철 합금의 용융 온도보다 높으므로 액체 상태로 되어 있다.
┃**바로알기**┃ ㄷ. 내핵에서는 지구 내부 온도가 철 합금의 용융 온도보다 낮으므로 고체 상태로 되어 있다.

19 (꼼꼼) 문제 분석

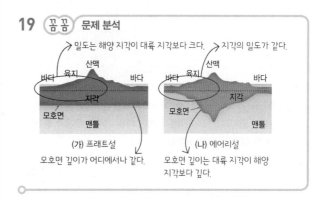

ㄱ. (가)와 (나) 학설 모두 밀도가 작은 지각이 밀도가 큰 맨틀 위에 떠서 평형을 이룬다.
ㄴ. 실제 모호면의 깊이는 해양 지각에서 얕고, 대륙 지각에서 깊으므로 (나)에서 잘 설명된다.
┃**바로알기**┃ ㄷ. 실제 대륙 지각은 해양 지각보다 밀도가 작으므로 지각의 밀도는 (가)에서 잘 설명된다.

20 ㄴ. 나무 도막이 물 위에 떠 있으므로 물은 밀도가 큰 맨틀에 해당하고, 나무 도막은 밀도가 작은 지각에 해당한다.
ㄷ. 나무 도막 B를 A 위에 올리면 나무 도막 A가 더 많이 가라앉으므로 나무 도막에서 물속에 잠기는 부분의 두께가 두꺼워진다.
ㄹ. 얼음이 녹으면 지각 평형을 이루기 위해 밀도가 작은 나무 도막이 떠올라 물 위로 드러난 부분이 높아진다.
┃**바로알기**┃ ㄱ. 나무 도막 B를 나무 도막 A 위에 올리면 A가 더 많이 가라앉으므로 이 실험은 모호면의 깊이가 해발 고도에 따라 달라진다고 생각하는 에어리설을 검증하는 실험이다.

21 ㄷ. A 지역은 1만 년 동안 250 m 융기하였으므로 해발 고도 평균 변화율은 $\dfrac{25000 \text{ cm}}{10000 \text{년}} = 2.5 \text{ cm/년}$이다.
┃**바로알기**┃ ㄱ. 지각을 누르던 무게의 감소량이 클수록 융기량이 많으므로 융기량이 많은 곳일수록 빙하가 녹은 양이 많다.
ㄴ. 빙하가 녹으면서 지각이 융기하였으므로 1만 년 동안 모호면의 깊이는 얕아졌을 것이다.

22 그림의 지형은 산봉우리였던 부분들이 침강하여 여러 개의 섬으로 남은 다도해로, 육지에서 퇴적 작용이 일어나 지각을 누르는 무게가 증가하여 생긴 것이다.

23 A 지역은 풍화 및 침식에 의해 지각의 윗부분이 계속 깎여나가 지각의 무게가 감소하므로 지각이 융기하여 모호면의 깊이가 얕아진다.

B 지역은 운반되어 온 퇴적물이 쌓여 지각의 무게가 증가하므로 지각이 침강하여 모호면의 깊이가 깊어진다.

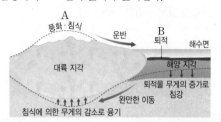

모범답안 A 지역은 침식에 의해 지각의 무게가 감소하여 융기하므로 모호면의 깊이가 얕아지고, B 지역은 퇴적에 의해 지각의 무게가 증가하여 침강하므로 모호면의 깊이가 깊어진다.

채점 기준	배점
'침식과 퇴적에 의한 지각의 무게 변화, 지각의 융기와 침강'을 모두 포함하여 A와 B 지역의 모호면의 깊이 변화를 옳게 서술한 경우	100 %
지각의 융기와 침강만 언급하여 A와 B 지역의 모호면의 깊이 변화를 옳게 서술한 경우	80 %
모호면의 깊이 변화만 옳게 서술한 경우	50 %

03 지구의 중력장과 자기장

개념 확인 문제
41쪽

❶ 중력장   ❷ 커진다   ❸ 만유인력   ❹ 가까울   ❺ 원심력
❻ 멀   ❼ 단진자   ❽ 표준 중력   ❾ 고   ❿ 저

1 ㉠ 중력, ㉡ 중력장   **2** (1) A: 만유인력, B: 중력,
C: 원심력 (2) 극(북극, 남극) (3) 극(북극, 남극), 적도   **3** 4초
4 (1) 2.01초 (2) 9.76 m/s²   **5** (1) 같다 (2) 크다 (3) 크다
6 ㉠ 멀어, ㉡ 작게

---

1 지구가 주변에 위치한 물체를 끌어당기는 힘을 중력이라 하고, 중력은 만유인력과 원심력의 합력으로 나타난다. 이 중력이 작용하는 공간을 중력장이라고 한다.

2 꼼꼼 문제 분석

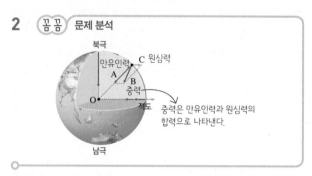

(1) A: 항상 지구 중심 방향으로 작용하는 힘으로, 만유인력이다.
C: 자전하고 있는 지구에서 자전축(회전축)에 대해 수직 방향으로 멀어지려고 하는 힘으로, 원심력이다.
B: 만유인력(A)과 원심력(C)의 합력으로 나타나는 중력이다.
(2) 중력은 만유인력과 원심력의 합력으로 나타나는데, 극에서는 원심력의 크기가 0이므로 만유인력과 중력의 크기가 같다. 따라서 지구에서 만유인력(A)과 중력(B)의 크기가 같은 지점은 북극과 남극, 즉 양극 지역뿐이다.
(3) 중력(B)은 적도와 극에서는 지구의 중심을 향하고, 그 이외의 지역에서는 원심력의 영향으로 지구 중심에서 약간 벗어난 지점을 향한다.

3 꼼꼼 문제 분석

단진자 운동에서 움직이는 한쪽 방향을 +의 속도로 가정하면, 반대 방향으로 움직일 때의 속도는 −로 표시한다.

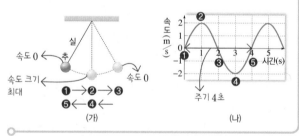

단진자의 주기는 단진자가 운동하여 다시 제자리로 되돌아오는 데 걸린 시간, 즉, 왕복하는 데 걸린 시간이므로 속도가 같은 지점 사이의 시간을 구하면 4초이다.

4 (1) 단진자가 10회 왕복하는 데 걸린 평균 시간이 20.1(초)

$\left(=\dfrac{20.09+20.11+20.09+20.10+20.11}{5}\right)$이므로 1회 왕복하는 데 걸린 평균 시간은 2.01초이며, 이것이 단진자의 평균 주기이다.

(2) 단진자의 길이(l) 1 m와 주기(T) 2.01초를 식에 대입하여 중력 가속도(g)를 구하면 다음과 같다.

$$g = \frac{4\pi^2 l}{T^2} = \frac{4 \times (3.14)^2 \times 1\,\text{m}}{(2.01\,\text{s})^2} \fallingdotseq 9.76\,\text{m/s}^2$$

5 (꼼꼼) 문제 분석

위도와 해발 고도가 같은 A와 B의 중력 이상

중력 이상=실측 중력−표준 중력

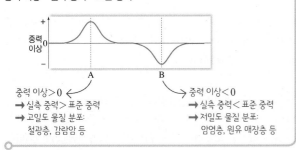

중력 이상>0
→ 실측 중력>표준 중력
→ 고밀도 물질 분포:
철광층, 감람암 등

중력 이상<0
→ 실측 중력<표준 중력
→ 저밀도 물질 분포:
암염층, 원유 매장층 등

(1) 동일한 위도에서는 표준 중력이 같으므로 A와 B에서 표준 중력은 같다.

(2) 표준 중력은 같은데 중력 이상이 A가 B보다 크므로 실측 중력은 A가 B보다 크다.

(3) 지하에 철광층 등의 밀도가 큰 물질이 있으면 중력 이상은 (+) 값으로 나타나고, 지하에 암염층 등의 밀도가 작은 물질이 있으면 중력 이상은 (−) 값으로 나타난다. 따라서 지하 물질의 밀도는 중력 이상이 (+)인 A가 중력 이상이 (−)인 B보다 크다.

6 중력은 만유인력과 원심력의 합력으로 나타난다. 같은 위도에서는 원심력의 크기가 같으므로 만유인력의 크기가 클수록 중력의 크기도 커진다. 만유인력은 두 물체의 질량의 곱에 비례하고 두 물체 사이 거리의 제곱에 반비례한다. 해발 고도가 높은 곳에서는 지구 중심에서 측정 지점까지의 거리가 멀어 만유인력이 작아지므로 중력의 크기도 작아진다.

개념 확인 문제   44쪽

❶ 지구 자기장   ❷ 다이너모 이론   ❸ 편각   ❹ 복각
❺ 수평 자기력   ❻ 자기 폭풍   ❼ 영년 변화   ❽ 밴앨런대

1 (1) × (2) ○ (3) ○ (4) ×   **2** A: 수평 자기력, B: 연직 자기력,
C: 편각, D: 복각   **3** (1) ㉠ +, ㉡ E (2) ㉠ 0°, ㉡ +90°
(3) ㉠ 최대, ㉡ 0   **4** (1) 태양 에너지 (2) 크다 (3) 크다
5 자기 폭풍, 오로라   **6** 지구 내부의 변화(외핵의 열대류 변화)
7 ㉠ 밴앨런대, ㉡ 양성자, ㉢ 전자

---

1 (1) 나침반의 N극은 자북극을 가리키고, S극은 자남극을 가리킨다.

(2) 지구 자기장은 마치 자북극이 S극, 자남극이 N극인 막대자석이 있는 것처럼 형성되어 있으므로 북반구에서는 나침반의 N극이 지표 쪽을 향하고, 남반구에서는 S극이 지표 쪽을 향한다.

(3) 지구 자기의 축은 자북극과 자남극을 잇는 축으로, 지구 자전축에 대해 약 11.5° 기울어져 있다.

(4) 지구 자기의 축과 지구 자전축이 일치하지 않으므로 자북극과 지리상의 북극은 일치하지 않는다.

2 전 자기력에 대하여 A는 수평 성분이므로 수평 자기력, B는 연직 성분이므로 연직 자기력에 해당한다. C는 진북과 자북 사이의 각이므로 편각에 해당한다. D는 수평면과 전 자기력 사이의 각으로,

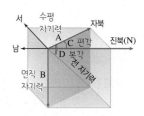

나침반의 자침은 전 자기력 방향으로 기울어진다. 따라서 D는 나침반의 자침이 수평면에 대해 기울어진 각인 복각에 해당한다.

3 (1) 편각은 진북을 기준으로 자북이 동쪽으로 치우쳐 있으면 (+) 또는 E(동편각)로 표시하고, 서쪽으로 치우쳐 있으면 (−) 또는 W(서편각)로 표시한다.

(2) 복각은 수평면에서 나침반의 자침이 기울어진 각, 즉 수평면과 자기력선이 이루는 각도를 나타낸다. 자기 적도에서는 자기력선이 지표면에 수평하게 나타나므로 복각이 0°이다. 자북극과 자남극에서는 자기력선의 방향이 지표면에 수직이므로 각각 +90°와 −90°로 나타난다.

(3) 자기 적도에서는 전 자기력 방향이 수평면에 평행하므로 연직 자기력이 0이고, 수평 자기력은 최대로 전 자기력과 같다. 자극에서는 전 자기력 방향이 수평면에 대하여 수직이므로 수평 자기력은 0이고, 연직 자기력이 최대로 전 자기력과 같다.

4 (1) 지구 자기장의 일변화는 태양 고도가 변함에 따라 지구 대기의 전리층이 영향을 받는 정도가 달라지기 때문에 발생한다. 따라서 자기장 일변화의 원인은 태양 에너지이다.

(2), (3) 태양이 떠 있는 낮이 태양이 보이지 않는 밤보다 자기장의 일변화가 크고, 여름이 겨울보다 태양 고도 변화가 크므로 일변화가 크다.

5 흑점 수가 최대인 A 시기에는 태양 활동이 활발하다. 따라서 태양으로부터 유입되는 대전 입자 수가 많아져 지구 자기장이 짧은 시간 동안 크게 변하는 자기 폭풍이 발생한다. 또한, 이때 유입되는 대전 입자로 인해 오로라가 자주 발생한다.

6 지구 자기장의 영년 변화는 지구 내부에서 외핵의 열대류에 변화가 생겨 나타나는 것으로 추정되며, 이로 인해 자극의 이동, 전 자기력의 변화 등이 나타난다.

7 지구 자기권은 태양풍의 영향으로 태양 방향은 압축되어 지구 반지름의 약 10배, 태양과 반대 방향은 지구 반지름의 약 100배에 해당하는 곳까지 대전 입자들이 지구 자기장의 영향을 받아 운동한다. 대전 입자들이 밀집되어 있는 모습은 도넛 모양으로 나타나는데 이를 밴앨런대라고 한다. 밴앨런대는 양성자가 주로 운동하는 내대와 전자가 주로 운동하는 외대로 나누어져 있다.

①-1 꼼꼼 문제 분석

중력(B)=만유인력(A)+원심력(C)

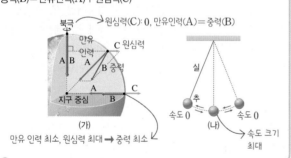

(가)

(나)

(1) 만유인력의 크기는 $F=G\dfrac{Mm}{r^2}$으로, 두 물체의 질량(M, m)의 곱에 비례하고, 두 물체 사이 거리(r)의 제곱에 반비례한다. 지구는 적도 반지름이 극 반지름보다 긴 타원체이므로 적도에서 극으로 갈수록 지구와 물체 사이의 거리가 감소하여 만유인력(A)이 커진다.
(2) 중력(B)은 만유인력과 원심력의 합력으로, 적도에서 극으로 갈수록 만유인력이 커지고, 원심력이 작아지며 만유 인력이 원심력보다 크므로 중력은 적도에서 극으로 갈수록 커진다.
(3) 원심력(C)은 $F=mrw^2$으로, 지구는 모든 지점에서 회전 각속도(w)의 크기가 같고, 적도에서 극으로 갈수록 회전축과의 거리(r)가 짧아지기 때문에 지구의 원심력(F)은 적도에서 최대이고, 고위도로 갈수록 작아지며, 극에서 0이다.

①-2 $T=2\pi\sqrt{\dfrac{l}{g}}$, $g=\dfrac{4\pi^2 l}{T^2}$에서 중력 가속도(g)는 단진자의 길이(l)에 비례하고, 주기(T)의 제곱에 반비례한다.
(1) 실의 길이가 같을 때, 중력이 큰 곳은 중력이 작은 곳보다 단진자의 주기가 짧게 나타난다.
(2) 중력의 크기가 같을 때 실의 길이를 다르게 하여 측정할 경우, 실을 길게 하면 단진자의 주기가 길어진다.

①-3 단진자의 주기는 중력이 작을수록 길어진다. 지구의 중력은 적도에서 가장 작고 극에서 가장 크므로 단진자의 주기를 비교하면 적도>중위도>극이다.

①-4 (1) 중력인 B는 만유인력인 A와 원심력인 C의 합력으로 나타난다.
(2) 양 극에서는 원심력의 크기가 0이므로 만유인력(A)과 중력(B)의 크기가 같다.
(3) 만유인력(A)은 원심력(C)에 비해 약 300배 정도 강한 크기로 작용하므로 중력(B)에 더 큰 영향을 미친다.
(4) 만유인력(A)은 항상 지구 중심을 향하여 작용한다.
(5) 지구의 중력(B)은 양 극과 적도에서는 지구 중심으로 작용하고, 다른 지역에서는 지구 중심에서 약간 벗어난 곳을 향하여 작용한다.
(6) 단진자의 주기는 추의 질량과는 무관하며, 실의 길이나 중력 가속도에 따라 달라진다.

②-1 꼼꼼 문제 분석

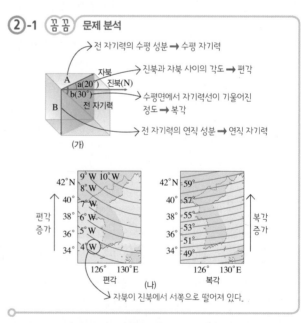

(가)

(나)

(가)에서 자북이 진북에서 서쪽으로 20° 떨어져 있으므로 편각은 20°W 또는 −20°이다. 북반구이고, 전 자기력이 수평면에서 30° 기울어져 있으므로 복각은 +30°이다.

②-2 (1) 편각은 제주도에서 약 4°W, 서울에서 약 7°W로 나타나므로 제주도에서 서울로 갈수록 점점 커진다. 복각은 제주도에서 약 48°, 서울에서 약 54°로 나타나므로 제주도에서 서울로 갈수록 점점 커진다.
(2) 제주도에서 서울로 가면 서편각이 커지므로 자북은 진북에 대하여 서쪽으로 점점 멀어진다. 따라서 나침반의 자침은 진북에 대하여 시계 반대 방향으로 돌아간다.
(3) 제주도에서 서울로 가면 복각이 점점 커지므로 수평면에서 나침반의 자침이 기울어진 각의 크기가 점점 커진다.

②-3 (1) 전 자기력의 세기가 일정한 경우, 수평 자기력(A)의 크기는 자기 적도에서 자극으로 갈수록 점점 작아진다. 반면에, 자극으로 갈수록 복각의 크기가 커지면서 연직 자기력(B)의 크기는 점점 커진다.
(2) 편각이 존재하는 경우 자기 적도에서 자극을 향해 직선으로 이동하면 진북과 자북 사이의 각인 편각(a)이 조금씩 증가한다.
(3) 자기 적도에서 자극으로 갈수록 복각(b)은 증가한다.
(4) (나)의 제주도에서 서편각이 나타나고 있으므로 나침반의 자침이 향한 방향에 대하여 동쪽에 진북이 존재한다.

내신 만점 문제

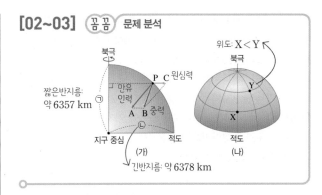

46쪽~49쪽

01 ③	**02** ⑤	**03** A, B	**04** ⑤	**05** ③	**06** ②
07 ②	**08** ⑤	**09** 해설 참조	**10** ③		**11** ③
12 ④	**13** 커진다	**14** ②	**15** 해설 참조		**16** ①
17 ①	**18** ④	**19** ③			

01 ③ 만유인력은 항상 지구 중심을 향하고, 원심력은 자전축에서 바깥쪽으로 작용하므로 두 힘의 합력인 중력은 극과 적도를 제외하고는 지구 중심에서 약간 벗어난 방향을 향한다. 북극에서는 원심력이 0이므로 중력도 지구 중심 방향으로 작용한다.
┃**바로알기**┃ ① 만유인력은 두 물체의 질량의 곱에 비례하고, 두 물체 사이의 거리의 제곱에 반비례한다. 따라서 물체의 질량이 2배가 되면 만유인력은 2배가 된다.
② 원심력은 회전하는 물체의 회전 각속도에 비례하므로 지구의 자전 속도가 느려지면 지구의 원심력은 작아진다.
④ 표준 중력은 지구 내부의 밀도가 균일하다고 가정했을 때 지구 타원체상에서 위도에 따라 이론적으로 구한 중력값으로, 같은 위도에서는 표준 중력이 같다.
⑤ 암염층은 저밀도 물질로, 중력 측정 지점의 지하에 암염층이 있으면 실측 중력이 표준 중력보다 작게 측정되어 중력 이상이 (−) 값으로 나타난다.

[02~03] 꼼꼼 문제 분석

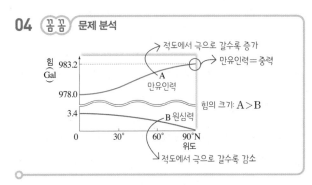

02 ⑤ 중력(B)은 만유인력(A)과 원심력(C)의 합력이고, 북극에서는 회전축과 물체 사이의 거리가 0이므로 원심력의 크기가 0이다. 따라서 만유인력(A)과 중력(B)의 크기가 서로 같다.
┃**바로알기**┃ ① 지구는 자전에 의해 적도가 부푼 타원체 모양이다. 따라서 적도 반지름(ⓛ)이 극반지름(ⓘ)보다 더 길다.
② A는 만유인력, B는 중력을 나타낸다.
③ 만유인력인 A의 크기는 지구와 물체 사이 거리의 제곱에 반비례하고, 물체의 질량에 비례한다. 따라서 A는 지구 표면에서 지구 중심과의 거리가 가장 긴 적도에서는 크기가 가장 작다.
④ 원심력인 C의 크기는 자전축과의 거리가 멀수록 커지므로 극에서는 0이고 적도로 갈수록 커진다.

03 그림 (나)에서 X 지점에 비해 Y 지점은 고위도 지역이다. 따라서 X 지점에서 Y 지점으로, 즉, 저위도에서 고위도로 이동하면, 만유인력(A)과 중력(B)은 커지고 원심력(C)은 작아진다.

04 꼼꼼 문제 분석

ㄱ. 만유인력은 원심력보다 크고, 원심력은 극에서 0이므로 A가 만유인력, B가 원심력에 해당한다.
ㄴ. 적도에서는 만유인력과 원심력이 서로 반대 방향으로 작용하므로 중력은 만유인력의 크기에서 원심력의 크기를 뺀 값이다.
978.0 Gal − 3.4 Gal = 974.6 Gal
ㄷ. 중력은 만유인력과 원심력의 합력이다. 만유인력은 지구 중심으로 작용하고 원심력은 자전축에서 지구 바깥쪽으로 작용하며, 적도에서 극으로 가면서 만유인력이 커지고 원심력은 작아지므로 중력은 커진다.

05 ㄱ. 단진자의 주기는 단진자가 1회 왕복하는 데 걸린 시간이므로 A 지역에서 단진자의 주기는 2.005초이고, B 지역에서 단진자의 주기는 2.004초이다.

ㄴ. 단진자의 주기는 중력의 크기가 클수록 짧아진다. 따라서 중력의 크기는 단진자의 주기가 짧은 B 지역에서 더 크다.

▌**바로알기**▐ ㄷ. 고위도로 갈수록 중력이 커지고, 중력이 클수록 단진자의 주기가 짧아지므로 단진자의 주기가 더 짧은 B 지역이 A 지역보다 고위도에 있다.

06 ㄷ. 원심력의 크기는 고위도로 갈수록 작아지므로 위도가 더 낮은 (가) 지역이 (나) 지역보다 원심력이 크게 작용한다.

▌**바로알기**▐ ㄱ. 용수철은 중력이 큰 지역에서 더 길게 늘어나기 때문에 (가) 지역보다 (나) 지역에서 중력이 더 크며, 중력은 적도에서 극으로 갈수록 커지므로 (나) 지역이 (가) 지역보다 고위도에 위치한다.

ㄴ. 만유인력은 고위도로 갈수록 커지므로 위도가 더 높은 (나) 지역이 (가) 지역보다 만유인력이 크다.

07 ㄴ. 중력 이상이 (−) 값이면 실측 중력이 표준 중력보다 작으므로 지하에 주변 지역에 비해 밀도가 작은 물질이 분포한다.

▌**바로알기**▐ ㄱ. 중력 이상은 실측 중력에서 표준 중력을 뺀 값이므로 중력 이상이 (−) 값이면 실측 중력이 표준 중력보다 작다.

ㄷ. 철광상은 고밀도 물질이므로 지하에 철광상이 있으면 중력 이상이 (+) 값으로 나타난다. A 지역의 중력 이상은 (−) 값이므로 지하에 암염층, 원유 매장층 등 저밀도 물질이 분포한다.

08 ㄱ. 표준 중력은 지하 물질의 밀도가 같다고 가정하고 지구 타원체상에서 위도에 따라 이론적으로 구한 중력 값이므로 같은 위도에서는 표준 중력이 같다. A와 B 지역은 위도가 같으므로 표준 중력이 같다.

ㄴ. A 지역은 중력 이상이 (+) 값이고, B 지역은 중력 이상이 (−) 값이므로 실측 중력은 A 지역이 B 지역보다 크다.

ㄷ. 중력 이상으로 저밀도인 지각의 깊이를 유추할 수 있으므로 지각 평형의 효과를 연구할 수 있다. 히말라야산맥이 위치하는 B 지역은 맨틀에 비해 저밀도인 지각이 두껍게 분포하여 중력 이상 값이 작게 나타난다.

09 **모범답안** 액체 상태의 외핵에서 열대류가 생겨 유도 전류가 발생하고, 이 전류가 흐르면서 지구 자기장이 발생한다.

채점 기준	배점
열대류, 유도 전류, 자기장을 모두 포함하여 외핵에서의 열대류를 옳게 서술한 경우	100 %
유도 전류 내용을 포함하지 않고 외핵에서의 열대류만으로 서술한 경우	50 %

10 ③ B는 전 자기력의 연직 성분인 연직 자기력으로, 자기 적도에서 0이고 자극에서 최대이다.

▌**바로알기**▐ ① a는 자북과 진북 사이의 각도인 편각이고, b는 수평면과 전 자기력 사이의 각도인 복각이다.

② A(수평 자기력)의 크기는 전 자기력과 복각의 영향을 받으며, 편각인 a의 크기와는 관계없다.

④ 나침반의 자침은 P 지점에서의 전 자기력 방향으로 힘을 받는다. 따라서 진북에 대해 서쪽 방향을 가리킨다.

⑤ A(수평 자기력)는 자기 적도에서 최대이고, 자극에서 0이다.

11 꼼꼼 문제 분석

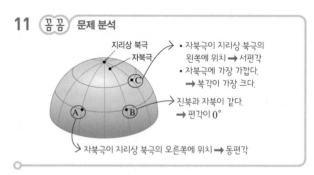

ㄱ. A에서 자북극 방향(자북)은 지리상 북극 방향(진북)의 동쪽에 있으므로 동편각이 나타난다.

ㄴ. 복각은 자기 적도에서 0°이고, 자북극에서 +90°이다. 따라서 자북극에 가까울수록 복각의 크기가 커지므로 B보다 C에서 크다.

▌**바로알기**▐ ㄷ. 전 자기력의 크기가 같을 때, 수평 자기력의 크기는 복각의 크기가 클수록 작다. 복각은 B보다 C에서 크므로 수평 자기력의 크기는 B보다 C에서 작다.

12 꼼꼼 문제 분석

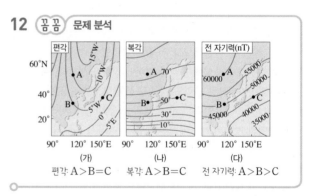

ㄴ. 나침반의 자침이 수평면과 이루는 각의 크기는 복각이다. (나)에서 A 지점은 C 지점보다 복각의 크기가 더 크다.

ㄷ. (나)에서 복각의 크기는 B 지점과 C 지점이 같지만, (다)에서 전 자기력은 B 지점이 C 지점보다 크다. 복각의 크기가 같을 때, 전 자기력이 클수록 수평 자기력과 연직 자기력이 더 크다. 따라서 B 지점은 C 지점보다 연직 자기력이 더 강하다.

┃바로알기┃ ㄱ. (가)에서 A 지점의 편각은 10°W, B 지점의 편각은 5°W이다. 편각은 자북과 진북 사이의 각도이고, 나침반의 자침이 가리키는 방향은 자북을 의미하므로 자북이 진북에 더 가까운 곳은 A지점보다 편각이 더 작은 B 지점이다.

13 (꼼꼼) 문제 분석

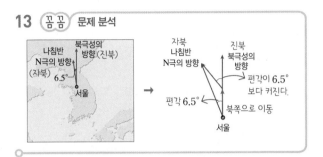

나침반 N극의 방향은 자북이고, 북극성은 지구 자전축의 연장선상에 있으므로 북극성의 방향은 진북이다. 서울에서 북극성 방향(진북)으로 나아갈수록 진북과 자북 사이의 각이 점점 커지므로 편각의 크기는 커진다.

14 ㄷ. 태양의 고도가 높아지면 태양 복사 에너지를 더 많이 받아 전리층이 영향을 많이 받으므로 자기장의 일변화가 커진다.
┃바로알기┃ ㄱ. 그림에서 여름에는 편각의 변화 폭이 약 13′이고, 겨울에는 약 3′이다. 여름에는 겨울보다 태양의 남중 고도가 높으므로 자기장의 일변화는 겨울보다 여름에 더 크게 나타난다.
ㄴ. 그림에서 낮(6시~18시)에는 편각의 변화가 약 13′이고, 밤(18시~6시)에는 편각의 변화가 약 2′이다. 자기장의 일변화는 태양 에너지의 영향을 받으므로 밤보다 낮에 변화가 더 크다.

15 (모범답안) 자료에서 흑점 수가 극대기일 때 자기 폭풍 발생 횟수가 많으므로, 자기 폭풍은 태양 활동이 활발하여 흑점 수가 많아질 때 주로 발생한다.

채점 기준	배점
자료를 해석하여 자기 폭풍과 흑점 수의 관계를 옳게 서술한 경우	100 %
흑점 수가 많을 때 자기 폭풍이 많이 발생한다고만 서술한 경우	70 %

16 주어진 자료는 급격한 지구 자기장의 변화로 자기 폭풍이 발생하여 일어난 사건에 대한 내용이다.
• 철민: 태양 활동이 활발하여 흑점 수의 극대기에 이르는 경우 지구에서는 자기 폭풍이 자주 발생한다. 이때 유입된 많은 대전 입자로 인해 정전 현상, 오로라 등이 자주 발생한다.
┃바로알기┃ • 희진: 지구 자기장의 급격한 변화는 주로 태양 활동의 영향을 받는다. 외핵의 열대류 변화는 오랜 시간 자기장의 변화에 영향을 미쳐 영년 변화의 원인이 되는 것으로 추정된다.
• 지수: 오로라는 주로 극지방 부근의 고위도 상공에서 발생한다.

17 (꼼꼼) 문제 분석

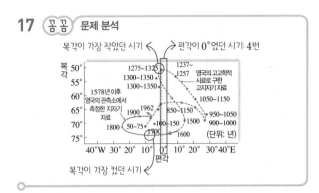

ㄱ. 편각은 관측 지점에서 자북과 진북이 이루는 각이므로 자북과 진북 사이의 각이 0°이면 편각이 0°이다. 이 기간 동안 런던에서는 편각이 0°이었던 적이 4번 있었다.
┃바로알기┃ ㄴ. 런던은 1275년~1325년에 복각의 크기가 가장 작았다. 복각은 자북극에 가까울수록 커지므로 런던은 1275년~1325년에 자북극에서 가장 먼 곳에 있었다.
ㄷ. 이 기간 동안 편각과 복각이 계속 변하였으므로 자북극의 위치는 계속 변하였다.

18 (꼼꼼) 문제 분석

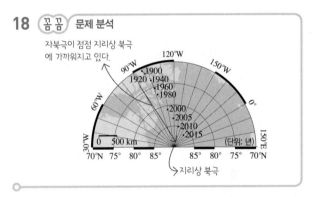

ㄱ. 복각의 크기는 자기 적도에서 자극으로 갈수록 커지며, 1900년 이후 자북극과 지리상 북극의 위치가 가까워졌으므로 지리상 북극에서 측정한 복각의 크기는 증가하였다.
ㄷ. 자북극의 이동은 영년 변화에 해당하며, 지구 내부의 외핵에서 열대류의 변화에 의해 발생하는 것으로 추정된다.
┃바로알기┃ ㄴ. 지구 자기 역전은 자북극과 자남극의 위치가 반대로 바뀌는 현상이다. 1900년~2015년 사이에 자북극의 위치는 북반구에 있었으므로 지구 자기가 역전되지 않았다.

19 ㄱ. 자기권은 태양풍의 영향으로 태양을 향한 쪽은 좁게 분포하고, 태양의 반대쪽은 길게 분포한다.
ㄷ. 밴앨런대는 태양으로부터 오는 고에너지 입자들을 붙잡아 지표에 도달하는 것을 막아주므로 지구의 생명체를 보호하는 역할을 한다.
┃바로알기┃ ㄴ. A는 밴앨런대의 외대로, 주로 전자가 분포한다. B는 밴앨런대의 내대로, 주로 양성자가 분포한다.

중단원 핵심 정리 　　　　　　　　50쪽~51쪽

❶ 지구형　❷ 목성형　❸ 밀도 차이　❹ 이산화 탄소　❺ 높은
❻ P파　❼ S파　❽ 길수록　❾ 길수록　❿ 두껍다
⓫ 액체　⓬ 고체　⓭ 프래트설　⓮ 에어리설　⓯ 침강
⓰ 최소　⓱ 최대　⓲ 표준 중력　⓳ 편각　⓴ 영년 변화

중단원 마무리 문제 　　　　　　　　52쪽~55쪽

01 ④	02 ④	03 ⑤	04 ③	05 ②	06 ②
07 ①	08 ②	09 ②	10 ⑤	11 ③	12 ③
13 ②	14 ③	15 해설 참조	16 해설 참조	17 해설 참조	

01 ㄱ. 태양계는 현재 우리은하의 나선팔에 위치하며, 우리은하의 나선팔에 있던 거대 성운에서 형성된 태양계 성운이 수축하여 탄생하였다.
ㄷ. 태양계 성운은 중력에 의해 수축하면서 회전하여 중심부는 원시 태양이 되고, 주변부는 납작한 원반이 만들어져 이곳에서 원시 행성들이 형성되었다.
ㄹ. 태양계 성운의 회전 중심으로 모여든 물질들은 뭉쳐져 원시 태양을 형성하였고, 원시 태양의 온도가 높아지면서 핵융합 반응으로 에너지를 생성하는 태양(주계열성)이 되었다.

▌바로알기▌ ㄴ. 대폭발은 지금으로부터 약 138억 년 전에 일어났으며, 태양계 성운은 약 50억 년 전에 우리은하의 나선팔에서 초신성 폭발 등의 영향으로 생성되었다.

02 (꼼꼼) 문제 분석

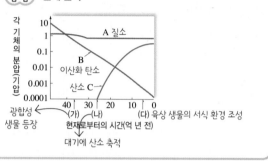

① 지구는 태양계 성운의 원반에서 만들어져 우주 공간을 떠돌던 수많은 미행성체들이 충돌하고 합해져 만들어졌다. (가)에서 (라)로 가는 동안 미행성체의 충돌이 계속 일어났으므로 미행성체의 질량이 더해져 지구의 질량과 크기가 증가하였다.
② 미행성체의 충돌열과 중력 수축으로 발생한 열 등이 모여 지구가 점점 뜨거워져 지구의 상당 부분이 녹아 마그마 바다를 이루었다.
③ (나) → (다) 과정에서 무거운 철 등의 물질은 중심 쪽으로 가라앉아 핵을 이루었고, 가벼운 규산염 물질은 지표 쪽으로 떠올라 맨틀을 이루었다.

⑤ 미행성체가 충돌할 때 지구에 축적된 에너지는 현재에도 지구 내부에 일부가 저장되어 있다.

▌바로알기▌ ④ 원시 바다는 원시 지각이 형성된 후에 지각의 낮은 곳에 빗물이 모여 형성되었다. 따라서 (라) 과정 이후에 형성되었다.

03 (꼼꼼) 문제 분석

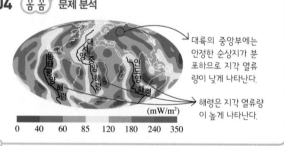

ㄱ. (가) 시기에 이산화 탄소는 바다에 녹아들어 대기에서 빠르게 줄어들고 있으며, 육지로부터 유입된 칼슘 이온과 결합하여 석회암으로 퇴적되었다.
ㄷ. (다) 시기에는 지구 대기에 충분한 양의 산소가 존재하므로 오존층이 형성되었고, 오존층이 자외선을 차단하여 육상에도 생물이 살 수 있는 환경이 조성되었다.

▌바로알기▌ ㄴ. 지구 대기에 산소가 축적되기 시작한 것은 (나) 시기인 약 27억 년 전부터이다. 약 35억 년 전 바다에서 광합성을 하는 남세균이 처음 등장하여 바다에 산소가 축적되었다가 대기로 방출되어 (나) 시기부터 대기에 산소가 축적되기 시작하였다. 따라서 광합성을 하는 생물은 (나) 시기 이전에 처음 등장하였다.

04 (꼼꼼) 문제 분석

ㄱ. 대서양 중앙 해령, 동태평양 해령, 인도양 해령에서는 지각 열류량이 높게 나타나는데, 이 지역들은 맨틀 대류의 상승부이다.
ㄴ. 대륙의 중앙부(순상지)는 안정한 지역으로, 지각 열류량이 낮게 나타난다.

▌바로알기▌ ㄷ. 해령에서 지각 열류량이 높게 나타나는 까닭은 지각 아래의 맨틀 대류의 상승으로 열이 많이 공급되기 때문이다. 단위 부피당 방사성 동위 원소의 붕괴열은 대륙 지각이 해양 지각보다 많다.

05 ㄴ. 맨틀 물질은 해령에서 상승하여 양쪽으로 퍼져 나간다. 따라서 지온이 높은 B층이 시작되는 깊이가 더 얕은 (나)가 (가)보다 해령에 더 가깝다.

│바로알기│ ㄱ. 지온 증가율이 높은 A층은 암석권, 지온 증가율이 급격히 낮아지는 B층은 맨틀 대류가 나타나는 연약권이다. 따라서 A와 B의 경계는 암석권과 연약권의 경계로, 모호면이 아니다. 해양 지각의 모호면은 깊이 5 km~10 km로, (가)와 (나)보다 얕게 분포한다.

ㄷ. (가)는 (나)보다 같은 온도에 도달하는 깊이가 더 깊으므로 지온 상승률이 더 작다.

06 꼼꼼 **문제 분석**

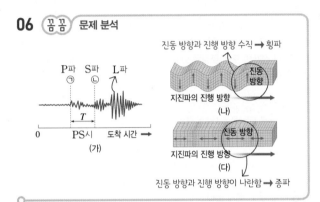

ㄷ. T는 P파와 S파의 도착 시간 차이이므로 PS시를 의미한다. 진원 거리가 멀수록 PS시가 길어진다.

│바로알기│ ㄱ. ㉠은 가장 먼저 도착한 지진파이므로 P파이고, ㉡은 두 번째로 도착한 지진파이므로 S파이다. 지진 피해는 ㉠(P파)보다 진폭이 더 큰 ㉡(S파)에 의해 크게 발생한다.

ㄴ. S파(㉡)는 (나)와 같이 파의 진행 방향과 매질의 진동 방향이 수직인 횡파이다. (다)와 같이 파의 진행 방향과 매질의 진동 방향이 같은 종파는 P파(㉠)이다.

07 꼼꼼 **문제 분석**

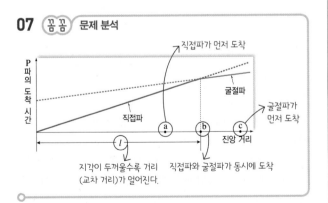

ㄱ. a에는 직접파가 굴절파보다 먼저 도착하고, b에는 직접파와 굴절파가 동시에 도착하며, c에는 굴절파가 직접파보다 먼저 도착한다.

│바로알기│ ㄴ. 굴절파는 지각과 맨틀을 거쳐 전파된다. 진앙으로부터의 거리가 b보다 먼 곳에 굴절파가 먼저 도착할 수 있는 까닭은 P파의 전파 속도가 지각보다 맨틀에서 빠르기 때문이다.

ㄷ. 지각에서의 전파 속도를 V_1, 맨틀에서의 전파 속도를 V_2라고 할 때, 지각의 두께(d)는 $d = \dfrac{l}{2} \times \sqrt{\dfrac{V_2 - V_1}{V_2 + V_1}}$이다. 따라서 지각의 두께가 두꺼울수록 직접파와 굴절파가 동시에 도착하는 교차 거리, 즉 b까지의 진앙 거리(l)가 멀어진다.

08 ㄴ. (나)에서는 지진파가 전파되는 도중에 굴절되는 구간이 있는데, 이는 행성 내부에 밀도가 다른 층이 존재하기 때문이다. 따라서 (나)에서는 행성 내부에 불연속면이 있다.

│바로알기│ ㄱ. (가)는 지진파의 전파 경로에서 굴절이나 반사되는 구간이 없으므로 암영대가 나타나지 않는다.

ㄷ. (가)에서 지진파의 전파 경로가 곡선으로 나타난 것은 행성 내부로 들어갈수록 밀도가 증가하여 지진파의 속도가 빨라지기 때문이다.

09 ㄴ. 방사성 동위 원소는 규산염 마그마에 농집되는 성질이 있기 때문에 핵에는 거의 없을 것으로 추정된다.

│바로알기│ ㄱ. A에서는 P파의 속도가 크게 감소하고, S파가 통과하지 못하므로 B보다 A에서 지진파의 속도 변화가 크다.

ㄷ. 외핵과 내핵은 모두 주요 구성 물질의 성분이 철이지만, 외핵은 액체 상태이고 내핵은 고체 상태이다.

10 ㄱ. 지각에는 산소가 약 46.6 %, 규소가 약 27.7 % 포함되어 있으므로 두 원소가 약 74.3 % 포함되어 있다.

ㄴ. 지각과 맨틀은 모두 산소와 규소가 가장 많이 포함되어 있기 때문에 대부분 두 원소가 결합하여 만든 규산염 광물로 구성되어 있다.

ㄷ. 지각이나 맨틀에서는 산소의 함량비가 가장 크지만, 지구 전체에서는 철의 함량비가 가장 크다. 이는 핵이 지각이나 맨틀보다 철을 더 많이 포함하고 있기 때문이다.

11 ㄴ. 지각 평형 깊이에 작용하는 압력이 같고, 밀도가 큰 맨틀이 B보다 A에서 두꺼우므로 A에 작용하는 압력은 B에 작용하는 압력보다 작다.

ㄹ. 해양 지각에 퇴적물이 많이 쌓이면 무게 때문에 침강이 일어나 해양 지각의 모호면의 깊이는 더 깊어질 것이다.

│바로알기│ ㄱ. 모호면은 지각과 맨틀의 경계면이므로 A보다 B에서 깊다.

ㄷ. 에어리설은 지각의 두께 차이로 지각 평형을 설명하고, 프래트설은 지각의 밀도 차이로 지각 평형을 설명한다. 해양 지각이 대륙 지각보다 밀도가 큰 것은 프래트설로 잘 설명이 되고, 해양 지각이 대륙 지각보다 두께가 얇은 것은 에어리설로 잘 설명이 된다.

12 (꼼꼼) 문제 분석

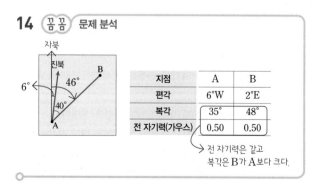

A와 B는 적도에서 최소이고 극에서 크기가 같으므로 만유인력과 중력이다. 중력은 만유인력과 원심력의 합력이고, 만유인력은 지구 중심쪽, 원심력은 지구 바깥쪽으로 작용하므로 크기가 큰 A가 만유인력이고, B가 중력이다.

힘의 크기가 적도에서 최대이고 극에서 0이므로 C는 원심력이다.

ㄱ. A(만유인력)의 방향은 모든 위도에서 지구 중심을 향한다.

ㄴ. B는 중력이고, C는 지구 자전에 의한 원심력이다. 중력(B)은 만유인력(A)과 원심력(C)의 합력으로 나타난다.

┃**바로알기**┃ ㄷ. C는 지구 자전에 의한 원심력이므로 항상 지구 자전축에 수직인 방향으로 작용한다.

13 (꼼꼼) 문제 분석

표준 중력이 같다.

측정 지점	A	B	C
위도	0°	45°N	45°N
중력 이상(mGal)	0	0	+30

실측 중력=표준 중력

실측 중력>표준 중력

ㄷ. C 지점은 B 지점과 표준 중력은 같고 중력 이상이 (+)이므로 실측 중력은 B 지점보다 크다. 따라서 C 지점은 B 지점보다 지하에 고밀도 물질이 존재할 것으로 추정된다.

┃**바로알기**┃ ㄱ. 표준 중력의 크기는 위도가 같은 지점에서 같고, 고위도로 갈수록 커진다. A 지점은 B 지점보다 위도가 낮으므로 지구 중심으로부터의 거리가 멀어 표준 중력이 더 작다.

ㄴ. B 지점은 C 지점과 위도가 같으므로 표준 중력이 같고, 중력 이상이 다르므로 실측 중력이 다르다. 중력 이상은 실측 중력에서 표준 중력을 뺀 값으로, B 지점에서 0 mGal, C 지점에서 +30 mGal이므로 B 지점보다 C 지점에서 실측 중력이 크다.

14 (꼼꼼) 문제 분석

자북, 진북

6°, 46°, 40°

지점	A	B
편각	6°W	2°E
복각	35°	48°
전 자기력(가우스)	0.50	0.50

전 자기력은 같고 복각은 B가 A보다 크다.

ㄱ. A에서 편각은 6°W로, 서편각이므로 나침반의 자침은 진북에 대해 서쪽을 가리킨다.

ㄴ. 두 지점의 전 자기력이 같으므로 A보다 복각이 큰 B에서 연직 자기력의 크기가 더 크다.

┃**바로알기**┃ ㄷ. A에서 나침반 자침은 진북에 대해 서쪽으로 6°를 가리키고, B는 A에서 진북 방향에 대해 40° 동쪽에 있다. 따라서 A에서 B로 가기 위해서는 나침반 자침의 N극 방향에 대해 46° 동쪽으로 출발해야 한다.

15 마그마 바다가 형성되면서 핵과 맨틀의 분리로 핵에 철 등 무거운 물질이 밀집되면서 분리 전보다 지구 중심부의 밀도가 커졌다.

(모범답안) (가) 밀도가 큰 물질이 중심 쪽으로 가라앉고, 밀도가 작은 물질이 표면 쪽으로 떠올라 지구 중심부의 밀도는 커진다.
(나) 지구 전체의 구성 물질은 변화하지 않으므로 지구 전체의 평균 밀도는 거의 변화하지 않는다.

채점 기준	배점
(가)와 (나)를 모두 옳게 서술한 경우	100 %
(가)와 (나) 중 한 가지만 옳게 서술한 경우	50 %

16 (꼼꼼) 문제 분석

지진파	도착 시각
P파	06시 10분 10초
S파	06시 19분 10초
PS시	06시 19분 10초 −06시 10분 10초=9분

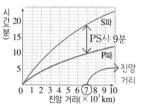

진앙 거리: 그래프에서 PS시가 9분인 진앙 거리는 약 7000 km이다.

(모범답안) PS시는 9분이고, 진앙 거리는 약 7000 km이다.

채점 기준	배점
PS시와 진앙 거리를 모두 옳게 구한 경우	100 %
PS시만 옳게 구한 경우	50 %

17 그림은 11월 6일경에 지구 자기장의 급격한 변화가 나타난 것으로, 자기 폭풍이 일어난 때이다. 태양 활동이 활발한 시기에 태양 표면의 흑점 수가 많아지면 흑점 주변에서 강력한 폭발 현상(플레어)이 발생하며, 이로 인해 방출된 많은 대전 입자와 전자기파가 지구 대기로 유입되어 자기 폭풍, 오로라, 델린저 현상 등이 발생한다.

(모범답안) 태양 활동의 변화로 급격한 자기장의 변화가 나타난다. 태양 활동이 활발한 시기에 태양에서는 강력한 플레어가 발생할 수 있고, 지구에서는 자기 폭풍, 오로라, 델린저 현상 등이 발생할 수 있다.

채점 기준	배점
자기장 변화의 원인과 이 시기에 태양과 지구에서 나타날 수 있는 현상을 한 가지씩 옳게 서술한 경우	100 %
자기장 변화의 원인을 옳게 서술하고, 이 시기에 태양과 지구에서 나타날 수 있는 현상 중 한 가지만 서술한 경우	70 %
자기장 변화의 원인만 옳게 서술한 경우	40 %

수능 실전 문제

56쪽~59쪽

01 ①	02 ③	03 ①	04 ③	05 ⑤	06 ①
07 ⑤	08 ③	09 ③	10 ②	11 ④	12 ④
13 ③	14 ②	15 ③			

01

선택지 분석

㉠ 지구 중심부의 밀도는 A보다 C일 때 컸다.

✗ 지표의 온도는 B보다 C일 때 높았다. 낮았다

✗ D 시기에 대기 중 산소의 기체 분압은 매우 높았다. 낮았다

ㄱ. 핵과 맨틀은 B에서 마그마 바다 상태에서 분리되었고, 그후 원시 지각이 형성되었다. 지구 중심부의 밀도는 핵과 맨틀이 분리된 후에 더 커졌으므로 A보다 C일 때 컸다.

바로알기 ㄴ. 지구의 상당 부분이 녹아 마그마 바다가 형성(B)되었고, 그 후 지표면이 식어 지각이 형성된 후 바다가 형성(C)되었다. 따라서 마그마 바다가 형성된 B 시기보다 원시 바다가 형성된 C 시기에 지표의 온도가 낮았다.

ㄷ. 약 39억 년 전, 최초의 생명체가 탄생한 시기(D)에는 산소가 거의 없었고, 이산화 탄소, 암모니아, 메테인, 수소 등이 대기를 이루고 있었다. 약 35억 년 전 광합성 생물이 등장한 후 해양에 산소가 축적되기 시작했고, 약 27억 년 전 대기 중에 산소가 축적되기 시작하였다.

02

선택지 분석

㉠ 원시 지구의 대기 층상 구조는 현재 화성과 비슷하였다.

✗ 현재 대기 층상 구조는 지구보다 화성이 더 복잡하다. 단순하다

㉢ 지구 대기의 A층은 광합성 생물에 의해 형성되었다.

ㄱ. 원시 지구의 대기 조성은 현재 화성과 비슷하게 질소와 이산화 탄소가 많았다. 대기 중에 산소가 적어 오존층이 존재하지 않아 대기의 층상 구조는 현재의 화성과 비슷했을 것이다.

ㄷ. A층은 높이 올라갈수록 기온이 높아지는 성층권으로, 오존층이 자외선을 흡수하여 기온이 높아진다. 오존층은 광합성 생물에 의해 대기 중에 산소가 충분히 많아진 이후 형성되었다.

바로알기 ㄴ. 현재 화성의 대기는 높이 올라갈수록 기온이 낮아지는 구간만 나타난다. 현재 지구의 대기 층상 구조는 오존층이 존재하여 성층권이 생성되어 있으므로 화성보다 복잡하다.

03 꼼꼼 문제 분석

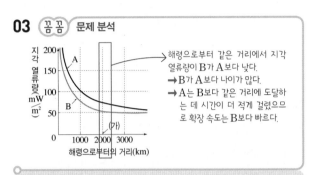

해령으로부터 같은 거리에서 지각 열류량이 B가 A보다 낮다.
→ B가 A보다 나이가 많다.
→ A는 B보다 같은 거리에 도달하는 데 시간이 더 적게 걸렸으므로 확장 속도는 B보다 빠르다.

선택지 분석

㉠ A판은 B판보다 지각 열류량이 높다.

✗ (가) 지점에서 A판은 B판보다 해저 지각의 나이가 많다. 적다

✗ A판에서는 B판보다 더 많은 방사성 동위 원소가 붕괴된다. B판과 비슷한 양의

ㄱ. 해령으로부터 같은 거리에 있을 때 지각 열류량을 비교하면, A판이 B판보다 높다.

바로알기 ㄴ. 해령에서 멀어짐에 따라 지각 열류량은 점차 감소하며, 해양판의 확장 속도가 빠를수록 같은 거리에서 지각 열류량이 더 높다. A판이 B판보다 더 빠른 속도로 확장되고 있으므로 (가) 지점에서 해양판의 나이는 A판이 B판보다 적다.

ㄷ. A판과 B판은 모두 해양판이므로 방사성 동위 원소에 의한 붕괴열의 양은 비슷하다.

04 꼼꼼 문제 분석

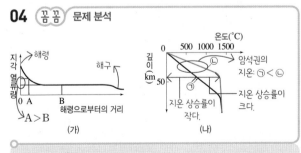

(가)   (나)

선택지 분석

㉠ 지각 열류량은 A가 B보다 높다.

㉡ B 지점의 지온 분포는 ㉠이다.

✗ 암석권에서의 깊이에 따른 지온 변화율은 ㉡보다 ㉠이 크다. 작다

ㄱ. 해양 지각에서 지각 열류량은 해령에서 가장 높고 해구 쪽으로 갈수록 낮아진다. 따라서 해령에 가까운 A 지역이 해령에서 먼 B 지역보다 지각 열류량이 높다.

ㄴ. A 지역은 B 지역보다 지각 열류량이 높고 ㉡은 ㉠보다 지표 부근의 온도가 높으므로 A 지역은 ㉡과 같은 지온 분포를 보이고, B 지역은 ㉠과 같은 지온 분포를 보인다.

┃바로알기┃ ㄷ. 지표에서부터 지온 상승률이 낮아지는 깊이까지의 구간이 암석권이다. 암석권에서 같은 깊이만큼 들어갈 때 지온이 더 높은 경우가 지온 상승률이 더 크다. 따라서 (나)에서 지온 변화율은 ㉡이 ㉠보다 크다.

05

┃선택지 분석┃
㉠ 진원 거리는 (나)가 (가)보다 멀다.
㉡ ㉠ 시점에 관측소에 도달한 에너지양은 (나)가 (가)보다 많다.
㉢ 지표면의 진동은 (가)보다 (나)에서 크다.

ㄱ. 진원 거리가 멀수록 PS시가 길어진다. PS시는 (가)에서는 13초이고, (나)에서는 20초이다.

ㄴ. 진폭은 관측소에 도달한 에너지양에 의해 결정되므로 진폭이 더 큰 (나)가 (가)보다 더 많은 에너지가 도달하였다.

ㄷ. 관측소에서 측정된 ㉠(S파)의 진폭은 (나)가 (가)보다 더 크다. 지진파의 진폭이 클수록 지표면이 크게 진동하므로 (가)보다 (나)에서 지표면의 진동이 크다.

06 꼼꼼 문제 분석

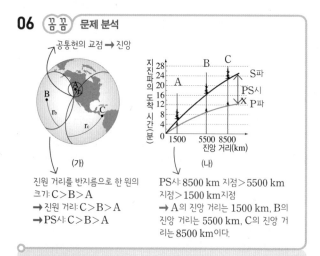

(가)

진원 거리를 반지름으로 한 원의
크기: C>B>A
➡ 진원 거리: C>B>A
➡ PS시: C>B>A

(나)

PS시: 8500 km 지점>5500 km
지점>1500 km지점
➡ A의 진앙 거리는 1500 km, B의
진앙 거리는 5500 km, C의 진앙 거
리는 8500 km이다.

┃선택지 분석┃
㉠ (나)에서 X는 P파의 주시 곡선이다.
✗ A 관측소에서 PS시는 약 6분이다. 3분
✗ 세 관측소 중 C가 진앙에 가장 가깝다. A

ㄱ. (나)에서 X는 관측소에 먼저 도달한 지진파의 주시 곡선이므로 P파의 주시 곡선이다.

┃바로알기┃ ㄴ. PS시는 P파와 S파의 도착 시간 차이이고, 진원 거리가 멀수록 PS시가 길다. (가)에서 A 관측소의 진원 거리가 가장 가까우므로 PS시가 가장 짧고, (나)에서 진앙 거리가 1500 km인 관측소의 PS시가 가장 짧으므로 A 관측소의 진앙 거리는 1500 km이다. 이때 PS시를 그래프에서 읽으면 약 3분이다.

ㄷ. 진앙 거리가 멀수록 PS가 길다. 세 관측소 중 A의 PS시가 가장 짧고 C의 PS시가 가장 길므로, A가 진앙에 가장 가깝고 C가 진앙에서 가장 멀다.

07

┃선택지 분석┃
㉠ ㉠은 지진이 발생한 시각이다.
㉡ 진앙 거리가 멀수록 PS시가 길어진다.
㉢ A~D 지진 관측소에는 모두 직접파가 최초로 도착하였다.

ㄱ. ㉠은 PS시가 0초에 해당하므로 지진이 발생한 시각이다.

ㄴ. 진앙 거리가 멀어지면 P파의 도착 시각이 늦어지고, P파의 도착 시각이 늦어지면 그림에서 PS시가 증가하므로 진앙 거리가 멀어질수록 PS시도 증가한다.

ㄷ. A, B, C, D 지역에서 P파의 도착 시각이 일정하게 증가하므로 A~D 지진 관측소에는 모두 직접파가 도착하였다.

08 꼼꼼 문제 분석

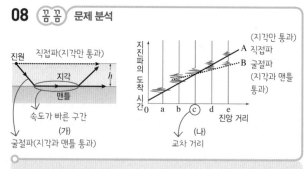

(가)

속도가 빠른 구간

굴절파(지각과 맨틀 통과)

(나)

교차 거리

┃선택지 분석┃
㉠ 지각보다 맨틀에서 전파 속도가 빠르다.
✗ (나)의 d와 e 지점에는 굴절파보다 직접파가 먼저 도착 하였다. 나중에
㉢ (가)의 h가 두꺼워질수록 (나)에서 A와 B가 교차하는 진앙 거리가 멀어진다.

지각의 진원에서 전파된 지진파가 맨틀을 만나면 물질의 밀도가 달라져 전파 속도가 달라지면서 굴절이 일어난다. (나)에서 A는 직접파의 도착 시간을, B는 굴절파의 도착 시간을 나타낸다.

ㄱ. 거리가 먼 d나 e 지점에 맨틀에서 굴절된 지진파가 먼저 도착하는 것으로 볼 때 맨틀은 지각보다 지진파의 속도가 빠르다.

ㄷ. 지각의 두께 h가 두꺼워질수록 굴절파는 더 먼 거리를 이동해야 관측소에 도착하므로 직접파와 굴절파가 동시에 도달하는 진앙 거리(교차 거리)가 멀어진다.

바로알기 ㄴ. (나)의 d와 e 지점에서는 A보다 B가 먼저 도착하였으므로 직접파보다 굴절파가 먼저 도착한다.

09

선택지 분석
ㄱ. 지진파 속도는 $V_1 < V_2 < V_3$이다.
✗. V_2의 지진파 속도가 증가하면 ㉠은 증가한다. 감소
ㄷ. ㉡ 구간에는 V_1으로만 전파된 P파보다 V_1과 V_2로 전파된 P파가 먼저 도착한다.

ㄱ. V_1을 통해 전달된 직접파가 도달한 구간이 ㉠ 구간이다. ㉡ 구간에는 V_1과 V_2로 이동한 굴절파가 도달한다. 이때 굴절파는 직접파보다 더 빨리 도달하므로 V_1보다 V_2에서 지진파의 속도가 빠르다. 또한, V_1, V_2, V_3를 통과하여 도달한 굴절파는 V_2로 전달되는 지진파보다 더 빨리 도달하므로 V_3는 V_2보다 지진파의 속도가 더 빠르다. 따라서 지진파의 속도는 $V_1 < V_2 < V_3$이다.

ㄷ. ㉡ 구간에는 V_1으로만 전달되는 직접파보다 V_1과 V_2로 전달된 굴절파가 더 빨리 도착한다.

바로알기 ㄴ. V_2에서 지진파의 속도가 증가하면 굴절파가 더 빨리 도착하므로 교차 거리가 짧아져 ㉠ 구간이 감소한다.

10 꼼꼼 문제 분석

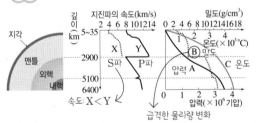

속도: X < Y
급격한 물리량 변화

선택지 분석
✗. X는 P파, Y는 S파이다. (S파 / P파)
✗. A는 압력, B는 온도, C는 밀도의 변화이다. (밀도 / 온도)
ㄷ. Y의 속도 분포에 가장 큰 영향을 미치는 것은 A~C 중 B이다.

ㄷ. P파(Y)의 속도 분포는 각 층의 경계면에서 크게 변하며, 밀도(B) 또한 각 층의 경계면에서 불연속적으로 크게 변하므로 P파(Y)의 속도 분포에 가장 큰 영향을 미치는 것은 밀도(B)이다.

바로알기 ㄱ. X는 맨틀에서는 속도 분포가 나타나지만 외핵과 내핵에서는 속도 분포가 나타나지 않으므로 액체인 외핵을 통과하지 못하는 S파이며, Y는 지구 모든 층상 구조에서 속도 분포가 나타나므로 P파이다.

ㄴ. A는 S자 곡선의 형태로 지구 중심으로 가면서 지속적으로 물리량의 값이 증가하므로 압력이다. B는 층상 구조의 경계면에서 불연속적으로 물리량의 값이 증가하므로 밀도이다. C는 지구 중심으로 가면서 지속적으로 증가하므로 온도이다.

11

선택지 분석
ㄱ. 저울의 눈금이 0이 되었을 때에 지각 평형이 이루어진 상태를 나타낸다.
✗. (나)와 (다)는 가라앉은 나무 도막의 두께가 같다. 다르다
ㄷ. 침식이 일어나는 지역의 지표면은 (나) → (다)와 같은 현상이 일어난다.

ㄱ. 저울의 눈금이 0이 되었다는 것은 나무 도막이 더 이상 아래쪽으로 가라앉지도 않고 위쪽으로 떠오르지도 않았음을 의미하므로 평형이 되었음을 알 수 있다.

ㄷ. 지표면이 침식되면 지각의 무게가 감소하므로 (나) → (다) 과정과 같이 지각이 위쪽으로 떠오르는 융기가 일어난다.

바로알기 ㄴ. (나)는 나무 도막 위에 추가 있는 상태에서, (다)는 추를 제거한 상태에서 평형이 이루어졌으므로 추의 무게로 인해 더 무거운 (나)의 나무 도막이 더 많이 가라앉는다.

12 꼼꼼 문제 분석

원심력이 0이므로
중력 = 만유인력

선택지 분석
✗. A는 원심력에 해당한다. 만유인력
✗. 중위도에서 자유 낙하하는 물체는 힘 A 방향으로 떨어진다. 중력
✗. 중력의 크기는 양 극에서 적도로 갈수록 커진다. 작아진다
④ 극에서 중력의 크기는 983.2 Gal이다.
✗. 단진자의 주기는 30°N보다 60°N에서 길다. 짧다

④ 극에서는 원심력(B)이 0이므로 만유인력(A)이 곧 중력이 된다. 따라서 중력은 983.2 Gal이다.

바로알기 ① 만유인력과 원심력의 크기를 비교하면 만유인력이 훨씬 크다. 따라서 A는 만유인력, B는 원심력에 해당한다.
② 지구에서 자유 낙하하는 모든 물체는 중력의 영향을 받으며 낙하한다. 따라서 중위도 지역에서 낙하하는 물체는 만유인력(A) 방향이 아닌 중력 방향으로 낙하한다.
③ 적도에서 양 극으로 갈수록 만유인력(A)이 커지고 원심력(B)이 작아지므로 두 힘의 합력인 중력의 크기는 적도에서 양 극으로 갈수록 커진다.
⑤ 중력이 클수록 단진자의 주기가 짧다. 고위도로 갈수록 중력의 크기가 커지므로 단진자의 주기는 30°N보다 60°N에서 짧다.

13

선택지 분석
ㄱ. 표준 중력은 A 지점이 B 지점보다 크다.
ㄴ. C 지점은 표준 중력이 실측 중력보다 크다.
ㄷ. 해수면 아래에 분포하는 물질의 평균 밀도는 C 지점이 A 지점보다 ~~크다~~. 작다

ㄱ. 지구에서 표준 중력은 고위도로 갈수록 커진다. A 지점은 B 지점보다 고위도에 위치하므로 표준 중력은 A 지점이 B 지점보다 크다.
ㄴ. 중력 이상은 실측 중력에서 표준 중력을 뺀 값이다. C 지점은 중력 이상이 (−)이므로 실측 중력이 표준 중력보다 작다.
바로알기 ㄷ. 중력 이상이 (+)인 지점은 지하에 주변 지역에 비해 고밀도 물질이 분포하고, (−)인 지점은 지하에 주변 지역에 비해 저밀도 물질이 분포한다. A와 C 지점은 위도가 같아 표준 중력이 같으므로 중력 이상이 큰 곳의 실측 중력이 크다. A 지점의 중력 이상은 +20, C 지점의 중력 이상은 −10 정도이므로 해수면 아래에 분포하는 물질의 평균 밀도는 A 지점이 C 지점보다 크다.

14 꼼꼼 문제 분석

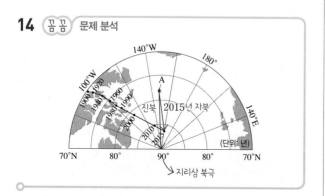

선택지 분석
✕ 2015년에는 ~~동편각~~으로 나타난다. 서편각
ㄴ. 복각의 크기는 2010년보다 2015년에 감소하였다.
✕ ~~태양 활동~~의 변화로 자북극의 위치가 변하였다.
　　지구 내부의 변화

ㄴ. 자북극이 이동함에 따라 A 지점은 2010년보다 2015년에 자북극에서 멀어졌다. 복각은 자북극으로 갈수록 커지므로 A 지점의 복각은 2010년보다 2015년에 감소하였다.
바로알기 ㄱ. 2015년에 A 지점에서 지리상 북극(90°N)을 바라보았을 때 자북은 서쪽에 위치한다. 따라서 편각은 서편각(W)으로 나타난다.
ㄷ. 자북극의 이동은 영년 변화에 해당하며, 지구 내부 외핵에서 일어나는 열대류의 변화에 의해 발생하는 것으로 추정된다.

15 꼼꼼 문제 분석

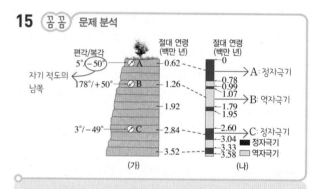

선택지 분석
ㄱ. A는 자기 적도의 남쪽에서 형성되었다.
✕ B가 형성될 때 지구 자기장의 방향은 현재와 ~~같았다~~.
　　　　　　　　　　　　　　　　　　　반대였다
ㄷ. C가 형성된 후 24만 년이 흘렀을 때 지구 자기장의 역전이 일어난다.

ㄱ. 자기 적도를 기준으로 북반구에서 복각은 (+), 남반구에서 복각은 (−)로 나타낸다. A가 형성될 때는 정자극기이고 이 지역의 복각은 −50°이므로 자기 적도를 기준으로 남쪽에 있었다.
ㄷ. C가 형성된 284만 년 전에서 24만 년이 지난 이후 260만 년 전에 지구 자기장의 역전이 일어났다.
바로알기 ㄴ. B가 형성된 시기는 역자극기였고, 현재는 정자극기이므로 B가 형성된 시기에 지구 자기장의 방향은 현재와 반대였다.

2 지구 구성 물질과 자원

 01 광물의 성질

1 (1) 광물은 자연적으로 만들어진 고체의 무기물이나 화합물로, 인공적인 것은 광물이라고 하지 않는다.
(2) 광물은 생물의 활동에 의해 만들어진 유기질을 제외하므로 고체로 이루어진 무기질이나 화합물이어야 한다.
(3) 광물은 일정한 화학 조성과 규칙적인 내부 결정 구조를 가진다.

2 광물은 한 가지 원소로 이루어진 원소 광물이 있고, 광물에 포함된 음이온에 따라 산화 광물, 황화 광물, 규산염 광물, 탄산염 광물, 황산염 광물, 할로젠화 광물 등이 있다.

3 규산염 사면체는 중심에 규소 이온(Si^{4+})이 있고, 네 개의 꼭짓점에 산소 이온(O^{2-})이 위치하고 있는 구조이다.

4 ① 망상 구조는 규산염 사면체끼리 산소 4개를 공유한다.
② 판상 구조는 규산염 사면체끼리 산소 3개를 공유한다.
③ 단사슬 구조는 규산염 사면체끼리 산소 2개를 공유한다.
④ 독립형 구조는 규산염 사면체가 다른 규산염 사면체와 결합되어 있지 않아 공유하는 산소가 없다.
⑤ 복사슬 구조는 규산염 사면체끼리 산소 2개 또는 3개를 공유한다.

5 (1) 광물은 광물을 이루고 있는 원자나 이온이 규칙적으로 배열되어 독특한 결정형이 나타나며, 결정형은 광물에 따라 다양하게 나타난다.
(2) 무색 광물은 Na, K 함량이 높다. Mg, Fe 함량이 높은 광물은 유색 광물이다.
(3) 모스 굳기는 광물의 단단한 순서만으로 정한 것이다. 따라서 모스 굳기가 2배 차이난다고 2배 더 단단한 것은 아니다.

(4) 광물에 힘을 가할 때 광물의 모든 방향에서 결합력이 비슷하여 방향성 없이 불규칙하게 깨지는 성질을 깨짐이라고 한다.
(5) 유리 광택, 진주광택, 견사 광택은 비금속 광택의 종류이다.

6 두 광물을 서로 긁었을 때 무른 광물이 긁힌다. 인회석과 방해석은 황옥보다 무르고, 방해석은 인회석보다 무르다.

①-1 꼼꼼 문제 분석

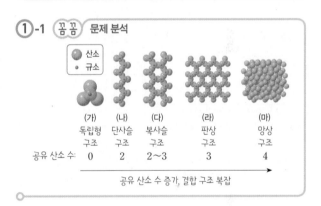

(가)는 규산염 사면체끼리 공유하는 산소가 없으므로 독립형 구조이고, (나)와 (다)는 각각 1개와 2개의 긴 사슬 모양으로 결합을 이루므로 단사슬 구조와 복사슬 구조이다. (라)는 판 모양의 결합을 이루므로 판상 구조이고, (마)는 입체 모양으로 결합을 이루므로 망상 구조이다.

①-2 (마)는 망상 구조로, 규산염 사면체 사이에 산소 4개를 모두 공유하여 3차원으로 결합한다.

①-3 ㉠ 독립형 구조인 (가)의 기본 음이온은 SiO_4^{4-}이므로 Si : O는 1 : 4이고, 광물에서는 깨짐이 잘 나타난다.
ⓛ 단사슬 구조인 (나)의 광물에서는 규산염 사면체 사이의 결합이 없는 면을 따라 두 방향의 쪼개짐이 잘 나타난다.
ⓒ 판상 구조인 (라)의 광물에서는 규산염 사면체 사이의 결합이 없는 면을 따라 한 방향의 쪼개짐이 잘 나타난다.
ⓔ 망상 구조인 석영은 모든 방향으로 결합력이 비슷하므로 깨짐이 잘 나타난다.

1-4 (1) 각섬석의 구조는 (다) 복사슬 구조에 속한다. (가) 독립형 구조에 속하는 대표적인 광물은 감람석이다.

(2) (가)에서 (마)로 갈수록 규산염 사면체의 공유 산소 수가 증가하므로 규산염 사면체의 공유 산소 수는 (다)가 (나)보다 많다.

(3) (라)는 (다)보다 공유 산소 수가 많으므로 Si 원자 1개당 O 원자의 개수가 적다. 따라서 $\dfrac{\text{O 개수}}{\text{Si 개수}}$ 는 (다)가 (라)보다 크다.

(4) (가)와 (마)는 모든 방향으로 결합력이 비슷하여 깨짐이 잘 발달한다.

(5) (가)에서 (마)로 갈수록 공유 결합에 의한 결합력이 크므로 화학적 풍화에 강하다.

2-1 꼼꼼 문제 분석

규산염 광물 중 유색 광물에 많은 원소

광물	색	조흔색	쪼개짐·깨짐	모스 굳기	구성 원소 금속 원소	구성 원소 음이온	
A	담록색	흰색	깨짐	6.5~7	Mg,Fe	SiO_4^{4-}	
B	녹흑색	녹색, 흰색	두 방향	5~6	Ca, Mg,Fe	SiO_4^{4-}	규산 이온
C	흑갈색	흰색	한 방향	2.5~3	Al,K, Mg,Fe	SiO_4^{4-}	
D	흰색	흰색	두 방향	6	Al, K	SiO_4^{4-}	
E	무색	흰색	깨짐	7	−	SiO_4^{4-}	
F	무색	흰색	세 방향	3	Ca	CO_3^{2-}	탄산 이온
G	황색	녹흑색	깨짐	3.5~4	Cu,Fe	S^{2-}	황화 이온

• 색 ┌ 유색 광물: A, B, C, G
　　 └ 무색 광물: D, E, F
• 쪼개짐·깨짐 ┌ 쪼개짐: B, C, D, F
　　　　　　 └ 깨짐: A, E, G
• 굳기: E≥A>D≥B>G>F≥C
• 광물 ┌ 규산염 광물: A, B, C, D, E
　　　 └ 비규산염 광물: F(탄산염 광물), G(황화 광물)

광물에 포함된 음이온이 규산 이온(SiO_4^{4-})이면 규산염 광물이라고 한다. 따라서 A~E는 규산염 광물이고, F와 G는 SiO_4^{4-}를 포함하고 있지 않으므로 비규산염 광물이다.

2-2 ㄱ. 두 광물은 조흔색이 흰색으로 같으므로 조흔판으로 두 광물을 구별할 수 없다.

ㄴ. A는 깨짐이 나타나고, C는 쪼개짐이 나타나므로 광물에 망치로 충격을 주어 관찰하면 두 광물을 구별할 수 있다.

ㄷ. 묽은 염산은 탄산염 광물과 반응하여 광물 표면에 이산화 탄소 기체가 발생한다. 두 광물 모두 규산염 광물이므로 묽은 염산과 반응하지 않는다.

ㄹ. 모스 굳기 4.5인 쇠못으로 긁으면 A는 긁히지 않지만, C는 긁히므로 두 광물을 구별할 수 있다.

2-3 (1) 무색 광물은 광물의 색이 밝게 보이는 광물로, 조흔색과는 관련이 없다. D, E, F가 무색 광물이다.

(2) A, E에서 깨짐이 나타나는 까닭은 방향에 따른 결합력이 비슷하기 때문이며, 굳기와는 관련이 없다.

(3) C는 한 방향의 쪼개짐이 나타나므로 판 모양으로 쪼개지는 성질이 있다.

(4) B는 F보다 모스 굳기가 크므로 더 단단한 광물이다. 따라서 B와 F를 서로 긁으면 F가 긁힌다.

01 ⑤　**02** ①　**03** ④　**04** ③　**05** ①　**06** ④
07 ④　**08** ②　**09** 해설 참조　**10** ③　**11** ①
12 ②　**13** ①　**14** 해설 참조　**15** ④　**16** ②

01 ①, ② 광물은 자연적으로 만들어진 고체 물질로, 일정한 화학 조성과 규칙적인 내부 결정 구조를 가진다.

③ 지구의 지각은 암석으로 구성되어 있고, 암석을 구성하는 기본 물질은 광물이다.

④ 광물은 대부분 내부 구조가 규칙적인 결정질이지만, 단백석과 같이 비결정질인 것도 있다.

┃바로알기┃ ⑤ 대부분의 광물은 두 종류 이상의 원소가 화합물을 이루지만, 한 종류의 원소가 광물을 이루는 것도 있다. 이를 원소 광물이라고 한다.

02 그림은 점무늬가 규칙적으로 배열되어 있는 라우에 점무늬이다.

ㄱ. 점무늬가 규칙적으로 나타나는 까닭은 광물 내부의 원자나 이온의 배열 상태가 규칙적이기 때문이다.

┃바로알기┃ ㄴ. 광물 내부의 원자 배열이 규칙적인 것을 결정질이라고 한다.

ㄷ. 라우에 점무늬로 광물의 생성 환경을 알 수 없으므로 무기적으로 생성되었음을 판단할 수 없다.

03 꼼꼼 문제 분석

광물군	광물에 포함된 음이온
A 원소 광물	없음
B 탄산염 광물	CO_3^{2-} 탄산 이온
C 규산염 광물	SiO_4^{4-} 규산 이온

ㄴ. 묽은 염산을 떨어뜨리면 A는 반응하지 않지만 B는 광물 표면에 이산화 탄소 기체가 발생하므로 두 광물을 구별할 수 있다.

ㄷ. C는 규산염 광물이다. 규산염 광물은 지각과 맨틀의 대부분을 구성한다.

바로알기 ㄱ. 석영은 규소와 산소로 이루어진 규산 이온(SiO_4^{4-})이 포함되어 있는 규산염 광물이므로 C에 속한다. A는 한 가지 원소로 이루어진 원소 광물로, 구리, 금, 금강석 등이 속한다.

04 A는 조암 광물의 92 %를 차지하는 규산염 광물로, 석영, 휘석, 감람석, 흑운모 등이 있다. B는 조암 광물의 8 %를 차지하는 비규산염 광물이다. 암염, 황철석, 방해석은 각각 비규산염 광물인 할로젠화 광물, 황화 광물, 탄산염 광물이다.

05 ㄱ. 규산염 광물은 규소와 산소로 이루어진 규산염 사면체를 기본 구조로 한다.

바로알기 ㄴ. 규산염 사면체는 1개의 규소 이온 주위에 4개의 산소 이온이 위치한 구조이므로 A는 산소, B는 규소이다.

ㄷ. 규산염 사면체끼리 산소(A)를 공유하는 방식에 따라 다양한 규산염 광물이 만들어진다.

06 ④ 산소 2개를 공유하는 규산염 사면체와 산소 3개를 공유하는 규산염 사면체가 교대로 배열되어 2개의 단사슬 사면체 구조가 연결되는 복사슬 구조를 이룬다.

바로알기 ① 복사슬 구조를 나타낸 것이다.

② 복사슬 구조는 규소와 산소의 결합비(Si : O)가 4 : 11이다. Si : O가 1 : 2인 규산염 광물의 결합 구조는 망상 구조이다.

③ 결합 구조가 복사슬 구조인 대표적인 광물로 각섬석이 있다. 감람석은 결합 구조가 독립형 구조인 광물이다.

⑤ 복사슬 구조는 규산염 사면체가 산소 2개 또는 3개를 공유한다. 산소 4개를 공유하는 결합 구조는 망상 구조이다.

[07~08] 꼼꼼 **문제 분석**

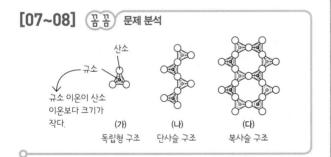

07 ㄱ. 빨간색 스타이로폼 공은 규산염 사면체의 중심에 있으므로 규소에 해당한다.

ㄴ. 규소 이온은 산소 이온보다 크기가 작으므로 빨간색 스타이로폼 공은 흰색 스타이로폼 공보다 크기가 작아야 한다.

ㄷ. (가)는 규산염 사면체가 독립적으로 있으므로 독립형 구조 모형을 만든 것이다. (나)는 1개의 긴 사슬 모양을 이루므로 단사슬 구조 모형을 만든 것이다. (다)는 단사슬 구조 2개가 연결되어 결합하므로 복사슬 구조 모형을 만든 것이다.

바로알기 ㄹ. 규산염 사면체가 독립된 구조는 (가) 독립형 구조이다. (나) 단사슬 구조는 규산염 사면체가 인접한 사면체와 2개의 산소를 공유하여 형성된다.

08 ㄴ. (나)는 규산염 사면체끼리 양쪽의 산소를 공유하여 1개의 긴 사슬을 이루므로 단사슬 구조이다.

바로알기 ㄱ. 규산염 사면체가 공유하는 산소 수는 (가)는 0개, (나)는 2개이다. 따라서 (나)가 (가)보다 규산염 사면체가 공유하는 산소 수가 많다.

ㄷ. (다)는 복사슬 구조이므로 각섬석의 결합 구조이다. 휘석의 결합 구조는 단사슬 구조이다.

09 같은 종류의 광물을 이루고 있는 원자나 이온의 배열이 규칙적이기 때문에 광물의 내부 구조는 같다.

모범답안 같은 종류의 광물을 이루고 있는 원자나 이온이 규칙적으로 배열되기 때문이다.

채점 기준	배점
원자나 이온의 배열을 언급하여 까닭을 옳게 서술한 경우	100 %
원자나 이온의 배열을 언급하지 않고 까닭을 서술한 경우	0 %

10 ㄱ. (가) 석영은 밝은색을 띠므로 무색 광물이고, (나) 각섬석은 어두운색을 띠므로 유색 광물이다.

ㄷ. 석영과 각섬석은 규산염 사면체가 각각 망상 구조와 복사슬 구조로 결합된 것이므로 두 광물 모두 규산염 광물이다.

바로알기 ㄴ. 규산염 광물 중에서 유색 광물은 Mg와 Fe 함량이 높아 어둡게 보이므로 (나)는 (가)보다 Mg와 Fe 함량이 높다.

11 꼼꼼 **문제 분석**

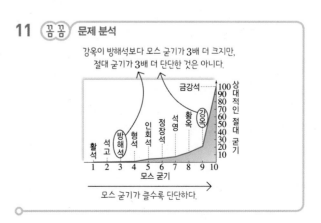

ㄱ. 모스 굳기 숫자가 클수록 단단한 광물이다. 황옥의 모스 굳기(8)는 형석의 모스 굳기(4)보다 크므로 두 광물을 서로 긁으면 더 무른 형석이 긁힌다.

▌**바로알기**▐ ㄴ. 모스 굳기는 광물의 단단한 순서를 상대적으로 정한 것이다. 따라서 모스 굳기가 9인 강옥이 모스 굳기가 3인 방해석보다 3배 단단한 것은 아니다.

ㄷ. 석영(모스 굳기: 7)이 활석(모스 굳기: 1)보다 모스 굳기가 큰 것은 화학적 결합력이 더 강하기 때문이다.

12 흑운모는 규산염 사면체끼리 산소를 공유하면서 판상 구조를 이루고, 흑운모에 힘을 주면 결합력이 약한 면을 따라 한 방향의 쪼개짐이 나타난다.

13 ㄱ. 두 광물 모두 규산염 광물이므로 규산염 사면체를 기본 구조로 하여 형성되었다.

▌**바로알기**▐ ㄴ. (가)는 규산염 사면체가 산소를 공유하지 않고, (나)는 모든 산소를 공유하므로 규소와 산소의 개수비가 다르다. (가)의 Si : O는 1 : 4이고, (나)의 Si : O는 1 : 2이다.

ㄷ. 광물에 충격을 주면 평탄한 면을 따라 갈라지는 성질은 쪼개짐이다. (가)와 (나)는 모든 방향으로 결합력이 비슷하므로 광물에 충격을 주면 방향성 없이 불규칙하게 갈라진다.

14 ▐모범답안▌ 감람석은 독립형 구조, 석영은 망상 구조로 결합되어 있기 때문에 모든 방향으로 결합력이 비슷하다. 따라서 두 광물에 망치로 충격을 주면 깨짐이 나타난다.

채점 기준	배점
결합 구조를 포함하여 결합력의 방향성을 서술한 경우	100 %
결합 구조를 포함하지 않고 결합력의 방향성을 서술한 경우	30 %

15 (꼼꼼) **문제 분석**

광물	화학식	색	조흔색	쪼개짐·깨짐	모스 굳기
금	Au	노란색	노란색	깨짐	2.5~3
황동석	FeS_2	노란색	녹흑색	깨짐	3.5~4
황철석	CuFeS_2	노란색	검은색	깨짐	6~6.5
		↓ 구별 불가능	↓ 구별 가능	↓ 구별 불가능	↓ 구별 가능

ㄱ. 세 광물의 색은 모두 같지만, 조흔색은 모두 다르므로 조흔판에 긁어보면 세 광물을 서로 구별할 수 있다.

ㄷ. 세 광물의 모스 굳기는 황철석>황동석>금 순서이다. 황동석과 금을 서로 긁으면 금이 긁히고, 황동석과 황철석을 서로 긁으면 황동석이 긁히므로 황동석을 이용하여 금과 황철석을 구별할 수 있다.

▌**바로알기**▐ ㄴ. 금과 황동석에 망치로 힘을 가하면 두 광물 모두 깨짐이 나타나므로 구별할 수 없다.

16 (꼼꼼) **문제 분석**

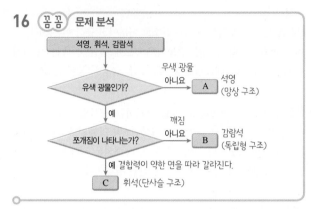

ㄴ. A(석영)는 규산염 사면체끼리 산소를 모두 공유하지만 B(감람석)는 공유하는 산소가 없다. 공유하는 산소 수가 많을수록 Si 원자 1개당 O 원자의 개수가 감소한다. 따라서 $\dfrac{\text{O 개수}}{\text{Si 개수}}$ 값은 A가 B보다 작다.

▌**바로알기**▐ ㄱ. A는 석영, B는 감람석, C는 휘석이다.

ㄷ. C(휘석)는 결합력이 약한 방향이 있으므로 쪼개짐이 나타난다. 규산염 사면체의 결합력이 모든 방향으로 비슷할 경우에는 깨짐이 나타난다.

02 편광 현미경과 암석의 조직

개념 확인 문제 73쪽

❶ 등방체 ❷ 이방체 ❸ 상부 ❹ 하부 ❺ 수직
❻ 개방 ❼ 직교

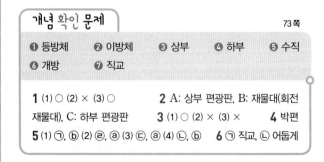

1 (1) ◯ (2) × (3) ◯   **2** A: 상부 편광판, B: 재물대(회전 재물대), C: 하부 편광판   **3** (1) ◯ (2) × (3) ×   **4** 박편
5 (1) ㉠, ⓑ (2) ㉣, ⓐ (3) ㉢, ⓐ (4) ㉡, ⓑ   **6** ㉠ 직교, ㉡ 어둡게

1 (1) 등방체 광물은 단굴절이 일어나는 광물로, 빛이 등방체 광물 내부를 통과하면 방향에 관계없이 빛의 속도가 일정하여 한 방향으로 굴절된다.

(2) 복굴절이 일어나는 광물은 이방체 광물이고, 단굴절이 일어나는 광물은 등방체 광물이다.

(3) 석영과 방해석은 복굴절이 일어나므로 이방체 광물이다.

2 꼼꼼 **문제 분석**

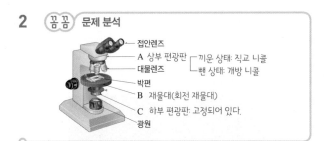

- 접안렌즈
- A 상부 편광판 ─ 끼운 상태: 직교 니콜
- 대물렌즈 ─ 뺀 상태: 개방 니콜
- 박편
- B 재물대(회전 재물대)
- C 하부 편광판: 고정되어 있다.
- 광원

B는 박편을 올려놓는 재물대(회전 재물대)이다. A는 재물대보다 위에 있는 상부 편광판이고, C는 재물대보다 아래에 있는 하부 편광판이다.

3 (1) 하부 편광판은 편광 현미경에 고정되어 있고, 상부 편광판은 끼웠다 뺐다 할 수 있다. 상부 편광판을 뺀 상태를 개방 니콜이라 하고, 끼운 상태를 직교 니콜이라고 한다.

(2) 재물대는 360° 회전시킬 수 있다.

(3) 편광 현미경으로 광물을 관찰하면 광물의 광학적 성질을 알 수 있다. 광물의 내부 구조는 X선을 통과시켜 알 수 있다.

4 박편은 빛이 통과할 수 있도록 암석이나 광물을 0.03 mm 정도의 두께로 얇게 만든 것으로, 재물대에 놓고 관찰한다.

5 (1) 색은 하부 편광판을 통과한 빛이 광물을 통과할 때 광물에 흡수되어 나타나는 현상(㉠)으로, 개방 니콜(ⓑ) 상태에서 관찰한다.

(2) 소광은 빛이 완전히 차단되어 어둡게 보이는 현상(㉣)으로, 직교 니콜(ⓐ) 상태에서 관찰한다.

(3) 간섭색은 복굴절로 만들어진 두 방향의 빛이 서로 간섭을 일으켜 찬란하고 다양한 색이 나타나는 현상(㉢)으로, 직교 니콜(ⓐ) 상태에서 관찰한다.

(4) 다색성은 재물대를 돌리면 광축 방향에 따라 빛을 흡수하는 정도가 달라져 색과 밝기가 미세하게 변하는 현상(㉡)으로, 개방 니콜(ⓑ) 상태에서 관찰한다.

6 재물대 위에 박편이 없는 상태에서 직교 니콜로 관찰하면 접안렌즈까지 도달하는 빛이 없어 암흑 상태가 된다. 이는 하부 편광판을 통과한 빛과 상부 편광판을 통과한 빛의 진동 방향이 서로 수직이기 때문이다.

1 A는 결정면 전체가 발달한 자형, B는 결정면 전체가 발달하지 못한 타형, C는 결정면의 일부가 발달한 반자형이다.

2 꼼꼼 **문제 분석**

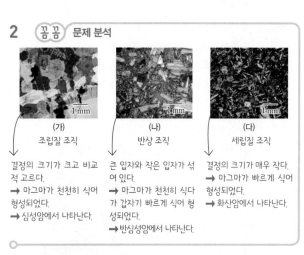

| (가) | (나) | (다) |
| 조립질 조직 | 반상 조직 | 세립질 조직 |

결정의 크기가 크고 비교적 고르다.
➜ 마그마가 천천히 식어 형성되었다.
➜ 심성암에서 나타난다.

큰 입자와 작은 입자가 섞여 있다.
➜ 마그마가 천천히 식다가 갑자기 빠르게 식어 형성되었다.
➜ 반심성암에서 나타난다.

결정의 크기가 매우 작다.
➜ 마그마가 빠르게 식어 형성되었다.
➜ 화산암에서 나타난다.

(1) (가)는 광물 결정의 크기가 크고 비교적 고른 조립질 조직이고, (나)는 조립질 조직과 세립질 조직의 광물이 함께 나타나므로 반상 조직이다. (다)는 광물 결정의 크기가 매우 작으므로 세립질 조직이다.

(2) 심성암은 마그마가 지하 깊은 곳에서 서서히 식어 형성되므로 결정의 크기가 크고 고른 (가) 조립질 조직이 나타난다.

(3) 마그마의 냉각 속도가 가장 빨랐던 암석은 결정의 크기가 가장 작은 (다) 세립질 조직이고, 가장 느렸던 암석은 결정의 크기가 가장 큰 (가) 조립질 조직이다.

3 (1) 심성암은 마그마가 지하 깊은 곳에서 굳어 형성된 암석이므로 지표에서 굳어 형성된 화산암보다 냉각 속도가 느린 환경에서 형성된다.

(2) 결정의 크기가 거의 없는 조직을 유리질 조직이라고 한다. 조립질 조직은 결정의 크기가 크고 비교적 고르다.

(3) 반심성암은 마그마가 지하 깊은 곳에서 식다가 비교적 얕은 깊이까지 올라와 굳어 형성되었으므로 반상 조직이 나타난다.

4 쇄설성 퇴적암은 암석의 풍화와 침식에 의해 생긴 쇄설성 입자가 속성 작용을 받아 생성된 암석이다.

5 ① 편암, ② 점판암, ③ 천매암, ④ 편마암은 기존 암석이 열과 압력에 의한 변성 작용을 받아 엽리가 나타난다.
⑤ 혼펠스는 기존 암석이 열에 의한 변성 작용을 받아 혼펠스 조직이 나타난다.

6 접촉 변성암의 대표적인 조직에는 혼펠스 조직과 입상 변정질 조직이 있다. 그중 입상 변정질 조직은 방향성이 없고 입자의 크기가 비슷하며 조립질로 구성된 조직이다.

대표 자료 분석
77쪽

자료① **1** (가) 개방 니콜 (나) 직교 니콜 **2** 다색성 **3** 석영, 감람석 **4** (1) ○ (2) ○ (3) × (4) ○
자료② **1** (가) 심성암 (나) 화산암 **2** (다) 쇄설성 조직 (라) 엽리 **3** (1) ○ (2) ○ (3) × (4) × (5) ○ (6) ○ (7) ×

---

①-1 **꼼꼼 문제 분석**

(가)	(나)	(다)
상부 편광판을 뺀 상태 → 개방 니콜	상부 편광판을 끼운 상태 → 직교 니콜	흑운모의 색과 밝기가 변화하였다. → 다색성 관찰

(가)는 상부 편광판을 뺀 상태이므로 개방 니콜이고, (나)는 상부 편광판을 끼운 상태이므로 직교 니콜이다.

①-2 (다)에서 흑운모의 색이 연한 갈색에서 진한 갈색으로 색의 진하기가 변하였으므로 다색성을 볼 수 있다.

①-3 간섭색은 (나) 직교 니콜 상태에서 복굴절로 만들어진 두 방향의 빛이 서로 간섭을 일으켜 나타나는 현상으로, 투명 광물 중 이방체 광물에서만 나타난다.
• 석영과 감람석은 투명 광물 중 이방체 광물이므로 직교 니콜 상태에서 간섭색을 관찰할 수 있다.
• 암염은 등방체 광물이므로 직교 니콜 상태에서는 완전 소광이 일어나 간섭색을 관찰할 수 없다.
• 자철석은 불투명 광물이므로 광물의 방향에 관계없이 항상 어둡게 보여 간섭색을 관찰할 수 없다.

---

①-4 (1) 광물의 색과 다색성은 개방 니콜 상태에서 관찰할 수 있다. 따라서 광물의 다색성을 관찰하기 위해서는 (가)의 방법을 이용한다.
(2) (나) 직교 니콜 상태에서 등방체 광물을 관찰하면 항상 어둡게 보이는 완전 소광이 관찰된다.
(3) 금속 광물은 빛을 통과시키지 못하므로 개방 니콜이나 직교 니콜로 관찰하면 모두 어둡게 보인다.
(4) (다)는 흑운모의 다색성을 관찰한 것이므로 (가) 개방 니콜 상태에서 관찰하였다.

②-1 **꼼꼼 문제 분석**

(가)	(나)
결정의 크기가 크고 비교적 고르다. → 조립질 조직	결정의 크기가 작다. → 세립질 조직

(다)	(라)
입자의 모서리가 마모되어 있고 입자 사이에 교결 물질이 채워져 있다. → 쇄설성 조직	줄무늬 구조가 나타난다. → 엽리

(가)는 조립질 조직이므로 심성암에서 잘 나타나고, (나)는 세립질 조직이므로 화산암에서 잘 나타난다.

②-2 (다)는 입자의 모서리가 마모되어 있으므로 쇄설성 조직이고, (라)는 입자가 줄무늬 구조를 이루고 있으므로 엽리이다.

②-3 (1) (가)는 심성암에서 나타나는 조립질 조직, (나)는 화산암에서 나타나는 세립질 조직이다.
(2), (3) (가)의 결정이 (나)의 결정보다 크기가 큰 까닭은 지하 깊은 곳에서 마그마가 천천히 식어 굳었기 때문이다.
(4) (다)는 쇄설성 조직이므로 쇄설성 퇴적암에서 나타난다. 화학적 퇴적암에서는 비쇄설성 조직이 나타난다.
(5) (라)에서 일정한 방향으로 배열된 줄무늬 구조를 엽리라고 한다.
(6) 엽리는 높은 압력을 받아 생기므로 (라)의 암석은 높은 열과 압력에 의해 변성 작용을 받았다.
(7) 혼펠스는 열에 의해 변성 작용을 받은 암석이므로 엽리가 나타나지 않는다. 엽리가 나타나는 암석에는 높은 열과 압력을 받아 생성된 점판암, 천매암, 편암, 편마암 등이 있다.

내신 만점 문제

78쪽~81쪽

01 ④	02 ④	03 ②	04 ①	05 ①	06 ⑤
07 해설 참조		08 ③	09 ②	10 ②	11 ③
12 ②	13 해설 참조		14 ③	15 ①	16 ④
17 ②	18 ⑤	19 ④	20 ③		

[01~02] 꼼꼼 문제 분석

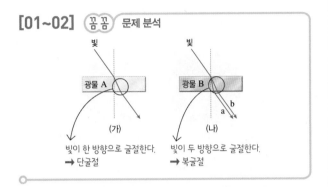

빛이 한 방향으로 굴절한다.
→ 단굴절

빛이 두 방향으로 굴절한다.
→ 복굴절

01 ㄴ. A는 단굴절이 일어나는 등방체 광물이고, B는 복굴절이 일어나는 이방체 광물이다.

ㄷ. 방해석은 이방체 광물이므로 빛이 방해석을 통과하면 (나)와 같이 복굴절이 일어난다.

▮바로알기▮ ㄱ. A와 B는 모두 빛을 통과시키므로 투명 광물이다.

02 ㄴ. B에서 두 방향으로 굴절된 빛 a, b의 진동 방향은 서로 수직이다.

ㄷ. 편광 현미경은 편광판을 이용한 현미경으로, 편광 현미경을 이용하여 B의 광학적 성질을 관찰할 수 있다.

▮바로알기▮ ㄱ. (나)에서 광물 내부를 통과하는 빛이 복굴절하므로 B는 이방체 광물이다. A는 빛이 단굴절하는 등방체 광물이다.

03 꼼꼼 문제 분석

빛이 복굴절하여 글자가 이중으로 보인다.

글자가 이중으로 보이는 것은 빛이 방해석을 통과할 때 진동 방향이 서로 수직인 두 광선으로 나뉘면서 굴절하는 복굴절 현상이 나타나기 때문이다.

①, ③, ④, ⑤ 석영, 각섬석, 감람석, 사장석은 모두 복굴절하는 이방체 광물이다.

▮바로알기▮ ② 암염은 단굴절하는 등방체 광물이므로 글자 위에 암염을 올려도 글자가 이중으로 보이지 않는다.

04 꼼꼼 문제 분석

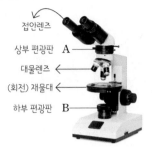

접안렌즈

상부 편광판 A

대물렌즈

(회전) 재물대

하부 편광판 B

• 상부 편광판을 뺀 상태를 개방 니콜, 끼운 상태를 직교 니콜이라고 한다.
• 개방 니콜 상태에서는 광물의 색, 다색성을 관찰할 수 있다.
• 직교 니콜 상태에서는 광물의 간섭색, 소광을 관찰할 수 있다.

ㄱ. A는 재물대보다 위에 있는 상부 편광판이고, B는 재물대보다 아래에 있는 하부 편광판이다.

▮바로알기▮ ㄴ. B는 편광 현미경에 고정되어 있고, A는 뺐다 끼웠다 할 수 있다. 개방 니콜은 A만 뺀 상태이다.

ㄷ. A(상부 편광판)를 통과한 빛과 B(하부 편광판)를 통과한 빛의 진행 방향은 서로 수직이다.

05 ㄱ. 박편에서 빛이 통과해야 편광 현미경으로 관찰할 수 있다. 투명 광물은 박편에서 빛이 통과하는 광물이므로 편광 현미경을 이용하여 투명 광물을 관찰할 수 있다.

▮바로알기▮ ㄴ. 하부 편광판은 편광 현미경에 고정되어 있다. 상부 편광판을 뺀 상태를 개방 니콜이라 하고, 상부 편광판을 삽입한 상태를 직교 니콜이라고 한다.

ㄷ. 상부 편광판을 삽입하면 직교 니콜 상태가 된다. 상부 편광판을 통과한 빛과 하부 편광판을 통과한 빛의 진행 방향은 서로 수직이므로 재물대 위에 박편이 없는 상태에서 직교 니콜로 관찰하면 어둡게 보인다.

06 편광 현미경으로 관찰한 흑운모의 색의 진하기가 점점 짙어졌으므로 다색성이 나타난 것이다. 다색성은 상부 편광판을 뺀 상태(개방 니콜)에서 재물대를 돌리면서 관찰한다.

07 (가) 재물대를 회전시켰을 때 소광이 나타났으므로 직교 니콜로 관찰한 것이다.

(나) 직교 니콜 상태에서 광물을 관찰하면 간섭색과 소광이 나타난다.

모범답안 (가) 상부 편광판을 끼운 상태에서 관찰한다.
(나) 석영의 간섭색과 소광이 관찰된다.

채점 기준	배점
(가)와 (나)를 모두 옳게 서술한 경우	100 %
(가)와 (나) 중 한 가지만 옳게 서술한 경우	50 %

08 (꼼꼼) **문제 분석**

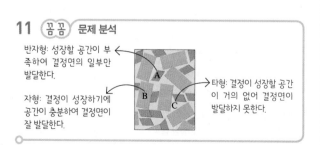

→ (나)에서 흑운모가 어둡게 보인다. → 소광

흑운모

석영

장석

1 mm

(가) 개방 니콜   (나) 직교 니콜

ㄱ. 광물이 어둡게 보이는 현상인 소광은 직교 니콜에서 관찰할 수 있다. (가)에서는 소광이 나타나지 않았으므로 개방 니콜로 관찰한 것이다.

ㄷ. (나) 직교 니콜에서는 간섭색과 소광을 관찰할 수 있다.

┃**바로알기**┃ ㄴ. 직교 니콜에서 이방체 광물을 돌리면 90°마다 어두워지는 소광이 나타난다. 따라서 소광은 (나)에서 일어난다.

09 ㄴ. 흑운모와 각섬석에서 나타난 간섭색은 이방체 광물을 관찰할 때 복굴절로 만들어진 두 방향의 빛이 서로 간섭을 일으켜 나타나는 현상으로, 직교 니콜에서 관찰할 수 있다.

┃**바로알기**┃ ㄱ. 석영은 무색 광물이고 다색성이 없으므로 개방 니콜에서 재물대를 돌리면 투명한 상태로 색의 변화가 없다.

ㄷ. 흑운모와 각섬석은 이방체 광물이면서 유색 광물이지만, 석영은 이방체 광물이면서 무색 광물이다.

10 (꼼꼼) **문제 분석**

• 개방 니콜 상태에서 관찰하였더니 갈색으로 보였다.

→ 빛이 박편을 통과하여 색이 보였으므로 투명 광물이다.

• 직교 니콜 상태에서 관찰하였더니 검게 보였고, 재물대를 천천히 회전하여도 변화가 없었다.

→ 완전 소광이 나타난다.

ㄴ. 개방 니콜에서는 빛이 통과하였지만, 직교 니콜에서는 빛이 통과하지 못하였으므로 석류석은 등방체 광물에 해당한다.

┃**바로알기**┃ ㄱ. 개방 니콜에서 빛이 박편을 통과하였으므로 석류석은 투명 광물이다.

ㄷ. 석류석은 등방체 광물이므로 다색성이 나타나지 않는다.

11 (꼼꼼) **문제 분석**

반자형: 성장할 공간이 부족하여 결정면의 일부만 발달한다.

A

B   C

타형: 결정이 성장할 공간이 거의 없어 결정면이 발달하지 못한다.

자형: 결정이 성장하기에 공간이 충분하여 결정면이 잘 발달한다.

A는 반자형, B는 자형, C는 타형이다. 광물의 모양으로 정출된 순서를 알 수 있는데, 자형(B) → 반자형(A) → 타형(C) 순으로 생성된다.

12 (꼼꼼) **문제 분석**

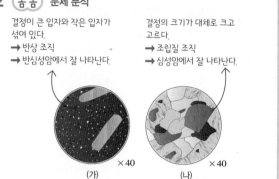

결정이 큰 입자와 작은 입자가 섞여 있다.
→ 반상 조직
→ 반심성암에서 잘 나타난다.

결정의 크기가 대체로 크고 고르다.
→ 조립질 조직
→ 심성암에서 잘 나타난다.

×40   ×40

(가)   (나)

ㄴ. (가)는 (나)보다 결정의 크기가 작은 것이 섞여 있으므로 마그마가 (나)에 비해 빨리 식어 형성되었다. 따라서 (가)는 (나)보다 마그마의 냉각 속도가 빨랐다.

┃**바로알기**┃ ㄱ. (가)는 결정이 큰 입자와 작은 입자가 섞여 있는 반상 조직이고, (나)는 결정의 크기가 크고 비교적 고른 조립질 조직이다. 세립질 조직은 결정의 크기가 매우 작은 조직으로, 화산암에서 잘 나타난다.

ㄷ. (가)와 (나)의 결정 크기가 다른 까닭은 마그마가 냉각된 깊이 또는 마그마가 냉각된 속도가 다르기 때문이다.

13 (나)에서 결정이 큰 입자와 작은 입자가 함께 분포하므로 반상 조직이 나타난다.

(모범답안) 반상 조직, 마그마가 지하 깊은 곳에서 천천히 식어가다가 비교적 얕은 깊이까지 올라와 빠르게 식어 형성되었기 때문에 나타난다.

채점 기준	배점
조직을 쓰고, 화성암의 형성 깊이를 포함하여 까닭을 옳게 서술한 경우	100 %
화성암의 형성 깊이만 포함하여 까닭만 옳게 서술한 경우	70 %
조직만 옳게 쓴 경우	30 %

14 (가)는 마그마가 분출되어 지표에서 빠르게 식어 형성된 화산암이고, (나)는 마그마가 지하 깊은 곳에서 천천히 식어 형성된 심성암이다.

ㄱ. (가)는 화산암으로, 결정의 크기가 매우 작은 세립질 조직이 나타난다.

ㄷ. (나)는 (가)보다 결정의 크기가 크므로 마그마가 천천히 냉각되어 생성되었다. 마그마가 천천히 냉각되기 위해서는 지표보다 지하 깊은 곳이 더 유리하다.

┃**바로알기**┃ ㄴ. 결정의 크기가 작은 (가)는 화산암이고, 결정의 크기가 큰 (나)는 심성암이다.

구분	특징	예	조직
A 유기적 퇴적암	생물의 골격이나 껍데기 등이 쌓여 생성된다.	석회암, 석탄	비쇄설성 조직
B 쇄설성 퇴적암	풍화와 침식에 의해 생성된 입자들이 쌓여 생성된다.	역암, 사암, 이암	쇄설성 조직
C 화학적 퇴적암	물속에 녹아 있는 이온 등의 반응으로 광물이 침전하여 생성된다.	석회암, 석고, 암염	비쇄설성 조직

15 A는 유기적 퇴적암으로, 석회암, 석탄 등이 있다.
B는 쇄설성 퇴적암으로, 역암, 사암, 이암(셰일) 등이 있다.
C는 화학적 퇴적암으로, 석회암, 석고, 암염 등이 있다.

16 ㄴ. B는 쇄설성 퇴적암으로, 쇄설성 조직이 나타난다. 쇄설성 조직을 관찰하면 기존 암석들이 풍화와 침식을 받았으므로 입자 모서리가 마모되어 있고, 입자 사이에 교결 물질이 채워져 있다.
ㄷ. A, B, C는 퇴적물의 기원은 다르지만, A~C 모두 다짐 작용과 교결 작용을 거쳐 퇴적암이 되므로 속성 작용을 받는다.
|바로알기| ㄱ. A는 생물의 골격이나 껍데기 등이 퇴적암을 형성하므로 유기적 퇴적암이고, 비쇄설성 조직이 나타난다. 쇄설성 조직은 쇄설성 퇴적암인 B에서 볼 수 있다.

17 (가)는 암석 내에 화석이 관찰되므로 유기적 퇴적암인 석회암의 조직이다. (나)는 입자의 모서리가 마모되어 있고 입자 사이에 교결 물질이 채워져 있으므로 쇄설성 퇴적암인 사암의 조직이다.
ㄴ. (가)는 생물의 골격이나 껍데기와 같은 유기적 퇴적물이 쌓여 생성되므로 화석이 발견되기도 한다.
|바로알기| ㄱ. (가)는 석회암의 조직으로, 비쇄설성 조직이다. 쇄설성 조직은 (나)에서 볼 수 있다.
ㄷ. 한 종류의 광물로 이루어진 결정질 조직은 화학적 퇴적암에서 나타난다.

18 꼼꼼 문제 분석

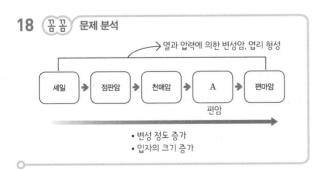

19 꼼꼼 문제 분석

(가) 편마암 / (나) 혼펠스

ㄱ. A는 천매암보다 변성도가 크고, 편마암보다 변성도가 작으므로 편암이다.
ㄴ. 점판암, 천매암, A(편암), 편마암은 모두 압력의 영향을 받아 엽리가 발달한다. 엽리는 암석에 가해진 압력 방향과 수직 방향으로 기존 광물이 재배열되거나 새로 만들어진 광물이 배열되어 만들어진다.
ㄷ. 셰일이 변성 작용을 받을수록 변성 정도가 증가하면서 입자의 크기가 커진다. 따라서 A는 점판암보다 조립질 입자로 이루어져 있다.

ㄱ. (가)에서는 줄무늬 구조인 엽리가 나타나는데, 편마암에서 나타나는 엽리를 편마 구조라고 한다.
ㄴ. (나) 혼펠스는 접촉 변성암으로, 주로 열에 의한 변성 작용을 받아 만들어진다.
ㄷ. (가) 편마암과 (나) 혼펠스 모두 변성 작용을 받은 변성암이므로 광물 조성과 암석 조직이 변하였다.
|바로알기| ㄹ. (가)는 열과 압력에 의한 변성암이고, (나)는 열에 의한 변성암이다. (나)에 가해진 열이 증가한다고 (가)가 되는 것은 아니다.

20 꼼꼼 문제 분석

ㄱ. (가)는 큰 결정과 작은 결정이 섞여 있으므로 반심성암에서 잘 나타나는 반상 조직이다.
ㄴ. (나)에서 나타나는 엽리는 암석에 압력이 가해진 방향과 수직인 방향으로 기존 광물이 재배열되어 만들어진다.
|바로알기| ㄷ. (가)는 화성암에서, (나)는 변성암에서 관찰할 수 있다.

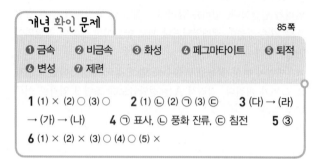

03 지하자원의 형성과 이용

1 (1) 지하자원은 지구에서 자연 현상으로 땅속에서 만들어진 자원이다.
(2) 지하자원은 크게 광물 자원과 에너지 자원으로 구분하고, 광물 자원은 금속 광물 자원과 비금속 광물 자원으로 구분한다.
(3) 화석 연료에는 석유, 석탄, 천연가스 등이 있으며, 에너지 자원에 속한다.

2 (1) 금속 광물 자원은 금속이 주성분인 광물 자원으로, 금, 은, 구리 등이 있다.
(2) 비금속 광물 자원은 비금속이 주성분인 광물 자원으로, 석회석, 고령토 등이 있다.
(3) 에너지 자원은 일상생활과 경제 활동을 위해 사용하는 연료로, 석유, 석탄, 천연가스 등의 화석 연료와 원자력 에너지 등이 있다.

3 (다) 정마그마 광상은 마그마가 냉각되는 초기에 형성된 광상이고, 마그마의 온도가 낮아짐에 따라 (라) 페그마타이트 광상, (가) 기성 광상, (나) 열수 광상 순으로 형성된다.

4 퇴적 광상은 지표의 광상이나 암석이 풍화, 침식, 운반, 퇴적되는 과정에서 형성된 광상으로, 유용한 광물질이 모이는 과정에 따라 구분한다.
㉠ 사금 광상은 밀도가 큰 사금이 하천의 바닥에 쌓여 형성된 표사 광상이다.
㉡ 보크사이트는 고령토의 화학적 풍화 작용에 의해 형성되는데, 이 광상은 풍화 잔류 광상에 속한다.
㉢ 호상 철광층은 해수에 녹아 있던 철이 산소와 결합한 후 침전하여 형성된 침전 광상이다.

5 변성 광상에서 산출되는 주요 광물은 우라늄, 흑연, 활석, 남정석, 홍주석, 석류석 등이다. 고령토는 퇴적 광상 중 풍화 잔류 광상에서 산출된다.

6 (1) 지각에서 가장 풍부한 금속 원소는 알루미늄이다. 철은 지각에서 알루미늄 다음으로 풍부한 금속 원소이다.
(2) 전선과 전자 제품에 이용되기 위해서는 전기가 잘 통해야 한다. 구리는 전기 전도도가 높기 때문에 전선과 전선 제품에 이용된다.
(3) 희토류는 전기 및 하이브리드 자동차, 풍력 발전, 태양열 발전 등에 필수적인 영구 자석을 만드는 데 꼭 필요하며, 휴대폰 액정의 연마제, 반도체 등에 이용된다.
(4) 활석은 매우 무르고 매끄러우므로 종이나 화장품 제조의 원료로 이용된다.
(5) 건축 자재, 표지석, 돌그릇 등으로 주로 이용되는 암석은 각섬암이다. 석회암은 탄산칼슘으로 이루어져 있으며, 시멘트의 주원료, 비료의 원료 등으로 이용된다.

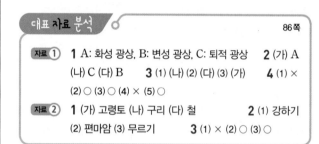

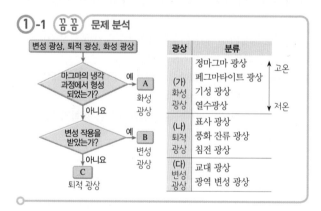

①-1 꼼꼼 문제 분석

A는 마그마가 냉각되는 과정에서 마그마 속에 포함된 유용한 광물이 정출되어 형성된 광상인 화성 광상이다. B는 지각 내에서 기존의 광상이 변성 작용을 받아 광물의 조성이 변하여 형성된 광상인 변성 광상이다. C는 지표의 광상이나 암석이 풍화, 침식, 운반, 퇴적되는 과정에서 유용한 광물이 모여 형성된 광상인 퇴적 광상이다.

①-2 (가)는 마그마의 온도와 위치에 따라 분류한 화성 광상 (A), (나)는 유용한 광물이 모이는 과정에 따라 분류한 퇴적 광상 (C), (다)는 변성 작용이 일어나는 과정의 차이에 따라 분류한 변성 광상(B)이다.

①-3 (1) 사금은 표사 광상에서 산출된다. 표사 광상은 (나) 퇴적 광상에 해당된다.
(2) 흑연, 활석은 (다) 변성 광상에서 산출된다.
(3) 니켈은 정마그마 광상에서, 납은 열수 광상에서 산출되므로 (가) 화성 광상에 해당한다.

①-4 (1) 보크사이트는 화학적 풍화가 일어날 때 용해되지 않은 풍화 잔류물에 의해 형성되므로 풍화 잔류 광상에서 산출된다. 풍화 잔류 광상은 퇴적 광상(C)에 속하며, B는 변성 광상이다.
(2) 해수가 증발하면서 용해된 물질의 침전에 의해 형성된 광상은 침전 광상이다. 침전 광상은 퇴적 광상(C)에 속한다.
(3) (가) 화성 광상은 마그마의 온도와 위치에 따라 구분하며, 그 중 마그마가 냉각되는 초기에 용융점이 높고 밀도가 큰 광물이 정출되어 정마그마 광상이 형성된다.
(4) 표사 광상은 밀도가 크고 풍화에 강한 광물이 하천의 바닥에 쌓여 형성된 광상이다.
(5) 석류석, 흑연, 활석, 남정석, 홍주석, 우라늄 등은 (다) 변성 광상에서 산출된다.

②-1 (가) 도자기는 고령토를 이용하여 모양을 빚은 후 열을 가하여 단단하게 구워 만든다.
(나) 구리는 전기 전도도가 높으면서 다른 광물들에 비해 상대적으로 저렴하기 때문에 전선을 만드는 데 이용된다.
(다) 다리는 단단한 철을 이용하여 만든다. 하지만, 철은 부식에 약하기 때문에 순수한 철이 아닌, 철 합금강을 만들어 이용한다.

②-2 (1) (라) 다보탑은 화강암으로 만들어져 있는데, 화강암은 풍화 작용에 강하므로 현재까지 건립된 당시의 모습을 대부분 유지하고 있다.
(2) (마) 정원석에 이용된 암석은 밝은색과 어두운색의 줄무늬가 나타나는 편마암이다.
(3) (바)에 이용된 대리암은 다른 암석에 비해 무르므로 세밀한 조각을 하기에 유리하다.

②-3 (1) 도자기에 이용된 광물은 고령토이다. 고령토는 정장석의 화학적 풍화에 의해 형성된다. 보크사이트를 전기 분해하여 얻을 수 있는 광물은 알루미늄이다.

(2) (다)에 이용된 철은 단단하다는 장점이 있지만, 부식에 약하다는 단점이 있다. 이러한 단점을 보완하기 위해 스테인리스강 등 철 합금강을 만들어 이용한다.
(3) 대리암은 무늬가 아름다우므로 건물의 벽이나 바닥의 장식용으로 이용되기도 한다.

내신 **만점**문제   87쪽~89쪽

01 ②	**02** ③	**03** ④	**04** ⑤	**05** ②	**06** ①
07 ③	**08** ④	**09** ①	**10** 해설 참조		**11** ①
12 ⑤	**13** 해설 참조		**14** ④	**15** ②	

01 ② 지하자원은 크게 광물 자원과 에너지 자원으로 구분할 수 있으며, 광물 자원은 금속 광물 자원과 비금속 광물 자원으로 구분한다.

┃바로알기┃ ① 지하자원은 지하에서 자연 현상으로 땅속에서 만들어진 자원을 말한다. 따라서 인위적으로 생성된 물질은 지하자원에 포함하지 않는다.
③ 풍력 에너지와 파력 에너지는 땅속에서 만들어진 것이 아니므로 지하자원에 해당하지 않는다.
④ 금속이 주성분인 광물 자원을 금속 광물 자원이라고 한다. 비금속 광물 자원은 비금속이 주성분인 광물 자원이다.
⑤ 금속 광물 자원은 대체로 제련 과정을 거쳐 이용한다. 제련 과정을 거치지 않고, 분쇄하여 이용하기도 하는 것은 비금속 광물 자원이다.

02 꼼꼼   문제 분석

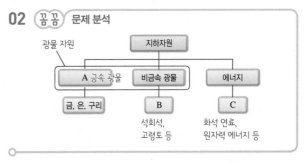

ㄱ. A는 금, 은, 구리 등 금속이 주성분인 지하자원으로, 금속 광물 자원이다.
ㄷ. 에너지 자원은 일상생활과 경제 활동을 위해 사용하는 연료로, 화석 연료와 원자력 에너지가 해당된다.

┃바로알기┃ ㄴ. 비금속 광물을 이용하기 위해서는 제련 과정이 필요하지 않다. 제련 과정이 필요한 것은 금속 광물 자원(A)이다.

03 꼼꼼 문제 분석

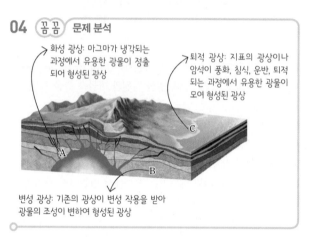

- 금속 광물 자원은 제련 과정을 거쳐 이용한다.
- 비금속 광물 자원은 제련 과정을 거치지 않고, 분쇄 과정을 거쳐 이용한다.

ㄴ. (나)는 선광으로, (가) 채광 단계를 거친 광물에서 원하는 광물만 가려내는 단계이다.

ㄷ. 구리는 금속 광물 자원이므로 제련 과정을 거쳐 이용한다.

▌바로알기▐ ㄱ. (가)는 탐광 다음 단계로, 원하는 광석을 채취하는 채광 단계이다. 선광 단계는 (나)이다.

04 꼼꼼 문제 분석

화성 광상: 마그마가 냉각되는 과정에서 유용한 광물이 정출되어 형성된 광상

퇴적 광상: 지표의 광상이나 암석이 풍화, 침식, 운반, 퇴적되는 과정에서 유용한 광물이 모여 형성된 광상

변성 광상: 기존의 광상이 변성 작용을 받아 광물의 조성이 변하여 형성된 광상

ㄱ. A는 마그마 근처에서 형성되는 광상이다. 마그마가 냉각되는 과정에서 유용한 광물이 정출되어 형성되는 광상은 화성 광상이다.

ㄴ. C(퇴적 광상)는 지표 환경에서 형성된다. B(변성 광상)는 퇴적 광상보다 지하 깊은 곳에서 형성되므로 B는 C보다 고온 고압 환경에서 형성된다.

ㄷ. 기존 광상이 풍화 작용을 받아 침식, 운반, 퇴적되면서 형성되는 광상은 퇴적 광상(C)이다.

05

ㄷ. 변성 광상은 열이나 압력을 받는 과정에서 새로운 광물이 형성되어 특정한 곳에 집중 분포하거나 기존 광물의 조성이 변하여 형성된다.

▌바로알기▐ ㄱ. 화성 광상은 마그마의 생성이 활발한 판의 수렴형 경계나 발산형 경계에서 형성된다. 판의 보존형 경계에서는 화산 활동이 일어나지 않으므로 마그마가 잘 생성되지 않아 화성 광상이 형성되기 어렵다.

ㄴ. 퇴적 광상은 대부분 지표나 지표 부근의 저온 저압 환경에서 형성된다.

06 꼼꼼 문제 분석

광상	특징	산출 광물
A 정마그마 광상	마그마 냉각 초기에 밀도가 큰 광물이 정출되어 형성된다.	백금, 니켈 등
B 페그마타이트 광상	마그마 냉각 후기에 마그마가 주변 암석을 관입하면서 광물이 정출되어 형성된다.	석영, 장석, 운모 등
C 기성 광상	마그마에 남아 있는 고온의 수증기와 휘발 성분이 주변의 암석과 화학 반응을 일으켜 형성된다.	주석, 형석 등
D 열수 광상	마그마가 굳은 후 남은 열수 용액에서 광물 성분이 침전하여 형성된다.	금, 은, 구리 등

ㄱ. A는 마그마가 냉각되는 초기에 형성되므로 정마그마 광상이다.

▌바로알기▐ ㄴ. A~D 모두 마그마의 냉각 과정에서 형성되는 광상이므로 화성 광상에 속한다.

ㄷ. 마그마 냉각 초기에 정출되는 광물은 후기에 정출되는 광물보다 용융점이 높으므로 A에서 용융점이 가장 높은 광물이 정출된다.

07

ㄱ. 마그마가 냉각되는 과정에서 형성되므로 화성 광상에 속한다.

ㄷ. 페그마타이트 광상에는 암석 내에서 석영, 장석 등의 광물이 결정으로 산출된다.

▌바로알기▐ ㄴ. 페그마타이트는 마그마가 냉각되는 후기에 형성되므로 결정의 크기가 큰 암석이 산출된다. 따라서 화성 광상 중 페그마타이트 광상이다.

08 꼼꼼 문제 분석

- $2\underset{\text{정장석}}{KAlSi_3O_8} + 2H_2O + CO_2$
  $\longrightarrow \underset{\text{(가) 고령토}}{Al_2Si_2O_5(OH)_4} + 4SiO_2 + K_2CO_3$

- $\underset{\text{(가) 고령토}}{Al_2Si_2O_5(OH)_4} + H_2O \longrightarrow 2\underset{\text{(나) 보크사이트}}{Al(OH)_3} + 2SiO_2$
  $\downarrow$
  산화 알루미늄

- 고령토와 보크사이트는 퇴적 광상 중 풍화 잔류 광상에서 산출된다.
- 정장석의 화학적 풍화 작용에 의해 고령토가 생성되고, 고령토의 화학적 풍화 작용에 의해 보크사이트가 생성된다.

ㄱ. (가)는 정장석의 풍화 작용에 의해 생성되므로 고령토, (나)는 (가) 고령토의 풍화 작용에 의해 생성되므로 보크사이트이다.

ㄴ. 정장석의 풍화 작용에 의해 생성된 (가)는 잔류하고, SiO_2와 K_2CO_3는 물에 녹아 제거된다. (가)의 풍화 작용에 의해 생성된 (나)는 잔류하고, SiO_2는 물에 녹아 제거된다. 따라서 (가)와 (나)는 풍화 잔류 광상에서 산출된다.

ㄷ. 보크사이트는 알루미늄 산화물로 이루어져 있으므로 (나)로부터 알루미늄을 얻을 수 있다.

┃바로알기┃ ㄹ. 풍화 잔류 광상은 화학적 풍화 작용이 일어나는 고온 다습한 환경에서 잘 형성된다. 따라서 한대 지방보다 열대 지방에서 잘 일어난다.

09 ㄱ. 호상 철광층은 해수에 녹아 있던 철이 생물의 광합성으로 생성된 산소와 결합하여 산화 철이 되고 해저에 침전하여 형성되므로 침전 광상에 해당한다.

┃바로알기┃ ㄴ. 층상 구조가 생긴 까닭은 침전하는 물질의 종류가 달라졌기 때문이다. 철 성분이 풍부한 층과 철 성분이 적은 층으로 구분된다.

ㄷ. 해수에 녹아 있던 철이 산소와 결합하여 산화 철이 되어 침전하여 호상 철광층이 형성되었으므로 해수에 용존 산소가 증가하면서 광상이 형성되었다.

10 하천에서 모래로부터 사금을 채취하는 원리는 액체에 떠 있는 입자의 밀도 차를 이용한 것으로, 밀도가 작은 모래나 흙을 흘려보내면 밀도가 큰 사금이 남는다.

〔모범답안〕 표사 광상(또는 퇴적 광상), 사금은 모래보다 밀도가 크기 때문에 모래로부터 사금을 채취할 수 있다.

채점 기준	배점
표사 광상 또는 퇴적 광상을 쓰고, 사금과 모래의 밀도를 비교하여 채취 원리를 옳게 서술한 경우	100 %
채취 원리만 옳게 서술한 경우	60 %
표사 광상 또는 퇴적 광상만 쓴 경우	40 %

11 ㄴ. 철은 수분이 많은 환경에서 쉽게 산화하여 부식되는 단점이 있으므로 주방 용기는 이를 보완한 철 합금강인 스테인리스강으로 만든다.

┃바로알기┃ ㄱ. 철탑 제작에 철을 이용하는 것은 비교적 저렴한 비용으로 단단한 구조물을 만들 수 있기 때문이며, 전기 전도도가 높은 성질은 철탑 제작의 단점에 해당한다.

ㄷ. 철은 금속 광물로, 자철석이나 적철석 등의 광석을 제련하여 얻는다.

12 알루미늄의 특성을 나타낸 것이다.

①, ④ 알루미늄은 전성과 연성이 뛰어나고, 가벼우며 쉽게 녹슬지 않으므로 주방 용기나 캔 제조의 원료로 적합하다.

② 알루미늄은 쉽게 녹슬지 않고 가벼우므로 창틀 제조의 원료로 적합하다.

③ 알루미늄은 쉽게 녹슬지 않고 전기 전도도가 높으며, 가벼우므로 고압 전선 제조의 원료로 적합하다.

┃바로알기┃ ⑤ 알루미늄은 금속 광물이므로 얇게 만들어도 빛이 통과하지 않아 광학용 렌즈를 만드는 데에는 적합하지 않다.

13 활석은 모스 굳기가 1로 낮고, 분말이 부드러우므로 화장품 제조 등에 이용된다.

〔모범답안〕 활석은 굳기가 낮아 분말로 만들기 쉽다.

채점 기준	배점
굳기를 포함하여 옳게 서술한 경우	100 %
굳기를 포함하지 않고 서술한 경우	0 %

14 〔꼼꼼〕 문제 분석

→ 쪼개짐이 발달한다.

ㄴ. 점판암은 한 방향으로 쪼개짐이 발달하므로 이러한 성질을 이용하여 지붕을 만들었다.

ㄷ. 점판암은 우리나라 모든 지역에서 산출되지 않으며, 지역성이 매우 강한 재료이다. 따라서 점판암 지붕은 생활 주변에서 얻을 수 있는 암석을 건축 재료로 이용한 예이다.

┃바로알기┃ ㄱ. 퇴적물이 쌓여 형성된 암석은 퇴적암이다. 점판암은 셰일이 열과 압력에 의한 변성 작용을 받아 형성된 변성암이다.

15 〔꼼꼼〕 문제 분석

(가) 대리암
• 무르다.
• 탄산염 광물이다. → 산과 반응한다.

(나) 화강암
• 단단하다.
• 풍화 작용에 강하다.

ㄴ. (가)는 (나)보다 무르기 때문에 세밀한 조각에는 (가)가 더 유리하다.

┃바로알기┃ ㄱ. (가)는 탄산염 광물로 이루어져 있으므로 산과 반응하여 부식된다. 따라서 (가)는 (나)보다 산성비에 의한 풍화에 약하다.

ㄷ. 마그마가 굳어 생성된 암석은 화성암이다. (가)는 석회암이 변성 작용을 받아 생성된 변성암이고, (나)는 마그마가 지하 깊은 곳에서 굳어 생성된 화성암이다.

04 해양 자원

1 (1) 해양에서 이용 가능한 모든 것을 해양 자원이라고 하며, 해양 자원은 해양 에너지 자원과 해양 물질 자원으로 구분한다. 해양 에너지 자원은 해양에서 얻을 수 있는 에너지를 의미하고, 해양 물질 자원은 해수에 녹아 있거나 해저에 퇴적, 침강, 축적된 이로운 물질을 의미한다.
(2) 화석 연료는 연소하는 과정에서 이산화 탄소가 발생하여 지구 온난화를 일으킨다.
(3) 해양 재생 에너지는 해수를 이용하여 전기 에너지를 생산하는 방식으로, 온실 기체 등 대기 오염 물질을 방출하지 않으며 재생 가능한 자원이므로 에너지가 고갈되지 않는다.
(4) 해양 물질 자원은 해수에 녹아 있거나 해저에 퇴적, 침강, 축적된 이로운 물질로, 해수 자원, 해양 생물 자원, 해양 광물 자원 등이 있다.
(5) 해양 광물 자원은 해수에 녹아 있는 용존 물질 중 경제적으로 채취가 가능하거나 해저에 매장되어 있는 광물 자원으로, 망가니즈 단괴, 브로민 등이 있다. 대부분 식용으로 이용되는 해양 자원은 해양 생물 자원이다.

2 (1) 해양 에너지 자원은 해양에서 얻을 수 있는 에너지로, (나) 석유 등의 화석 연료, 해양 재생 에너지인 (라) 조력 발전 등이 있다.
(2) 해양 물질 자원은 해수에 녹아 있거나 해저에 퇴적, 침강, 축적된 이로운 물질로, (가) 리튬과 같은 해수 자원, (다) 해조류와 같은 해양 생물 자원, (마) 망가니즈 단괴와 같은 해양 광물 자원 등이 있다.

3 가스수화물은 저온 고압 환경에서 메테인이 얼음과 결합하여 있는 고체의 에너지 물질로, 영구 동토나 심해저에서 형성된다. 가스수화물은 얼음 형태로 매장되어 있으며, 불을 붙이면 잘 타므로 '불타는 얼음'으로도 불리고, 우리나라 동해의 울릉 분지에 약 6억 톤 정도 매장되어 있다.

4 (가)는 강한 조류의 흐름을 이용하여 터빈을 돌려 발전하는 조류 발전이다. (나)는 파도에 의한 해수면 높이 변화를 이용하여 터빈을 돌려 발전하는 파력 발전이다.

5 (1) (가) 조력 발전과 (나) 조류 발전의 근원 에너지는 조력 에너지로, 조석 현상에 의한 해수 운동을 이용한 발전이다.
(2) 바람이 강하게 부는 곳에서는 파도의 운동 에너지를 이용한 파력 발전이 적합하다.

6 망가니즈 단괴는 해수에 녹아 있던 망가니즈 등의 금속 성분이 침전하여 성장한 덩어리로, 심해저에 폭넓게 분포한다.

7 빠른 속도로 고갈되는 화석 연료와 육지에서 채굴하기에 부족한 광물 자원을 대체할 다른 자원은 해양에서 얻을 수 있다.

①-1 꼼꼼 문제 분석

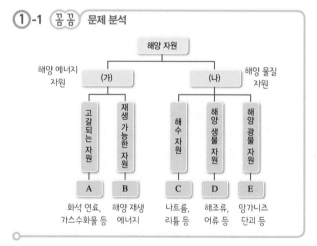

해양 자원은 크게 (가) 해양 에너지 자원과 (나) 해양 물질 자원으로 구분한다.

①-2 해양 생물의 재생산력이 육상 생물에 비해 크므로 해양 생물 자원은 대부분 식용으로 이용되지만 최근에는 활용 분야가 넓어져 의약품 원료, 공업 원료, 공예품 원료 등 다양하게 이용되고 있다.

①-3 (1) 석유와 천연가스는 화석 연료로, 자원의 양이 한정되어 있어 고갈된다.(A)

(2) 해수의 운동이나 수온 차이 등에서 에너지를 얻는 해양 자원은 해양 재생 에너지인 B이다.

(3) 가스수화물은 저온 고압 환경에서 메테인이 물 분자와 결합한 고체의 에너지 자원으로, A에 속한다. B에는 조력 발전, 조류 발전 등이 속한다.

(4) 해수를 담수화하면 공업용수, 농업용수, 생활용수로 이용할 수 있는데, 이는 해수 자원인 C에 해당한다.

(5) 망가니즈 단괴는 심해저에 분포하는 망가니즈, 니켈, 코발트 등 금속 광물을 함유한 덩어리로, 해양 광물 자원인 E에 속한다.

(6) 홍합을 추출하여 의료용 생체 접착제로 활용하는 등 해양 생물 자원은 최근 해양 신소재 개발이나 해양 바이오 산업에 활용되고 있다.

②-1 꼼꼼 **문제 분석**

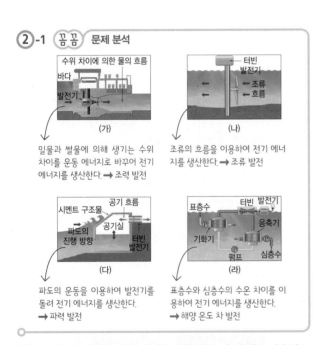

(가)는 밀물과 썰물에 의해 생기는 해수면 높이 차이를 이용하는 조력 발전이고, (나)는 밀물과 썰물일 때 조류의 흐름을 이용하는 조류 발전이다. (다)는 파도에 의한 해수면 높이 차이를 이용하는 파력 발전이고, (라)는 표층수와 심층수의 수온 차이를 이용하는 해양 온도 차 발전이다.

②-2 (다)는 바람의 운동 에너지에 의해 파도가 생기므로 에너지원이 태양 에너지이다. (라)는 태양 에너지로 가열된 표층수를 이용하여 기체를 만들어 터빈을 돌리고, 찬 심층수를 이용하여 기체를 응축시키는 과정을 반복하므로 에너지원이 태양 에너지이다.

②-3 (가)와 (나)는 조석 현상에 의한 주기적인 해수면 높이 차이나 조류의 흐름을 이용하므로 에너지원이 조력 에너지이다.

②-4 (1) (가)는 밀물과 썰물 때의 수위 차이에 의한 위치 에너지가 운동 에너지로 전환되면서 전기 에너지를 생산하므로 밀물과 썰물 때의 수위 차이가 클수록 유리한 발전 방식이다. 조류가 빠른 곳에서 운용하는 것이 유리한 발전 방식은 조류의 흐름을 이용하는 (나)이다.

(2) (가)는 방조제를 설치하므로 갯벌이 사라지거나 해류의 흐름이 바뀌는 등 해양 생태계의 교란이 생길 수 있다.

(3) (나)는 조류의 흐름을 이용하므로 조류가 빠른 곳에서 발전하는 것이 효율적이다. 섬과 육지 또는 섬과 섬 사이인 곳에서 조류가 빠르므로 우리나라 서해안이나 남해안에 조류 발전소를 설치하여 운용하고 있다.

(4) 파도는 바람이 불어 생기기 때문에 (다)는 바람의 영향을 많이 받는다.

(5) 열대 해역은 한대 해역보다 표층수와 심층수의 수온 차이가 크기 때문에 (라)는 한대 해역보다 열대 해역에서 유리한 발전 방식이다.

(6) (가)~(라)는 태양 에너지나 조력 에너지를 통해 해수를 이용하여 전기 에너지를 얻으므로 모두 재생 가능한 자원이다.

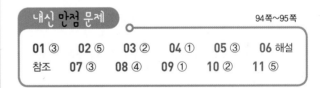

내신 만점 문제   94쪽~95쪽

| 01 ③ | 02 ⑤ | 03 ② | 04 ① | 05 ③ | 06 해설 참조 |
| 07 ③ | 08 ④ | 09 ① | 10 ② | 11 ⑤ | |

01 ① 해양 자원은 해양에서 이용 가능한 모든 것을 의미한다. 심해저의 가스수화물은 저온 고압의 환경에서 메테인이 물 분자와 결합한 고체의 에너지 물질로, 해양 자원에 속한다.

② 해양 생물 자원은 해양에서 채취하는 동식물로, 해조류, 어류, 조개류 등이 해당한다.

④ 해양 재생 에너지는 공해가 없고, 태양 에너지, 조력 에너지와 같은 에너지와 해수를 이용하므로 재생 가능하다.

⑤ 브로민, 마그네슘 등의 해양 광물 자원은 해수에 녹아 있다.

바로알기 ③ 망가니즈 단괴는 심해저에 많이 분포한다. 석유, 석탄, 천연가스 등이 대륙 연안부에 매장되어 있다.

02 ① 화석 연료는 경제적 가치가 가장 높은 해양 에너지 자원으로, 석유, 석탄, 천연가스 등이 속한다.

② 화석 연료는 매장되어 있는 양이 한정되어 있으므로 고갈되는 자원이다.

③ 화석 연료의 정유 공정에서 나온 부산물은 화학 공업의 필수 원료가 된다.

④ 화석 연료를 연소시키면 탄소와 산소가 결합한 이산화 탄소가 발생하여 지구 온난화를 일으킨다.

┃ 바로알기 ┃ ⑤ 해수 속에 분포하는 화석 연료는 대부분 수심이 얕은 대륙붕에 매장되어 있다.

03 꼼꼼 **문제 분석**

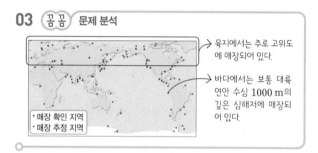

→ 육지에서는 주로 고위도에 매장되어 있다.

→ 바다에서는 보통 대륙 연안 수심 1000 m의 깊은 심해저에 매장되어 있다.

• 매장 확인 지역
• 매장 추정 지역

ㄴ. 가스수화물은 고위도 육지의 영구 동토층이나 심해저의 퇴적물에서 채취할 수 있다.

┃ 바로알기 ┃ ㄱ. 가스수화물은 메테인으로 이루어져 있으므로 연소시키면 이산화 탄소를 배출한다.

ㄷ. 가스수화물은 저온 고압의 환경에서 형성되므로 고온 다습한 육지에서는 형성되지 않는다.

04 ㄴ. 해양 재생 에너지는 해수의 수온 차이나 해수의 운동을 이용하여 얻는 에너지이므로 이산화 탄소 등 대기 오염 물질을 방출하지 않고 공해가 없다.

┃ 바로알기 ┃ ㄱ. 천연가스는 화석 연료에 포함되어 고갈되는 에너지이므로 해양 재생 에너지에 포함되지 않는다.

ㄷ. 해양 재생 에너지는 해수의 운동이나 해수의 수온 차이를 이용하므로 고갈되지 않는 에너지이다.

05 (가)는 밀물과 썰물에 의해 생기는 수위 차이를 이용한 조력 발전이고, (나)는 조류의 흐름을 이용한 조류 발전이다.

ㄱ. (가)는 밀물 때 유입된 해수를 가두어 발전하므로 갯벌이 사라지는 피해가 생긴다. 따라서 (가)가 (나)보다 갯벌의 생태계에 더 큰 영향을 미친다.

ㄴ. (가)는 조석 간만의 차이가 클수록 발전에 유리하므로 우리나라 동해안보다 서해안에서 유리하다.

┃ 바로알기 ┃ ㄷ. (나)는 조류를 이용하므로 조류가 빠른 곳에 발전소를 설치해야 하는 지역적 제한이 있다. 우리나라는 전라남도 울돌목에서 조류 발전소를 운용하고 있다.

06 그림은 파도가 운동하면서 공기실 내의 공기를 압축하거나 팽창시켜 발전하는 파력 발전이다.

모범답안 • 환경적 조건: 파도가 강하고 지속적으로 발생하는 지역에 적합하다.

• 단점: 파도의 세기가 일정하지 않아 발전량이 고르지 않다.

채점 기준	배점
환경적 조건과 단점을 모두 옳게 서술한 경우	100 %
환경적 조건과 단점 중 한 가지만 옳게 서술한 경우	50 %

07 ㄱ. 미세 조류는 화석 연료와 분자 구조가 유사한 기름을 생산한다. ㉠은 미세 조류에서 에너지를 얻는 것이므로 화석 연료를 대체할 수 있다.

ㄷ. 해양 생물 자원은 해양에서 채취하는 동식물로, 해조류, 어류, 조개류 등이 포함된다. ㉠은 미세 조류에서 얻고, ㉡은 홍합에서 얻으므로 ㉠과 ㉡ 모두 해양 생물 자원을 활용한 것이다.

┃ 바로알기 ┃ ㄴ. 해수 자원은 심층수 개발, 해수 담수화 등 해수를 자원으로 이용한다. ㉡은 해양 생물 자원인 홍합에서 추출한 것이다.

08 ① 우리나라는 태평양의 클라리온-클리퍼턴 해역을 탐사하여 망가니즈 단괴의 단독 개발권을 확보하였다. 따라서 그림과 관련 있는 광물은 망가니즈 단괴이다.

② 망가니즈 단괴는 해양 물질 자원 중 해양 광물 자원에 속한다.

③, ⑤ 망가니즈 단괴는 수심 3000 m~6000 m 정도인 심해저에 많이 분포하므로 망가니즈 단괴를 채취하기 위해서는 심해저 채굴 기술의 개발이 필요하다.

┃ 바로알기 ┃ ④ 우리나라 동해의 울릉 분지에 다량 매장되어 있는 해양 자원은 가스수화물이다. 망가니즈 단괴는 심해저에 많이 분포하고 있다.

09 꼼꼼 **문제 분석**

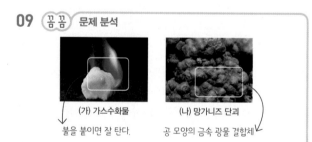

(가) 가스수화물
불을 붙이면 잘 탄다.

(나) 망가니즈 단괴
공 모양의 금속 광물 결합체

ㄱ. (가)는 저온 고압의 환경에서 메테인이 물 분자와 결합하여 얼음 형태로 매장되어 있다.

┃ 바로알기 ┃ ㄴ. (나)는 해수에 녹은 광물이 침전하여 형성된 광물 결합체이다.

ㄷ. (가)는 해양 에너지 자원이고, (나)는 해양 물질 자원 중 해양 광물 자원이다.

10 꼼꼼 문제 분석

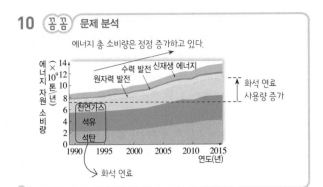

에너지 총 소비량은 점점 증가하고 있다.

ㄱ. 1989년에 소비한 에너지 자원의 총 소비량은 약 8.5×10^9톤이었지만, 시간이 지날수록 증가하여 2015년에는 약 13.5×10^9톤을 소비하였다. 따라서 에너지 총 소비량은 증가하고 있다.

ㄹ. 화석 연료는 연소 과정에서 이산화 탄소가 발생하여 지구 온난화를 일으킨다. 따라서 현재와 같이 화석 연료의 소비량이 많아지면 지구 온난화는 심화될 것이다.

│바로알기│ ㄴ. 석탄, 석유, 천연가스 등 화석 연료의 사용량이 증가하고 있다.

ㄷ. 수력 발전, 신재생 에너지 등 재생 가능한 에너지의 사용량은 증가하고 있지만 에너지 총 소비량 중에서 재생 가능한 에너지가 차지하는 비율은 석탄에 비해 매우 작다.

11 ㄱ. 육지에서 암석을 이루는 광물의 일부는 물에 녹아 바다로 운반되므로 부족한 육상 광물 자원을 해양에서 얻을 수 있다.

ㄴ. 밀물과 썰물, 파도 등 해수의 운동 에너지에서 전기 에너지를 얻을 수 있으므로 화석 연료를 대체하여 재생 에너지를 얻을 수 있다.

ㄷ. 해양 생물 자원은 대부분 식용으로 이용되지만 최근에는 공업용 원료, 의약품 원료 등으로 이용되고, 해양 신소재 개발이나 해양 바이오 산업에도 활용되고 있다.

중단원 핵심 정리   96쪽~97쪽

❶ 규산염 사면체 ❷ 단사슬 ❸ 판상 ❹ 크다 ❺ 단굴절
❻ 복굴절 ❼ 개방 니콜 ❽ 직교 니콜 ❾ 자형 ❿ 타형
⓫ 조립질 ⓬ 비쇄설성 ⓭ 혼펠스 ⓮ 열수 ⓯ 표사
⓰ 교대 ⓱ 이산화 탄소 ⓲ 메테인 ⓳ 조력 발전
⓴ 망가니즈 단괴

중단원 마무리 문제   98쪽~101쪽

01 ③	02 ①	03 ①	04 ⑤	05 ②	06 ④
07 ③	08 ④	09 ④	10 ②	11 ③	12 ⑤
13 ②	14 ③	15 ②	16 ②	17 ①	18 해설
참조	19 해설 참조	20 해설 참조			

01 ㄱ. 광물은 규칙적인 내부 구조를 가지는 결정질이다.

ㄷ. 대부분의 광물은 여러 원소가 화합물을 이루지만 구리, 금과 같이 한 종류의 원소로 이루어진 광물도 있다. 한 종류의 원소로 이루어진 광물을 원소 광물이라고 한다.

│바로알기│ ㄴ. 광물은 자연적으로 만들어진 물질을 말하며, 인공적으로 만든 것은 광물에 포함하지 않는다.

02 꼼꼼 문제 분석

광물	화학 조성	분류
석영	SiO_2	규산염 광물
방해석	$CaCO_3$	탄산염 광물
감람석	Fe_2SiO_4, Mg_2SiO_4	규산염 광물
금강석	C	원소 광물

ㄱ. 석영과 감람석은 Si(규소)와 O(산소)가 화합물을 이루므로 규산염 이온(SiO_4^{4-})이 포함된 규산염 광물이다.

│바로알기│ ㄴ. 방해석은 광물에 포함된 음이온이 CO_3^{2-}인 탄산염 광물이고, 금강석은 C(탄소)의 한 가지 원소로 이루어진 원소 광물이다.

ㄷ. 금강석은 원소 광물이므로 묽은 염산에 반응하지 않는다. 묽은 염산에 반응하는 광물은 탄산염 광물이다.

03 ㄱ. 규산염 광물은 규산염 사면체를 기본 구조로 하여 다양한 광물을 만든다.

│바로알기│ ㄴ. 규산염 사면체 사이에 산소를 공유하면서 결합이 형성된다.

ㄷ. 규산염 사면체가 양쪽의 산소를 공유하며 1개의 긴 사슬 모양으로 결합을 이루므로 단사슬 구조이다. 복사슬 구조는 2개의 단사슬 구조가 연결된 모양이다.

04 ㄱ. 규산염 사면체의 결합으로 얇은 판 모양을 형성하므로 판상 구조를 이룬다.

ㄴ. 판상 구조는 판과 판 사이의 결합이 상대적으로 약하여 한 방향의 쪼개짐이 나타난다.

ㄷ. 흑운모는 규산염 사면체가 판상 구조를 이루는 광물이다.

05 꼼꼼 문제 분석

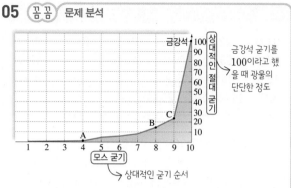

굳기: A<B<C ➡ A는 B와 C에 긁히고, B는 C에 긁힌다.

ㄴ. 모스 굳기 숫자가 클수록 단단한 광물이다. 따라서 B와 C를 서로 긁으면 상대적으로 무른 광물인 B가 긁힌다.

바로알기 ㄱ. 모스 굳기는 광물의 상대적인 굳기를 나타낸 것이므로 B가 A보다 2배 단단한 것은 아니다. 상대적인 절대 굳기를 보면 B는 A보다 2배 이상 단단하다.

ㄷ. C의 굳기는 A, B보다 단단하므로 C의 굳기를 이용하여 A와 B를 구별할 수 없다.

06 꼼꼼 문제 분석

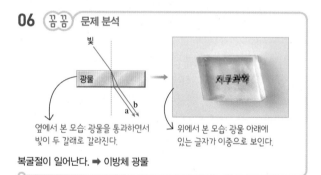

복굴절이 일어난다. ➡ 이방체 광물

ㄴ. 복굴절하는 두 갈래의 빛은 진동 방향이 서로 수직이다.

ㄷ. 편광 현미경은 광물을 통과한 빛이 복굴절하는 현상을 이용하여 간섭색을 관찰하므로 이 광물의 간섭색을 관찰할 수 있다.

바로알기 ㄱ. 암염은 단굴절하는 등방체 광물이다. 복굴절하는 광물에는 방해석, 석영 등이 있으며, 대부분의 광물은 이방체 광물에 해당한다.

07 꼼꼼 문제 분석

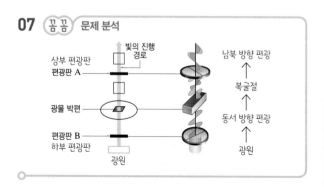

ㄱ. A는 상부 편광판, B는 하부 편광판이다. 하부 편광판(B)은 편광 현미경에 고정되어 있고, 상부 편광판인 A를 뺀 상태를 개방 니콜, A를 낀 상태를 직교 니콜이라고 한다.

ㄴ. 광원에서 나온 빛이 하부 편광판(B)을 통과하면 동서 방향으로 편광되고, 상부 편광판(A)을 통과하면 남북 방향으로 편광되므로 편광 방향이 서로 수직이다.

바로알기 ㄷ. 불투명 광물은 박편에서 빛이 통과하지 못하므로 편광 현미경으로 관찰하면 어둡게 보인다. 광물 박편은 투명 광물로 관찰한다.

08

A는 단굴절이 일어나므로 등방체 광물, B는 복굴절이 일어나므로 이방체 광물이다.

ㄴ. 등방체 광물을 통과한 빛은 직교 니콜에서 진행 경로가 완전히 막힌다. A는 등방체 광물이므로 직교 니콜에서 항상 어둡게 보이는 완전 소광이 일어난다.

ㄷ. B는 이방체 광물이므로 직교 니콜에서 간섭색을 관찰할 수 있다.

바로알기 ㄱ. 다색성은 개방 니콜에서 재물대를 돌릴 때 광물을 통과한 빛이 복굴절하면서 빛의 진행 방향에 따라 흡수되는 정도가 다르기 때문에 나타나는 현상이다. 등방체 광물인 A는 빛이 단굴절하므로 다색성이 나타나지 않는다.

09 꼼꼼 문제 분석

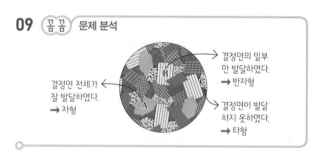

ㄴ. 마그마가 냉각되면서 결정이 생성될 때 성장할 공간이 충분하면 자형이 발달하므로 결정이 생성된 순서는 자형(A) → 반자형(B) → 타형(C)이다.

ㄷ. A는 결정이 성장할 공간이 충분하였고, C는 결정이 성장할 공간이 부족하였다. 따라서 광물이 성장할 수 있는 공간은 A가 C보다 넓었다.

바로알기 ㄱ. A는 자형, B는 반자형, C는 타형이다.

10

결정이 큰 입자와 작은 입자가 함께 나타나므로 반상 조직이 관찰된다. 이 조직은 마그마가 지하 깊은 곳에서 천천히 식어 가다가 비교적 얕은 곳까지 상승하여 빠르게 식어 굳은 반심성암에서 잘 나타난다. 마그마가 지하 깊은 곳에서 굳은 심성암에서는 결정이 큰 조립질 조직이 나타나고, 지표 부근에서 굳은 화산암에서는 결정이 작은 세립질 조직이나 유리질 조직이 나타난다.

11 꼼꼼 문제 분석

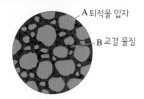

A 퇴적물 입자
B 교결 물질

ㄱ. 역암은 자갈, 모래, 진흙이 섞여 굳은 퇴적암이므로 A가 자갈이면 이 퇴적암은 역암이다.

ㄴ. B는 쇄설물 입자 사이에 채워져 단단한 암석으로 만드는 방해석, 점토 광물, 불투명 광물 등의 교결 물질이다.

┃바로알기┃ ㄷ. 쇄설성 조직은 기존 암석의 풍화와 침식에 의해 생긴 쇄설성 입자가 굳어 나타난다. 해수의 증발에 의해 형성된 퇴적암에서는 비쇄설성 조직이 나타난다.

12 ㄱ. 천매암과 편마암은 모두 열과 압력에 의해 변성되어 생성되는 변성암이므로 엽리가 발달한다.

ㄴ. 셰일이 열과 압력을 받는 정도에 따라 점판암 → (가) 천매암 → 편암 → (나) 편마암으로 변한다.

ㄷ. 점판암 → 천매암 → 편암 → 편마암으로 갈수록 변성 정도가 증가하면서 세립질 입자에서 조립질 입자로 변한다. 따라서 (가)는 (나)보다 세립질 입자로 이루어진다.

13 ② 마그마가 굳은 후 남은 마그마수, 지각으로 스며든 지하수, 해수 등이 마그마 주변에서 가열되어 열수 용액이 되고, 열수 용액에 포함된 광물 성분이 침전하여 형성된 광상을 열수 광상이라고 한다.

┃바로알기┃ ① 기성 광상은 마그마에 남아 있는 고온의 수증기와 휘발 성분이 주변 암석과 화학 반응을 일으켜 형성된 광상이다.

③ 정마그마 광상은 고온의 마그마가 냉각되는 초기에 용융점이 높고 밀도가 큰 광물이 정출되어 형성된 광상이다.

④ 광역 변성 광상은 대규모 지각 변동으로 넓은 지역에 걸쳐 변성 작용이 일어나면서 기존 광상의 성질이 변하여 형성된 광상이다.

⑤ 페그마타이트 광상은 마그마가 냉각되는 후기에 휘발 성분이 풍부한 마그마가 주변의 암석을 관입하면서 광물이 정출되어 형성된 광상이다.

14 꼼꼼 문제 분석

(가) 풍화에 의해 생긴 광물이 물에 의해 운반되는 동안 하천의 바닥에 쌓여 형성된다.

   ➜ 표사 광상: 풍화에 강하고 밀도가 큰 광물이 주로 모여 있다.

(나) 풍화 작용에 의해 유용한 광물이 남고 나머지는 제거되어 형성된다.

   ➜ 풍화 잔류 광상: 상대적으로 잘 녹지 않는 광물만 남아 있다.

(가)는 표사 광상, (나)는 풍화 잔류 광상에 대한 설명이다.

ㄱ. (가)와 (나)는 기존 광상이 풍화 과정을 거쳐 형성되므로 퇴적 광상이다.

ㄷ. 고령토는 정장석이 화학적 풍화 작용을 받아 물에 녹는 탄산 칼륨과 규산은 빠져나가고 남은 물질이다. 보크사이트는 고령토의 화학적 풍화 작용이 더욱 진행되면서 규산이 빠져나가고 남은 물질이다. 따라서 고령토와 보크사이트는 풍화 잔류 광상인 (나)에서 산출된다.

┃바로알기┃ ㄴ. (가)에서 물에 운반되는 광물 중 밀도가 큰 것은 하천의 바닥에 가라앉아 쌓여 표사 광상을 형성한다.

15 ①, ③ 알루미늄은 가벼우므로 송전용 전선의 무게를 줄일 수 있고, 전기 전도도가 높으므로 송전에 유리하다.

④ 알루미늄이 쉽게 녹슬지 않는다는 점은 송전용 전선으로 이용하기에 유리하다.

⑤ 알루미늄은 지각에 산소, 규소 다음으로 풍부한 원소이다. 알루미늄이 지각에 풍부하다는 점은 송전용 전선으로 이용하기에 유리하다.

┃바로알기┃ ② 가늘고 길게 늘어나는 성질을 연성이라고 한다. 알루미늄은 연성이 뛰어나므로 전선으로 만들기에 유리하다.

16 그림은 가스수화물이다.

ㄷ. 우리나라에서는 동해의 울릉 분지에 가스수화물이 매장되어 있다는 것이 확인되었다.

┃바로알기┃ ㄱ. 가스수화물은 심해저에서 형성될 뿐만 아니라 고위도의 영구 동토에서도 형성된다.

ㄴ. 가스수화물은 메테인과 물 분자로 이루어져 있으므로 메테인이 연소되는 과정에서 이산화 탄소와 물이 형성되어 온실 기체를 발생시킨다.

17 꼼꼼 문제 분석

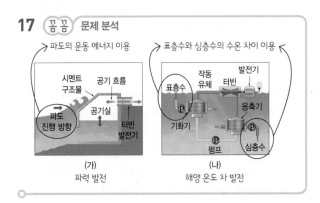

(가) 파력 발전   (나) 해양 온도 차 발전

ㄱ. (가)는 파도의 운동 에너지를 이용하여 전기 에너지를 얻는 발전 방식이므로 에너지원은 태양 에너지이다. (나)는 태양 에너지에 의해 따뜻해진 표층과 찬 심층의 수온 차이를 이용하여 전기 에너지를 얻는 발전 방식이므로 에너지원은 태양 에너지이다.

┃ 바로알기 ┃ ㄴ. (가)는 바람이 불어 발생하는 파도를 이용하므로 바람이 강하고 지속적으로 부는 곳에 알맞은 발전 방식이다. 조석 간만의 차이가 큰 해역에서는 조력 발전이 적합하다.

ㄷ. 고위도로 갈수록 표층수와 심층수의 수온 차이가 감소하므로 (나)의 발전량 증가에 불리하다. 해양 온도 차 발전은 저위도로 갈수록 발전량 증가에 유리하다.

18 (1) Mg와 Fe의 함량이 높은 규산염 광물은 유색 광물로, 어둡게 보이고, Na, K의 함량이 높은 규산염 광물은 무색 광물로, 흰색이나 투명하게 보인다.

(2) 규산염 광물은 규산염 사면체끼리 산소를 공유하면서 여러 구조가 만들어진다. 이때 규산염 사면체 사이에 결합력이 약한 부분이 있는 경우에는 쪼개짐이 나타나고, 모든 방향으로 결합력이 비슷한 경우에는 깨짐이 나타난다.

(모범답안) (1) 석영은 무색 광물로 Mg와 Fe을 함유하지 않고, 감람석은 유색 광물로 Mg와 Fe의 함량이 높기 때문이다.

(2) 두 광물 모두 규산염 사면체의 결합력이 모든 방향으로 비슷하기 때문에 깨짐이 나타난다.

	채점 기준	배점
(1)	Mg와 Fe의 함량을 비교하여 까닭을 옳게 설명한 경우	50 %
(2)	결합력의 차이로 깨짐을 옳게 설명한 경우	50 %
	깨짐이 나타난다고만 서술한 경우	30 %

19 그림은 간섭색과 소광이 나타나므로 직교 니콜로 관찰한 모습이다. 다색성은 개방 니콜 상태에서 재물대를 돌리며 관찰할 때 나타난다.

(모범답안) 상부 편광판을 빼고, 재물대를 천천히 돌리면서 색의 변화를 관찰한다.

채점 기준	배점
상부 편광판과 재물대 조작을 모두 옳게 설명한 경우	100 %
상부 편광판 또는 재물대 조작 중 한 가지만 옳게 설명한 경우	50 %

20 선캄브리아 시대 초기에는 바다에 산소가 없었으나 남세균이 출현한 이후 광합성을 활발히 하여 산소가 생성되었다. 해수에 산소가 풍부해지면서 산소는 해수에 녹아 있던 철과 반응하여 산화 철이 되었고, 해저에 침전되어 호상 철광층이 형성되었다.

(모범답안) 남세균의 광합성에 의해 생성된 산소가 해수 중의 철과 반응하여 산화 철이 된 후 침전하여 호상 철광층이 형성되었다.

채점 기준	배점
남세균, 산소, 침전을 모두 포함하여 옳게 서술한 경우	100 %
남세균, 산소, 침전 중 두 가지만 포함하여 옳게 서술한 경우	70 %
남세균, 산소, 침전 중 한 가지만 포함하여 옳게 서술한 경우	40 %

01 ③	02 ②	03 ①	04 ④	05 ⑤	06 ⑤
07 ①	08 ③	09 ③	10 ③	11 ⑤	12 ④
13 ③	14 ①	15 ④	16 ②		

01 (꼼꼼) 문제 분석

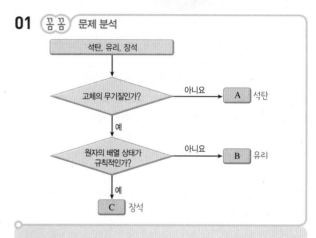

┃ 선택지 분석 ┃

㉠ A는 석탄이다.

✗ B에서 라우에 점무늬가 나타난다. 나타나지 않는다

㉢ C는 여러 종류의 원소가 화합물을 이룬다.

ㄱ. 석탄은 식물체가 지층에 매몰되어 생성된 유기물이므로 A는 석탄이다.

ㄷ. C는 고체의 무기질이고, 결정질인 장석이다. 장석은 규산염 광물에 속하므로 여러 종류의 원소가 화합물을 이룬다.

┃ 바로알기 ┃ ㄴ. B는 고체의 무기질이면서 원자의 배열 상태가 불규칙한 비결정질인 유리이다. 라우에 점무늬는 물질 내부의 원자 배열이 규칙적일 때 나타난다.

02 (꼼꼼) 문제 분석

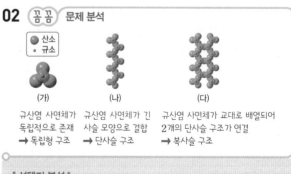

(가)	(나)	(다)
규산염 사면체가 독립적으로 존재	규산염 사면체가 긴 사슬 모양으로 결합	규산염 사면체가 교대로 배열되어 2개의 단사슬 구조가 연결
➡ 독립형 구조	➡ 단사슬 구조	➡ 복사슬 구조

┃ 선택지 분석 ┃

✗ (가)는 쪼개짐이 발달한다. 깨짐

✗ (나)는 (다)보다 규산염 사면체의 공유 산소 수가 많다. 적다

㉢ (가) → (나) → (다)로 갈수록 화학적 풍화에 강하다.

ㄷ. (가) → (나) → (다)로 갈수록 규산염 사면체끼리 공유하는 산소가 많아지므로 결합력이 증가하여 화학적 풍화에 강하다.

▎바로알기▎ ㄱ. (가)는 독립형 구조로, 모든 방향의 결합력이 비슷하여 깨짐이 발달한다.

ㄴ. 규산염 광물의 결합 구조가 복잡할수록 규산염 사면체의 공유 산소 수가 증가한다. (나)보다 (다)의 결합 구조가 복잡하므로 (다)는 (나)보다 규산염 사면체의 공유 산소 수가 많다.

03 (꼼꼼) 문제 분석

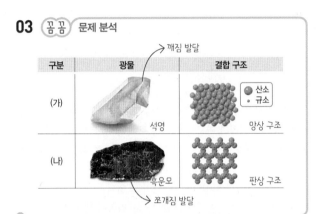

구분	광물	결합 구조
(가)	석영 ← 깨짐 발달	망상 구조 (● 산소, · 규소)
(나)	흑운모 ← 쪼개짐 발달	판상 구조

▎선택지 분석▎

㉠ (가)는 깨짐이 발달한다.

✗ Mg와 Fe의 함량은 (가)가 (나)보다 높다. 낮다

✗ $\dfrac{Si\ 개수}{O\ 개수}$ 값은 (가)가 (나)보다 작다. 크다

ㄱ. (가)는 규산염 사면체끼리 산소를 모두 공유하여 입체 모양인 망상 구조를 이루므로 모든 방향으로 결합력이 비슷하여 깨짐이 발달한다.

▎바로알기▎ ㄴ. (가)는 밝은색을 띠는 무색 광물이고, (나)는 어두운색을 띠는 유색 광물이다. Mg와 Fe의 함량이 높을수록 어두운색을 띠므로 Mg와 Fe의 함량은 (나)가 (가)보다 높다.

ㄷ. (가)는 (나)보다 규산염 사면체가 공유하는 산소 수가 많으므로 규소 개수에 대한 산소의 개수가 적다. 따라서 $\dfrac{Si\ 개수}{O\ 개수}$ 값은 (가)가 (나)보다 크다. 석영은 Si : O=1 : 2이고, 흑운모는 Si : O=2 : 5이다.

04 (꼼꼼) 문제 분석

광물	쪼개짐·깨짐	모스 굳기	주요 구성 원소	색
A	깨짐	6.5~7	Mg, Fe, Si, O	유색 광물
B	쪼개짐	2.5~3	Al, K, Mg, Fe, Si, O	
C	쪼개짐	6	Al, K, Si, O	무색 광물
D	깨짐	7	Si, O	

▎선택지 분석▎

㉠ A와 B는 유색 광물이다.

㉡ B와 D의 떨어져 나간 면을 관찰하면 서로 구분이 된다.

✗ D를 조흔판에 긁으면 D의 조흔색을 알 수 있다. 없다

㉣ A~D는 모두 규산염 사면체가 형성하는 광물이다.

ㄱ. A와 B는 주요 구성 원소에 Mg와 Fe가 포함되므로 유색 광물이다.

ㄴ. B는 쪼개짐이 발달하고, D는 깨짐이 발달하므로 두 광물의 떨어져 나간 면을 관찰하면 서로 구분이 된다.

ㄹ. 규산염 사면체는 규소 이온(Si^{4+})을 중심으로 산소 이온(O^{2-}) 4개가 결합한 구조이다. A~D는 모두 Si와 O가 주요 구성 원소이므로 규산염 사면체를 기본 구조로 하는 규산염 광물이다.

▎바로알기▎ ㄷ. 모스 굳기 숫자가 클수록 단단한 광물이며, 굳기가 서로 다른 두 광물을 긁으면 긁히는 광물이 더 무르다. 조흔판의 모스 굳기는 6.5이므로 광물 B와 C는 조흔판에 그어 조흔색을 알 수 있지만, D는 조흔판보다 단단하므로 조흔판에 그어 조흔색을 알아내기 어렵다.

05 (꼼꼼) 문제 분석

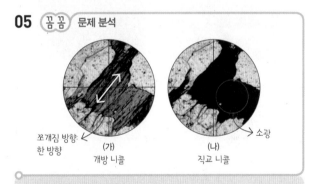

쪼개짐 방향 한 방향 ← (가) 개방 니콜 | (나) 직교 니콜 → 소광

▎선택지 분석▎

㉠ (가)는 개방 니콜로 관찰한 모습이다.

㉡ (가)에서 쪼개짐이 관찰된다.

㉢ (나)의 상태에서 재물대를 돌리면 흑운모의 소광을 관찰할 수 있다.

ㄱ. (가)와 (나)를 비교할 때 (나)에서 소광이 나타난다. 소광은 직교 니콜 상태일 때 관찰되므로 (가)는 개방 니콜, (나)는 직교 니콜로 관찰한 모습이다.

ㄴ. 흑운모는 판상 구조를 보이므로 한 방향의 쪼개짐이 발달하며, (가)에서 쪼개짐의 방향을 볼 수 있다.

ㄷ. (나)는 직교 니콜로 관찰한 모습이므로 직교 니콜 상태에서 재물대를 돌리면 90°마다 어두워지는 흑운모의 소광을 관찰할 수 있다.

06

(가)는 현무암이고, (나)는 반려암이다.

ㄱ. (가)는 현무암으로, 구성 광물의 입자가 작으므로 세립질 조직이 나타나는 화산암이다. 화산암은 마그마가 지표 부근에서 빨리 식어 결정이 자라날 시간이 부족하여 결정의 크기가 작다.

ㄴ. (나)는 반려암으로, 구성 광물의 입자가 크므로 조립질 조직이 나타나는 심성암이다. 심성암은 마그마가 지하 깊은 곳에서 천천히 식어 결정의 크기가 크고, 비교적 고른 조립질 조직이 나타난다.

ㄷ. 결정의 크기가 작을수록 지표 부근에서 빠르게 식어 굳는다. 따라서 (나)는 (가)보다 지하 깊은 곳에서 형성되었다.

07 꼼꼼 문제 분석

 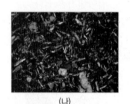

(가)	(나)
결정의 크기가 크고 비교적 고르다.	결정의 크기가 작다.
→ 조립질 조직	→ 세립질 조직
→ 마그마가 천천히 냉각되었다.	→ 마그마가 빨리 냉각되었다.
→ 심성암의 조직	→ 화산암의 조직

화산암은 결정이 비교적 작고, 심성암은 결정이 비교적 크므로 (가)는 심성암, (나)는 화산암이다.

ㄱ. (가)는 결정의 크기가 크고 비교적 고르며, 입자 사이가 맞물려 있으므로 조립질 조직이 나타난다. (나)는 결정의 크기가 작은 세립질 조직이 나타난다.

┃ 바로알기 ┃ ㄴ. (가)와 (나)는 동일한 배율로 관찰한 모습이므로 결정의 평균적인 크기는 (가)가 (나)보다 크다. 이는 마그마가 냉각될 때 (가)가 (나)보다 천천히 식어 결정이 자라날 시간이 충분했기 때문이다.

ㄷ. (나)가 (가)보다 어둡게 보이므로 유색 광물의 함량비는 (나)가 (가)보다 높다.

08 꼼꼼 문제 분석

쇄설성 퇴적암 → 쇄설성 조직 (A 사암)

화학적 퇴적암 → 비쇄설성 조직 (B 암염)

(가)

유기적 퇴적암 → 비쇄설성 조직 (C)

ㄱ. A는 사암을 포함하므로 쇄설성 퇴적암이고, 쇄설성 퇴적암에서 입자 모서리가 마모된 쇄설성 조직이 나타난다.

ㄷ. 석회암은 해수에 녹은 탄산염이 무기적으로 침전되거나 생물체에 흡수되었다가 퇴적되어 생성되므로 화학적 퇴적암(B)이 될 수도 있고, 유기적 퇴적암(C)이 될 수도 있다.

┃ 바로알기 ┃ ㄴ. B는 암염을 포함하므로 화학적 퇴적암이다. 화학적 퇴적암은 해수에 녹은 물질이 침전되거나 해수의 증발에 의해 쌓인 퇴적물에 의해 생성되며, 비쇄설성 조직이 나타난다. 유기적 퇴적물이 쌓여 생성되는 암석은 유기적 퇴적암이다.

09 꼼꼼 문제 분석

(가)	(나)
1 mm	1 mm

방향성이 없고 입자의 크기가 비슷하며 조립질로 구성
→ 입상 변정질 조직
→ 열에 의한 변성암

줄무늬 구조
→ 엽리
→ 열과 압력에 의한 변성암

ㄱ. (가)는 열에 의해 재결정 작용을 받아 입자가 촘촘하게 맞물려 있는 조직이 나타나는 변성암이다. (나)는 열과 압력에 의해 광물이 재배열되거나 새로 만들어진 광물이 배열되어 줄무늬 구조(엽리)가 나타나는 변성암이다.

ㄷ. 편마암은 셰일이 높은 열과 압력을 받아 생성되므로 (나)와 같은 엽리가 나타난다.

바로알기 ㄴ. (나)의 줄무늬는 광물이 압력 방향에 수직인 방향으로 배열되어 생성된 엽리이다.

10 꼼꼼 문제 분석

정장석의 화학적 풍화 작용에 의해 생성

(가) $\boxed{A}$ +2H$_2$O+CO$_2$
정장석

$\longrightarrow \boxed{고령토}$ +4SiO$_2$+K$_2$CO$_3$

(나) $\boxed{고령토}$ +H$_2$O $\longrightarrow$ $\boxed{B}$ +2SiO$_2$
보크사이트

고령토의 화학적 풍화 작용에 의해 생성

┃선택지 분석┃

㉠ A는 정장석, B는 보크사이트이다.

㉡ (나)는 (가)보다 고온 다습한 환경에서 일어난다.

✗ (가)의 고령토와 (나)의 B는 침전 광상에 해당한다.
풍화 잔류 광상

ㄱ. (가)는 정장석의 화학적 풍화 작용이 일어나는 과정이고, (나)는 고령토의 화학적 풍화 작용이 일어나는 과정이므로 A는 정장석, B는 보크사이트이다.

ㄴ. (가)는 온난 다습한 온대 지방에서 잘 일어나고, (나)는 고온 다습한 열대 지방에서 잘 일어나므로 (나)는 (가)보다 고온 다습한 환경에서 일어난다.

┃바로알기┃ ㄷ. (가)의 고령토와 (나)의 B(보크사이트)는 각각 물에 녹지 않고 남아 있는 풍화 잔류물이므로 풍화 잔류 광상에 해당한다. 침전 광상은 해수가 증발하면서 해수에 녹은 물질이 침전하여 형성된다.

11 꼼꼼 문제 분석

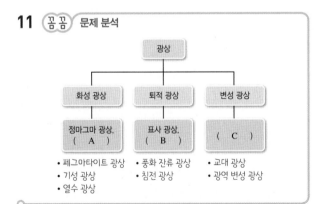

┃선택지 분석┃

㉠ 페그마타이트 광상은 A에 해당한다.

㉡ 해수의 용존 물질이 침전되어 형성된 광상은 B에 해당한다.

㉢ C에서 산출되는 광상으로 흑연 광상이 있다.

ㄱ. 페그마타이트 광상은 마그마 냉각의 후기에 형성되는 광상으로, A에 해당한다.

ㄴ. 해수의 용존 물질이 침전되어 형성된 광상은 침전 광상이다. 침전 광상은 퇴적 광상에 속하므로 B에 해당한다.

ㄷ. 흑연 광상은 유기물이 지층에 매몰된 후 열이나 열과 압력에 의해 변성 작용을 받아 생성되므로 C에서 산출된다.

12 꼼꼼 문제 분석

철   알루미늄

A는 지각에서 B 다음으로 풍부한 금속 원소이다. A는 단단하고, 전기 전도도가 높으며, 가공하기 쉽지만 ㉠부식이 잘 생기는 단점이 있다. B는 ㉡전성과 연성이 뛰어나고 가벼우며, 쉽게 녹슬지 않는 장점이 있다.

부식을 보완하기 위해 철 합금강을 만들어 이용한다.

┃선택지 분석┃

✗ A는 알루미늄, B는 철이다.
철   알루미늄

㉡ ㉠을 보완하기 위해 합금강을 만들어 이용한다.

㉢ B를 이용하여 캔을 만드는 것은 ㉡을 이용한 것이다.

ㄴ. 부식이 잘 생기는 철의 단점을 보완하기 위해 합금을 하여 부식에 대한 저항성이 높은 스테인리스강을 만들어 이용한다.

ㄷ. 넓은 판으로 얇게 펴지는 성질을 전성이라고 한다. 알루미늄은 전성이 뛰어나므로 이를 이용하여 캔을 만든다.

┃바로알기┃ ㄱ. 지각에 가장 풍부한 금속 원소는 알루미늄이고, 그 다음으로 풍부한 원소는 철이다.(지각의 구성 원소: 산소>규소>알루미늄>철>칼슘>나트륨>칼륨>마그네슘 등)

13 꼼꼼 문제 분석

조석 현상 이용 ➡ 근원 에너지: 조력 에너지

조력 (가) $\boxed{밀물과 썰물의 수위 차이}$를 이용하여 발전한다.
발전

조류 (나) $\boxed{조류}$의 흐름을 이용하여 발전한다.
발전

파력 (다) $\boxed{파도의 운동}$을 이용하여 발전한다. ➡ 바람에 의한 파도
발전

이용 ➡ 근원 에너지: 태양 에너지

┃선택지 분석┃

㉠ (가)는 서해안이 동해안보다 유리하다.

✗ (나)와 (다)는 모두 에너지원이 조력 에너지이다.
(나)의 에너지원은 조력 에너지, (다)의 에너지원은 태양 에너지

㉢ (가)~(다)는 모두 해수의 운동 에너지를 전기 에너지로 전환한다.

(가)~(다)는 해양 에너지 자원 중 재생 에너지로, (가)는 조력 발전, (나)는 조류 발전, (다)는 파력 발전이다.

ㄱ. (가)는 조력 발전이므로 조석 간만의 차이가 큰 서해안이 동해안보다 유리하다.

ㄷ. (가)와 (나)는 조석 현상에 의한 해수 운동을 이용하여 전기 에너지를 생산하고, (다)는 파도에 의한 해수 운동을 이용하여 전기 에너지를 생산한다.

║바로알기║ ㄴ. (나)는 조류 발전이므로 조력 에너지를 이용한 발전이고, (다)는 파력 발전이므로 태양 에너지를 이용한 발전이다.

14

║선택지 분석║
◯ㄱ 해수에 녹은 리튬을 추출한다.
✗ 해양 에너지 자원을 얻을 수 있다. 해양 광물 자원
✗ 대부분의 리튬이 대기로부터 공급되었다. 해양으로부터

ㄱ. 해양 플랜트는 해수에 녹은 리튬을 추출하기 위한 장치이다.
║바로알기║ ㄴ. 리튬은 전지를 생산하는 데 필수적인 원료로, 해양 광물 자원이다.

ㄷ. 해양에 리튬을 비롯하여 나트륨, 마그네슘 등 다양한 광물이 녹아 있는데, 이들은 하천수나 지하수가 바다로 이동하는 동안 암석의 광물질을 녹여 운반한 것이다.

15 (꼼꼼) 문제 분석

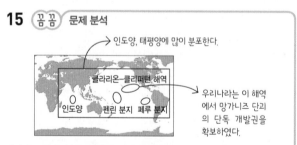

망가니즈 단괴의 분포 해역을 나타낸 것이다.

║선택지 분석║
✗ 퇴적물의 퇴적 속도가 빠른 해역에서 잘 형성된다. 느린
◯ㄴ 우리나라에서 단독 개발권을 확보한 곳이 있다.
◯ㄷ 제련 과정을 거쳐 이용한다.

ㄴ. 우리나라는 태평양의 클라리온−클리퍼턴 해역에서 다량의 망가니즈 단괴를 탐사하여 단독 개발권을 확보하였다.

ㄷ. 망가니즈 단괴에는 망가니즈, 철, 코발트 등 금속 광물이 포함되어 있다. 금속 광물은 제련 과정을 거쳐 이용한다.

║바로알기║ ㄱ. 망가니즈 단괴는 퇴적물의 퇴적 속도가 매우 느린 심해저에서 단괴가 성장하여 형성된다.

16 (꼼꼼) 문제 분석

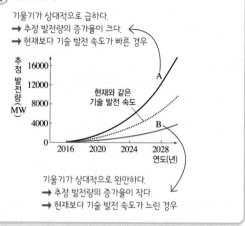

║선택지 분석║
✗ 추정 발전량의 증가율은 B가 A보다 크다. 작다
◯ㄴ A는 기술 발전 속도가 현재보다 빠른 경우에 해당한다.
✗ 화석 연료를 대체하는 비율은 기술 발전 속도가 A보다 B일 때 크다. 작다

ㄴ. A는 현재와 같은 기술 발전 속도인 경우보다 추정 발전량이 더 많으므로 현재보다 기술 발전 속도가 더 빠른 경우에 해당한다. B는 기술 발전 속도가 현재보다 느린 경우에 해당한다.

║바로알기║ ㄱ. 추정 발전량의 증가율은 그래프의 기울기에 해당하므로 A가 B보다 크다.

ㄷ. 해양 재생 에너지를 개발하면 화석 연료를 대체할 수 있으므로 화석 연료의 대체 비율은 B보다 A의 경우가 더 크다.

3 한반도의 지질

01 지질 조사와 지질도

111쪽

완자쌤 비법특강
Q1 지형이 기울어진 방향과 같은 방향
Q2 감소한다

Q1 지층 경계선이 휜 방향과 등고선이 휜 방향이 서로 반대인 경우에는 고도가 높은 주향선에서 낮은 주향선을 향하는 방향, 즉 지층의 경사 방향이 지형이 기울어진 방향과 같다.
반면에, 지층 경계선이 휜 방향과 등고선이 휜 방향이 같은 경우에는 지층의 경사 방향이 지형이 기울어진 방향과 반대이다.

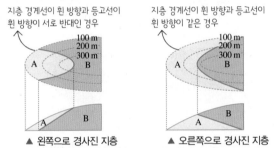

지층 경계선이 휜 방향과 등고선이 휜 방향이 서로 반대인 경우 / 지층 경계선이 휜 방향과 등고선이 휜 방향이 같은 경우

▲ 왼쪽으로 경사진 지층 ▲ 오른쪽으로 경사진 지층

Q2 위로 볼록한 모양인 배사축이 지표면으로 드러났다면 습곡축을 따라 나중에 퇴적된 지층은 침식 작용을 받아 없어진다. 따라서 습곡축에서 멀어질수록 나중에 퇴적된 지층이 분포하므로 지층의 생성 시기가 감소한다.

개념 확인 문제

112쪽

❶ 지질도 ❷ 주향 ❸ 진북 ❹ 경사 ❺ 노선 지질도
❻ 주향 ❼ 주향선 ❽ 수평층 ❾ 부정합

1 (1) ○ (2) × (3) × (4) × **2** A: 주향, B: 경사 방향,
C: 경사각 **3** (가) A, B, D (나) C, E **4** (1) A
(2) E **5** (1) (가) (2) (나) (3) 주향 방향: NW, 경사 방향: NE
6 (가) 부정합 (나) 단층 (다) 습곡

1 (1) 지질 조사는 지구의 역사를 이해하기 위한 학문적 목적 이외에 지하자원 탐사, 터널이나 발전소 건설, 자연재해 예방 등의 실용적인 목적으로도 실시한다.

(2) 지형도는 지질 조사 전반에서 꼭 필요한 것으로, 노선 지질도를 작성하고 지질도를 완성하는 과정에도 이용된다.
(3) 야외에서는 노두에서 관찰한 내용을 노선 지질도로 작성하며, 실내로 돌아온 후 지질도를 완성한다.
(4) 야외에서의 지질 조사는 노두에서 암석이나 지층을 관찰한다.

2 A는 지층면과 수평면이 이루는 교차선의 방향이므로 주향이다. B는 주향에 수직으로 지층면이 향하는 방향이므로 경사 방향이다. C는 수평면과 지층면이 이루는 각도이므로 경사각이다.

3 A는 수준기, B는 주향을 재는 자침, C는 경사를 재는 지침(추), D는 주향 눈금, E는 경사 눈금이다.
(가) 주향은 수준기(A)로 수평을 유지하면서 자침(B)이 가리키는 바깥쪽 눈금(D)을 읽어 방향과 각도를 알아낸다.
(나) 경사는 지침(C)이 가리키는 안쪽 눈금(E)을 읽어 각도를 알아낸다.

4 **꼼꼼 문제 분석**

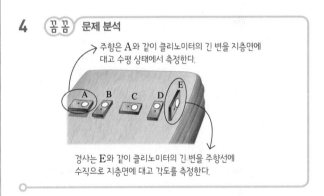

주향은 A와 같이 클리노미터의 긴 변을 지층면에 대고 수평 상태에서 측정한다.

경사는 E와 같이 클리노미터의 긴 변을 주향선에 수직으로 지층면에 대고 각도를 측정한다.

5 **꼼꼼 문제 분석**

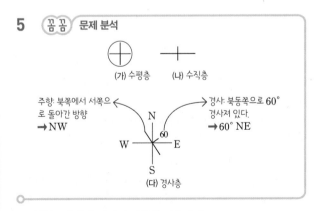

(가) 수평층 (나) 수직층

주향: 북쪽에서 서쪽으로 돌아간 방향 →NW

경사: 북동쪽으로 60° 경사져 있다. →60° NE

(다) 경사층

(1) (가)는 경사가 0°인 수평층의 기호이다.
(2) (나)는 경사가 90°인 수직층의 기호이다.
(3) (다)는 경사층의 주향과 경사를 나타내는 기호이다. 주향 방향은 긴 선으로 나타내므로 NW이고, 경사 방향은 긴 선에 수직인 짧은 선으로 나타내므로 NE이다.

6

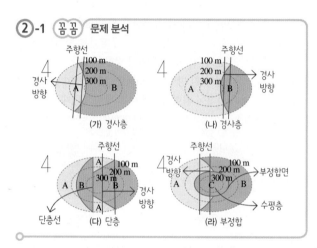

(가)는 한 지층 경계선이 다른 지층 경계선을 덮고 지층의 반복이 없으므로 부정합이다. C는 동쪽으로 경사져 있고, A는 수평층이므로 부정합이 나타난다.

(나)는 지층 경계선이 끊어지고, 같은 지층이 반복되어 나타나므로 단층이다. 등고선에 직선으로 나타나는 부분이 단층면이므로 수직 단층이 나타나고, A, B가 모두 서쪽으로 경사져 있다.

(다)는 지층 경계선이 대칭을 이루고 있으므로 습곡이다. B의 왼쪽에 있는 A가 서쪽으로 경사져 있고, B의 오른쪽에 있는 A가 동쪽으로 경사져 있다.

대표 자료 분석

113쪽~114쪽

자료 1 1 (1) (가) (2) (나)　2 ㉠ N45°E, ㉡ NW 또는 SE,
㉢ 90°　3 ✗　4 (1) × (2) ○ (3) ×

자료 2 1 (라)　2 (다)　3 (가) 서쪽 (나) 동쪽　4 (나)
5 (1) ○ (2) × (3) ○ (4) × (5) ○

자료 3 1 ①　2 (1) 부정합 (2) 습곡 (3) A: 서쪽, C: 동쪽
(4) B: ┼, D: ┼　(5) 역암층 → 사암층 → 석회암층
→ 응회암층 → 셰일층　3 (1) × (2) ○ (3) ○ (4) ×
(5) ○ (6) ○

자료 4 1 해설 참조　2 동쪽　3 사암층　4 (1) ○ (2) ×
(3) ○ (4) ○

①-1 (1) 수준기는 주향을 측정하는 과정에서 클리노미터의 수평을 유지할 때 사용한다.
(2) 경사를 측정할 때는 지침(추)이 가리키는 안쪽 눈금을 읽는다. 바깥쪽 눈금은 주향을 측정할 때 읽는다.

①-2 클리노미터는 E와 W를 나침반과 반대로 표시해 두었으므로 주향은 자침을 그대로 읽으면 된다. (가)에서 자침이 N을 기준으로 E쪽으로 45°를 가리키므로 주향은 N45°E이다.
한편, 경사 방향은 클리노미터로 알 수 없으므로 지층면이 향하는 방향으로 판단하며, 주향과 경사 방향은 수직이므로 주향이 NE이면 경사 방향은 NW 또는 SE가 된다. (나)에서 경사각은 지침이 가리키는 값을 E 또는 W를 기준으로 측정하므로 90°이다.

①-3 이 지층은 주향은 N45°E이고 경사각은 90°인 수직층이므로, 기호로 나타내면 N에서 동쪽으로 45° 기울어진 주향선에 수직층 표시를 넣은 ✗ 이다.

①-4 (1) 주향을 측정할 때는 클리노미터의 긴 변이 지층면에 닿은 상태로 수평을 유지하면서 측정한다.
(2) 경사각은 경사 방향의 수평면과 지층면이 이루는 각이고, 경사 방향은 주향에 수직이므로 경사각을 측정할 때는 클리노미터를 주향선에 수직으로 세워 측정한다.
(3) (가)와 (나)를 측정한 지층은 경사각이 90°이므로 수직층이다.

②-1

수평층은 등고선과 지층 경계선이 나란하므로 (라)의 C층이다.

②-2 단층은 지층 경계선이 끊어지고 같은 지층이 반복되어 나타난다. (다)에서 직선의 지층 경계선(단층선)에 대해 왼쪽과 오른쪽에 B층이 반복되어 분포하므로 단층이 나타난다.

②-3 경사 방향은 높은 고도의 주향선에서 낮은 고도의 주향선을 수직으로 향하는 방향이므로 (가)는 A층이 서쪽으로 경사져 있고, (나)는 B층이 동쪽으로 경사져 있다.

②-4 지층이 역전되지 않았다면 하부의 지층이 먼저 생성된 것이므로 (가)는 B층이 먼저, (나)는 A층이 먼저 생성되었다.

②-5 (1) 지층 경계선과 등고선이 만나는 두 점을 직선으로 그려보면 (가)~(라)의 지층은 모두 주향이 NS에 가깝다.
(2) (다)의 단층선은 직선으로 나타나므로 단층면은 경사각이 90°로 수직이다.
(3) (다)는 A와 B의 지층 경계선이 동쪽으로 경사져 있으므로 지층 A가 B보다 먼저 생성되었다.
(4) (라)는 경사층을 수평층이 덮고 있으므로 부정합이 형성되었다.
(5) (라)는 지층 A와 B가 서쪽으로 경사져 있으므로 B가 A보다 먼저 생성되었고, 그 후 C층이 생성되었다.

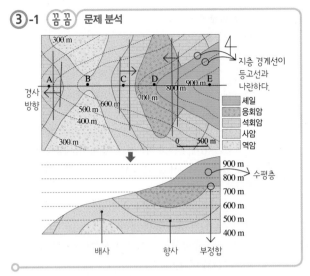

③-1 꼼꼼 **문제 분석**

셰일층은 지층 경계선이 등고선과 나란하므로 수평층으로 나타난다.

③-2 (1) 셰일층은 수평층이고, 응회암층은 경사층이므로 두 지층 사이에는 부정합이 나타난다.

(2) 사암층은 습곡의 배사축이 B 지점을 포함하여 남북 방향으로 나타나므로 사암층에 나타나는 지질 구조는 습곡이다.

(3) 주향선을 그어보면 석회암층은 A에서 서쪽으로 경사져 있고, C에서 동쪽으로 경사져 있다.

(4) B를 축으로 왼쪽의 지층은 서쪽으로, 오른쪽의 지층은 동쪽으로 경사져 있으므로 B에는 배사축이 나타난다. 또한, D를 축으로 왼쪽의 지층은 동쪽으로, 오른쪽의 지층은 서쪽으로 경사져 있으므로 D에는 향사축이 나타난다.

(5) 지질 단면도를 그려 지층의 생성 순서를 판단해 보면, 역암층 → 사암층 → 석회암층 → 응회암층 → 셰일층 순이다.

③-3 (1) 석회암층의 지층 경계선과 600 m 등고선이 만나는 두 점을 직선으로 연결해 보면 주향은 거의 남북 방향이다.

(2) B 지점의 사암층에서 습곡의 배사 구조가 나타므로 B 지점의 동쪽과 서쪽의 경사 방향이 서로 반대이다.

(3) 사암층에서 습곡이 나타나므로 횡압력을 받았다.

(4) 응회암은 화산재가 굳은 것이므로 석회암이 퇴적된 후 화산재가 쌓였다.

(5) 지질 단면도를 보면 석회암층 아래에 사암층이 있으므로 E 지점의 지하로 들어가면 사암층을 만날 수 있다.

(6) 이 지역은 1회의 부정합이 있었고, 현재 육지로 드러나 있으므로 최소한 2회의 융기가 일어났다.(융기 → 침식 → 침강 → 퇴적 → 융기)

④-1 지층 경계선의 경사를 고려하여 지질 단면도를 완성한다.

모범답안

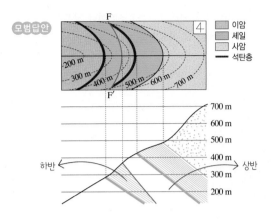

④-2 이암층은 단층의 서쪽과 동쪽에 모두 분포하며, 경사 방향은 고도가 높은 주향선에서 고도가 낮은 주향선을 수직으로 향한 방향이므로 이암층은 동쪽으로 경사져 있다.

④-3 지층의 생성 순서는 이암층 → 석탄층 → 셰일층 → 사암층이다. 가장 나중에 생성된 지층은 가장 위쪽에 있는 사암층이다.

④-4 (1) 단층면은 동쪽으로 경사져 있다.

(2) 단층면을 경계로 오른쪽에 상반이 있고 왼쪽에 하반이 있으며, 상반이 위로 올라갔으므로 횡압력에 의해 역단층이 형성되었다.

(3) 지층 경계선이 등고선에 나란해질수록 경사가 완만하므로 단층면의 경사각은 석탄층의 경사각보다 크다.

(4) 가장 먼저 생성된 지층은 가장 아래쪽에 있는 이암층이다.

내신 만점 문제
115쪽~117쪽

01 ③	02 ③	03 주향: N25°E, 경사: 30°SE	04 ①
05 ①	06 ④	07 ④	08 해설 참조	09 ②
10 ②	11 ①	12 ⑤	13 30°SE	14 ⑤	15 ①

01 ㄱ. (가) 단계에서는 대상 지역의 문헌을 조사하여 사전 지식을 갖추고, 조사 계획을 세운다.

ㄴ. 암석이나 지층이 지표에 노출된 부분을 노두라고 한다. (나) 단계는 주로 노두에서 이루어진다.

바로알기 ㄷ. 야외에서 작성한 노선 지질도를 근거로 (다) 단계에서 지질도를 완성하고, 이를 해석하여 지질 단면도를 작성한다.

02 ㄱ. 지질 조사 경로를 따라 노두에서 관찰한 암석과 지형의 분포를 지형도에 기입하여 노선 지질도를 작성한다.

ㄷ. 클리노미터는 지층의 주향과 경사를 측정하여 조사 지역 내에서 암석이나 지층의 분포를 파악하는 데 이용된다.

┃바로알기┃ ㄴ. 확대경(루페)은 암석의 조직이나 작은 크기의 화석을 확대하여 관찰하는 데 이용된다.

03 (꼼꼼) 문제 분석

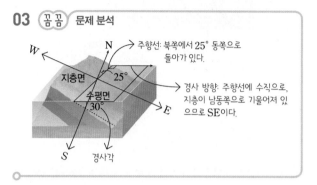

지층면이 수평면과 이루는 교차선이 진북에 대해 동쪽으로 25° 돌아가 있으므로 주향은 N25°E이다. 지층면이 수평면에 대해 30° 기울어져 있으므로 경사각은 30°이다. 이 지층의 주향 방향이 NE이므로 경사 방향은 NW 또는 SE인데, 지층면이 남쪽을 향하므로 경사 방향은 SE이다. 따라서 경사는 30°SE이다.

04 ㄱ. (가)는 주향을 측정하는 방법이므로 클리노미터를 수평으로 유지하는 수준기가 필요하다.

┃바로알기┃ ㄴ. (가)에서 주향은 자침이 가리키는 북쪽에 대해 오른쪽(동쪽)을 향하므로 클리노미터의 자침은 눈금에 표시된 N과 E 사이 방향을 가리킨다. 클리노미터에는 E와 W의 위치가 나침반과 반대로 표시되어 있으므로 자침이 가리키는 방향을 그대로 읽는다.

ㄷ. (나)에서 a는 수평선과 지층면이 이루는 경사각이므로 a가 30°이면 경사각은 30°이다.

05 (꼼꼼) 문제 분석

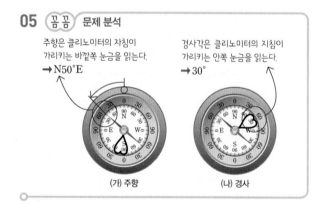

주향은 북쪽을 기준으로 동쪽으로 50° 돌아간 긴 선으로 나타낸다. 클리노미터의 동서 방향은 실제와 반대이므로 기호에서 주향선은 자침의 방향과 대칭을 이룬다. 경사는 주향에 수직인 짧은 선으로 경사 방향을 나타내고, 경사각 30을 쓴다. 주향 방향이 NE이므로 경사 방향은 NW 또는 SE이다.

06 (꼼꼼) 문제 분석

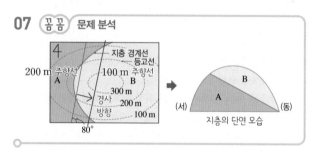

ㄴ. (나)의 주향선은 진북에서 동쪽으로 돌아가 있으므로 주향 방향은 NE이고, 경사를 나타내는 선이 남동쪽으로 기울어져 있으므로 경사 방향은 SE이다.

ㄷ. (가)의 기호는 수직층을 나타내므로 경사는 90°이고, (나)의 경사는 40°이므로 (가)의 경사가 더 급하다.

┃바로알기┃ ㄱ. (가)의 주향선은 진북에서 서쪽으로 돌아가 있으므로 주향 방향은 NW이다.

07 (꼼꼼) 문제 분석

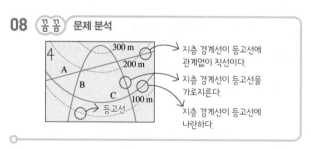

ㄴ. 경사는 높은 고도의 주향선에서 낮은 고도의 주향선을 향하는 방향이므로 지층 A, B는 남동쪽으로 경사져 있다.

ㄷ. 지층이 역전되지 않았다면 하부의 지층이 먼저 생성된 것이므로 A가 B보다 먼저 생성되었다.

┃바로알기┃ ㄱ. 지층 A의 주향선이 북쪽으로부터 동쪽으로 10° (=90°−80°) 돌아가 있으므로 지층 A의 주향은 N10°E이다.

08 (꼼꼼) 문제 분석

수직층(A)은 지층 경계선이 직선으로 나타난다. 경사층(B)은 지층 경계선이 여러 등고선을 지나는 곡선으로 나타난다. 수평층(C)은 지층 경계선이 등고선과 나란하게 나타난다.

(모범답안) A, 지층 경계선이 등고선에 관계없이 직선으로 나타난다.

채점 기준	배점
수직층으로 A를 고르고, 그 까닭을 옳게 서술한 경우	100 %
수직층만 옳게 고른 경우	50 %

09 ㄴ. A는 수평층이므로 지층의 두께와 등고선의 간격이 일치한다. A가 100 m부터 150 m까지 쌓여 있으므로 지층의 두께는 50 m이다.

‖ 바로알기 ‖ ㄱ. A는 수평층이고, B는 경사층이므로 지층의 경사는 B가 A보다 급하다.

ㄷ. (나)에서 주향 방향은 EW이고, 지층이 남쪽으로 경사져 있으므로 하부의 지층인 C가 B보다 먼저 생성되었다.

10 꼼꼼 문제 분석

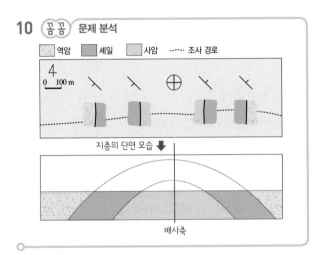

ㄷ. 배사축에 멀어질수록 나중에 생성된 암석이므로 생성 순서는 사암 → 셰일 → 역암이다.

‖ 바로알기 ‖ ㄱ. 사암층은 배사축에 위치하므로 수평층이고, 경사는 0°이다.

ㄴ. 이 지역에는 습곡의 배사 구조가 나타난다.

11 꼼꼼 문제 분석

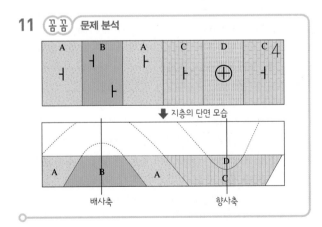

ㄱ. 지층 B에는 배사축이 있으므로 동쪽과 서쪽의 경사 방향이 반대이다.

‖ 바로알기 ‖ ㄴ. 가장 오래된 지층은 가장 하부에 있는 B층이다. D층은 가장 나중에 생성된 지층이다.

ㄷ. 이 지역은 횡압력에 의한 습곡이 나타나며, 배사 구조와 향사 구조가 모두 나타난다.

[12~13] 꼼꼼 문제 분석

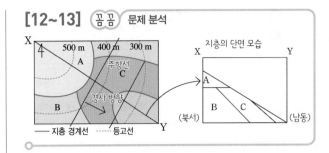

12 ㄱ. A층은 등고선과 나란하게 나타나므로 수평층이다.

ㄴ. A층과 B층은 지층 경계선이 다른 경계선을 덮고 있는 부정합 관계이므로 A층과 B층 사이에는 긴 퇴적 시간 간격이 있다.

ㄷ. B층과 C층의 경계선이 400 m 등고선과 만나는 두 점을 직선으로 연결해 보면, 주향은 NE 방향이다.

13 클리노미터에서 지침이 가리키는 안쪽 눈금을 읽으면, C층의 경사각은 30°이다. 지질도에서 C층은 남동쪽으로 경사져 있으므로 C층의 경사는 30°SE이다.

14 꼼꼼 문제 분석

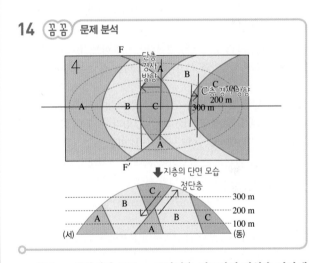

ㄱ. 300 m 주향선과 200 m 주향선을 비교하여 방향을 판단해 보면 지층 C는 동쪽으로 경사져 있다.

ㄴ. 주향선을 그려보면 단층면은 서쪽으로 경사져 있다.

ㄷ. A → B → C로 갈수록 상부의 지층으로, 나중에 생성되었다.

15 ㄱ. B는 수평층이고, A는 경사층이므로 지층의 평균 경사각은 A가 B보다 크다.

‖ 바로알기 ‖ ㄴ. B층을 중심으로 A층이 각각 북서쪽과 남동쪽으로 기울어져 있는 배사 구조가 나타나므로 배사축에 있는 B가 A보다 먼저 생성되었다.

ㄷ. 관입암 C가 단층을 관입하였으므로 단층은 관입암보다 먼저 생성되었다. 관입암의 절대 연령이 7000만 년이고, 약 6600만 년 전부터 신생대이므로 단층은 신생대 이전에 생성되었다.

02 한반도의 지사와 판 구조 환경

1 (1) A는 낭림 육괴, D는 경기 육괴, G는 영남 육괴이다.
(2) B는 평남 분지, E는 태백산 분지, F는 옥천 분지, H는 경상 분지, I는 포항 분지, J는 길주–명천 분지이다.
(3) E와 F를 합쳐 옥천대(옥천 습곡대)라고 하며, E는 비변성대이고, F는 변성대이다.
(4) D는 선캄브리아 시대의 변성암이 분포하는 경기 육괴이고, H는 중생대의 퇴적암과 화성암이 분포하는 경상 분지이다.

2 (1) 한반도 암석의 분포 면적은 선캄브리아 시대(C) > 중생대(A) > 고생대(D) > 신생대(B) 순이다. 따라서 지질 시대가 오래된 것부터 나열하면 C → D → A → B이다.
(2) 한반도의 암석은 선캄브리아 시대와 고생대의 변성암(b)이 가장 많으며, 그 다음은 중생대와 신생대의 화성암(c)이 많고, 그 다음은 고생대, 중생대, 신생대의 퇴적암(a)이 많다.

3 (1) A는 주로 한반도의 남동부에 분포하는 경상 누층군이고, B는 중부 지방에 소규모로 분포하는 대동 누층군이다. C는 고생대 후기에 퇴적된 평안 누층군이고, D는 고생대 전기에 퇴적된 조선 누층군이다.
(2) 평안 누층군(C)의 하부는 바다에서 퇴적된 해성층으로 이루어져 있고, 상부는 육지의 강이나 호수에서 퇴적된 육성층으로 이루어져 있다.

4 중생대는 한반도에서 현생 누대 중 조산 운동과 화성 활동이 가장 활발한 시기로, 트라이아스기에 송림 변동이, 쥐라기에 대보 조산 운동이, 백악기에 불국사 변동이 일어났다.

5 (1) 선캄브리아 시대의 암석은 낭림 육괴, 경기 육괴, 영남 육괴에 분포한다. 태백산 분지와 옥천 분지는 고생대 이후에 퇴적되었다.

(2) 조선 누층군과 평안 누층군 사이(대결층)에는 퇴적물이 거의 쌓이지 않았으나, 일부 지역에서 소규모로 퇴적되었다. 예 실루리아기의 회동리층, 데본기 미산층과 태안층
(3) 중생대 지층인 대동 누층군과 경상 누층군은 모두 육지의 하천이나 호수에서 퇴적된 육성층이다.
(4) 한반도에서는 현생 누대 중에서 중생대에 여러 차례의 조산 운동이 일어나 화성 활동이 가장 활발하였다.
(5) 신생대 지층은 주로 동해안을 따라 소규모로 분포하며, 육성층과 해성층이 모두 나타난다.

1 (가) A는 중국 북부를 포함하는 한중 지괴이고, C는 중국 남부를 포함하는 남중 지괴이다.
(나) 에클로자이트는 고압의 환경에서 생성되는 변성암이므로 한중 지괴와 남중 지괴가 충돌하는 경계인 B에서 산출된다.

2 (1) 고생대 한반도 지괴의 분포는 암석의 잔류 자기 측정과 같은 고지자기 연구, 화석 연구 등으로 알아낸다.
(2) 태백산 분지에서 산출되는 삼엽충과 고사리 화석 연구를 통해 고생대 후기에 한반도 지괴가 온난 다습하였음을 알아내었다.
(3) 고생대 초에 한반도의 지괴는 곤드와나 대륙 주변에 있었다.
(4) 고생대 초에 한반도의 지괴는 곤드와나 대륙의 북쪽에 위치하여 적도 부근인 남반구 저위도에 위치하였다.

3 (나) 곤드와나 대륙에서 멀어지며 북상하던 한중 지괴와 남중 지괴가 충돌하여 한중 지괴가 두 조각으로 분리되었다. → (다) 한중 지괴에 속하는 한반도의 북부 지괴(낭림 육괴 포함)와 남부 지괴(영남 육괴 포함) 사이에 남중 지괴에 속하는 중부 지괴(경기 육괴 포함)가 끼였다. → (가) 경기 육괴 아래에 영남 육괴가 충돌하여 결합하였다.

4 (1) 동해는 약 2천3백만 년 전 태평양판이 일본 열도 아래로 섭입하면서 점차 확장되어 형성되었다.
(2) 과거에 일본 열도는 한반도와 거의 붙어 있었고, 태평양판이 섭입하는 과정에서 한반도에서 동쪽으로 떨어져 나와 점점 멀어지면서 현재의 위치로 이동하였다.

자료 ① **1** B: 경기 육괴, E: 영남 육괴   **2** A: 임진강대, C와 D: 옥천대   **3** C: 태백산 분지, D: 옥천 분지, F: 경상 분지, G: 포항 분지   **4** (1) ○ (2) × (3) × (4) ○ (5) ×

자료 ② **1** (가) → (다) → (나)   **2** (가)   **3** (다)   **4** A: (다), B: (가)   **5** (1) ○ (2) ○ (3) × (4) × (5) ×

자료 ③ **1** A: 불국사 화강암, B: 대보 화강암   **2** C → B → A   **3** A: 불국사 변동, B: 대보 조산 운동, C: 송림 변동   **4** 대보 조산 운동   **5** (1) ○ (2) × (3) × (4) ○

자료 ④ **1** ㉠ 경기 육괴, ㉡ 영남 육괴   **2** 에클로자이트   **3** (가) 중생대 (나) 신생대   **4** (1) ○ (2) × (3) ○ (4) ○

---

①-1 꼼꼼 **문제 분석**

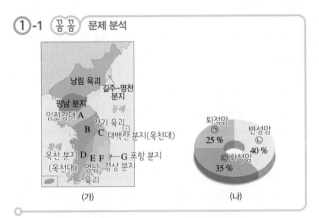

(가)   (나)

B는 경기 육괴, E는 영남 육괴로, 주로 선캄브리아 시대의 변성암으로 이루어져 있다.

①-2 A는 임진강대이고, 비변성대인 태백산 분지 C와 변성대인 옥천 분지 D를 합쳐 옥천대라고 한다.

①-3 분지는 육괴와 육괴 사이에 분포하는 낮은 지역으로 C는 태백산 분지, D는 옥천 분지, F는 경상 분지, G는 포항 분지이다.

①-4 (1) B(경기 육괴)와 E(영남 육괴)는 주로 선캄브리아 시대의 변성암(㉡)으로 이루어져 있다.
(2) C(태백산 분지)는 비변성대이고, D(옥천 분지)는 변성대이므로 암석의 변성 정도는 D가 높다.
(3) F(경상 분지)의 지층은 중생대 백악기에 퇴적된 퇴적암(㉠)과 화산암으로 이루어져 있고, 주로 퇴적암으로 이루어져 있다.
(4) C와 D(옥천대)를 이루는 화성암(㉢)은 주로 대보 화강암에 해당하며, 북동─남서의 방향성을 보인다.
(5) 암석 ㉠은 퇴적암으로, 주로 고생대와 중생대에 퇴적되었다. 선캄브리아 시대의 암석은 여러 차례의 지각 변동을 받아 변성암(㉡)으로 되었다.

②-1 (가)는 고생대, (나)는 신생대, (다)는 중생대의 지질 분포이므로 오래된 것부터 나열하면 (가) → (다) → (나)이다.

②-2 (가)에서 고생대 전기의 조선 누층군은 대규모 석회암층, 사암, 셰일 등으로 이루어져 있는 해성층이다.

②-3 (다)에서 경상 누층군과 대동 누층군은 중생대의 지층으로, 우리나라 중생대의 지층은 모두 육성층이다.

②-4 A는 중생대의 공룡 발자국 화석이므로 (다)에서 산출되고, B는 고생대의 삼엽충 화석이므로 (가)에서 산출된다.

②-5 (1) (가)의 평안 누층군 상부는 육성층으로, 석탄층을 포함하여 무연탄이 분포한다.
(2) (가)에서 조선 누층군이 퇴적된 후 평안 누층군이 퇴적되기 전까지 우리나라 대부분의 지역에서 지층이 형성되지 않았으므로 두 지층은 부정합을 이룬다.
(3) (가)에서 평안 누층군의 하부는 방추충, 완족류 화석 등이 산출되는 해성층이고, 상부는 양치식물 화석이 산출되는 육성층이다.
(4) (나) 신생대의 퇴적암은 육성층과 해성층이 번갈아 나타나며, 모두 육성층인 것은 중생대의 암석 분포인 (다)이다.
(5) 독도는 신생대의 암석 분포인 (나) 시기에 생성되었다.

③-1 꼼꼼 **문제 분석**

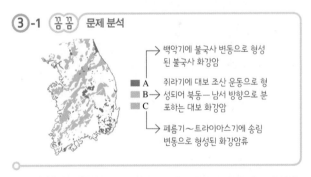

→ 백악기에 불국사 변동으로 형성된 불국사 화강암
A
B 쥐라기에 대보 조산 운동으로 형성되어 북동─남서 방향으로 분포하는 대보 화강암
C
→ 페름기~트라이아스기에 송림 변동으로 형성된 화강암류

A는 백악기에 생성된 화강암류로, 우리나라 중부와 남동부에 흩어져 분포하는 불국사 화강암이다. B는 쥐라기에 생성된 화강암류로, 우리나라 중부에 대규모로 분포하는 대보 화강암이다.

③-2 A는 백악기, B는 쥐라기, C는 페름기~트라이아스기의 화산 활동으로 생성된 화강암이므로 C → B → A 순으로 생성되었다.

③-3 A는 불국사 변동, B는 대보 조산 운동, C는 송림 변동의 영향을 받아 생성되었다.

③-4 중생대는 지괴의 충돌과 결합에 의해 한반도가 현재의 모습을 갖춘 시기이다. 대보 조산 운동은 쥐라기에 한중 지괴와 남중 지괴가 충돌하여 한반도가 형성되는 과정에서 일어난 조산 운동으로, 현생 누대에서 가장 격렬했던 지각 변동이다.

③-5 (1) A 시기(백악기)에 일어난 불국사 변동으로 한반도 남부를 중심으로 불국사 화강암의 관입 및 화산 활동이 활발하게 일어났다.
(2) 불국사 화강암은 중생대 백악기에 생성되었고, 제주도의 화산 분출은 신생대에 일어났다.
(3) B 시기(쥐라기)에 대보 조산 운동이 일어나 대보 화강암이 형성되었다. 경상 누층군은 백악기의 퇴적층이므로 대보 조산 운동은 경상 누층군에 영향을 주지 않았다.
(4) C는 페름기~트라이아스기에 생성된 화성암류로, 송림 변동의 영향을 받았다.

④-1 꼼꼼 문제 분석

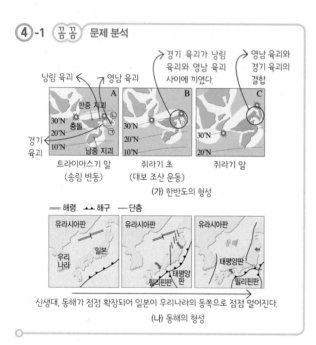

(가)는 한중 지괴와 남중 지괴의 충돌 과정에서 한반도가 형성되었다는 모형이다. ㉠은 남중 지괴에 속한 경기 육괴이고, ㉡은 한중 지괴에 속한 영남 육괴이다.

④-2 A → B 과정에서 한중 지괴와 남중 지괴가 충돌하였고, 이 과정에서 변성 작용이 일어나 에클로자이트가 생겨난 것으로 추정된다.

④-3 한반도의 지괴가 결합하여 현재 모습을 갖춘 (가)는 중생대에 일어났고, 동해가 확장된 (나)는 신생대에 일어났다.

④-4 (1) A 과정에서 남중 지괴가 한중 지괴와 충돌하면서 한중 지괴는 두 개의 조각으로 분리되었다.
(2) B → C 과정으로 한중 지괴와 남중 지괴의 충돌과 결합이 일어나면서 한반도에서 대보 조산 운동이 일어났다.
(3) B → C 과정에서 한중 지괴와 남중 지괴가 충돌하면서 분리된 두 조각 중 영남 육괴가 경기 육괴와 결합하였다.
(4) 한반도와 붙어 있던 일본 열도는 태평양판이 섭입하면서 한반도로부터 떨어져 동해가 확장되었고, 이 과정에서 쪼개진 대륙 조각이 동해의 해저에 분포한다.

내신 만점 문제   127쪽~131쪽

01 ③	02 ④	03 해설 참조	04 ⑤	05 ③
06 ⑤	07 회동리층	08 ③	09 ⑤	10 평안
누층군, 고생대		11 ④	12 ⑤	13 ①	14 ④
15 ①	16 ②	17 ⑤	18 ①	19 ①	20 ②
21 ④	22 ①	23 ②	24 ③		

01 ㄱ. 한반도의 지체 구조는 육괴, 육괴와 육괴 사이의 낮은 지역인 퇴적 분지, 육괴의 충돌 과정에서 형성된 습곡대로 구분된다.
ㄷ. 옥천 분지는 한반도의 형성 과정에서 지각 변동을 받아 지층이 심하게 변형되었다. 경상 분지는 퇴적된 이후 상대적으로 지각 변동을 크게 받지 않았다.
┃바로알기┃ ㄴ. 육괴는 특정한 방향성을 보이지 않는 암석들이 모인 지역으로, 주로 선캄브리아 시대의 변성암류로 이루어져 있다.

[02~03] 꼼꼼 문제 분석

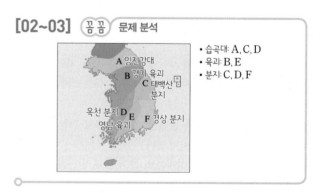

02 ㄴ. B는 편마암, 편암 등이 변성암 복합체를 이루는 경기 육괴이다.
ㄷ. E는 선캄브리아 시대의 변성암으로 이루어진 영남 육괴이고, F는 중생대의 퇴적암과 화성암이 분포하는 경상 분지이므로 E의 암석은 F의 암석보다 먼저 생성되었다.
┃바로알기┃ ㄱ. A는 습곡대(임진강대)이고, C는 분지(태백산 분지)이며 습곡대(옥천대)이다.

03 C는 태백산 분지로, 비변성대에 해당한다. D는 옥천 분지로 변성대에 해당한다. 따라서 D는 C보다 변성 정도가 심하다.

모범답안 C: 태백산 분지, D: 옥천 분지, D는 C보다 변성 정도가 심하다.

채점 기준	배점
지체 구조구를 모두 옳게 쓰고, 변성 정도를 옳게 비교한 경우	100 %
지체 구조구만 모두 옳게 쓴 경우	50 %
변성 정도만 옳게 비교한 경우	50 %

04 꼼꼼 문제 분석

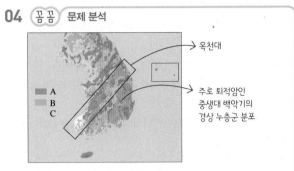

→ 옥천대

→ 주로 퇴적암인 중생대 백악기의 경상 누층군 분포

A: 화성암(대부분 중생대에 관입한 화강암, 일부 신생대 화산암)
B: 퇴적암(주로 고생대 바다, 중생대 육지)
C: 변성암(대부분 선캄브리아 시대)

ㄱ. A는 화성암이다. 옥천대에서 화성암은 주로 화강암으로 분포하며, 북동-남서의 방향성을 보인다.
ㄴ. B는 퇴적암이다. 한반도 남부 지역의 퇴적암은 주로 중생대 백악기에 강이나 호수에서 생성되었다.
ㄷ. C는 변성암으로, 변성암은 한반도 전체 암석 중 약 40 %로 가장 넓은 면적을 차지한다.

05 꼼꼼 문제 분석

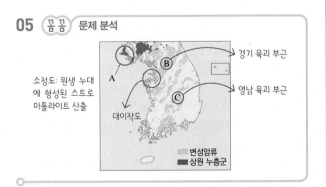

소청도: 원생 누대에 형성된 스트로마톨라이트 산출

→ 경기 육괴 부근
→ 영남 육괴 부근
대이작도

변성암류
상원 누층군

ㄱ. A의 소청도에서는 상원 누층군의 대리암층에서 원생 누대 후기의 남세균 활동으로 형성된 스트로마톨라이트가 산출된다.
ㄴ. B에는 선캄브리아 시대의 변성암이 분포하며, 정확한 시대를 구분하기 어려워 이 시기의 암석을 변성암 복합체라고 한다.
바로알기 ㄷ. B(경기 육괴 부근)와 C(영남 육괴 부근)는 선캄브리아 시대의 변성암으로 이루어져 있으며, 우리나라에서 가장 오래된 암석은 경기 육괴에 속하는 대이작도에서 발견된다.

[06~07] 꼼꼼 문제 분석

지질 시대		지층명
고생대	페름기	B
	석탄기	
	데본기	대결층
	실루리아기	
	오르도비스기	
	캄브리아기	A

→ 평안 누층군 — 상부: 육성층 (석탄층 포함) — 하부: 해성층
→ 지층이 거의 발견되지 않고, 소규모로 발견된다.(회동리층, 미산층, 태안층)
→ 조선 누층군-해성층

06 ㄱ. A는 고생대 전기의 조선 누층군으로, 바다에서 퇴적되어 석회암, 사암, 셰일 등이 두꺼운 퇴적층을 이룬다.
ㄴ. A(조선 누층군)와 B(평안 누층군)의 퇴적 시기 사이에는 지층이 거의 발견되지 않으므로 A와 B는 부정합을 이룬다.
ㄷ. B(평안 누층군)는 하부에서 방추충 화석이, 상부에서 양치식물 화석이 산출되므로 퇴적 환경은 바다에서 육지로 바뀌었다.

07 A와 B 사이에는 지층이 거의 나타나지 않지만, 강원도 정선군 회동리 일대의 회동리층에서 실루리아기의 코노돈트 화석이 발견되어 실루리아기의 지층이라는 것이 확인되었다.

[08~09] 꼼꼼 문제 분석

A: 평안 누층군(고생대 후기)
 - 상부는 육성층
 - 하부는 해성층
B: 조선 누층군(고생대 전기)
 - 해성층

동해
황해

→ 조선 누층군(B)이 평안 누층군(A)보다 분포 지역이 넓다.

08 ㄱ. A와 B는 분포 지역이 대체로 겹치며, A는 고생대 후기의 평안 누층군, B는 고생대 전기의 조선 누층군이다.
ㄷ. 고생대 후기 지층인 A에서 양치식물 화석이, 고생대 전기 지층인 B에서 삼엽충 화석과 스트로마톨라이트가 산출되므로 A와 B가 퇴적될 당시 한반도의 지괴는 따뜻한 적도 부근에 있었다.
바로알기 ㄴ. B의 상부는 해성층으로, 무연탄층을 포함하지 않는다. A의 상부가 육성층으로, 양치식물 화석이 산출되며 무연탄층이 포함되어 있다.

09 (가) 필석은 캄브리아기에 출현한 해양 생물 화석으로, 고생대 전기의 지층인 조선 누층군(B)에서 산출된다.(해성층)
(나) 방추충은 석탄기에 출현한 해양 생물 화석으로, 고생대 후기의 지층인 평안 누층군(A)의 하부(해성층)에서 산출된다.
(다) 양치식물은 고생대 후기에 번성한 육상 식물로, 평안 누층군(A)의 상부(육성층)에서 산출된다.

10 이 누층군의 하부 지층은 고생대의 표준 화석인 방추충 화석이 산출되는 해성층이고, 상부 지층은 양치식물 화석이 산출되는 육성층이므로 이 누층군은 고생대 후기의 평안 누층군에 해당한다. 평안 누층군은 하부가 해성층이고, 상부가 육성층이다.

11 (가) 경상 누층군은 중생대 백악기, (나) 대동 누층군은 중생대 트라이아스기 후기~쥐라기, (다) 조선 누층군은 고생대 전기, (라) 평안 누층군은 고생대 후기에 퇴적된 지층이다. 따라서 퇴적된 순서는 (다) → (라) → (나) → (가)이다.

12 공룡 발자국 화석이 산출되므로 중생대에 해당한다.
ㄱ. 중생대에는 송림 변동, 대보 조산 운동, 불국사 변동 등 조산 운동이 활발하게 일어났고, 이에 수반하여 화강암 관입과 화산 활동이 일어났다.
ㄴ. 중생대 트라이아스기 후기~쥐라기에는 소규모 분지에 대동 누층군에 해당하는 역암, 사암, 셰일, 석탄층 등이 퇴적되었다.
ㄷ. 백악기에는 호수 환경에서 경상 누층군에 해당하는 사암, 셰일, 역암 등이 퇴적되었다.

13 꼼꼼 **문제 분석**

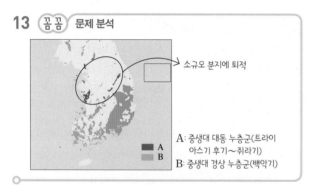

ㄱ. A는 중생대의 대동 누층군이고, B는 중생대의 경상 누층군이다. 경상 누층군은 대동 누층군을 부정합으로 덮고 있으므로 A는 B보다 먼저 퇴적되었다.
┃**바로알기**┃ ㄴ. 우리나라 중생대 지층은 강이나 호수에서 퇴적된 육성층이므로 A와 B는 육지에서 퇴적되었다.
ㄷ. B는 중생대 지층이고 동해는 신생대에 형성되었으므로 B가 퇴적될 당시에는 동해가 형성되지 않았다.

14 ㄴ. A(대보 화강암)는 길게 띠 모양으로 분포하지만, B(불국사 화강암)는 불국사 변동으로 생성되어 주로 한반도의 남동부에 불규칙하게 분포한다.
ㄷ. 불국사 변동은 백악기 후기에 일어났으므로 불국사 화강암은 백악기의 퇴적층인 경상 누층군을 관입하였다.
┃**바로알기**┃ ㄱ. A는 한반도의 중부 지방에서 북동—남서 방향으로 분포하는 대보 화강암으로, 쥐라기의 대보 조산 운동으로 생성되었다.

15 꼼꼼 **문제 분석**

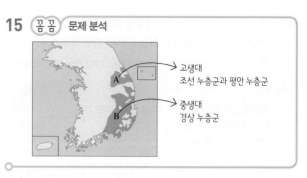

ㄱ. A는 고생대에 퇴적된 지층으로, 전기의 조선 누층군과 후기의 평안 누층군이 이에 해당한다. 해성층인 조선 누층군에서는 삼엽충 화석이 산출된다.
┃**바로알기**┃ ㄴ. B는 중생대에 퇴적된 경상 누층군이다. 우리나라의 중생대 지층은 모두 육성층이므로 석회암이 나타나지 않으며, 석회 동굴이 발달하지 않는다.
ㄷ. A는 고생대, B는 중생대에 퇴적되었으므로 A는 B보다 먼저 퇴적되었다.

16 꼼꼼 **문제 분석**

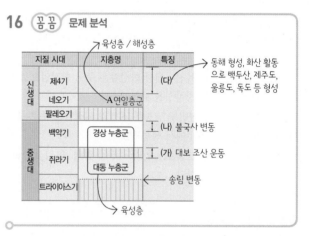

ㄴ. (다) 신생대 제4기에는 울릉도와 독도를 비롯하여 백두산, 한라산, 철원 일대 등 한반도 여러 지역에서 화산 활동이 일어나 곳곳에 용암이 분출하여 형성된 화산암이 분포한다.
┃**바로알기**┃ ㄱ. (가)는 대보 조산 운동이고, (나)는 불국사 변동이다. 우리나라 중생대의 지각 변동 중에서 가장 격렬했던 것은 대보 조산 운동이다.
ㄷ. A는 네오기의 퇴적층으로, 포항 등 주로 동해안을 따라 소규모로 분포한다.

17 ㄱ. 제4기에는 한반도 여러 지역에서 화산 활동이 일어났으므로 화산재가 퇴적되어 생성된 응회암층이 나타난다.
ㄴ. 팔레오기와 네오기 지층은 나뭇잎 화석 등을 포함하는 육성층이 나타난다.
ㄷ. 팔레오기와 네오기 지층은 육성층과 해성층이 번갈아 나타나며, 해성층에서는 유공충, 조개류, 완족류 등의 화석이 산출된다.

18 꼼꼼 **문제 분석**

(가) 태백산 분지 내에 <u>석회암</u>, 사암, 셰일 등이 퇴적되었고, <u>삼엽충 화석</u>이 산출된다. 따뜻한 바다, 고생대 암석

(나) 정확한 지질 시대를 파악하기 어려운 편마암, 편암 등이 <u>변성암 복합체</u>를 이룬다. 선캄브리아 시대 암석

(다) 쇄설성 퇴적암에 <u>불국사 화강암</u>이 관입하였고, 지층에서 <u>공룡 발자국 화석</u>이 산출된다. 중생대, 육성층

ㄱ. (가)는 삼엽충 화석이 산출되는 고생대, (나)는 변성암 복합체를 형성한 선캄브리아 시대, (다)는 공룡 발자국 화석이 산출되는 중생대이므로 생성된 순서는 (나) → (가) → (다)이다.

바로알기 ㄴ. (가)에서 석회암이 나타나고, 삼엽충 화석이 산출되므로 (가)의 암석은 따뜻한 바다에서 퇴적되었다.

ㄷ. 암모나이트는 중생대 바다에서 번성하였으므로 육성층인 (다)에서는 암모나이트 화석이 산출되지 않는다.

19 꼼꼼 **문제 분석**

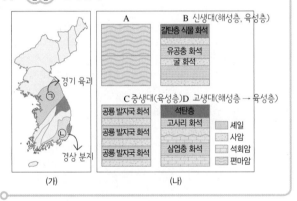

(가)　　(나)

ㄱ. ㉠은 경기 육괴이므로 편마암, 편암, 규암 등이 변성암 복합체를 이루며 지질 주상도는 A에 해당한다.

바로알기 ㄴ. ㉡은 경상 분지로, 중생대에 퇴적된 육성층이 분포하므로 해양 생물인 유공충의 화석은 산출되지 않는다.

ㄷ. D는 하부에서 삼엽충 화석, 상부에서 고사리 화석과 석탄층이 나타나므로 퇴적 환경이 바다에서 육지로 변하였다.

20 ① 태평양판이 필리핀판과 북아메리카판 아래로 섭입한다.
③ 우리나라보다 일본이 판 경계에 더 가까우므로 일본에서 지진이 더 많이 발생한다.
④ 중생대 백악기에 고태평양판이 한반도 아래로 섭입하면서 생성된 화산호 주변에서 쇄설성 퇴적물이 퇴적되어 경상 분지가 생성되었다.
⑤ 신생대에는 태평양판이 일본 열도 아래로 섭입하면서 동해가 확장되고 일본 열도가 우리나라에서 점차 멀어졌다.

바로알기 ② 필리핀판이 유라시아판 아래로 섭입하고 있다.

21 꼼꼼 **문제 분석**

(가) 한중 지괴와 남중 지괴가 충돌하여 현재와 비슷한 한반도가 형성되었다. ② 중생대 쥐라기

(나) 곤드와나 대륙에서 한중 지괴와 남중 지괴가 북상하였다. ① 고생대 말

(다) 독도와 울릉도가 형성되었다. ⑤ 신생대(약 450만 년 전~약 250만 년 전)

(라) 동해가 형성되어 확장되었다. ④ 신생대(약 2천3백만 년 전~약 1천2백만 년 전)

(마) 경상 분지가 형성되었다. ③ 중생대 백악기

22 꼼꼼 **문제 분석**

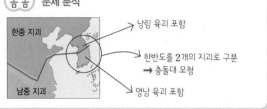

ㄱ. 이 모형에서 충청남도 홍성과 강원도 오대산을 잇는 선을 경계로 한반도 북쪽은 한중 지괴, 남쪽은 남중 지괴에 속하여 한반도는 2개의 지괴로 이루어져 있었다.

바로알기 ㄴ. 한반도가 2개의 지괴로 이루어져 있고, 한중 지괴와 남중 지괴의 동쪽 지역에서 충돌이 일어나 두 지괴가 봉합되면서 한반도가 형성되었으므로 충돌대 모형이다. 만입 쐐기 모형은 한반도를 3개의 지괴로 구분한다.

ㄷ. 이 모형에서는 낭림 육괴는 한반도 북쪽 지괴에 포함되어 한중 지괴에 속하고, 영남 육괴는 한반도 남쪽 지괴에 포함되어 남중 지괴에 속하므로 낭림 육괴와 영남 육괴는 서로 다른 지괴에 속해 있다.

23 ㄱ. (가) → (나)에서 한중 지괴가 남중 지괴와 충돌하여 두 조각으로 분리되면서 낭림 육괴와 영남 육괴가 분리되었다.

ㄷ. (다) → (라)에서 한반도는 서로 다른 지괴에 속해 있던 육괴의 결합이 완성되어 현재의 모습을 갖추게 되었다.

바로알기 ㄴ. (나) → (다)에서 영남 육괴가 경기 육괴와 결합하면서 한반도에서는 대보 조산 운동이 일어났다.

ㄹ. 경기 육괴와 영남 육괴는 서로 다른 지괴에 속해 있었다.

24 ㄱ. 태평양판이 일본 열도 아래로 섭입하면서 일본 열도가 떨어져 나와 동해가 확장되었다.

ㄷ. (가) → (나) 과정에서 태평양판이 섭입하면서 섭입대에서 마그마가 발생하여 한반도의 여러 지역에서 화산 활동이 일어났다.

바로알기 ㄴ. (가)와 (나)의 대륙 조각은 일본 열도가 한반도로부터 떨어져 나올 때 쪼개진 조각이다.

🌱03 한반도의 변성 작용

개념 확인 문제

135쪽

❶ 접촉 　**❷** 광역 　**❸** 혼펠스 　**❹** 규암 　**❺** 대리암
❻ 혼펠스 　**❼** 셰일 　**❽** 엽리 　**❾** 대보 　**❿** 광역 　**⓫** 접촉

---

1 (1) ○ (2) × (3) ○ (4) ○ 　　**2** ㉡, ㉣, ㉤ 　　**3** ㉠ 압력,
㉡ 온도, ㉢ 규암, ㉣ 석회암 　**4** (가) 혼펠스 조직 (나) 엽리(편마
구조) 　　**5** 점판암 → 천매암 → 편암 → 편마암 　　**6** (1) ×
(2) ○ (3) ○ (4) ○

---

1 (1) 변성 작용은 온도, 압력에 따라 변성 작용과 변성암의 종
류가 달라지며, 변성 작용이 일어나는 과정에서 물과 같은 유체
의 영향을 받는다.
(2) 변성 작용은 고체 상태를 유지하면서 광물 조성이나 조직이
변하는 작용이다.
(3) 변성 작용이 일어날 때는 재결정 작용이 일어나면서 새로운
광물이 만들어지거나 광물의 크기가 커진다.
(4) 변성 작용이 계속 진행되어 온도와 압력이 높아지면 암석은
부분 용융되어 마그마가 된다.

2 접촉 변성 작용은 열에 의해 일어나고, 광역 변성 작용은 열과
압력에 의해 일어난다. 접촉 변성 작용은 고온의 마그마가 주변
의 암석과 접촉하는 좁은 범위에서 일어나고, 광역 변성 작용은
조산 운동이 일어나는 조산대에서 넓은 범위에 걸쳐 일어난다.

3 마그마의 관입부에서는 압력이 거의 변하지 않으나 온도가
크게 상승하여 접촉 변성 작용이 일어난다. 이때 주변의 암석이
사암이면 규암이 생성되고, 석회암이면 대리암이 생성된다.

4 (가)는 혼펠스이므로 광물 결정들이 방향성 없이 치밀하고
단단하게 짜여진 혼펠스 조직이 나타난다. (나)는 편마암이므로
압력에 수직인 방향으로 광물이 배열되어 줄무늬가 나타나는데,
이를 엽리라고 한다.

5 셰일이 광역 변성 작용을 받아 온도와 압력이 상승하면 점판
암 → 천매암 → 편암 → 편마암 순으로 변성도가 높은 암석이 생
성된다.

6 (1) 경기 육괴와 영남 육괴는 선캄브리아 시대에 만들어진
암석이 분포하므로 여러 차례의 지각 변동으로 대부분 광역 변성
작용을 받았다.

(2) 한반도에서 가장 오래된 변성암은 약 25억 년 전에 형성된 대
이작도의 편마암이다.
(3) 태백산 분지의 조선 누층군과 평안 누층군의 암석은 고생대
에 퇴적되었으므로 중생대의 송림 변동과 대보 조산 운동의 영향
으로 변성 작용(광역 변성 작용)을 받았다.
(4) 대보 조산 운동에 의해 생성된 대보 화강암과 불국사 변동에
의해 생성된 불국사 화강암은 주변 암석을 관입하여 접촉 변성암
을 만들었다.

대표 자료 분석

136쪽

자료① 　**1** 퇴적암 　**2** B: 접촉 변성 작용, C: 광역 변성 작용
3 부분 용융이 일어나 마그마가 된다. 　**4** 혼펠스 조직
5 (1) × (2) ○ (3) ○ (4) ○
자료② 　**1** 경기 육괴, 영남 육괴 　**2** 경기 육괴 　**3** 송림
변동, 대보 조산 운동 　**4** 접촉 변성 작용 　**5** (1) ○
(2) × (3) ○

---

①-1 꼼꼼 **문제 분석**

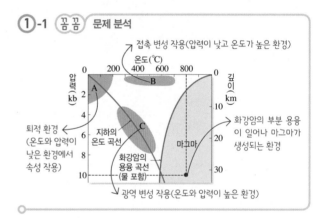

A는 저온 저압의 환경이므로 변성 작용이 일어나지 않으며, 속
성 작용에 의해 퇴적암이 생성된다.

①-2 B는 지표 부근의 고온 환경이므로 접촉 변성 작용의 환
경이고, C는 온도와 압력이 모두 높은 환경이므로 광역 변성 작
용의 환경이다.

①-3 C에서 800 °C, 10 kb로 변하면 온도가 화강암의 용융
점보다 높아지므로 부분 용융이 일어나 마그마가 생성된다.

①-4 셰일이 A에서 B 환경으로 변하는 것은 접촉 변성 작용
이 일어날 때이므로 혼펠스 조직이 나타난다. 셰일이 A에서 C
환경으로 변하는 것은 광역 변성 작용이 일어날 때이므로 광물이
압력에 수직인 방향으로 배열되는 엽리가 나타난다.

①-5 (1) 혼펠스는 접촉 변성암이므로 B 환경에서 생성된다.
(2) 입상 변정질 조직은 기존 암석이 고온의 환경에서 재결정 작용을 받아 생성되므로 B 환경에서 생성된다.
(3) 편암과 편마암은 광역 변성암이므로 온도와 압력이 높은 C 환경에서 생성된다.
(4) 대리암과 규암은 접촉 변성 작용(B)이나 광역 변성 작용(C)에서 모두 생성될 수 있다.

②-1 꼼꼼 **문제 분석**

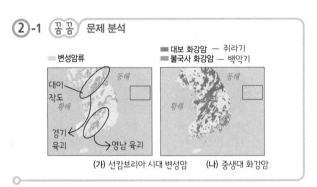

(가) 선캄브리아 시대 변성암   (나) 중생대 화강암

우리나라에서 선캄브리아 시대의 변성암은 주로 경기 육괴와 영남 육괴에 분포한다.

②-2 한반도에서 가장 오래된 암석은 약 25억 년 전에 생성된 대이작도의 변성암으로, 경기 육괴에 속해 있다.

②-3 태백산 분지에는 고생대의 조선 누층군과 평안 누층군의 암석이 퇴적되어 있고, 이 중의 일부는 중생대 초기~중기에 송림 변동과 대보 조산 운동에 의해 광역 변성 작용을 받았다.

②-4 중생대 중기~말기에 대보 화강암과 불국사 화강암 주변의 암석은 마그마 관입에 의해 접촉 변성 작용을 받았다.

②-5 (1) (가) 선캄브리아 시대의 변성암류는 여러 차례의 지각 변동으로 대부분 광역 변성 작용을 받았다.
(2) 석회암이 변성 작용을 받으면 대리암이 된다. 편마암은 셰일이 변성 작용을 받아 생성된다.
(3) 불국사 화강암을 형성한 마그마가 주변의 셰일을 관입하면 접촉 변성 작용이 일어나 혼펠스가 생성된다.

내신 만점 문제
137쪽~139쪽

01 ③	**02** ④	**03** 해설 참조	**04** ③	**05** ⑤
06 ①	**07** ②	**08** ①	**09** ③	**10** 해설 참조
11 ③	**12** ③	**13** ⑤	**14** ②	

01 ㄴ. 변성 작용은 주로 온도와 압력 변화에 의해 일어나며, 열만 영향을 미치는 경우 접촉 변성 작용이 일어난다.
ㄹ. 변성 작용이 일어나면 재결정 작용이 일어나 광물의 크기가 커진다.
┃**바로알기**┃ ㄱ. 변성 작용은 고체 상태에서 일어나는 변화이다. 암석이 녹으면 마그마가 되고, 마그마가 굳으면 화성암이 된다.
ㄷ. 변성 작용이 일어날 때 광물 사이에서 원소나 이온의 이동이 일어나면서 광물 조성이 변하는 경우가 많다.

02 ㄴ. B는 마그마의 접촉부에서 주변 암석이 열에 의해 변성이 일어나는 접촉 변성 작용의 환경이다.
ㄷ. C는 조산대 부근에서 온도와 압력에 의해 변성이 일어나는 광역 변성 작용의 환경이다. 지하로 들어갈수록 온도와 압력이 높아지며, 온도와 압력이 높아질수록 변성도가 증가한다.
┃**바로알기**┃ ㄱ. A에서는 온도와 압력이 낮아 변성 작용이 일어나지 않으며, 속성 작용이 일어나 퇴적암이 만들어진다.

03 B는 열에 의한 접촉 변성 작용이고, C는 열과 압력에 의한 광역 변성 작용이다. B는 마그마의 접촉부에서 일어나므로 좁은 범위에서 일어나고, C는 조산 운동에 수반되어 일어나므로 넓은 범위에서 일어난다.

모범답안 B는 열에 의해 일어나고, C는 열과 압력에 의해 일어난다. B는 좁은 범위에서 일어나고, C는 넓은 범위에서 일어난다.

채점 기준	배점
변성 작용의 요인과 변성 범위를 모두 옳게 비교하여 서술한 경우	100 %
변성 작용의 요인만 옳게 비교한 경우	60 %
변성 범위만 옳게 비교한 경우	30 %

04 꼼꼼 **문제 분석**

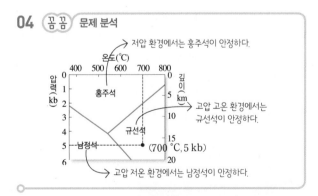

ㄱ. 700 °C, 5 kb 범위는 규선석이 안정한 영역에 해당한다.
ㄷ. Al_2SiO_5 광물은 온도와 압력 조건에 따라 홍주석 또는 남정석 또는 규선석으로 존재한다. 따라서 변성암 내에 분포하는 Al_2SiO_5 광물을 관찰하면 변성 작용이 일어난 온도와 압력을 추정할 수 있다.

┃바로알기┃ ㄴ. 남정석과 규선석의 광물 조합은 홍주석과 규선석의 광물 조합에 비해 높은 압력에서 안정하므로 광역 변성 작용을 받으면 남정석과 규선석이 더 잘 생성된다.

05 ⑤ 조산 운동이 일어나는 곳에서는 광역 변성 작용이 일어나 암석이 열과 압력을 받으며, 압력의 수직인 방향으로 광물이 재배열되어 엽리가 나타나기도 한다.

┃바로알기┃ ① 편리는 압력에 수직인 방향으로 생성된 줄무늬 구조이므로 광역 변성 작용을 받아 생성된다.
② 사암이 변성 작용을 받으면 규암이 된다. 대리암은 석회암이 변성 작용을 받아 생성되는 암석이다.
③ 혼펠스 조직은 열에 의한 변성 작용을 받아 형성된다.
④ 셰일이 광역 변성 작용을 받으면, 열과 압력이 높아질수록 점판암 → 천매암 → 편암 → 편마암으로 변한다. 점판암은 저변성도의 암석이고, 고변성도의 암석은 편마암이다.

06 꼼꼼 문제 분석

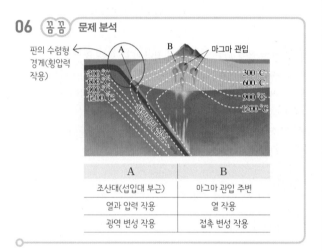

	A	B
	조산대(섭입대 부근)	마그마 관입 주변
	열과 압력 작용	열 작용
	광역 변성 작용	접촉 변성 작용

ㄱ. A는 판과 판이 수렴하여 해양판이 지하로 섭입하는 곳이므로 온도와 압력이 상승하여 광역 변성 작용이 일어난다.

┃바로알기┃ ㄴ. B는 마그마 관입 주변부로, 접촉 변성 작용이 일어난다. 혼펠스는 접촉 변성암이므로 A보다 B에서 잘 생성된다.
ㄷ. 엽리는 압력이 작용하는 환경에서 형성된다. B에서는 열의 영향을 받고, A에서는 열과 압력의 영향을 받으므로 B의 변성암보다 A의 변성암에서 엽리가 잘 발달한다.

07 꼼꼼 문제 분석

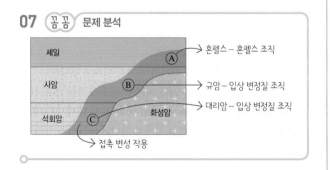

08 꼼꼼 문제 분석

ㄱ. (가)는 셰일이 광역 변성 작용을 받아 열과 압력에 의해 재결정 작용이 일어나 엽리 중 편마 구조가 발달한 편마암이다.

┃바로알기┃ ㄴ. (나)는 화석이 발견되므로 퇴적암이고, 얇게 쪼개지는 성질이 있으므로 퇴적암 중 셰일이다. 셰일이 열과 압력에 의해 변성되면 (가)와 같은 편마암이 된다.
ㄷ. 퇴적암은 변성암에 비해 온도와 압력이 낮은 환경에서 생성된다. 따라서 (나)는 (가)보다 저온 저압 환경에서 생성된다.

09 꼼꼼 문제 분석

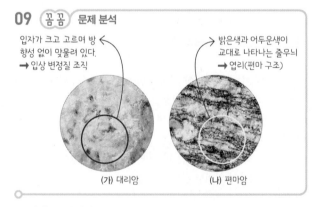

ㄱ. (가)는 석회암이 변성 작용을 받아 생성된 대리암으로, 입자들이 고르게 맞물려 있는 입상 변정질 조직이 나타난다.
ㄴ. (가)는 석회암이 접촉 변성 작용이나 광역 변성 작용을 받아 생성되고, (나)는 셰일이 광역 변성 작용을 받아 생성된다.

┃바로알기┃ ㄷ. (나)는 편마 구조가 나타나는 편마암으로, 변성도가 더 증가하면 녹아서 마그마가 된다. 규암은 사암이 변성 작용을 받아 생성된다.

ㄴ. C는 석회암이 접촉 변성 작용을 받은 것이므로 대리암이다.

┃바로알기┃ ㄱ. A, B, C는 모두 마그마 주변부에서 생성된 접촉 변성암이므로 압력에 수직 방향으로 광물이 배열되어 나타나는 줄무늬(엽리)가 발달하지 않는다.
ㄷ. 마그마 주변부에서 생성된 변성암의 종류가 A, B, C로 다른 것은 기존 암석의 종류가 다르기 때문이다.

10 셰일은 퇴적암으로, 퇴적물이 수평으로 쌓일 때 줄무늬인 층리가 발달한다. 편마암은 광역 변성암으로, 셰일에 압력이 작용하면 압력에 수직인 방향으로 광물이 배열되어 줄무늬인 엽리가 발달한다.

(모범답안) 셰일의 줄무늬는 퇴적물이 수평 방향으로 쌓여 형성되지만, 편마암의 줄무늬는 압력에 수직인 방향으로 광물이 배열되어 형성된다.

채점 기준	배점
셰일과 편마암의 줄무늬를 모두 옳게 서술한 경우	100 %
셰일의 줄무늬와 비교하지 않고 편마암의 줄무늬만 옳게 서술한 경우	50 %

11 (꼼꼼) 문제 분석

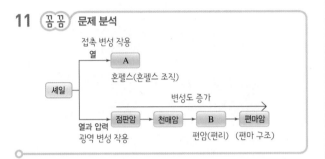

ㄱ. A는 혼펠스로, 열에 의해 셰일보다 조직이 치밀해져 혼펠스 조직이 나타난다.

ㄷ. 조산대에서는 넓은 지역에 걸쳐 열과 압력이 작용하여 광역 변성 작용이 일어나므로 주로 A보다 B가 산출된다.

┃바로알기┃ ㄴ. 셰일이 열과 압력을 받으면 재결정 작용으로 입자의 크기가 커지거나 재배열되며, 점판암 → 천매암 → B(편암) → 편마암으로 갈수록 변성도가 커지므로 입자의 크기는 편마암이 B보다 크다.

12 ③ 임진강대에는 지괴의 충돌 과정에서 높은 온도와 압력으로 광역 변성 작용을 받아 생성된 고철질 변성암이 분포한다.

┃바로알기┃ ① 선캄브리아 변성암 복합체들은 주로 광역 변성 작용을 받아 형성되었다.

② 한반도에서 가장 오래된 암석은 대이작도에 있는 편마암으로, 경기 육괴에 분포한다.

④ 대보 조산 운동과 불국사 변동으로 한반도 전 지역에 마그마가 관입하였고, 접촉 변성 작용이 일어나 변성암이 형성되었다.

⑤ 경기 육괴와 영남 육괴의 변성암은 선캄브리아 시대의 변성암으로, 광역 변성 작용으로 생성되어 엽리가 나타나는 경우가 많다.

13 ㄱ. (가)의 천매암과 (나)의 점판암은 모두 셰일이 광역 변성 작용을 받아 생성되므로 기존 암석의 종류가 같다.

ㄴ. (가)의 평안 누층군은 고생대 후기에 생성되었고, (나)의 옥천 층군은 선캄브리아 시대에 생성되었다. 각각 태백산 분지와 옥천 분지에 분포하던 퇴적암이 중생대 초에 송림 변동에 의한 광역 변성 작용을 받아 변성된 것이다.

ㄷ. 셰일이 변성 작용을 받으면 열과 압력이 증가할수록 점판암 → 천매암 → 편암 → 편마암으로 변성도가 증가하므로 (가) 천매암은 (나) 점판암보다 더 높은 온도와 압력 환경에서 생성되었다.

14 ㄴ. 혼펠스는 지표 부근의 저압 고온 환경에서 생성되는 접촉 변성암이므로 압력보다 온도의 영향을 더 크게 받았다.

┃바로알기┃ ㄱ. 경상 누층군은 중생대 백악기에 퇴적되었으므로 중생대 초기에 일어난 송림 변동의 영향을 받지 않았다.

ㄷ. 혼펠스는 점토질 물질이 굳어 생성된 셰일이 접촉 변성 작용을 받아 만들어진다. 석회질 물질이 굳으면 석회암이 되고, 접촉 변성 작용을 받으면 대리암이 된다.

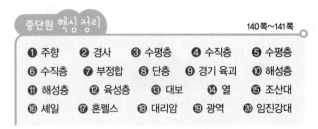

중단원 핵심 정리   140쪽~141쪽

❶ 주향   ❷ 경사   ❸ 수평층   ❹ 수직층   ❺ 수평층
❻ 수직층   ❼ 부정합   ❽ 단층   ❾ 경기 육괴   ❿ 해성층
⓫ 해성층   ⓬ 육성층   ⓭ 대보   ⓮ 열   ⓯ 조산대
⓰ 셰일   ⓱ 혼펠스   ⓲ 대리암   ⓳ 광역   ⓴ 임진강대

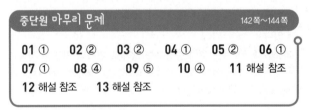

중단원 마무리 문제   142쪽~144쪽

01 ①   **02** ②   **03** ②   **04** ①   **05** ②   **06** ①
07 ①   **08** ④   **09** ⑤   **10** ④   **11** 해설 참조
12 해설 참조   **13** 해설 참조

[01~02] (꼼꼼) 문제 분석

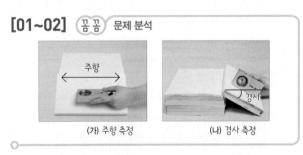

(가) 주향 측정   (나) 경사 측정

01 ㄱ. (가)는 지층의 주향을 측정하는 과정이므로 클리노미터를 수평으로 유지해야 하며, 이를 위해 수준기를 관찰해야 한다.

┃바로알기┃ ㄴ. (나)는 클리노미터를 주향에 수직으로 세워 측정하는 모습이므로 경사를 측정하는 활동이다.

ㄷ. (나)와 같이 지층의 경사를 측정할 때는 경사를 재는 지침(추)이 가리키는 클리노미터의 안쪽 눈금을 읽어야 한다.

02 ㄴ. (나)의 모습이 경사를 측정한 것이고, 경사각은 클리노미터의 지침(추)이 가리키는 안쪽 눈금을 읽는다. 따라서 경사각은 60°이다.

┃바로알기┃ ㄱ. (가)의 모습이 주향을 측정한 것이고, 주향은 클리노미터의 자침이 가리키는 바깥쪽 눈금을 읽는다. 따라서 경사는 N40°E이다.

ㄷ. 경사 방향은 주향에 수직이다. 주향 방향이 NE이므로 경사 방향은 NW 또는 SE이다.

03 (꼼꼼) 문제 분석

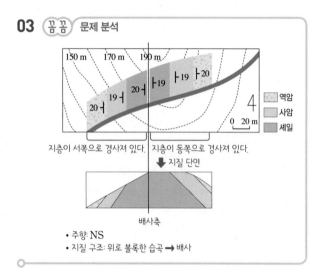

• 주향: NS
• 지질 구조: 위로 볼록한 습곡 ➡ 배사

ㄴ. 습곡의 배사축이나 향사축에서는 지층의 경사가 0°이다. 이 지역에서는 셰일층에서 배사축이 나타나므로 경사가 0°인 부분이 있다.

┃바로알기┃ ㄱ. 셰일층의 중앙부를 경계로 왼쪽의 지층은 서쪽으로 경사져 있고, 오른쪽의 지층은 동쪽으로 경사져 있으므로 습곡의 배사 구조가 나타난다.

ㄷ. 아래에 있는 지층일수록 먼저 퇴적되었으므로 퇴적 순서는 셰일 → 사암 → 역암이다.

04 (꼼꼼) 문제 분석

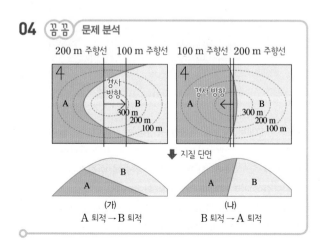

ㄱ. 고도가 다른 두 주향선을 선택하여 높은 고도에서 낮은 고도의 주향선을 수직으로 향하는 방향이 지층의 경사 방향이다. (가)는 A층이 동쪽으로 경사져 있고, (나)는 A층이 서쪽으로 경사져 있다.

┃바로알기┃ ㄴ. 지층이 역전되지 않았으므로 하부의 지층이 먼저 퇴적되었다. 지층의 경사 방향을 고려해보면, (가)는 A층이 먼저 퇴적되었고, (나)는 B층이 먼저 퇴적되었다.

ㄷ. 지층 경계선이 등고선에 나란할수록(고도가 다른 두 주향선의 간격이 멀수록) 지층의 경사가 완만하므로 지층의 경사는 (가)보다 (나)가 급하다.

05 (꼼꼼) 문제 분석

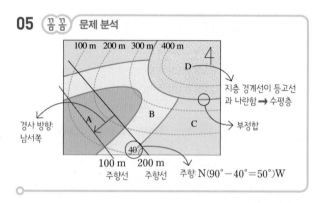

ㄴ. B층이 남서쪽으로 경사져 있으므로 퇴적된 순서는 C → B → A이고, D층은 수평층이므로 B층과 C층보다 나중에 퇴적되었다. 따라서 가장 먼저 퇴적된 지층은 C이다.

┃바로알기┃ ㄱ. 200 m의 주향선이 NW 방향을 향하고, 동서 방향과 이루는 각도가 40°이므로 북쪽에서 50° 떨어져 있다. 따라서 A층의 주향은 N50°W이다.

ㄷ. B층과 D층은 부정합 관계이므로 퇴적 시간에 긴 간격이 있다. 따라서 B층의 퇴적 시기는 D층보다 C층의 퇴적 시기에 더 가깝다.

06 (꼼꼼) 문제 분석

ㄱ. A(경기 육괴)와 C(영남 육괴)는 선캄브리아 시대의 지괴이고, B는 옥천 분지(옥천대)이므로 모두 변성암이 분포한다.

┃바로알기┃ ㄴ. C에는 주로 선캄브리아 시대의 변성암이 분포한다. 중생대의 퇴적물은 주로 경상 분지 부근에 쌓여 있다.

ㄷ. 만입 쐐기 모형에 따르면 고생대 말에 A(경기 육괴)는 남중 지괴에, C(영남 육괴)는 한중 지괴에 속해 있었다.

07 꼼꼼 문제 분석

지질 시대	고생대						중생대		
	캄브리아기	오르도비스기	실루리아기	데본기	석탄기	페름기	트라이아스기	쥐라기	백악기
지층명	(가)				(나)		(다)		(라)

조선 누층군 (해성층)   평안 누층군 (해성층 → 육성층)   대동 누층군 (육성층)   경상 누층군 (육성층)

ㄱ. (가)는 고생대 전기에 바다에서 퇴적된 조선 누층군으로, 고생대의 표준 화석인 삼엽충과 필석 화석이 산출된다.

| 바로알기 | ㄴ. (나)는 고생대 후기의 평안 누층군이다. 평안 누층군은 하부가 해성층이고, 상부가 육성층이므로 (나)의 퇴적 환경은 바다에서 육지로 변하였다.

ㄷ. (다)는 대동 누층군이고, (라)는 경상 누층군이다. 우리나라의 중생대 지층은 모두 육성층이므로 바다에서 번성하였던 암모나이트 화석이 산출되지 않는다.

08

ㄴ. A는 백악기 말의 불국사 변동에 수반되어 생성되었으므로 백악기에 퇴적된 경상 누층군을 관입하였다.

ㄷ. B는 대보 조산 운동, C는 송림 변동으로 일어난 화성 활동으로 생성되었으며, 송림 변동과 대보 조산 운동은 한중 지괴와 남중 지괴가 충돌하여 한반도가 형성되는 과정에서 일어난 조산 운동이다.

| 바로알기 | ㄱ. C는 페름기~트라이아스기에 생성된 화강암, B는 쥐라기에 생성된 화강암(대보 화강암), A는 백악기에 생성된 화강암(불국사 화강암)이므로 C → B → A 순으로 생성되었다.

09

ㄱ. A는 주로 열에 의해 변성 작용이 일어나는 환경으로, 마그마의 접촉부에서는 열에 의해 접촉 변성 작용이 일어난다.

ㄴ. B는 열과 압력에 의해 변성 작용이 일어나는 환경으로, 편리나 편마 구조와 같은 엽리가 발달하는 광역 변성 작용이 일어난다.

ㄷ. 규암은 접촉 변성 작용이나 광역 변성 작용에 의해 생성되므로 A와 B에서 모두 생성될 수 있다.

10

ㄴ. A의 변성암은 열과 압력에 의해 광역 변성 작용이 일어나 생성된 변성암류이고, B의 변성암은 마그마 접촉부에서 열에 의해 접촉 변성 작용이 일어나 생성된 변성암이다. 엽리는 압력이 작용하여 형성된 A의 변성암에서 잘 발달되어 있다.

ㄷ. B의 변성암은 불국사 화강암이 관입하면서 마그마 접촉부에 생성된 접촉 변성암이다.

| 바로알기 | ㄱ. A는 경기 육괴, B는 경상 분지로, A에서는 선캄브리아 시대의 변성암류가 산출되고, B에서는 중생대의 변성암이 산출되므로 A보다 B의 변성암이 나중에 생성되었다.

11 꼼꼼 문제 분석

단층면의 경사 방향: 250 m 주향선이 300 m 주향선의 동쪽에 있으므로 동쪽으로 경사져 있다.

A층의 경사 방향: 100 m 주향선이 200 m 주향선의 서쪽에 있으므로 서쪽으로 경사져 있다.

상반이 아래로 내려간 정단층

단층면은 동쪽으로 경사져 있고, 지층은 서쪽으로 경사져 있다. 동서 방향의 단면을 그려보면 단층면을 기준으로 상반이 아래로 이동하였으므로 장력이 작용하여 정단층이 형성되었다.

모범답안 단층이 형성되었기 때문에 A와 B층이 반복되어 나타나며, 정단층이 형성되었으므로 장력이 작용하였다.

채점 기준	배점
단층과 장력을 모두 옳게 서술한 경우	100 %
단층만 옳게 서술한 경우	50 %

12

(가)는 고생대 전 기간에 걸쳐 바다에서 서식하였던 삼엽충의 화석으로, 우리나라에서는 고생대 전기의 조선 누층군(해성층)에서 산출된다. (나)는 기온이 높고 습한 육지 환경에서 번성한 양치식물이 지층에 매몰되어 생성된 석탄으로, 우리나라에서는 평안 누층군 상부의 육성층에서 산출된다.

모범답안 (가)가 산출된 지층이 (나)가 산출된 지층보다 먼저 생성되었다. (나)가 생성될 당시는 기온이 높고, 습한 환경이었다.

채점 기준	배점
지층의 선후 관계와 (나) 생성 당시 기후 환경을 모두 옳게 서술한 경우	100 %
두 가지 중 한 가지만 옳게 서술한 경우	50 %

13

화강암 주변에서는 열에 의해 접촉 변성 작용을 받은 변성암이 산출되며, 접촉 변성 작용을 받으면 입상 변정질 조직이 나타난다. 묽은 염산과 반응하므로 탄산염 광물로 이루어져 있으며, 건물의 바닥 장식재 등으로 이용되는 암석은 대리암이다.

모범답안 이 암석은 석회암이 열(온도)에 의해 접촉 변성 작용을 받아 생성된 대리암이다.

채점 기준	배점
기존 암석의 이름, 변성암의 이름, 변성 작용의 요인을 모두 포함하여 옳게 서술한 경우	100 %
세 가지 중 두 가지만 포함하여 옳게 서술한 경우	60 %
세 가지 중 한 가지만 포함하여 옳게 서술한 경우	30 %

01 ①	02 ⑤	03 ②	04 ④	05 ④	06 ①
07 ③	08 ①	09 ②	10 ④	11 ③	12 ③

01 꼼꼼 문제 분석

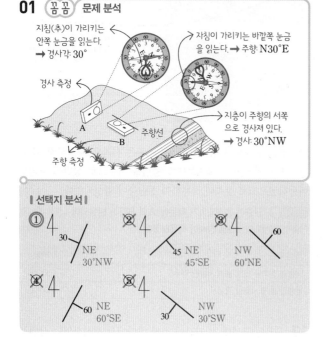

선택지 분석

① $\angle$ 30 NE 30°NW (동그라미)
② (X) 45 NE 45°SE
③ (X) 60 NW 60°NE
④ (X) NE 60 60°SE
⑤ (X) NW 30 30°SW

① 지층의 주향이 N30°E이고, 경사가 30°NW이므로 진북으로 부터 30°만큼 동쪽으로 긴 선(주향)을 긋는다. 지층이 주향의 서쪽으로 경사져 있으므로 긴 선의 중앙에서 NW 방향으로 직각인 짧은 선을 긋고 선 끝에 30이라고 표시한다.

02 꼼꼼 문제 분석

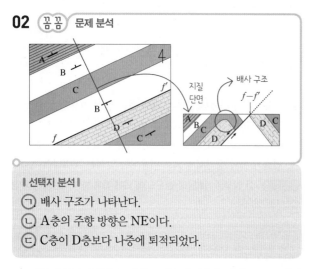

선택지 분석

㉠ 배사 구조가 나타난다.
㉡ A층의 주향 방향은 NE이다.
㉢ C층이 D층보다 나중에 퇴적되었다.

ㄱ. 단층선 북쪽의 C층을 경계로 위쪽의 지층은 북서쪽으로, 아래쪽의 지층은 남동쪽으로 경사져 있으므로 배사 구조가 나타난다.

ㄴ. A층은 주향이 북동 – 남서 방향이므로 NE이다.

ㄷ. 단층선의 남쪽에서 C층과 D층이 모두 주향의 동쪽으로 경사져 있고, 지층이 역전되지 않았으므로 C층이 D층보다 나중에 퇴적되었다.

03 꼼꼼 문제 분석

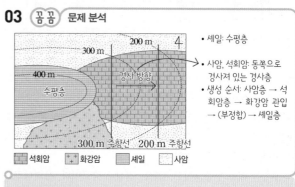

선택지 분석

(X) 이 지역에는 셰일 기원의 혼펠스가 생성되었다.
㉡ 셰일층과 사암층은 부정합 관계이다. 생성되지 않았다
(X) 석회암층은 사암층보다 먼저 생성되었다. 나중에

ㄴ. 셰일층은 상부의 수평층이고, 사암층은 하부의 경사층이므로 셰일층과 사암층은 부정합 관계이다.

바로알기 ㄱ. 셰일층은 화강암이 관입하고 침식 작용이 일어난 후 퇴적되었으므로 마그마에 의한 변성 작용을 받지 않았다. 따라서 이 지역에서 셰일의 접촉 변성암인 혼펠스는 생성되지 않았다.

ㄷ. 지층이 동쪽으로 경사졌으므로 사암이 석회암보다 하부에 있다. 따라서 사암층이 석회암층보다 먼저 생성되었다.

04 꼼꼼 문제 분석

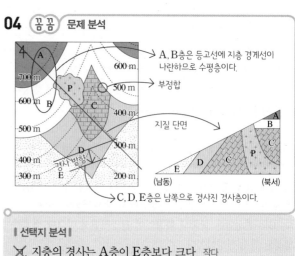

선택지 분석

(X) 지층의 경사는 A층이 E층보다 크다. 작다
㉡ C층은 융기 작용과 침강 작용을 받은 적이 있다.
㉢ 관입암 P는 C층보다 나중에 생성되었다.

ㄴ. A층과 B층은 수평층이고, C, D, E층은 경사층이므로 B층과 C층은 부정합 관계이다. 부정합은 지층이 융기되고 침식된 후 새로운 지층이 쌓이면서 형성되므로 부정합면 아래의 C층은 융기 작용과 침강 작용을 받은 적이 있다.

ㄷ. 관입한 암석은 관입 당한 암석보다 나중에 생성되었으므로 관입암 P는 C층보다 나중에 생성되었다.

| 바로알기 | ㄱ. A층은 수평층이고, E층은 경사층이므로 지층의 경사는 E층이 A층보다 크다.

05

| 선택지 분석 |

✗ 주로 분지에 퇴적된 암석으로 이루어져 있다. 변성암

ⓛ 한반도에서 가장 오래된 암석을 포함한다.

ⓒ 스트로마톨라이트가 산출된 지층이 있다.

ㄴ. 제시된 암석 분포는 선캄브리아 시대에 해당한다. 이 시기에 속하는 암석 중 대이작도에서 발견된 편마암이 한반도에서 가장 오래된 암석이다.

ㄷ. 소청도의 대리암층에서 원생 누대 후기에 생성된 스트로마톨라이트가 산출된다.

| 바로알기 | ㄱ. 한반도의 선캄브리아 시대 암석은 대부분 경기 육괴와 영남 육괴에 속해 있으며, 대부분 변성암이다.

06 꼼꼼 문제 분석

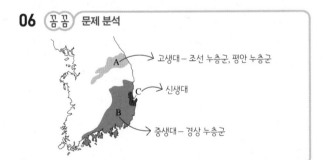

| 선택지 분석 |

ⓒ 삼엽충과 필석 화석은 A에서 산출된다.

✗ B는 C보다 나중에 퇴적되었다. 먼저

✗ C에서는 방추충 화석이 산출된다. 산출되지 않는다

ㄱ. A는 고생대 전기의 조선 누층군과 후기의 평안 누층군이 퇴적된 곳이다. 삼엽충과 필석 화석은 고생대의 표준 화석이므로 A에서 산출된다.

| 바로알기 | ㄴ. B는 중생대에 퇴적된 경상 누층군이고, C는 신생대의 지층이므로 B가 C보다 먼저 퇴적되었다.

ㄷ. C는 신생대의 지층이므로 고생대 말기의 표준 화석인 방추충 화석이 산출될 수 없다.

07

| 선택지 분석 |

✗ 낭림 육괴와 경기 육괴는 동일한 지괴에 속해 있었다. 다른

ⓛ 한중 지괴가 분리되면서 영남 육괴는 시계 방향으로 회전하였다.

ⓒ (가)와 (나) 시기 사이에 한반도에서는 대보 화강암이 관입하였다.

✗ ㉠에서 에클로자이트가 발견되는 것은 남중 지괴가 적도 부근에서 북상하였다는 주장의 근거가 된다. 한중 지괴와 충돌하였다

ㄴ. 한중 지괴는 남중 지괴와 충돌한 후 두 조각으로 분리되었으며, 그 중 영남 육괴가 속한 지괴는 시계 방향으로 회전하면서 경기 육괴 아래로 결합하였다.

ㄷ. 한반도의 육괴가 충돌하여 결합하면서 쥐라기에 대보 조산 운동이 일어났고, 이에 수반하여 대보 화강암이 관입하였다.

| 바로알기 | ㄱ. 그림과 같은 한반도의 형성 모형에 따르면, 낭림 육괴는 한중 지괴에 속하였고, 경기 육괴는 남중 지괴에 속하였다.

ㄹ. 에클로자이트는 판이 충돌하는 초고압 환경에서 생성되는 초고압 변성암이므로 에클로자이트의 발견은 한중 지괴와 남중 지괴가 충돌하였다는 주장의 근거가 된다.

08 꼼꼼 문제 분석

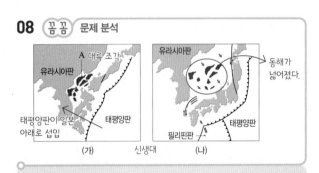

| 선택지 분석 |

ⓒ 동해는 태평양판이 섭입하면서 형성되었다.

✗ A는 해양 지각의 물질이다. 대륙 지각

✗ (가) → (나)의 변화는 중생대 중기부터 후기까지 일어났다. 신생대에

ㄱ. 한반도와 일본 열도는 거의 붙어 있었으나 태평양판이 일본 열도 아래로 섭입하면서 동해가 확장되기 시작하였다.

| 바로알기 | ㄴ. A는 한반도에서 일본 열도가 떨어져 나가는 과정에서 쪼개진 대륙 조각들이 분포하는 것이다.

ㄷ. 동해는 신생대 후기에 형성되기 시작하였고, 약 1200만 년 전에 현재와 비슷한 모습을 갖추었다.

09 꼼꼼 문제 분석

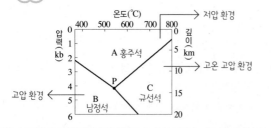

┃ 선택지 분석 ┃

✗ A는 <u>규선석</u>이고, B는 남정석이다. 홍주석

✗ P점에서는 세 광물이 <u>결합하여 새로운 광물이 생성된다.</u>
　　　　　　　　　　　　　　　공존할 수 있다

ⓒ 편마암에서는 A와 C보다 B와 C가 많이 산출된다.

ㄷ. A와 C는 주로 접촉 변성 작용에 의해 생성되고, B와 C는 주로 광역 변성 작용에 의해 생성된다. 편마암은 고온 고압의 환경에서 생성되므로 B(남정석)와 C(규선석)가 더 많이 산출된다.

┃ 바로알기 ┃ ㄱ. A는 저압 환경에서 생성되는 홍주석이고, B는 고압 환경에서 생성되는 남정석이다. C는 고온 고압 환경에서 생성되는 규선석이다.

ㄴ. P점은 세 광물의 안정 영역이 만나는 점이므로 세 광물이 안정하여 변성암 내에서 공존할 수 있다.

10 꼼꼼 문제 분석

┃ 선택지 분석 ┃

✗ A는 <u>대리암</u>이다. 천매암

ⓛ 남동쪽으로 갈수록 변성도가 증가한다.

ⓒ 이 지역의 북서쪽에는 셰일이 분포할 것이다.

ㄴ. 점판암 → 천매암 → 편암 → 편마암으로 갈수록 변성 작용이 일어날 때의 온도와 압력이 높으므로 남동쪽으로 갈수록 변성도가 증가한다.

ㄷ. 이 지역의 변성암은 셰일이 광역 변성 작용을 받아 생성되므로 이 지역의 북서쪽에는 셰일이 분포할 것이다.

┃ 바로알기 ┃ ㄱ. A는 점판암보다 변성도가 높고, 편암보다 변성도가 낮으므로 천매암이다.

11 꼼꼼 문제 분석

┃ 선택지 분석 ┃

ⓐ A 부근에서는 주로 열과 압력에 의해 변성 작용이 일어난다.

✗ 변성 작용이 일어나는 범위는 A 부근보다 B 부근에서 <u>넓다.</u> 좁다

ⓒ 불국사 화강암에 수반된 변성 작용은 B와 같은 유형이다.

ㄱ. A에서는 해양판이 대륙판 아래로 섭입하면서 온도와 압력이 증가하므로 열과 압력에 의한 광역 변성 작용이 주로 일어난다.

ㄷ. 한반도의 남부 지역에 분포하는 경상 분지에는 B와 같이 불국사 화강암이 관입한 주변에 접촉 변성 작용으로 생성된 변성암이 분포한다.

┃ 바로알기 ┃ ㄴ. A에서는 광역 변성 작용이 일어나고, B에서는 접촉 변성 작용이 일어나므로 변성 범위는 A 부근이 더 넓다.

12

┃ 선택지 분석 ┃

ⓐ (가)의 주변 지역에는 셰일이 분포한다.

ⓛ (나)는 열과 압력에 의해 생성되었다.

✗ (가)는 (나)보다 <u>먼저</u> 생성되었다. 나중에

ㄱ. 혼펠스는 셰일이 접촉 변성 작용을 받아 생성된 변성암이므로 (가)의 주변 지역에는 셰일이 분포한다.

ㄴ. (나)는 매우 높은 온도와 압력 환경에서 생성되는 광역 변성암이다.

┃ 바로알기 ┃ ㄷ. (가)는 중생대 말기의 불국사 변동에 수반된 접촉 변성 작용으로 생성되었고, (나)는 중생대 초기의 송림 변동에 수반된 광역 변성 작용으로 생성되었다.

Ⅱ. 대기와 해양

① 해수의 운동과 순환

01 해수를 움직이는 힘

개념 확인 문제 154쪽

❶ 수압 경도력 ❷ 중력 ❸ 경사 ❹ 전향력

1 (1) ○ (2) × (3) × (4) ×   **2** (1) (가) 수압 경도력 (나) 중력
(2) $\dfrac{\Delta P}{\Delta Z}=-\rho g(\Delta P=-\rho g\Delta Z)$ **3** (1) ㉠ 높은, ㉡ 낮은
(2) ㉠ 비례, ㉡ 반비례 (3) 따뜻한 해수에서 찬 해수   **4** (1) ㉠ 오른쪽, ㉡ 왼쪽 (2) 크다 (3) 작다

1 (1) 수압 경도력은 수압 차이로 발생하는 힘이므로 수압 차이가 클수록 커진다.
(2) 수압 경도력은 해수의 밀도 차이에 의해서도 발생한다.
(3) 해수를 움직이게 하는 원인이 되는 힘은 수압 경도력이다. 전향력은 해수의 이동 방향만 바꾼다.
(4) 전향력은 적도를 제외하고 운동하는 모든 물체에 작용한다.

2 (1) (가)는 수압 차이에 의해 생기는 수압 경도력이다. 해수에서는 깊어질수록 수압이 증가하므로, 아래에서 위로 수압 경도력이 작용한다.
(나)는 해수의 무게에 의해 생기는 중력이다. 중력은 지구 중심 쪽으로 작용하므로 위에서 아래로 작용한다.
(2) 정역학 평형 상태에서 수압 경도력과 중력이 평형을 이루므로 $\dfrac{\Delta P}{\Delta Z}=-\rho g(\Delta P=-\rho g\Delta Z)$이다.

3 (1) 수압 경도력은 수압이 높은 곳에서 낮은 곳으로 작용한다. 해수면이 높은 곳이 낮은 곳보다 수압이 높으므로 수압 경도력은 해수면이 높은 곳에서 낮은 곳으로 작용한다.
(2) 수압 경도력은 두 지점 사이의 거리에 반비례하고, 수압 차이에 비례한다. 즉, 두 지점 사이의 거리가 멀수록 수압 경도력이 작아지고, 수압 차이가 클수록 수압 경도력이 커진다.
(3) 밑면에서의 수압이 같을 때, 따뜻한 해수는 밀도가 작아 해수면이 높고 찬 해수는 밀도가 커서 해수면이 낮기 때문에 등수압면이 찬 해수 쪽으로 기울어진다. 따라서 수압 경도력이 따뜻한 해수에서 찬 해수 쪽으로 작용한다.

4 (1) 전향력은 지구 자전에 의해 북반구에서는 물체의 운동 방향에 오른쪽 직각 방향으로 작용하고, 남반구에서는 물체의 운동 방향에 왼쪽 직각 방향으로 작용한다.
(2), (3) 단위 질량에 작용하는 전향력$(C)=2v\Omega\sin\varphi(v$: 물체의 속력, Ω: 지구 자전 각속도, φ: 위도)이다. 따라서 전향력의 크기는 물체의 운동 속력이 빠를수록 크고, 고위도로 갈수록 지구 자전 각속도가 커지므로 커진다.

대표 자료 분석 155쪽

자료 ① **1** (나)→(가) **2** $\Delta P=-\rho g\Delta Z$ **3** $P_{\mathrm H}=g\dfrac{\Delta Z}{\Delta x}$
4 (1) ○ (2) ○ (3) ○ (4) ×
자료 ② **1** (가) A (나) A **2** 전향력 **3** ㉠ 북반구, ㉡ A
4 (1) ○ (2) × (3) ○

①-1 꼼꼼 문제 분석

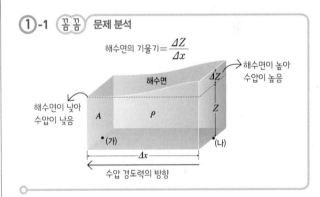

수압 차이에 의해 수평 방향으로 작용하는 힘(수압 경도력)은 수압이 높은 (나)에서 수압이 낮은 (가) 쪽으로 작용한다.

①-2 두 지점의 수압 차이 $\Delta P=P_{(나)}-P_{(가)}=-\rho g\Delta Z$이다.

①-3 단위 질량의 해수에 작용하는 수압 경도력$(P_{\mathrm H})$을 해수면의 기울기$(\dfrac{\Delta Z}{\Delta x})$로 나타내면 $g\dfrac{\Delta Z}{\Delta x}$이다.
$$P_{\mathrm H}=\dfrac{1}{m}\times\Delta P\times A=\dfrac{1}{\rho}\dfrac{\Delta P}{\Delta x}=g\dfrac{\Delta Z}{\Delta x}\ (g: 중력 가속도)$$

①-4 (1) 해수면이 기울어져 있으면 수압 차이가 생겨 수압 경도력이 발생한다.
(2) 수압 경도력은 수압이 높은 곳에서 낮은 곳으로 작용한다. 밀도가 일정할 때, 해수면이 높은 곳은 수압이 높고, 해수면이 낮은 곳은 수압이 낮다. 따라서 수압 경도력은 해수면이 높은 곳에서 낮은 곳으로 작용한다.

(3) Δx가 변하지 않고 ΔZ가 커지면 해수면의 기울기가 커져 수압 차이가 커지므로 수압 경도력은 커진다.

(4) 해수면의 기울기인 $\dfrac{\Delta Z}{\Delta x}$가 커지면 수압 경도력은 커진다.

②-1 꼼꼼 문제 분석

쇠구슬을 P에서 A로 굴릴 때

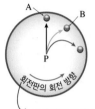

- (가) 회전판이 회전하지 않을 때, 관측한 쇠구슬의 이동 경로: A
- (나) 회전판이 회전할 때, 회전계 안에서 관측한 쇠구슬의 이동 경로: B

→ 시계 반대 방향으로 회전: 쇠구슬의 이동 경로가 오른쪽으로 휘어진다.

쇠구슬을 P에서 A로 굴리면 회전계 밖에서는 회전판이 돌아가는 것에 관계 없이 쇠구슬이 A로 이동하는 것처럼 보인다.

②-2
쇠구슬의 실제 이동 경로는 직선이지만, 회전하는 원반 위에서는 B와 같이 경로가 휘어지는 것처럼 관측되어 마치 물체의 운동 경로를 바꾸는 힘이 있는 것처럼 보인다. 이러한 가상의 힘을 전향력이라고 한다.

②-3
회전판이 시계 반대 방향으로 돌아서 물체의 이동 방향이 오른쪽으로 휘었다. 이 결과는 지구가 시계 반대 방향으로 자전하여 북반구에서 물체의 운동 방향이 오른쪽으로 휘는 것과 같은 원리이다. 전향력의 크기는 저위도로 갈수록 작아지고, 적도에서 0이므로 적도 지방에서는 (가), (나)일 때 물체의 이동 경로가 A와 같이 나타난다.

②-4
(1) 전향력은 지구 자전에 의한 가상의 힘이므로 지구가 자전하지 않으면 전향력은 작용하지 않는다.

(2) (나)의 궤적은 회전 원반 밖에 있는 관측자에게는 직선으로 나타난다.

(3) 원반의 회전 방향이 시계 방향이 되면 전향력이 물체의 운동 방향에 왼쪽 직각 방향으로 작용하므로 B는 A의 왼쪽 방향으로 휜다.

내신 만점 문제

156쪽~157쪽

01 ③	**02** $(P_2 - P_1) \times A$	**03** ③	**04** 해설 참조
05 ②	**06** ①	**07** ④	**08** 해설 참조	**09** ⑤
10 ②	**11** ⑤		

01 ①, ② 수압 경도력은 수압 차이가 클수록 커지므로 수압 차이에 비례하며, 수압이 높은 곳에서 낮은 곳으로 작용한다.
④, ⑤ 바람이나 기압 차이에 의해 해수면 높이가 달라져 경사가 생기거나, 해수의 밀도 차이가 생기면 수평 방향으로 수압 차이가 발생하여 수압 경도력이 작용한다.

│바로알기│ ③ 연직 방향의 수압 경도력은 중력과 반대 방향으로 작용한다.

02 물 덩어리가 바닥에 작용하는 힘인 중력은 수압 경도력과 크기가 같다. 단면적에 작용하는 수압 경도력은 두 지점의 수압 차이에 단면적을 곱한 $(P_2 - P_1) \times A$로 나타낼 수 있다.

03 ㄱ. (가)는 연직 방향의 수압 경도력으로, 깊이에 따른 수압 차이($\Delta P = P_2 - P_1$) 때문에 발생하는 힘이다.
ㄴ. 해수는 연직 방향의 수압 경도력이 중력과 평형을 이루는 정역학 평형 상태이므로, (가)와 (나)의 크기는 같다.

│바로알기│ ㄷ. (가)는 (나)와 평형을 이루고 있으므로, (가)에 의해 해수의 이동은 일어나지 않는다.

04 정역학 방정식 $\Delta P = -\rho g \Delta Z$를 이용한다.
$1\ N = 1\ kg \cdot m/s^2$이므로 1기압$=101325\ kg/m \cdot s^2$이다.

모범답안 $\Delta P = -\rho g \Delta Z = -1030\ kg/m^3 \times 9.8\ m/s^2 \times 1000\ m$
$= -10094000\ kg/m \cdot s^2 \fallingdotseq 100$기압

채점 기준	배점
정역학 방정식을 옳게 쓰고, 계산 결과를 기압으로 옳게 서술한 경우	100 %
기압으로 나타내지 못하고, 식과 계산 결과만 옳게 서술한 경우	50 %

[05~06] 꼼꼼 문제 분석

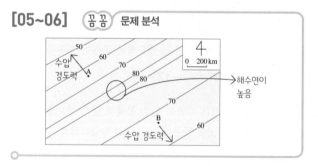

05 수압 경도력은 해수면이 높은 곳에서 낮은 곳으로 작용하므로 A에서는 북서 방향, B에서는 남동 방향으로 작용한다.

06 A 해역이 B 해역보다 등고선 사이의 간격이 좁으므로 해수면의 기울기가 급하다. 수압 경도력은 해수면의 기울기가 급할수록 크게 작용하므로 A 해역이 B 해역보다 수압 경도력이 크다.

07 꼼꼼 문제 분석

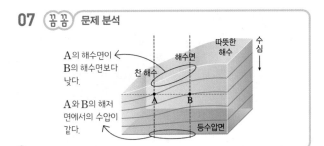

A의 해수면이 B의 해수면보다 낮다.

A와 B의 해저면에서의 수압이 같다.

④ 해저면에서의 수압이 거의 같을 때, A 지점이 B 지점보다 해수면이 낮으므로 밀도가 크다.

▌ 바로알기 ▐ ① 수심이 깊어질수록 수압이 높다.

② 수압은 A 지점이 B 지점보다 낮다.

③ 수압 경도력은 수압이 높은 곳에서 낮은 곳으로 작용하므로 B 지점에서 A 지점으로 작용한다.

⑤ 수평 방향으로 수압 경도력이 작용하므로 해수는 수평 방향으로 이동한다.

08 모범답안 연직 방향의 수압 경도력과 중력이 정역학 평형을 이루기 때문이다.

채점 기준	배점
연직 방향의 수압 경도력과 중력이 같아 정역학 평형을 이루기 때문이라고 옳게 서술한 경우	100 %
정역학 평형을 이루기 때문이라고만 서술한 경우	70 %

09 전향력은 북반구에서는 운동하는 물체의 운동 방향에 오른쪽 직각 방향으로 작용하고, 남반구에서는 왼쪽 직각 방향으로 작용한다. 따라서 적도에서 북반구에 위치한 (가) 지점을 향해 발사한 미사일은 오른쪽으로 휘어진 B 경로를 따라 이동하고, 적도에서 남반구에 위치한 (다) 지점을 향해 발사한 미사일은 왼쪽으로 휘어진 D 경로를 따라 이동한다.

10 꼼꼼 문제 분석

· 위도: A>B>C
· 전향력의 크기: A>B>C ➡ 위도가 높을수록 전향력이 크기 때문
· 전향력의 방향: A는 서쪽, B는 남쪽, C는 동쪽

→ 물체를 던진 방향

ㄷ. 전향력은 고위도로 갈수록 커지므로 C보다 A에서 크다.

▌ 바로알기 ▐ ㄱ. 북반구에 위치한 A에서 물체가 이동할 때 전향력을 오른쪽 직각 방향으로 받으므로 물체의 이동 방향은 서쪽으로 치우친다.

ㄴ. 북반구에 위치한 B에서 물체가 오른쪽 직각 방향으로 전향력을 받으므로 물체의 이동 방향은 오른쪽으로 휘어진다.

11 꼼꼼 문제 분석

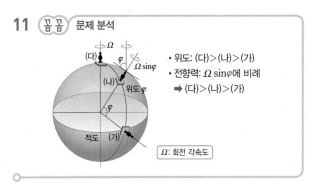

· 위도: (다)>(나)>(가)
· 전향력: $\Omega \sin\varphi$에 비례
➡ (다)>(나)>(가)

Ω: 회전 각속도

ㄱ, ㄷ. 위도별 회전 각속도는 $\Omega \sin\varphi$이므로 위도가 높아짐에 따라 회전 각속도는 커진다. 따라서 지표면의 회전 각속도가 가장 빠른 곳은 극지방인 (다)이다.

ㄴ. 지표면이 회전하지 않는 곳은 $\sin\varphi=0$인 적도 지방 (가)이다.

02 지형류

개념 확인 문제   161쪽

❶ 에크만 수송 ❷ 오른쪽 ❸ 마찰층(에크만층) ❹ 수압 경도력 ❺ 오른쪽 ❻ 서 ❼ 서안 ❽ 동안

1 (1) 동쪽 (2) 서쪽 (3) 남동쪽   **2** (1) ○ (2) × (3) × (4) ○ (5) ○   **3** (1) A: 수압 경도력, B: 전향력 (2) A=B (3) 북쪽 (4) A: 커진다, B: 커진다   **4** (1) A: 편서풍, B: 무역풍(북동 무역풍) (2) C: 서안 경계류, D: 동안 경계류 (3) ㉠ 좁고, ㉡ 빠르다

1 꼼꼼 문제 분석

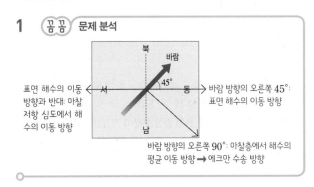

표면 해수의 이동 방향과 반대: 마찰 저항 심도에서 해수의 이동 방향

바람 방향의 오른쪽 45°: 표면 해수의 이동 방향

바람 방향의 오른쪽 90°: 마찰층에서 해수의 평균 이동 방향 ➡ 에크만 수송 방향

(1) 북반구에서 표면 해수는 바람 방향의 오른쪽 약 45° 방향으로 흐르므로 동쪽으로 흐른다.

(2) 에크만 나선 운동에서 마찰층에서 유속이 가장 작은 흐름은 표면 해수의 흐름과 반대 방향으로 일어나므로 서쪽으로 일어난다.

(3) 에크만 수송은 바람 방향에 대해 오른쪽 직각 방향으로 일어나므로 남동쪽으로 일어난다.

2 (1) 지형류에 작용하는 수압 경도력과 전향력은 평형을 이루므로, 두 힘의 방향은 항상 반대이다.

(2) 북반구에서는 지형류가 수압 경도력의 오른쪽 직각 방향으로 흐른다.

(3) 전향력은 유속에 비례하므로 지형류의 유속이 빨라지면 전향력의 크기는 커진다.

(4) 해수면의 경사가 급할수록 수압 경도력이 커지므로 지형류의 유속이 빠르다.

(5) 지형류는 수압 경도력의 직각 방향으로 흐르므로 등수압선에 나란하게 흐른다.

3 (1) 수압 경도력은 해수면이 높은 곳에서 낮은 곳으로 작용하므로 A는 수압 경도력이다. 지형류가 흐를 때 수압 경도력과 반대 방향으로 전향력이 작용하여 평형을 이루므로 B는 전향력이다.

(2) 지형류는 수압 경도력과 전향력이 평형을 이루면서 흐르는 해류이므로 두 힘의 크기는 같다.

(3) 북반구에서는 지형류가 수압 경도력의 오른쪽 직각 방향으로 흐르므로 북쪽으로 흐른다.

(4) 해수면의 경사가 커질 때 수압 경도력인 A가 커지고, 유속이 빨라지면서 전향력인 B도 커진다.

4 (1) A는 편서풍, B는 무역풍(북동 무역풍)이다.

(2) C에서는 서안 경계류가, D에서는 동안 경계류가 흐른다.

(3) 북태평양의 아열대 순환은 서안 강화 현상으로 순환의 중심이 서쪽으로 치우쳐 C에서 흐르는 서안 경계류는 D에서 흐르는 동안 경계류보다 폭이 좁고 유속이 빠르다.

대표 자료 분석

162쪽

자료① **1** ㉠ 남, ㉡ 북 **2** 높다 **3** ㉠ 북, ㉡ 남 **4** P 지점: B, Q 지점: H **5** (1) ○ (2) × (3) × (4) ×

자료② **1** (나) **2** 순환 중심 부분이 가장자리보다 해수면의 높이가 높다. **3** A: 쿠로시오 해류, B: 캘리포니아 해류 **4** (1) × (2) ○ (3) × (4) ○ (5) ×

---

①-1 꼼꼼 문제 분석

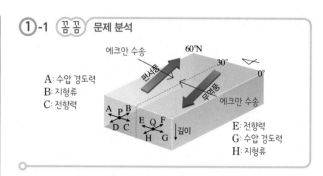

A: 수압 경도력
B: 지형류
C: 전향력

E: 전향력
G: 수압 경도력
H: 지형류

북반구에서 에크만 수송은 바람 방향의 오른쪽 직각 방향으로 일어난다. 따라서 무역풍에 의한 에크만 수송은 북쪽으로, 편서풍에 의한 에크만 수송은 남쪽으로 일어난다.

①-2 에크만 수송으로 해수가 이동하여 위도 30°N 부근으로 모이므로 위도 30°N 해역의 해수면 높이는 주변 해역보다 높다.

①-3 위도 30°N 해역의 해수면이 주변보다 높고, 수압 경도력은 해수면이 높은 곳에서 낮은 곳으로 작용한다. 따라서 수압 경도력은 편서풍대에서 북쪽으로, 무역풍대에서 남쪽으로 작용한다.

①-4 북반구에서 지형류는 수압 경도력의 오른쪽 직각 방향으로 흐른다. P 지점에서 수압 경도력이 북쪽(A)으로 작용하므로 지형류는 동쪽(B)으로 흐르고, Q 지점에서 수압 경도력이 남쪽(G)으로 작용하므로 지형류는 서쪽(H)으로 흐른다.

①-5 (1) 에크만 수송은 북반구에서 바람 방향의 오른쪽 직각 방향, 남반구에서 왼쪽 직각 방향으로 일어난다.

(2) P 지점의 지형류에 작용하는 수압 경도력의 방향은 A, 전향력의 방향은 C로, 두 힘의 방향은 서로 반대이고 크기는 같아 평형을 이룬다.

(3) Q 지점에서 수압 경도력이 남쪽(G)으로 작용하므로 전향력은 그 반대인 북쪽(E)으로 작용한다.

(4) 위도 0°~30°N 해역은 무역풍의 영향으로 지형류가 흐르는 곳으로, 지형류는 수압 경도력의 오른쪽 직각 방향으로 흐른다.

②-1 꼼꼼 문제 분석

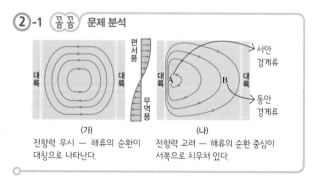

(가)
전향력 무시 — 해류의 순환이 대칭으로 나타난다.

(나)
전향력 고려 — 해류의 순환 중심이 서쪽으로 치우쳐 있다.

위도에 따른 전향력의 차이를 고려하면, (나)와 같이 해류의 순환 중심이 서쪽으로 치우치는 서안 강화 현상이 나타난다.

②-2 지형류 순환이 시계 방향으로 일어나므로 수압 경도력이 순환 중심에서 가장자리로 작용하고 있다. 따라서 순환 중심 부분이 가장자리보다 해수면의 높이가 높다.

②-3 A는 서안 경계류, B는 동안 경계류이다. 북태평양의 아열대 해역에서 A와 B에 해당하는 해류는 각각 쿠로시오 해류와 캘리포니아 해류이다.

②-4 (1) 실제로 위도가 높아질수록 전향력이 커지므로 아열대 해양에서 실제 해수의 흐름은 위도에 따른 전향력 효과가 반영되어 서안 강화 현상이 나타나는 (나)에 가깝다.
(2) 서안 경계류인 A는 동안 경계류인 B보다 폭이 좁고, 유속이 빠르다.
(3) 유속이 더 빠른 A에서 수압 경도력이 더 크다.
(4) 해수면 경사는 유속이 더 빠른 A 해역에서 더 급하다.
(5) (나)에서 순환하는 해류에 작용하는 전향력은 수압 경도력의 반대 방향인 순환의 안쪽으로 작용한다.

01 ⑤ 에크만 수송은 북반구에서는 바람 방향의 오른쪽 90° 방향으로, 남반구에서는 바람 방향의 왼쪽 90° 방향으로 나타난다.
바로알기 ① 에크만 수송이 풍향의 오른쪽 방향으로 일어나는 것으로 보아 이 해역은 북반구이다.
② 수심이 깊어질수록 바람에 의한 해수의 운동 에너지가 작아지므로 유속이 점점 감소한다.
③ 표면 해수의 이동 방향과 정반대 방향의 흐름이 나타나는 깊이를 마찰 저항 심도라고 하는데, 해수 표면에서 마찰 저항 심도까지의 층을 마찰층(에크만층)이라고 한다.
④ 바람의 세기가 강할수록 바람의 운동 에너지가 크게 작용하므로 에크만 수송이 강하게 일어난다.

02 북반구에서 표면 해수는 바람 방향의 오른쪽 약 45° 방향(B)으로 이동하고, 에크만 수송은 바람 방향의 오른쪽 90° 방향(C)으로 일어난다.

03 에크만 이론에 따르면, 해수면 위에 일정한 방향으로 바람이 계속 불면 바람과 해수면의 마찰에 의해 표면 해수는 바람이 불어가는 방향으로 움직이기 시작한다. 해수가 움직이기 시작하면 전향력을 받아 남반구에서는 왼쪽으로 편향되어 표면 해수는 바람 방향의 약 45° 왼쪽 방향으로 이동한다. 그리고 수심이 깊어짐에 따라 해수의 이동 방향은 점점 더 왼쪽으로 편향되며, 마찰에 의한 에너지 감소로 유속은 점점 감소한다.

04 북반구에서 에크만 수송은 바람 방향의 오른쪽 직각 방향으로 일어나므로 저기압에서 에크만 수송은 중심에서 바깥쪽으로 일어난다. 그 결과 중심 부근(A)에서는 해수가 발산하면서 해수면이 낮아진다.
（모범답안） A 부근에서는 해수가 바깥쪽으로 발산한다.

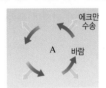

채점 기준	배점
에크만 수송 방향을 옳게 그리고, A에서 해수의 발산이 일어난다고 서술한 경우	100 %
에크만 수송 방향만 옳게 그린 경우	50 %
A에서 해수의 발산이 일어난다고만 옳게 서술한 경우	50 %

05 （꼼꼼） 문제 분석

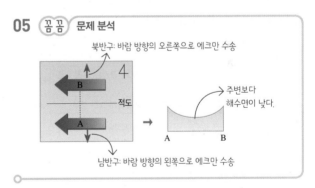

A쪽에서는 바람에 의해 에크만 수송이 남쪽으로 일어나고, B에서는 바람에 의해 에크만 수송이 북쪽으로 일어나므로 A−B 사이의 중앙 부분에서 해수는 주변으로 발산되어 주변보다 해수면이 낮다. 따라서 ②와 같은 단면을 이룬다.

06 A 지점에 정지해 있던 해수가 수압 경도력에 의해 움직이기 시작하면 전향력이 작용하기 시작하면서 해수의 흐름은 오른쪽으로 편향된다.
• 수압 경도력: 해수면의 기울기가 일정하므로 수압 경도력의 크기는 일정하다.

• 유속: 해수의 이동 방향이 수압 경도력과 수직이 되는 C 지점까지는 수압 경도력 중 해수를 계속 가속시킬 수 있는 힘의 성분이 남아 있으므로 유속은 계속 증가한다.
• 전향력: 유속이 증가하면 그에 따라 전향력도 커지므로 A → B → C로 가면서 전향력은 점점 커진다.

07 ①, ② 해수면이 높은 곳에서 낮은 곳으로 작용하는 힘 B는 수압 경도력으로 해수를 움직이게 하는 원인이 되는 힘이다. 수압 경도력의 반대 방향으로 작용하는 힘 A는 지구 자전으로 나타나는 전향력이다.
③ 지형류는 수압 경도력의 오른쪽 직각 방향인 C 방향으로 흐른다.
④ A는 B와 방향이 반대이고, 크기가 같다.
┃**바로알기**┃ ⑤ 해수면 경사가 커지면 유속이 빨라지므로 전향력인 A의 크기도 커진다.

08 모범답안 (1)

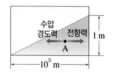

(2) 지형류의 속력 $v = \dfrac{1}{2\Omega \sin\varphi} \cdot g\dfrac{\Delta Z}{\Delta x}$에 $2\Omega \sin\varphi = 10^{-4}$/s, $g = 10$ m/s², $\Delta x = 10^5$ m, $\Delta Z = 1$ m를 대입하면,
지형류의 속력 $v = \dfrac{1}{10^{-4}/s} \cdot 10 \text{ m/s}^2 \dfrac{1 \text{ m}}{10^5 \text{ m}} = 1$ m/s이다.

채점 기준		배점
(1)	수압 경도력과 전향력의 방향은 반대로, 크기는 같게 그린 경우	50 %
	수압 경도력과 전향력의 방향만 반대로 옳게 그린 경우	30 %
(2)	$v = \dfrac{1}{2\Omega \sin\varphi} \cdot g\dfrac{\Delta Z}{\Delta x}$ 식을 이용하여 지형류의 속력 1 m/s를 옳게 구한 경우	50 %
	$v = \dfrac{1}{2\Omega \sin\varphi} \cdot g\dfrac{\Delta Z}{\Delta x}$ 식만 옳게 쓴 경우	30 %

09 꼼꼼 **문제 분석**
북반구에서 지형류는 수압 경도력의 오른쪽 직각 방향으로 흐른다.

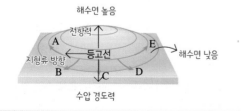

해수면 경사가 그림과 같을 때 수압 경도력은 해수면 중앙에서 가장자리 쪽으로 등고선에 직각으로 작용한다. 지형류는 수압 경도력의 오른쪽 직각 방향인 A 방향을 따라 등고선과 나란하게 시계 방향으로 순환하며 흐른다.

10 꼼꼼 **문제 분석**

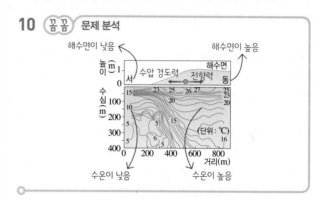

ㄱ. 그림에서 수온이 낮은 서쪽보다 수온이 높은 동쪽의 해수면이 더 높다.
ㄴ. 수압 경도력은 해수면이 높은 곳에서 낮은 곳으로 작용하므로 서쪽으로 작용한다.
┃**바로알기**┃ ㄷ. 북반구에서 지형류는 수압 경도력의 오른쪽 직각 방향으로 흐르므로 북쪽(⊗) 방향으로 쿠로시오 해류가 흐를 것이다.

11 위도에 따라 전향력이 변하지 않고 일정하다고 가정하면 해류의 순환은 대칭적으로 나타날 것이다. 하지만 실제 지구에서는 지구의 자전으로 인해 고위도로 갈수록 전향력이 커지기 때문에 북반구의 아열대 해양에서는 해류의 순환 중심이 서쪽으로 치우친다. 그리고 해수의 순환은 시계 방향으로 일어난다.

12 ㄴ. (나)는 해류의 순환 중심이 서쪽에 치우쳐 있는 서안 강화 현상이 나타난다.
ㄷ. (나)에서 해류의 순환 중심이 서쪽에 치우치는 것은 지구 자전의 영향으로 해수에 작용하는 전향력의 크기가 고위도로 갈수록 커지기 때문이다.
┃**바로알기**┃ ㄱ. (가)는 서안 강화 현상이 나타나지 않으므로 위도에 관계없이 전향력이 일정한 경우에 해당한다.

13 모범답안 고위도로 갈수록 전향력이 커지기 때문에 적도 부근에서 서쪽으로 흐르는 해수가 극 쪽으로 편향되는 것보다 고위도 부근에서 동쪽으로 흐르는 해수가 적도 쪽으로 편향되는 것이 훨씬 쉬워 서쪽 경계에 해수가 집중되어 서안 강화 현상이 나타난다.

채점 기준	배점
위도에 따른 전향력의 크기 변화를 포함하여 옳게 서술한 경우	100 %
위도에 따라 전향력의 크기가 다르기 때문이라고만 서술한 경우	50 %

14 ④ 서안 경계류는 동안 경계류보다 수온과 염분은 높고, 영양 염류량이나 용존 산소량은 적다.

▎**바로알기**▎ ①, ②, ③ 서안 경계류는 동안 경계류보다 폭이 좁고, 깊이가 깊게 나타나며, 유속이 빠르고, 유량이 많다.

⑤ 쿠로시오 해류는 서안 경계류이고, 캘리포니아 해류는 동안 경계류이다.

15 (꼼꼼) **문제 분석**

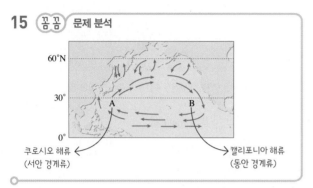

ㄱ, ㄴ. 서안 강화 현상으로 순환의 중심은 서쪽인 A쪽에 치우쳐 있으며, 해수면의 경사도 B보다 A쪽에서 더 급하다.

▎**바로알기**▎ ㄷ. 서안 강화 현상으로 서안 경계류인 A 해류가 동안 경계류인 B 해류보다 깊이가 깊고 유속이 빠르다.

03 해파와 해일

개념 확인 문제

169쪽

| ❶ 해파 | ❷ 풍랑 | ❸ 너울 | ❹ 연안 쇄파 | ❺ 심해파 |
| ❻ 천해파 | ❼ 천이파 | ❽ 해일 | | |

1 ㉠ 바람, ㉡ 해저 지진   **2** A: 마루, B: 골, C: 파고, D: 파장
3 (1) A: 풍랑, B: 너울, C: 연안 쇄파 (2) A   **4** ㉠ $\frac{L}{20}$, ㉡ 원,
㉢ 타원, ㉣ $\sqrt{gh}$ **5** (1) × (2) ○ (3) ×   **6** (1) ㉠ 짧아,
㉡ 높아 (2) 천해파 (3) 느려 (4) 높아

1 해파는 주로 해수면 위에서 부는 바람에 의해 발생하며, 해일은 해저 지진이나 기압의 변화 등에 의해 발생한다.

2 (꼼꼼) **문제 분석**

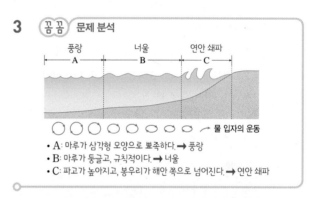

· A: 해파에서 해수면이 가장 높은 곳 ➡ 마루
· B: 해파에서 해수면이 가장 낮은 곳 ➡ 골
· C: 골에서 마루까지의 높이 ➡ 파고
· D: 마루에서 마루까지의 거리 ➡ 파장

3 (꼼꼼) **문제 분석**

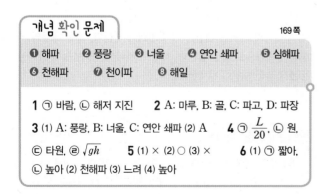

· A: 마루가 삼각형 모양으로 뾰족하다. ➡ 풍랑
· B: 마루가 둥글고, 규칙적이다. ➡ 너울
· C: 파고가 높아지고, 봉우리가 해안 쪽으로 넘어진다. ➡ 연안 쇄파

(2) 풍역대에서 바람에 의해 해수면이 거칠어져 발생한 여러 파장의 해파가 합쳐져 풍랑(A)이 일어난다. 풍랑이 풍역대를 벗어나 전파되어 너울(B)이 되고, 너울이 해안에 도달하여 연안 쇄파(C)가 된다.

4 ㉠ 수심이 파장의 $\frac{1}{2}$보다 깊으면($h > \frac{L}{2}$) 심해파, 수심이 파장의 $\frac{1}{20}$보다 얕으면($h < \frac{L}{20}$) 천해파, 수심이 파장의 $\frac{1}{2}$보다 얕고 $\frac{1}{20}$보다 깊으면 천이파로 분류된다.

㉡, ㉢ 심해파는 물 입자가 해저면의 영향을 받지 않아 원운동을 하고, 천해파는 물 입자가 해저면의 영향을 받아 타원 운동을 한다. ㉣ 천해파의 전파 속도는 수심의 영향을 받는다.

5 (1) 해파가 해안으로 접근하면 곶 부분에서는 수심이 상대적으로 얕아지므로 전파 속도가 느려진다.
(2) 해안가의 만에서는 해파의 에너지가 분산되어 퇴적 작용이 우세하다.
(3) 해수욕장은 퇴적 작용이 우세한 만에 주로 발달한다.

6 (1) 지진 해일이 해안에 접근하면 해저면의 영향으로 파장은 짧아지고, 파고는 높아진다.
(2) 지진 해일은 파장이 수백 km 이상으로 매우 길어 천해파의 특성을 가지고 있다.

(3) 지진 해일은 천해파이므로 수심이 깊을수록 전파 속도가 **빠르**다. 따라서 지진 해일은 해안에 접근하면 전파 속도가 느려진다.

(4) 폭풍 해일이 일어나면 기압 변화에 의해 해수면이 높아지고, 만조 때는 달의 인력에 의해 해수면이 높아진다. 따라서 폭풍 해일이 만조와 겹치면 해수면이 더 높아져 큰 피해가 발생한다.

대표 **자료** 분석

170쪽

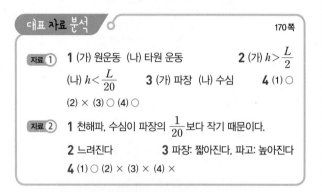

자료 **1** **1** (가) 원운동 (나) 타원 운동 **2** (가) $h > \dfrac{L}{2}$

(나) $h < \dfrac{L}{20}$ **3** (가) 파장 (나) 수심 **4** (1) ○
(2) × (3) ○ (4) ○

자료 **2** **1** 천해파, 수심이 파장의 $\dfrac{1}{20}$ 보다 작기 때문이다.

2 느려진다 **3** 파장: 짧아진다. 파고: 높아진다
4 (1) ○ (2) × (3) × (4) ×

1-1 꼼꼼 **문제 분석**

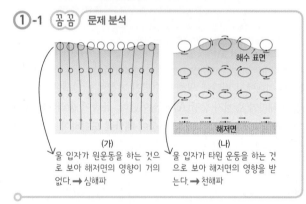

심해파인 (가)는 수심이 깊어져도 물 입자의 운동이 원운동으로 나타나고, 천해파인 (나)는 해저면의 영향을 받아 물 입자의 운동이 타원 운동으로 나타난다.

1-2 심해파인 (가)는 수심이 파장의 $\dfrac{1}{2}$보다 깊을 때 생성되고, 천해파인 (나)는 수심이 파장의 $\dfrac{1}{20}$보다 얕을 때 생성된다.

1-3 심해파인 (가)의 전파 속도는 $\sqrt{\dfrac{gL}{2\pi}}$로, 파장의 영향을 받는다. 천해파인 (나)의 전파 속도는 $\sqrt{gh}$로, 수심의 영향을 받는다.

1-4 (1) (가) 해파는 심해파로, 물 입자의 운동이 해저에 도달하지 못하므로 해저면의 마찰에 의한 영향을 받지 않는다.
(2) (나) 해파는 천해파이므로 전파 속도는 수심에 비례한다.
(3) 연흔은 퇴적물 표면에 생긴 물결 모양이 남은 퇴적 구조이다. (나)는 해저면에 물 입자의 운동 에너지가 전달되므로 해저면에 연흔을 형성할 수 있다.

---

(4) 심해파인 (가)는 천해파인 (나)보다 수심이 깊은 바다에서 잘 형성된다.

2-1 꼼꼼 **문제 분석**

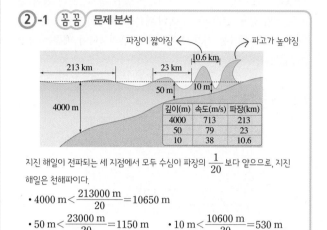

깊이(m)	속도(m/s)	파장(km)
4000	713	213
50	79	23
10	38	10.6

지진 해일이 전파되는 세 지점에서 모두 수심이 파장의 $\dfrac{1}{20}$보다 얕으므로, 지진 해일은 천해파이다.

• $4000 \text{ m} < \dfrac{213000 \text{ m}}{20} = 10650 \text{ m}$

• $50 \text{ m} < \dfrac{23000 \text{ m}}{20} = 1150 \text{ m}$ • $10 \text{ m} < \dfrac{10600 \text{ m}}{20} = 530 \text{ m}$

지진 해일의 파장은 수백 km 이상으로, 바다의 평균 깊이인 5000 m보다 훨씬 크므로 항상 천해파이다.

2-2 천해파의 전파 속도는 $v = \sqrt{gh}$ (g: 중력 가속도, h: 수심)로, 수심의 제곱근에 비례하므로 해일이 해안에 가까이 오면 수심이 얕아지면서 전파 속도는 점점 느려진다.

2-3 해일은 해안에 가까이 올수록 전파 속도가 느려지면서 파장이 짧아진다. 파장이 짧아지면 에너지의 밀도가 커지면서 파고가 높아진다.

2-4 (1) 지진 해일의 파장은 수백 km 이상으로 항상 최고 수심이 1.1 km인 바다의 수심보다 값이 크다.
(2) 지진 해일은 천해파이므로 수심이 깊을수록 전파 속도가 **빠**르다.
(3) 지진 해일은 해저 지진에 의해 지반의 상하 이동이 있어야 해수면이 상승하거나 하강하면서 일어난다.
(4) 우리나라는 지진 해일은 거의 일어나지 않고, 폭풍 해일의 피해를 상대적으로 자주 받는다. 태풍이 지나가는 여름철에 남해안 등에서 폭풍 해일이 발생한다.

내신 **만점** 문제

171쪽~173쪽

01 ⑤ **02** ② **03** ③ **04** ④ **05** ⑤ **06** 해설 참조 **07** ③ **08** ② **09** 천해파: C, D, 심해파: A, B
10 ② **11** 해설 참조 **12** ⑤ **13** ② **14** ③
15 ④ **16** ③

01 ⑤ 해파는 해안에 가까워지면 해저면의 마찰에 의해 전파 속도가 느려진다.

┃바로알기┃ ① 해파는 주로 해수면 위를 부는 바람의 에너지를 받아 주로 발생하지만, 해저 지진, 화산 활동 등에 의해서도 발생한다.

② 해파는 모양에 따라 풍랑, 너울, 연안 쇄파로 구분하며, 파장과 수심의 관계에 따라 천해파, 심해파, 천이파로 구분한다.

③, ④ 해파가 해안에 가까워지면 파장이 짧아지고, 파고가 높아진다.

02 ㄴ. 물 입자의 운동이 시계 방향으로 일어나므로 해파의 진행 방향은 오른쪽이다.

┃바로알기┃ ㄱ. 파고는 골과 마루의 높이 차이이므로 물 입자 운동 궤도의 지름이 파고에 해당한다.

ㄷ. 물 입자는 그 자리에서 원을 그리며 전후 상하 운동만 하므로 해파를 따라 이동하지 않는다. 해파를 따라 에너지만 전달된다.

03 ㄱ. 풍랑은 바람이 같은 방향으로 지속적으로 부는 풍역대에서 일어나며, 풍역대를 벗어나면 너울이 된다.

ㄴ. 풍랑은 해수면이 거칠어지면서 발생한 여러 파장의 해파가 합쳐져 마루가 삼각형 모양으로 뾰족해진 해파로, 평균 풍속이 마루의 이동 속도보다 빨라야 일어난다.

┃바로알기┃ ㄷ. 풍랑은 발달할 수 있는 최대 크기가 되면 바람이 불어도 더 이상 커지지 않는다.

04 ① 마루는 해파에서 해수면이 가장 높은 부분이다. (가)는 마루가 뾰족한 풍랑이고, (나)는 마루가 둥근 너울이다.

② 파장은 마루(골)에서 다음 마루(골)까지의 거리이다. 따라서 파장은 (가)가 (나)보다 짧다.

③ 주기는 마루(골)가 해수면 위의 한 점을 지나간 후 다음 마루(골)가 지나갈 때까지 걸린 시간이다. 주기는 (가) 풍랑이 (나) 너울에 비해 상대적으로 짧다.

⑤ (가) 풍랑은 바람에 의해 직접 발생한 해파이다.

┃바로알기┃ ④ 풍랑이 전파되어 가다가 다 자라나 풍역대를 벗어나면 너울로 변하는데 너울은 풍랑으로 변하지 않는다. 너울은 바람이 불지 않는 다른 지역까지 전달된다.

05 ㄱ. 물 입자의 운동이 원이므로 심해파에 해당한다.

ㄴ. 심해파의 전파 속도는 $\sqrt{\dfrac{gL}{2\pi}}$ (g: 중력 가속도, L: 파장)이므로 파장이 길수록 빠르다.

ㄷ. 심해파는 수심이 파장의 $\dfrac{1}{2}$보다 깊을 때 생성된다.

06 그림에서 물 입자의 운동이 타원이므로 천해파이고, 천해파의 전파 속도에 영향을 주는 요인은 수심이다.

모범답안 수심, 해저면의 영향으로 마찰력이 작용하므로 물 입자의 운동이 타원을 그린다.

채점 기준	배점
수심을 쓰고, 물 입자의 운동을 해저면의 영향으로 옳게 서술한 경우	100 %
물 입자의 운동이 타원을 그리는 까닭만 옳게 서술한 경우	50 %
수심만 쓴 경우	30 %

07 ㄴ, ㄷ. A 지점을 지나면 수심이 파장의 $\dfrac{1}{20}$보다 작아지므로 해저면의 영향을 받으면서 천해파의 성질을 나타낸다. 따라서 해파의 전파 속도가 느려지면서 파장이 짧아지고, 파고는 높아진다.

┃바로알기┃ ㄱ. 해파는 A 지점을 지난 후 파고가 높아진다.

ㄹ. A 지점을 지난 이후부터 물 입자는 해저 마찰의 영향으로 타원 운동을 한다.

08 이 해파는 수심이 깊어짐에 따라 전파 속도가 빨라지므로 천해파이다. 따라서 수심과 파장의 관계는 $h < \dfrac{L}{20}$이다.

[09~11] 꼼꼼 **문제 분석**

해파	A	B	C	D
수심(m) h	2	4	2	4
파장(m) L	2	2	100	100
$\dfrac{L}{2}$	1	1	50	50
$\dfrac{L}{20}$	0.1	0.1	5	5

09 수심(h)과 파장(L)을 비교하여 구분한다. $h > \dfrac{L}{2}$인 A, B는 심해파이고, $h < \dfrac{L}{20}$인 C, D는 천해파이다.

10 ㄷ. C와 D는 천해파이므로 수심이 깊은 곳일수록 전파 속도가 빠르다. 따라서 D의 전파 속도가 C보다 빠르다.

┃바로알기┃ ㄱ. A와 B는 심해파이므로 물 입자가 원운동을 한다.

ㄴ. A와 B는 심해파이다. 심해파의 전파 속도는 파장에 비례하므로 파장이 같은 두 해파의 전파 속도는 같다.

11 D는 천해파이므로 전파 속도는 $\sqrt{gh}$ (g: 중력 가속도, h: 수심)이고, $g = 10$ m/s^{2}이다.

모범답안 ・식: $v = \sqrt{gh} = \sqrt{10 \text{ m/s}^2 \times 4 \text{ m}}$

・전파 속도: $2\sqrt{10}$ m/s($\fallingdotseq 6.3$ m/s)

채점 기준	배점
식을 세우고, 답을 옳게 구한 경우	100 %
숫자를 대입하여 식을 옳게 세우고, 답이 틀린 경우	50 %

12 꼼꼼 문제 분석

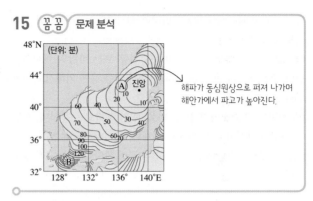

곶: 해파의 에너지 집중 ➡ 침식 작용 우세

만: 해파의 에너지 분산 ➡ 퇴적 작용 우세

육지

해파가 곶 쪽으로 굴절하고 있다.

3 m
6 m
9 m
12 m

① 곶(A) 지역은 해파의 에너지가 집중되어 침식 작용이 우세하게 일어난다.

② 해수욕장은 퇴적 지형으로, 해파의 에너지가 분산되는 만(B) 지역에서 잘 발달한다.

③ 곶(A)에서는 침식 작용이 활발하고, 만(B)에서는 퇴적 작용이 활발하므로, 오랜 세월이 지나면 해안선은 점차 단조로워질 것이다.

④ 해파가 해안에 접근할수록 수심이 얕아지고, 천해파의 전파 속도는 수심의 제곱근에 비례하므로 전파 속도가 느려진다. D보다 C 해역에서 해안에 더 가까우므로 수심이 더 얕다. 따라서 파장이 더 짧고 전파 속도가 느리다.

┃바로알기┃ ⑤ 해파가 곶 쪽으로 굴절하고 있으며, 곶이 만보다 수심이 먼저 얕아져서 해파의 속도가 더 느려지므로 해파는 전파 속도가 느려지는 쪽으로 굴절된다.

13 ① 해저 지진, 화산 폭발, 단층 등에 의한 지각 변동으로 해수면이 급격하게 상승하면 지진 해일이 발생한다.

③ 지진 해일이 해안에 도착하기 직전 파고가 높아지면서 해안의 물이 일시적으로 바깥쪽으로 빠져나간다.

④ 태풍이나 강한 저기압이 지나갈 때, 낮은 기압과 저기압에 동반된 강한 바람에 의해 해수면이 급격히 상승하면 폭풍 해일이 발생한다.

⑤ 해안에 방파제를 설치하면 해수의 직접적인 유입을 막을 수 있어 폭풍 해일에 의한 피해를 줄일 수 있다.

┃바로알기┃ ② 지진 해일은 파장이 수백 km 이상으로 매우 길어 천해파의 성질을 띤다.

14 ㄱ. 지진 해일은 해저에서 단층으로 지진이 발생할 때나 화산 폭발이 있을 때 발생하므로, 해저에 있는 판 경계 부근에서 주로 발생한다.

ㄷ. 지진 해일은 천해파의 특성을 띠므로 해안가로 다가올수록 해저면의 마찰에 의해 해일의 전파 속도가 느려진다. 이에 따라 파장은 짧아지고, 파고는 매우 높아진다.

┃바로알기┃ ㄴ. 지진 해일은 단층 작용으로 해수면의 상하 이동이 있어야 발생하므로 단층 작용이 수평 방향보다 수직 방향으로 일어날 때 잘 발생한다.

15 꼼꼼 문제 분석

48°N (단위: 분)

진앙

해파가 동심원상으로 퍼져 나가며 해안가에서 파고가 높아진다.

ㄴ. A 해역이 B 해역보다 같은 시간 동안 해일의 이동 거리가 크므로 전파 속도가 더 빠르다. 지진 해일은 천해파이기 때문에 전파 속도가 수심의 제곱근에 비례하므로 A 해역이 B 해역보다 수심이 깊다.

ㄷ. 해일의 파고는 A 해역보다 수심이 얕은 B 해역에서 높다.

┃바로알기┃ ㄱ. 10분 간격의 등시간선의 간격이 일정하지 않으므로 해파의 진행 속도는 일정하지 않았다.

16 ㄱ. 풍속이 클수록 바람에 의한 해수의 이동이 잘 일어나기 때문에 해수면의 상승 효과가 크므로 파고가 높다.

ㄴ. 상승 기류가 발달한 저기압의 영향을 받으면 저기압 중심부의 해수면이 상승한다. 따라서 고기압보다 저기압일 때 기압 차이에 의한 해수면의 상승이 크므로 폭풍 해일이 잘 발생한다.

┃바로알기┃ ㄷ. 만조는 하루 중 해수면이 가장 높을 때이고 간조는 하루 중 해수면이 가장 낮을 때이다. 해일의 발생 시기가 만조와 겹칠 경우에는 해수면이 더 높이 상승하므로 피해가 크다.

04 조석

개념 확인 문제

177쪽

❶ 조석 ❷ 인력 ❸ 원심력 ❹ 조석 주기 ❺ 일주조
❻ 혼합조 ❼ 반일주조 ❽ 대조(사리) ❾ 소조(조금)

1 (1) 2 (2) ㉠ 크, ㉡ 작 (3) ㉠ 같, ㉡ 반대 (4) 간조 **2** (1) <
(2) = (3) = **3** A: 만조, B: 조차, C: 간조, D: 조석 주기,
E: 밀물, F: 썰물 **4** A: ㉢, B: ㉡, C: ㉠ **5** (1) ③, ㉡
(2) ②, ㉠ (3) ④, ㉡ (4) ①, ㉠

1 (1) 달은 태양보다 질량이 작지만, 태양에 비해 지구까지의 거리가 매우 가까우므로 달에 의한 기조력은 태양에 의한 기조력의 약 2배이다.

(2) 기조력은 기조력을 일으키는 천체의 질량에 비례하고, 천체까지 거리의 세제곱에 반비례한다. 따라서 기조력은 천체의 질량이 클수록, 천체까지의 거리가 가까울수록 크다.

(3) 지구상에서 달을 향한 쪽과 달의 반대쪽의 기조력은 크기는 같지만, 방향은 정반대이다.

(4) 지구상에서 달과 직각을 이루는 곳은 기조력이 작아 해수면의 높이가 가장 낮은 간조가 나타난다. 만조는 기조력이 큰 달을 향한 쪽과 달의 반대쪽에서 나타난다.

2 (1) 달에 가까울수록 인력이 크므로 A 지점보다 B 지점에 작용하는 인력이 더 크다.

(2) 원심력은 지구상의 모든 지점에서 같으므로 A와 B 지점에서 같다.

(3) A 지점에서는 원심력이 달의 인력보다 커서 기조력이 달의 반대쪽으로 작용하고, B 지점에서는 달의 인력이 원심력보다 커서 기조력이 달 쪽으로 작용한다. A와 B 지점에 작용하는 기조력의 방향은 서로 반대이지만, 크기는 서로 같다.

3 A: 하루 중 해수면의 높이가 가장 높으므로 만조이다.
B: 만조와 간조 때의 해수면 높이 차이인 조차이다.
C: 하루 중 해수면의 높이가 가장 낮으므로 간조이다.
D: 만조와 만조 사이의 시간이므로 조석 주기이다.
E: 간조에서 만조로 갈 때로, 해수면의 높이가 점점 높아지므로 해안 쪽으로 해수가 이동하는 밀물이 나타난다.
F: 만조에서 간조로 갈 때로, 해수면의 높이가 점점 낮아지므로 바다 쪽으로 해수가 이동하는 썰물이 나타난다.

4 (꼼꼼) 문제 분석

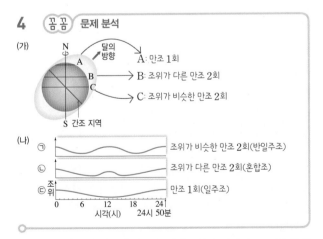

A 지역은 하루에 만조와 간조가 각각 1회씩 나타나므로 ⓒ에 해당한다.

B 지역은 하루에 만조와 간조가 각각 2회씩 일어나지만, 만조와 간조 사이의 시간 간격이 일정하지 않고, 조위가 다르므로 ⓛ에 해당한다.

C 지역은 하루에 만조와 간조가 각각 2회씩 일어나고, 만조와 간조 사이의 시간 간격이 일정하며, 조위가 같으므로 ㉠에 해당한다.

5 (꼼꼼) 문제 분석

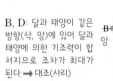
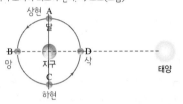

A, C: 달과 태양이 직각으로 배열(상현, 하현)되어 달과 태양에 의한 기조력이 상쇄되어 조차가 최소가 된다. ➡ 소조(조금)

B, D: 달과 태양이 같은 방향(삭, 망)에 있어 달과 태양에 의한 기조력이 합쳐지므로 조차가 최대가 된다. ➡ 대조(사리)

(1) 지구에서 볼 때 A 위치의 달은 오른쪽 반원이 밝게 보이는 상현이며, 달과 태양에 의한 기조력이 상쇄되어 조차가 최소인 소조(조금)가 나타난다.

(2) 지구에서 볼 때 B 위치의 달은 보름달로 보이는 망이며, 달과 태양에 의한 기조력이 합쳐져 조차가 최대가 되어 대조(사리)가 나타난다.

(3) 지구에서 볼 때 C 위치의 달은 왼쪽 반원이 밝게 보이는 하현이며, 달과 태양에 의한 기조력이 상쇄되어 소조(조금)가 나타난다.

(4) 지구에서 볼 때 D 위치의 달은 보이지 않는 삭이며, 달과 태양에 의한 기조력이 합쳐져 조차가 최대가 되어 대조(사리)가 나타난다.

대표 자료 분석   178쪽

자료 ①	**1** A=B=C **2** C>A>B **3** B: 원심력> 달의 인력, O: 원심력=달의 인력, C: 원심력<달의 인력 **4** B: 달의 반대 방향, C: 달 방향 **5** (1) ○ (2) × (3) ○ (4) ○ (5) × (6) ×
자료 ②	**1** 만조 2회, 조차가 비슷하다. **2** 11일경, 25일경 **3** 삭 또는 망 **4** (1) × (2) × (3) × (4) ○ (5) ○ (6) ×

①-1 (꼼꼼) 문제 분석

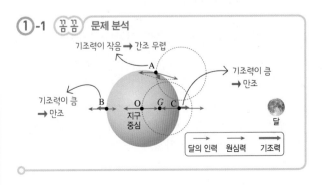

지구와 달이 공통 질량 중심을 중심으로 회전하기 때문에 생기는 원심력은 지구상의 모든 지점에서 크기와 방향이 같으므로 원심력의 크기는 A=B=C이다.

①-2 달의 인력은 달에 가까울수록 크다. 달까지의 거리는 B>A>C이므로 달의 인력 크기는 C>A>B이다.

①-3 O에서는 원심력과 달의 인력의 크기는 같고, 방향이 반대이다. B에서는 원심력이 달의 인력보다 크고, 방향은 반대이다. C에서는 원심력보다 달의 인력이 크고, 방향은 반대이다.

①-4 B에서는 원심력이 달의 인력보다 큰데 달의 반대 방향으로 작용하므로 기조력이 달의 반대 방향으로 작용한다. C에서는 달의 인력이 원심력보다 큰데 달의 인력이 달 쪽으로 작용하므로 기조력이 달 방향으로 작용한다. 따라서 B와 C에서 기조력의 크기는 같고, 방향은 반대이다.

①-5 (1) 기조력은 지구와 달의 공통 질량 중심을 도는 회전 운동으로 나타나는 원심력과 달의 인력의 합력이다.
(2) 원심력은 지구상의 모든 지점에서 같다.
(3) 달의 인력은 달에서 멀수록 작으므로 B 지점에서 가장 작다.
(4) 지구 중심인 O 지점에서는 원심력과 달의 인력이 평형을 이루면서 기조력은 0이 된다.
(5) 기조력은 원심력 때문에 항상 달의 중심을 향하지는 않는다.
(6) C 지점과 B 지점에서는 모두 기조력이 크므로 만조가 나타난다.

②-1 꼼꼼 **문제 분석**

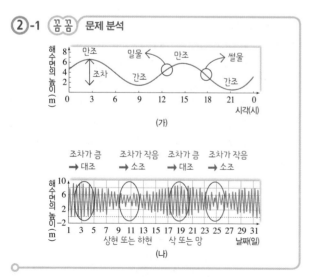

(가)에서 이 지역에는 하루에 만조와 간조가 각각 2회씩 나타나며, 만조와 간조 때의 해수면의 높이 차이인 조차는 비슷하게 나타난다.

②-2 소조(조금)는 조차가 가장 작을 때이므로 11일경과 25일경이다.

②-3 19일은 조차가 가장 큰 대조(사리)이므로 달과 태양이 일직선상에 배열되어 기조력이 큰 때이다. 따라서 달의 위상은 삭이나 망에 해당한다.

②-4 (1) (가)에서 하루에 만조와 간조가 각각 2회씩 나타나고, 조차가 비슷하므로 조석 양상은 반일주조에 해당한다. 일주조는 하루에 만조와 간조가 각각 1회씩 나타난다.
(2) 이 지역에서는 하루에 만조와 간조가 각각 약 2회씩 나타나므로 조석 주기는 약 12시간 25분이다.
(3) (가)에서 18시에는 만조에서 간조가 되면서 해수면의 높이가 낮아지고 있으므로 바닷물이 바다로 빠져나가는 썰물이 나타난다.
(4) 달이 공전하는 동안 태양과 일직선상에 위치할 때가 2번이고, 직각 방향에 위치할 때가 2번이므로 (나) 시기에 약 한 달 동안 대조가 2회, 소조가 2회 나타난다.
(5) 기조력이 클수록 조차가 크므로 기조력은 조차가 큰 3일이 조차가 작은 11일보다 크다.
(6) 11일경은 조차가 가장 작은 시기이므로 이때 달의 위상은 상현 또는 하현이다.

내신 만점 문제   179쪽~181쪽

01 ①   **02** ⑤   **03** 해설 참조   **04** ②   **05** ③
06 ②   **07** ⑤   **08** 해설 참조   **09** ⑤   **10** ②
11 ①   **12** ③   **13** ①

01 ① 기조력은 천체의 질량에 비례하고, 천체까지 거리의 세제곱에 반비례한다.

바로알기 ② 태양계의 천체 중 지구에 가장 큰 기조력을 미치는 천체는 지구와 거리가 가장 가까운 달이다.
③ 지구의 질량이 달보다 매우 크므로 지구와 달의 공통 질량 중심은 지구 내부에 있다.
④ 지구의 자전축이 기울어져 있어서 지구의 적도면이 달의 공전 궤도면과 나란하지 않으므로 이 상태로 지구가 자전하면 위도에 따라 하루에 만조와 간조가 일어나는 횟수와 조차가 다르게 나타난다.
⑤ 상현일 때 달과 태양의 기조력의 합력은 기조력이 상대적으로 큰 달 쪽으로 작용한다.

02 꼼꼼 문제 분석

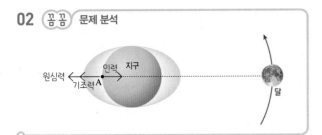

A 지역의 해수면이 부푼 이유는 지구가 지구와 달의 공통 질량 중심을 회전 운동하기 때문에 생기는 원심력이 달의 인력보다 크기 때문이다.

03 기조력은 달의 질량에 비례하고, 달까지 거리의 세제곱에 반비례한다. 지구와 달 사이의 거리가 현재의 2배로 멀어지고, 달의 질량이 현재의 4배로 커지면 기조력$\propto \dfrac{4}{2^3}=\dfrac{1}{2}$이 된다.

모범답안 기조력$\propto \dfrac{\text{달의 질량}}{\text{지구와 달 사이의 거리}^3}=\dfrac{4}{2^3}=\dfrac{1}{2}$이므로, 기조력의 크기는 현재보다 $\dfrac{1}{2}$배로 작아진다.

채점 기준	배점
식과 답을 모두 옳게 서술한 경우	100 %
식만 옳은 경우	50 %

04 ① 기조력은 달의 인력(F)과 지구와 달의 공통 질량 중심(G) 둘레를 회전하는 지구의 원심력(f)의 합력이다.
③ 지구상의 모든 지점은 지구와 달의 공통 질량 중심을 중심으로 원운동을 하므로, 원심력(f)의 크기와 방향은 지구상의 어디에서나 같다.
④ 기조력(T)은 달의 질량에 비례하고, 달까지 거리의 세제곱에 반비례한다.
⑤ 지구의 중심 O에서는 달의 인력(F)과 원심력(f)의 크기가 같고, 방향이 반대이므로 평형을 이룬다.
바로알기 ② 달을 향한 쪽 A에서는 달의 인력(F)이 원심력(f)보다 크므로 달 쪽으로 기조력(T)이 작용하고, 달의 반대쪽인 B에서는 원심력이 달의 인력보다 크므로 달의 반대쪽으로 기조력이 작용한다. 두 지점에서 기조력(T)의 크기는 같고, 방향은 반대이다.

05 지구가 24시간 동안 자전하는 동안 달이 지구 주위를 공전하기 때문에 지구는 약 13° 더 공전해야 달의 위상이 같아진다. 지구는 1시간에 약 15° 자전하므로 조석 주기가 매일 약 50분씩 늦어진다.

06 ㄱ. 해수면이 가장 높을 때(만조)와 가장 낮을 때(간조)의 차이인 조차는 약 400 cm, 즉 약 4 m이다.
ㄹ. 만조와 간조가 각각 2회씩 나타나고, 조차가 비슷하므로 반일주조이다.

바로알기 ㄴ. 조석 주기는 간조(만조)에서 다음 간조(만조) 때까지 걸리는 시간이므로 약 12시간 25분이다.
ㄷ. 오전 10시쯤에는 해수면의 높이가 점점 높아지고 있으므로, 바닷물이 해안으로 밀려들어오는 밀물이 나타났다.

07 꼼꼼 문제 분석

지구는 자전축이 기울어진 채로 자전하기 때문에 하루 동안 만조와 간조가 일어나는 횟수와 주기가 위도에 따라 다르다.

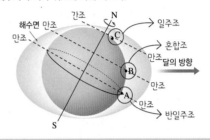

ㄱ. A 지점은 하루에 만조와 간조가 각각 2회씩 나타나는 반일주조에 해당하는 지역이므로 조석 주기는 약 12시간 25분이다.
ㄴ. 지구의 적도면과 달의 방향이 일치하지 않으므로 약 12시간 25분 후에 B 지점은 지구의 적도와 나란하게 회전하여 현재의 정반대쪽에서 다시 만조를 이룬다. 그러나 이 위치에서 해수면의 높이는 현재의 만조보다 낮으므로 혼합조를 이룬다.
ㄷ. C 지점은 적도와 나란하게 회전하여 약 12시간 25분이 지나면 현재의 정반대쪽으로 오는데, 이 위치에서 해수면의 높이가 가장 낮으므로 하루에 각각 약 1회의 만조와 간조가 나타난다.

08 위도 외의 조건이 모두 같다고 가정하면, 고위도에서는 하루에 각각 1회씩 만조와 간조가 나타나는 일주조, 중위도에서는 하루에 각각 2회씩 만조와 간조가 나타나지만 조차가 다른 혼합조, 저위도에서는 반일주조가 나타난다.

모범답안 (나), 고위도 지역에서는 일주조가 나타나고, 저위도 지역에서는 반일주조가 나타나기 때문이다.

채점 기준	배점
위도가 높은 지역을 옳게 쓰고, 그 까닭을 옳게 서술한 경우	100 %
위도가 높은 지역만 옳게 쓴 경우	50 %

09 꼼꼼 문제 분석

달의 기조력이 태양의 기조력보다 크기 때문에 조석 현상은 달의 영향을 크게 받는다.

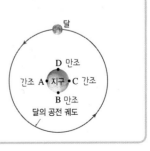

달에 의한 기조력은 태양에 의한 기조력보다 약 2배 정도로 크다. 그런데 달에 의한 기조력의 방향은 달을 향한 쪽에서는 달 쪽으로 작용하고, 반대쪽에서는 달의 반대쪽으로 작용한다. 따라서 달을 향한 쪽(D)과 달의 반대쪽(B)에서 만조가 나타나고, 달에 직각인 위치(A, C)에서는 간조가 나타난다.

10 꼼꼼 **문제 분석**

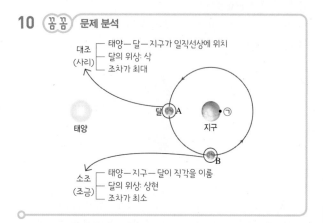

대조
(사리)
├ 태양 — 달 — 지구가 일직선상에 위치
├ 달의 위상: 삭
└ 조차가 최대

소조
(조금)
├ 태양 — 지구 — 달이 직각을 이룸
├ 달의 위상: 상현
└ 조차가 최소

ㄱ. 달의 위치가 A일 때는 삭이므로 조차가 최대인 대조(사리)가 나타나고, 달의 위치가 B일 때는 상현이므로 조차가 최소인 소조(조금)가 나타난다.

ㄹ. 달이 A에서 B로 가는 동안은 조차가 최대인 대조에서 조차가 최소인 소조로 바뀌므로 조차는 점점 작아진다.

┃ **바로알기** ┃ ㄴ. 달의 위치가 A일 때 지구의 ㉠은 달의 반대쪽이므로 기조력이 최대가 되어 만조가 나타난다.

ㄷ. 달이 B에 있을 때 달은 오른쪽 반달 모양으로 보이므로 위상은 상현이다.

11 P 시기에는 조차가 가장 크므로 대조(사리)에 해당한다. 대조에는 태양, 달, 지구가 일직선상에 위치하므로 달의 위상은 삭 또는 망이 된다.

12 꼼꼼 **문제 분석**

달의 위상	날짜	시:분 해수면의 높이(cm)	시:분 해수면의 높이(cm)	시:분 해수면의 높이(cm)	시:분 해수면의 높이(cm)
	14일	3:43 (776)	10:04 (102)	15:57 (759)	22:19 (46)
		만조	간조	만조	간조
		조차: 674 cm		조차: 713 cm	
	15일	4:25 (823)	10:49 (70)	16:38 (779)	22:59 (10)
		만조	간조	만조	간조
		조차: 753 cm		조차: 769 cm	
● 삭	16일	5:06 (852)	11:32 (55)	17:19 (784)	23:40 (−8)
		만조	간조	만조	간조
		조차: 797 cm		조차: 792 cm	

ㄱ. 갯벌 체험은 해수면의 높이가 낮을 때 하는 것이 좋으므로 14일에는 낮에 간조가 되는 10시경이 가장 적당하다.

ㄷ. 16일에는 달이 태양과 일직선상에 있다가 16일 이후에는 공전하여 달과 태양의 인력이 상쇄되므로 기조력이 점점 작아져 조차가 점점 작아진다. 따라서 16일 이후에는 만조일 때 해수면의 높이는 낮아지고, 간조일 때 해수면의 높이는 높아질 것이다.

┃ **바로알기** ┃ ㄴ. 조차는 만조와 간조 때의 해수면의 높이 차이이므로 조차가 가장 큰 날은 16일이다. 이때 달의 위상은 삭이므로, 달과 태양이 일직선상에 놓여 기조력이 가장 크기 때문에 조차가 크게 나타난다.

13 ㄱ. 바닷길이 열리는 시간은 해수면이 가장 낮아지는 썰물 때이다.

┃ **바로알기** ┃ ㄴ. 썰물일 때 물길이 드러나기 시작하여 밀물로 바닷물이 다시 덮일 때까지 약 6시간 동안 바닷길이 열리는데, 그 시각은 날마다 조금씩 다르다.

ㄷ. 소조보다 대조일 때 조차가 더 크므로 바닷길이 열리는 면적이 더 넓다.

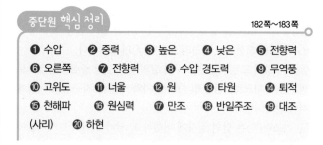

중단원 **핵심 정리**   182쪽~183쪽

❶ 수압 ❷ 중력 ❸ 높은 ❹ 낮은 ❺ 전향력
❻ 오른쪽 ❼ 전향력 ❽ 수압 경도력 ❾ 무역풍
❿ 고위도 ⓫ 너울 ⓬ 원 ⓭ 타원 ⓮ 퇴적
⓯ 천해파 ⓰ 원심력 ⓱ 만조 ⓲ 반일주조 ⓳ 대조
(사리) ⓴ 하현

중단원 **마무리 문제**   184쪽~186쪽

01 ① **02** ③ **03** ㄱ, ㄴ, ㄷ **04** ③ **05** ④
06 ② **07** ③ **08** ② **09** ③ **10** ③ **11** ③
12 해설 참조 **13** 해설 참조 **14** 해설 참조

01 ㄱ. 수평 방향의 수압 경도력은 해수면의 기울기에 비례하므로 해수면 경사가 급할수록 크다.

┃ **바로알기** ┃ ㄴ. 전향력은 운동하는 물체에만 작용하는 힘으로, 정지되어 있는 물체에는 작용하지 않는다.

ㄷ. 전향력은 위도와 물체의 속력에 비례한다. 따라서 같은 위도를 따라 흐르는 해류도 유속이 다르면 작용하는 전향력의 크기가 다르다.

02 북반구에서는 지형류가 수압 경도력의 오른쪽 직각 방향으로 흐르고, 전향력은 수압 경도력의 반대 방향으로 작용한다. 따라서 지형류의 방향에 대해 수압 경도력은 왼쪽 직각 방향으로, 전향력은 오른쪽 직각 방향으로 작용한다.

03 ㄱ. 수압 경도력은 해수면의 경사가 급할수록 크므로 A 해역보다 해수면의 경사가 급한 B 해역에서 수압 경도력이 더 크다.

ㄴ. 위도가 같다면 지형류의 유속은 수압 경도력에 비례하므로 B 해역의 지형류가 더 빠르게 흐른다.

ㄷ. A 해역에 비해 지형류의 유속이 더 빠른 B 해역에 작용하는 전향력의 크기가 더 크다.

04 (꼼꼼) 문제 분석

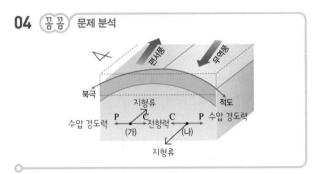

ㄱ. 편서풍에 의해 에크만 수송이 남쪽으로 일어나면 해수가 남쪽에 퇴적되어 (가) 지점에서는 남쪽의 해수면이 높고, 북쪽의 해수면이 낮으므로 수압 경도력은 북쪽 방향으로 작용한다. 따라서 P는 수압 경도력이고, C는 전향력이다.

ㄷ. 북반구에서 에크만 수송은 풍향의 오른쪽 직각 방향으로 일어나므로 편서풍에 의한 에크만 수송은 남쪽 방향으로, 무역풍에 의한 에크만 수송은 북쪽 방향으로 일어난다.

┃**바로알기**┃ ㄴ. 지형류는 수압 경도력의 오른쪽 직각 방향으로 흐르므로 (가) 지점에서 해류는 동쪽으로 흐른다. (나) 지점에서는 무역풍에 의해 에크만 수송이 북쪽으로 일어나면 해수가 북쪽에 퇴적되어 북쪽의 해수면이 높고, 남쪽의 해수면이 낮으므로 수압 경도력은 남쪽으로 작용하고, 지형류는 서쪽으로 흐른다.

05 (꼼꼼) 문제 분석

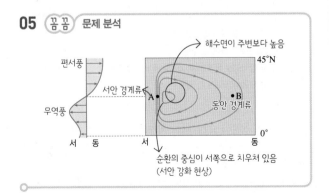

ㄴ. 편서풍과 무역풍에 의해 에크만 수송이 일어나 해수면은 중심 쪽이 주변보다 높다. 따라서 A에서 해수면 경사는 서쪽으로 기울어져 있으므로 수압 경도력은 서쪽으로 작용한다.

ㄷ. 전향력은 해류의 유속이 빠를수록 크게 작용한다. 유속은 동안 경계류가 흐르는 B보다 서안 경계류가 흐르는 A에서 더 빠르므로 전향력은 B보다 A에서 흐르는 해류에 더 크게 작용한다.

┃**바로알기**┃ ㄱ. 서안 강화 현상으로 순환의 중심이 서쪽으로 치우치므로 해수면의 기울기는 B보다 A 쪽에서 더 급하다.

06 (꼼꼼) 문제 분석

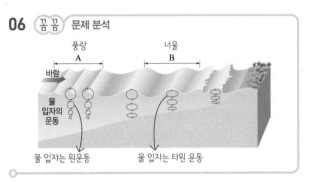

① A는 바람에 의해 직접 발생한 풍랑이고, B는 풍랑이 전달되어 마루가 둥글어진 너울이다.

③ A는 물 입자가 원운동을 하고 있으므로 해저면의 영향을 받지 않는 심해파이다. 심해파의 전파 속도는 수심에 영향을 받지 않고, 파장에 영향을 받는다.

④, ⑤ B는 물 입자가 타원 운동을 하고 있으므로 해저면의 영향을 받는 천해파이다.

┃**바로알기**┃ ② 주기는 골(마루)에서 다음 골(마루)까지 걸리는 시간으로, 풍랑인 A보다 너울인 B가 더 길다.

07 ㄴ. 물 입자가 원운동을 하므로 심해파이다. 심해파의 전파 속도는 파장의 제곱근에 비례하고, 수심의 영향은 받지 않는다.

ㄷ. 심해파는 물 입자의 운동이 해저면까지 전달되지 않는다. 물 입자의 운동이 해저면까지 전달되어 마찰에 의해 해저면에서 직선 왕복 운동을 하는 것은 천해파의 특징이다.

┃**바로알기**┃ ㄱ. 그림에서 물 입자는 원운동을 한다.

ㄹ. 지진 해일은 천해파이므로 물 입자가 타원 운동을 한다.

08 ㄴ. 천해파의 전파 속도는 $v = \sqrt{gh}$ (g: 중력 가속도, h: 수심)로, 수심의 제곱근에 비례한다. 따라서 해일이 해안에 가까이 오면 수심이 낮아지면서 전파 속도가 점점 느려진다.

┃**바로알기**┃ ㄱ. 해일의 파장이 150 km이고, 지진이 발생한 지점의 수심은 5500 m이다. 수심이 파장의 $\frac{1}{20}$ 인 7.5 km보다 얕으므로 이 지진 해일은 천해파의 특성을 나타낸다.

ㄷ. 해일은 해안에 가까이 올수록 전파 속도가 느려지면서 파장이 짧아진다.

09 꼼꼼 문제 분석

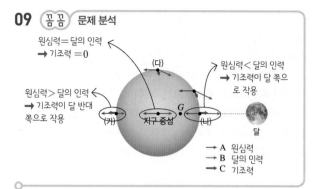

③ 달과 같은 방향인 (나)에서는 달의 인력(B)이 원심력(A)에 비해 크므로 기조력(C)이 달과 같은 방향으로 작용한다. 반면에 달과 반대 방향인 (가)에서는 달의 인력(B)이 원심력(A)에 비해 작으므로 기조력(C)이 달의 반대 방향으로 작용한다.

┃바로알기┃ ① 지구가 달과의 공통 질량 중심(G)에 대해 원운동하여 생기는 원심력(A)은 지표상의 모든 지점에서 그 크기와 방향이 같다.

② 지구와 달 사이에 작용하는 달의 인력(B)은 달까지의 거리가 지표상의 각 지점마다 다르기 때문에 지표상의 위치에 따라 작용하는 크기가 다르다.

④ 두 지점 (가)와 (나)에서 기조력(C)의 방향은 반대이지만, 그 크기는 같다.

⑤ (다)와 같이 달과 직각 방향을 이루는 곳에서는 기조력(C)이 작으므로 해수면이 낮아져서 간조가 된다.

10 꼼꼼 문제 분석

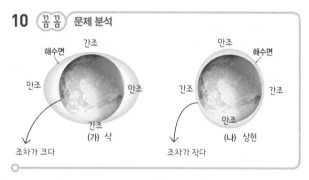

기조력이 강할 때는 간조와 만조의 해수면 높이 차이인 조차가 크게 나타난다. (가)는 (나)보다 해수면이 더 많이 부풀어 조차가 크게 나타나므로 기조력이 더 강할 때이다.

ㄱ, ㄴ. (가)는 태양, 지구, 달이 일직선상에 놓여 있어 기조력이 커서 조차가 가장 큰 사리(대조)이므로 달의 위상은 삭이다. (나)는 태양, 지구, 달이 지구를 중심으로 직각을 이루어 달의 기조력이 태양의 기조력에 의해 상쇄되어 조차가 가장 작은 조금(소조)이므로 달의 위상은 상현이다.

┃바로알기┃ ㄷ. (가)는 사리(대조)이고, (나)는 조금(소조)이므로 (가)에서 (나)로 변하는 동안 조차는 작아진다.

11 꼼꼼 문제 분석

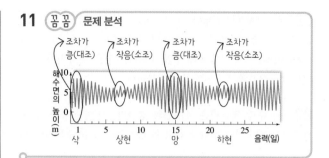

ㄱ. 기조력이 클수록 만조와 간조 때의 해수면 높이 차이인 조차가 크다. 따라서 조차는 음력 1일경이 7일경보다 크므로 기조력도 음력 1일경이 7일경보다 크다.

ㄷ. 조차가 큰 대조일 때 만조와 간조의 해수면의 높이 차이가 크므로 썰물로 드러나는 갯벌의 면적이 넓다. 따라서 썰물일 때 드러나는 갯벌의 면적은 소조인 음력 7일경보다 대조인 음력 15일경이 더 넓다.

┃바로알기┃ ㄴ. 상현이나 하현일 때는 달과 태양의 기조력이 직각을 이루므로 조차가 작다. 음력 21일은 소조이므로 달과 태양의 기조력의 방향이 직각을 이룬다.

12

(1) 수압 경도력은 해수면이 높은 곳에서 낮은 곳으로 작용하므로 a는 수압 경도력이다. b는 수압 경도력과 크기가 같고 방향이 반대이므로 전향력이다. 해수면 기울기인 $\frac{\Delta Z}{\Delta x}$ 값이 커질수록 수압 경도력(a)이 커지고 그에 따라 전향력(b)의 크기도 커진다.

(2) 지형류는 수압 경도력($g\frac{\Delta Z}{\Delta x}$)과 전향력($2v\Omega\sin\varphi$)이 평형을 이루어 흐르는 해류이다.

모범답안 (1) a와 b는 모두 커진다.
(2) 지형류 평형에서 '수압 경도력=전향력'이다. 따라서

$2v\Omega\sin\varphi = g\frac{\Delta Z}{\Delta x}$에서

$$\Delta Z = \frac{2v\Omega\sin\varphi \, \Delta x}{g}$$

$$= \frac{2\times 1 \text{ m/s} \times 7.29\times10^{-5}/\text{s} \times \sin30° \times 10^5 \text{ m}}{10 \text{ m/s}^2} = 0.729 \text{ m}$$이다.

채점 기준		배점
(1)	두 힘의 변화를 모두 옳게 쓴 경우	40 %
	한 힘의 변화만 옳게 쓴 경우	20 %
(2)	지형류 평형식을 옳게 쓰고, ΔZ를 옳게 구한 경우	60 %
	지형류 평형식만 옳게 쓴 경우	30 %

13

해일은 수심이 1000 m인 지점에서 발생하였으므로, 수심이 파장(100 km)의 $\frac{1}{20}$인 5000 m보다 얕기 때문에 천해파이다. 천해파의 전파 속도는 $\sqrt{gh}$ (g: 중력 가속도, h: 수심)로 구한다.

모범답안 해일의 전파 속도: $\sqrt{gh}$
$= \sqrt{10 \text{ m/s}^2 \times 1000 \text{ m}} = 100 \text{ m/s}$

채점 기준	배점
전파 속도를 구하는 식과 답이 모두 옳은 경우	100 %
전파 속도를 구하는 식만 옳게 세운 경우	50 %

14 지구에서 기조력은 달의 영향이 가장 크다. A 지점에서는 지구와 천체가 공통 질량 중심을 회전할 때 생기는 원심력이 달의 인력보다 커서 기조력이 달의 반대쪽으로 나타나기 때문에 만조가 된다. B 지점에서는 달의 인력이 원심력보다 커서 기조력이 달 쪽으로 나타나기 때문에 만조가 나타난다.

이 날 달의 위상이 망이므로 달에 의한 기조력과 태양에 의한 기조력이 합쳐져 조차가 큰 대조(사리)가 나타난다.

모범답안 (1) A와 B는 모두 만조이다.
(2) 7일 후에는 달의 위상이 하현이 되어 기조력이 작아지므로 조차가 현재보다 작아진다.

	채점 기준	배점
(1)	A, B 모두 만조라고 옳게 쓴 경우	40 %
	A, B 중 한 가지만 만조라고 쓴 경우	20 %
(2)	달의 위상을 포함하여 조차 변화를 옳게 서술한 경우	60 %
	조차 변화만 옳게 서술한 경우	30 %

수능 실전 문제
187쪽~189쪽

01 ⑤	02 ②	03 ②	04 ①	05 ③	06 ④
07 ②	08 ④	09 ③	10 ②	11 ⑤	12 ②

01

┃선택지 분석┃
ㄱ. 북반구에서 작용하는 전향력의 방향을 설명할 수 있다.
ㄴ. 원판의 회전 속도가 빨라지면 공의 궤적이 더 많이 휜다.
ㄷ. 원판 밖에서 볼 때는 공의 궤적이 휘어지지 않는다.

ㄱ. 시계 반대 방향으로 회전하는 원판에서 공을 굴리면 공의 궤적이 오른쪽으로 휘어지므로 북반구에서 작용하는 전향력의 방향을 설명할 수 있다.

ㄴ. 원판의 회전 속도가 빨라지면 전향력이 더 크게 작용하는 효과와 같으므로 공의 궤적이 더 많이 휜다.

ㄷ. 공의 궤적은 원판에서 보면 휘어지지만, 원판 밖에서 보면 휘어지지 않는다.

02 꼼꼼 문제 분석

북반구에서는 바람 방향의 오른쪽 90° 방향으로, 남반구에서는 바람 방향의 왼쪽 90° 방향으로 에크만 수송이 일어난다.

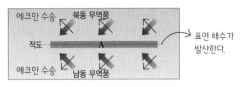

┃선택지 분석┃
ㄱ. 두 무역풍에 의한 에크만 수송은 <del>같은</del> 방향으로 일어난다. 다른
ㄴ. 적도 쪽으로 해수의 <del>수렴</del>이 일어난다. 발산
ㄷ. A 해역의 해수면은 낮아진다.

ㄷ. A 해역에서는 해수의 발산이 일어나므로 해수면이 낮아진다.

┃바로알기┃ ㄱ. 에크만 수송이 북반구에서는 북서쪽으로, 남반구에서는 남서쪽으로 일어난다.

ㄴ. 에크만 수송에 의해 적도 해역에서는 해수가 주위로 빠져나가므로 해수의 발산이 일어난다.

03

┃선택지 분석┃
ㄱ. A에서 B로 가면서 수압 경도력은 <del>점점 커진다.</del> 일정하다
ㄴ. A에서 B로 가면서 전향력은 <del>일정하게 유지된다.</del> 증가한다
ㄷ. B 지점에서는 수압 경도력과 전향력의 크기가 같다.

ㄷ. 해수의 이동 방향이 수압 경도력과 수직이 되는 B 지점까지는 수압 경도력 중 해수를 계속 가속시킬 수 있는 힘의 성분이 남아 있다. 따라서 유속이 B 지점까지는 계속 증가하다가 B 지점 이후부터는 일정하게 유지되며, 수압 경도력과 전향력이 평형을 이룬다.

┃바로알기┃ ㄱ. 해수면의 높이 차이로 발생한 수압 경도력은 해수면이 높은 곳에서 낮은 곳으로 작용하며, 그 크기는 해수면의 기울기에 비례한다. 그림에서 해수면의 기울기가 일정하므로 수압 경도력의 크기가 일정하다.

ㄴ. A에서 B로 가면서 유속이 증가하고 있기 때문에 그에 따라 전향력이 점점 커진다.

04

┃선택지 분석┃
ㄱ. A의 크기는 같다.
ㄴ. B의 크기가 <del>작다.</del> 같다
ㄷ. 유속이 <del>빠르다.</del> 느리다

ㄱ. 해수면이 높은 곳에서 낮은 곳으로 작용하는 힘 A는 수압 경도력이고, 수압 경도력에 반대 방향으로 작용하는 힘 B는 전향력이다. 해수면의 기울기는 변하지 않았으므로 A의 크기는 같다.

바로알기 ㄴ. 지형류 평형 상태에서 수압 경도력과 전향력은 크기가 같고 방향은 반대이다. 수압 경도력의 크기가 같으므로 전향력인 B의 크기도 같다.

ㄷ. 지형류는 수압 경도력과 전향력이 평형을 이루면서 흐르는 해류이다. 따라서 $v = \dfrac{\text{수압 경도력}}{2\Omega\sin\varphi}$ 에서 유속(v)은 위도(φ)에 반비례하므로 60°N 해역에 흐르는 지형류의 유속이 느리다.

05 꼼꼼 문제 분석

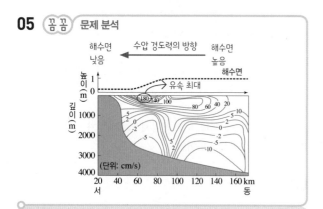

선택지 분석

ⓧ 수압 경도력은 서쪽으로 작용한다.

ⓧ 멕시코만류는 남쪽으로 흐른다. 북쪽

ⓒ 유속이 큰 곳에서 해수면 경사가 급하다.

ㄱ. 해수면의 경사가 서쪽으로 기울어져 있으므로 수압 경도력은 해수면이 낮아지는 서쪽으로 작용한다.

ㄷ. 해수면 경사가 급할수록 수압 경도력이 크고, 유속은 수압 경도력에 비례하므로 유속이 큰 곳에서는 해수면 경사가 급하다.

바로알기 ㄴ. 북반구에서 지형류는 수압 경도력의 오른쪽 직각 방향으로 흐른다. 따라서 수압 경도력이 서쪽으로 작용하므로 멕시코 만류는 북쪽으로 흐른다.

06 꼼꼼 문제 분석

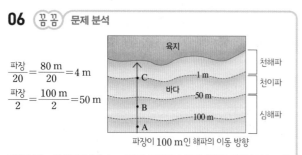

$\dfrac{\text{파장}}{20} = \dfrac{80\,\text{m}}{20} = 4\,\text{m}$

$\dfrac{\text{파장}}{2} = \dfrac{100\,\text{m}}{2} = 50\,\text{m}$

파장이 80 m인 해파가 수심 4 m 이하인 곳(C)을 지날 때 천해파, 파장이 100 m인 해파가 수심 50 m 이상인 곳을 지날 때 심해파의 특성을 띤다.

선택지 분석

ⓧ A에서 B로 가는 동안 파장이 일정할 때 해파의 전파 속도는 느려진다. 일정하다

ⓒ C에서 해파의 표층 물 입자는 타원 운동을 한다.

ⓒ C에서 해안으로 가는 동안 해파의 파장은 짧아진다.

ㄴ. C에서 해파는 수심 4 m보다 얕은 곳에서는 천해파의 특성을 나타내므로 표층 물 입자가 타원 운동을 한다.

ㄷ. C에서 해안으로 가는 동안 해파는 해저와의 마찰에 의해 파장이 짧아지고, 파고는 높아진다.

바로알기 ㄱ. B에서 해파는 수심 50 m보다 깊은 곳에서는 심해파인데, A에서 B로 해파가 이동하는 동안 파장은 일정하므로 해파의 전파 속도는 수심의 영향을 받지 않고 일정하게 나타난다.

07

선택지 분석

ⓧ (가)는 바람에 의해 직접 형성된 해파이다. (나)

ⓧ (가)가 전파되면서 (나)로 변하였다. (나) (가)

ⓒ (가)는 (나)보다 해저 마찰의 영향을 많이 받는다.

ㄷ. (가)는 수심이 파장의 $\dfrac{1}{20}$보다 얕으므로 천해파이고, (나)는 수심이 파장의 $\dfrac{1}{2}$보다 깊으므로 심해파이다. 따라서 (가)가 (나)보다 해저 마찰의 영향을 더 많이 받는다.

바로알기 ㄱ. (가)는 너울, (나)는 풍랑이다. 풍랑은 바람에 의해 직접적으로 형성된 해파이다.

ㄴ. 너울은 풍랑이 전파되어 오면서 마루 끝이 둥글게 변한 해파이므로 (나)가 전파되어 오면서 (가)로 변하였다.

08

선택지 분석

ⓧ 해파가 전파되면서 해저의 영향을 받지 않았다. 받는다

ⓒ 해안에 접근하면서 파고는 높아진다.

ⓒ 평균 수심은 A보다 B 구간에서 깊다.

ㄴ. 지진에 의한 해파는 지진 해일이다. 지진 해일이 해안에 접근하면 해저와의 마찰에 의해 전파 속도는 느려지고, 파고는 높아진다.

ㄷ. B 구간은 A 구간에 비해 같은 시간 동안 이동한 거리가 멀어 지진 해일의 전파 속도가 빨랐다. 지진 해일은 천해파로, 수심이 얕아지면 전파 속도가 느려지기 때문에 평균 수심은 B 구간이 A 구간보다 깊다.

바로알기 ㄱ. 지진 해일은 해저의 수심에 비해 파장이 매우 긴 천해파이기 때문에 전달되면서 해저의 영향을 받는다.

09 꼼꼼 문제 분석

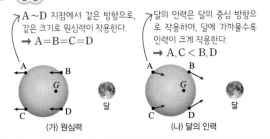

A~D 지점에서 같은 방향으로, 같은 크기로 원심력이 작용한다.
➡ A=B=C=D

달의 인력은 달의 중심 방향으로 작용하며, 달에 가까울수록 인력이 크게 작용한다.
➡ A,C < B,D

(가) 원심력   달

(나) 달의 인력   달

┃선택지 분석┃

㉠ A와 D 지점에 작용하는 원심력의 크기와 방향은 모두 같다.

✗ A와 C 지점에 작용하는 원심력과 달의 인력의 크기는 같다. ➡ 지구 중심

㉢ B와 D 지점에서 기조력은 달의 방향을 향한다.

ㄱ. 지구가 달과의 공통 질량 중심(G)을 회전할 때 지표상의 모든 지점은 같은 주기로 같은 크기의 원운동을 하므로, A~D 지점에 작용하는 원심력의 크기와 방향은 모두 같다.

ㄷ. B와 D 지점은 달의 인력이 원심력보다 크므로 두 힘의 합력인 기조력은 달의 방향을 향한다.

┃바로알기┃ ㄴ. A와 C 지점은 지구의 중심보다 달로부터 더 멀리 떨어져 있으므로 달의 인력보다 원심력이 크다. 원심력과 달의 인력의 크기가 같은 곳은 지구 중심이다.

10 꼼꼼 문제 분석

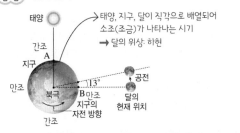

태양

간조
지구
A

만조

북극

13°
B 만조
지구의
자전 방향

간조

공전

달의
현재 위치

태양, 지구, 달이 직각으로 배열되어 소조(조금)가 나타나는 시기
➡ 달의 위상: 하현

┃선택지 분석┃

✗ 현재 A 지점은 만조이다. ➡ 간조

✗ B 지점의 조석 주기는 약 24시간 50분이다. ➡ 약 12시간 25분

㉢ 7일 후 조석 간만의 차는 이날보다 크다.

ㄷ. 현재 달과 태양이 직각으로 배열되어 두 천체에 의한 기조력이 최소가 되므로 소조(조금)가 나타난다. 7일 후에는 두 천체가 일렬로 배열되어 달의 위상이 삭이 되고, 기조력이 최대가 되므로 대조(사리)가 나타나 조석 간만의 차(조차)가 커진다.

┃바로알기┃ ㄱ. 달에 의한 기조력이 태양에 의한 기조력보다 크므로 현재 A 지점은 간조이고, B 지점은 만조이다.

ㄴ. B 지점은 적도 지역으로, 반일주조가 나타난다. 따라서 하루에 만조와 간조가 각각 2회씩 나타나므로 지구가 반 바퀴 자전하는 동안 달은 6.5° 공전하여 조석 주기는 약 12시간 25분이다.

11 꼼꼼 문제 분석

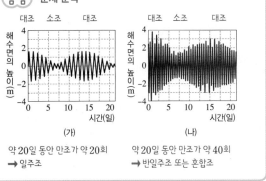

(가)

약 20일 동안 만조가 약 20회
➡ 일주조

(나)

약 20일 동안 만조가 약 40회
➡ 반일주조 또는 혼합조

┃선택지 분석┃

㉠ (가)의 조석 주기는 일주조에 해당한다.

㉡ (나)는 (가)보다 저위도에 위치한다.

㉢ 대조일 때 조차는 (나) 지역이 더 크다.

ㄱ. (가)는 약 20일 동안 각각 약 20회의 만조와 간조가 일어났으므로 각각 하루에 1회씩 만조와 간조가 일어나는 일주조에 해당한다.

ㄴ. (가)는 일주조이므로 극지방에 가깝고, (나)는 반일주조 또는 혼합조이므로 (가)보다 저위도에 위치한다.

ㄷ. 대조(사리)일 때 조차는 (가)에서 약 4 m, (나)에서 약 8 m이므로 (가)보다 (나) 지역이 더 크다.

12

┃선택지 분석┃

✗ B보다 A일 때 조차가 더 작다. ➡ 크다

㉡ C일 때는 대조가 된다.

✗ D일 때 달보다 태양에 의한 기조력이 더 크다. ➡ 작다

달의 위상은 A에서 망, B에서 하현, C에서 삭, D에서 상현이다.

ㄴ. 지구, 달, 태양 순으로 일직선상에 놓여 있는 C일 때 달의 위상은 삭이다. 이때, 기조력이 최대가 되어 조차가 가장 큰 대조(사리)가 된다.

┃바로알기┃ ㄱ. A일 때 달, 지구, 태양이 일직선상에 놓여 있어 달과 태양에 의한 기조력이 합쳐져 조차가 가장 큰 대조(사리)가 된다. B일 때, 달과 태양에 의한 기조력이 상쇄되어 조차가 가장 작은 소조(조금)가 된다. 따라서 조차는 B보다 A일 때 더 크다.

ㄷ. D일 때, 조차가 작지만 해수면은 태양보다 달이 있는 쪽으로 부풀었으므로 달의 기조력이 태양의 기조력보다 크다.

2 대기의 운동과 순환

01 단열 변화와 대기 안정도

194쪽

완자쌤 비법특강 Q1 높아진다.

Q1 상승 응결 고도가 낮을수록 습윤 단열 감률 구간이 늘어나 산을 넘어온 공기의 기온이 높아진다.

개념 확인 문제

195쪽

❶ 단열 팽창 ❷ 단열 압축 ❸ 건조 ❹ 1 ❺ 습윤
❻ 0.5 ❼ 상승 응결 고도 ❽ 푄 ❾ 높새바람

1 (1) 낮아 (2) ㉠ 감소, ㉡ 증가 (3) 단열 팽창 (4) ㉠ 10, ㉡ 낮아
(5) ㉠ 2, ㉡ 높아 **2** 건조 단열 감률>습윤 단열 감률>이슬점
감률 **3** ④ **4** (1) 1000 m (2) 15 ℃ **5** (1) ○ (2) ×
(3) ○

1 (1) 공기 덩어리가 상승하면 부피가 팽창하면서 내부 에너지가 감소하여 온도가 낮아진다.
(2) 공기 덩어리가 하강하면 부피가 압축되면서 내부 에너지가 증가하여 온도가 높아진다.
(3) 상승하는 공기 덩어리의 기온이 하강하는 원인은 단열 팽창으로 내부 에너지가 감소하기 때문이다.
(4) 불포화 상태인 공기 덩어리가 상승할 때, 단열 팽창이 일어나 기온이 건조 단열 감률을 따라 1 ℃/100 m의 비율로 낮아진다.
(5) 불포화 상태인 공기 덩어리가 하강할 때, 단열 압축이 일어나 이슬점이 0.2 ℃/100 m의 비율로 높아진다.

2 건조 단열 감률은 1 ℃/100 m이고, 습윤 단열 감률은 0.5 ℃/100 m, 불포화 공기의 이슬점 감률은 0.2 ℃/100 m이다.

3 ①, ②, ③, ⑤ 공기 덩어리가 상승하면 단열 팽창으로 밀도가 감소하고 내부 에너지가 감소하여 기온이 낮아진다. 또한, 단위 부피당 수증기량이 감소하므로 이슬점이 낮아진다.
④ A 구간에서 공기 덩어리가 상승하면 기온과 이슬점 차이가 작아지면서 상대 습도는 높아진다.

4 (1) A에서 공기 덩어리의 기온이 30 ℃이고, 이슬점이 22 ℃이므로 상승 응결 고도는 $125 \times (30-22) = 1000$(m)이다.
(2) 산을 타고 상승하는 공기 덩어리는 불포화 상태이므로 상승 응결 고도까지는 기온이 건조 단열 감률을 따라 낮아진다. 따라서 상승 응결 고도에서의 기온은 $30 ℃ - (1000 \text{ m} \times \frac{1 ℃}{100 \text{ m}}) = 20 ℃$이다. 상승 응결 고도부터 산 정상까지는 공기 덩어리가 포화 상태이므로 기온이 습윤 단열 감률을 따라 낮아진다. 산 정상까지 도달하기 위해서는 1000 m를 더 상승해야 하므로, 산 정상에서의 기온은 $20 ℃ - (1000 \text{ m} \times \frac{0.5 ℃}{100 \text{ m}}) = 15 ℃$이다.

5 (1) 상승 응결 고도에 도달하기 전까지 공기 덩어리는 불포화 상태이므로 건조 단열 변화를 한다.
(2) 상승 응결 고도에서 산 정상까지 상승하는 공기 덩어리는 포화 상태이므로 이슬점이 0.5 ℃/100 m의 비율로 하강한다.
(3) 산 정상에서 공기 덩어리가 지표로 내려오는 동안 단열 압축으로 기온은 건조 단열 감률(1 ℃/100 m)을 따라, 이슬점은 이슬점 감률(0.2 ℃/100 m)을 따라 상승하므로 기온과 이슬점의 차이가 증가하여 상대 습도는 낮아진다.

개념 확인 문제

199쪽

❶ 안정 ❷ 불안정 ❸ 절대 안정 ❹ 절대 불안정
❺ 조건부 불안정 ❻ 층운형 ❼ 적운형

1 (1) 안정 (2) 크다 (3) ㉠ 건조, ㉡ 습윤 (4) 안정 (5) ㉠ 층운형,
㉡ 적운형 **2** (1) 안 (2) 불 **3** A: 절대 불안정, B: 조건부
불안정, C: 절대 안정 **4** ④ **5** (1) (가) 절대 안정 (나) 절대
불안정 (2) (가) 층운형 구름 (나) 적운형 구름 **6** (1) 복사 안개
(2) 이류 안개 (3) 전선 안개

1 (1) 기층이 안정할 때는 강제로 상승시키거나 하강시킨 공기가 원래 위치로 돌아가려고 하므로 공기의 연직 운동이 억제된다.
(2) 기층이 절대 불안정한 상태일 때는 기온 감률이 건조 단열 감률보다 크고, 기층이 절대 안정한 상태일 때는 기온 감률이 습윤 단열 감률보다 작다.
(3) 조건부 불안정한 상태일 때는 기온 감률이 건조 단열 감률과 습윤 단열 감률 사이에 있으며, 운동하는 공기 덩어리의 수증기 포화 여부에 따라 기층의 안정도가 달라진다.
(4) 역전층은 높이 올라갈수록 기온이 높아지는 층으로, 지상에 역전층이 형성되면 기층은 안정해진다.
(5) 안정한 대기에서는 층운형 구름이, 불안정한 대기에서는 적운형 구름이 생성된다.

2 (1) 안정한 대기에서는 기온 감률이 단열 감률보다 작으므로 강제로 상승시킨 공기는 주변 공기의 기온보다 낮고 하강시킨 공기는 주변 공기의 기온보다 높아 공기가 원래의 위치로 돌아가려고 한다.
(2) 불안정한 대기에서는 기온 감률이 단열 감률보다 크므로 강제로 상승시킨 공기 덩어리의 기온이 주변 공기의 기온보다 높다.

3 A: 건조 단열 감률<기온 감률 ➡ 절대 불안정
B: 습윤 단열 감률<기온 감률<건조 단열 감률 ➡ 조건부 불안정
C: 기온 감률<습윤 단열 감률 ➡ 절대 안정

4 구름이 생성되기 위해서는 공기 덩어리가 상승해야 한다.
④ 고기압이 발달하면 하강 기류가 발달하여 구름이 소멸된다.

5 (1) (가) 지역의 대기는 기온 감률이 단열 감률보다 작으므로 절대 안정한 상태이고, (나) 지역의 대기는 기온 감률이 단열 감률보다 크므로 절대 불안정한 상태이다.
(2) (가) 지역의 대기는 절대 안정하므로 공기가 상승할 때 층운형 구름이 생성되고, (나) 지역의 대기는 절대 불안정하므로 공기가 상승하면서 적운형 구름이 생성된다.

6 (1) 지표면의 복사 냉각에 의해 공기가 냉각되어 안정되면 지표면 부근 공기의 온도가 낮아져 복사 안개가 발생한다.
(2) 공기가 차가운 지표면으로 이동하면 공기의 밑부분이 냉각되어 대기가 안정되면서 이류 안개가 발생한다.
(3) 온난 전선이 통과할 때 비가 내리면 전선 하층의 찬 공기에 수증기가 공급되어 포화되면서 전선 안개가 발생한다.

200쪽~201쪽

대표 자료 분석

자료 ① **1** A: 건조 단열 감률, B: 습윤 단열 감률　**2** 22 ℃
3 100 %　**4** (1) × (2) ○ (3) × (4) ○ (5) ○

자료 ② **1** 상승 응결 고도, 1000 m　**2** 0.5 ℃/100 m
(5 ℃/km), 0.2 ℃/100 m(2 ℃/km)　**3** 기온: 33 ℃,
이슬점: 17 ℃　**4** (1) ○ (2) ○ (3) × (4) ○ (5) ×

자료 ③ **1** (가) 조건부 불안정 (나) 절대 안정　**2** 층운형 구름
3 약 3.5 km　**4** (1) ○ (2) × (3) ○ (4) × (5) ○

자료 ④ **1** (가) 복사 안개 (나) 이류 안개 (다) 활승 안개 (라) 증발 안개 (마) 전선 안개　**2** (가), (나), (다)　**3** (1) ○
(2) × (3) ○ (4) ○ (5) ×

①-1 꼼꼼 문제 분석

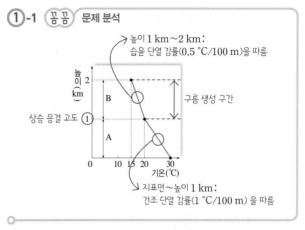

A 구간에서는 1 km 높아질 때 10 ℃ 감소하였으므로 건조 단열 변화를 하였다. B 구간은 1 km 높아질 때 5 ℃ 감소하였으므로 습윤 단열 변화를 하였다.

①-2 상승하는 공기 덩어리의 기온 변화선의 기울기가 높이 1 km에서 달라진 것으로 보아 이 공기 덩어리의 상승 응결 고도는 1 km(=1000 m)이다. 따라서 상승 응결 고도를 구하는 식 1000=125×(30−지표에서의 이슬점)으로부터 지표면에서 이 공기 덩어리의 이슬점은 22 ℃이다.

①-3 상승 응결 고도 이상인 높이 1 km~2 km 구간(B)에서 상승하는 공기 덩어리의 상대 습도는 100 %로 일정하게 유지된다.

①-4 (1) A 구간에서 건조 단열 변화를 하였다.
(2) A 구간에서 높이 올라갈수록 기온과 이슬점의 차이는 감소하여 높이 1 km에서 기온과 이슬점이 같아져 포화 상태가 되었다.
(3) B 구간에서 습윤 단열 변화를 하였다.
(4) B 구간에서 공기 덩어리는 포화 상태이므로 이슬점은 습윤 단열 감률과 같은 0.5 ℃/100 m의 비율로 낮아졌다.
(5) 구름은 포화 상태로 습윤 단열 변화를 한 B 구간에 분포한다.

②-1 꼼꼼 문제 분석

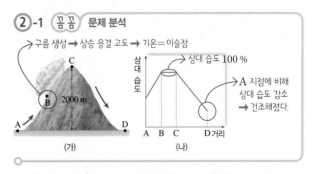

공기 덩어리가 상승하여 구름이 생성되기 시작하는 높이를 상승 응결 고도라고 한다. A에서 기온이 28 ℃, 이슬점이 20 ℃인 공기 덩어리의 상승 응결 고도는 125×(28−20)=1000(m)이다.

②-2 B → C 구간에서 상승하는 공기 덩어리는 포화 상태이므로 수증기의 응결이 일어나면서 이슬점 변화율은 0.5 ℃/100 m이고, C → D 구간에서 하강하는 공기 덩어리는 불포화 상태이므로 이슬점 변화율은 0.2 ℃/100 m이다.

②-3 D 지점에서의 기온과 이슬점은 다음과 같이 구할 수 있다.

• 기온 ➡ $28 ℃ - \dfrac{1 ℃}{100 \text{ m}} \times 1000 \text{ m} - \dfrac{0.5 ℃}{100 \text{ m}} \times 1000 \text{ m}$
$$+ \dfrac{1 ℃}{100 \text{ m}} \times 2000 \text{ m} = 33 ℃$$

• 이슬점 ➡ $20 ℃ - \dfrac{0.2 ℃}{100 \text{ m}} \times 1000 \text{ m} - \dfrac{0.5 ℃}{100 \text{ m}} \times 1000 \text{ m}$
$$+ \dfrac{0.2 ℃}{100 \text{ m}} \times 2000 \text{ m} = 17 ℃$$

②-4 (1) A → B 구간에서 공기 덩어리는 불포화 상태이므로 온도는 건조 단열 감률인 1 ℃/100 m의 비율로 낮아진다.
(2) B → C 구간에서 수증기의 응결이 일어나면서 숨은열이 방출된다.
(3) C에서 기온과 이슬점은 같은데 C → D 구간에서 하강하는 공기 덩어리는 1 ℃/100 m의 비율로 기온이 높아지고, 0.2 ℃/100 m의 비율로 이슬점이 높아지므로 상대 습도는 낮아진다.
(4) A → B 구간에서 상승하는 공기 덩어리는 수증기량이 일정하게 유지되지만 부피가 팽창하므로 절대 습도가 낮아진다. B → C 구간에서 상승하는 공기 덩어리는 수증기량이 감소하면서 부피가 팽창하므로 절대 습도가 더 큰 비율로 낮아진다.
(5) D 지점에 도달한 공기 덩어리는 A 지점보다 기온과 이슬점의 차이가 커지므로 상대 습도가 낮아져 건조하다.

③-1 꼼꼼 **문제 분석**

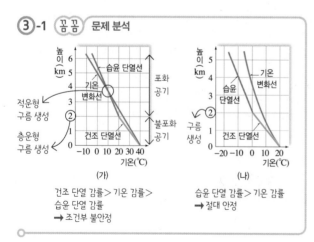

(가) 건조 단열 감률 > 기온 감률 > 습윤 단열 감률 → 조건부 불안정
(나) 습윤 단열 감률 > 기온 감률 → 절대 안정

(가)는 기온 감률이 건조 단열 감률과 습윤 단열 감률 사이이므로 조건부 불안정이고, (나)는 기온 감률이 습윤 단열 감률보다 작으므로 절대 안정이다.

③-2 (나)는 절대 안정한 상태이므로 층운형 구름이 생성된다.

③-3 (가)는 조건부 불안정 상태이므로 공기 덩어리의 기온이 주변 공기의 기온보다 높아지는 높이 약 3.5 km부터 공기가 스스로 상승하면서 적운형 구름이 생성된다.

③-4 (1) (가)에서 기온 변화선과 건조 단열선, 습윤 단열선의 기울기를 비교하면, 건조 단열 감률 > 기온 감률 > 습윤 단열 감률이다.
(2) (가)에서 지표면 높이~2 km 구간의 기온 감률은 건조 단열 감률보다 작으므로 기층은 안정 상태이다.
(3) 절대 안정 상태인 (나)의 지표에서 강제로 상승한 공기는 원래의 자리로 돌아가려고 한다.
(4) (나)는 절대 안정 상태이므로 연직 운동이 억제되어 대기 오염 물질이 잘 확산되지 않는다. 대기 오염 물질이 잘 확산되는 대기는 절대 불안정 상태인 경우이다.
(5) (가)와 (나)에서 구름이 처음으로 생성되는 높이는 습윤 단열 감률이 시작되는 2 km로 같다.

④-1 (가) 복사 냉각에 의해 지표면이 급속히 냉각되어 지표면 부근 공기의 기온이 낮아져 포화되면서 복사 안개가 발생한다.
(나) 따뜻하고 습윤한 공기가 차가운 지표면으로 이동하면 공기가 냉각되어 포화되면서 이류 안개가 발생한다.
(다) 공기가 산 사면을 타고 상승하면 단열 팽창으로 냉각되면서 활승 안개가 발생한다.
(라) 찬 공기가 따뜻한 물 위를 지날 때 따뜻한 물에서 수증기가 응결하여 증발 안개가 발생한다.
(마) 온난 전선이 통과할 때 약한 강수로 전선 하층의 찬 공기에 수증기가 공급되어 포화되면서 전선 안개가 발생한다.

④-2 (가)와 (나)는 지표에 의한 공기 덩어리의 냉각으로, (다)는 단열 팽창에 따른 냉각으로 생성된 안개이다. (라)와 (마)는 수증기량 증가에 의해 생성된 안개이다.

④-3 (1) (가)는 복사 냉각이 잘 발생하는 날씨가 맑고 바람이 약한 날 밤에 잘 생성된다.
(2) (나)는 차가운 지표면에 의해 기층의 아래쪽이 냉각되어 기층이 안정한 상태가 되면서 생성된다.
(3) (다)는 공기가 산 사면을 타고 상승하면 단열 팽창이 일어나 기온이 내려가면서 생성된다.
(4) (라)는 안정한 대기뿐만 아니라 불안정한 대기에서도 생성된다.
(5) (라)와 (마)는 수증기가 공급되어 현재 수증기압이 커져서 생성된다.

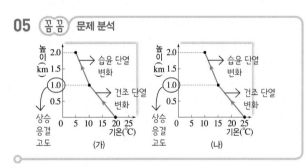

01 ①　**02** 해설 참조　**03** ⑤　**04** 해설 참조　**05** ④
06 ①　**07** ①　**08** ④　**09** ⑤　**10** ③　**11** 해설
참조　**12** ⑤　**13** ②　**14** 해설 참조　**15** ④　**16** ②
17 ④　**18** ②　**19** ②　**20** ①

01 ① 공기 덩어리가 하강하면 주변 기압이 높아지므로 공기
가 압축되어 기온이 높아지는 단열 압축이 일어난다.

┃바로알기┃ ② 공기 덩어리가 상승할 경우에는 기온뿐만 아니라
이슬점도 낮아진다.

③ 공기 덩어리가 포화 상태일 때의 이슬점 감률은 0.5 ℃/100 m
이고, 불포화 상태일 때의 이슬점 감률은 0.2 ℃/100 m이다.

④ 기온과 기압에 따라 공기 덩어리가 최대로 포함할 수 있는 수
증기의 양이 달라지는데, 이에 따라 방출되는 숨은열의 크기도
달라진다. 따라서 습윤 단열 감률은 공기 덩어리의 기온과 기압
에 따라 달라진다.

⑤ 불포화 상태의 공기가 단열 변화할 때의 기온 변화율을 건조
단열 감률이라고 한다. 습윤 단열 감률은 포화 상태의 공기가 단
열 변화할 때의 기온 변화율이다.

02 수증기로 포화되어 있는 공기는 수증기가 응결하면서 숨은
열을 방출하는데, 단열 변화이므로 이 열이 외부로 방출되지 않
고 자체 공기의 기온을 높이는 데 이용된다.

모범답안 포화 공기는 상승하는 동안 수증기가 응결될 때 숨은열을 방출
하기 때문에 습윤 단열 감률(0.5 ℃/100 m)이 건조 단열 감률(1 ℃/
100 m)보다 작다.

채점 기준	배점
수증기 응결 시 숨은열 방출로 옳게 서술한 경우	100 %
숨은열 방출을 포함하지 않고 서술한 경우	0 %

03 **꼼꼼** 문제 분석

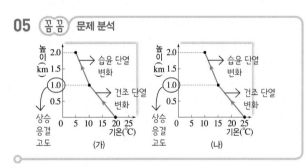

ㄱ. 공기 덩어리가 상승하면 주변 기압의 감소로 단열 팽창이 일
어난다.

ㄴ. 상승 응결 고도는 공기 덩어리의 기온이 이슬점과 같아져 구
름이 생성되기 시작하는 높이이다.

ㄷ. 공기 덩어리의 기온과 이슬점의 차이가 클수록 상대 습도가
낮으므로 더 높은 곳까지 상승해야 응결이 일어날 수 있으므로
상승 응결 고도가 높다.

04 상승 응결 고도에서 기온은 $T - \dfrac{1\,℃}{100\,\mathrm{m}} \times H$이고, 이슬점

은 $T_d - \dfrac{0.2\,℃}{100\,\mathrm{m}} \times H$이다. 상승 응결 고도에서 기온과 이슬점

이 같으므로 $T - \dfrac{1\,℃}{100\,\mathrm{m}} \times H = T_d - \dfrac{0.2\,℃}{100\,\mathrm{m}} \times H$와 같이 나타

낼 수 있다. 따라서 $H(\mathrm{m}) = 125(T - T_d)$이다.

모범답안 $T - \dfrac{1\,℃}{100\,\mathrm{m}} \times H = T_d - \dfrac{0.2\,℃}{100\,\mathrm{m}} \times H$에서

$H(\mathrm{m}) = 125(T - T_d)$이다.

채점 기준	배점
기온과 이슬점으로 식을 세우고, 상승 응결 고도를 옳게 유도한 경우	100 %
상승 응결 고도를 구하는 식만 옳게 쓴 경우	50 %

05 **꼼꼼** 문제 분석

① 지표면에서 공기 덩어리의 기온은 (가)의 경우는 20 ℃이고,
(나)의 경우는 25 ℃이다.

② 상승하는 공기 덩어리의 기온 변화선(단열 변화선)이 건조 단
열선에서 습윤 단열선으로 바뀐 높이가 상승 응결 고도이다. (가)
와 (나) 모두 높이 1 km 지점에서 단열 변화선의 기울기가 변했
으므로 상승 응결 고도는 (가)와 (나) 모두 1 km로 같다.

③ 두 공기의 상승 응결 고도가 높이 1 km로 같으므로 지표면
에서의 (기온−이슬점) 값이 같다. 따라서 지표면에서의 기온이
더 높은 (나)의 경우가 이슬점도 더 높다.

⑤ 상승 응결 고도보다 높은 1 km~2 km 구간에서 상승하는
공기 덩어리는 (가)와 (나)에서 모두 포화 상태이므로 상대 습도
는 100 %이다.

┃바로알기┃ ④ 상승 응결 고도에 해당하는 높이 1 km에서의 이슬
점은 기온과 같으므로 (가)에서는 10 ℃이고 (나)에서는 15 ℃
이다. 따라서 습윤 단열 감률을 따라 높이 2 km까지 상승하였을

때 이슬점은 (가)에서 $10\,℃ - \dfrac{0.5\,℃}{100\,\mathrm{m}} \times 1000\,\mathrm{m} = 5\,℃$, (나)에

서 $15\,℃ - \dfrac{0.5\,℃}{100\,\mathrm{m}} \times 1000\,\mathrm{m} = 10\,℃$이므로 (가)가 (나)보다

5 ℃ 낮다.

[06~08] 꼼꼼 문제 분석

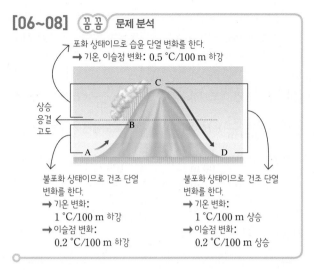

포화 상태이므로 습윤 단열 변화를 한다.
→ 기온, 이슬점 변화: 0.5 ℃/100 m 하강

상승 응결 고도

불포화 상태이므로 건조 단열 변화를 한다.
→ 기온 변화:
1 ℃/100 m 하강
→ 이슬점 변화:
0.2 ℃/100 m 하강

불포화 상태이므로 건조 단열 변화를 한다.
→ 기온 변화:
1 ℃/100 m 상승
→ 이슬점 변화:
0.2 ℃/100 m 상승

06 (가) A→B 구간은 불포화 상태의 공기 덩어리가 상승하면서 단열 팽창하여 건조 단열 감률을 따라 낮아진다.
(나) B→C 구간에서 상승하는 공기 덩어리는 포화 상태를 유지하므로 이슬점이 0.5 ℃/100 m의 비율로 감소한다. 공기 덩어리가 불포화 상태에서 상승(하강)할 때에는 이슬점이 0.2 ℃/100 m의 비율로 감소(증가)한다.

구간	A→B	B→C	C→D
공기	불포화	포화	불포화
기온	하강	하강	상승
상대 습도	증가	일정(100 %)	감소

07 ㄱ. A의 공기는 상승 응결 고도(B)에서 포화되었으므로 상승하는 동안 불포화 상태이다.
바로알기 ㄴ. B(상승 응결 고도)에서 공기는 포화되므로 기온과 이슬점이 같다.
ㄷ. 기온은 A → B에서 건조 단열 감률(1 ℃/100 m)로, B → C에서 습윤 단열 감률(0.5 ℃/100 m)로 낮아지고, C → D에서 건조 단열 감률(1 ℃/100 m)로 높아지므로 A보다 D에서 높다. 이슬점은 A → B에서 이슬점 감률(0.2 ℃/100 m)로, B → C에서 습윤 단열 감률(0.5 ℃/100 m)로 낮아지고, C → D에서 이슬점 감률(0.2 ℃/100 m)로 높아지므로 A보다 D에서 낮다. 따라서 기온과 이슬점의 차이는 A보다 D에서 크다.

08 공기가 산을 넘는 과정에서 응결이 일어나면 공기 덩어리가 습윤 단열 변화를 하는 구간이 생긴다. 따라서 산을 넘은 후 기온은 높아지고, 이슬점은 낮아지므로 상대 습도가 낮아진다.

09 산을 넘는 과정에서 응결이 일어나지 않으면 상승할 때와 하강할 때에 모두 건조 단열 변화가 일어나고 수증기량의 변화도 없다. 따라서 A 지점과 B 지점의 기온과 상대 습도는 같다.

10 A 지점에서 기온이 이슬점보다 높으므로 불포화 공기이고, 이 공기가 산 사면을 따라 상승하면 건조 단열 감률을 따라 기온이 낮아진다. 상승 응결 고도[125×(25−17)=1000(m)] 이상에서는 습윤 단열 감률을 따라 기온이 낮아진다. 공기가 B에서 C 지점으로 내려오는 동안 건조 단열 감률을 따라 기온이 높아진다.

11 (모범답안) 공기가 산을 오르면서 건조 단열 변화로 기온이 낮아지다가 구름이 생성되면 습윤 단열 변화로 기온이 낮아지고, 산을 넘어오면서 건조 단열 변화로 기온이 높아진다. 이슬점은 산을 넘기 전보다 낮아져 기온과 이슬점 차이가 커지므로 상대 습도는 낮아진다.

채점 기준	배점
기온 변화를 단열 변화로, 상대 습도 변화를 기온과 이슬점 차이로 옳게 서술한 경우	100 %
기온과 상대 습도 변화 중 한 가지만 까닭과 함께 옳게 서술한 경우	50 %
까닭을 설명하지 못하고 기온과 습도 변화만 옳게 서술한 경우	40 %

12 꼼꼼 문제 분석

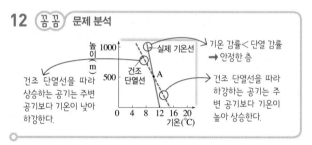

건조 단열선을 따라 상승하는 공기는 주변 공기보다 기온이 낮아 하강한다.

기온 감률<단열 감률
→ 안정한 층

건조 단열선을 따라 하강하는 공기는 주변 공기보다 기온이 높아 상승한다.

⑤ 대기가 안정한 상태이므로 공기 덩어리 A를 하강시키면 원래의 위치로 돌아온다.
바로알기 ①, ③ 기온 감률이 건조 단열 감률보다 작으므로 이 기층은 안정하다.
② 안정한 기층에서는 공기의 연직 운동이 억제된다.
④ 공기 덩어리 A를 상승시키면 원래의 위치로 돌아온다.

13 꼼꼼 문제 분석

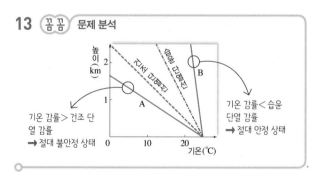

기온 감률>건조 단열 감률
→ 절대 불안정 상태

기온 감률<습윤 단열 감률
→ 절대 안정 상태

ㄷ. A의 기층은 절대 불안정하고, B의 기층은 절대 안정하다. 따라서 공기의 연직 운동은 A가 B보다 활발하게 일어난다.
바로알기 ㄱ. A의 기층은 기온 감률이 건조 단열 감률보다 크므로 절대 불안정한 상태이다.

ㄴ. B의 기층은 기온 감률이 습윤 단열 감률보다 작으므로 절대 안정한 상태이다.

14 (모범답안) 안정한 대기에서는 공기의 연직 운동이 억제되어 층운형 구름이 생성되고, 불안정한 대기에서는 공기의 연직 운동이 활발하여 적운형 구름이 생성된다.

채점 기준	배점
구름의 유형을 연직 운동의 특징을 포함하여 옳게 서술한 경우	100 %
구름의 유형을 연직 운동의 특징을 포함하지 않고 옳게 서술한 경우	50 %

15 꼼꼼 문제 분석

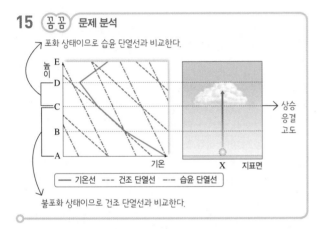

ㄴ. B−C 구간은 기온 감률이 건조 단열 감률과 같으므로 중립인 상태이다.

ㄹ. D−E 구간은 공기 X가 높이 올라갈수록 기온이 높아지므로 절대 안정한 상태이다.

┃바로알기┃ ㄱ. A−B 구간은 기온 감률이 건조 단열 감률보다 크므로 절대 불안정층이다.

ㄷ. C−D 구간은 기온 감률이 습윤 단열 감률과 건조 단열 감률 사이의 값이므로 조건부 불안정층이다. 그런데 이 구간에서 상승하는 공기 X는 포화 상태이므로 기온 감률이 습윤 단열 감률보다 커서 불안정한 상태이다.

16 꼼꼼 문제 분석

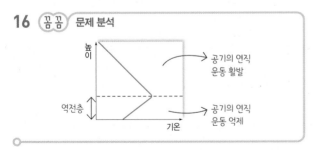

ㄷ. 역전층에서는 대기가 매우 안정하여 공기의 연직 운동이 억제되므로 오염 물질이 확산되지 못하여 대기 오염이 심해진다.

┃바로알기┃ ㄱ, ㄴ. 역전층은 높이 올라갈수록 기온이 높아지는 층이므로 절대 안정한 상태이다.

17 꼼꼼 문제 분석

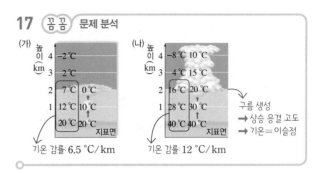

ㄴ. (가)는 기온 감률이 건조 단열 감률(10 ℃/km)보다 작으므로 대기가 안정하고, (나)는 기온 감률이 건조 단열 감률보다 크므로 대기가 불안정하다.

ㄷ. (나)에서 상승 응결 고도인 높이 2 km에서 기온과 이슬점이 같으므로 이슬점은 20 ℃이다. 이슬점 감률이 2 ℃/km이므로 지표면에서 이슬점은 20 ℃+(2 km×$\frac{2\ ℃}{1\ km}$)=24 ℃이다.

┃바로알기┃ ㄱ. 지표면~높이 1 km에서 (가)의 기온 감률은 8 ℃/km이고, (나)의 기온 감률은 12 ℃/km이다.

18 꼼꼼 문제 분석

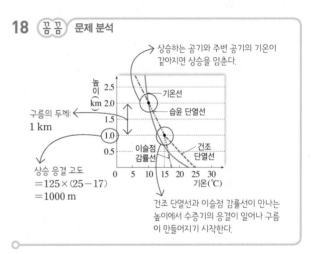

ㄱ. 상승 응결 고도인 높이 1 km에서 공기 덩어리의 기온과 이슬점이 15 ℃로 같다. 지표면에서는 공기 덩어리가 불포화 상태이고 이슬점은 이슬점 감률을 따라 감소하므로 지표면에서의 이슬점은 15 ℃+(1000 m×$\frac{0.2\ ℃}{100\ m}$)=17 ℃이다.

ㄷ. 높이 1 km에서 공기 덩어리의 기온과 이슬점이 15 ℃로 같아져 포화 상태에 도달했으므로 상대 습도는 100 %이다.

┃바로알기┃ ㄴ. 구름은 건조 단열선과 이슬점 감률선이 만나는 높이(상승 응결 고도) 1 km부터 습윤 단열선과 기온선이 만나 더 이상 공기 덩어리의 상승이 일어나지 않는 높이 2 km까지 만들어진다. 따라서 구름의 두께는 약 1 km이다.

ㄹ. 지표면~높이 500 m에서는 기온 감률이 건조 감률보다 크므로 대기 안정도는 절대 불안정이다.

19 꼼꼼 문제 분석

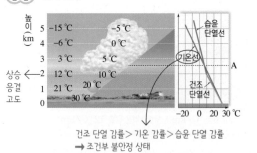

높이(km): 5, 4, 3, 2, 1, 0

-15 °C   -5 °C
-6 °C   0 °C
3 °C   5 °C
12 °C   10 °C
21 °C   20 °C
     30 °C

상승 응결 고도 ←

습윤 단열선
기온선
A
건조 단열선
-20 0 20 30 °C

건조 단열 감률 > 기온 감률 > 습윤 단열 감률
→ 조건부 불안정 상태

ㄷ. 기온 감률은 건조 단열 감률과 습윤 단열 감률 사이이므로 대기는 조건부 불안정 상태이다.

바로알기 ㄱ. 상승 응결 고도는 구름이 생성되기 시작하는 높이로, 건조 단열선에서 습윤 단열선으로 바뀐 지점인 약 2 km이다.
ㄴ. A는 높이 약 2.5 km로, A 이상에서 공기 덩어리의 기온이 주변보다 높아 스스로 상승하면서 구름이 만들어지므로 적운형 구름이 생성된다.

20 ㄱ. 지표면의 복사 냉각으로 하층이 냉각되어 발생하는 복사 안개이다.
바로알기 ㄴ, ㄷ. 복사 안개는 맑고 바람이 없는 날에 지표면의 복사 냉각으로 역전층이 형성되면서 기층이 안정할 때 하층이 냉각되어 생성된다.

◯2 대기를 움직이는 힘

개념 확인 문제
208쪽

❶ 기압 ❷ 76 ❸ 1013 ❹ 정역학 평형 ❺ 기압 경도력 ❻ 전향력 ❼ 커 ❽ 구심력 ❾ 마찰력

1 (1) × (2) ○ **2** (1) X>Y (2) X → Y 방향 (3) A=B
3 ㉠ 클, ㉡ 좁을 **4** ④ **5** ⑤ **6** ㄱ, ㄴ

---

1 (1) 1기압은 76 cmHg 또는 1013 hPa에 해당한다.
(2) 기압은 단위 면적에 작용하는 공기 기둥의 무게로, 지표면에서 위로 갈수록 공기의 밀도가 작아지므로 기압이 감소한다.

2 (1), (2) 기압은 위로 갈수록 낮아지므로 X보다 Y에서 기압이 낮고, 기압이 높은 X에서 기압이 낮은 Y로 힘이 작용한다.
(3) A는 연직 방향의 기압 경도력, B는 중력이다. 정역학 평형 상태이므로 힘 A와 B가 작용하는 방향은 반대이지만 크기는 같다.

3 기압 경도력은 두 지점 사이의 기압 차이로 나타나는 힘으로, 기압 차이가 클수록, 거리가 가까울수록 크게 작용한다. 일기도에서 기압 경도력은 등압선에 수직으로 작용하고, 등압선 간격이 좁을수록 크게 작용하여 바람이 강하다.

4 전향력(C)$=2v\Omega\sin\varphi$(v: 풍속, Ω: 지구 자전 각속도, φ: 위도)이다. 적도 지방은 위도가 0°이므로 전향력이 작용하지 않고, 풍속이 빠를수록 크기가 커진다. 전향력은 풍속을 변화시키지는 않으며 운동 방향에 직각으로 작용하므로 풍향에 영향을 준다.
⑤ 기압 경도력은 모든 바람이 작용하고, 풍속에 영향을 주며 크기가 클수록 바람이 강하게 분다.

5 구심력의 크기는 회전 속도의 제곱(v^2)에 비례한다.

6 마찰력의 크기는 풍속이 클수록, 지표면이 거칠수록, 지표면에 가까울수록 커진다.

대표 자료 분석
209쪽

자료 ① **1** (가) 연직 방향의 기압 경도력 (나) 중력   **2** (가)=(나)
3 $\Delta P=-\rho g \Delta Z$ **4** (1) × (2) ○ (3) × (4) ○
자료 ② **1** A: 기압 경도력, B: 마찰력, C: 전향력   **2** B, C
3 등압선 b   **4** (1) ○ (2) × (3) ○ (4) × (5) × (6) ×

①-1 (가)는 연직 방향의 기압 차이에 의한 기압 경도력으로, 지표면에서 위쪽으로 작용한다. (나)는 중력으로, 공기의 무게에 의해 생성되며, 지표면 쪽(아래쪽)으로 작용한다.

①-2 정역학 평형 상태이므로 (가)와 (나)의 크기는 같고, 방향은 반대이다.

①-3 대기의 정역학 평형 상태의 조건을 만족하는 정역학 방정식은 $\Delta P=-\rho g \Delta Z$(또는 $-\dfrac{1}{\rho}\cdot\dfrac{\Delta P}{\Delta Z}=g$)이다.

①-4 (1) 공기가 정역학 평형 상태를 이루면 연직 방향으로는 이동하지 않지만, 수평 방향으로는 이동한다.

(2) (가)는 높이에 따른 기압 차이 때문에 작용하는 기압 경도력이다. 지표면에서 높이 올라갈수록 기압이 낮아지므로 기압 경도력은 위로 작용한다.

(3) 공기의 밀도가 일정할 때 ΔZ가 커지면 ΔP도 커지므로 (가)의 크기는 변하지 않는다.

(4) (가)와 (나)는 평형을 이루고 있으므로 크기가 같고 방향이 반대이다.

②-1 꼼꼼 **문제 분석**

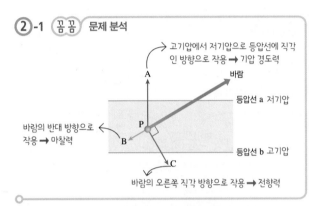

고기압에서 저기압으로 등압선에 직각인 방향으로 작용 → 기압 경도력

바람

A

바람

등압선 a 저기압

바람의 반대 방향으로 작용 → 마찰력

P

B

등압선 b 고기압

C

바람의 오른쪽 직각 방향으로 작용 → 전향력

A는 기압 경도력, B는 마찰력, C는 전향력이다.

①-2 마찰력(B)과 전향력(C)은 풍속이 빨라지면 증가한다.

①-3 기압 경도력인 A는 고기압에서 저기압 쪽으로 작용하므로 등압선 b가 상대적으로 기압이 더 높다.

①-4 (1) A는 기압 경도력으로, 공기 덩어리를 움직이게 하여 바람을 일으키는 근본적인 힘이다.

(2) B는 마찰력으로, 지표면에 가까울수록 크기가 커진다.

(3) C는 전향력으로, 지구 자전으로 나타나는 가상적인 힘이다.

(4) C(전향력)는 남반구에서 부는 바람 방향의 왼쪽 직각 방향으로 작용한다.

(5) A(기압 경도력)는 모든 바람에 작용하지만, B(마찰력)는 높이 1 km 이상에서는 거의 작용하지 않는다.

(6) C(전향력)는 풍향에 직각 방향으로 작용하는 힘으로, 풍향만 변화시킨다.

내신 만점 문제 210쪽~211쪽

01 ⑤ 02 ① 03 ① 04 ③ 05 ④ 06 ⑤
07 ⑤ 08 해설 참조 09 ④ 10 ③

01 ① 기압은 공기의 무게 때문에 나타나는 대기의 압력으로, 단위 면적에 작용하는 힘의 크기로 측정한다.

② 기압의 단위로는 주로 hPa을 사용하고, 1기압의 크기는 약 1013 hPa이다.

③ 공기는 항상 움직이므로 시간과 장소에 따라 온도와 밀도 등이 달라진다. 이로 인해 측정하는 시간과 장소에 따라 기압이 달라진다.

④ 지표면에서 높아질수록 공기의 밀도가 크게 감소하여 기압이 급격하게 감소한다.

▎**바로알기**▎ ⑤ 공기의 밀도가 지표면에서 높이 올라갈수록 급격하게 감소하므로 수평 방향보다는 연직 방향의 기압 변화가 더 크다.

02 기압(P)은 단위 면적에 작용하는 힘의 크기로 측정하므로 $P = \rho g Z$로 나타낼 수 있다.

03 어느 높이에서의 기압은 그 높이보다 위에 있는 공기의 압력이다. 따라서 높이 h_1에서 h_2 사이에 있는 공기와 높이 h_2 이상에 있는 공기의 무게비는 (1000 hPa−500 hPa) : 500 hPa = 1 : 1이다.

04 ㄱ. 실험에서 수은 기둥이 76 cm 높이에서 멈추었으므로 기압은 높이 76 cm인 수은 기둥이 만드는 압력과 같다는 것을 알 수 있고, 이 압력을 1기압이라고 한다.

ㄴ. 고도가 높아질수록 기압이 낮아지므로 수은 기둥이 수은 면을 누르는 압력도 낮아져 수은 기둥의 높이는 낮아진다.

▎**바로알기**▎ ㄷ. 수은 기둥의 압력과 기압이 평형을 이루므로 두꺼운 유리관을 사용하거나 유리관을 기울여도 수은 기둥의 높이는 변하지 않는다.

05 꼼꼼 **문제 분석**

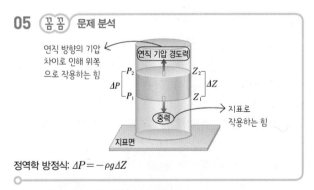

연직 방향의 기압 차이로 인해 위쪽으로 작용하는 힘

연직 기압 경도력

P_2 Z_2

ΔP ΔZ

P_1 Z_1

지표로 작용하는 힘

중력

지표면

정역학 방정식: $\Delta P = -\rho g \Delta Z$

ㄱ. 위쪽으로 작용하는 연직 방향의 기압 경도력과 아래쪽으로 작용하는 중력이 평형을 이룬 상태를 정역학 평형이라고 한다.

ㄴ. 대기는 정역학 평형 상태에 있으므로 $\Delta P = -\rho g \Delta Z$이다.

▎**바로알기**▎ ㄷ. 공기가 정역학 평형을 이루면 연직 방향의 운동은 일어나지 않지만, 수평 방향의 운동은 일어난다.

06 ① 기압 경도력은 바람을 일으키는 근본적인 힘이다.

② 기압 경도력은 고기압(A)에서 저기압(B) 쪽으로 작용한다.

③, ④ 기압 경도력은 두 지점 사이의 기압 차이(ΔP)가 클수록, 등압선의 간격(d)이 좁을수록 크게 작용한다.

❚**바로알기** ⑤ 기압 경도력은 높이에 관계없이 기압 차이가 존재하면 작용한다.

07 (꼼꼼) 문제 분석

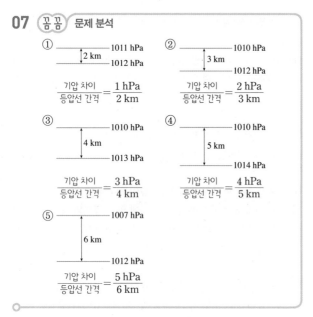

기압 경도력은 기압 차이가 클수록, 등압선의 간격이 좁을수록 크게 작용하므로 $\dfrac{\text{기압 차이}}{\text{등압선 간격}}$ 의 값을 비교한다.

⑤ 값의 크기는 $\dfrac{5}{6}\left(=\dfrac{50}{60}\right)$이므로 가장 크다.

❚**바로알기** ① 값의 크기는 $\dfrac{1}{2}\left(=\dfrac{30}{60}\right)$이므로 가장 작다.

② 값의 크기는 $\dfrac{2}{3}\left(=\dfrac{40}{60}\right)$이다.

③ 값의 크기는 $\dfrac{3}{4}\left(=\dfrac{45}{60}\right)$이다.

④ 값의 크기는 $\dfrac{4}{5}\left(=\dfrac{48}{60}\right)$이다.

08 (꼼꼼) 문제 분석

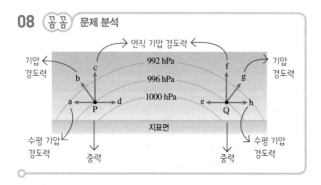

기압 경도력은 기압이 높은 곳에서 낮은 곳으로 작용한다. 정역학 평형이 이루어진 대기는 위로 향하는 연직 방향의 기압 경도력과 중력이 평형을 이루는 상태이다. 따라서 기압 차이에 의해 P 지점(Q 지점)의 공기 덩어리는 기압 경도력의 수평 성분 힘의 방향인 a 방향(h 방향)으로 이동하기 시작한다.

(모범답안) a, h, 대기가 정역학 평형 상태이므로 연직 방향의 기압 경도력과 중력이 평형을 이루고 있어 수평 방향으로의 공기의 운동만 나타난다.

채점 기준	배점
a와 h를 쓰고, 연직 방향의 기압 경도력과 중력의 평형을 포함하여 까닭을 옳게 서술한 경우	100 %
a와 h를 쓰고, 수평 방향으로의 운동만 나타난다고만 서술한 경우	70 %
a와 h만 쓴 경우	30 %

09 (꼼꼼) 문제 분석

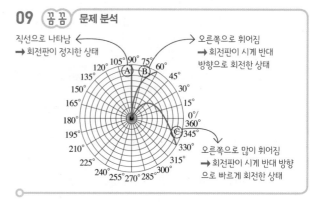

ㄱ. 쇠구슬은 오른쪽으로 휘어진 형태를 보이므로 회전판은 시계 반대 방향으로 회전하였다.

ㄴ. C가 가장 많이 휘어진 궤적을 보인다. 회전판의 회전 속도가 빠를수록 쇠구슬의 궤적이 더 많이 휜다.

ㄹ. 전향력은 지구 자전 각속도에 비례하므로 지구의 자전 속도가 느려지면 전향력은 약해질 것이다.

❚**바로알기** ㄷ. C는 B보다 더 많이 휘어졌으므로 회전판의 회전 속도가 더 빨랐고, 회전 속도가 빠를수록 고위도 지방을 의미한다.

10 ③ 지표면 근처에서 운동하는 공기는 지표면이나 공기 자체의 마찰에 의해 운동을 방해하는 힘, 즉 마찰력을 받는다.

❚**바로알기** ① 마찰력은 풍속이 클수록 크게 작용한다.

② 마찰력은 풍향의 반대 방향으로 작용하여 풍속을 감소시킨다. 풍향의 오른쪽 직각 방향으로 작용하는 힘은 북반구에서 나타나는 전향력이다.

④ 지표면에서 높이 1 km까지의 대기 경계층에서는 마찰력이 크게 작용하여 풍속과 풍향에 영향을 준다. 하지만, 높이 1 km 이상의 자유 대기에서는 마찰력이 거의 영향을 미치지 않는다.

⑤ 마찰력은 등압선의 모양과 관계없이 높이 1 km 이하의 대기에서 작용한다.

03 바람의 종류

215쪽

개념 확인 문제

❶ 지상　❷ 상층　❸ 지균풍　❹ 경도풍　❺ 지상풍
❻ 지상풍　❼ 지균풍

1 (1) 크다 (2) 높다　**2** (1) A (2) D (3) C　**3** 북반구
4 (가) 저기압 (나) 고기압　**5** (1) ㉡ (2) ㉠ (3) ㉢　**6** (1) ○
(2) × (3) × (4) × (5) ○

---

1 (1) 지상 일기도에서 등압선은 일반적으로 4 hPa 간격으로
그리는데, 등압선 간격이 조밀할수록 기압 경도력이 크다.
(2) 상층 일기도에서 고도가 높은 지점은 같은 높이의 주변보다
기압이 높은 고기압이다.

2 (1) 기압 차이로 발생하는 힘은 기압 경도력으로, 기압이 높은
곳에서 낮은 곳으로 등압선에 직각 방향(A)으로 작용한다.
(2) 지구의 자전 때문에 나타나는 겉보기 힘은 전향력으로, 북반구
에서 바람이 부는 방향의 오른쪽 직각 방향(D)으로 작용한다.
(3) 기압 경도력과 전향력이 평형을 이룬 상태에서 부는 바람은
지균풍으로, 북반구에서 A의 오른쪽 직각 방향(C)으로 분다.

3 기압 경도력은 기압이 높은 곳에서 낮은 곳으로 작용하므로
(가)에서는 중심에서 바깥쪽으로, (나)에서는 중심 쪽으로 작용한
다. 바람은 기압 경도력 방향에 대하여 오른쪽으로 불고 있으므
로 (가)와 (나)는 북반구에서 불고 있다.

4 북반구에서 (가)는 시계 반대 방향으로 공기가 수렴하므로
주변보다 기압이 낮고, (나)는 시계 방향으로 공기가 발산하므로
주변보다 기압이 높다.

5 높이 1 km 이상의 자유 대기에서 등압선이 직선일 때는 지
균풍이, 곡선일 때는 경도풍이 분다. 높이 1 km 이하의 대기 경
계층에서 등압선이 직선이거나 곡선일 때는 지상풍이 분다.

6 (1), (2) 지균풍과 경도풍은 마찰력의 영향을 받지 않는 높이
1 km 이상에서 등압선과 나란하게 부는 바람이다.
(3) 지상풍은 전향력과 마찰력의 합력이 기압 경도력과 평형을
이룬 상태에서 분다.
(4) 등압선이 곡선일 때 중심부 기압과 관계없이 지상풍은 등압선
을 가로질러 분다.
(5) 북반구 지상에서 부는 바람은 높이 1 km로 올라갈수록 풍향
은 시계 방향으로 바뀌고 풍속은 증가한다.

대표 자료 분석

216쪽

자료 ①
1 A: 기압 경도력, B: 전향력, A=B　　　**2** P<Q
3 a: 증가, b: 변하지 않는다.　　　**4** (1) × (2) ○ (3) ○
(4) ○ (5) × (6) ×

자료 ②
1 A: 기압 경도력, B: 마찰력, C: 전향력　　**2** 북반구
3 A: 일정, B: 감소, C: 증가, θ: 감소　　**4** (1) ×
(2) ○ (3) × (4) × (5) ○ (6) ○

①-1 꼼꼼 문제 분석

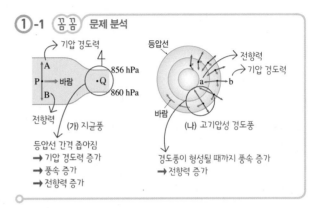

(가)는 바람이 등압선에 나란하게 부는 지균풍이고, 기압이 높은
곳에서 낮은 곳으로 등압선에 직각으로 작용하는 A는 기압 경도
력, 북반구에서 바람의 오른쪽 직각 방향으로 작용하는 B는 전
향력이다.

①-2
등압선 간격이 좁아지면 기압 경도력이 커지므로 풍속이
증가한다. Q 지점은 P 지점보다 등압선 간격이 좁으므로 풍속이
더 빠르다.

①-3
(나)에서 힘 a는 풍향의 오른쪽 직각 방향으로 작용하는
전향력이고 b는 기압 경도력이다. 경도풍이 형성될 때까지 기압
경도력(b)은 일정하지만, 풍속이 점차 증가하면서 전향력의 크기
(a)는 증가한다.

①-4
(1) (가)와 (나)는 마찰력이 거의 작용하지 않는 자유 대기
에서 부는 바람이다.
(2) 힘 A와 b는 기압 경도력으로, 바람을 일으키는 근원적인 힘
이다.
(3) 등압선의 간격이 좁아지면 기압 경도력이 커지므로 풍속이
증가하고, 풍속이 증가하면서 전향력(B)도 증가한다.
(4) (나)는 북반구에서 바람이 시계 방향으로 회전하는 고기압성
경도풍이므로 중심으로 갈수록 기압이 높아진다.
(5) (나)는 고기압성 경도풍이므로 '전향력-구심력=기압 경도력'
으로 힘의 평형을 유지한다. 따라서 (나)에서 경도풍이 형성된 후
기압 경도력과 구심력의 크기를 합하면 전향력의 크기와 같다.

(6) 전향력의 크기는 풍속에 비례하며, (가)에서 기압 경도력과 같고, (나)에서 기압 경도력보다 크다. 따라서 기압 경도력이 같다면, 풍속은 (나)가 (가)보다 크다.

②-1 (꼼꼼) 문제 분석

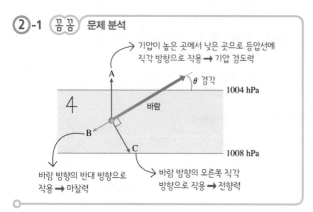

A는 기압 경도력, B는 마찰력, C는 전향력이다.

②-2 이 지역은 바람이 불어가는 방향의 오른쪽 직각 방향으로 전향력이 작용하므로 북반구에 위치해 있다.

②-3 높이에 따른 공기의 밀도가 일정하고 등압선의 간격이 변하지 않는 상태에서 지표면으로부터 고도가 높아질 경우 A(기압 경도력)의 크기는 일정하고, B(마찰력)는 작아진다. B(마찰력)가 작아지면서 풍속이 증가하고 그에 따라 C(전향력)가 증가하며 θ는 작아진다.

②-4 (1) 그림은 마찰력이 작용하는 높이 약 1 km 이하의 대기 경계층에서 부는 바람이다. 높이 약 1 km 이상에서는 마찰력이 거의 작용하지 않으므로 지균풍과 경도풍이 분다.
(2) A(기압 경도력)가 작아지면 풍속이 작아지면서 C(전향력)도 작아진다.
(3), (4) B(마찰력)가 커지면 풍속이 감소하면서 전향력이 감소하므로 바람이 등압선과 이루는 각인 θ의 크기는 커진다.
(5) A의 크기는 B와 C의 합력과 크기가 같고, 방향이 반대이다.
(6) 남반구였다면, 바람은 기압 경도력에 대하여 왼쪽 방향으로 고기압에서 저기압을 향해 불기 때문에 바람의 방향은 남동풍이었을 것이다.

내신 만점 문제
217쪽~219쪽

01 ④	02 ①	03 해설 참조	04 ⑤	05 ③
06 ③	07 ②	08 해설 참조	09 ⑤	10 ①
11 해설 참조	12 ④	13 ⑤	14 ④	15 ②

01 (꼼꼼) 문제 분석
• 상층 일기도는 등고선으로 나타낸 일기도이다.
• 지상 일기도는 등압선으로 나타낸 일기도이다.

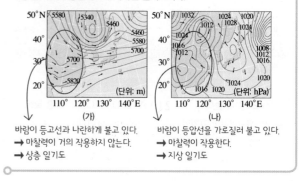

바람이 등고선과 나란하게 불고 있다.
→ 마찰력이 거의 작용하지 않는다.
→ 상층 일기도

바람이 등압선을 가로질러 불고 있다.
→ 마찰력이 작용한다.
→ 지상 일기도

①, ② (가)는 바람이 등고선과 나란하게 불고 있으므로 상층 일기도이고, (나)는 바람이 등압선을 가로질러 불고 있으므로 지상 일기도이다.
③ 상층 일기도는 등압면의 고도를 측정하여 값이 같은 지점을 등고선으로 나타낸 일기도이다. 따라서 (가)의 숫자는 고도를 의미하며, 고도가 낮은 지점은 저기압이고, 고도가 높은 지점은 고기압이다.
⑤ 기압 경도력이 같다면, (나)보다 마찰력이 거의 작용하지 않는 (가)에서 풍속이 더 빠르다.
바로알기 ④ (나) 지상 일기도에서 등압선 간격이 좁을수록 기압 경도력이 크다.

02 (꼼꼼) 문제 분석

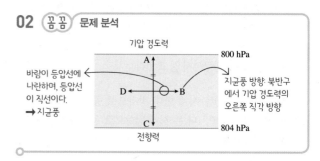

① A는 기압이 높은 곳에서 낮은 곳으로 등압선에 직각 방향으로 작용하므로 기압 경도력에 해당한다.
바로알기 ②, ④ B는 북반구에서 기압 경도력의 오른쪽 직각 방향으로 등압선에 나란하게 부는 지균풍이다.
③ C는 지구의 자전으로 나타나는 전향력이다. 높이 1 km 이상에서는 마찰력이 거의 작용하지 않아 전향력(C)과 기압 경도력(A)이 평형을 이룬다.
⑤ 등압선의 간격이 좁아지면 기압 경도력이 증가하므로 지균풍의 속도가 빨라진다.

03 바람이 불기 시작하면 전향력이 작용하여 풍향이 변한다. 또, 풍속이 점점 증가하면서 전향력의 크기도 증가한다.

모범답안 지균풍이 형성되는 과정에서 풍향이 점차 변하고 풍속이 점점 증가하므로 전향력의 방향이 변하고 크기도 증가한다.

채점 기준	배점
풍향과 풍속의 변화를 포함하여 전향력의 방향과 크기 변화를 옳게 서술한 경우	100 %
전향력의 방향과 크기 변화 중 한 가지만 옳게 서술한 경우	50 %

04 ⑤ 북반구에서 지균풍은 기압 경도력이 작용하는 방향의 오른쪽 직각 방향으로 분다. 기압 경도력은 기압이 높은 곳에서 낮은 곳으로 작용하므로 그림에서 아래쪽으로 작용한다. 따라서 지균풍은 왼쪽으로 불고, 등압선 간격이 좁을수록 기압 경도력이 커지므로 풍속도 빨라진다.

┃바로알기┃ ③ 북반구와 남반구에서 전향력이 반대로 작용하므로 남반구에서 나타나는 지균풍의 모습이다.

05 ㄱ. A와 B에서 부는 바람은 등압선에 나란하게 불고 있으므로 기압 경도력과 전향력이 평형을 이룬 상태에서 지균풍이 불고 있다.
ㄷ. A보다 B에서 등압선의 간격이 좁으므로 지균풍의 속도가 더 빠르고 그에 따라 작용하는 전향력도 더 크다.

┃바로알기┃ ㄴ. A에서 B로 갈수록 등압선 간격이 좁아지므로 바람에 작용하는 기압 경도력은 커진다.

06 ①, ②, ④ 경도풍은 마찰력이 거의 작용하지 않는 상공에서 등압선이 곡선일 때 기압 경도력과 전향력의 합력이 구심력으로 작용하여 부는 바람이다.
⑤ 경도풍은 북반구에서 중심부가 저기압일 때는 시계 반대 방향으로 불고, 고기압일 때는 시계 방향으로 분다.

┃바로알기┃ ③ 경도풍은 마찰력이 거의 작용하지 않으므로 등압선과 나란하게 분다.

07 **꼼꼼** **문제 분석**

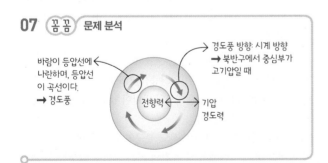

ㄴ. 등압선이 원형이고 바람이 등압선에 나란하게 불므로 경도풍이고, 중심 부분이 고기압이므로 고기압성 경도풍이다. 바람에 작용하는 힘의 평형 관계는 '전향력－기압 경도력＝구심력'이므로 기압 경도력의 크기는 전향력에서 구심력을 뺀 힘의 크기와 같다.

┃바로알기┃ ㄱ. 북반구에서 바람이 시계 방향으로 불기 때문에 중심 부분은 고기압이다.
ㄷ. 마찰력이 작용하면 바람은 저기압 쪽으로 치우쳐 불게 되므로 바람은 바깥쪽으로 등압선을 가로질러 불어 나간다.

08 고기압성 경도풍에서는 전향력에서 구심력을 뺀 값이 기압 경도력과 같고 저기압성 경도풍에서는 전향력에 구심력을 더한 값이 기압 경도력과 같으므로, 기압 경도력이 같은 경우 저기압성 경도풍보다 고기압성 경도풍에서 전향력의 크기가 크다.

모범답안 기압 경도력의 크기가 같을 때 중심부가 고기압인 (나)에서 중심부가 저기압인 (가)보다 전향력이 크게 작용하므로 풍속이 더 빠르다.

채점 기준	배점
전향력의 크기를 포함하여 까닭을 서술하고 풍속을 옳게 비교한 경우	100 %
풍속만 옳게 비교한 경우	30 %

09 ㄱ, ㄷ. (가)는 지균풍, (나)는 경도풍이다. (가)와 (나)는 모두 마찰력이 거의 작용하지 않아 등압선에 나란하게 분다.
ㄴ. (가)와 (나) 모두 고기압에서 저기압 쪽으로 작용하는 기압 경도력에 대해 두 바람이 오른쪽 직각 방향으로 불고 있으므로 북반구에서 부는 바람이다.

10 ① 북반구에서 지상풍은 기압이 높은 곳에서 낮은 곳으로 작용하는 기압 경도력에 대해 오른쪽으로 비스듬히 분다.

┃바로알기┃ ② 바람은 기압 경도력의 오른쪽으로 등압선에 나란하게 불기 때문에 북반구에서 지균풍이 부는 모습이다.
③ 바람이 기압 경도력에 대해 왼쪽으로 비스듬히 불기 때문에 남반구에서 지상풍이 부는 모습이다.
④, ⑤ 바람은 기압이 높은 곳에서 낮은 곳으로 분다.

11 **꼼꼼** **문제 분석**

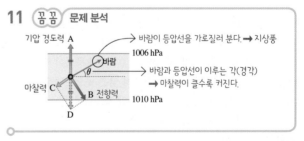

기압 경도력인 A와 높이에 따른 등압선 간격이 일정한 상태에서 고도가 높아지면, 마찰력인 C가 작아지므로 풍속은 증가한다. 풍속이 증가하면 전향력인 B가 커지면서 θ는 작아진다.

모범답안 풍속은 증가하고, θ는 감소한다.

채점 기준	배점
풍속과 θ의 변화를 옳게 서술한 경우	100 %
풍속과 θ의 변화 중 한 가지만 옳게 서술한 경우	50 %

12 ㄴ. 1 km 높이에서는 풍향이 등압선에 나란한 지균풍으로 변하였으므로 기압 경도력과 전향력이 평형을 이룬다.

ㄷ. 고도가 증가하면서 마찰력이 감소한다. 이에 따라 풍속이 증가하고 전향력은 풍속에 비례하므로 전향력의 크기도 커진다.

┃바로알기┃ ㄱ. 지표면으로부터 고도가 증가하면서 마찰력이 감소하므로 바람과 등압선이 이루는 각이 작아지면서 풍향은 등압선에 나란해진다.

13 (꼼꼼) 문제 분석

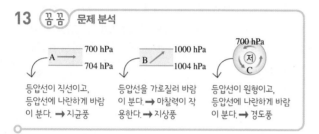

등압선이 직선이고, 등압선에 나란하게 바람이 분다. ➡ 지균풍

등압선을 가로질러 바람이 분다. ➡ 마찰력이 작용한다. ➡ 지상풍

등압선이 원형이고, 등압선에 나란하게 바람이 분다. ➡ 경도풍

(가) 구심력이 작용하는 바람은 등압선 모양이 곡선일 때 부는 경도풍(C)이다.

(나) 지균풍(A)과 지상풍(B) 중 높이 1 km 이상의 상공에서 부는 바람은 등압선과 나란하게 부는 지균풍(A)이다.

(다) 높이 1 km 이하에서 마찰력이 작용하여 등압선을 가로질러 부는 바람은 지상풍(B)이다.

14 (꼼꼼) 문제 분석

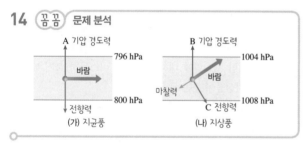

(가) 지균풍   (나) 지상풍

④ (가)와 (나)는 공기의 밀도가 같고 기압 차이와 등압선 간격이 같으므로 기압 경도력의 크기가 같다. 기압 경도력의 크기가 같을 때, 마찰력이 작용하지 않는 (가)가 (나)보다 풍속이 빠르다.

┃바로알기┃ ①, ② 기압이 높은 곳에서 낮은 곳으로 등압선에 직각 방향으로 작용하는 힘 A와 B는 기압 경도력이다.

③ 힘 C는 바람의 방향에 대해 오른쪽 직각 방향으로 작용하므로 전향력이다.

⑤ (가)는 바람이 등압선과 나란하게 불고 있으므로 마찰력이 작용하지 않는 상층에서 부는 바람이다. (나)는 바람이 등압선을 가로질러 불고 있으므로 마찰력이 작용하는 지상에서 부는 바람이다.

15 (가)는 바람이 시계 반대 방향으로 등압선에 나란하게 불므로 저기압성 경도풍이다. (나)는 바람이 시계 반대 방향으로 등압선을 가로질러 불므로 지상의 저기압에서 부는 지상풍이다.

① (가)와 (나)는 바람이 시계 반대 방향으로 회전을 하면서 불고 있으므로 (가)와 (나)의 중심부는 모두 저기압이다.

③ (가)와 (나)의 중심부가 저기압이므로 기압이 높은 곳에서 낮은 곳으로 작용하는 기압 경도력은 (가)와 (나) 모두 중심을 향한다.

④ (가)는 바람이 등압선에 나란하게 불고 있으므로 마찰력은 거의 작용하지 않지만, (나)는 등압선을 가로질러 바람이 불고 있으므로 마찰력이 작용한다.

⑤ 경도풍인 (가)에는 기압 경도력, 전향력, 구심력이 작용한다. 저기압성 경도풍에서 기압 경도력의 크기는 전향력과 구심력을 합한 힘의 크기와 같다.

┃바로알기┃ ② (가)는 마찰력이 거의 작용하지 않는 상층에서 불고, (나)는 마찰력이 작용하는 지상에서 분다.

04 편서풍 파동

개념 확인 문제

223쪽

❶ 편서풍   ❷ 편서풍 파동   ❸ 기온   ❹ 전향력   ❺ 제트류
❻ 대류권   ❼ 수렴   ❽ 고기압   ❾ 발산   ❿ 저기압   ⓫ 서
⓬ 동

1 (1) × (2) ○ (3) ○ (4) ○ (5) ×   **2** (1) ㉠ 극, ㉡ 적도
(2) ㉠ 해들리 순환, ㉡ 편서풍 파동 (3) 자전   **3** ㉠ 빠르다, ㉡ 저,
㉢ 빠르다   **4** (1) A (2) B (3) b (4) a (5) a   **5** (1) ㉠ 고기압,
㉡ 저기압 (2) ①

1 (1) 편서풍 파동은 중위도 상층 일기도의 등압선이 파동 형태로 나타나는 것으로, 상층에서의 바람이 남북으로 굽이치며 불고 있다는 것을 의미한다.

(2) 중위도 상공의 편서풍은 적도 부근의 온난한 공기와 고위도의 한랭한 공기 사이에서 남북 간의 기온 차이로 발생하고, 지구 자전의 영향을 받아 고위도로 갈수록 전향력이 커지므로 파장이 수천 km인 파동이 형성된다.

(3) 편서풍 파동은 남북 간의 기온 차이로 발생하기 때문에, 남북 간의 기온 차이가 커질수록 편서풍 파동의 흐름이 빨라진다.

(4) 편서풍 파동으로 저위도의 따뜻한 공기는 고위도로, 고위도의 차가운 공기는 저위도로 이동하면서 저위도의 과잉 에너지를 고위도로 수송한다.

(5) 편서풍 파동으로 상층의 공기가 발산하면서 지상에 온대 저기압이 발생하는 데 중요한 역할을 한다.

2 (1) 얼음물이 담긴 안쪽 원통은 차가운 공기가 분포하는 극지방에 해당하고, 뜨거운 물이 담긴 바깥쪽 원통은 따뜻한 공기가 분포하는 적도 지방에 해당한다.
(2) 원통이 회전하지 않을 때 실온의 물은 원통의 안쪽에서 냉각되어 하강하고 바깥쪽에서 가열되어 상승하는 대류가 나타나므로 이때 실온의 물의 흐름은 열적 순환으로 일어나는 해들리 순환에 해당한다. 원통이 회전할 때 회전 속도가 빨라지면서 실온의 물에서 파동이 형성되고, 이는 편서풍 파동에 해당한다.
(3) 실험에서 회전 원통의 회전은 지구의 자전에 해당한다.

3 제트류는 남북 간의 기온 차이가 심할수록 풍속이 빠르다. 한대 제트류가 나타나는 중위도는 남북 간의 기온 차이에 가장 급격한 변화가 나타나는 곳이므로 한대 제트류는 아열대 제트류보다 풍속이 빠르다. 또한, 한대 제트류는 여름철보다 남북 간의 기온 차이가 심한 겨울철에 풍속이 더 빠르고, 더 저위도 지역에서 나타난다.

4 꼼꼼 **문제 분석**

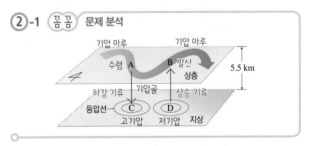

(1), (2) 공기 흐름의 저기압성 회전(시계 반대 방향)이 형성된 A는 주위보다 기압이 낮아 기압골을 이루고, 고기압성 회전(시계 방향)이 형성된 B는 주위보다 기압이 높아 기압 마루를 이룬다.
(3) 기압골의 서쪽인 b에서는 공기가 수렴하여 하강 기류가 형성되고, 지상에 고기압이 발달한다.
(4), (5) 기압골의 동쪽인 a에서는 공기가 발산하여 상승 기류가 형성되고, 지상에 온대 저기압이 발달한다.

5 (1) 공기 흐름이 시계 방향으로 고기압성 회전이 형성된 (가)에는 고기압이, 시계 반대 방향으로 저기압성 회전이 형성된 (나)에는 저기압이 형성된다.
(2) A 지역은 고기압성 경도풍이 불고 있고, B 지역은 등압선이 직선에 가까우므로 지균풍이 불고 있으며, C 지역은 저기압성 경도풍이 불고 있다. 풍속은 저기압성 경도풍에서 가장 느리고 고기압성 경도풍에서 가장 빠르므로 풍속의 크기는 A>B>C이다.

자료 ① **1** (나)　**2** 저기압　**3** 제트류　**4** (1) ○ (2) ×
(3) × (4) ○
자료 ② **1** 풍속이 느려지다가 빨라진다.　**2** 발산: B, 수렴: A
3 고기압: C, 저기압: D　**4** ㄱ, ㄷ　**5** (1) × (2) ×
(3) × (4) ○

①-1 중위도 지역에서 남북 간의 기온 차이가 클수록 파동의 진폭이 크므로 기온 차이는 (나)가 (가)보다 크다.

①-2 A는 공기의 흐름이 시계 반대 방향으로 일어나므로 저기압에 해당한다.

①-3 제트류는 편서풍 파동의 중심부에서 축이 되는 좁고 강한 흐름이므로 B는 제트류에 해당한다.

①-4 (1) 남북 간의 기온 차이가 커지면 편서풍 파동의 진폭이 커지면서 편서풍 파동이 강해진다.
(2) (라) 단계가 지속되면 파동의 진폭이 작아 남북 간의 열 수송이 잘 일어나지 않으므로 남북 간의 기온 차이가 점점 커지면서 다시 파동의 진폭이 커진다.
(3) 편서풍 파동의 진폭이 작을수록 고위도로의 열 수송이 잘 이루어지지 않으며, 진폭이 클수록 고위도로의 열 수송이 잘 일어난다.
(4) 북반구의 편서풍 파동은 겨울철에 더 남쪽으로 내려가고, 여름철에는 더 북쪽으로 올라간다.

②-1 꼼꼼 **문제 분석**

A 지역은 기압 마루에서 기압골로 가면서 풍속이 느려지고, B 지역은 기압골에서 기압 마루로 가면서 풍속이 빨라진다. 따라서 A~B 구간에서 풍속은 느려지다가 빨라진다.

②-2 상층의 편서풍 파동에서 기압골의 서쪽(A)에서는 기압 마루와 기압골 사이에서 공기의 수렴이 일어나고, 기압골의 동쪽(B)에서는 기압골과 기압 마루 사이에서 공기의 발산이 일어난다.

②-3 상층의 편서풍 파동에서 기압골의 서쪽(A)에서는 공기가 수렴하므로 하강 기류가 형성되어 지상에 고기압이 발달한다. 기압골의 동쪽(B)에서는 공기가 발산하므로 상승 기류가 형성되어 지상에 온대 저기압이 발달한다.

②-4 상층의 편서풍 파동에서 기압골의 동쪽(B)에서는 공기의 발산이 일어나므로 강력한 상승 운동이 나타난다. 공기가 상승하면 주변의 기압이 낮아지면서 공기의 단열 팽창이 일어나므로 기온이 하강하고 구름이 생성된다.

②-5 (1) 중위도 상층에서는 편서풍이 서에서 동으로 분다.
(2) 기압 마루에서 기압골 쪽으로 가면서 저기압성 경도풍에 가까워지므로 편서풍의 풍속은 느려진다.
(3) 상층에서 공기의 수렴은 상층 공기의 하강을 유도한다.
(4) C, D의 기압은 편서풍 파동을 따라 서에서 동으로 이동한다.

내신 만점 문제

225쪽~227쪽

01 ⑤	02 해설 참조	03 ⑤	04 ④	05 ③
06 ⑤	07 해설 참조	08 ③	09 ④	10 ②
11 ④	12 ②	13 ⑤		

01 꼼꼼 문제 분석

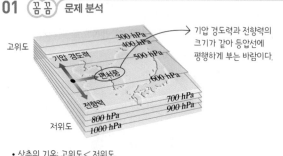

- 상승의 기온: 고위도 < 저위도
- 고도에 따른 등압면 간격: 고위도 < 저위도
- 상승의 기압: 고위도 < 저위도
- 기압 경도력이 작용하는 방향: 저위도 → 고위도

⑤ 따뜻한 남쪽과 차가운 북쪽의 기온 차이는 남북의 기압 차이를 만들고, 고도가 높아질수록 기압 차이가 커진다. 이에 따라 고도가 높아질수록 편서풍의 풍속이 빨라진다.

바로알기 ① 공기가 냉각되면 등압면 간격이 좁아진다.
② 상공에서 부는 편서풍은 마찰력의 영향이 없는 바람이다.
③ 같은 높이의 상공에서 적도 쪽은 기온이 높으므로 극 쪽보다 기압이 높다.
④ 고도가 높아질수록 남북 간의 기압 차이는 증가한다.

02 꼼꼼 문제 분석

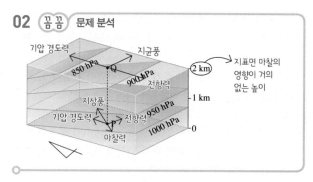

P 지점에서는 지상풍이 불고 있으므로 남에서 북으로 이동하는 공기가 오른쪽으로 치우쳐 남서풍이 분다. Q 지점에서는 기압 경도력의 오른쪽 직각 방향(동쪽)으로 지균풍인 서풍이 분다. P에서 Q 지점으로 가면서 지표면의 마찰이 감소하여 풍속이 빨라진다.

모범답안 P 지점에서는 남서풍이 불고, Q 지점에서는 서풍(편서풍)이 불며, 풍속은 P보다 Q 지점에서 빠르다.

채점 기준	배점
풍향과 풍속을 모두 옳게 비교하여 서술한 경우	100 %
한 가지만 옳게 비교하여 서술한 경우	50 %

[03~04] 꼼꼼 문제 분석

[실험 과정]
그림과 같은 회전 원통 실험 장치를 준비하여 회전판이 정지해 있을 때와 회전판을 회전시킬 때 중간 원통에서 물의 흐름을 관찰한다.

지구의 자전 효과
공기의 흐름

[실험 결과]
(가) 회전판이 정지해 있을 때 중간 원통의 물에 띄운 반짝이 가루가 안쪽 원통 쪽으로 이동한다.
중간 원통의 바깥쪽 물은 가열되어 상승하고, 안쪽 물은 냉각되어 하강하면서 물이 순환하는 과정에서 반짝이 가루가 안쪽 원통 쪽으로 이동
(나) 회전판을 빠르게 회전시키면 반짝이 가루가 파동의 형태로 굽이치며 회전한다.
편서풍 파동에 해당
(다) 소용돌이 사이에 흐름이 매우 빠른 구간이 보인다.
제트류에 해당

03 (가) 회전판이 정지해 있을 경우 외벽을 따라 가열된 물이 상승하고 내벽을 따라 냉각된 물이 하강하는 순환을 이룬다. 이는 공기의 가열과 냉각에 의해 형성되는 직접 순환인 해들리 순환에 해당한다.
(나) 회전판을 빠르게 회전시키면 가루는 파동의 형태와 작은 소용돌이의 모습을 보이는데, 이는 편서풍 파동에 해당한다.
(다) 파동을 자세히 관찰하면 소용돌이 사이에서 흐름이 매우 빠른 구간이 보이는데, 이는 제트류에 해당한다.

04 ㄴ. 회전판의 회전은 지구 자전에 의해 나타나는 전향력과 같은 효과를 준다.

ㄷ. 회전 속도가 증가할수록 파동의 수가 증가하고 소용돌이가 생겨 파동이 복잡해진다.

바로알기 ㄱ. (나)에서 중간 원통의 물의 흐름은 편서풍 파동에 해당하므로 중간 원통의 물은 중위도 지방의 공기에 해당한다.

05 꼼꼼 문제 분석

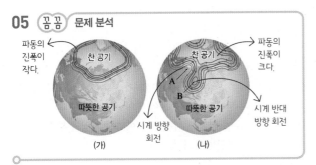

ㄴ. 남북 간의 기온 차이가 클수록 편서풍 파동의 진폭이 크게 발달하므로 남북 간의 기온 차이는 (나)가 (가)보다 크다.

ㄷ. 열에너지 수송은 편서풍 파동이 남북으로 크게 발달할수록 잘 일어나므로 저위도의 따뜻한 공기와 고위도의 찬 공기 사이에 에너지 이동은 (나)가 (가)보다 더 활발하다.

바로알기 ㄱ. (나)가 (가)보다 파동이 남북으로 더 크게 굽이치므로 파동의 진폭은 (가)가 (나)보다 더 작다.

ㄹ. A는 공기가 시계 방향으로 회전하므로 고기압성 흐름이고, B는 공기가 시계 반대 방향으로 회전하므로 저기압성 흐름이다.

06 ① 제트류의 생성 원인은 남북 간의 기온 차이이다.

② 제트류는 편서풍 파동 내의 흐름이므로 온대 저기압의 발달에 영향을 미친다.

③ 제트류는 편서풍 파동 내에서 축이 되는 좁고 강한 흐름이다.

④ 한대 제트류는 남북 간의 기온 차이가 가장 급격하게 나타나는 중위도 한대 전선대 부근에서 나타나는 제트류이므로 위도 30° 부근에서 나타나는 아열대 제트류보다 풍속이 빠르다.

바로알기 ⑤ 제트류는 대류권 계면 부근에서 풍속이 최대가 된다.

07 모범답안 (1) A: 한대 제트류, B: 아열대 제트류

(2) 한대 제트류(A)는 여름철보다 겨울철에 더 저위도 지역에서 나타나며, 여름철보다 겨울철에 풍속이 더 빠르다.

	채점 기준	배점
(1)	A와 B를 모두 옳게 쓴 경우	40 %
	A와 B 중 한 가지만 옳게 쓴 경우	20 %
(2)	계절에 따른 A의 위치와 풍속을 모두 옳게 비교한 경우	60 %
	위치와 풍속 중 한 가지만 옳게 비교한 경우	30 %

08 ㄱ. 제트류의 풍속은 (가)에서 최대 55 m/s, (나)에서 최대 23 m/s까지 나타나므로 여름철보다 겨울철에 더 빠르다.

ㄴ. 남북 간의 기온 차이가 클수록 기압 차이도 커서 제트류가 빠르게 나타나므로 남북 간의 기온 차이는 여름철보다 제트류가 빠르게 나타나는 겨울철에 더 크다.

바로알기 ㄷ. 제트류는 (나)보다 (가)일 때 극지방에서 더 멀리 떨어진 곳에서 나타나므로 여름철보다 겨울철에 더 저위도 지역에서 나타난다.

09 ㄴ. 상층 기압골의 서쪽에 위치한 B에서는 풍속이 느려지면서 공기가 수렴하고, 상층 기압골의 동쪽에 위치한 D에서는 풍속이 빨라지면서 공기가 발산한다.

ㄷ. 상층 기압골의 서쪽에는 수렴한 공기가 하강하여 지상에 고기압(E)이 발달하고, 동쪽에는 상층 공기가 발산하면서 지상의 공기가 상승하여 지상에 저기압(F)이 발달한다.

바로알기 ㄱ. 저위도의 온난한 기층은 고위도의 한랭한 기층보다 두꺼우므로 북반구 중위도 상공의 등압면에서 등고선 높이는 남에서 북으로 갈수록 낮아진다. 따라서 등고선의 고도는 A가 C보다 높다.

10 ㄷ. B에는 상층의 기압골이 남북 방향으로 발달한다.

바로알기 ㄱ. A에는 남쪽에서 올라온 따뜻한 공기가 분포하고, B에는 북쪽에서 내려온 찬 공기가 분포하므로 상층의 기온은 A 지점이 B 지점보다 높다.

ㄴ. 편서풍 파동에서 풍속은 기압 마루에서 빠르고, 기압골에서 느리므로 기압골에 위치한 b에서 가장 느리다.

11 꼼꼼 문제 분석

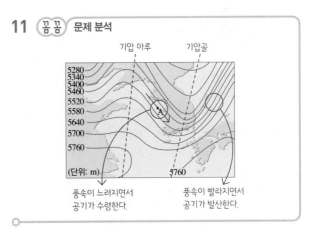

ㄴ. 500 hPa 상공에서는 지표면 마찰의 영향이 없어 등고선에 나란하게 바람이 불므로 A에서는 북서풍이 우세하게 분다.

ㄷ. 등고선 분포로 보아 500 hPa 등압면은 북쪽으로 기울어져 있으므로 높이 5700 m에서는 북쪽으로 갈수록 기압이 낮아진다.

바로알기 ㄱ. 상층 일기도에서 기압골의 서쪽(A)에는 공기가 수렴하여 하강 기류가 형성된다.

12 ㄴ. 상층 기압골의 동쪽에는 공기가 발산하면서 강한 상승 기류를 일으키므로 지상에 온대 저기압이 발달한다.

바로알기 ㄱ. 상공의 A에서는 마찰력이 작용하지 않기 때문에 바람이 등압선에 나란하게 분다.

ㄷ. 온대 저기압의 중심에서는 상승 기류가 발달하여 구름이 잘 발생하므로 흐린 날씨가 나타난다.

13 ㄱ. 상층의 편서풍 파동은 서에서 동으로 이동하며, 이에 따라 기압골과 기압 마루가 이동한다. (가)에서 기압골은 A 지점의 서쪽에 있고, (나)에서 기압골은 A 지점의 동쪽에 있으므로 편서풍 파동은 (가)에서 (나)로 발달한다.

ㄴ. A 지점의 고도는 (가)에서는 5360 m보다 높고, (나)에서는 5360 m보다 낮다. 기압골이 통과하면서 이 지역은 기압이 500 hPa인 지점의 고도가 낮아진 것이다.

ㄷ. (가)에서는 A 지점이 기압골의 동쪽에 위치하여 지상에 저기압이 발달하고, (나)에서는 A 지점이 기압골의 서쪽에 위치하여 지상에 고기압이 발달하므로 A 지점의 지상에서 날씨는 (가)보다 (나)가 더 맑을 것이다.

🍃 **05** 대기 대순환

개념 확인 문제

232쪽

❶ 태양 상수 ❷ 복사 평형 ❸ 과잉 ❹ 부족 ❺ 단일 세포 순환 ❻ 페렐 순환 ❼ 무역풍 ❽ 편서풍 ❾ 크다 ❿ 중 ⓫ 해풍 ⓬ 산곡풍 ⓭ 곡풍 ⓮ 지구

1 (1) 30 (2) 133 (3) 154   **2** (1) 많다 (2) 저위도 → 고위도
(3) 위도 38°   **3** A: 해들리 순환, B: 페렐 순환, C: 극순환
4 (1) ○ (2) ○ (3) ○ (4) × (5) ×   **5** (1) ㉣ (2) ㉢ (3) ㉡
(4) ㉠   **6** ①   **7** (1) A (2) B (3) B

1 (1) 지구의 반사율은 입사한 태양 복사 에너지의 양 중에서 대기(구름)와 지표면에서 반사되는 에너지의 비율(%)이므로
$$\frac{5+25}{100} \times 100 = 30\,\%$$이다.

(2) 지표면은 태양으로부터 45를 흡수하고, 대기로부터 88을 흡수하므로 총 133의 에너지를 흡수한다.

(3) 대기는 지표면으로 88을 방출하고, 우주로 66을 방출하므로 총 154의 에너지를 방출한다.

2 (1) 위도 38° 이하의 저위도 지방에서는 지구가 흡수하는 태양 복사 에너지의 양이 방출하는 지구 복사 에너지의 양보다 많아서 에너지가 남는다.

위도 38° 이상의 고위도 지방에서는 지구가 흡수하는 태양 복사 에너지의 양이 방출하는 지구 복사 에너지의 양보다 적어서 에너지가 부족하다.

(2) 에너지가 남는 저위도에서 에너지가 부족한 고위도로 대기와 해수의 순환에 의해 에너지 이동이 일어난다.

(3) 대기와 해수에 의한 열 수송량은 에너지 과잉과 부족이 교차하는 위도 38° 부근에서 가장 많다.

3 A는 적도에서 가열되어 상승한 공기가 이루는 해들리 순환이고, B는 간접순환인 페렐 순환, C는 극에서 냉각된 공기가 하강하여 이루는 극순환이다.

4 (1) 지구가 둥글기 때문에 위도에 따라 단위 면적당 도달하는 태양 복사 에너지의 양이 달라지므로 위도별 에너지 불균형이 발생한다. 지구의 대기는 에너지가 남는 저위도에서 에너지가 부족한 고위도로 이동하면서 대기 대순환을 형성한다.

(2) 대기 대순환은 지구 자전으로 인한 전향력의 영향 때문에 적도와 극 사이에 3개의 순환 세포가 형성된다.

(3) 지구가 자전하지 않는다면 적도에서 가열되어 상승한 공기는 극으로 이동하고, 극에서 냉각되어 하강한 공기는 적도로 이동하여 적도와 극 사이에서는 하나의 대류 세포가 나타날 것이다.

(4) 대기 대순환으로 위도 30°~60°의 지상에서는 편서풍이 분다. 무역풍은 위도 30°와 적도 사이에서 부는 바람이다.

(5) 대기 대순환으로 적도 부근에는 적도 저압대(열대 수렴대)가 형성되고, 위도 30° 부근에는 중위도 고압대(아열대 고압대)가 형성된다.

5 (1) 난류, 작은 소용돌이는 수평 규모와 시간 규모가 매우 작아 미규모에 해당하는 대기 순환이다.

(2) 뇌우, 해륙풍, 산곡풍 등은 수분~수일 동안 지속되는 현상으로, 중규모에 해당하는 대기 순환이다.

(3) 태풍, 고기압, 저기압 등은 지상 일기도에 나타나는 현상으로, 종관 규모에 해당하는 대기 순환이다.

(4) 편서풍 파동은 파장이 수천 km에 이르므로 지구 규모에 해당하는 순환이다.

6 수평 규모와 시간 규모가 가장 작은 대기 순환 현상은 미규모인 난류이다. 뇌우와 산곡풍은 중규모, 태풍은 종관 규모, 계절풍은 지구 규모의 대기 순환이다.

7 꼼꼼 문제 분석

연직 등압면 간격이 좁다. 988 hPa 연직 등압면 간격이 넓다.
→ 공기가 냉각되어 하강 996 hPa → 공기가 가열되어 상승
기류 형성 → A에 고기압 1004 hPa 기류 형성 → B에 저기압
바다 A 육지 B

(1) 등압면의 분포를 보면 A의 기압은 1004 hPa보다 높고, B의 기압은 1004 hPa보다 낮다.
(2) B가 A보다 기압이 낮으므로 기온은 상대적으로 높다.
(3) 상대적으로 기압이 높은 A에는 하강 기류가, 기압이 낮은 B에는 상승 기류가 나타난다.

대표 자료 분석

233쪽~234쪽

자료 ① **1** (가) 태양 복사 에너지 (나) 지구 복사 에너지 **2** (1) < (2) > **3** B **4** 위도에 따라 태양 고도가 달라지기 때문이다. **5** (1) ○ (2) × (3) × (4) ○ (5) ×

자료 ② **1** (가) 위도별 에너지 불균형 (나) 위도별 에너지 불균형, 지구 자전에 의한 전향력 **2** 북풍 **3** ㉠ 적도 저압대 (열대 수렴대), ㉡ 중위도 고압대(아열대 고압대), ㉢ 한대 전선대(아한대 저압대) **4** A, C **5** A: 극동풍, B: 편서풍, C: 무역풍 **6** (1) × (2) ○ (3) ○ (4) × (5) ×

자료 ③ **1** A: 중규모, B: 지구 규모, B **2** ㄴ, ㄷ **3** 종관 규모 **4** (1) ○ (2) × (3) × (4) ○ (5) × (6) ○

자료 ④ **1** (가) 낮 (나) 밤 **2** (가) 해풍 (나) 육풍 **3** A, D **4** (1) ○ (2) ○ (3) ○ (4) × (5) × (6) ×

① -1 꼼꼼 문제 분석

지구의 태양 복사 에너지 흡수량과 지구 복사 에너지 방출량은 모두 고위도로 갈수록 감소하지만, 위도에 따른 차이는 태양 복사 에너지가 더 크다.

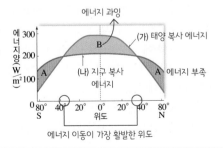

① -2 (1) 고위도인 A에서는 지구의 태양 복사 에너지 흡수량보다 지구 복사 에너지 방출량이 더 많다.
(2) 저위도인 B에서는 지구의 태양 복사 에너지 흡수량이 지구 복사 에너지 방출량보다 많다.

① -3 복사 에너지의 흡수량이 방출량보다 많은 B는 에너지 과잉 상태이고, 복사 에너지의 흡수량이 방출량보다 적은 A는 에너지 부족 상태이다.

① -4 지구가 둥글기 때문에 위도에 따라 태양 고도가 달라지므로 지표면의 단위 면적당 흡수되는 태양 복사 에너지의 양이 달라진다.

① -5 (1) 지구는 전체적으로 복사 평형 상태이므로 과잉된 에너지의 양과 부족한 에너지의 양은 거의 같다.
(2) 에너지 이동량이 가장 많은 곳은 에너지 과잉과 부족이 교차하는 위도 38° 부근이다.
(3) 흡수하는 복사 에너지의 양이 많아지면 방출하는 복사 에너지의 양도 많아진다. 고위도로 갈수록 흡수하는 태양 복사 에너지의 양이 감소함에 따라 방출하는 지구 복사 에너지의 양도 감소한다.
(4) 저위도와 고위도에서 에너지양의 차이는 태양 복사 에너지가 지구 복사 에너지보다 크다.
(5) 위도 38° 부근을 경계로 고위도 지방은 태양 복사 에너지 흡수량이 지구 복사 에너지 방출량보다 적어 에너지가 부족하다.

② -1 꼼꼼 문제 분석

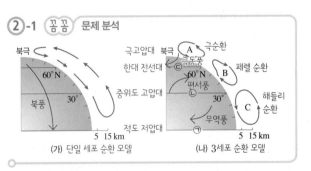

(가) 단일 세포 순환 모델 (나) 3세포 순환 모델

지표면이 균일하고 지구가 자전하지 않는다고 가정했을 때는 (가)와 같이 위도별 에너지 불균형에 의해 적도 지방의 가열된 공기는 상승하고 극지방의 냉각된 공기는 하강하여 하나의 대류 세포를 형성한다. 지구가 자전하여 전향력이 작용하면 (나)와 같이 적도와 극 사이에 3개의 순환 세포가 형성된다.

② -2 (가)에서 극에서 냉각된 공기는 하강하여 지표를 따라 기압이 상대적으로 낮은 저위도로 이동하므로 북풍이 분다.

②-3 ㉠: 지상에서 북동 무역풍과 남동 무역풍이 만나 열대 수렴대를 형성하고, 상승 기류가 발달하여 적도 저압대가 형성된다.
㉡: 하강 기류가 발달하여 중위도 고압대가 형성된다.
㉢: 지상에서 고위도에서 저위도로 이동하는 공기와 저위도에서 고위도로 이동하는 공기가 만나 한대 전선대를 형성하고, 공기가 상승하면서 아한대 저압대가 형성된다.

②-4 A는 지표의 냉각으로 형성된 직접 순환이다. B는 따뜻한 곳에서 공기가 하강하고 찬 곳에서 공기가 상승하므로 온도 차이로 일어나는 직접 순환이 아니며 A와 C의 순환에 의해 역학적으로 형성된 간접순환이다. C는 지표의 가열로 형성된 직접 순환이다.

②-5 극순환(A)의 지상에서는 고위도에서 저위도로 이동하던 공기가 전향력에 의해 휘어져 극동풍이 분다.
페렐 순환(B)의 지상에서는 저위도에서 고위도로 이동하던 공기가 전향력에 의해 휘어져 편서풍이 분다.
해들리 순환(C)의 지상에서는 고위도에서 저위도로 이동하던 공기가 전향력에 의해 휘어져 무역풍이 분다.

②-6 (1) (가)에서는 지구가 자전하지 않으므로 전향력이 작용하지 않는다.
(2) (가)와 (나)의 적도 지방에는 모두 공기가 수렴하여 상승하므로 저기압이 형성된다.
(3) 편서풍은 전향력이 작용하는 (나)에서만 분다.
(4) (나)에서 A와 C는 직접 순환, B는 간접순환에 해당한다.
(5) (가)의 경우 전향력이 작용하지 않으므로 고위도에서 저위도로 공기가 이동하여 북반구에서는 북풍이 불고, 남반구에서는 남풍이 분다.

③-1 A는 중규모, B는 지구 규모에 해당한다. 중규모에서는 전향력이 무시해도 될 정도로 약하게 작용하지만, 종관 규모와 지구 규모에서는 전향력의 영향이 크다.

③-2 A는 중규모이고, 해륙풍과 높새바람이 중규모에 해당한다. 태풍은 종관 규모, 편서풍 파동은 지구 규모의 대기 순환이다.

③-3 지상 일기도에 주로 나타내는 순환 규모는 고기압, 저기압과 같은 공간적 크기 및 수명 정도인 종관 규모이다.

③-4 (1) 대기 순환의 공간 규모가 클수록 보유하는 에너지가 많기 때문에 수평 규모가 크면 시간 규모도 대체로 크다.
(2) 난류는 규모가 작으므로 전향력의 영향을 거의 받지 않는다.
(3) 뇌우는 중규모이므로 수평 규모는 수백 m~수백 km이다.

(4) 태풍과 고기압은 둘 다 종관 규모에 해당하므로 발생에서 소멸에 이르는 시간 규모가 비슷하다.
(5) 해륙풍은 중규모로, 지상 일기도에서 확인하기 어렵다.
(6) 지구 규모(B)와 같이 큰 규모의 대기 순환에서는 연직 규모에 비해 수평 규모가 훨씬 크다.

④-1 꼼꼼 문제 분석

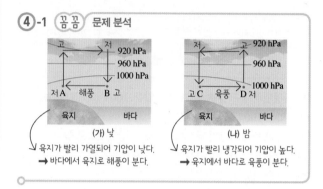

(가)는 육지의 기압이 바다보다 낮으므로 육지가 바다보다 빨리 가열되는 낮의 기압 분포이다.
(나)는 육지의 기압이 바다보다 높으므로 육지가 바다보다 빨리 냉각되는 밤의 기압 분포이다.

④-2 (가)의 지표 부근에서는 기압이 높은 바다에서 기압이 낮은 육지로 해풍이 분다. (나)의 지표 부근에서는 기압이 높은 육지에서 기압이 낮은 바다로 육풍이 분다.

④-3 A와 D 지점은 주변보다 기압이 낮아 공기가 모여들고 상승 기류가 발달한다. B와 C 지점은 주변보다 기압이 높아 공기가 발산하고 하강 기류가 발달한다.

④-4 (1) 바다는 육지에 비해 천천히 가열되고 천천히 식는데, 그 까닭은 바다의 열용량이 육지보다 크기 때문이다.
(2) (가)는 육지의 기압이 바다보다 낮으므로 육지가 가열되어 낮에 나타나는 기압 분포이다.
(3) (나)에서는 기압이 높은 육지에서 기압이 낮은 바다로 육풍이 분다.
(4) 마찰력이 클수록 풍속이 약하다. 바다보다 육지의 마찰력이 크므로 풍속은 해풍이 육풍보다 강하다. (가)에서는 해풍, (나)에서는 육풍이 불므로 (가)보다 (나)에서 부는 바람의 풍속이 더 약하다.
(5) 해륙풍은 열적 순환에 해당하므로 (가)와 (나)에서 960 hPa 등압면보다 상층에서는 기압 분포가 지표에 반대가 되므로 지표 부근과 풍향이 서로 반대이다.
(6) 해륙풍은 산곡풍, 뇌우 등과 함께 중규모(중간 규모)에 해당하는 대기 순환이다. 종관 규모의 순환에는 고기압, 저기압, 태풍 등이 있다.

내신 만점 문제

235쪽~237쪽

01 ④　**02** ③　**03** ④　**04** ②　**05** ⑤　**06** ②
07 ①　**08** ③　**09** ②　**10** 해설 참조　**11** ③
12 해설 참조　**13** ②　**14** ③　**15** ②

01 꼼꼼 **문제 분석**

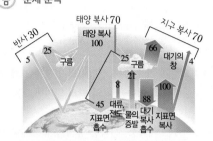

- 지구의 반사=지표면 반사(5)+대기 산란 및 구름 반사(25)=30
- 대기에서의 복사 평형
  - 흡수량(154)=태양 복사(25)+지표면 복사(100)
    +대류, 전도(8)+물의 증발(21)
  - 방출량(154)=지표면으로 방출(88)+우주로 방출(66)
- 지표면에서의 복사 평형
  - 흡수량(133)=태양 복사(45)+대기 복사(88)
  - 방출량(133)=대기로 방출(129)+우주로 방출(4)
- 지구 전체로 보면 지구가 흡수하는 태양 복사 에너지의 양(70)과 지구가
  방출하는 지구 복사 에너지의 양(70)이 같다. ➡ 복사 평형

① 지구는 태양으로부터 받는 만큼의 에너지를 우주 공간으로
다시 방출하여 복사 평형을 이루기 때문에 지구의 연평균 기온은
거의 일정하게 유지된다.
② 지표면에서 대기로 방출하는 에너지의 양은 총 129로, 지표
면 복사가 100, 대류와 전도가 8, 물의 증발이 21이다.
③ 지표면 복사 104 중에서 100은 대기에 흡수되고 나머지 4는
우주로 바로 빠져나간다.
⑤ 태양 복사 에너지의 양 100 중 25는 구름과 대기에 산란되거
나 반사되고 5는 지표면에 반사되어 우주로 되돌아간다.
┃**바로알기**┃ ④ 복사 평형 상태의 지구가 방출하는 복사 에너지의
양(70)은 태양으로부터 흡수한 복사 에너지의 양(70)과 같다.

02 꼼꼼 **문제 분석**

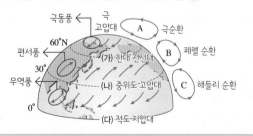

ㄱ. 위도에 따른 태양 복사 에너지(Q)의 차이는 지구가 구형이므
로 위도에 따라 태양 고도가 달라져 지구가 단위 면적당 받는 복
사 에너지의 양이 달라지기 때문에 나타난다.
ㄴ. 지구는 복사 평형을 이루고 있으므로 지구가 흡수하는 태양
복사 에너지(Q)의 총량과 방출하는 지구 복사 에너지(P)의 총량
은 같다.
┃**바로알기**┃ ㄷ. 위도 38° 부근을 경계로 에너지 과잉과 부족이 교
차하므로 이 부근에서 열에너지 이동량이 가장 많다.

03 ④ 저위도의 과잉 에너지는 대기와 해수의 순환을 통해 고
위도로 이동하므로 위도별 에너지 불균형이 해소된다.
┃**바로알기**┃ ① 조석 현상은 달과 태양의 인력에 의해 발생한다.
②, ③ 판의 이동은 지구 내부 에너지에 의한 맨틀의 대류를 따
라 발생한다.
⑤ 지구 자기장의 변화는 지구 내부의 변동으로 발생한다.

04 ㄴ. 지구가 자전하지 않으면 북반구 지상에서는 극에서 냉
각된 공기가 지표면을 따라 저위도로 이동하면서 북극에서 적도
로 북풍이 분다.
┃**바로알기**┃ ㄱ. 지구가 자전하지 않으면 적도와 극 사이에 하나의
대류 세포만 나타나므로 중위도에 고압대가 형성되지 않는다.
ㄷ. 지구가 자전하지 않더라도 대기의 순환이 발생하므로 에너지
는 저위도에서 고위도로 수송된다.

05 꼼꼼 **문제 분석**

지구가 자전할 때의 대기 순환 모델인 3세포 순환 모델이다.

① A는 극순환, B는 페렐 순환, C는 해들리 순환이다.
② A와 C는 가열과 냉각에 의해 형성된 열적 순환으로, 직접 순
환이다. B는 A와 C 순환의 사이에서 역학적으로 형성된 간접순
환이다.
③ B 순환의 지상에서는 저위도에서 고위도로 이동하던 공기가
전향력에 의해 오른쪽으로 휘어져 편서풍이 분다.
④ (가)의 기압대에는 고위도에서 이동해 온 공기와 저위도에서
이동해 온 공기가 만나 상승하여 저기압이 잘 발달한다.
┃**바로알기**┃ ⑤ (나)에는 고압대, (다)에는 저압대가 형성되므로
강수량은 (다)보다 (나)의 기압대에서 적다.

06 꼼꼼 문제 분석

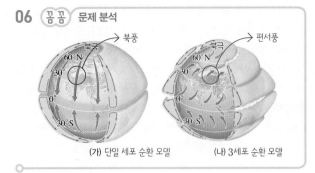

(가) 단일 세포 순환 모델   (나) 3세포 순환 모델

ㄴ. (가)와 (나)의 경우 모두 대기 대순환 과정에서 저위도의 에너지가 고위도로 수송된다.

바로알기 ㄱ. 지구가 자전하지 않으면 적도에서 가열된 공기가 상승하고 극에서 냉각된 공기가 하강하여 적도에서 극 사이에 하나의 대류 세포가 형성되므로 (가)와 같은 모델이 된다. 지구가 자전하면, 전향력의 영향으로 적도에서 극 사이에 3개의 순환 세포가 형성되어 (나)와 같은 모델이 된다.

ㄷ. (가)에서는 북반구 어느 위도에서나 지상에서 북풍이 불지만, (나)에서는 북반구 위도 50° 지상에서는 편서풍이 분다.

07 꼼꼼 문제 분석

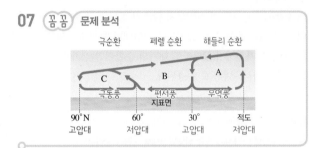

ㄴ. A와 B의 경계인 위도 30°에서는 하강 기류가 발달하여 중위도 고압대(아열대 고압대)가 형성된다.

바로알기 ㄱ. A는 적도에서 가열된 공기가 상승하고, 위도 30° 부근에서 하강하여 적도로 되돌아오는 해들리 순환으로, 온도 차이에 의한 직접 순환에 해당한다. 간접순환은 페렐 순환인 B이다.

ㄷ. C의 지상에서는 극동풍이 불고, 무역풍은 A의 지상에서 분다.

08 ③ 미규모나 중규모의 대기 순환은 전향력의 영향을 거의 받지 않지만, 종관 규모 이상의 순환은 전향력의 영향을 많이 받는다.

바로알기 ① 일반적으로 수평 규모가 클수록 보유하는 에너지가 많아 시간 규모도 크다.

② 중규모의 순환에는 적란운이 발달하는 뇌우도 포함된다.

④ 종관 규모에는 고기압, 저기압, 태풍 등이 속하며, 일기도에 나타난다.

⑤ 큰 규모의 순환에서는 지구 둘레의 길이가 대기의 두께보다 훨씬 크기 때문에 연직 규모가 수평 규모보다 훨씬 작다.

09 꼼꼼 문제 분석

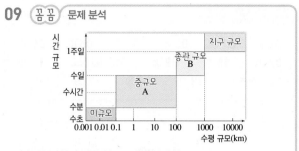

• 시간 규모: 미규모<중규모<종관 규모<지구 규모
• 수평 규모: 미규모<중규모<종관 규모<지구 규모

ㄷ. 대기 순환의 규모가 클수록 전향력의 영향을 크게 받는다. 중규모인 A는 전향력의 영향을 거의 받지 않지만, 종관 규모인 B는 전향력의 영향을 크게 받는다.

바로알기 ㄱ. A는 해륙풍, 산곡풍 등의 중규모 순환으로, 일기도에 잘 나타나지 않는다.

ㄴ. A는 수평 규모가 수백 m~수백 km 정도이고 시간 규모가 수분~수일 정도인 중규모로, 토네이도는 A에 속한다. B는 종관 규모로, 수평 규모가 수천 km에 이르며 수일~1주일 정도 지속되는 현상들이 이에 속한다.

10 뇌우는 중규모, 태풍은 종관 규모, 난류는 미규모 순환이다. 중규모의 시간 규모는 수분~수일, 종관 규모의 시간 규모는 수일~1주일, 미규모의 시간 규모는 수초~수분이다.

(모범답안) (가)는 중규모, (나)는 종관 규모, (다)는 미규모 대기 순환이다. 시간 규모가 큰 것부터 순서대로 나열하면 (나) → (가) → (다)이다.

채점 기준	배점
규모의 이름을 옳게 쓰고, 시간 규모 순서대로 옳게 나열한 경우	100 %
규모의 이름과 시간 규모 순서 중 한 가지만 옳게 서술한 경우	50 %

11 꼼꼼 문제 분석

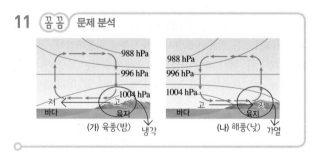

(가) 육풍(밤)   (나) 해풍(낮)

ㄱ. (가)에서는 지표면 부근의 기압이 육지에서 높고, 바다에서 낮으므로 육풍이 분다.

ㄴ. (가)는 육지가 바다보다 빨리 냉각되어 기압이 높으므로 밤의 기압 분포이고, (나)는 육지가 바다보다 빨리 가열되어 기압이 낮으므로 낮의 기압 분포이다.

바로알기 ㄷ. (가)와 (나)의 변화(해륙풍)는 해안가에서 하루를 주기로 나타나며, 육지와 바다의 열용량 차이로 발생한다.

12 꼼꼼 문제 분석

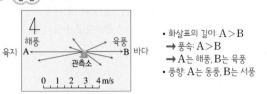

해풍의 풍속이 육풍보다 빠르므로 A는 해풍, B는 육풍이다. 해풍이 동쪽에서 불어오므로 관측소의 동쪽에 바다가, 서쪽에 육지가 위치한다.

모범답안 A는 해풍, B는 육풍이고, 바다는 관측소의 동쪽에 있다.

채점 기준	배점
바람의 종류와 바다의 위치를 모두 옳게 서술한 경우	100 %
바람의 종류만 옳게 서술한 경우	50 %

13 꼼꼼 문제 분석

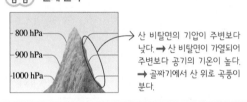

ㄴ. 산 비탈면이 가열되어 접해있는 공기의 기온이 높기 때문에 골짜기에서 산 비탈면을 따라 산 정상으로 곡풍이 분다.

바로알기 ㄱ. 산 비탈면이 같은 고도의 주변 공기에 비해 기압이 낮으므로 낮에 산 비탈면이 가열되어 형성된 등압면 분포이다.

ㄷ. 산곡풍은 하루를 주기로 풍향이 변하므로 해륙풍과 같은 중규모의 대기 순환이다.

14 ㄱ. 지표면부터 상공까지 고기압이 나타나므로 온난 고기압이다. 온난 고기압은 대기 대순환에 의해 하강 기류가 나타나는 중위도 고압대에서 형성된다.

ㄴ. 온난 고기압의 대표적인 예로 북태평양 고기압이 있다.

바로알기 ㄷ. 온난 고기압 중심부는 공기가 하강하면서 단열 압축되므로 주변 지역보다 기온이 높다.

15 ② 대륙에서 해양 쪽으로 바람이 불어가므로 대륙의 기압이 해양보다 높다. 따라서 대륙이 냉각되는 겨울철에 부는 계절풍의 모습이다.

바로알기 ① A에서 바람이 불어 나가므로 대륙의 A 부근에는 고기압이, 해양에는 저기압이 분포하고 있다.

③ 계절풍은 1년을 주기로 바람의 방향이 바뀐다.

④ 계절풍은 대륙과 해양의 열용량 차이로 발생한다.

⑤ 계절풍은 지구 규모의 대기 순환이다.

중단원 핵심 정리   238쪽~239쪽

❶ 단열 팽창 ❷ 단열 압축 ❸ 구름 ❹ 건조 ❺ 조건부 불안정 ❻ 중력 ❼ 오른쪽 ❽ 왼쪽 ❾ 반대 ❿ 지균풍 ⓫ 지상풍 ⓬ 전향력 ⓭ 한대 ⓮ 아열대 ⓯ 고기압 ⓰ 저기압 ⓱ 대기 ⓲ 무역풍 ⓳ 종관 규모 ⓴ 열용량

중단원 마무리 문제   240쪽~245쪽

01 ③ **02** ⑤ **03** ④ **04** ③ **05** ④ **06** ④
07 ③ **08** ② **09** ① **10** ② **11** ⑤ **12** ④
13 ④ **14** ② **15** ③ **16** ③ **17** ④ **18** ④
19 ① **20** ③ **21** 해설 참조 **22** 해설 참조 **23** 해설 참조 **24** 해설 참조 **25** 해설 참조 **26** 해설 참조

01 ㄱ. 구름은 공기 덩어리의 상승으로 인한 단열 팽창으로 생성되므로 A 과정으로 만들어진다.

ㄴ. 하강하는 공기 덩어리는 주변 기압의 증가로 공기가 압축되면서 내부 에너지가 증가하여 기온이 상승한다.

바로알기 ㄷ. A와 B 과정은 단열 변화로, 외부와 열 교환 없이 나타나는 공기 덩어리의 기온 변화이다.

02 (가)는 단열 압축 과정, (나)는 단열 팽창 과정이다.

ㄱ. 충분히 압축되었던 밀폐 용기에서 공기가 밖으로 빠지면, 기압이 낮아지면서 밀폐 용기 내부의 공기가 팽창한다.

ㄴ. 공기가 팽창하면 내부 에너지가 감소하여 기온이 낮아진다.

ㄷ. 기온이 낮아지면 포화 수증기량이 감소하므로 상대 습도가 높아진다.

03 꼼꼼 문제 분석

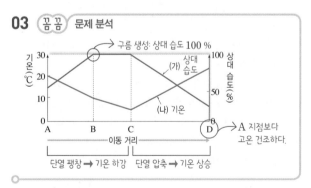

ㄴ. 상대 습도가 100 %인 B 지점부터 구름이 생성되었다.

ㄷ. A보다 D 지점의 공기 덩어리는 기온이 높고 상대 습도가 낮으므로 기온과 이슬점의 차이가 더 크다.

바로알기 ㄱ. 공기 덩어리가 상승하면 단열 팽창으로 기온이 하강하고 상대 습도가 높아지므로 기온의 변화는 (나)이다.

04 (꼼꼼) 문제 분석

높이(m)	기온(°C)	이슬점(°C)	
2000	18	10	
1500	20	20	─ 상대 습도 100 %
1000	25	20	─ 500 m에
500	27	21	2 °C 하강
0	30	26	

ㄱ. 높이 1500 m에서 기온과 이슬점이 같으므로 포화 상태이고 상대 습도는 100 %이다. 지표에서 기온은 이슬점보다 높아 불포화 상태이므로 상대 습도는 지표보다 높이 1500 m에서 더 높다.

ㄴ. 높이 500 m~1000 m 구간에서 공기는 불포화 상태이고, 기온 감률은 0.4 °C/100 m로 건조 단열 감률(1 °C/100 m)보다 작으므로 대기는 안정하다.

┃**바로알기**┃ ㄷ. 지표의 공기 덩어리가 강제로 상승될 때의 상승 응결 고도는 125×(30−26)=125×4=500(m)이다.

05 굴뚝의 연기가 높이 15 m 이상에서는 위로 퍼져 나가지만, 15 m 아래로는 퍼져 나가지 못한다. 따라서 높이 15 m를 기준으로 위층의 대기는 불안정한 상태이고, 아래층의 대기는 안정한 상태이므로 15 m 아래에 역전층이 나타나는 ④의 기온 분포가 적절하다.

06 (꼼꼼) 문제 분석

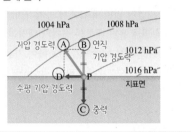

ㄱ. A는 기압이 높은 곳에서 낮은 곳으로 등압선에 직각인 방향으로 작용하는 기압 경도력이다.

ㄷ. 연직 기압 경도력과 중력은 정역학 평형을 이루어 상쇄되므로 P 지점의 공기는 수평 기압 경도력인 D 방향으로 이동한다.

┃**바로알기**┃ ㄴ. 정역학 평형 상태이므로 위쪽으로 작용하는 연직 기압 경도력인 B와 아래쪽으로 작용하는 중력 C는 크기가 같지만, 방향이 서로 반대이다.

07 ㄱ. 기압 경도력은 기압이 높은 곳에서 낮은 곳으로 작용하므로 P 지점에서 기압 경도력은 동쪽으로 작용한다.

ㄷ. 기압 차이가 같을 때, 기압 경도력은 등압선의 간격이 좁을수록 커지므로 P보다 Q 지점에서 기압 경도력이 더 크고, 기압 경도력이 클수록 풍속이 빠르다.

┃**바로알기**┃ ㄴ. 기압 경도력은 두 지점 사이의 기압 차이가 클수록, 등압선 간격이 좁을수록 증가한다. P와 Q 지점은 기압 차이가 같고 Q 지점에서 등압선 간격이 좁으므로 P보다 Q 지점에서 기압 경도력이 더 크다.

08 a는 기압 경도력, b는 전향력이다.

ㄴ. 지균풍이 형성된 A에서 a와 b는 평형을 이룬다.

┃**바로알기**┃ ㄱ. 전향력(b)이 바람 방향의 오른쪽 직각 방향으로 작용하는 것으로 보아 이 지역은 북반구에 위치한다. 남반구에서는 전향력이 바람 방향의 왼쪽 직각 방향으로 작용한다.

ㄷ. 등압선의 간격이 좁아지면 기압 경도력인 a가 증가하므로 풍속이 증가하여 전향력인 b도 증가한다.

09 (꼼꼼) 문제 분석

(가) 저기압성 경도풍   (나) 고기압성 경도풍

ㄱ. (가) 저기압성 경도풍은 기압 경도력이 중심 방향으로 작용하므로 북반구에서 바람은 기압 경도력의 오른쪽 직각 방향, 즉 시계 반대 방향으로 등압선에 나란하게 분다.

┃**바로알기**┃ ㄴ. (나)는 중심 방향으로 전향력이 작용하고 바깥쪽으로 기압 경도력이 작용하며, 이 두 힘의 차이가 구심력으로 작용하여 바람이 분다. 전향력이 기압 경도력보다 크므로 기압 경도력과 구심력의 크기의 합은 전향력의 크기와 같다.

ㄷ. 기압 경도력이 같을 경우, 고기압성 경도풍(B)은 저기압성 경도풍(A)보다 전향력이 크게 작용하므로 풍속이 더 빠르다.

10 (꼼꼼) 문제 분석

북반구에서 바람은 기압 경도력의 오른쪽으로 불므로 A는 기압 경도력이고, 바람의 반대 방향으로 마찰력이 작용하므로 B는 마찰력이다. 바람의 오른쪽 직각 방향으로 전향력이 작용하므로 C는 전향력이다.

ㄴ. 이 지역의 바람은 지상풍이다. 지상풍은 마찰력(B)과 전향력(C)의 합력이 기압 경도력(A)과 평형을 이루면서 부는 바람이다.

바로알기 ㄱ. 기압 경도력(A)은 고기압에서 저기압 쪽으로 작용하므로 a는 b보다 기압이 낮다.

ㄷ. 마찰력(B)의 크기가 커지면 바람과 등압선이 이루는 경각(θ)은 커지고, 풍속은 감소하므로 전향력(C)의 크기는 작아진다.

11 (꼼꼼) 문제 분석

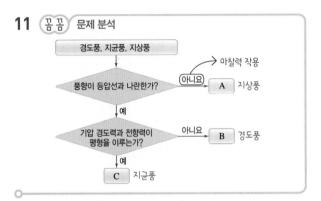

ㄱ. A는 지상풍으로, 지표면의 마찰이 영향을 미쳐 바람이 등압선을 가로질러 분다.

ㄴ. B는 경도풍으로, 등압선이 곡선일 때 등압선에 나란하게 불기 때문에 구심력이 작용한다.

ㄷ. C는 지균풍으로, 기압 경도력에 비례하고, 공기의 밀도와 기압 경도력이 같을 때 고위도로 갈수록 풍속이 느려진다.

12 (꼼꼼) 문제 분석

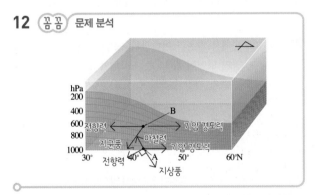

④ 북반구 상층에 위치한 B 지점에서는 기압 경도력이 북쪽으로 작용하고, 전향력이 남쪽으로 작용하므로 지균풍이 기압 경도력의 오른쪽 직각 방향인 동쪽으로 분다. 따라서 서풍이 분다.

바로알기 ① A 지점에서는 지표면 마찰의 영향을 받으므로 지상풍이 분다.

② A 지점에서 바람이 북동쪽으로 불므로 바람에 작용하는 전향력은 바람의 오른쪽 직각 방향인 남동쪽으로 작용한다.

③ B 지점에서는 지균풍이 불므로 B 지점에서 부는 바람에 작용하는 전향력의 크기는 기압 경도력과 같다.

⑤ A → B로 고도가 높아짐에 따라 지표면 마찰의 영향이 작아지므로 풍속은 빨라진다.

13
ㄱ. 회전 속도를 증가시키면 파동의 수가 늘어나 물의 흐름이 더욱 복잡해진다.

ㄷ. 회전 속도를 증가시키면 내벽을 따라 파동의 바깥쪽(B)에는 시계 방향의 고기압성 소용돌이가 생긴다.

ㄹ. 알루미늄 조각은 물에 떠서 물의 움직임을 따라 이동한다. 따라서 물의 파동을 잘 관찰하기 위해 넣은 것이다.

바로알기 ㄴ. 회전 속도를 증가시키면 외벽을 따라 파동의 안쪽(A)에는 시계 반대 방향의 저기압성 소용돌이가 생긴다.

14
ㄴ. 편서풍 파동은 남북 간의 기온 차이로 중위도의 대기 상층에서 나타나는 변화이다.

바로알기 ㄱ. 파동의 진폭이 점점 커지면서 성장하고 파동의 일부가 떨어져 나오므로 편서풍 파동은 (가) → (다) → (나) 순으로 변화한다.

ㄷ. 공기 덩어리 A는 시계 반대 방향으로 회전하므로 저기압성 회전을 한다.

15 (꼼꼼) 문제 분석

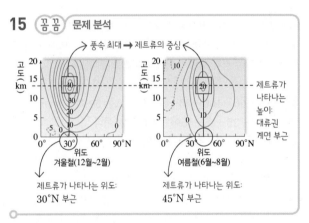

ㄱ. 최대 풍속은 겨울철이 40 m/s이고, 여름철이 20 m/s이다. 제트류의 풍속은 남북 간의 기온 차이가 큰 겨울철에 더 빠르다.

ㄴ. 겨울철과 여름철에 제트류의 중심은 고도 13 km 정도에 위치하며, 이 높이는 대류권 계면 부근이다.

바로알기 ㄷ. 제트류의 중심이 겨울철에는 위도 30°N 부근에, 여름철에는 위도 45°N 부근에 위치해 있으므로 겨울철이 여름철보다 저위도까지 내려온다.

16
③ C에는 하강 기류가 형성되어 이동성 고기압이 발달하고, D에는 상승 기류가 형성되어 온대 저기압이 발달한다.

바로알기 ① A와 B에서는 지표면의 마찰력이 작용하지 않아 등압선에 평행하게 바람이 분다.

② A에서는 고기압성 경도풍, B에서는 저기압성 경도풍이 불므로 A에서 B로 가면서 풍속이 느려지고 A와 B 사이에서 공기가 수렴한다.

④ D에서 생성된 저기압은 편서풍을 따라 동쪽으로 이동한다.

⑤ 상층 기압골의 동쪽에서는 풍속이 점점 빨라지면서 공기가 발산한다.

17 꼼꼼 문제 분석

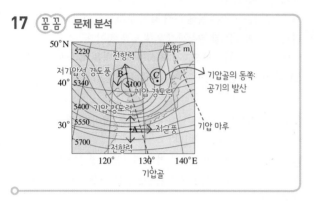

ㄴ. B에서 저기압성 경도풍이 불므로 기압 경도력의 크기는 전향력과 구심력을 합한 크기와 같으므로 전향력의 크기보다 크다.

ㄷ. 기압골의 동쪽에 위치한 C에서는 공기의 발산이 일어나 상승 기류가 형성되어 지상에 저기압이 발달한다.

바로알기 ㄱ. 상층 500 hPa 등압면에서는 마찰력이 거의 작용하지 않는다. A에서 부는 바람은 지균풍에 가까우므로 기압 경도력의 오른쪽 직각 방향인 서에서 동으로 분다.

18
- 4+66=100−25−A이므로 A는 5이다.
- B=100−25−A−45이므로 B는 25이다.
- 45+C=133이므로 C는 88이다.

ㄴ. 지구에 도달하는 태양 복사 에너지의 양을 100이라고 할 때, 대기가 흡수하는 태양 복사 에너지의 양(B)은 25로, 대기가 지표면으로부터 흡수하는 지구 복사 에너지의 양(129)보다 적다.

ㄷ. 온실 기체는 지구 복사 에너지를 잘 흡수하므로 대기 중 온실 기체의 농도가 증가하면 대기가 흡수하는 복사 에너지의 양이 증가하고 그에 따라 대기로부터 지표면이 흡수하는 C도 증가한다.

바로알기 ㄱ. 빙하의 면적이 감소하면 지표면에서 반사되어 우주로 나가는 에너지의 양(A)이 감소한다.

19 꼼꼼 문제 분석

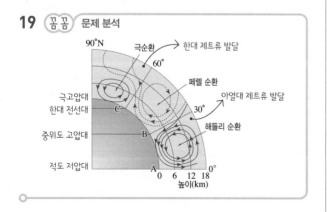

② A 지역은 상승 기류가 발달한 적도 저압대(열대 수렴대)이다. 저압대에서는 구름이 잘 발생하므로 강수량이 많다.

③ B 지역은 중위도 고압대(아열대 고압대)로, 하강 기류가 발달하여 구름이 잘 소멸하므로 증발량이 많고 강수량은 적다.

④ C 지역은 한대 전선대로, 상공에는 한대 제트류가 발달한다.

⑤ 중위도 지역에서 일어나는 B에서 C로의 열에너지 수송은 주로 편서풍 파동에 의해 일어난다.

바로알기 ① A와 B 사이의 지표면에서는 고압대인 B에서 저압대인 A로 공기가 이동하다가 전향력 때문에 오른쪽으로 편향되어 무역풍이 분다.

20 꼼꼼 문제 분석

구분	공간 규모(수평 규모)	예
A 미규모	수백 m 이내	난류
B 중규모	수백 m~수백 km	해륙풍
C 종관 규모	수백 km~수천 km	태풍

공간 규모 크기: A<B<C ➡ 시간 규모 크기: A<B<C

ㄷ. 일기도에 잘 나타나는 규모는 종관 규모이므로 C이다.

바로알기 ㄱ. 시간 규모는 공간 규모에 대체로 비례하므로 순환이 지속되는 시간은 A<B<C이다.

ㄴ. 전향력이 고려되는 규모는 종관 규모 이상이다. B는 중규모이므로 풍향을 결정할 때 전향력을 고려하지 않아도 된다.

21
(1) 지표면에서 기온과 이슬점의 차이가 클수록 상승 응결 고도가 높다. 공기 덩어리 A~C는 지표면에서 기온이 같고, 상승 응결 고도는 A가 가장 높으므로 지표면에서 이슬점은 A가 가장 낮다.

(2) 응결이 일어날 때 공기 덩어리는 포화 상태이므로 상대 습도는 100 %이다.

모범답안 (1) A

(2) C, 높이 h_1에서 A와 B는 응결이 일어나지 않지만, C는 응결이 일어나 구름이 생성되었기 때문이다.

채점 기준		배점
(1)	이슬점이 가장 낮은 것을 옳게 고른 경우	40 %
(2)	상대 습도가 가장 높은 것을 고르고, 그 까닭을 옳게 서술한 경우	60 %
	상대 습도가 가장 높은 것만 고른 경우	30 %

22 상승 응결 고도는 125×(22−14)=1000(m)이다.

모범답안 · B 지점의 기온:

$$(22 \,°C − \frac{1 \,°C}{100 \,m} × 1000 \,m) − (\frac{0.5 \,°C}{100 \,m} × 1000 \,m)$$
$$+ (\frac{1 \,°C}{100 \,m} × 2000 \,m) = 27 \,°C$$

• B 지점의 이슬점:

$$\left(14\,^\circ\mathrm{C} - \frac{0.2\,^\circ\mathrm{C}}{100\,\mathrm{m}} \times 1000\,\mathrm{m}\right) - \left(\frac{0.5\,^\circ\mathrm{C}}{100\,\mathrm{m}} \times 1000\,\mathrm{m}\right)$$
$$+ \left(\frac{0.2\,^\circ\mathrm{C}}{100\,\mathrm{m}} \times 2000\,\mathrm{m}\right) = 11\,^\circ\mathrm{C}$$

채점 기준	배점
기온과 이슬점을 식과 함께 옳게 구한 경우	100 %
기온과 이슬점 중 한 가지만 식과 함께 옳게 구한 경우	50 %
두 계산 과정은 옳았으나 답이 틀린 경우	50 %

23 지균풍의 속력을 구하는 수식에 $\rho = 0.7\,\mathrm{kg/m^3}$, $\Omega = 7.292 \times 10^{-5}/\mathrm{s}$, $\varphi = 30^\circ$, $\Delta P = 5\,\mathrm{hPa} = 500\,\mathrm{Pa} = 500\,\mathrm{kg/m \cdot s^2}$, $d = 500\,\mathrm{km} = 5 \times 10^5\,\mathrm{m}$를 대입한다.

모범답안 지균풍의 속력 $= \dfrac{1}{2\Omega\sin\varphi} \cdot \dfrac{1}{\rho} \cdot \dfrac{\Delta P}{d}$

$= \dfrac{1}{2 \times 7.292 \times 10^{-5}/\mathrm{s} \times \sin 30^\circ \times 0.7\,\mathrm{kg/m^3}} \times \dfrac{500\,\mathrm{kg/m \cdot s^2}}{5 \times 10^5\,\mathrm{m}} \fallingdotseq 19.6\,\mathrm{m/s}$
지균풍의 속력은 약 19.6 m/s이다.

채점 기준	배점
지균풍의 속력을 계산 과정과 함께 옳게 구한 경우	100 %
계산 과정은 옳았으나 답이 틀린 경우	50 %

24 **모범답안** 저위도와 고위도의 기온 차이와 지구 자전에 의한 전향력에 의해 편서풍 파동이 발생한다. 저위도의 과잉 에너지를 고위도로 수송하여 지구의 위도별 에너지 불균형을 해소하는 역할을 한다.

채점 기준	배점
발생 원인과 역할을 모두 옳게 서술한 경우	100 %
발생 원인과 역할 중 한 가지만 옳게 서술한 경우	50 %

25 **꼼꼼** 문제 분석

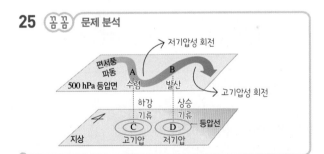

모범답안 A 지점에서는 공기가 수렴하면서 하강 기류가 발달하여 지상의 C 지점에서는 고기압이 형성된다. B 지점에서는 공기가 발산하면서 상승 기류가 발달하여 지상의 D 지점에서는 저기압이 형성된다.

채점 기준	배점
A와 B 지점에서 공기의 수렴 및 발산과 C와 D 지점에서 형성되는 기압을 모두 옳게 서술한 경우	100 %
A와 B 지점에서 일어나는 수렴 및 발산만 옳게 서술한 경우	50 %
C와 D 지점에서 형성되는 기압만 옳게 서술한 경우	

26 (1) 직접 순환은 온도 차이로 발생한 열적 순환이다.

모범답안 (1) A: 극순환, B: 페렐 순환, C: 해들리 순환, 직접 순환: A, C
(2) (나), 하강 기류가 발달하여 고압대가 형성되므로 건조한 기후가 형성되어 사막이 잘 발달한다.

	채점 기준	배점
(1)	A~C 순환의 이름과 직접 순환에 해당하는 것을 옳게 쓴 경우	50 %
	A~C 순환의 이름만 옳게 쓴 경우	30 %
	직접 순환만 모두 옳게 고른 경우	
(2)	사막이 잘 발달하는 지역을 고르고, 그 까닭을 옳게 서술한 경우	50 %
	사막이 잘 발달한 지역만 옳게 고른 경우	30 %

수능 실전 문제 246쪽~249쪽

01 ①	02 ②	03 ③	04 ④	05 ⑤	06 ①
07 ③	08 ①	09 ②	10 ③	11 ④	12 ⑤
13 ③	14 ④	15 ②	16 ③		

01 **꼼꼼** 문제 분석

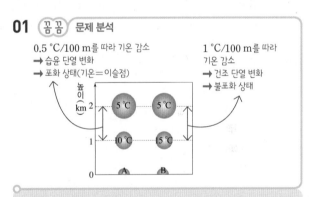

선택지 분석
ㄱ. 지표면에서 A의 이슬점은 12 °C이다.
✗ ㄴ. B가 상승하는 동안 상대 습도는 일정하다. 증가한다
✗ ㄷ. 지표면에서 기온은 A가 B보다 높다. 낮다

ㄱ. A는 높이 1 km에서 기온이 10 °C로 포화되었으므로 이슬점도 10 °C이다. 이슬점 감률은 0.2 °C/100 m이므로 지표면에서의 이슬점은 $10\,^\circ\mathrm{C} + 1000\,\mathrm{m} \times \dfrac{0.2\,^\circ\mathrm{C}}{100\,\mathrm{m}} = 12\,^\circ\mathrm{C}$이다.

바로알기 ㄴ. 불포화 상태의 공기 덩어리가 상승하면 이슬점 감률보다 기온 감률이 더 크므로 상대 습도는 증가한다.
ㄷ. 높이 1 km에서 공기 덩어리 A와 B의 기온은 각각 10 °C와 15 °C이므로 지표면에서의 기온은 건조 단열 감률을 따라 1 °C/100 m씩 상승하여 A는 20 °C, B는 25 °C이다.

02 꼼꼼 문제 분석

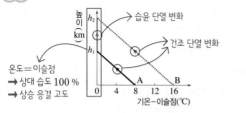

┃선택지 분석┃

✗ 상승 응결 고도는 A가 B보다 높다. 낮다

ㄴ 높이 h_1~h_2에서 이슬점 감률은 A가 B보다 크다.

✗ 높이 h_2에서 이슬점은 A와 B가 같다. A가 B보다 낮다

ㄴ. 높이 h_1~h_2에서 A는 기온과 이슬점이 같으므로 포화 상태이고, B는 불포화 상태이다. 포화 상태에서의 이슬점 감률은 0.5 ℃/100 m이고, 불포화 상태에서의 이슬점 감률은 0.2 ℃/100 m이다. 따라서 이슬점 감률은 A가 B보다 크다.

┃바로알기┃ ㄱ. A의 상승 응결 고도는 높이 h_1이고, B의 상승 응결 고도는 높이 h_2이므로, 상승 응결 고도는 A가 B보다 낮다.

ㄷ. 지표면에서 A와 B의 이슬점은 같지만, 높이 h_1~h_2 구간의 이슬점 감률이 A가 B보다 크므로 높이 h_2에서 이슬점은 A가 B보다 낮다.

03 꼼꼼 문제 분석

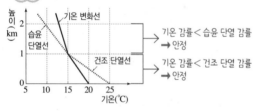

┃선택지 분석┃

㉠ 기온 감률은 단열 감률보다 작다.

㉡ 이 지역의 기층은 안정하다.

✗ 지표에서 기온이 25 ℃인 공기 덩어리는 높이 2 km까지 상승할 것이다. 1 km

ㄱ. 불포화 상태일 때 기온 감률은 0.5 ℃/100 m이므로 건조 단열 감률(1 ℃/100 m)보다 작고, 포화 상태일 때 기온 감률은 약 0.2 ℃/100 m이므로 습윤 단열 감률(0.5 ℃/100 m)보다 작다.

ㄴ. 이 지역의 기층은 기온 감률이 단열 감률보다 작기 때문에 불포화 상태일 때와 포화 상태일 때 모두 안정하다.

┃바로알기┃ ㄷ. 지표에서 기온이 25 ℃인 공기 덩어리는 높이 1 km까지는 주변 기온보다 높아 상승하다가 이 높이부터는 주변 공기보다 기온이 낮으므로 더 이상 상승하지 못한다.

04 꼼꼼 문제 분석

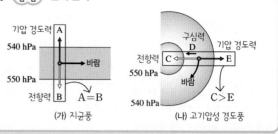

┃선택지 분석┃

✗ (가)는 북반구에서, (나)는 남반구에서 부는 바람이다. 북반구

㉡ 힘 A와 E는 크기가 같다.

㉢ 풍속은 (나)가 (가)보다 빠르다.

ㄴ. 힘 A와 E는 기압 경도력이다. 두 지점의 등압선 간격과 기압 차이(10 hPa)가 같으므로 기압 경도력의 크기가 같다.

ㄷ. (가)에서는 기압 경도력(A)과 전향력(B)이 평형을 이루므로 크기가 같다. (나)에서는 구심력(D)=전향력(C)-기압 경도력(E)의 관계가 있으므로 전향력이 기압 경도력보다 크다. (가)와 (나)의 기압 경도력의 크기가 같으므로 전향력은 (나)가 (가)보다 크다. 따라서 풍속은 (나)가 (가)보다 빠르다.

┃바로알기┃ ㄱ. (가)와 (나) 모두 바람이 기압 경도력에 대해 오른쪽 직각 방향으로 부는 것으로 보아 북반구에서 부는 바람이다. 남반구의 바람은 기압 경도력에 대해 왼쪽 직각 방향으로 분다.

05 꼼꼼 문제 분석

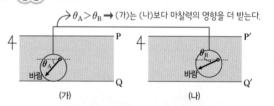

┃선택지 분석┃

㉠ (나)는 (가)보다 상공의 지점이다.

㉡ 마찰력은 (가)가 (나)보다 크다.

㉢ 전향력은 (가)가 (나)보다 작다.

ㄱ. 마찰력이 클수록 경각(θ)이 크다. θ_B는 θ_A보다 작으므로 (나)는 (가)보다 마찰력의 영향을 덜 받는다. 마찰력은 상공으로 올라갈수록 작아지므로 (나)는 (가)보다 상공의 지점이다.

ㄴ. 높이 올라갈수록 마찰력의 영향이 감소하므로 마찰력은 (가)가 (나)보다 크다.

ㄷ. (가)에서 (나)로 갈수록 마찰력이 감소하므로 풍속이 증가하면서 전향력도 증가한다. 따라서 전향력은 (나)가 (가)보다 크다.

06 꼼꼼 문제 분석

높이 올라갈수록 마찰력이 감소한다.

선택지 분석

㉠ A에서는 남서풍이 분다.

✗ 기압 경도력의 방향은 A와 B에서 ~~다르다.~~ 같다

✗ 바람과 등압선이 이루는 각은 A보다 B에서 ~~크다.~~ 작다

ㄱ. 기압 경도력은 기압이 높은 곳에서 낮은 곳으로 작용하므로 A에서는 북쪽을 향하고, 북반구 지상이므로 바람은 마찰력의 영향을 받아 기압 경도력에 대해 오른쪽으로 비스듬하게 불므로 남서풍이 분다.

바로알기 ㄴ. 기압 경도력은 고기압에서 저기압 쪽으로 등압선에 직각 방향으로 작용하므로 기압 경도력의 방향은 A와 B 모두 북쪽으로 같다.

ㄷ. 고도가 높아질수록 공기에 작용하는 마찰력이 감소하므로 등압선과 바람이 이루는 각은 점차 작아져 풍향이 등압선에 나란해진다.

07 꼼꼼 문제 분석

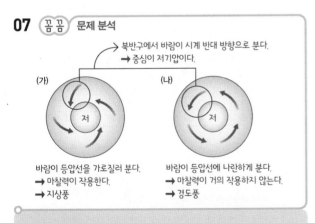

북반구에서 바람이 시계 반대 방향으로 분다.
→ 중심이 저기압이다.

(가) 바람이 등압선을 가로질러 분다.
→ 마찰력이 작용한다.
→ 지상풍

(나) 바람이 등압선에 나란하게 분다.
→ 마찰력이 거의 작용하지 않는다.
→ 경도풍

선택지 분석

㉠ (가)와 (나)의 중심부 기압은 주위보다 낮다.

㉡ 풍속은 (가)보다 (나)에서 빠르다.

✗ (나)에서 전향력과 기압 경도력의 크기가 같다.
기압 경도력의 크기가 전향력보다 크다

ㄱ. (가)는 바람이 시계 반대 방향으로 회전하면서 중심부로 불어 들어가므로 중심부는 저기압이다. (나)는 바람이 등압선에 나란하게 시계 반대 방향으로 불고 있으므로 중심부가 저기압이다. 따라서 (가)와 (나)의 중심부의 기압은 모두 주위보다 낮다.

ㄴ. (가)와 (나)의 기압 경도력은 같지만, (나)는 지상풍으로, 마찰력이 작용하기 때문에 풍속은 (가)보다 상공에서 부는 (나)에서 더 빠르다.

바로알기 ㄷ. (나)에서 중심 방향으로 작용하는 기압 경도력이 바깥쪽으로 작용하는 전향력보다 크므로 기압 경도력의 일부가 구심력 역할을 한다.

08 꼼꼼 문제 분석

[실험 과정]

회선 원통에 각각 얼음물, 실온의 물, 뜨거운 물을 넣고, 회전 원통을 시계 반대 방향으로 돌린다.
└→ 지구의 자전 방향

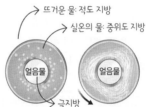

열선 / 실온의 물 / 회전 원통 / 뜨거운 물 / 회전판 / 반짝이 가루

[실험 결과]

회전 속도에 따른 물의 움직임은 다음과 같다.

뜨거운 물: 적도 지방
실온의 물: 중위도 지방
극지방

A 정지
원통 안쪽에서 물이 가라앉고 원통 바깥쪽에서 물이 떠오르면서 가루가 원통의 바깥쪽에서 중심 쪽으로 이동한다.
→ 대류 형성(해들리 순환)

B 회전 속도 느림
파동이 형성된다.
→ 편서풍 파동

C 회전 속도 빠름
파동의 수가 증가하고, 파동이 복잡해진다.

선택지 분석

㉠ 실온의 물은 중위도 지방의 공기에 해당한다.

✗ A에서 나타나는 흐름은 ~~편서풍 파동~~에 해당한다.
해들리 순환

✗ 얼음물과 뜨거운 물의 위치를 바꾸어 실험하면 파동이 ~~나타나지 않는다.~~ 나타난다

ㄱ. 실온의 물은 중위도 지방의 공기, 얼음물은 극지방의 공기, 뜨거운 물은 적도 지방의 공기에 해당한다.

바로알기 ㄴ. 회전하지 않는 A에서는 전향력에 해당하는 효과가 나타나지 않으므로 편서풍 파동에 해당하는 흐름이 나타나지 않는다. A에서는 물이 외벽 쪽에서 가열에 의해 상승하고 내벽 쪽에서 냉각에 의해 하강하여 열적 순환이 형성되므로 해들리 순환에 해당하는 흐름이 관찰된다.

ㄷ. 얼음물과 뜨거운 물의 위치를 바꾸면 중간 원통의 바깥쪽에서 물이 하강하고 안쪽에서 상승하는 대류가 형성되고, 회전 원통을 회전시키면 파동이 나타난다.

09 꼼꼼 문제 분석

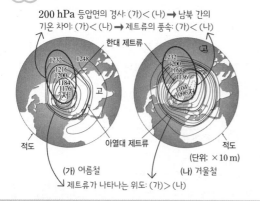

200 hPa 등압면의 경사: (가) < (나) → 남북 간의
기온 차이: (가) < (나) → 제트류의 풍속: (가) < (나)

한대 제트류

1232 1248
1216
1200
1200 고
1184
1176 저
적도
아열대 제트류
(가) 여름철

1232
1200
1168
1136
1104 저
1096
고
적도
(나) 겨울철
(단위: ×10 m)

제트류가 나타나는 위도: (가) > (나)

│선택지 분석│

✗ (가)는 겨울철에 관측한 모습이다. 여름철

ㄴ 한대 제트류의 풍속은 (나)가 (가)보다 **빠르다**.

✗ 아열대 제트류는 **동풍** 계열의 바람이다. 서풍

ㄴ. 등압면의 경사는 (가)보다 (나)가 크므로 기압 경도력이 (가)
보다 (나)가 더 크다. 따라서 한대 제트류의 평균 풍속은 (가)보다
(나)가 더 빠르다. 남북 방향의 온도 차이가 큰 겨울철이 여름철
보다 한대 제트류의 평균 풍속이 빠르다.

│바로알기│ ㄱ. 제트류는 여름철보다 겨울철에 저위도까지 내려
오므로 (가)는 여름철, (나)는 겨울철에 관측한 모습이다.

ㄷ. 그림에서 기압 경도력이 북쪽으로 작용하므로 아열대 제트류
는 동쪽으로 분다. 아열대 제트류는 해들리 순환에 의한 따뜻한
공기와 페렐 순환에 의한 찬 공기가 만나는 위도 30° 부근의 대
류권 계면에서 동쪽으로 흐르는 서풍 계열의 바람이다.

10

│선택지 분석│

㉠ (가)에서 편서풍 파동은 지상 저기압의 발달을 유도한다.

㉡ (가)에서 기압골을 지나 A 지점을 통과하는 공기의 이동
속도는 증가한다.

✗ (가)와 (나) 중 지상 저기압이 발달하는 과정에 있는 것은
(나)이다. (가)

ㄱ. (가)에서는 기압골의 동쪽에 위치한 A에서 발산이 일어나면
서 상승 기류를 형성하여 지상 저기압의 발달을 유도한다.

ㄴ. (가)에서 기압골을 지나 A 지점을 통과하는 공기의 이동 속
도는 증가하여 발산이 일어난다.

│바로알기│ ㄷ. (가)는 지상 저기압이 발달하는 과정에 있다. (나)
는 지상 저기압 위에 상층 기압골이 위치하면서 상층의 발산이
일어나지 않으므로 상승 기류를 유도하지 못하여 지상 저기압은
약해지면서 소멸된다.

11 꼼꼼 문제 분석

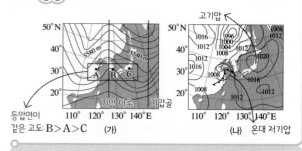

50°N
40°
30°
20°
5580 m
5580 m
A B C
110° 120° 130° 140°E
기압 마루   기압골
등압면이
같은 고도: B > A > C
(가)

고기압
50°N
40°
30°
20°
1008 1012
1016 996 1012
1012 1000
1016 1004 1008 1020
1008 1016
1008 1012
110° 120° 130° 140°E
온대 저기압
(나)

│선택지 분석│

✗ A의 고도는 B보다 높다. 낮다

㉡ C의 지상에는 하강 기류가 우세하다.

㉢ A에서 공기의 발산이 강해지면 ㉠의 중심 기압이 낮아
진다.

ㄴ. C는 우리나라를 지나는 기압 마루의 동쪽에 위치하여 공기의
수렴이 일어나 하강 기류가 우세하고 지상에 고기압이 발달한다.

ㄷ. A에서 공기의 발산이 강해지면 상승 기류가 더 강해지므로
지상의 온대 저기압의 세력이 강해진다. 저기압은 중심 기압이
낮을수록 세력이 강하므로 ㉠의 중심 기압이 더 낮아진다.

│바로알기│ ㄱ. 상층 일기도의 등고선은 상대적으로 찬 공기가 분
포하는 북쪽으로 갈수록 낮아진다. A는 B의 등고선보다 북쪽에
위치하므로 B보다 고도가 낮다.

12 꼼꼼 문제 분석

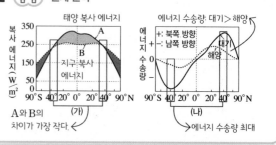

태양 복사 에너지
복사 에너지 (W/m²)
350
300
250
200
150
100
50
A
B
지구 복사
에너지
90°S 40° 20° 0° 20° 40° 90°N
(가)
A와 B의
차이가 가장 작다.

에너지 수송량: 대기 > 해양
에너지 수송량
+: 북쪽 방향
+ : 남쪽 방향
대기
0
해양
90°S 40° 20° 0° 20° 40° 90°N
(나)
에너지 수송량 최대

│선택지 분석│

㉠ (가)에서 태양 복사 에너지는 A이다.

㉡ (나)에서 에너지 수송량은 대기가 해양보다 많다.

㉢ A와 B의 차이가 가장 작은 위도에서 에너지 수송량이
최대이다.

ㄱ. 저위도에서는 태양 복사 에너지가 지구 복사 에너지보다 많
으므로 A는 태양 복사 에너지, B는 지구 복사 에너지이다.

ㄴ. (나)에서 북반구와 남반구 모두 저위도에서 고위도로의 에너
지 수송량은 대기가 해양보다 많다.

ㄷ. (가)에서 A와 B의 차이가 가장 작은 위도는 38° 부근이고,
(나)에서 에너지 수송량은 위도 38° 부근에서 최대이다.

13 꼼꼼 문제 분석

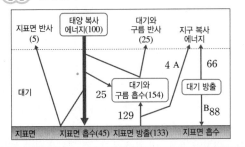

┃선택지 분석┃

ㄱ 지표면에서 우주로 방출되는 A는 4이다.

✗ 대기에서 지표면으로 방출되는 B는 97이다. 88

ㄷ 우주 공간으로 방출되는 지구 복사 에너지의 대부분은
대기에서 방출된다.

ㄱ. 대기와 구름 흡수 154 중 25는 태양으로부터, 129는 지표면
으로부터 흡수한 것이므로 A는 133−129=4이다.

ㄷ. 지구가 흡수한 태양 복사 에너지는 100−5−25=70이므
로 지구가 방출하는 지구 복사 에너지도 70이다. A는 4이고 대
기에서 우주로 방출되는 양은 70−A=66이므로 우주 공간으로
방출되는 지구 복사 에너지의 대부분은 대기에서 방출된다.

┃바로알기┃ ㄴ. 지표면에서 열수지는 흡수량과 방출량이 같다. 따
라서 45+B=133이므로 B는 88이다.

14 꼼꼼 문제 분석

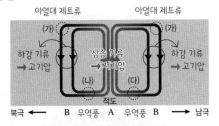

┃선택지 분석┃

✗ 연강수량은 A보다 B에서 많다. 적다

ㄴ (가)에서는 아열대 제트류가 나타난다.

ㄷ (나)와 (다)에서는 동풍 계열의 바람이 우세하게 분다.

ㄴ. (가)는 남·북위 30° 부근의 상공에서 강한 서풍이 부는 곳으
로, 아열대 제트류가 나타난다.

ㄷ. (나)에서는 북동 무역풍이 불고, (다)에서는 남동 무역풍이 불
므로 동풍 계열의 바람이 우세하게 분다.

┃바로알기┃ ㄱ. A에서는 상승 기류가 발달하므로 구름이 자주 발
생하여 연강수량이 많고, B에서는 하강 기류가 발달하므로 구름
의 발생이 적어 연강수량이 적다.

15 꼼꼼 문제 분석

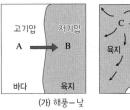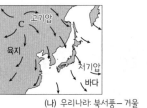

┃선택지 분석┃

✗ (가)에서 기온은 A 지역이 B 지역보다 높다. 낮다

✗ (나)에서 C 지역에는 저기압이 위치한다. 고기압

ㄷ (가)와 (나)에서 부는 바람은 주로 육지와 바다의 열용량
차이 때문에 발생한다.

ㄷ. (가)에서 부는 해륙풍과 (나)에서 부는 계절풍은 주로 육지와
바다의 열용량 차이 때문에 육지가 바다보다 빨리 가열되고 빨리
냉각되어 발생한다.

┃바로알기┃ ㄱ. 기온이 높은 지역에서는 공기가 가열되어 상승 기
류가 발생하고 저기압이 형성된다. (가)에서 상대적으로 기압이
높은 A 지역에서 기압이 낮은 B 지역으로 바람이 불어가므로,
기온은 B 지역이 A 지역보다 높다.

ㄴ. 바람은 기압이 높은 곳에서 낮은 곳으로 분다. (나)에서 계절풍
이 육지에서 바다로 불어가므로 C 지역에는 고기압이 위치한다.

16 꼼꼼 문제 분석

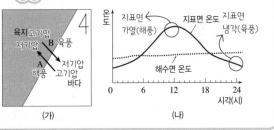

┃선택지 분석┃

ㄱ 풍속은 6시경보다 12시경에 빠르다.

✗ 12시경에 풍향은 A보다 B 방향이 우세하다. B보다 A

ㄷ 24시경에는 육지에 고기압, 바다에 저기압이 형성된다.

ㄱ. 지표면과 해수면의 온도 차이가 클수록 기압 차이가 커서 풍
속이 빠르므로 이 지역의 풍속은 6시경보다 12시경에 빠르다.

ㄷ. 24시경에는 지표면 온도가 해수면 온도보다 더 낮으므로 육
지가 냉각되어 육지에 고기압, 바다에 저기압이 형성된다.

┃바로알기┃ ㄴ. 12시경에 육지가 바다보다 빨리 가열되어 육지의
기압이 낮아지므로 바다에서 육지로 해풍이 분다. 따라서 풍향은
B보다 A 방향이 우세하다.

Ⅲ. 우주

1 행성의 운동

01 천체의 위치와 좌표계

개념 확인 문제   256쪽

❶ 방위   ❷ 남중   ❸ 135°E(동경 135°)   ❹ 경도   ❺ 위도
❻ 날짜 변경선

1 (1) ○ (2) ○ (3) × (4) × (5) × (6) ○   **2** (1) 그리니치 (2) 동
(3) 15 (4) 9   **3** (1) × (2) ○ (3) × (4) ○ (5) ×   **4** ㉠ 24,
㉡ 동, ㉢ 서

1 (1) 방위는 보통 동, 서, 남, 북의 4방위로 나타내는데, 4방위를 더 자세히 나눈 8방위도 있으며, 그 밖에도 실생활에서는 16방위, 32방위도 사용된다.
(2) 방위는 관측자를 중심으로 나타내는 것으로, 관측자의 위치가 달라지면 동일한 지점이라도 방위가 달라진다.
(3) 지도에 방위 표시가 없는 경우에는 지도의 위쪽이 북쪽, 아래쪽이 남쪽, 오른쪽이 동쪽, 왼쪽이 서쪽이 된다.
(4) 지구상에서 관측자를 통과하는 경선을 기준으로 이에 수직하는 방향을 동쪽과 서쪽으로 나타내며, 북쪽을 바라볼 때 오른쪽이 동쪽, 왼쪽이 서쪽이다.
(5) 시계의 짧은바늘을 태양 쪽으로 향하게 하였을 때, 12시 눈금과 짧은바늘이 가리키는 눈금의 중간이 남쪽이다.
(6) 관측자가 볼 때 해가 뜨는 쪽은 동쪽, 해가 지는 쪽은 서쪽이다.

2 (1) 현재 전 세계는 영국의 그리니치 천문대를 지나는 경선(경도 0°선)에 태양이 남중했을 때를 12시(정오)로 정한 시간 체계를 쓰고 있는데, 이를 세계시 또는 국제 표준시라고 한다.
(2) 지구는 서에서 동으로 자전하므로 동쪽으로 갈수록 시간이 빨라진다. 따라서 국제 표준시의 기준이 되는 경도 0°선을 기준으로 동쪽으로 갈수록 시간이 빨라진다.
(3) 지구는 1시간에 15°(=360°÷24시간)씩 자전하므로 경도 15° 차이가 나는 두 지역의 시각은 1시간 차이가 난다.
(4) 우리나라는 135°E를 표준 경선으로 사용하기 때문에 경도 0°를 표준 경선으로 사용하는 영국의 런던보다 9시간(=135°÷15°/시간)이 빠르다.

3 (1) 북극과 남극을 지나도록 지구를 나누는 세로선을 경선이라고 하고, 경선은 경도를 나타낼 때 사용한다.
(2) 경도 0°는 그리니치 천문대를 지나는 경선으로 정하였다.
(3) 경도는 그리니치 천문대를 지나는 경선을 0°로 하여 동쪽으로 180°(동경), 서쪽으로 180°(서경)까지 나누어 나타낸다.
(4) 위도는 위도가 0°인 위선, 즉 적도를 기준으로 북쪽으로 90°(북위), 남쪽으로 90°(남위)까지 나누어 나타낸다.
(5) 방위는 관측자 중심으로 위치를 나타내지만, 경도와 위도는 관측자의 위치와 관계없이 지구 중심으로 위치를 나타낸다.

4 날짜 변경선은 경도 0°에서 동쪽과 서쪽 방향으로 각각 시간을 측정하였을 때 경도 180°에서 하루(24시간)의 시간 차이가 생기는 모순을 해결하기 위해 경도 180° 태평양 부근에 설정한 가상의 선이다. 이 선을 동쪽으로 지날 때는 날짜를 하루 늦추고, 반대로 서쪽으로 지날 때는 날짜를 하루 앞당긴다.

개념 확인 문제   260쪽

❶ 천구   ❷ 수직권   ❸ 시간권   ❹ 시계   ❺ 수직권
❻ 춘분점   ❼ 시간권   ❽ 적위

1 (1) ㉡ (2) ㉢ (3) ㉐ (4) ㉑ (5) ㉒ (6) ㉓ (7) ㉔   **2** (1) ○
(2) × (3) ○ (4) × (5) ○ (6) ×   **3** 방위각: 50°, 고도: 60°,
천정 거리: 30°   **4** ㉠ A, ㉡ C   **5** ㉠ 55°, ㉡ 78.5°,
㉢ 55°, ㉣ 31.5°   **6** (1) A (2) A (3) A (4) C

1 꼼꼼 문제 분석

(1) 관측자의 머리 위를 연장할 때 천구와 만나는 점 ➡ ㉡ 천정
(2) 관측자의 지평면을 연장하여 천구와 만나는 대원 ➡ ㉢ 지평선
(3) 지구의 북극을 연장하여 천구와 만나는 점 ➡ ㉐ 천구 북극
(4) 지구의 적도를 연장하여 천구와 만나는 대원 ➡ ㉑ 천구 적도
(5) 천구 북극과 천구 남극을 지나는 대원 ➡ ㉒ 시간권
(6) 수직권 중에서 천구 북극과 천구 남극을 지나는 대원 ➡ ㉓ 자오선
(7) 자오선이 지평선과 만나는 두 점 중 천구 북극에 가까운 점 ➡ ㉔ 북점

2 (1), (2) 방위각은 북점(또는 남점)을 기준으로 지평선을 따라 시계 방향으로 재고, 고도는 지평선에서 수직권을 따라 천체까지 잰다.

(3) 지평 좌표계는 관측자 중심의 좌표계로, 관측 시각과 장소에 따라 지평면이 달라져 기준점(북점 또는 남점)과 기준선(지평선)이 달라지므로 좌표가 달라진다.

(4), (5) 적경은 춘분점을 기준으로 천구 적도를 따라 시계 반대 방향으로 재고, 적위는 천구 적도에서 시간권을 따라 천체까지 잰다.

(6) 적경이 같은 천체는 같은 시각에 남중한다. 지구는 자전축을 중심으로 자전하여 일주권이 천구 적도에 나란하게 나타나므로, 적위가 같은 천체는 일주권이 같다.

3 (꼼꼼) 문제 분석

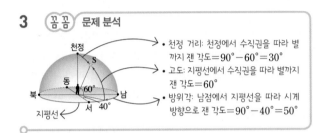

• 천정 거리: 천정에서 수직권을 따라 별까지 잰 각도=90°−60°=30°
• 고도: 지평선에서 수직권을 따라 별까지 잰 각도=60°
• 방위각: 남점에서 지평선을 따라 시계 방향으로 잰 각도=90°−40°=50°

4 B는 황도와 천구 적도가 만나는 두 교점 중 태양이 남쪽에서 북쪽으로 올라갈 때 만나는 점에 해당하므로 춘분점에 위치한다. C는 천구 적도에서 가장 북쪽에 있으므로 하지점에 위치하며, A는 천구 적도에서 가장 남쪽에 있으므로 동지점에 위치한다.

➡ A: $(18^h, −23.5°)$, B: $(0^h, 0°)$, C: $(6^h, +23.5°)$

• 적경: 춘분점을 기준으로 천구 적도를 따라 시계 반대 방향으로 측정하므로, B<C<A이다.

• 적위: 천구 적도에서 천구 북극으로 갈수록 커지므로, A<B<C이다.

5 (꼼꼼) 문제 분석

태양의 남중 고도=90°−관측자의 위도(35°)+태양의 적위

계절	태양의 적위	태양의 남중 고도
춘분날	0°	㉠: 90°−35°+0°=55°
하짓날	+23.5°	㉡: 90°−35°+23.5°=78.5°
추분날	0°	㉢: 90°−35°+0°=55°
동짓날	−23.5°	㉣: 90°−35°−23.5°=31.5°

6 (1) 태양의 남중 고도는 태양이 남쪽 자오선을 통과할 때의 고도로, A가 가장 높다.

(2) 위도가 같을 경우에는 적위가 클수록 태양의 남중 고도가 높다. A~C 중 일주권이 천구 북극에 가장 가까운 A의 적위가 가장 높다.

(3) 낮의 길이는 태양의 일주권 중 지평면 위로 보이는 부분이 길수록 길므로, A가 가장 길다.

(4) C는 태양이 남동쪽에서 떠서 남서쪽으로 지며, 태양의 남중 고도가 가장 낮으므로 겨울철에 해당한다.

261쪽~263쪽

완자쌤 비법특강

Q1 적경, 적위   **Q2** (1) 중위도 (2) 서쪽 하늘
Q3 (1) 북쪽 하늘 (2) 북극성 (3) C (4) C
Q4 출몰성

Q1 서울과 제주도는 지평면이 달라서 지평 좌표계의 기준(지평선, 북점 또는 남점)이 다르므로 별의 방위각과 고도가 다르다.

Q2 (1) 천구 적도는 별의 일주권에 나란하며, 일주권이 지평면에 대해 기울어져 있으므로 중위도 지역이다.
(2) 별의 일주권이 오른쪽 아래로 기울어져 있으므로 서쪽 하늘을 관측한 것이다.

Q3 (1) 일주권이 원형이므로 북쪽 하늘을 관측한 것이다.
(2) 별은 천구 북극에 위치한 북극성(P)을 중심으로 일주 운동한다.
(3) 북쪽 하늘을 바라볼 때 별의 일주 운동은 시계 반대 방향으로 일어나므로 관측이 끝났을 때 고도는 A<B<C이다.
(4) 방위각은 북점으로부터 시계 방향으로 별을 지나는 수직권까지 잰 각도이므로 C<B<A이다.

Q4 위도가 30°인 지방에서 출몰성의 적위 범위는 $60°>\delta>−60°$이므로 적위가 50°인 별은 출몰성이다.

대표 자료 분석

264쪽~265쪽

자료① **1** ㉠ 동, ㉡ 5   **2** A: 경선, B: 위선, λ: 경도, φ: 위도
3 (가) 위도: 40°N(북위 40), 경도: 30°W(서경 30)
(나) 위도: 10°S(남위 10), 경도: 15°W(서경 15)
(다) 위도: 40°N(북위 40), 경도: 60°E(동경 60)
4 (1) ○ (2) × (3) ○ (4) ×

자료② **1** a<b<c   **2** (1) > (2) > (3) <   **3** (1) ○
(2) × (3) ○ (4) ○ (5) ×

자료③ **1** 적경: 0^h, 적위: 0°   **2** (1) ㉠ 22, ㉡ 10, ㉢ 10^h
(2) ㉠ 24, ㉡ 12, ㉢ 12^h **3** (1) ㉠ 40, ㉡ −12.5
(2) ㉠ 50, ㉡ −2.5   **4** (1) × (2) × (3) ○ (4) × (5) ○

자료④ **1** ㉠ D, ㉡ B   **2** (1) C (2) B (3) A (4) D
3 36.5°N   **4** (1) ○ (2) × (3) ○ (4) × (5) ×

①-1 **꼼꼼** **문제 분석**

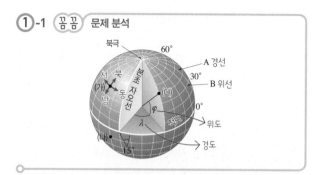

관측자를 지나는 경선을 기준으로 관측자가 북쪽을 바라볼 때 오른쪽이 동쪽, 왼쪽이 서쪽이다. 따라서 (가) 지점에서 (다) 지점을 보면 동쪽에 위치한다.

지구가 1시간에 $15°(=360°÷24$시간)씩 서에서 동으로 자전하며, (다) 지점은 (나) 지점보다 $75°(=15°×5$칸) 동쪽에 위치하므로 태양이 5시간$(=75°÷15°/$시간$)$ 먼저 남중한다.

①-2 A는 북극과 남극을 지나는 세로선이므로 경선이다. B는 지구의 자전축에 수직이고, 적도에 평행한 가로선이므로 위선이다. $λ$는 영국의 그리니치 천문대를 지나는 경선(본초 자오선)과 어떤 위치를 지나는 경선이 이루는 각도이므로, 경도이다. $φ$는 적도에서 어떤 위치를 지나는 위선이 이루는 각도이므로, 위도이다.

①-3 그림에서 위선은 $10°$ 간격, 경선은 $15°$ 간격으로 나뉘어져 있다.

(가) 지점은 적도에서 북쪽으로 $40°(=10°×4$칸$)$ 떨어져 있으므로 위도는 $40°$N(북위 $40°$)이고, 본초 자오선(그리니치 천문대를 지나는 경선)을 기준으로 서쪽으로 $30°(=15°×2$칸$)$ 떨어져 있으므로 경도는 $30°$W(서경 $30°$)이다.

(나) 지점은 적도에서 남쪽으로 $10°(=10°×1$칸$)$ 떨어져 있으므로 위도는 $10°$S(남위 $10°$)이고, 본초 자오선을 기준으로 서쪽으로 $15°(=15°×1$칸$)$ 떨어져 있으므로 경도는 $15°$W(서경 $15°$)이다.

(다) 지점은 적도에서 북쪽으로 $40°(=10°×4$칸$)$ 떨어져 있으므로 위도는 $40°$N(북위 $40°$)이고, 본초 자오선을 기준으로 동쪽으로 $60°(=15°×4$칸$)$ 떨어져 있으므로 경도는 $60°$E(동경 $60°$)이다.

①-4 (1) (다) 지점의 관측자가 북쪽을 바라볼 때 (가) 지점은 왼쪽에 있으므로 방위는 서쪽이다.

(2) 지구는 서에서 동으로 1시간에 $15°$씩 자전하므로 (나) 지점에서 태양이 먼저 남중하고, 1시간 뒤에 (가) 지점에서 태양이 남중한다.

(3) 지구는 적도가 극보다 더 볼록한 타원체이기 때문에 위선의 길이는 고위도로 갈수록 짧아진다.

(4) 날짜 변경선은 경도 $180°$ 부근으로, (가) 지점에서 (다) 지점으로 이동할 때는 시간만 변할 뿐 날짜는 변하지 않는다.

②-1 **꼼꼼** **문제 분석**

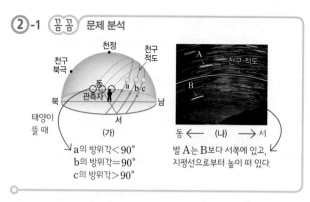

방위각은 북점을 기준으로 시계 방향으로 측정하므로 북점 → 동점 → 남점 → 서점으로 갈수록 커진다. 따라서 태양이 뜰 때 방위각의 크기를 비교하면 $a<b<c$이다.

②-2 (1) 방위각은 북 → 동 → 남 → 서로 갈수록 커지며, 별 A는 B보다 서쪽에 있으므로 방위각은 별 A가 B보다 더 크다.

(2) 고도는 지평선에서 천체를 지나는 수직권을 따라 천체까지 잰 각도로, 지평선에 높이 떠 있을수록 높다. 따라서 고도는 별 A가 B보다 높다.

(3) 천정 거리는 별의 고도가 낮을수록 크므로 별 B가 A보다 크다.

②-3 (1) (가)에서 태양이 b 경로로 일주 운동하는 동안 동 → 남 → 서 방향으로 이동하므로, 방위각은 계속 증가한다.

(2) (가)에서 태양이 질 때 태양은 a일 때 북서쪽, b일 때 서쪽, c일 때 남서쪽에 있으므로 방위각은 a 경로가 가장 크다.

(3) 남중 고도는 천체가 남쪽 자오선을 통과할 때의 고도이므로, (가)에서 태양의 남중 고도는 a 경로가 가장 높다.

(4) (나)는 남쪽 하늘을 관측한 것이고, 별 A와 B는 서쪽으로 이동하고 있으므로, A와 B의 방위각은 점점 커진다.

(5) 별의 고도는 남중할 때 가장 높다. (나)에서 별 A와 B는 아직 남중하기 전이므로, 고도는 점점 높아졌다가 낮아진다.

③-1 **꼼꼼** **문제 분석**

• 춘분날 우리나라(37.5°N)에서 남쪽 하늘을 관측
  ↳ 태양이 춘분점에 위치   ↳ 관측자의 위도: 37.5°N
• 하루 중 남중했을 때 천체의 고도가 가장 높다.

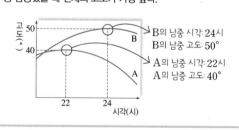

춘분날 태양은 춘분점에 있으므로 적경은 0^h, 적위는 $0°$이다.

③-2 태양의 남중 시각은 12시이다.

(1) 별 A의 남중 시각은 22시이므로, 별 A는 태양보다 10시간 늦게 남중한다. 천체의 적경이 클수록 늦게 남중하므로, 별 A의 적경은 태양의 적경보다 10^h 더 크다. 태양의 적경이 0^h이므로 별 A의 적경은 $0^h + 10^h = 10^h$이다.

(2) 별 B의 남중 시각은 24시이므로, 별 B는 태양보다 12시간 늦게 남중한다. 천체의 적경이 클수록 늦게 남중하므로, 별 B의 적경은 태양의 적경보다 12^h 더 크다. 태양의 적경이 0^h이므로 별 B의 적경은 $0^h + 12^h = 12^h$이다.

③-3 천체의 남중 고도 = 90° − 관측자의 위도 + 천체의 적위

(1) $40° = 90° − 37.5° +$ 별 A의 적위 ∴ 별 A의 적위 $= -12.5°$

(2) $50° = 90° − 37.5° +$ 별 B의 적위 ∴ 별 B의 적위 $= -2.5°$

③-4 (1) 천체의 적경이 클수록 늦게 남중하므로, 적경은 별 A가 B보다 작다.

(2) '천체의 남중 고도 = 90° − 관측자의 위도 + 천체의 적위'이므로, 관측자의 위도가 같을 경우에는 천체의 적위가 클수록 남중 고도가 높다. 따라서 적위는 별 A가 별 B보다 작다.

(3) 별의 적경 차이는 남중 시각 차이와 같다. 별 A와 B의 남중 시각이 2시간 차이가 나므로 적경 차이도 2시간이다.

(4) 별 A는 남중 고도가 40°이고, 별 B는 남중 고도가 50°이므로 별 A의 남중 고도가 별 B보다 낮다.

(5) 우리나라(37.5°N)에서 춘분날 태양의 남중 고도는 90° − 37.5° + 0° = 52.5°이고, 별 B의 남중 고도는 50°이다.

④-1 꼼꼼 **문제 분석**

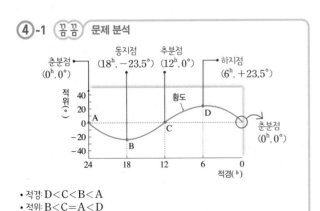

• 적경: D < C < B < A
• 적위: B < C = A < D

천체의 남중 고도는 적위와 다음과 같은 관계가 있다.
천체의 남중 고도 = 90° − 관측자의 위도 + 천체의 적위
따라서 천체의 적위가 클수록 남중 고도가 높다. 별 A~D 중 적위가 가장 큰 D의 남중 고도가 가장 높고, 적위가 가장 작은 B의 남중 고도가 가장 낮다.

④-2 자정에 남중하는 별은 태양의 반대편에 위치하므로 태양과 적경 차이가 12^h 난다.

(1) 춘분날(0^h)에는 추분점(12^h) 부근의 별(C)이 남중한다.

(2) 하짓날(6^h)에는 동지점(18^h) 부근의 별(B)이 남중한다.

(3) 추분날(12^h)에는 춘분점(0^h) 부근의 별(A)이 남중한다.

(4) 동짓날(18^h)에는 하지점(6^h) 부근의 별(D)이 남중한다.

④-3 별 B의 남중 고도는 30°이고, 별 B가 동지점에 위치하므로 적위는 −23.5°이다.
천체의 남중 고도 = 90° − 관측자의 위도 + 천체의 적위
$30° = 90° −$ 관측자의 위도 $− 23.5°$ ∴ 관측자의 위도 = 36.5°N

④-4 (1) 별 A는 적위가 0°로 천구 적도상에 위치하며, 별의 일주 운동은 지구 자전축의 수직인 천구 적도에 평행하게 나타나므로 별 A는 천구 적도를 따라 일주 운동한다.

(2) 별 B의 적경은 18^h, 적위는 −23.5°이므로 별 B는 동지점에 위치한다. 하지점은 적경이 6^h, 적위가 +23.5°이므로, 별 D가 하지점에 위치한다.

(3) 별 C가 자정에 남중할 때 태양은 별 C의 반대편에 있으므로, 태양의 적경은 0^h로 춘분점에 위치한다. 따라서 이때 계절은 봄철이다.

(4) 별 D가 자정에 남중한 날 태양은 적경이 18^h인 동지점에 위치하므로 태양의 적위는 −23.5°이다.

(5) 적경과 적위는 별의 일주 운동에 따라 변하지 않는다.

내신 만점 문제 266쪽~269쪽

01 ① 02 ③ 03 ② 04 ① 05 해설 참조
06 ② 07 ④ 08 ① 09 ② 10 ② 11 해설
참조 12 ③ 13 해설 참조 14 ③ 15 ②
16 ② 17 ④ 18 ⑤ 19 ③

01 ㄱ. 북극점을 향하는 쪽이 북쪽, 남극점을 향하는 쪽이 남쪽이다.

바로알기 ㄴ. 북극점과 남극점을 이은 경선을 기준으로 이에 수직인 방향을 동쪽과 서쪽으로 나눈다. 관측자가 북쪽을 바라보고 섰을 때 앞쪽이 북쪽, 오른쪽이 동쪽, 왼쪽이 서쪽, 뒤쪽이 남쪽이 된다. 관측자가 남쪽을 바라보고 섰을 때 앞쪽이 남쪽, 뒤쪽이 북쪽, 오른쪽이 서쪽, 왼쪽이 동쪽이 된다.

ㄷ. 방위는 관측자를 중심으로 방향을 나타내므로, 관측자의 위치가 변하면 어떤 지점을 가리키는 방위는 바뀐다.

02 ㄱ. 위도는 북극과 남극의 중간 지점을 연결한 위선인 적도를 기준으로 하여 정해진다.

ㄴ. 경도는 영국과의 시간 차이로 구할 수 있다. 경도 15°마다 1시간의 시간차가 발생하므로, 시간차에 15°를 곱하면 각 지역의 경도를 구할 수 있다.

바로알기 ㄷ. 우리나라는 동경 124°~132°에 위치하지만, 표준 경선은 동경 135°이므로 태양이 동경 135°에 남중할 때 시각이 정오이다. 서울(동경 127°)은 표준 경선보다 서쪽에 있고 지구는 서에서 동으로 자전하므로, 태양이 서울에서 남중했을 때는 12시가 지났을 무렵(약 12시 32분)이다.

03 꼼꼼 **문제 분석**

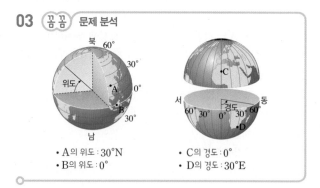

- A의 위도 : 30°N
- B의 위도 : 0°
- C의 경도 : 0°
- D의 경도 : 30°E

ㄴ. B는 위도가 0°인 적도에 위치한다.

바로알기 ㄱ. 연평균 기온은 고위도로 갈수록 낮아지므로 A(30°N)는 B(0°)보다 연평균 기온이 낮다.

ㄷ. D(30°E)는 C(0°)보다 동쪽에 위치해 있으므로 표준시가 빠르다.

04 ㄱ. 지구는 하루 24시간 동안 360°를 자전하므로, 경도 15°마다 1시간의 시간 차이가 발생한다.

바로알기 ㄴ. 표준 경선이 135°E인 서울은 경도 0°선에 위치한 영국보다 9시간(=135°÷15°/시간)이 빠르다.

ㄷ. 국제 표준시의 기준이 되는 경도 0°선에서 동쪽으로 갈수록 시간이 빨라지고, 서쪽으로 갈수록 시간이 느려진다.

05 경도 0°인 영국의 그리니치 천문대에서 동쪽 방향으로 180° 지점은 12시간 빠르고, 서쪽 방향으로 180° 지점은 12시간 느리므로 경도 180° 지점은 같은 지점임에도 불구하고 동쪽으로 측정했을 때와 서쪽으로 측정했을 때 하루(24시간)의 시간 차이가 생긴다. 따라서 날짜 변경선을 동쪽으로 지날 때는 날짜를 하루 늦추고, 서쪽으로 지날 때는 날짜를 하루 앞당긴다.

모범답안 날짜 변경선을 지날 때 날짜를 하루 늦춘다(날짜를 1일 뺀다).

채점 기준	배점
날짜를 하루 늦춘다 또는 날짜를 1일 뺀다고 서술한 경우	100 %
하루를 언급하지 않고 날짜를 늦춘다고만 서술한 경우	50 %

06 ② 수직권은 천정과 천저를 지나는 대원이므로, 관측자의 위치에 따라서 좌표가 달라진다.

바로알기 ①, ③, ④, ⑤ 황도, 시간권, 천구 북극, 천구 적도는 관측자의 위치와 관계없이 지구를 중심으로 정한 것이다.

07 ㄴ. 지구의 자전이나 관측자의 위치에 따라 지평면이 달라지므로, 기준점과 기준선이 바뀌어 지평 좌표계의 좌표는 시간과 장소에 따라 달라진다.

ㄹ. 적도 좌표계의 기준은 춘분점과 천구 적도이다. 춘분점과 천구 적도는 지구 자전의 영향을 받지 않으므로 대부분의 거리가 먼 별들의 적도 좌표계의 좌표는 시간에 관계없이 일정하지만 상대적으로 가까운 거리에 있는 태양계의 행성은 태양 주위를 공전하면서 별 사이를 이동하므로 적도 좌표가 시간에 따라 변한다.

바로알기 ㄱ. 지평 좌표계에서 방위각은 북점 또는 남점을 기준으로 측정한다. 춘분점을 기준으로 측정하는 것은 적도 좌표계의 적경이다.

ㄷ. 적도 좌표계에서 적위는 천구 적도에서 시간권을 따라 천체까지 잰 각도로 나타낸다.

08 꼼꼼 **문제 분석**

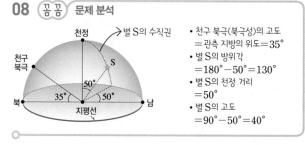

- 천구 북극(북극성)의 고도
  =관측 지방의 위도=35°
- 별 S의 방위각
  =180°−50°=130°
- 별 S의 천정 거리
  =50°
- 별 S의 고도
  =90°−50°=40°

② 천정 거리는 천정으로부터 별까지 수직권을 따라 잰 각도이므로, 별 S의 천정 거리는 50°이다.

③ 천구 북극의 고도는 북점으로부터 천구 북극까지 수직권을 따라 잰 각도이므로 35°이다.

④ 방위각은 북점으로부터 시계 방향으로 지평선을 따라 측정하므로, 별 S의 방위각은 130°(=180°−50°)이다.

⑤ 고도는 지평선에서 별을 지나는 수직권을 따라 측정하므로, 별 S의 고도는 40°(=90°−50°)이다.

바로알기 ① 천구 북극(북극성)의 고도는 그 지방의 위도와 같다. 따라서 관측 지방의 위도는 35°N이다.

09 방위각은 북점을 기준으로 시계 방향으로 지평선을 따라 측정하며, 고도는 지평선에서 별을 지나는 수직권을 따라 측정한다. 현재 별 S는 남중하고 있으므로 남쪽 하늘에서 보이고, 고도가 하루 중 가장 높다. 별은 동에서 서로 일주 운동하므로, 3시간 후 별 S는 남서쪽에 위치한다. 따라서 방위각은 증가하고, 고도는 감소한다.

10 꼼꼼 문제 분석

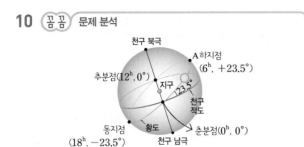

- A 지점의 적경: 춘분점으로부터 시계 반대 방향으로 90° 떨어져 있으므로 6ʰ이다.
- A 지점의 적위: 황도가 천구 적도에 약 23.5° 기울어져 있고, 하지인 A 지점은 천구 적도에서 북쪽으로 가장 멀리 떨어져 있으므로, +23.5°이다.

11 꼼꼼 문제 분석

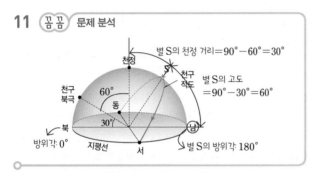

(1) 지평 좌표계의 기준점은 북점이고, 기준선은 지평선이다.
- 방위각: 별 S를 지나는 수직권(천정에서 별 S를 지나는 대원)은 지평선에서 남점을 지나므로, 북점으로부터 시계 방향으로 잰 별 S의 방위각은 180°이다.
- 천정 거리: 천정에서 수직권을 따라 별 S까지 잰 각도이다. 북점과 천정은 수직이므로 천구 북극에서 천정까지는 90° − 30° = 60°이고, 천구 북극과 천구 적도는 수직이므로 별 S의 천정 거리는 90° − 60° = 30°이다.
- 고도: 지평선에서부터 수직권을 따라 별 S까지 잰 각도이다. 천정과 지평선은 수직이므로, 별 S의 고도는 90° − 30° = 60°이다.
(2) 적도 좌표계의 기준점은 춘분점이고, 기준선은 천구 적도이다.
- 적경: 하짓날 태양은 하지점에 위치하며, 하지점은 춘분점에서 시계 반대 방향으로 90° 떨어져 있으므로 하짓날 태양의 적경은 6ʰ이다. 하짓날 자정에 남중한 별은 태양의 반대편에 위치하므로 적경이 18ʰ이다.
- 적위: 별 S는 천구 적도에 있으므로, 적위는 0°이다.

모범답안 (1) 방위각: 180°, 고도: 60°, 천정 거리: 30°
(2) 적경: 18ʰ, 적위: 0°

채점 기준		배점
(1)	방위각, 고도, 천정 거리를 모두 옳게 구한 경우	60 %
	방위각, 고도, 천정 거리 중 한 가지당 배점	20 %
(2)	적경, 적위를 모두 옳게 구한 경우	40 %
	적경, 적위 중 한 가지만 옳게 구한 경우	20 %

12 ① 태양이 지평선에 위치하므로, 고도는 0°이다.
② 춘분날에 태양의 적경은 춘분점과 같은 0ʰ이다.
④ 춘분날 태양은 정동쪽에서 떠서 정서쪽으로 진다. 따라서 태양이 지평선에 막 떠오르고 있을 때 동점에 위치하므로, 태양의 방위각은 90°이다.
⑤ 태양이 동쪽에서 떠오른 이후 남쪽을 지나 서쪽으로 지므로, 방위각은 점점 증가한다.

바로알기 ③ 춘분날 태양은 춘분점에 위치하므로 이 날 태양의 적위는 0°이다.

13 동짓날 태양의 적위는 −23.5°이므로 위도가 36.5°N인 대전에서 태양의 남중 고도는 90° − 36.5° − 23.5° = 30°이다.
태양의 남중 고도가 30°일 때, (가)동 아파트의 높이와 두 동 사이 거리(x)의 비는 $1 : \sqrt{3}$이기 때문에 두 동 사이의 거리(x)는
$40\sqrt{3} = 68$ m이다 $\left(\dfrac{40 \text{ m}}{\tan 30°} = 68 \text{ m} \right)$.

모범답안 태양의 남중 고도는 30°이고, 일조권을 확보할 수 있는 최단 거리(x)는 68 m이다.

채점 기준	배점
태양의 남중 고도와 아파트 간 최단 거리를 모두 옳게 계산한 경우	100 %
태양의 남중 고도 또는 아파트 간 최단 거리 중 한 가지만 옳게 계산한 경우	50 %

14 꼼꼼 문제 분석

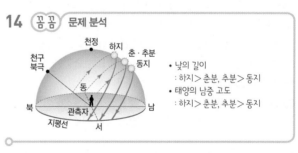

- 낮의 길이
  : 하지 > 춘분, 추분 > 동지
- 태양의 남중 고도
  : 하지 > 춘분, 추분 > 동지

ㄱ. 태양이 지평선 위에서 일주 운동하는 시간이 낮의 길이에 해당하므로, 낮의 길이는 춘분보다 하지일 때가 더 길다.
ㄷ. 태양이 춘분, 추분일 때는 정동쪽에서 떠서 정서쪽으로 지고, 하지일 때는 북동쪽에서 뜨고 북서쪽에서 지며, 동지일 때는 남동쪽에서 뜨고 남서쪽에서 진다.

바로알기 ㄴ. 태양이 남쪽 자오선을 통과할 때의 고도가 남중 고도이므로, 남중 고도는 추분보다 동지일 때 더 낮다.

15 ㄷ. 낮의 길이는 태양이 정동쪽에서 떠서 정서쪽으로 지는 춘분, 추분에 12시간이다. 이 날 태양은 북쪽으로 약간 치우쳐서 뜨고 지므로 낮의 길이는 12시간보다 길다.

바로알기 ㄱ. 이 날 태양의 일주권이 천구 적도보다 북쪽에 나타나므로 태양의 적위가 0°보다 크다. 따라서 1년 중 춘분에서 추분 사이로, 여름철에 해당한다.

ㄴ. '태양의 남중 고도=90°−관측자의 위도(30°)+태양의 적위'
이고, 이 날 태양이 천구 적도보다 북쪽에 위치하여 적위가 +값
을 가지므로 태양의 남중 고도는 60°보다 높다.

16 꼼꼼 **문제 분석**

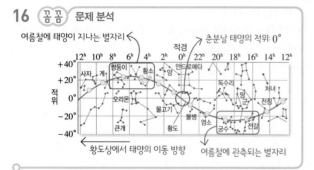

여름철에 태양이 지나는 별자리 → / ← 춘분날 태양의 적위: 0°
← 황도상에서 태양의 이동 방향
여름철에 관측되는 별자리 →

ㄷ. 한밤중에 남쪽 하늘에서 보이는 별자리는 태양의 반대편에
있으므로, 적경이 12시간 차이가 난다. 하짓날 태양의 적경은 6^h
이므로 한밤중에는 적경이 18^h 부근에 있는 궁수자리를 볼 수
있다.
┃**바로알기**┃ ㄱ. 하짓날 태양의 적위는 +23.5°이다.
ㄴ. 태양은 황도상에서 서에서 동으로 이동하므로, 다음날 태양
의 적경은 증가한다.

17 ④ 남중 고도가 높은 별 A가 별 B보다 적위가 크다.
┃**바로알기**┃ ① 별 A는 22시, 별 B는 1시에 남중하였다. 별 A가
B보다 먼저 남중해서 먼저 지므로 별 A는 별 B보다 먼저 떴다.
② 별 A의 남중 고도는 70°이고, 별 B의 남중 고도는 50°이다.
③ 별 A가 남중하고 3시간이 지난 후 별 B가 남중한 것으로 보
아 별 A와 별 B의 적경 차이는 3시간이다.
⑤ 70°=90°−40°+적위이므로 별 A의 적위는 20°이다. 따라
서 별 A는 천구 적도보다 적위가 높은 곳에서 일주권이 나타난다.

18 ① 관측자의 위도는 천구 북극과 북점이 이루는 각도이므
로, 90°−θ이다.
② 동점과 서점을 지나는 일주권이 천구 적도이므로, 별 A는 천
구 적도상에 있다.
③ 방위각은 북점을 기준으로 시계 방향으로 북 → 동 → 남 →
서로 갈수록 커지므로 B가 가장 작고, C가 가장 크다.
④ 고도는 지평선으로부터 수직권을 따라 천체까지 잰 각도로,
B가 가장 높고, A가 가장 낮다.
┃**바로알기**┃ ⑤ 남중 고도는 적위가 클수록 높다. 별의 적위는 천
구 북극에 가까운 C가 가장 크므로 남중 고도는 C가 가장 높다.

19 ㄱ. 춘분과 추분에 이 지역에서 태양의 남중 고도는 55°이
고, 태양의 적위는 0°이다. 남중 고도=90°−관측자의 위도+
적위이므로 관측자의 위도는 35°N이다.

ㄴ. 일조 시간은 태양의 남중 고도가 높을수록 길어진다. 태양의
남중 고도가 5월에는 약 70°이고, 11월에는 약 40°이므로 5월
에는 11월보다 일조 시간이 길 것이다.
┃**바로알기**┃ ㄷ. 태양의 남중 고도 변화는 지구가 자전축이 기울어
진 채로 태양 주위를 공전하기 때문에 생긴다.

02 행성의 겉보기 운동과 우주관의 변천

272쪽

완자쌤 **비법특강** Q1 초저녁, 서쪽 하늘 　Q2 충

Q1 금성이 천구상에서 태양보다 동쪽에 있을 때는 태양보다
나중에 지므로 초저녁에 서쪽 하늘에서 관측할 수 있다.

Q2 화성이 충의 위치에 있을 때는 태양과의 이각이 180°이기
때문에 약 12시간(=180°÷15°/시간) 동안 관측할 수 있다.

개념 확인 문제

273쪽

❶ 순행　❷ 증가　❸ 역행　❹ 감소　❺ 유　❻ 외합
❼ 최대 이각　❽ 내합　❾ 충　❿ 구　⓫ 충

1 (1) × (2) ○ (3) × (4) ○　**2** (1) A, C (2) B (3) C (4) D
3 ㉠ 빠르기, ㉡ 역행　**4** (1) ○ (2) ○ (3) × (4) ○　**5** (1) A
(2) D (3) B (4) C　**6** ㉠ 느리기, ㉡ 충

1 (1) 외합은 내행성−태양−지구의 순으로 일직선을 이루는
위치로, 지구에서 내행성까지의 거리가 가장 멀다. 지구에서 내
행성까지의 거리가 가장 가까울 때는 태양−내행성−지구의 순
으로 일직선을 이루는 내합이다.
(2) 내행성이 태양으로부터 동쪽으로 떨어져 있는 이각이 최대일
때를 동방 최대 이각이라고 한다.
(3) 내행성은 최대 이각 내에서 공전하므로 태양 주변에서만 관
측된다. 따라서 새벽이나 초저녁에만 관측되며, 한밤중에 남쪽
하늘에서는 보이지 않는다.
(4) 내행성은 지구보다 공전 속도가 빠르므로 내행성의 상대적
위치 관계는 외합 → 동방 최대 이각 → 내합 → 서방 최대 이각
의 순으로 변한다.

2 꼼꼼 문제 분석

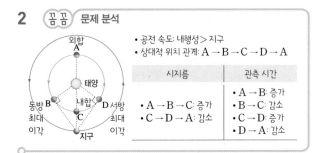

- 공전 속도: 내행성 > 지구
- 상대적 위치 관계: A → B → C → D → A

시지름	관측 시간
• A → B → C: 증가 • C → D → A: 감소	• A → B: 증가 • B → C: 감소 • C → D: 증가 • D → A: 감소

(1) 내행성이 태양과 함께 뜨고 지기 때문에 관측이 불가능한 위치는 지구에서 볼 때 태양과 내행성이 같은 방향에서 보이는 경우이므로, A(외합)와 C(내합)이다.
(2) 초저녁에 보이는 위치는 태양의 동쪽에 있는 경우이고, 관측 시간이 가장 긴 위치는 B(최대 이각)이다.
(3) 내행성의 시지름이 가장 큰 위치는 내행성이 지구에서 가장 가까울 때이므로 C(내합) 부근이다.
(4) 내행성이 태양보다 먼저 떠서 새벽에 동쪽 하늘에서 하현달 모양으로 보이는 위치는 태양이 내행성의 왼쪽 절반을 비추는 D(서방 최대 이각)이다.

3 내행성은 지구의 공전 궤도 안쪽에서 공전하기 때문에 공전 속도가 지구보다 빠르다. 이로 인해 겉보기 운동에서 순행과 역행이 일어나며, 내합 부근에 있을 때는 천구상에서 동에서 서로 역행이 일어난다.

4 (1) 충은 태양 – 지구 – 외행성의 순으로 일직선을 이루는 위치로, 지구에서 외행성까지의 거리가 가장 가깝다. 충에 위치할 때는 외행성이 가장 크고 밝게 보이며, 보름달 모양으로 보인다.
(2) 지구에서 볼 때 태양과 외행성이 직각을 이루는 위치를 구라고 하며, 태양의 서쪽에 있는 구를 서구라고 한다.
(3) 외행성은 보름달이나 보름달에 가까운 모양으로만 보인다.
(4) 외행성의 공전 속도가 지구의 공전 속도보다 느리므로 외행성의 상대적 위치 관계는 행성의 공전 방향과 반대로 충 → 동구 → 합 → 서구의 순으로 변한다.

5 꼼꼼 문제 분석

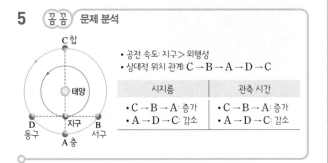

- 공전 속도: 지구 > 외행성
- 상대적 위치 관계: C → B → A → D → C

시지름	관측 시간
• C → B → A: 증가 • A → D → C: 감소	• C → B → A: 증가 • A → D → C: 감소

(1) 외행성을 관측할 수 있는 시간이 가장 긴 위치는 태양과의 이각이 180°로 가장 큰 A(충)이다.
(2) 외행성이 상현달과 보름달 사이 모양으로 보이는 위치는 태양이 외행성의 오른쪽 부분을 많이 비추는 D(동구)에 있을 때이다.
(3) 외행성이 B(서구)에 있을 때는 태양과의 이각이 90°이기 때문에 태양보다 약 6시간(= 90° ÷ 15°/시간) 일찍 뜨므로 자정에 동쪽 지평선에서 뜨고, 새벽에 남쪽 하늘에서 해 뜨기 전까지 보인다.
(4) 외행성이 C(합)에 있을 때는 태양과 적경이 같아 태양과 함께 뜨고 지므로 관측이 어렵다.

6 외행성은 지구의 공전 궤도 바깥쪽에서 공전하기 때문에 공전 속도가 지구보다 느리다. 이로 인해 겉보기 운동에서 대부분의 기간에는 서에서 동으로 순행하고, 충 부근에 있을 때 천구상에서 동에서 서로 역행한다.

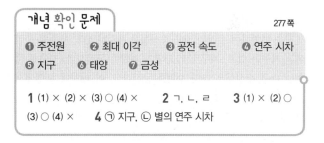

개념 확인 문제 277쪽

❶ 주전원   ❷ 최대 이각   ❸ 공전 속도   ❹ 연주 시차
❺ 지구   ❻ 태양   ❼ 금성

1 (1) × (2) × (3) ○ (4) ×   **2** ㄱ, ㄴ, ㄹ   **3** (1) × (2) ○
(3) ○ (4) ×   **4** ㉠ 지구, ㉡ 별의 연주 시차

1 (1) 프톨레마이오스의 지구 중심설에서는 지구가 우주의 중심이고, 지구로부터 멀어지는 순서로 달, 수성, 금성, 태양, 화성, 목성, 토성, 천구가 배열된다.
(2) 태양과 달은 천구상에서 역행하지 않으므로 주전원이 없으며, 이심원을 따라 지구 주위를 돈다. 행성들은 천구상에서 역행하므로 주전원을 따라 돌고, 주전원 중심이 이심원을 따라 돈다.
(3) 수성과 금성의 주전원 중심을 지구와 태양을 잇는 직선상에 두어 내행성의 최대 이각을 설명하였다.
(4) 행성들은 주전원을 따라 작은 원운동을 하면서 지구 주위를 공전하므로, 천구상에서 순행할 때와 역행할 때 행성의 겉보기 운동 속도가 다르다.

2 ㄱ. 프톨레마이오스의 지구 중심설에서는 주전원을 도입하여 행성의 역행을 설명하였다.
ㄴ. 프톨레마이오스의 지구 중심설에서는 별이 천구에 고정되어 있는 항성구가 지구 주위를 하루에 한 바퀴씩 동에서 서로 회전하는 것으로 별의 일주 운동을 설명하였다.
ㄷ. 프톨레마이오스의 지구 중심설에서는 지구가 태양 주위를 공전하지 않으므로 별의 연주 시차가 생기지 않는다.

ㄹ. 수성과 금성의 주전원 중심을 지구와 태양을 잇는 직선상에 두어 내행성의 최대 이각을 설명하였다.

ㅁ. 프톨레마이오스의 지구 중심설에서 금성은 항상 태양과 지구 사이에 있으므로 보름달에 가까운 모양이 설명되지 않는다.

3 (1) 코페르니쿠스의 태양 중심설에서는 수성과 금성이 지구의 안쪽 궤도를 공전하는 것으로 내행성의 최대 이각이 설명된다.

(2) 코페르니쿠스의 태양 중심설에서는 지구와 행성의 공전 속도 차이로 행성의 역행을 설명한다.

(3) 갈릴레이는 금성의 위상이 초승달에서 그믐달, 하현달, 보름달, 상현달 모양으로 변하는 것을 관측하였다. 코페르니쿠스의 태양 중심설에서는 금성이 외합 부근에서 보름달에 가까운 모양, 최대 이각에서 상현달과 하현달 모양, 내합 부근에서 초승달과 그믐달 모양으로 관측되는 것을 설명할 수 있다.

(4) 행성들은 실제로 타원 궤도로 운동하며 운동하는 동안 공전 속도가 변하지만, 코페르니쿠스의 태양 중심설에서는 행성의 궤도를 원궤도로 제시하여 같은 속력으로 운동을 한다고 하였다.

4 티코 브라헤는 지구 중심설을 기본으로 하여 태양 중심설의 특징을 반영하여 수정된 지구 중심설을 제시하였다. 우주의 중심에는 지구가 있고, 지구 주위를 달과 태양이 공전하며, 지구를 제외한 다른 행성들은 태양 주위를 공전한다. 이 태양계 모형에서는 금성이 태양의 건너편에 위치하여 금성−태양−지구의 순으로 배열될 수 있으므로 금성의 보름달 모양의 위상 변화를 설명할 수 있고, 지구가 움직이지 않으므로 별의 연주 시차는 설명할 수 없다.

①-1 꼼꼼 문제 분석

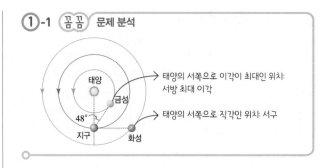

→ 태양의 서쪽으로 이각이 최대인 위치: 서방 최대 이각

→ 태양의 서쪽으로 직각인 위치: 서구

①-2 (1) 금성은 태양의 오른쪽(서쪽)에 위치하므로 새벽에 동쪽 하늘에서 관측된다. 태양보다 먼저 떠서 태양이 뜨기 전까지 관측되는데, 최대 이각이 약 48°이고 지구가 1시간에 15° 자전하므로 약 3시간(=48°÷15°/시간) 동안 관측 가능하다.

(2) 화성은 서구에 위치하므로 자정에 떠서 새벽에 남중한다. 화성이 서구에 위치할 때는 태양과 이각이 90°이므로 6시간(=90°÷15°/시간) 동안 관측 가능하다.

①-3 금성이 지구보다 공전 속도가 빠르므로 다음날 금성은 지구에서 멀어지고, 화성은 지구보다 공전 속도가 느리므로 다음날 화성은 지구에서 가까워진다.

①-4 (1) 금성은 태양의 서쪽에 위치하므로 새벽에 동쪽 하늘에서 관측된다.

(2) 화성은 동쪽 하늘에서 떠서 남쪽 하늘을 거쳐 서쪽 하늘로 진다. 서구일 때 화성은 새벽에 남중하므로, 자정에는 동쪽 하늘에서 관측된다.

(3) 금성이 서방 최대 이각에 위치할 때 태양 빛이 금성의 왼쪽을 비추므로, 금성은 하현달 모양으로 관측된다.

(4) 금성은 이날 이후 서방 최대 이각에서 외합의 위치로 이동해 가므로 지구와의 거리가 멀어져 시지름이 작아진다.

(5) 화성은 지구보다 공전 속도가 느리므로 이날 이후 지구와 거리가 점점 가까워지면서 서구에서 충에 가까워진다.

②-1 꼼꼼 문제 분석

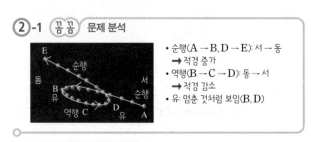

· 순행(A→B, D→E): 서→동 → 적경 증가

· 역행(B→C→D): 동→서 → 적경 감소

· 유: 멈춘 것처럼 보임(B, D)

화성은 천구상에서 A → B → C → D → E로 이동한다. 행성이 천구상에서 서에서 동으로 이동하는 것을 순행이라고 하고, 동에서 서로 이동하는 것을 역행이라고 한다. 따라서 A → B, D → E에서는 순행하고, B → C → D에서는 역행한다.

②-2 유는 행성의 겉보기 운동에서 행성의 운동 방향이 바뀔 때 잠시 멈춘 것처럼 보이는 현상으로, B와 D에서 나타난다.

②-3 적경은 천구상에서 춘분점을 기준으로 천구 적도를 따라 시계 반대 방향으로 증가한다. 따라서 행성이 천구상에서 서에서 동으로 순행하는 구간(A~B, D~E)에서는 적경이 증가하고, 동에서 서로 역행하는 구간(B~D)에서는 적경이 감소한다.

②-4 B~D 구간은 화성이 역행하는 구간이다. 화성은 외행성으로, 대부분의 기간에는 순행하고 충 부근에서는 역행한다. 따라서 B~D 구간일 때, 화성은 충 부근에 위치한다.

②-5 (1) A~B 기간 동안 화성은 천구상에서 서에서 동으로 겉보기 운동하므로 순행한다.
(2) B~D 기간 동안 화성은 천구상에서 동에서 서로 역행하므로 적경이 감소한다.
(3) 시지름은 지구에서 행성까지 거리가 가까울수록 크다. 외행성은 충 부근일 때 지구에서 가장 크게 관측되며, 충 부근에서 역행한다. 따라서 A~E 중 역행의 중심 부근인 C일 때 충이고, 이 때 시지름이 가장 크다.
(4) 화성은 충(C) 부근에 있을 때 가장 오랫동안 관측되고, 가장 밝게 관측된다.

③-1 (꼼꼼) 문제 분석

적경이 감소하는 구간=행성이 역행하는 구간

날짜 (월/일)	수성		화성		태양
	적경 ($^{h\ m}$)	겉보기 등급	적경 ($^{h\ m}$)	겉보기 등급	적경 ($^{h\ m}$)
4/ 5	01 41	-1.3	16 25	-0.6	00 58
4/20	03 06	0.2	16 29	-1.1	01 53
4/30	03 22	2.6	16 25	-1.4	02 30
5/10	03 08	4.5	16 15	-1.7	03 09
5/25	02 52	1.8	15 54	-2.1	04 09
6/ 9	03 32	0.2	15 33	-1.9	05 10
6/19	04 28	-0.5	15 24	-1.7	05 52
6/29	05 48	-1.4	15 20	-1.5	06 33
7/ 9	07 22	-2.1	15 20	-1.2	07 25

수성과 적경이 거의 같다.

화성과 적경이 약 12^h 차이

역행 구간에서 가장 어두움 ➡ 내합 부근

가장 밝음 ➡ 충 부근

행성이 천구상에서 서에서 동으로 순행할 때는 적경이 증가하고, 동에서 서로 역행할 때는 적경이 감소한다.
(1) 수성
• 4월 5일경~4월 30일경: 적경이 증가하므로 순행하였다.
• 4월 30일경~5월 25일경: 적경이 감소하므로 역행하였다.
• 5월 25일경~7월 9일경: 적경이 증가하므로 순행하였다.

(2) 화성
• 4월 5일경~4월 20일경: 적경이 증가하므로 순행하였다.
• 4월 20일경~6월 29일경: 적경이 감소하므로 역행하였다.
• 6월 29일경~7월 9일경: 적경이 증가하므로 순행하였다.

③-2 수성은 내합 부근에서, 화성은 충 부근에서 역행한다.
㉠ 수성이 역행하고, 태양과의 이각이 0°(적경 차이: 0^h)에 가까운 날은 내합 부근에 위치한다. 이때, 태양 빛에 의해 어둡게 보이므로 겉보기 등급이 가장 크다. ➡ 5월 10일경
㉡ 화성이 역행하고, 태양과의 이각이 180°(적경 차이: 12^h)에 가까운 날은 충 부근에 위치한다. 이때, 지구에서 화성까지 거리가 가장 가까우므로 가장 크고 밝게 보여 겉보기 등급이 가장 작다. ➡ 5월 25일경

③-3 (1) 유는 천구상에서 행성의 운동 방향이 바뀌면서 잠시 멈춘 것처럼 보이는 것이다. 수성은 4월 30일경, 5월 25일경으로 2회 있었고, 화성은 4월 20일경, 6월 29일경으로 2회 있었다.
(2) 5월 10일경에 수성은 역행이 일어나고, 태양과 적경 차이가 거의 없으므로 내합 부근에 있었다.
(3) 5월 25일경에는 화성이 역행하고 가장 밝게 보이므로, 충 부근에 있었다. 화성은 충 부근에서 지구와의 거리가 가장 가깝다.
(4) 화성은 충 부근에 있을 때 초저녁부터 새벽까지 관측할 수 있으므로, 5월 25일경에 화성을 가장 오랫동안 관측할 수 있었다. 충일 때 화성과 태양의 이각은 180°로 적경 차이가 약 12^{h}이다.
(5) 6월에 화성은 충에서 동구로 이동하므로, 지구에서 거리가 멀어져 시지름이 감소한다.

④-1 (꼼꼼) 문제 분석

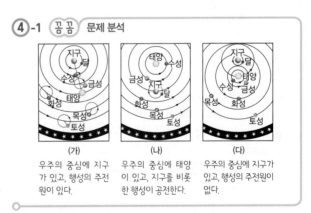

(가)
우주의 중심에 지구가 있고, 행성의 주전원이 있다.

(나)
우주의 중심에 태양이 있고, 지구를 비롯한 행성이 공전한다.

(다)
우주의 중심에 지구가 있고, 행성의 주전원이 없다.

(가)는 지구가 우주의 중심이고, 태양과 달을 비롯한 행성들은 지구 주위를 돌고 있으므로 프톨레마이오스의 지구 중심설이다.
(나)는 태양이 우주의 중심이고, 지구를 비롯한 행성들이 태양 주위를 돌고 있으므로 코페르니쿠스의 태양 중심설이다.
(다)는 지구가 우주의 중심이고, 달과 태양이 지구 주위를 돌며, 지구를 제외한 행성들은 태양 주위를 돌고 있으므로 티코 브라헤의 수정된 지구 중심설이다.

④-2 (1) (가)에서 행성들의 주전원 중심은 이심원을 따라 서에서 동으로 지구 주위를 돌며, 행성은 주전원을 따라 돌기 때문에 동에서 서로 역행하는 부분이 설명된다.

(2) (나)에서 내행성은 지구보다 공전 속도가 빠르고, 외행성은 지구보다 공전 속도가 느리다. 따라서 지구와 행성의 공전 속도 차이로 지구에서 관측할 때 동에서 서로 역행하는 구간이 나타난다.

(3) (가)에서는 수성과 금성의 주전원 중심이 지구와 태양을 잇는 직선상에 있고, (나)에서는 수성과 금성이 지구의 공전 궤도 안쪽에서 태양 주위를 공전하며, (다)에서는 수성과 금성이 태양의 공전 궤도보다 작은 궤도로 공전하고 있다. 따라서 (가)~(다)는 모두 수성과 금성이 태양에서 최대 이각 이상 멀어지지 않으므로 초저녁, 새벽에만 관측되는 것을 설명할 수 있다.

(4) (나)와 (다)는 금성이 태양의 건너편에 위치할 수 있으므로 지구-태양-금성의 순으로 배열되는 경우가 있다.

④-3 (1) 우주의 중심은 (가)와 (다)에서 지구이고, (나)에서 태양이다.

(2) (가)에서는 수성의 주전원 중심이 태양과 지구를 잇는 일직선상에 있고, (나)에서는 수성이 태양 주위를 공전하며, (다)에서는 수성이 태양의 공전 궤도보다 작은 궤도로 공전한다. 따라서 (가)~(다)는 모두 수성의 최대 이각을 설명할 수 있다.

(3) (나)에서는 금성-태양-지구의 순으로 배열되는 경우에 금성이 보름달에 가까운 모양으로 나타날 수 있다.

(4) 별의 연주 시차는 지구가 태양 주위를 공전하는 경우에만 설명되므로 (나)에서만 설명된다.

금성이 내합(B)과 동방 최대 이각(A) 사이에 위치할 때는 초저녁에 태양이 진 후 서쪽 하늘에서 볼 수 있다. 이때, 태양이 금성의 오른쪽 일부를 비추므로 위상은 초승달 모양(a)이다.

02 a는 동방 최대 이각, b는 내합, c는 서방 최대 이각이다.

ㄱ. 금성이 동방 최대 이각(a)에 위치할 때 태양이 금성의 오른쪽을 비추므로, 위상은 상현달 모양이다.

ㄹ. 금성이 서방 최대 이각(c)에 위치할 때는 태양보다 먼저 뜨므로 해 뜨기 전에 관측할 수 있다. 그리고 최대 이각이 48°이고 지구는 1시간에 15° 자전하므로 약 3시간(=48°÷15°/시간) 동안 관측할 수 있다.

바로알기 ㄴ. 내행성인 금성은 내합(b)에 위치할 때 역행한다.

ㄷ. 금성이 내합(b)에서 서방 최대 이각(c)으로 이동할 때는 지구와 금성 사이의 거리가 멀어지므로 금성의 시지름이 점차 작아진다.

03 금성이 동쪽 하늘에서 관측될 때는 태양보다 먼저 뜨므로 태양의 서쪽에 위치할 때이다. 금성이 P_1에서 P_2로 진행하는 것은 내합을 지나 서방 최대 이각으로 이동할 때이다. 따라서 태양과의 이각은 증가하고, 동에서 서로 역행하기 때문에 적경은 감소하며, 지구로부터 거리가 멀어지면서 시지름은 감소한다.

모범답안 이각은 증가하고, 적경과 시지름은 감소한다.

채점 기준	배점
이각, 적경, 시지름을 모두 옳게 서술한 경우	100 %
이각, 적경, 시지름 중 두 가지만 옳게 서술한 경우	60 %
이각, 적경, 시지름 중 한 가지만 옳게 서술한 경우	30 %

04 꼼꼼 문제 분석

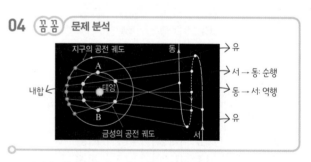

ㄱ. 금성은 태양-금성-지구의 순으로 일직선을 이루는 내합을 전후로 역행한다.

ㄴ. 금성이 A와 B에 있을 때 천구상에서 겉보기 운동의 방향이 바뀌므로 유가 관측된다.

ㄷ. 금성이 A에서 B로 공전하는 동안 동에서 서로 역행하므로 적경이 감소한다.

05 그림에서 금성은 내합, 화성은 충에 위치한다.

ㄱ. 그림에서 금성과 화성은 모두 지구에서 가장 가까운 거리에 위치해 있으므로, 시지름이 최대가 된다.

---

01 꼼꼼 문제 분석

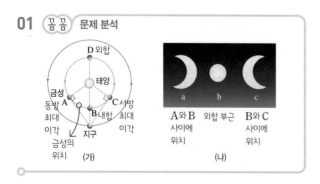

ㄷ. 내행성은 내합을 전후로, 외행성은 충을 전후로 역행을 한다. 따라서 금성과 화성은 배경 별자리에 대해 역행을 한다.

┃바로알기┃ ㄴ. 화성은 충의 위치에 있을 때 가장 밝게 보이므로 겉보기 등급이 최소가 된다. 하지만 금성은 내합의 위치에 있으면 어둡게 보이므로 겉보기 등급이 최대가 된다.

ㄹ. 금성이 내합의 위치에 있으면 태양과 함께 뜨고 지므로 관측하기 어렵다. 하지만 화성이 충의 위치에 있으면 태양이 질 때 떠서 태양이 뜰 때 지므로 관측할 수 있는 시간(약 12시간)이 가장 길다.

06 (꼼꼼) 문제 분석

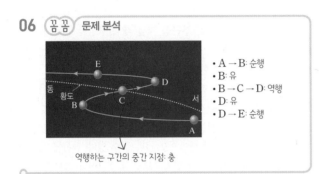

- A → B: 순행
- B: 유
- B → C → D: 역행
- D: 유
- D → E: 순행

역행하는 구간의 중간 지점: 충

① A에서 B까지 목성이 서에서 동으로 이동하므로 순행한다.
② 목성은 역행의 중간 지점인 C 부근일 때 충에 위치한다. 외행성은 합 → 서구 → 충 → 동구 → 합의 순서로 위치 관계가 변하므로, 합에서 C에 이르는 사이에 서구 위치를 통과하였다.
③ 목성이 충의 위치인 C 부근에 있을 때 태양이 질 때 떠서 태양이 뜰 때 지므로 약 12시간 동안 관측이 가능하다. 따라서 C에 있을 때 관측 가능 시간이 가장 길다.
④ 목성이 충의 위치인 C 부근에 있을 때 지구로부터 가장 거리가 가까우므로, 시지름이 가장 크다.

┃바로알기┃ ⑤ D~E에 있을 때는 이미 충을 통과하고 동구를 통과한 위치이므로, 해진 후 초저녁에 관측된다.

07 (꼼꼼) 문제 분석

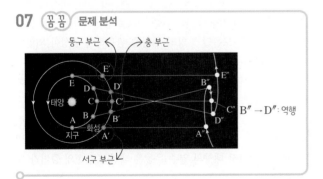

ㄱ. 화성은 B″~D″ 구간에서 역행하며, 역행의 중심은 충(C″)이다.
ㄴ. 화성이 서구(A′) 부근에 있을 때는 배경 별자리에 대해 서에서 동으로 순행한다.
ㄷ. 화성이 역행을 하는 것은 지구의 공전 속도가 화성의 공전 속도보다 빠르기 때문이다.

08 (꼼꼼) 문제 분석

날짜(월/일)	적경(^{h} ^{m})	날짜(월/일)	적경(^{h} ^{m})	
2/20	13 44	4/21	12 57	적경
3/ 2 유	13 46	5/ 1	12 45	감소:
3/12	13 44	5/11	12 37	역행
3/22	13 37	5/21 유	12 34 ↓	
4/ 1	13 25	5/31	12 36	
4/11	13 11 ↓	6/10	12 43	

적경 감소: 역행

ㄱ. 3월 2일경부터 5월 21일경까지 화성의 적경이 감소하므로, 이 기간 동안 화성은 역행하였다. 외행성은 충의 위치를 전후로 역행하므로, 4월에는 화성이 충에 위치한 적이 있다.

┃바로알기┃ ㄴ. 3월 2일경에는 순행에서 역행, 5월 21일경에는 역행에서 순행으로 겉보기 운동 방향이 변하므로, 화성은 이 시기에 2회의 유가 있었다.

ㄷ. 6월에는 화성의 적경이 증가하므로 배경 별자리에 대해 서에서 동으로 순행하였다.

09 ㄱ. 수성이 하현달 모양으로 관측되므로 수성은 서방 최대 이각에 위치하고, 관측한 시각은 새벽이다.

ㄷ. 화성이 새벽에 동쪽 하늘에서 보이는 위치는 합에서 서구 사이이고, 다음날 위치 관계는 서구에 가까워진다. 따라서 다음날 화성이 뜨는 시각은 이 날보다 빨라질 것이다.

┃바로알기┃ ㄴ. 화성의 위상은 항상 보름달에 가까운 모양으로 관측된다.

10 프톨레마이오스의 지구 중심설에서는 주전원을 이용하여 행성의 역행을 설명하고, 코페르니쿠스의 태양 중심설에서는 지구와 행성의 공전 속도 차이를 이용하여 행성의 역행을 설명한다.

11 프톨레마이오스의 지구 중심설에서 달과 태양은 역행을 하지 않으므로 주전원을 그리지 않아야 하며, 다른 행성들은 역행을 설명하기 위해 주전원을 그려야 한다. 따라서 달의 주전원을 지우고 달은 이심원 위에 두어야 하고, 수성과 화성은 주전원을 그려 그 위에 행성을 두어야 한다. 또한, 수성과 금성의 위치는 태양으로부터 멀리 벗어나지 않으므로 주전원의 중심이 태양과 일직선상에 위치해야 한다. 따라서 수성의 주전원 중심을 지구와 태양을 잇는 직선상에 두어야 한다.

12 ① 달과 태양은 역행을 하지 않으므로 주전원이 없다.

② 수성은 주전원 중심이 지구와 태양을 잇는 직선 위에 있으므로 초저녁이나 새벽에만 관측되며, 지구를 중심으로 태양의 반대편에 올 수 없어 자정에는 관측될 수 없다.

③ 금성은 주전원의 중심이 지구와 태양을 잇는 직선 위에 위치하므로 초저녁에 서쪽 하늘이나 새벽에 동쪽 하늘에서만 볼 수 있다. 금성이 남쪽 하늘에 있을 때는 태양이 떠 있을 때이므로 보이지 않는다.

④ 금성은 주전원 위를 돌기 때문에 지구와의 거리가 달라지므로 지구, 태양과의 상대적 위치가 달라져 겉보기 밝기가 변한다.

▎바로알기┃ ⑤ 지구 중심설에서 모든 천체들은 지구를 중심으로 하루에 한 바퀴씩 동에서 서로 회전하여 일주 운동을 설명할 수 있고, 일 년 동안 천체가 서에서 동으로 한 바퀴 돌므로 연주 운동을 설명할 수 있다.

13 ㄱ. (가)에서 A 방향의 겉보기 운동은 화성이 천구상에서 동에서 서로 이동하므로 역행이다.

ㄷ. (다) 우주관은 코페르니쿠스의 태양 중심설로, 태양에서 멀어질수록 행성의 공전 속도가 느리며, 지구와 화성의 공전 속도 차이로 화성의 역행을 설명한다.

▎바로알기┃ ㄴ. (나) 프톨레마이오스 우주관은 지구 중심설로, 주전원을 도입하여 행성의 역행을 설명한다.

14 (꼼꼼) 문제 분석

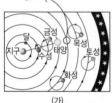
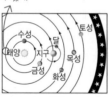

금성이 이 위치에 올 수 없으므로 보름달 모양으로 관측될 수 없다.

금성이 이 위치에 올 수 있으므로 보름달 모양으로 관측될 수 있다.

(가) 프톨레마이오스의 지구 중심설   (나) 코페르니쿠스의 태양 중심설

ㄱ. (가)에서 각 행성은 주전원을 따라 운동하므로 천구상에서 동에서 서로 이동하는 행성의 역행이 설명된다.

▎바로알기┃ ㄴ. 내행성의 최대 이각은 (가)에서는 내행성의 주전원 중심이 태양과 지구를 잇는 직선상에 있으므로 설명되고, (나)에서는 내행성이 지구의 안쪽 궤도를 따라 태양 주위를 공전하는 것으로 설명된다. 따라서 (가)와 (나)에서 모두 설명된다.

ㄷ. (가)에서는 금성 – 태양 – 지구의 순으로 배열될 수 없기 때문에 금성의 보름달에 가까운 위상이 설명되지 않고, (나)에서는 금성 – 태양 – 지구의 순으로 배열될 수 있기 때문에 금성의 보름달에 가까운 위상이 설명된다.

15 (꼼꼼) 문제 분석

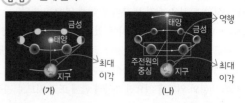

(가)   (나)

(가): 금성과 지구가 태양 주위를 돌고 있다. ➡ 코페르니쿠스의 태양 중심설
(나): 금성의 주전원 중심과 태양이 지구를 중심으로 돌고 있다. ➡ 프톨레마이오스의 지구 중심설

ㄴ. (가)에서 금성이 내합 부근을 지날 때 천구상에서 동에서 서로 역행하며, (나)에서는 금성이 주전원을 따라 운동할 때 천구상에서 동에서 서로 역행한다.

ㄷ. (나)에서 금성의 주전원 중심을 태양과 지구를 잇는 직선상에 둔 것은 금성의 최대 이각을 설명하기 위해서이다.

▎바로알기┃ ㄱ. (가)에서는 금성 – 태양 – 지구의 순으로 배열이 가능하므로 금성은 보름달 모양으로 관측될 수 있다. (나)에서는 금성이 태양과 지구 사이에만 위치하므로 초승달이나 그믐달 모양으로만 관측된다.

16 ㄱ. 티코 브라헤의 우주관에서는 금성이 지구와 태양 사이뿐만 아니라 태양의 건너편에도 위치할 수 있으므로 보름달 모양의 위상을 비롯해서 금성의 위상 변화를 설명할 수 있다.

ㄷ. 지구와 금성 사이의 거리가 가까워질수록 금성의 시지름은 커진다. $T_1 → T_2$ 동안 지구와 금성 사이의 거리가 가까워지고 있으므로 금성의 시지름은 증가한다.

▎바로알기┃ ㄴ. 티코 브라헤의 우주관에서는 지구가 움직이지 않으므로 별의 연주 시차는 나타나지 않는다.

17 ㄴ, ㄷ. 태양 중심설의 관측적 증거로는 갈릴레이에 의한 목성의 위성 관측과 금성의 위상 변화 관측이 있다. 목성의 위성 관측으로 천체가 지구가 아닌 다른 천체를 공전한다는 것을 밝혀내었고, 금성의 보름달 모양의 위상을 관측하여 금성이 외합의 위치에 배열될 수 있음을 밝혀내었다.

ㄹ. 베셀이 관측한 별의 연주 시차는 지구가 태양 주위를 공전해야만 나타날 수 있으므로 태양 중심설에서만 설명이 가능하다.

▎바로알기┃ ㄱ. 태양의 일주 운동은 태양 중심설에서 지구의 자전에 의해, 지구 중심설에서 천구의 회전에 의해 일어나는 것으로 설명한다. 따라서 태양의 일주 운동은 태양 중심설의 증거가 되지 못한다.

18 내행성은 초승달, 그믐달, 상현달, 하현달, 보름달에 가까운 모양으로 위상이 다양하게 관측되지만, 외행성은 태양과 지구 사이에 위치하지 못하므로 항상 보름달에 가까운 모양의 위상으로만 관측된다. 따라서 갈릴레이가 관측한 행성은 내행성이다.

이 행성은 내행성이다. 초승달, 상현달 모양의 위상도 관측되었으며, 외행성은 항상 보름달이나 보름달에 가까운 모양의 위상으로만 관측되기 때문이다.

채점 기준	배점
행성의 종류와 까닭을 옳게 서술한 경우	100 %
행성의 종류만 옳게 쓴 경우	50 %

03 행성의 공전 주기와 궤도 반지름

개념 확인 문제

286쪽

❶ 공전 주기   ❷ 회합 주기   ❸ $\frac{1}{S}=\frac{1}{P}-\frac{1}{E}$ ❹ $\frac{1}{S}=\frac{1}{E}-\frac{1}{P}$ ❺ 작을수록   ❻ 1   ❼ 최대 이각   ❽ 공전 주기

1 ㉠ 공전, ㉡ 회합 주기   **2** 780일   **3** (1) 길어진다
(2) 짧아진다   **4** (1) 약 0.62년 (2) 2년 (3) 약 0.32년
5 (1) × (2) × (3) ○   **6** (1) ○ (2) ×

1 행성의 공전 주기는 지구에서 직접 관측하기 어렵지만, 회합 주기는 비교적 직접 관측하기 쉽기 때문에 회합 주기를 관측하여 공전 주기를 구한다.

2 꼼꼼 문제 분석

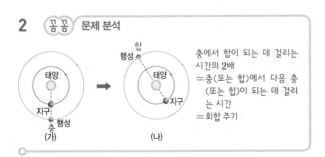

충에서 합이 되는 데 걸리는 시간의 2배
=충(또는 합)에서 다음 충(또는 합)이 되는 데 걸리는 시간
=회합 주기

행성은 그림 (가)에서 충에 위치하고, (나)에서 합에 위치한다. 외행성의 회합 주기는 충에서 다음 충 또는 합에서 다음 합이 되는 데 걸리는 시간이므로, 충에서 합이 되는 데 걸리는 시간의 2배이다. 따라서 이 행성의 회합 주기는 390일×2=780일이다.

3 (1) 내행성의 공전 주기와 회합 주기의 관계식($\frac{1}{S}=\frac{1}{P}-\frac{1}{E}$)에서 내행성의 공전 주기($P$)가 길어지면 회합 주기($S$)의 역수가 작아지므로 회합 주기가 길어진다.

(2) 외행성의 공전 주기와 회합 주기의 관계식($\frac{1}{S}=\frac{1}{E}-\frac{1}{P}$)에서 외행성의 공전 주기($P$)가 길어지면 회합 주기($S$)의 역수가 커지므로 회합 주기는 짧아진다.

4 (1) 금성은 내행성이고, 금성의 회합 주기가 1.6년이며, 지구의 공전 주기는 1년이므로 금성의 공전 주기를 구하면 다음과 같다.
$$\frac{1}{S}=\frac{1}{P}-\frac{1}{E}, \ \frac{1}{1.6}=\frac{1}{P}-1 \quad \therefore P늑0.62년$$
(2) 충에 위치하므로 이 행성은 외행성이고, 충에서 다음 충까지 2년이 걸렸으므로 회합 주기가 2년이다. 지구의 공전 주기는 1년이므로 이 행성의 공전 주기를 구하면 다음과 같다.
$$\frac{1}{S}=\frac{1}{E}-\frac{1}{P}, \ \frac{1}{2}=1-\frac{1}{P} \quad \therefore P=2년$$
(3) 수성의 공전 주기는 0.24년이고, 수성이 내합에서 다음 내합까지 되는 데 걸리는 시간은 회합 주기에 해당하므로 수성의 회합 주기를 구하면 다음과 같다.
$$\frac{1}{S}=\frac{1}{P}-\frac{1}{E}, \ \frac{1}{S}=\frac{1}{0.24}-1 \quad \therefore S늑0.32년$$

5 (1) 회합 주기는 지구와 공전 속도가 비슷할수록 길어지므로 내행성은 태양으로부터 멀수록, 외행성은 태양으로부터 가까울수록 회합 주기가 길다.
(2) 지구와 행성의 공전 속도 차이가 작을수록 다시 같은 위치로 오는 데 시간이 오래 걸리므로 회합 주기가 길어진다.
(3) 외행성은 지구로부터의 거리가 멀수록 공전 주기가 길기 때문에 외행성의 회합 주기는 지구의 공전 주기와 비슷해져 1년에 가까워진다.

6 (1) 내행성인 금성은 최대 이각을 관측하여 공전 궤도 반지름을 구할 수 있다. 외행성인 목성은 태양과 지구와의 상대적 위치에 따른 이각을 관측하여 공전 궤도 반지름을 구할 수 있다.
(2) 내행성의 공전 궤도는 원궤도가 아닌 타원 궤도이므로 행성이 공전하는 동안 최대 이각이 일정하지 않고, 관측 지점에 따라 공전 궤도 반지름도 일정하지 않다.

대표 자료 분석

287쪽

자료 ① **1** ㉠ 길어, ㉡ 짧아   **2** ⑤   **3** (1) ○ (2) × (3) ×
(4) ○

자료 ② **1** 공전 주기   **2** 화성의 공전 주기(687일) 동안 지구가 공전한 각도는 지구가 2번 공전한 각도(720°)에서 42°가 부족하기 때문이다.   **3** (1) ○ (2) ○ (3) × (4) ○ (5) ○

①-1 꼼꼼 문제 분석

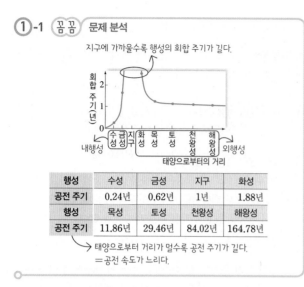

지구에 가까울수록 행성의 회합 주기가 길다.

행성	수성	금성	지구	화성
공전 주기	0.24년	0.62년	1년	1.88년
행성	목성	토성	천왕성	해왕성
공전 주기	11.86년	29.46년	84.02년	164.78년

→ 태양으로부터 거리가 멀수록 공전 주기가 길다.
＝공전 속도가 느리다.

지구와 거리가 가까운 행성일수록 공전 속도 차이가 작아 회합 주기가 길어진다. 따라서 내행성은 태양에서 멀수록 회합 주기가 길고, 외행성은 태양에서 멀수록 회합 주기가 짧다.

①-2 외행성은 공전 주기가 길수록 회합 주기가 지구의 공전 주기(1년)와 비슷해진다. 따라서 지구로부터 거리가 가장 먼 해왕성의 회합 주기가 지구의 공전 주기와 가장 비슷하다.

①-3 (1) 표에서 태양으로부터 거리가 먼 행성일수록 공전 주기가 길다. 행성의 회합 주기는 지구와의 거리가 가까울수록 길지만, 공전 주기는 태양으로부터의 거리가 멀수록 길다.
(2) 행성의 공전 주기가 지구와 비슷할수록 회합 주기가 길어진다.
(3) 행성의 공전 궤도가 지구에 가까울수록 지구와 공전 속도 차이가 작으며, 공전 속도 차이가 작을수록 회합 주기는 길어진다.
(4) 지구로부터 멀리 있는 외행성일수록 회합 주기는 점점 감소하여 1년에 가까워진다. 따라서 해왕성보다 멀리 있는 태양계 소천체는 지구와의 회합 주기가 약 1년일 것이다.

②-1 꼼꼼 문제 분석

관측일	지구의 위치	태양─지구─화성이 이루는 각
2014년 5월 26일	E_1	125°
2016년 4월 12일	E_2	226°

→ 687일 후

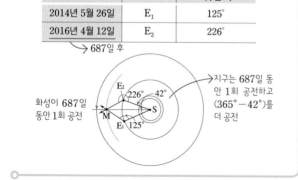

화성이 687일 동안 1회 공전

지구는 687일 동안 1회 공전하고 (365°−42°)를 더 공전

E_1과 E_2에서 관측한 시간 간격은 687일로 이는 화성의 공전 주기에 해당한다. 즉, 화성이 태양 주위를 1회 공전하여 처음 위치로 왔을 때 지구에서 관측한 자료이다.

②-2 화성의 공전 주기는 687일이므로 화성이 한 바퀴 공전하는 동안 지구가 공전하는 각도는 $\frac{687일}{365일} \times 360° ≒ 678°$이다. 이것은 지구가 2번 공전한 각도($360° \times 2 = 720°$)에서 42°($=720° - 678°$)가 부족한 값이다.

②-3 (1) 화성의 겉보기 운동을 관측한 자료로부터 작도하여 결정한 화성의 위치 하나로 화성의 공전 궤도 반지름을 구하는 방법은 화성의 공전 궤도가 원이라는 가정이 필요하다. 공전 궤도가 원이라고 가정하지 않을 경우에는 여러 관측 자료로 결정한 화성의 위치들을 연결하여 공전 궤도를 그리고 공전 궤도 반지름을 구한다.
(2) 화성의 공전 궤도 반지름은 화성의 공전 주기인 687일 동안 화성이 태양 주위를 1회 공전하여 처음 위치로 다시 왔을 때 지구에서 관측한 화성의 위치 변화를 관측하여 측정한다. 따라서 화성의 공전 궤도 반지름은 화성의 공전 주기를 이용하여 구할 수 있다.
(3) E_1과 E_2 사이의 시간 간격은 화성이 태양 주위를 한 바퀴 공전하여 다시 처음 위치로 오는 데 걸리는 시간이므로, 화성의 공전 주기에 해당한다.
(4) $\overline{SE_1}$의 길이는 지구의 공전 궤도 반지름이므로 1 AU이다.
(5) $\overline{SM}$의 길이는 화성의 공전 궤도 반지름에 해당한다. $\overline{SE_1}$은 10 cm이고, 지구의 공전 궤도 반지름인 1 AU에 해당하므로 비례식을 세우면 다음과 같다.
1 AU : 10 cm＝화성의 공전 궤도 반지름 : $\overline{SM}$의 길이

내신 만점 문제 288쪽~291쪽

01 ①	02 ④	03 ③	04 해설 참조	05 ⑤
06 ②	07 ①	08 해설 참조	09 ①	10 ⑤
11 ①	12 ③	13 ⑤	14 ③	15 ③	16 ④
17 해설 참조	18 ④			

01 ②, ③ 행성이 공전하는 동안 지구도 공전하므로 지구에서 행성의 공전 주기를 직접 측정하기는 어렵다. 반면에, 행성의 회합 주기는 공전 주기에 비해 상대적으로 측정하기 쉽다. 따라서 행성의 공전 주기는 회합 주기를 측정하여 구할 수 있다.
④ 수성은 금성보다 태양으로부터 거리가 가까우므로 공전 주기가 짧고, 금성보다 지구로부터 거리가 멀기 때문에 회합 주기가 짧다.

⑤ 회합 주기는 두 행성의 상대적 위치가 반복되는 주기이므로, 금성에서 관측할 때와 지구에서 관측할 때의 회합 주기는 같다.

┃바로알기┃ ① 행성이 태양 주위를 한 바퀴 도는 데 걸리는 시간은 공전 주기이고, 회합 주기는 행성의 상대적 위치가 반복되는 데 걸리는 시간이다.

02 내행성의 공전 주기가 P라고 할 때, 내행성이 하루 동안 공전한 각도는 $\dfrac{360°}{P}$이다. 지구의 공전 주기가 E라고 할 때, 지구가 하루 동안 공전한 각도는 $\dfrac{360°}{E}$이다.

내행성은 지구보다 공전 속도가 빠르므로 내행성과 지구가 하루 동안 공전한 각도 차이는 $\dfrac{360°}{P}-\dfrac{360°}{E}$이고, 이 각도가 쌓여 $180°$가 되면 지구와 내행성은 내합에서 외합의 위치로 이동하게 된다. 따라서 $(\dfrac{360°}{P}-\dfrac{360°}{E})\times A=180°$의 관계식이 성립된다.

03 꼼꼼 **문제 분석**

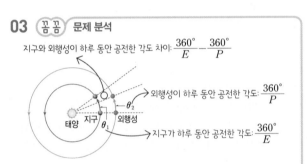

지구와 외행성이 하루 동안 공전한 각도 차이가 쌓여 360°가 되는 기간이 회합 주기이다.

ㄱ. θ_1은 지구가 하루 동안 공전한 각도이므로
$\theta_1=\dfrac{360°}{\text{지구의 공전 주기}}=\dfrac{360°}{E}$이다.

ㄷ. 외행성의 공전 주기(P)가 길수록 공전 속도가 느려지므로 외행성과 지구의 공전 속도 차이가 지구의 공전 속도와 가까워진다. 따라서 회합 주기는 지구의 공전 주기인 1년(E)에 가까워진다.

┃바로알기┃ ㄴ. $(\theta_1-\theta_2)$의 값은 지구와 외행성이 하루 동안 공전한 각도의 차이이다. 이 값이 쌓여 $360°$가 되는 데 걸리는 시간이 회합 주기이므로 $(\theta_1-\theta_2)$의 값이 클수록 회합 주기는 짧아진다.

04 꼼꼼 **문제 분석**

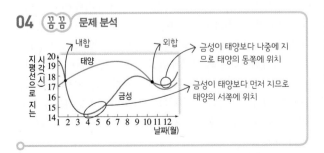

회합 주기는 지구에서 보았을 때 행성이 같은 위치 관계로 되돌아오는 데 걸리는 시간으로, 내행성의 경우에는 내합(또는 외합)에서 다음 내합(또는 외합)이 되는 데 걸리는 시간이다.

그림에서 금성과 태양이 같은 시각에 지는 시점인 1월 말경과 10월 말경이 태양과 이각이 $0°$이므로 내합과 외합 중 어느 하나에 해당한다. 1월 말경 이후에는 금성이 태양보다 먼저 지고, 10월 말경 이후에는 태양이 금성보다 먼저 지므로 금성은 1월 말경에 내합, 10월 말경에 외합에 위치한다. 금성의 위치 관계가 내합에서 외합이 되는 데 걸리는 시간이 약 9개월이므로, 금성의 회합 주기는 9개월의 2배인 약 18개월이 된다.

모범답안 금성은 1월 말경에 내합, 10월 말경에 외합에 위치하므로 회합 주기는 약 18개월이 된다.

채점 기준	배점
내합과 외합의 시기를 근거로 들어 금성의 회합 주기를 옳게 서술한 경우	100 %
근거를 제시하지 못하고, 금성의 회합 주기만 구한 경우	50 %

05 행성이 충의 위치에 올 수 있는 것은 외행성이다. 외행성의 공전 주기(P)와 회합 주기(S)의 관계식은 $\dfrac{1}{S}=\dfrac{1}{E}-\dfrac{1}{P}$이고, 이 외행성의 회합 주기가 $\dfrac{28}{27}$년이므로 공전 주기는 다음과 같다.

$$\dfrac{27}{28}=1-\dfrac{1}{P} \quad \therefore P=28\text{년}$$

06 꼼꼼 **문제 분석**

외행성은 위상이 보름달에 가까운 모양으로만 관측되며, 내행성은 초저녁이나 새벽에만 관측된다.

• 행성 A를 초저녁에 관측하였더니 위상이 초승달 모양이었고, 회합 주기는 1.5년이었다. (내행성)

• 행성 B를 자정에 관측하였더니 위상이 보름달 모양이었고, 회합 주기는 2년이었다. (외행성)

ㄴ. 행성 A는 내행성이고, 회합 주기(S)가 1.5년이므로 공전 주기(P)는 다음과 같다.

$$\dfrac{1}{S}=\dfrac{1}{P}-\dfrac{1}{E},\ \dfrac{1}{1.5}=\dfrac{1}{P}-1 \quad \therefore P=0.6\text{년}$$

┃바로알기┃ ㄱ. 외행성은 초승달 모양으로 관측되지 않으므로 A는 내행성이고, 내행성은 자정에 관측되지 않으므로 B는 외행성이다.

ㄷ. 행성 B는 외행성이고, 회합 주기(S)가 2년이므로 공전 주기(P)는 다음과 같다.

$$\dfrac{1}{S}=\dfrac{1}{E}-\dfrac{1}{P},\ \dfrac{1}{2}=1-\dfrac{1}{P} \quad \therefore P=2\text{년}$$

따라서 행성 A와 B의 공전 주기 차이는 2년$-$0.6년$=$1.4년이다.

07 ㄱ. 외행성은 지구에 가까울수록 지구와의 공전 속도 차이가 작아지므로 회합 주기가 길어진다.

┃바로알기┃ ㄴ. 외행성은 지구에서 거리가 멀수록 회합 주기가 짧아지면서 지구의 공전 주기(1년)와 비슷해진다. 이는 지구에서 거리가 멀수록 외행성의 공전 속도가 느려지기 때문이다. 따라서 무한히 멀리 떨어져 있는 가상의 행성의 경우에는 공전 속도가 거의 0에 가까우므로, 회합 주기는 지구의 공전 주기인 1년에 가까워진다.

ㄷ. 금성에서 관측한 수성의 회합 주기와 지구에서 관측한 수성의 회합 주기를 비교해 보면, 지구와 수성의 공전 속도 차이가 금성과 수성의 공전 속도 차이보다 크므로, 지구에서 관측한 수성의 회합 주기가 더 짧다.

08 태양계의 행성은 태양으로부터 멀어질수록 공전 주기가 길어지므로, 공전 속도(공전 각속도)가 느려진다. 지구와 행성의 공전 속도 차이가 클수록 처음의 상대적 위치로 돌아오는 데 걸리는 시간이 짧아진다.

〔모범답안〕 지구에 가까운 행성일수록 지구와의 공전 속도 차이(공전 각속도 차이)가 작아지기 때문이다.

채점 기준	배점
행성의 공전 속도 차이로 옳게 서술한 경우	100 %
행성의 공전 속도를 포함하지 않고 서술한 경우	0 %

09 〔꼼꼼〕 **문제 분석**

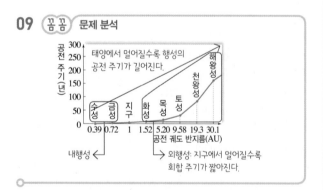

ㄱ. 그림에서 행성의 공전 궤도 반지름이 클수록 공전 속도가 느려지기 때문에 공전 주기가 길어진다.

┃바로알기┃ ㄴ. 지구로부터 멀리 있는 외행성일수록 공전 주기가 길어져 회합 주기는 짧아지면서 1년에 가까워진다.

ㄷ. 외행성의 회합 주기와 공전 주기의 관계식은 $\dfrac{1}{S} = \dfrac{1}{E} - \dfrac{1}{P}$ 이므로 회합 주기가 10년인 외행성의 공전 주기를 구하면 $\dfrac{1}{10} = 1 - \dfrac{1}{P}$ 이므로 $P \fallingdotseq 1.1$년이다. 외행성은 공전 주기가 길수록 회합 주기가 짧아지므로, 공전 주기가 80년 이상인 천왕성은 회합 주기가 1년에 가깝다.

10 가상의 행성 A, B는 지구보다 바깥쪽 궤도를 공전하고 있으므로 외행성이다.

⑤ 외행성의 회합 주기는 지구에서 멀수록 짧아진다. 따라서 회합 주기가 더 짧은 행성 A가 B보다 공전 주기가 길고, 공전 주기가 길수록 태양으로부터 멀리 떨어져 있어 행성 A가 B보다 공전 궤도 반지름이 크다.

┃바로알기┃ ①, ②, ③ 회합 주기만으로는 행성의 질량, 크기, 자전 주기를 알 수 없다.

④ 외행성은 공전 주기가 길수록 회합 주기가 짧아지다가 1년에 가까워진다. 따라서 행성 A는 B보다 회합 주기가 더 짧으므로, 공전 주기는 더 길다.

11 〔꼼꼼〕 **문제 분석**

외행성은 지구에서 멀어질수록 회합 주기가 짧아지므로, 지구에서 멀어지는 행성의 순서는 다음과 같다.

행성	C	A	D	B
회합 주기(년)	2.140	1.090	1.036	1.014

공전 궤도 반지름↑, 공전 주기↑, 공전 속도↓, 지구와의 공전 속도 차이↑

ㄱ. 외행성은 공전 궤도 반지름이 클수록 회합 주기가 작아져 1년에 가까워지므로, 지구에서 가까운 것부터 순서대로 나열하면 C → A → D → B이다. 따라서 지구에서 멀수록 행성의 공전 궤도가 크기 때문에 A~D 중 공전 궤도 반지름이 가장 큰 행성은 B이다.

┃바로알기┃ ㄴ. 행성 A는 D보다 회합 주기가 긴 것으로 보아 공전 주기와 공전 궤도 반지름이 더 짧다. 태양계 행성의 공전 속도는 공전 궤도 반지름이 클수록 느려지므로, 행성 A는 D보다 공전 속도가 빠르다.

ㄷ. 행성 C의 공전 주기를 구하면 다음과 같다.

$\dfrac{1}{S} = \dfrac{1}{E} - \dfrac{1}{P}$ 에서 $\dfrac{1}{2.140} = 1 - \dfrac{1}{P}$ 이므로 $P \fallingdotseq 1.88$년이다.

따라서 C의 공전 주기는 2.140년보다 짧다.

12 ㄱ. 6월 10일경에 수성과 금성은 각각 내합에서 서방 최대 이각 사이, 서방 최대 이각에서 외합 사이에 위치하기 때문에 태양의 서쪽에 위치하므로 새벽에 동쪽 하늘에서 관측된다.

ㄴ. 내행성인 수성과 금성은 내합 부근에서 역행하고, 외행성인 목성과 천왕성은 충 부근에서 역행한다. 4개 행성은 모두 이 기간 중에 내합이나 충의 위치에 있었기 때문에 역행한 적이 있다.

┃바로알기┃ ㄷ. 회합 주기는 내합에서 내합 또는 충에서 충처럼 상대적 위치가 반복되는 데 걸리는 시간이다. 4개 행성 중 관측 기간보다 회합 주기가 짧은 행성은 수성뿐이므로 수성의 회합 주기가 가장 짧다.

13 (꼼꼼) 문제 분석

겉보기 등급이 작을수록 겉보기 밝기가 밝다.

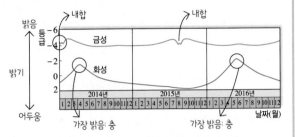

내합(외합)~내합(외합), 충(합)에서 충(합)까지 걸린 시간 ➡ 회합 주기

ㄱ. 내행성은 내합 부근에서 가장 밝고 내합일 때 어두워지므로 금성은 2014년 1월과 2015년 8월에 내합 부근에 위치한다.

ㄷ. 외행성은 충의 위치에 있을 때 가장 밝게 보인다. 화성은 2014년 4월과 2016년 5월 말에 가장 밝게 보이므로, 충 부근에 위치한다.

ㄹ. 금성의 겉보기 밝기가 가장 어두웠다가 다시 가장 어두워지는 기간(약 1년 7개월)이 화성의 밝기가 가장 밝았다가 다시 밝아지는 기간(약 2년 2개월)보다 짧으므로 화성은 금성보다 회합 주기가 길다.

┃ **바로알기** ┃ ㄴ. 금성의 겉보기 밝기가 가장 어두웠다가 다시 가장 어두워지는 기간(약 1년 7개월)은 금성이 지구와 다시 같은 위치 관계가 되는 데 걸리는 시간이므로, 금성의 회합 주기에 해당한다.

14 (꼼꼼) 문제 분석

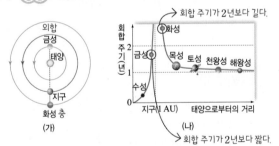

• 2년 동안 금성의 상대적 위치는 외합의 위치를 한 번 지난다.
• 2년 동안 화성은 충의 위치에 다다르지 못한다.

ㄱ. 회합 주기가 2년보다 짧은 금성은 앞으로 2년 동안에 내합을 거쳐 다시 외합을 지난다.

ㄴ. 화성은 회합 주기가 2년보다 길므로 현재 충에서 동구와 합을 지나지만 다시 충을 지나지는 못한다.

┃ **바로알기** ┃ ㄷ. 화성이 2년 내에 다시 충을 지나지 못하므로 세 행성이 다시 현재와 같은 위치 관계를 이루지 못한다.

15 ① 이용한 관측 자료는 태양(S)-지구(E)-수성(M)이 이루는 각도로, 동방 최대 이각에 해당한다.

② 지구의 공전 궤도는 원으로 가정하여 반지름이 5 cm인 원을 그린 후, 수성의 공전 궤도를 작도하였다.

④ 수성의 공전 궤도 반지름은 비례식을 세워 구할 수 있다.

1 AU : 5 cm=수성의 공전 궤도 반지름: 2 cm

∴ 수성의 공전 궤도 반지름=0.4 AU

⑤ 실제로는 지구와 행성의 공전 궤도가 원궤도가 아니라 타원 궤도이므로 관측되는 ∠SEM은 일정하지 않다.

┃ **바로알기** ┃ ③ 수성의 공전 궤도 반지름은 $\overline{SM}$에 해당한다.

16 ㄴ. 지구는 365일 동안 360°를 공전하므로 화성의 공전 주기 687일 동안에는 약 $678°(=\dfrac{687일}{365일}×360°)$를 공전한다.

이는 지구가 태양 둘레를 두 바퀴 공전하는 각도인 $720°(=360°×2)$에서 42°가 부족한 각이다. 따라서 태양과 E_1, E_2가 이루는 각(θ)은 약 42°이다.

ㄷ. 화성의 공전 궤도를 작도한 후, 공전 궤도 반지름을 재면 비례식을 이용하여 화성의 공전 궤도 반지름을 구할 수 있다.

5 cm : 1 AU=측정한 반지름 : 화성의 실제 공전 궤도 반지름

┃ **바로알기** ┃ ㄱ. 687일 동안 화성은 태양 주위를 한 바퀴 돌았으므로, 687일은 화성의 공전 주기에 해당한다.

17 태양이 뜨기 직전 동쪽 하늘에서 하현달 모양의 금성을 관측하였으므로, 이날 금성은 서방 최대 이각의 위치에 있다.

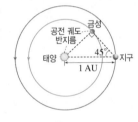

금성의 공전 궤도 반지름은

$1\,AU×\sin45°=\dfrac{1}{\sqrt{2}}\,AU$이다.

(모범답안) 금성이 서방 최대 이각의 위치에 있으므로, 금성의 공전 궤도 반지름은 $1\,AU×\sin45°=\dfrac{1}{\sqrt{2}}\,AU≒0.71\,AU$이다.

채점 기준	배점
식을 쓰고, 공전 궤도 반지름을 구한 경우	100 %
식만 쓰거나 공전 궤도 반지름만 구한 경우	50 %

18 (꼼꼼) 문제 분석

외행성은 합일 때 지구에서 가장 멀고, 충일 때 지구에서 가장 가깝다.

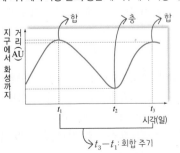

t_3-t_1: 회합 주기

ㄴ. t_2일 때 화성은 충의 위치에 있으므로, 천구상에서 동에서 서로 역행한다.

ㄷ. 화성이 합(t_1, t_3)의 위치일 때 지구로부터의 거리가 다른 것은 두 행성이 타원 궤도로 공전하기 때문이다.

∥바로알기∥ ㄱ. ($t_3 - t_1$)은 합에서 다음 합까지의 기간이므로, 회합 주기에 해당한다.

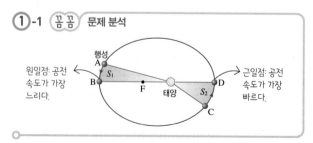04 케플러 법칙

1 (1) 태양계 행성들은 공전 궤도의 이심률이 매우 작아 0에 가깝기 때문에 원에 가까운 타원 궤도를 그리며 공전한다.

(2) 행성들은 타원 궤도를 따라 공전하므로 공전 속도는 공전 궤도상에서 근일점에 가까워질수록 빨라진다.

(3) 케플러 법칙은 행성뿐만 아니라 위성, 소행성, 인공위성의 공전에도 적용된다.

2 (1) A는 태양으로부터 거리가 가장 가까운 근일점이고, B는 태양으로부터 거리가 가장 먼 원일점이다. C는 공전 궤도 긴반지름이고, D는 공전 궤도 짧은반지름이다.

(2) 이심률은 공전 궤도 긴반지름(a)에 대한 초점 거리($c = \sqrt{a^2 - b^2}$)의 비이므로 $e = \dfrac{\sqrt{a^2 - b^2}}{a}$이다. 그림에서 C는 공전 궤도 긴반지름($a$)에 해당하고, D는 공전 궤도 짧은반지름($b$)에 해당하므로 이심률은 $e = \dfrac{\sqrt{a^2 - b^2}}{a} = \dfrac{\sqrt{10^2 - 8^2}}{10} = 0.6$이다.

3 천체의 총에너지는 운동 에너지와 중력 퍼텐셜 에너지의 합이다. 천체의 총에너지가 0보다 작을 때는 이심률이 0이면 원궤도로, 이심률이 $0 < e < 1$이면 타원 궤도로 운동하며, 운동 에너지가 중력 퍼텐셜 에너지보다 작아서 천체가 태양에 구속되기 때문에 태양 주위를 계속 돈다.

천체의 총에너지가 0일 때는 이심률이 1인 포물선 궤도로 운동하며, 천체가 한 번 태양에 다가온 후 구속되지 않고 계속 멀어진다. 천체의 총에너지가 0보다 클 때는 이심률이 1보다 큰 쌍곡선 궤도로 운동하며, 천체가 한 번 태양에 다가온 후 구속되지 않고 계속 멀어진다.

4 (1) 케플러 제2법칙(면적 속도 일정 법칙)에 따르면 행성과 태양을 잇는 직선은 동일한 시간 동안 같은 면적을 쓸고 지나간다.

(2) 행성이 태양에서 가장 가까운 a를 근일점, 태양에서 가장 먼 c를 원일점이라고 한다. 행성의 면적 속도가 일정하기 때문에 공전 속도는 근일점(a)에서 가장 빠르고, 원일점(c)에서 가장 느리다.

5 (1) 혜성의 공전 궤도 긴반지름은 근일점과 원일점에서의 거리의 합의 절반이므로 $\dfrac{0.5\,AU + 17.5\,AU}{2} = 9\,AU$이다.

(2) 공전 주기의 단위가 '년', 거리의 단위가 'AU'일 때, 케플러 제3법칙은 $P^2 = a^3$이 성립한다. 이 혜성의 공전 궤도 긴반지름(a)이 9 AU이고, $P^2 = 9^3$이므로 공전 주기(P)는 27년이다.

6 두 별의 질량이 각각 m_1, m_2이고, 공전 궤도 긴반지름이 각각 a_1, a_2일 때, 케플러 제3법칙을 적용하면 $(m_1 + m_2) = \dfrac{a^3}{P^2} M_\odot$의 관계식이 성립한다. (단, 공전 주기의 단위가 '년', 거리의 단위가 'AU', 질량의 단위가 '태양 질량($M_\odot$)'인 경우이다.) 따라서 두 별의 공전 주기가 4년이고, 두 별 사이의 거리가 8 AU이면, 두 별의 질량은 $(m_1 + m_2) = \dfrac{a^3}{P^2} M_\odot = \dfrac{8^3}{4^2} M_\odot = 32 M_\odot$이므로 태양 질량의 32배이다.

①-1 (꼼꼼) 문제 분석

원일점: 공전 속도가 가장 느리다. B 행성 A S_1 F 태양 S_2 D 근일점: 공전 속도가 가장 빠르다. C

태양계 행성은 초점(F, 태양)이 2개인 타원 궤도로 공전한다.

①-2 근일점은 태양에서 행성까지 거리가 가장 가까운 D이고, 원일점은 태양에서 행성까지 거리가 가장 먼 B이다.

①-3 태양과 F 사이의 거리가 가까워지면 행성의 궤도 모양이 원에 가까워지므로 이심률이 작아져 0에 가까워진다.

①-4 (1) 행성은 태양 주위를 타원 궤도를 따라 공전하며, 태양은 타원의 두 초점 중 한 곳에 위치한다.
(2) 공전 궤도 긴반지름은 타원의 장축 길이의 절반이므로, $\overline{BD}$의 절반에 해당한다.
(3) 행성의 총에너지(=운동 에너지+중력 퍼텐셜 에너지)가 0보다 작을 때 행성은 원궤도나 타원 궤도로 운동한다. 이 행성은 타원 궤도로 운동하므로 운동 에너지가 중력 퍼텐셜 에너지보다 작아 태양에 구속되기 때문에 태양 주위를 계속 공전한다.
(4) 케플러 제2법칙에 따라 1년 동안 행성이 공전하면서 행성과 태양을 잇는 직선이 쓸고 지나간 면적인 S_1과 S_2는 같다.
(5) B에서는 D에서보다 태양에서 행성까지 거리가 더 멀기 때문에 공전 속도가 더 느리다.
(6) 행성은 태양에서 먼 곳에 위치할수록 같은 시간 동안 느리게 이동하므로 $\overparen{AB}$는 $\overparen{CD}$보다 짧다. 이는 면적 속도는 일정하지만, 행성의 공전 속도는 지점마다 다르기 때문이다.

②-1 행성과 태양을 잇는 직선이 1년 동안 전체 궤도 면적의 $\frac{1}{8}$을 쓸고 지나갔고, 케플러 제2법칙(면적 속도 일정 법칙)에 따라 동일한 시간 동안 같은 면적을 지나가므로 공전 주기는 8년이다.

②-2 케플러 제3법칙(조화 법칙)에서 공전 주기의 단위가 '년', 공전 궤도 긴반지름의 단위가 'AU'일 경우에는 $P^2=a^3$이다. 행성의 공전 주기가 8년이므로 $8^2=a^3$이다. 따라서 공전 궤도 긴반지름(a)은 4 AU이다.

②-3 이 행성은 공전 주기가 지구의 공전 주기(1년)보다 길므로 외행성이다. 따라서 공전 주기(P)와 회합 주기(S)의 관계식 $\frac{1}{S}=\frac{1}{E}-\frac{1}{P}$에 적용하면 $\frac{1}{S}=1-\frac{1}{8}=\frac{7}{8}$이므로 S는 약 1.14년이다.

②-4 (1) 이 행성이 1년에 전체 면적의 $\frac{1}{8}$씩 이동하고, 원일점에서 근일점까지는 전체 면적의 $\frac{1}{2}$을 이동하므로 원일점에서 근일점까지 이동하는 데 4년이 걸린다.
(2) 케플러 제3법칙에 따라 행성의 공전 궤도 긴반지름의 세제곱은 공전 주기의 제곱에 비례하므로, 행성의 공전 주기를 알면 공전 궤도 긴반지름을 구할 수 있다.

(3) 행성의 공전 궤도 긴반지름이 4 AU로 지구보다 길기 때문에 이 행성은 외행성이다.
(4) 이 행성보다 공전 궤도 긴반지름이 더 긴 행성은 공전 주기가 더 길기 때문에 회합 주기가 더 짧다.

01 ① 케플러 제1법칙은 모든 행성들의 공전 궤도는 태양을 하나의 초점으로 하는 타원 궤도라는 것이다.
② 케플러 제2법칙은 태양과 행성을 연결한 직선은 동일한 시간 동안 같은 면적을 쓸고 지나간다는 것이다.
③ 태양과 행성을 잇는 직선이 지나는 면적 속도는 일정하므로 행성의 공전 속도는 근일점에서 가장 빠르고, 원일점에서 가장 느리다.
④ 지구는 타원 궤도로 공전하므로 공전 속도가 변하며, 지구의 공전 속도는 근일점을 지나는 북반구의 겨울철에 가장 빠르다.

| 바로알기 | ⑤ 케플러 제3법칙은 $\frac{a^3}{P^2}=k$(일정)이다. 여기서 a는 행성의 공전 궤도 긴반지름, P는 공전 주기이다. 현재 지구와 태양 사이의 거리는 1 AU이고, 지구의 공전 주기는 1년이다. 지구가 태양으로부터 4배 더 멀어지면 a는 4 AU가 되고, 공전 주기 P는 $\frac{4^3}{P^2}=1$에서 8년이 되어 8배 길어진다.

02 **꼼꼼** 문제 분석

두 초점으로부터 소행성까지 거리의 합(8 AU)=공전 궤도 긴반지름의 2배
=원일점 거리+근일점 거리

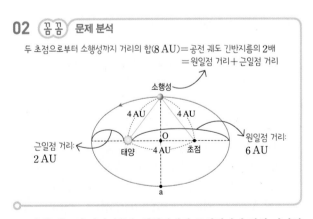

ㄱ. 타원 궤도의 긴반지름은 원일점에서 근일점까지 직선 거리의 절반이다. 따라서 타원 궤도에서 두 초점으로부터 소행성까지 거리의 합 8 AU가 공전 궤도 긴반지름의 2배이므로, 소행성의 공전 궤도 긴반지름은 4 AU이다.

ㄴ. 근일점까지 거리는 2 AU이고 원일점까지 거리는 6 AU이므로, 근일점과 원일점 거리비는 1 : 3이다.

ㄷ. 소행성의 공전 주기 P는 $P^2=a^3=4^3$이므로 8년이다.

┃바로알기┃ ㄹ. 소행성이 현재 위치에서 a까지 이동하는 동안 태양과 소행성을 잇는 직선이 쓸고 지나가는 면적이 타원 전체 면적의 절반이 되지 않으므로 공전하는 데 걸린 시간은 4년보다 짧다.

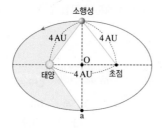

03 (꼼꼼) 문제 분석

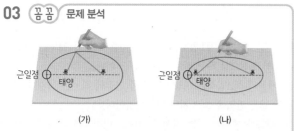

(가)　　　　　(나)

• 실의 길이를 유지한다. ➡ 공전 궤도 긴반지름은 같다.
• 초점 거리가 멀어진다. ➡ 공전 궤도 짧은반지름이 짧아진다. ➡ 이심률이 커진다.

ㄱ. 전체 실의 길이가 일정하므로 (가)와 (나)에서 공전 궤도 긴반지름의 길이는 일정하지만 짧은반지름의 길이는 (나)가 더 **짧아**지므로, 이심률은 더 납작한 타원이 되는 (나)가 더 크다.

ㄴ. (나)의 이심률이 더 크고 한 초점에 위치한 태양과 근일점 사이의 거리가 (나)가 (가)보다 가까우므로, (가)보다 (나)가 근일점에서의 속도가 더 빠르다.

┃바로알기┃ ㄷ. (가)와 (나)는 공전 궤도 긴반지름의 길이가 같으므로, 공전 주기가 같다.

04 (꼼꼼) 문제 분석

구분	천체 A	지구
근일점(AU)	0.74	0.98
원일점(AU)	1.10	1.02
공전 궤도 긴반지름 (AU)	$(0.74+1.10)\div2$ $=0.92$	$(0.98+1.02)\div2$ $=1$

ㄴ. 천체 A는 근일점일 때 지구의 공전 궤도 안쪽에 위치하고, 원일점일 때 바깥쪽에 위치하기 때문에 공전 궤도가 지구의 공전 궤도보다 납작하므로 공전 궤도 이심률이 지구보다 크다.

ㄷ. 천체 A의 공전 궤도 긴반지름은 0.92 AU로, 지구보다 작으므로 공전 주기의 제곱은 공전 궤도 긴반지름의 세제곱에 비례한다는 케플러 제3법칙에 의해 공전 주기는 지구보다 짧다.

┃바로알기┃ ㄱ. 천체 A는 근일점일 때 지구의 공전 궤도 안쪽에 위치하고, 원일점일 때 지구의 공전 궤도 바깥쪽에 위치하고 있다.

05 A는 원궤도, B는 타원 궤도, C는 포물선 궤도, D는 쌍곡선 궤도이다.

ㄴ. 천체의 총에너지가 A와 B 궤도는 0보다 작고, C 궤도는 0이며, D 궤도는 0보다 크다. 따라서 총에너지가 가장 큰 천체의 궤도는 D이다.

ㄷ. A와 B 궤도는 천체의 총에너지가 0보다 작아 천체가 태양에 구속되어 태양 주위를 공전하고, C와 D 궤도의 천체는 태양에 구속되지 않고 멀어진다.

┃바로알기┃ ㄱ. 이심률이 0일 때 원궤도이고, 이심률이 0보다 크고 1보다 작을 때 타원 궤도이다. 이심률이 1일 때 포물선 궤도이고, 이심률이 1보다 클 때 쌍곡선 궤도이다. 따라서 이심률이 가장 작은 것은 A이다.

06 (꼼꼼) 문제 분석

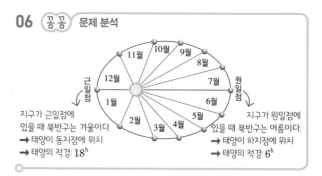

지구가 근일점에 있을 때 북반구는 겨울이다.
➡ 태양이 동지점에 위치
➡ 태양의 적경: 18^h

지구가 원일점에 있을 때 북반구는 여름이다.
➡ 태양이 하지점에 위치
➡ 태양의 적경: 6^h

ㄱ. 케플러 제2법칙(면적 속도 일정 법칙)에 따르면 동일한 시간 동안에 지구와 태양을 잇는 직선이 쓸고 지나간 면적은 같으므로 지구의 공전 속도는 원일점보다 근일점에서 빠르다.

ㄷ. 지구가 원일점에 있을 때 북반구에서는 여름이므로 태양은 하지점에 위치한다. 따라서 이때 태양의 적경은 약 6^h이다.

┃바로알기┃ ㄴ. 동일한 시간 동안 지구와 태양을 잇는 직선이 쓸고 지나가는 면적은 같다. 따라서 1월과 7월에 각각 한 달 동안 지구와 태양을 잇는 직선이 쓸고 지나간 면적은 같다.

07 (꼼꼼) 문제 분석

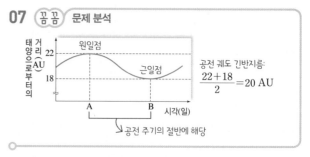

공전 궤도 긴반지름:
$\dfrac{22+18}{2}=20$ AU

공전 주기의 절반에 해당

①, ② A 시기에 행성은 태양으로부터 가장 먼 지점에 있으므로, 원일점에 있다. 행성의 공전 속도는 원일점에 위치하는 A 시기보다 근일점에 위치하는 B 시기에 더 빠르다.

③ 공전하는 동안 태양으로부터 행성까지 거리가 변하므로, 이 행성은 타원 궤도를 그리면서 공전한다.

⑤ 이 행성의 공전 궤도 긴반지름은 20 AU로, 지구의 공전 궤도 긴반지름보다 크다. 공전 주기는 공전 궤도 긴반지름이 클수록 길므로, 이 행성은 지구보다 공전 주기가 길다.

❚ 바로알기 ❚ ④ 이 행성의 공전 궤도 긴반지름은 (22＋18) AU의 절반인 20 AU이다.

08 꼼꼼 문제 분석

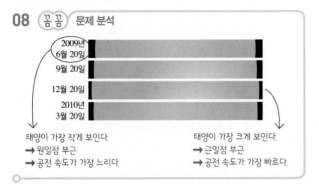

ㄱ. 사진에서 태양의 크기가 변한 것은 실제로 태양의 크기가 변한 것이 아니고, 지구가 타원 궤도를 그리며 태양 둘레를 공전하여 지구와 태양과의 거리가 변하기 때문이다.

ㄷ. 지구의 공전 속도는 태양에 가까울수록 빠르다. 따라서 태양이 작게 촬영된 6월에는 지구가 원일점 부근에, 크게 촬영된 12월에는 지구가 근일점 부근에 위치하므로 지구의 공전 속도는 6월보다 12월에 더 빠르다.

❚ 바로알기 ❚ ㄴ. 지구에서는 태양과 거리가 가까울수록 태양이 크게 관측된다. 따라서 지구는 6월에 원일점 부근에 위치하여 태양이 가장 작게 관측되고, 12월에 근일점 부근에 위치하여 태양이 가장 크게 관측된다.

09 케플러 제2법칙에 의하면 태양과 혜성과의 거리가 가까워질수록 혜성의 공전 속도가 빨라진다.

모범답안 혜성은 태양을 하나의 초점에 둔 이심률이 매우 큰 타원 궤도 또는 포물선 궤도를 그리는데, 태양 근처를 지날 때는 공전 속도가 매우 빠르기 때문에 관측할 수 있는 시간이 짧다.

채점 기준	배점
공전 궤도의 모양과 공전 속도를 포함하여 옳게 서술한 경우	100 %
태양 근처에서 공전 속도가 빠르기 때문이라고만 서술한 경우	40 %

10 ④ 케플러 제3법칙(조화 법칙)에 따르면 공전 주기의 제곱은 공전 궤도 긴반지름의 세제곱에 비례한다. 즉, $27^2 = a^3$이므로 공전 궤도 긴반지름(a)은 9 AU이다.

❚ 바로알기 ❚ ①, ③ 면적 속도 일정 법칙에 의해 동일한 시간 동안 행성이 이동한 궤도 면적 S_1과 S_2는 같다. 행성 P가 전체 궤도 면적의 $\frac{1}{27}$을 공전하는 데 1년이 걸리므로, 공전 주기는 27년이다.

② 태양은 타원 궤도의 한 개 초점에 위치한다.

⑤ 행성의 공전 속도는 태양에 가까울수록 빠르므로, 행성 P의 공전 속도는 P$_2$보다 P$_3$에서 더 느리다.

11 꼼꼼 문제 분석

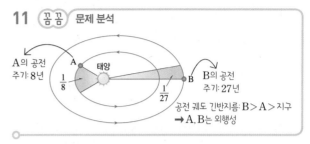

ㄱ. 태양과 행성을 잇는 직선이 전체 궤도 면적을 쓸고 지나가는 시간이 행성의 공전 주기이므로, A와 B의 공전 주기는 각각 8년, 27년이다.

ㄴ. $\frac{a^3}{P^2}$＝일정(a: 공전 궤도 긴반지름, P: 공전 주기)하므로 $\frac{(a_A)^3}{8^2} = \frac{(a_B)^3}{27^2}$에서 $(a_B)^3 = (\frac{9}{4}a_A)^3$이다. 따라서 B의 공전 궤도 긴반지름은 A의 $\frac{9}{4}$배이다.

ㄷ. A와 B는 외행성이고, 외행성의 회합 주기는 지구에서 멀수록 짧아지므로, A가 B보다 회합 주기가 길 것이다.

12 (1) 케플러 제2법칙에 의하면 태양과 행성을 잇는 직선이 동일한 시간 동안 쓸고 지나가는 면적은 같으므로 행성의 공전 속도는 근일점(A)에서 가장 빠르고, 원일점(C)에서 가장 느리다.
(2) 공전 주기의 단위가 '년', 공전 궤도 반지름의 단위가 'AU'일 때 $P^2 = a^3$이다.

모범답안 (1) A, C (2) $P^2 = a^3 = 64^2$이므로 행성의 공전 궤도 긴반지름은 16 AU이다.

채점 기준		배점
(1)	A와 C를 순서대로 옳게 쓴 경우	50 %
(2)	케플러 제3법칙을 이용하여 행성의 공전 궤도 긴반지름을 옳게 구한 경우	50 %
	행성의 공전 궤도 긴반지름만 구한 경우	30 %

13 (1) 행성의 공전 궤도 긴반지름은 태양으로부터 원일점까지 거리(6 AU)와 근일점까지 거리(2 AU)의 합의 절반이므로 4 AU이다. 공전 궤도의 중심에서 태양까지 거리는 공전 궤도 긴반지름(4 AU)에서 태양으로부터 근일점까지의 거리(2 AU)를 뺀 값이므로 2 AU이다.
(2) 공전 주기: $P^2 = a^3$에서 $P^2 = 4^3$이므로 $P = 8$년이다.

회합 주기: $\frac{1}{S} = \frac{1}{E} - \frac{1}{P} = 1 - \frac{1}{8}$이므로 $S ≒ 1.14$년이다.

모범답안 (1) 4 AU, 2 AU (2) 공전 주기는 8년이고, 회합 주기는 약 1.14년이다.

채점 기준		배점
(1)	행성의 공전 궤도 긴반지름과 공전 궤도의 중심에서 태양까지 거리를 모두 옳게 구한 경우	50 %
	행성의 공전 궤도 긴반지름만 옳게 구한 경우	30 %
(2)	행성의 공전 주기와 회합 주기를 모두 옳게 구한 경우	50 %
	행성의 공전 주기만 옳게 구한 경우	30 %

14 ㄱ. 행성은 항성을 한 초점으로 하는 타원 궤도를 그리며 공전한다.

ㄹ. 행성의 공전 주기(P)의 제곱은 공전 궤도 긴반지름(a)의 세제곱에 비례한다. 따라서 공전 주기는 공전 궤도 긴반지름이 짧은 행성 I이 공전 궤도 긴반지름이 긴 행성 II보다 짧다.

┃**바로알기**┃ ㄴ. 행성의 공전 속도는 근일점에 가까울수록 빨라지므로, 행성 I는 원일점인 a에서의 공전 속도가 근일점인 b에서보다 느리다.

ㄷ. 원일점에 위치할 때 행성 II는 행성 I보다 항성으로부터 멀리 떨어져 있으므로 공전 속도가 느리다. 따라서 행성 II의 원일점인 c에서의 공전 속도는 행성 I의 원일점인 a에서의 공전 속도보다 느리다.

15 (꼼꼼) 문제 분석

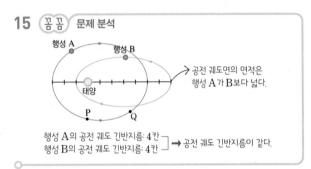

행성 A의 공전 궤도 긴반지름: 4칸
행성 B의 공전 궤도 긴반지름: 4칸 → 공전 궤도 긴반지름이 같다.
공전 궤도면의 면적은 행성 A가 B보다 넓다.

ㄴ. A가 P에서 Q로 이동하는 동안은 근일점에서 원일점으로 이동하고 있으므로, 공전 속도가 느려진다.

┃**바로알기**┃ ㄱ. 케플러 제3법칙은 $P^2 = a^3$의 관계가 있다. A와 B는 공전 궤도 긴반지름(a)이 같으므로, 공전 주기(P)도 같다.

ㄷ. A와 B의 공전 궤도 긴반지름은 같지만 공전 궤도면의 면적은 A가 B보다 넓으므로, 태양과 행성을 잇는 직선이 동일한 시간 동안 쓸고 지나간 면적 속도는 A가 B보다 크다.

16 (꼼꼼) 문제 분석

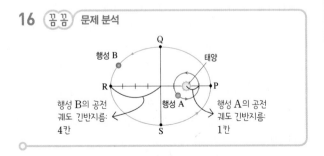

행성 B의 공전 궤도 긴반지름: 4칸
행성 A의 공전 궤도 긴반지름: 1칸

ㄱ. 케플러 제2법칙(면적 속도 일정 법칙)에 의하면 행성과 태양을 잇는 직선이 동일한 시간 동안 쓸고 지나가는 면적은 같다. 행성 A는 원궤도로 태양 주위를 공전하므로, 공전하는 동안 속력이 일정하다.

ㄴ. 케플러 제3법칙(조화 법칙)에 의하면 행성의 공전 주기의 제곱은 공전 궤도 긴반지름의 세제곱에 비례한다. 행성 B의 공전 궤도 긴반지름은 행성 A의 4배이므로 $\frac{1^3}{(P_A)^2} = \frac{4^3}{(P_B)^2}$으로부터 $P_B = 8P_A$임을 알 수 있다. 따라서 행성 B의 공전 주기는 행성 A의 8배이다.

ㄷ. 케플러 제2법칙에 의하면 행성과 태양을 잇는 직선이 같은 시간 동안 쓸고 지나가는 면적은 같다. 행성 B가 P에서 R까지 공전하면서 쓸고 지나가는 면적(전체 면적의 절반)이 Q에서 S까지 공전하면서 쓸고 지나가는 면적(전체 면적의 절반 이상)보다 적다. 따라서 행성 B가 P에서 R까지 공전하는 데 걸리는 시간은 Q에서 S까지 공전하는 데 걸리는 시간보다 짧다.

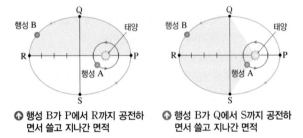

↑ 행성 B가 P에서 R까지 공전하면서 쓸고 지나간 면적

↑ 행성 B가 Q에서 S까지 공전하면서 쓸고 지나간 면적

17 ㄷ. 케플러 제3법칙 $P^2 = a^3$에서 공전 주기(P)가 8년이므로 $8^2 = a^3$에서 공전 궤도 긴반지름(a)은 4 AU이다.

┃**바로알기**┃ ㄱ. 행성의 공전 속도는 근일점에서 가장 빠르고, 원일점에서 가장 느리다. A 시기에는 공전 속도가 가장 느리므로 원일점에 있을 때이고, B 시기에는 공전 속도가 가장 빠르므로 근일점에 있을 때이다.

ㄴ. A는 원일점에, B는 근일점에 있을 때이므로 A에서 B까지 걸린 시간이 4년이면 공전 주기는 8년이다.

18 ㄱ. 두 별은 공통 질량 중심을 중심으로 항상 마주하고 공전하기 때문에 공전 주기가 같다.

ㄷ. 각각의 별의 질량(m)과 공전 궤도 긴반지름(a) 사이에는 $m_1 a_1 = m_2 a_2$가 성립한다. 따라서 질량이 큰 별이 공통 질량 중심에 더 가까우므로 질량은 m_1이 m_2 보다 크다.

┃**바로알기**┃ ㄴ. 공전 주기는 같은데도 질량이 작은 별(m_2)이 더 큰 궤도로 공전하므로, 질량이 작은 별 m_2가 질량이 큰 m_1보다 공전 속력이 더 빠르다.

ㄹ. 공전 주기와 두 별 사이의 거리(a)만 알면 두 별의 질량의 합을 알 수 있다. 두 별의 질량을 각각 알아내려면 공전 주기와 두 별의 공통 질량 중심으로부터의 거리 a_1, a_2를 각각 알아야 한다.

❶ 135°E(동경 135°)   ❷ 빨라진다   ❸ 지평선   ❹ 춘분점
❺ 충   ❻ 내합   ❼ 충   ❽ 주전원   ❾ 연주 시차
❿ 회합 주기   ⓫ 감소   ⓬ 최대 이각   ⓭ 타원 궤도 법칙
⓮ 근일점   ⓯ 원일점   ⓰ 조화 법칙

01 ①   **02** 영국: 7월 1일 오후 7시, 로스앤젤레스: 7월 1일 오
전 11시   **03** ④   **04** ③   **05** ②   **06** ⑤   **07** ④
08 ⑤   **09** ③   **10** ②   **11** ②   **12** ②   **13** ②
14 ③   **15** ③   **16** ②   **17** 해설 참조   **18** 해설 참조
19 해설 참조   **20** 해설 참조

01 꼼꼼 문제 분석

그림자는 태양의 반대편에 생기며, 태양이 남중하는 때가 정오이다.

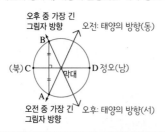

ㄴ. 막대를 기준으로 B 방향이 해가 뜨는 동쪽이다. 이집트는 북
반구(30°N)에 위치하고, 북반구에서는 동쪽을 바라봤을 때 오른
쪽이 남쪽이므로, 막대를 기준으로 D 방향이 남쪽이다.

바로알기 ㄱ. 태양은 오전에 가장 긴 그림자 방향(A 방향)의 반
대 방향에서 뜬다.
ㄷ. 하짓날은 1년 중 태양의 남중 고도가 가장 높아 그림자의 길
이가 가장 짧다. 그림자의 길이가 가장 긴 날은 1년 중 태양의 남
중 고도가 가장 낮은 동짓날이다.

02 우리나라의 표준 경선은 135°E로 우리나라에 비해 서쪽에
있는 런던(0°)은 9시간(=135°÷15°/시간)이 느리다. 런던에서
서쪽에 있는 로스앤젤레스(120°W)는 런던보다 8시간(=120°÷
15°/시간)이 느리다. 따라서 우리나라가 7월 2일 오전 4시일 때
영국의 런던은 그보다 9시간이 느린 7월 1일 오후 7시가 되며, 로
스앤젤레스는 그보다 8시간이 느린 7월 1일 오전 11시가 된다.

03 ④ 자오선은 천정과 천저를 지나는 수직권 중에서 천구 북
극과 천구 남극을 지나는 것이다.

바로알기 ① 지구의 자전축을 연장하여 천구와 만나는 두 점은
천구 북극, 천구 남극이다.
② 시간권은 천구 북극과 천구 남극을 지나는 대원이며, 천정과
천저를 지나는 대원은 수직권이다.
③ 수직권은 천정과 천저를 지나는 대원이므로, 지평선에 수직이
다. 천구 적도에 수직인 대원은 시간권이다.
⑤ 자오선은 천정과 천저를 지나는 수많은 수직권 중에서 천구
북극과 천구 남극을 지나는 것이므로, 관측자에게는 1개뿐이다.

04 꼼꼼 문제 분석

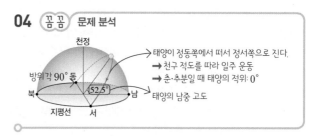

ㄷ. '태양의 남중 고도=90°-관측자의 위도+태양의 적위'이
다. 이날 태양의 남중 고도가 52.5°이고, 태양의 적위가 0°이므
로 관측자의 위도는 37.5°N이다.

바로알기 ㄱ. 이날은 태양이 정동쪽에서 떠서 정서쪽으로 지므
로, 춘분날 또는 추분날이다. 따라서 태양의 적위는 0°이다.
ㄴ. 북점을 기준으로 시계 방향으로 방위각을 측정하면, 이날 해
가 뜰 무렵인 동점에서 방위각은 90°이다.

05 꼼꼼 문제 분석

A → B → C: 하지 → 추분 → 동지

ㄷ. 위도가 37.5°N인 지역에서 일주권이 A(하지) → B(추분) →
C(동지)로 변하면서 낮의 길이가 점차 짧아지므로, 태양이 뜨는
시각은 점차 늦어지고 태양이 지는 시각은 점차 빨라진다.

바로알기 ㄱ. 태양의 일주권이 A(하지) → B(추분) → C(동지)
로 변해갈 때 태양의 적경은 6^h → 12^h → 18^h로 증가한다.
ㄴ. 태양의 일주권이 A(하지) → B(추분) → C(동지)로 변해갈
때, 태양의 적위는 $+23.5°$ → $0°$ → $-23.5°$로 감소한다.

06 ① 춘분날 동점을 지나는 별의 일주권은 천구 적도와 일치
한다. 따라서 적위는 두 별이 모두 0°이다.
② 천구상에서 춘분점으로부터 천구 적도면을 따라 시계 반대
방향으로 적경이 증가하므로, A별의 적경이 B별보다 크다.

③ 북점으로부터 지평선을 따라 시계 방향으로 방위각이 증가하므로, A별의 방위각이 B별보다 작다.

④ 별이 지평면으로부터 높이 위치할수록 고도가 높으므로 A별이 B별보다 고도가 낮다.

┃바로알기┃ ⑤ 남중 고도는 '90°−관측자의 위도＋적위'로 구하는데, 별 A와 B는 적위와 위도가 같으므로 남중 고도가 같다.

07 ① 금성은 내합 부근, 화성은 충 부근을 지날 때 천구상에서 동에서 서로 이동하므로 역행한다.

② 화성은 충에 위치할 때 지구와 거리가 가장 가까워 가장 크고 밝게 보이므로, 시지름이 가장 크고 겉보기 등급이 가장 작다.

③ 금성은 외합이나 내합, 화성은 합의 위치에 있을 때 태양과 함께 뜨고 지므로 육안으로 관측할 수 없다.

⑤ 외행성인 화성은 태양의 반대편(충)에 위치할 때 한밤중에 관측할 수 있으나, 내행성인 금성은 항상 태양 부근에서 보이므로 새벽이나 초저녁에만 관측할 수 있다.

┃바로알기┃ ④ 화성은 지구에서 가장 가까울 때인 충의 위치에서 보름달 모양의 위상으로 관측된다. 금성은 지구에서 가장 가까울 때인 내합의 위치에서 태양과 함께 뜨므로 관측할 수 없으며, 내합 부근에서는 초승달이나 그믐달 모양으로 관측된다.

08 (꼼꼼) 문제 분석

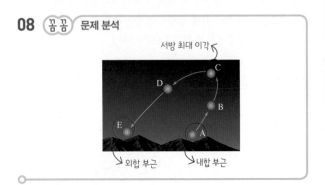

금성이 동쪽 하늘에서 관측되는 때는 태양의 서쪽에 위치할 때로, 내합→서방 최대 이각→외합의 순으로 위치 관계가 변한다. 그림에서 고도가 가장 높은 C일 때, 금성은 서방 최대 이각에 위치한다.

① A는 금성이 내합 부근을 지나는 때로, 천구상에서 동에서 서로 이동하는 역행이 일어난다.

② 금성이 A에서 B로 이동하면 지구로부터 거리가 멀어지므로 시지름이 작아진다.

③ 금성이 C 위치(서방 최대 이각)에 있을 때 태양이 금성의 왼쪽 절반을 비추므로, 하현달 모양으로 보인다.

④ C에서 E로 갈수록 태양과 금성의 이각이 작아지므로 관측 가능 시간이 점점 짧아진다.

┃바로알기┃ ⑤ E 부근에서 금성의 위치가 매일 서에서 동으로 이동하므로, 금성은 점점 늦게 뜬다.

09 (꼼꼼) 문제 분석

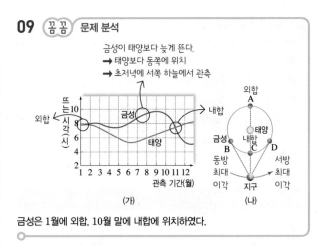

금성은 1월에 외합, 10월 말에 내합에 위치하였다.

ㄱ. 금성은 1월에 뜨는 시간이 태양과 같고, 1월 이후에 태양보다 늦게 뜨므로 1월에는 외합(A) 부근에 위치하였고, 1월 이후에는 태양의 동쪽에 위치하였다.

ㄷ. 금성은 태양보다 늦게 뜨다가 10월 말에 뜨는 시간이 같아지므로, 태양의 동쪽에 위치하다가 10월 말에 내합(C) 부근을 지난다. 내합 부근에서는 역행이 일어나므로 적경이 감소한다.

┃바로알기┃ ㄴ. 1월 이후 금성은 태양보다 늦게 뜨므로 10월 말까지 태양이 지고 난 후 초저녁에 서쪽 하늘에서 관측할 수 있다.

10 (꼼꼼) 문제 분석

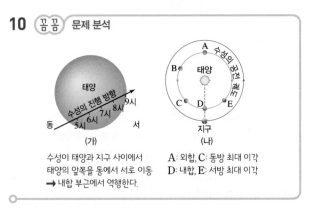

수성이 태양과 지구 사이에서 태양의 앞쪽을 동에서 서로 이동
➡ 내합 부근에서 역행한다.

A: 외합, C: 동방 최대 이각
D: 내합, E: 서방 최대 이각

ㄷ. 수성이 내합을 지나면서 이 기간 직후에는 태양의 서쪽에 위치하므로, 새벽에 동쪽 하늘에서 관측될 수 있다.

┃바로알기┃ ㄱ. 수성이 태양의 앞쪽을 동에서 서로 역행하면서 이동하므로, 내합(D)의 위치를 지나고 있다.

ㄴ. 이 기간 동안 수성은 동에서 서로 역행하고 있으므로, 적경이 감소한다.

> 수성이나 금성은 내합에 위치할 때 태양을 가리는 현상(태양면을 통과하는 현상)이 일어나기도 하는데, 태양에 비해 크기가 매우 작아서 점처럼 관측됩니다. 이러한 현상은 수성과 금성의 공전 궤도면이 지구의 공전 궤도면과 일치하지 않기 때문에 내합일 때마다 항상 일어나지는 않습니다.

11 ① 관측 기간 중 소행성의 적경이 감소할 때 나타나는 역행은 1994년 3월, 1995년 6월에 총 2번 일어났다.

③ 1994년 9월 중순에는 소행성의 적경이 증가하는 방향으로 겉보기 운동이 일어나므로 순행하였다.

④ 1995년 6월 중순을 전후하여 소행성이 역행하므로 충의 위치에 있었고, 이때 소행성은 태양 – 지구 – 소행성의 순으로 위치하여 초저녁에 뜨고 자정 무렵에 남중하였다.

⑤ 소행성의 회합 주기는 충(1994년 3월 15일)에서 다음 충(1995년 6월 15일)까지의 기간이므로, 약 1년 3개월이다.

┃바로알기┃ ② 1994년 3월 중순에는 소행성이 충의 위치에 있으므로, 지구에서 가장 가까워졌다.

12 꼼꼼 문제 분석

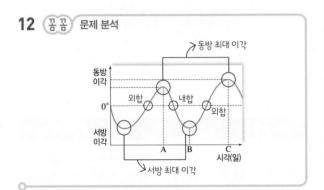

ㄴ. 케플러 제1법칙은 타원 궤도 법칙이다. A와 C에서 최대 이각이 다른 것은 지구와 내행성의 공전 궤도면이 완전히 일치하지 않을 뿐만 아니라 내행성의 공전 궤도가 타원 궤도이기 때문이다.

┃바로알기┃ ㄱ. A와 C는 동방 최대 이각이고, A에서 C까지 걸린 시간은 행성의 상대적 위치 관계가 반복되는 주기이므로 회합 주기에 해당한다.

ㄷ. 행성이 B(서방 최대 이각)에서 C(동방 최대 이각)로 이동하는 사이에 외합에 위치하며, 외합 부근에서는 행성이 순행한다. 행성이 A(동방 최대 이각)에서 B(서방 최대 이각)로 이동하는 사이에 내합에 위치하며, 내합 전후에서 역행한다.

13 (가)는 프톨레마이오스의 지구 중심설, (나)는 티코 브라헤의 수정된 지구 중심설, (다)는 코페르니쿠스의 태양 중심설이다.

ㄴ. (나)에서는 금성이 태양과 지구 사이에만 있지 않고 태양의 건너편(금성 – 태양 – 지구의 순으로 위치)에도 위치할 수 있으므로, 금성의 보름달에 가까운 모양의 위상을 설명할 수 있다.

┃바로알기┃ ㄱ. 별의 연주 시차는 지구가 공전하기 때문에 나타나는 현상이므로, 지구가 공전하고 있는 (다)에서만 설명된다. (가)와 (나)에서는 지구가 공전하지 않는다.

ㄷ. 행성의 역행 현상은 (가)~(다)에서 모두 설명할 수 있다. (가)에서는 주전원으로, (나)에서는 태양과 행성의 공전 속도 차이로, (다)에서는 지구와 행성의 공전 속도 차이로 설명할 수 있다.

14 금성이 태양과 지구 사이에서 원(주전원)을 그리며 공전하고 있으므로, 이 우주관은 프톨레마이오스의 지구 중심설이다.

ㄱ. 금성이 주전원 주위를 공전하므로 태양에서 일정한 각도 이내에서만 이동한다. 따라서 태양보다 몇 시간 일찍 뜨거나 몇 시간 늦게 지므로 새벽 또는 초저녁에만 보인다.

ㄴ. 금성이 주전원을 따라 공전할 때 천구상에서 동에서 서로 움직이며 역행할 때가 있다.

┃바로알기┃ ㄷ. 이 우주론에서는 금성이 태양의 반대편(금성 – 태양 – 지구 순으로 위치)에 있을 수가 없어서 보름달 모양의 위상을 설명할 수가 없다.

15 ㄴ, ㄹ. 외행성의 경우에는 지구에서 거리가 멀어질수록 회합 주기가 짧아진다. 소행성 A와 B는 지구보다 바깥쪽 궤도를 공전하며, A의 회합 주기가 B보다 짧으므로 지구와의 거리는 A가 B보다 멀다. 또한, 회합 주기가 더 짧은 소행성 A가 지구에서 더 멀리 있기 때문에 공전 주기도 더 길다.

┃바로알기┃ ㄱ, ㄷ. 회합 주기는 지구와 행성의 공전 주기와 관계가 있으며, 질량, 반지름과는 관계가 없다.

16 꼼꼼 문제 분석

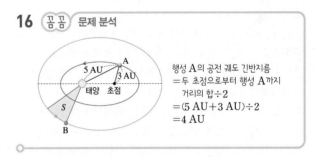

행성 A의 공전 궤도 긴반지름
=두 초점으로부터 행성 A까지 거리의 합÷2
=(5 AU+3 AU)÷2
=4 AU

ㄴ. 케플러 제3법칙에 따라 A의 공전 주기는 $P^2=4^3$에서 $P=8$년이다. B의 공전 주기는 케플러 제2법칙에 따라 27년이다. 따라서 A와 B의 공전 주기의 비는 8 : 27이다.

┃바로알기┃ ㄱ. 타원의 두 초점으로부터 행성까지 거리의 합은 항상 일정하므로, A의 공전 궤도 긴반지름은 $\dfrac{5\,AU+3\,AU}{2}$ =4 AU이다.

ㄷ. 행성 A, B는 모두 외행성으로, 지구와의 회합 주기는 행성이 지구에서 멀어질수록 짧아진다.

17 꼼꼼 문제 분석

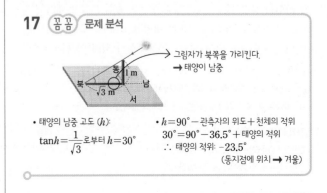

그림자가 북쪽을 가리킨다.
→ 태양이 남중

• 태양의 남중 고도 (h):
$\tan h=\dfrac{1}{\sqrt{3}}$로부터 $h=30°$

• $h=90°$ – 관측자의 위도+ 천체의 적위
$30°=90°-36.5°+$ 태양의 적위
∴ 태양의 적위: $-23.5°$
(동지점에 위치 → 겨울)

태양이 정남쪽에 있을 때의 태양의 고도 h가 태양의 남중 고도가 되며, 이때 태양은 남점에 위치하므로 방위각은 180°가 된다. 태양의 남중 고도(h)는 $\tan h = \dfrac{1}{\sqrt{3}}$로부터 $h = 30°$가 된다. $h = 90° - 36.5° +$ 태양의 적위에서 태양의 적위는 $-23.5°$이므로, 태양이 동지점에 위치하여 계절은 겨울이다.

모범답안 방위각은 180°, 고도는 30°이고, 적위가 $-23.5°$이므로 겨울(동지)이다.

채점 기준	배점
태양의 방위각과 고도, 계절과 까닭을 모두 옳게 서술한 경우	100 %
태양의 방위각과 고도, 계절, 까닭 중 한 가지당 배점	25 %

18 **꼼꼼** 문제 분석

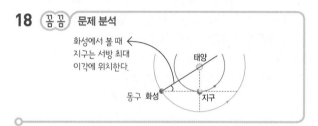

화성에서 볼 때 지구는 서방 최대 이각에 위치한다.

태양 / 동구 화성 / 지구

(가) 화성이 태양에 대해 동쪽 직각 방향에 있으므로, 동구에 위치해 있다. 외행성이 동구에 위치할 때는 초저녁(저녁 6시경)에 남쪽 하늘에서 보이고, 자정(밤 12시경)에는 서쪽 지평선으로 지므로 약 6시간 동안 관측할 수 있다.

(나) 화성에서 지구를 관측하면 지구는 내행성에 해당하며 태양의 서쪽으로 각거리가 가장 큰 곳에 위치하므로, 서방 최대 이각에 위치해 있다. 따라서 지구의 위상은 하현달 모양(◖)으로 관측된다.

모범답안 (가) 초저녁에서 자정 무렵까지 관측할 수 있다.
(나) 서방 최대 이각에 위치해 있고, 하현달 모양으로 관측된다.

채점 기준	배점
(가)와 (나)를 모두 옳게 서술한 경우	100 %
(가)와 (나) 중 한 가지만 옳게 서술한 경우	50 %
(나)에서 상대적 위치 또는 위상만 옳게 서술한 경우	25 %

19 프톨레마이오스의 우주관에서는 주전원을 도입하여 행성의 역행을 설명하였고, 내행성의 주전원 중심을 항상 태양과 지구를 잇는 일직선상에 둠으로써 내행성이 태양으로부터 어느 각도 이상 멀어지지 않는 현상, 즉 내행성의 최대 이각을 설명하였다.

모범답안 (가) 행성의 역행을 설명하기 위해 도입하였다.
(나) 내행성의 최대 이각을 설명하기 위해 도입하였다.

채점 기준	배점
(가)와 (나)를 모두 옳게 서술한 경우	100 %
(가)와 (나) 중 한 가지만 옳게 서술한 경우	50 %

20 혜성의 공전 주기(P)가 64년이므로, 케플러 제3법칙을 적용하면 공전 궤도 긴반지름(a)은 다음과 같다.

$P^2 = a^3$에서 $64^2 = a^3$이므로 $a = 16$ AU이다. 혜성의 공전 궤도 긴반지름이 지구(1 AU)보다 길므로, 회합 주기(S)는 외행성의 회합 주기 관계식으로 구할 수 있다.

$\dfrac{1}{S} = \dfrac{1}{E} - \dfrac{1}{P}$에서 $\dfrac{1}{S} = 1 - \dfrac{1}{64} = \dfrac{63}{64}$이므로 $S ≒ 1.02$년이다.

모범답안 공전 궤도 긴반지름은 16 AU이고, 회합 주기는 약 1.02년이다.

채점 기준	배점
혜성의 공전 궤도 긴반지름과 회합 주기를 모두 옳게 구한 경우	100 %
혜성의 공전 궤도 긴반지름과 회합 주기 중 한 가지만 옳게 구한 경우	50 %

수능 실전 문제
308쪽~311쪽

01 ①	02 ⑤	03 ①	04 ③	05 ⑤	06 ⑤
07 ①	08 ⑤	09 ⑤	10 ①	11 ①	12 ②
13 ⑤	14 ①	15 ⑤	16 ①		

01 **꼼꼼** 문제 분석

• 이 도시의 표준 경선은 우리나라와 120° 차이가 난다.
  15°E 또는 105°W   135°E
• 이 도시는 서머타임을 시행하여 1시간이 빨라진다. (+1시간)

‖선택지 분석‖
① 파리   ⊗ 모스크바   ⊗ 런던
⊗ 베이징   ⊗ 시드니

이 도시의 표준 경선은 우리나라(135°E)와 120° 차이가 나므로 15°E 또는 105°W이다.

• 15°E일 경우: 우리나라보다 8시간(=120°÷15°/시간)이 느리고, 현재 우리나라는 12시이다. 그러므로 새벽 4시인데, 두 번째 조건에서 서머타임을 시행한다고 하였으므로 새벽 5시이다.
➡ 파리에 해당

• 105°W일 경우: 우리나라보다 16시간(=0°까지 9시간+0°에서 105°W까지 7시간)이 느리고, 현재 우리나라는 12시이다. 그러므로 전날 저녁 8시이고, 두 번째 조건에서 서머타임을 시행한다고 하였으므로 전날 저녁 9시이다.

> 서머타임은 여름철 해가 일찍 뜨기 때문에 낮 시간을 활용하여 경제 활동을 활발히 하고 에너지도 절약하자는 목적으로 86개 국가가 시행하는 제도입니다. 서머타임을 시행하면 시행하지 않는 지역과는 평소의 시차보다 1시간이 줄어들거나 1시간이 더 벌어집니다. (시행하지 않는 지역이 앞선 시간대에 있을 경우에는 줄어들고, 늦은 시간대에 있는 경우에는 더 벌어집니다)

02 꼼꼼 문제 분석

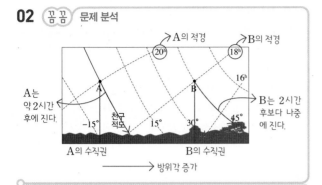

선택지 분석

① 적경은 별 A가 B보다 작다. 크다
② 적위는 별 A가 B보다 크다. 작다
③ 방위각은 별 A가 B보다 크다. 작다
④ 별 A는 B보다 나중에 진다. 먼저
⑤ 보름 후 별 A와 B는 이날보다 일찍 진다.

⑤ 태양의 연주 운동으로 태양의 적경이 증가하므로 별이 지는 시각은 매일 약 4분씩 빨라진다. 따라서 보름 후 A와 B는 이날 보다 일찍 진다.

바로알기 ① 적경은 A가 20^h, B가 18^h이다. ➡ 적경: A>B
② A는 천구 적도에 위치하므로 적위가 $0°$이고, B는 적위가 $45°$이다. ➡ 적위: A<B
③ 방위각은 북점(또는 남점)을 기준으로 시계 방향으로 측정한다. 그림은 서쪽 하늘을 관측한 것이므로, 왼쪽에서 오른쪽으로 갈수록 방위각이 크다. ➡ 방위각: A<B
④ 일주권은 천구 적도와 나란하고 별은 지평선 아래로 지므로 A는 약 2시간 후에 지고, B는 약 2시간 후보다 나중에 진다.

03 꼼꼼 문제 분석

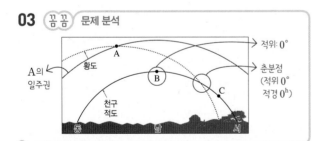

선택지 분석

ㄱ 적위는 A가 B보다 크다.
ㄴ 적경은 B가 C보다 크다. 작다
ㄷ 이 시간 이후 A의 고도는 점점 낮아진다. 높아지다가 낮아진다

ㄱ. 적위는 천구 적도에서 시간권을 따라 천체까지 측정한 각도 로, 천구 북극 방향으로 가까울수록 크므로 A의 적위는 B보다 크다. B는 현재 천구 적도에 위치해 있으므로 적위가 $0°$이다.

바로알기 ㄴ. 그림에서 황도와 천구 적도가 만나는 교점은 태양 이 황도를 따라 천구의 남반구에서 북반구로 올라가며 천구 적도 와 만나는 점이므로, 춘분점(적경=0^h)이다. 적경은 춘분점을 기 준으로 천구 적도를 따라 시계 반대 방향으로 재므로 B의 적경은 C의 적경보다 작다.

ㄷ. 고도는 지평선에서부터 천체를 지나는 수직권을 따라 천체까 지 측정한 각도로, 하루 중 천체가 남쪽 자오선에 위치했을 때 가 장 높다. A는 현재 남동쪽 하늘에 있으므로, 시간이 지남에 따라 고도가 점점 높아지다가 남쪽 자오선을 지나면서부터 낮아진다.

04 꼼꼼 문제 분석

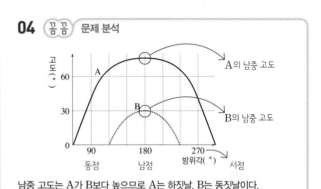

남중 고도는 A가 B보다 높으므로 A는 하짓날, B는 동짓날이다.

선택지 분석

ㄱ 태양을 관측한 지역의 위도는 $36.5°N$이다.
ㄴ A일 때, 낮의 길이가 밤의 길이보다 길었다.
ㄷ B일 때, 태양이 지는 방향은 북서쪽의 지평선이다. 남서쪽

ㄱ. B는 동짓날이므로 태양의 적위는 $-23.5°$이고, 남중 고도는 $30°$이므로, $30°=90°-$관측자의 위도$-23.5°$에서 관측자의 위 도는 $36.5°N$이다.

ㄴ. A는 하짓날이므로 태양은 북동쪽에서 떠서 북서쪽으로 지 며, 이때 낮의 길이가 밤의 길이보다 길다.

바로알기 ㄷ. B는 동짓날이므로, 태양은 남동쪽에서 떠서 남서 쪽으로 진다.

05 꼼꼼 문제 분석

태양의 일주권은 천구 적도와 나란하며, 우리나라에서 관측한 일주권이 오 른쪽으로 비스듬히 올라가므로 동쪽 하늘을 관측한 것이다.

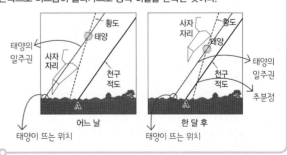

㉠ 한 달 동안 태양의 적위는 감소하였다.
㉡ 한 달 동안 태양이 뜨는 위치는 A점보다 북쪽이다.
㉢ 사자리를 관측할 수 있는 시간은 9월보다 3월에 더 길다.

ㄱ. 태양의 위치가 천구 적도에 접근하므로, 이 기간 동안 태양의 적위는 감소하였다.

ㄴ. 한 달 동안 태양의 적위가 (+)이므로 천구 적도와 나란하게 태양의 일주권을 그려보면 태양이 뜨는 위치는 A점보다 북쪽이다.

ㄷ. 한 달 후 황도와 천구 적도가 만나는 점은 적위가 (+)에서 (−)로 변하므로, 추분점이다. 사자리는 추분점 근처에 있으므로 사자리를 관측할 수 있는 시간은 태양이 춘분점 근처에 있는 3월에 더 길다.

06

㉠ 금성은 9월 1일에 추분점 방향에서 관찰된다.
㉡ 1월 1일에는 금성이 태양보다 먼저 뜬다.
㉢ 2016년에는 금성이 역행하는 시기가 없었다.

ㄱ. 추분점의 적경은 12^h이며, 금성은 9월 1일에 적경이 약 12^h이므로 추분점 방향에서 관찰된다.

ㄴ. 1월 1일에 금성의 적경은 16^h이며, 이날 태양의 적경은 태양이 동지점을 조금 지난 때이므로 18^h보다 약간 크다. 적경이 작은 천체가 먼저 뜨고 먼저 지므로, 1월 1일에는 금성이 태양보다 먼저 뜬다.

ㄷ. 천체는 천구상에서 역행하면 적경이 감소한다. 2016년에 금성은 적경이 감소하는 시기가 없으므로, 역행하는 시기가 없었다.

07 꼼꼼 문제 분석

화성은 A까지는 서에서 동으로 순행하다가 A에서 B까지는 동에서 서로 역행하며, B부터는 다시 서에서 동으로 순행한다.

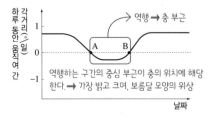

㉠ 별자리에 대해 역행을 한다.
✕ 초저녁에 ~~서쪽~~ 하늘에서 관측된다. 동쪽
✕ ~~상현달~~ 모양의 위상을 이룬다. 보름달

ㄱ. 행성이 별자리에 대해 서에서 동으로 이동해 가는 것을 순행이라고 하고, 동에서 서로 이동해 가는 것을 역행이라고 한다. 따라서 A→B 기간 동안 화성은 동에서 서로 이동하고 있으므로 역행을 한다.

ㄴ. A→B 기간에 화성이 역행하므로 충을 지나고, 화성이 충 부근을 지날 때는 초저녁에 동쪽 하늘에서 관측된다.

ㄷ. 화성이 충 부근에 위치하면 보름달 모양의 위상으로 보인다.

08

㉠ 7월 9일경에 목성은 자정에 남쪽 하늘에서 관측되었다.
㉡ 9월 말에 토성은 새벽에 동쪽 하늘에서 관측되었다.
㉢ 이 기간 동안 목성은 천구상에서 동에서 서로 겉보기 운동을 한 적이 있었을 것이다. 역행

ㄱ. 7월 9일경에 목성의 시지름이 가장 컸으므로, 이날 목성은 충 부근에 있었다. 따라서 자정에 남쪽 하늘에서 관측된다.

ㄴ. 9월 7일경에 토성의 시지름이 가장 작았으므로, 이날 토성은 합 부근에 있다. 외행성의 상대적 위치는 합→서구→충→동구로 변하므로, 9월 말에 토성은 태양보다 서쪽에 위치하여 새벽에 동쪽 하늘에서 관측된다.

ㄷ. 외행성은 충을 전후로 역행하므로, 목성은 7월 9일 전후로 천구상에서 동에서 서로 겉보기 운동을 한 적이 있었을 것이다.

09 꼼꼼 문제 분석

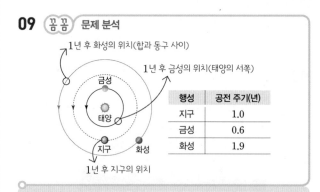

행성	공전 주기(년)
지구	1.0
금성	0.6
화성	1.9

㉠ 금성이 새벽에 관측되는 시기가 있다.
㉡ 금성이 상현달 모양으로 관측되는 시기가 있다.
㉢ 화성이 역행하는 시기가 있다.

현재 금성은 외합에 위치하지만 1년 후에는 동방 최대 이각→내합→서방 최대 이각→외합→동방 최대 이각→내합을 지나 태양의 서쪽에 위치하게 된다. 현재 화성은 서구에 위치하지만, 1년 후에는 충을 지나 합과 동구 사이에 위치하게 된다.

ㄱ. 금성의 상대적 위치가 태양보다 서쪽에 있는 시기에는 금성이 새벽에 관측된다. 1년 동안 금성은 태양의 서쪽에 위치한 적이 있다.

ㄴ. 금성이 동방 최대 이각에 있을 때는 상현달 모양으로 관측되며, 1년 동안 금성은 동방 최대 이각을 지난 적이 있다.

ㄷ. 화성이 충의 위치에 있는 시기에는 역행한다.

10

┃선택지 분석┃

◯ 태양이 우주의 중심인 우주관은 A이다.

✗ B에서는 금성이 보름달 모양으로 보이는 것을 설명할 수 있다. 없다

✗ 금성이 한밤중에 관측되지 않는 것을 A에서는 설명할 수 있지만, B에서는 설명할 수 없다. 있다

ㄱ. A는 지구와 금성 사이의 거리가 태양과 지구 사이의 거리보다 작을 때도 있고 클 때도 있으므로, 태양 중심설에 해당한다. B는 지구와 금성 사이의 거리가 항상 태양과 지구 사이의 거리보다 작으므로, 지구와 태양 사이에 금성의 주전원이 있는 지구 중심설에 해당한다. 따라서 태양이 우주의 중심인 우주관은 A이다.

┃바로알기┃ ㄴ. 지구 중심설(B)에서는 금성이 항상 지구와 태양 사이에 있다. 따라서 금성의 보름달 모양의 위상을 설명할 수 없다.

ㄷ. 금성이 한밤중에 관측되지 않는 현상은 금성의 최대 이각 때문인데, 이는 태양 중심설(A)과 지구 중심설(B)에서 모두 설명이 가능하다.

11

┃선택지 분석┃

◯ 수성과 금성은 새벽과 초저녁에만 관측할 수 있다.

◯ 행성들이 별자리를 배경으로 동에서 서로 움직일 때가 있다.

✗ 금성의 위상이 보름달 모양으로 보일 때가 있다.

✗ 배경이 되는 별에 대한 가까운 별의 위치가 주기적으로 변한다.

(가)는 프톨레마이오스의 지구 중심설, (나)는 코페르니쿠스의 태양 중심설, (다)는 티코 브라헤의 수정된 지구 중심설이다.

ㄱ. 수성과 금성은 최대 이각 범위에서 관측되므로, 새벽과 초저녁에만 관측할 수 있다. 최대 이각은 (가)에서는 내행성의 주전원 중심을 태양과 지구를 잇는 일직선상에 놓아서 설명하였고, (나)에서는 내행성이 지구의 안쪽 궤도를 공전하는 것으로 설명하였으며, (다)에서는 태양 주위를 도는 내행성의 공전 궤도가 태양의 공전 궤도보다 작은 것으로 설명하였다.

ㄴ. 행성들이 별자리를 배경으로 동에서 서로 움직이는 것을 역행이라고 한다. 행성의 역행을 (가)에서는 주전원으로, (나)에서는 지구와 행성의 공전 속도 차이로, (다)에서는 태양과 행성의 공전 속도 차이로 설명하였다.

┃바로알기┃ ㄷ. 금성의 위상이 보름달 모양이 되려면 금성-태양-지구의 순으로 배열되어야 한다. (가) 지구 중심설에서는 금성이 지구와 태양 사이에서만 운동하므로, 금성의 위상이 보름달 모양으로 보이는 것을 설명할 수 없다.

ㄹ. 배경이 되는 별에 대한 가까운 별의 위치가 주기적으로 변하는 것은 별의 연주 시차에 대한 설명이다. 별의 연주 시차는 지구가 공전해야만 나타나므로, (나) 태양 중심설로만 설명할 수 있다.

12

┃선택지 분석┃

✗ 초저녁에 서쪽 하늘에서 관측된다. 새벽에 동쪽 하늘

◯ 시지름이 계속 증가한다.

✗ 천구상에서 역행하다가 순행한다. 순행하다가 역행

화성의 상대적 위치는 합→서구→충→동구의 순으로 변한다.

ㄴ. 합에서 충의 위치가 되기 전까지 지구와 화성의 거리가 가까워지므로 화성의 시지름은 증가한다.

┃바로알기┃ ㄱ. 화성의 회합 주기가 2년보다 길기 때문에 현재 합에서 1년 후 화성의 위치는 충의 위치 전이다. 이 기간 동안 화성은 태양보다 서쪽에 있으므로, 새벽에 동쪽 하늘에서 관측된다.

ㄷ. 외행성은 충 부근에서 역행하므로, 이 기간 동안 화성은 천구상을 순행하다가 역행을 한다.

13 (꼼꼼) 문제 분석

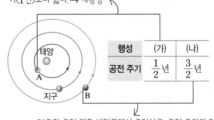

지구의 공전 궤도 안쪽에서 공전하고, 공전 주기가 지구의 공전 주기(1년)보다 짧다. → 내행성

행성	(가)	(나)
공전 주기	$\frac{1}{2}$년	$\frac{3}{2}$년

지구의 공전 궤도 바깥쪽에서 공전하고, 공전 주기가 지구의 공전 주기(1년)보다 길다. → 외행성

┃선택지 분석┃

◯ A의 공전 주기는 $\frac{1}{2}$년이다.

◯ B가 근일점에서 원일점까지 공전하는 데 걸리는 시간은 $\frac{3}{4}$년이다. 공전 주기의 절반

◯ 회합 주기는 B가 A보다 3배 길다.

ㄱ. 내행성은 지구보다 공전 주기가 짧고, 외행성은 지구보다 공전 주기가 길다. 따라서 공전 주기가 $\frac{1}{2}$년인 (가)는 내행성인 A이고, 공전 주기가 $\frac{3}{2}$년인 (나)는 외행성인 B이다.

ㄴ. B는 공전 주기가 $\frac{3}{2}$년이므로, 근일점에서 원일점까지 공전하는 데 걸리는 시간은 공전 주기의 반인 $\frac{3}{4}$년($=\frac{3}{2}\times\frac{1}{2}$)이다.

ㄷ. A는 공전 주기(P)가 $\frac{1}{2}$년이므로, 공전 주기와 회합 주기(S) 관계식 $\frac{1}{S}=\frac{1}{P}-\frac{1}{E}$($E$: 지구의 공전 주기)에서 S=1년이다. B는 공전 주기가 $\frac{3}{2}$년이므로, 공전 주기와 회합 주기 관계식 $\frac{1}{S}=\frac{1}{E}-\frac{1}{P}$에서 S=3년이다. 따라서 회합 주기는 B가 A보다 3배 길다.

14 꼼꼼 문제 분석

행성	A	B	C	D	E	F
회합 주기(일)	116	367	370	378	399	780
행성	수성	해왕성	천왕성	토성	목성	화성
	내행성	외행성				
회합 주기와 공전 주기 관계식	$\frac{1}{S}=\frac{1}{P}-\frac{1}{E}$	$\frac{1}{S}=\frac{1}{E}-\frac{1}{P}$				
공전 주기(일)	88	60189	30685	10759	4333	687

❚ 선택지 분석 ❚
㉠ 내행성은 A이다.
✗ 지구와 공전 속도의 차이가 가장 작은 행성은 B이다. F
✗ 공전 궤도의 긴반지름이 가장 큰 행성은 F이다. B
㉣ 1년 동안 지나간 궤도 면적이 전체 궤도 면적에서 차지하는 비율은 A가 가장 크다.

ㄱ. A는 공전 주기와 회합 주기 관계식에서 외행성의 관계식에서는 공전 주기가 (−) 값이 되어 식이 성립하지 않으므로 내행성이다. 태양계의 내행성은 수성과 금성이 있는데, 그 중 회합 주기가 지구의 공전 주기(365일)보다 짧은 것은 수성이다.

ㄹ. 1년 동안 지나간 궤도 면적이 전체 궤도 면적에서 차지하는 비율이 클수록 공전 주기가 짧다. 따라서 공전 주기는 A가 가장 짧으므로 1년 동안 지나간 궤도 면적이 전체 궤도 면적에서 차지하는 비율이 가장 큰 행성은 A이다.

❚ 바로알기 ❚ ㄴ. 지구와 공전 속도의 차이가 작을수록 회합 주기가 길어지므로 지구와 공전 속도 차이가 가장 작은 행성은 F이다.

ㄷ. 케플러 제3법칙에 따르면, 공전 주기가 길수록 공전 궤도의 긴반지름이 크다. 공전 주기는 A가 가장 짧고, 외행성은 회합 주기가 길수록 공전 주기가 짧으므로 B의 공전 주기가 가장 길다.

15 꼼꼼 문제 분석

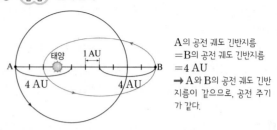

A의 공전 궤도 긴반지름
=B의 공전 궤도 긴반지름
=4 AU
➜ A와 B의 공전 궤도 긴반지름이 같으므로, 공전 주기가 같다.

❚ 선택지 분석 ❚
㉠ 이날부터 2년 동안 소행성 A가 공전한 각도는 소행성 B가 공전한 각도보다 크다.
㉡ 태양과 소행성을 잇는 직선이 1년 동안 쓸고 지나간 면적은 A가 B보다 크다.
㉢ 소행성 A와 B는 충돌하지 않는다.

ㄱ. 소행성 A와 B는 공전 궤도 긴반지름(a)이 4 AU로 같으므로, 케플러 제3법칙에 따라 $P^2=a^3=4^3$이므로 공전 주기(P)는 8년으로 같다. 따라서 케플러 제2법칙에 따라 원일점보다 근일점에서 행성의 공전 속도가 빠르므로 근일점에 있는 A가 원일점에 있는 B보다 2년 동안 공전한 각도가 크다.

ㄴ. 소행성 A와 B의 공전 궤도 긴반지름이 4 AU로 같으므로, 타원의 면적은 궤도 모양이 원에 가까운 A가 B보다 더 크다. 따라서 태양과 소행성을 잇는 직선이 1년 동안 쓸고 지나간 면적은 A가 B보다 크다.

ㄷ. 소행성 A와 B의 공전 주기가 같으므로 A가 근일점에서 원일점으로 이동하는 기간 동안 B는 원일점에서 근일점으로 이동하기 때문에 A와 B는 충돌하지 않는다.

16

❚ 선택지 분석 ❚
㉠ 평균 공전 속도는 A가 B보다 빠르다.
✗ 공전 주기는 B가 A의 2배이다. 2배 이상
✗ A에서 관측한 B의 회합 주기는 1년보다 짧다. 길다

ㄱ. 소행성의 평균 공전 속도는 공전 궤도 긴반지름이 짧을수록 빠르다. 따라서 평균 공전 속도는 A가 B보다 빠르다.

❚ 바로알기 ❚ ㄴ. A의 공전 궤도 긴반지름은 1 AU로 지구와 같으므로, 공전 주기도 지구와 같은 1년이다. B의 공전 궤도 긴반지름은 2 AU이므로 케플러 제3법칙($P^2=a^3$)에 따라 공전 주기는 $\sqrt{8}=2\sqrt{2}$=약 2.83년이 된다. 따라서 공전 주기는 B가 A의 2배 이상이다.

ㄷ. A의 공전 주기는 1년이고, B의 공전 주기는 약 2.83년이므로 A에서 관측한 B의 회합 주기는 1년보다 길다.

2 우리은하와 우주의 구조

01 천체의 거리

316쪽

개념 확인 문제

❶ $2.5 \log \dfrac{l_1}{l_2}$　❷ 거리 지수　❸ 세페이드 변광성
❹ 크다　❺ 절대 등급

1 (1) 작을 (2) 2.5 (3) 반비례 (4) 멀다　**2** (1) 멀다 (2) 가깝다
3 (1) C (2) B (3) D (4) D (5) A　**4** (1) ○ (2) ○ (3) ×
5 ㉠ 변광 주기, ㉡ 겉보기 등급　**6** 1000 pc

1 (1) 별의 밝기를 나타내는 등급의 숫자가 작을수록 별의 밝기는 밝다.
(2) 5등급 사이의 밝기는 100배 차이가 나므로 1등급 사이에는 $\sqrt[5]{100}=10^{\frac{2}{5}}$배, 즉 약 2.5배 차이가 난다.
(3) 별의 밝기(l)는 거리의 제곱(r^2)에 반비례한다. ➡ $l \propto \dfrac{1}{r^2}$
(4) 별의 (겉보기 등급−절대 등급)을 거리 지수라고 하며, 이 값이 클수록 겉보기 밝기가 어두워진다는 뜻이므로 멀리 있는 별이다.

2 (1) 거리 지수(겉보기 등급−절대 등급)가 0보다 크면, 겉보기 등급이 절대 등급보다 크므로 10 pc에 위치할 때보다 어둡게 보인다. 따라서 별의 거리는 10 pc보다 멀다.
(2) 거리 지수(겉보기 등급−절대 등급)가 0보다 작으면, 겉보기 등급이 절대 등급보다 작으므로 10 pc에 위치할 때보다 밝게 보인다. 따라서 별의 거리는 10 pc보다 가깝다.

3 꼼꼼 문제 분석

별	A	B	C	D
겉보기 등급	6	2	1	3
절대 등급	−2	−3	−2	3
거리 지수 (겉보기 등급−절대 등급)	8	5	3	0
거리		10 pc보다 멀다.		10 pc

(실제로 가장 밝은 별: B, 가장 밝게 보이는 별: C)

(1) 가장 밝게 보이는 별은 겉보기 등급이 가장 작은 C이다.
(2) 실제로 가장 밝은 별은 절대 등급이 가장 작은 B이다.
(3) 별의 밝기는 5등급 사이에 100배 차이가 나므로 별 A보다 100배 어두운 별은 5등급 큰 별 D이다.

(4) 절대 등급은 별이 10 pc의 거리에 있다고 가정했을 때의 등급이다. 별 D는 겉보기 등급과 절대 등급이 같으므로 10 pc의 거리에 있다.
(5) 가장 멀리 있는 별은 거리 지수(겉보기 등급−절대 등급)가 가장 큰 A이다.

4 (1) 세페이드 변광성은 변광 주기가 1일~100일 정도인 맥동 변광성으로, 종족 Ⅰ형과 종족 Ⅱ형 모두 변광 주기가 길수록 광도가 커지는 주기 광도 관계가 성립한다.
(2) 세페이드 변광성의 변광 주기가 동일한 경우 종족 Ⅰ형이 종족 Ⅱ형보다 실제 밝기가 더 밝다.
(3) 맥동 변광성 중 거문고자리 RR형 변광성은 변광 주기가 1일 이내인 별들이다. 변광 주기가 10일 이상인 것은 세페이드 변광성 중에 있다.

5 세페이드 변광성의 변광 주기를 관측하여 주기 광도 관계로부터 절대 등급을 구한 다음, 관측하여 알아낸 겉보기 등급과 비교하여 별까지의 거리를 알 수 있다.

6 세페이드 변광성의 주기 광도 관계에서 변광 주기가 10일인 세페이드 변광성의 절대 등급(M)은 −4등급이다. 이 변광성의 평균 겉보기 등급(m)은 6등급이므로 거리 지수 공식을 이용하여 은하까지의 거리를 구하면 $m-M=5 \log r-5$에서 $6-(-4)=5 \log r-5$, $r=1000$ pc이다.

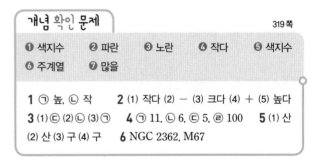

개념 확인 문제

319쪽

❶ 색지수　❷ 파란　❸ 노란　❹ 작다　❺ 색지수
❻ 주계열　❼ 많을

1 ㉠ 높, ㉡ 작　**2** (1) 작다 (2) − (3) 크다 (4) + (5) 높다
3 (1) ㉢ (2) ㉡ (3) ㉠　**4** (1) 11, ㉡ 6, ㉢ 5, ㉣ 100　**5** (1) 산
(2) 산 (3) 구 (4) 구　**6** NGC 2362, M67

1 별의 색은 표면 온도에 따라 달라진다. 표면 온도가 높을수록 파란색을 띠고, 표면 온도가 낮을수록 붉은색을 띤다. 별의 색지수는 사진 등급에서 안시 등급을 뺀 값으로, 표면 온도가 높은 별일수록 색지수가 작다. 따라서 파란색 별이 노란색 별보다 색지수가 작다.

2 (꼼꼼) 문제 분석

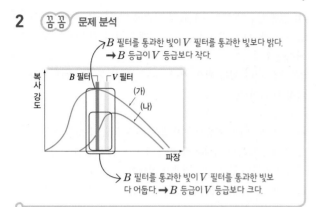

B 필터를 통과한 빛이 V 필터를 통과한 빛보다 밝다.
➡ B 등급이 V 등급보다 작다.

B 필터를 통과한 빛이 V 필터를 통과한 빛보다 어둡다. ➡ B 등급이 V 등급보다 크다.

(1), (2) (가)별은 B 필터를 통과한 빛의 세기가 V 필터를 통과한 빛의 세기보다 커서 B 등급이 V 등급보다 작다. 따라서 색지수 (B−V)는 (−) 값을 갖는다.

(3), (4) (나)별은 B 필터를 통과한 빛의 세기가 V 필터를 통과한 빛의 세기보다 작으므로 B 등급이 V 등급보다 크다. 따라서 색지수(B−V)는 (+) 값을 갖는다.

(5) 색지수(B−V)는 별의 표면 온도가 높을수록 작다. 따라서 색지수가 (가)별은 (−)이고, (나)별은 (+)이므로 표면 온도는 (가)가 (나)보다 높다.

3 (1) 성단의 주계열성이 표준 주계열성보다 위에 있으면 겉보기 등급이 절대 등급보다 작으므로 10 pc보다 가깝다.

(2) 성단의 주계열성이 표준 주계열성보다 아래에 있으면 겉보기 등급이 절대 등급보다 크므로 10 pc보다 멀다.

(3) 성단의 주계열성이 표준 주계열성과 일치하면 겉보기 등급이 절대 등급과 같으므로 10 pc 거리에 있다.

4 (꼼꼼) 문제 분석

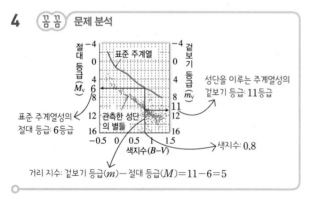

표준 주계열성의 절대 등급: 6등급
성단을 이루는 주계열성의 겉보기 등급: 11등급
관측한 성단의 별들
색지수: 0.8
거리 지수: 겉보기 등급(m) − 절대 등급(M)=11−6=5

거리 지수 공식 m−M=5 log r−5에서 5=5 log r−5, r=10²=100이므로 성단까지의 거리는 100 pc이다.

5 (1) 산개 성단은 대부분의 별이 주계열성이고, 일부 적색 거성 가지가 나타나기도 한다.

(2) 주계열성은 질량이 클수록 광도가 크고, 질량이 큰 별일수록 진화 속도가 빠르므로 주계열에서 온도와 광도가 높은 별들이 빨리 진화한다. 산개 성단은 구상 성단에 비해 전향점이 온도와 광도가 높은 곳에서 나타나며, 별들의 대부분이 주계열 단계에 머물러 있으므로 성단의 나이가 적다.

(3) 성단의 나이가 많을수록 전향점이 온도와 광도가 낮은 곳에서 나타난다. 색지수가 클수록 온도가 낮으므로 전향점에 위치하는 별의 온도가 낮은 성단은 구상 성단이다.

(4) 구상 성단은 나이가 많아 주계열성의 비율이 낮고, 적색 거성 가지, 점근 거성 가지, 수평 가지에도 별이 분포한다.

6 성단의 색등급도에서 전향점의 위치가 아래에 있을수록 나이가 많은 성단이므로 나이가 가장 적은 성단은 NGC 2362이고, 나이가 가장 많은 성단은 M67이다.

320쪽

완자쌤 비법특강

Q1 10 pc   **Q2** 100 pc
Q3 1000 pc   **Q4** 375 Mpc

Q1 연주 시차는 6개월 간격으로 관측한 시차의 $\frac{1}{2}$이므로 0.1″이다. 거리는 연주 시차에 반비례하므로 별의 거리는 $\frac{1}{0.1″}$=10 pc이다.

Q2 거리 지수(m−M)가 5이므로 m−M=5 log r−5에서 5=5 log r−5, 10=5 log r, r=10² pc이므로 성단까지의 거리는 100 pc이다.

Q3 변광 주기가 3일인 세페이드 변광성의 절대 등급은 주기 광도 관계 그래프에서 −4등급이다. 평균 겉보기 등급이 6등급이므로 거리 지수 공식에 대입하면 m−M=5 log r−5에서 6−(−4)=5 log r−5, 15=5 log r, r=10³ pc이므로 변광성까지의 거리는 1000 pc이다.

Q4 후퇴 속도가 3×10⁴ km/s이고, 허블 상수가 80 km/s/Mpc일 때, 허블 법칙 v=H·r에서 $r=\frac{v}{H}=\frac{3×10^4 \text{km/s}}{80 \text{ km/s/Mpc}}$ =375 Mpc이므로 은하까지의 거리는 375 Mpc이다.

대표 자료 분석

자료 ① **1** A, E **2** ㉠ −, ㉡ 가깝다 **3** A−B−D−
C−E **4** (1) ○ (2) × (3) × (4) ○

자료 ② **1** 비례 관계 **2** ③ **3** 약 100배 **4** (1) ○
(2) ○ (3) × (4) ×

자료 ③ **1** 평행하게 **2** 약 160 pc **3** (1) ○ (2) × (3) ×

자료 ④ **1** (1) (나) (2) (나) (3) (가) **2** (가) 산개 성단 (나) 구상
성단 **3** (1) × (2) ○ (3) ○ (4) ○

①-1 꼼꼼 문제 분석

거리 지수가 작은 것부터 나열하면 다음과 같다.

별	A	B	D	C	E
겉보기 등급	0.0	0.1	3.0	1.2	5.0
절대 등급	3.0	1.5	3.0	1.0	0.0
거리 지수 (겉보기 등급 −절대 등급)	−3.0	−1.4	0.0	0.2	5.0
	거리 지수<0		0		거리 지수>0
거리	10 pc보다 가깝다.		10 pc		10 pc보다 멀다.

가장 밝게 보이는 별: A / 가장 밝은 별: E

우리 눈에 가장 밝게 보이는 별은 겉보기 등급이 가장 작은 별 A
이며, 광도가 가장 큰 별, 즉 실제로 가장 밝은 별은 절대 등급이
가장 작은 별 E이다.

①-2 별 B는 거리 지수(겉보기 등급−절대 등급)가 0보다 작
으므로 10 pc보다 가까이 있다.

①-3 거리 지수가 작을수록 별까지의 거리가 가까우므로 별 A
~E를 지구로부터 가까운 것부터 순서대로 나열하면 A, B, D,
C, E이다.

①-4 (1) 겉보기 등급은 거리에 따라 등급이 달라지지만, 절대
등급은 10 pc의 거리에 옮겨 놓았다고 가정했을 때의 밝기를 등
급으로 정한 것이다. 별 D는 겉보기 등급과 절대 등급이 같으므
로 10 pc의 거리에 있다.
(2) 거리 지수는 (겉보기 등급−절대 등급)이므로 거리 지수가 가
장 큰 별은 E이다.
(3) 연주 시차는 별까지의 거리에 반비례하므로 가까운 별일수록
연주 시차가 크다. 따라서 연주 시차가 가장 큰 별은 거리가 가장
가까운 A이다.
(4) 별 E의 겉보기 등급(m)은 5.0이고, 절대 등급(M)은 0.0이다.
거리 지수 공식 $m-M=5\log r-5$에서 $5.0-0.0=5\log r$
-5, $r=100$이므로 별 E까지의 거리는 100 pc이다.

②-1 꼼꼼 문제 분석

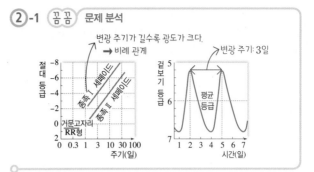

절대 등급이 작을수록 광도가 크다. 세페이드 변광성은 변광 주
기가 길수록 절대 등급이 작으므로 광도가 크다. 따라서 세페이
드 변광성의 변광 주기와 광도 사이에는 비례 관계가 있다.

②-2 변광 주기가 3일인 종족 Ⅰ 세페이드 변광성의 절대 등급
은 −4등급이고, 종족 Ⅱ 세페이드 변광성의 절대 등급은 −2등
급이다. 종족 Ⅰ 세페이드 변광성이 종족 Ⅱ 세페이드 변광성보다
절대 등급이 2등급 작고, 1등급 사이의 밝기 차이는 약 2.5배이
므로 종족 Ⅱ 세페이드 변광성보다 약 6.3(≒2.5^2)배 밝다.

②-3 변광 주기가 1일 이내인 거문고자리 RR형 변광성은 변
광 주기에 관계없이 절대 등급이 약 0.5등급이므로 이 별은 겉보
기 등급과 절대 등급이 5등급 차이가 난다. 따라서 실제 밝기가
겉보기 밝기보다 약 100(≒2.5^5)배 밝다.

②-4 (1) 변광 주기는 겉보기 등급이 가장 작은 날로부터 다시
가장 작아지는 날까지이므로 약 3일이다.
(2) (나)에서 이 별의 평균 겉보기 등급은 등급이 가장 클 때와 가
장 작을 때의 중간이므로 약 6등급이다.
(3) 종족 Ⅰ 세페이드 변광성인 (나)의 변광 주기가 약 3일이므로
(가) 주기 광도 관계에서 절대 등급은 −4등급이다.
(4) $m-M=5\log r-5$에서 $6-(-4)=5\log r-5$, $r=10^3$이
다. 따라서 (나) 변광성까지의 거리(r)는 1000 pc이다.

③-1 꼼꼼 문제 분석

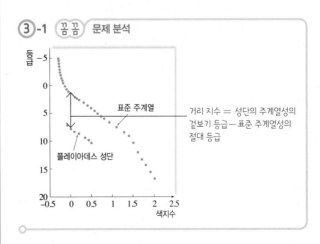

표준 주계열성과 플레이아데스 성단을 이루는 주계열성의 분포는 색등급도에서 거의 평행하게 분포한다. 플레이아데스 성단의 별들을 세로축 방향으로 평행 이동하면 표준 주계열성과 겹쳐진다.

③-2 $m-M=5 \log r-5$에서 $m=7.5$, $M=1.5$이므로
$7.5-1.5=5 \log r-5$, $6=5 \log r-5$이다.
∴ $r=10^{\frac{11}{5}}=10^{\frac{1}{5}+\frac{10}{5}}=10^{\frac{1}{5}} \times 10^2 ≒ 1.6 \times 100=160$ pc

③-3 (1) 성단을 이루는 별들은 같은 성운으로부터 동시에 생성되어 무리를 이루고 있으므로 지구로부터 거의 같은 거리에 있다.
(2) 거리 지수는 (겉보기 등급−절대 등급)이고, 표준 주계열성의 절대 등급보다 플레이아데스 성단의 주계열성의 겉보기 등급이 더 크므로 거리 지수는 (+) 값이다.
(3) 플레이아데스 성단의 겉보기 등급이 표준 주계열성의 절대 등급보다 크므로 플레이아데스 성단의 거리는 10 pc보다 멀다.

④-1 꼼꼼 문제 분석

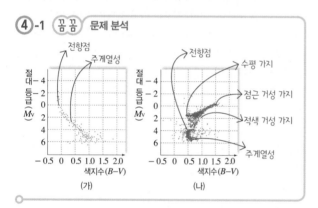

(가) (나)

(1) 전향점은 성단의 색등급도에서 별이 진화하여 주계열을 벗어나는 지점이다. (가)보다 (나) 성단의 전향점이 아래에 위치한다.
(2) 성단의 나이가 많을수록 전향점이 오른쪽 아래로 이동하므로 (가)보다 (나) 성단의 나이가 많다.
(3) (가) 성단을 이루는 별들은 대부분 주계열성이지만, (나) 성단을 이루는 별들은 어둡고 온도가 낮은 별을 제외한 대부분의 별이 주계열 단계를 벗어나 적색 거성 단계나 맥동 변광성 단계에 분포한다. 따라서 주계열성의 비율은 (가) 성단이 (나) 성단보다 높다.

④-2 산개 성단은 구상 성단보다 젊은 별들로 이루어져 있으므로 (가)는 산개 성단, (나)는 구상 성단이다.

④-3 (1) (가) 성단을 이루는 별들은 대부분 색등급도에서 색지수가 작고 광도가 큰 곳에서 대각선 오른쪽 아래로 분포하므로 주계열 단계에 있다.

(2) (나) 성단은 대부분의 별이 주계열 단계를 벗어나 적색 거성 단계나 맥동 변광성 단계에 분포한다.
(3) 질량이 큰 별일수록 진화 속도가 빨라 주계열 단계를 빨리 벗어나 거성이나 초거성으로 진화한다.
(4) 왼쪽 위에 있는 주계열성일수록 질량이 크며, 전향점은 (가) 성단이 (나) 성단보다 왼쪽 위에 있다. 따라서 전향점에 있는 별의 질량은 (가)가 (나)보다 크다.

내신 만점 문제   323쪽~325쪽

01 ②   02 ②   03 ①   04 해설 참조   05 ②
06 ②   07 해설 참조   08 ④   09 ④   10 ④
11 ③   12 해설 참조   13 ②   14 ②

01 절대 등급은 A, B 두 별이 같은데, 겉보기 등급은 A가 B보다 5등급 작으므로 약 100배 밝다. 별의 밝기는 거리의 제곱에 반비례하므로, 별 B가 A보다 10배 멀리 있다.

02 꼼꼼 문제 분석

별	A	B	C	D	E
절대 등급	−1.0	1.0	1.0	6.0	4.0
겉보기 등급	0.0	3.0	1.0	3.0	5.0
거리 지수	1.0	2.0	0.0	−3.0	1.0

• 별의 실제 밝기: A>B=C>E>D (절대 등급이 작은 것부터)
• 별의 겉보기 밝기: A>C>B=D>E (겉보기 등급이 작은 것부터)
• 별까지의 거리: B>A=E>C>D (거리 지수가 큰 것부터)

별의 거리는 별의 겉보기 등급과 절대 등급을 이용하여 알 수 있다. 거리 지수인 (겉보기 등급−절대 등급) 값이 클수록 멀리 있는 별이므로 가장 멀리 있는 별은 B이다. 실제로 가장 밝은 별은 절대 등급이 가장 작은 별 A이다.

03 꼼꼼 문제 분석

별	A	B	C	D
겉보기 등급	−2.0	2.0	0.0	−1.0
절대 등급	−2.0	−3.0	2.0	−1.0
거리 지수	0.0	5.0	−2.0	0.0
거리	10 pc	10 pc보다 먼 별	10 pc보다 가까운 별	10 pc

ㄱ. 절대 등급은 별을 10 pc 거리에 두었을 때의 밝기이고, 별의 밝기는 거리의 제곱에 반비례한다. 별 B는 겉보기 밝기가 절대 밝기보다 5등급 커서 100배 어둡게 보이므로, 절대 밝기의 기준인 10 pc보다 10배 먼 거리인 100 pc에 있는 별이다.

│다른풀이│ 거리 지수가 5이므로 $m-M=5\log r-5$에서 $5=5\log r-5$, $r=100$ pc이다.

ㄷ. 별 A와 D는 거리 지수가 0이므로 모두 10 pc의 거리에 있는 별이다.

│바로알기│ ㄴ. 가장 가까운 거리에 있는 별은 거리 지수가 가장 작은 별 C이다.

ㄹ. 별이 방출하는 에너지는 별의 표면 온도, 크기 등에 관계되며, 별의 밝기로 나타난다. 별의 온도가 낮고 크기가 매우 큰 경우, 단위 면적당 방출하는 에너지는 적지만, 별 전체로 보면 많은 에너지를 방출하여 밝게 보인다. 즉, 별은 에너지를 많이 방출할수록 밝아 광도가 크다. 별의 광도가 클수록 절대 등급이 작으므로 에너지를 가장 많이 방출하는 별은 절대 등급이 가장 작은 B이다.

04 별의 거리는 겉보기 등급과 절대 등급의 차이인 거리 지수를 이용하여 구할 수 있다. 겉보기 등급(m)이 3.5등급, 절대 등급(M)이 -11.5등급이므로 별의 거리 지수는 15이다.

모범답안 거리 지수 공식 $m-M=5\log r-5$에서 $3.5-(-11.5)=5\log r-5$이므로 $r=10^4$이다. 따라서 별까지의 거리는 10000 pc이다.

채점 기준	배점
거리 지수 공식을 이용하여 계산 과정과 함께 거리를 옳게 구한 경우	100 %
계산 과정은 옳았으나 답이 틀린 경우	50 %

05 ② 세페이드 변광성의 주기 광도 관계에서 변광 주기가 길수록 광도가 크다. 따라서 밝기가 변하는 주기가 길수록 절대 등급이 작다.

│바로알기│ ① 세페이드 변광성은 맥동 변광성 중 변광 주기가 1일∼100일 정도인 별이다.

③ 세페이드 변광성은 맥동 변광성의 한 종류로, 맥동 변광성은 내부 구조가 불안정하여 팽창과 수축을 반복하면서 광도가 주기적으로 변하는 별이다. 식 현상이 일어나 밝기가 주기적으로 변하는 별은 식변광성이다.

④ 종족 I에 해당하는 별은 종족 II에 해당하는 별보다 젊은 별로 구성되어 있어 변광 주기가 같을 경우 종족 I에 해당하는 별이 종족 II에 해당하는 별보다 밝다.

⑤ 허블은 세페이드 변광성의 주기 광도 관계로부터 안드로메다성운의 거리가 우리은하의 지름보다 멀다는 것을 알게 되었다. 따라서 안드로메다성운이 우리은하 밖에 있는 천체임을 밝혀내었다.

06 (꼼꼼) **문제 분석**

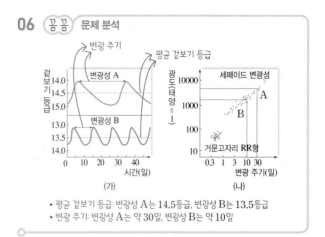

- 평균 겉보기 등급: 변광성 A는 14.5등급, 변광성 B는 13.5등급
- 변광 주기: 변광성 A는 약 30일, 변광성 B는 약 10일

ㄴ. (가)에서 변광 주기는 변광성 A가 B보다 길다. (나)의 주기 광도 관계에서 변광 주기가 길수록 광도가 크므로 광도는 변광성 A가 B보다 크다. 따라서 절대 등급은 A가 B보다 작다.

│바로알기│ ㄱ. (가)에서 A의 평균 겉보기 등급이 B보다 크므로 겉보기 밝기는 A가 B보다 어둡다.

ㄷ. 변광 주기는 A가 약 30일, B가 약 10일이고, 이 주기 값을 (나)의 주기 광도 관계 그래프에 적용하면 A와 B는 모두 세페이드 변광성이다.

07 (꼼꼼) **문제 분석**

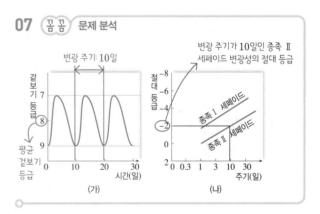

(가)에서 겉보기 등급이 가장 컸다가 다시 가장 커질 때까지가 변광 주기에 해당하므로 변광 주기는 10일이다. (나)에서 변광 주기가 10일인 종족 II 세페이드 변광성의 절대 등급은 약 -2등급이다.

모범답안 (1) 변광 주기: 10일, 평균 겉보기 등급: 8등급
(2) 절대 등급은 약 -2등급이고, 거리 지수 공식에 대입하면 $8-(-2)=5\log r-5$, $15=5\log r$, $r=10^3$이다. 따라서 변광성까지의 거리는 1000 pc이다.

	채점 기준	배점
(1)	변광 주기와 평균 겉보기 등급을 모두 옳게 쓴 경우	40 %
	변광 주기와 평균 겉보기 등급 중 한 가지만 옳게 쓴 경우	20 %
(2)	절대 등급을 옳게 쓰고, 거리를 옳게 구한 경우	60 %
	절대 등급만 옳게 쓴 경우	20 %

08 꼼꼼 문제 분석

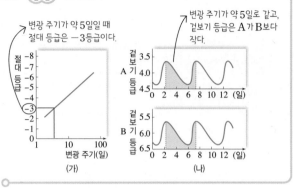

변광 주기가 약 5일일 때 절대 등급은 −3등급이다.

변광 주기가 약 5일로 같고, 겉보기 등급은 A가 B보다 작다.

④ 평균 겉보기 등급이 A는 4.0등급, B는 6.0등급이고, A와 B의 절대 등급은 −3등급이다. 따라서 거리 지수는 A가 7.0, B가 9.0이다. 거리 지수가 클수록 별의 거리가 멀기 때문에 거리는 A가 B보다 가깝다.

바로알기 ① 변광 주기는 밝기가 최대 밝기에서 다음 최대 밝기가 될 때까지 걸린 시간이므로 A의 변광 주기는 약 5일이다.
② B는 변광 주기가 5일로 (가)에서 절대 등급은 약 −3등급이다.
③ 절대 등급이 작을수록 광도가 크고, (가)에서 절대 등급은 변광 주기가 길수록 작다. (나)에서 변광성 A와 B의 변광 주기가 같으므로 A와 B의 광도는 같다.
⑤ 육안으로 관찰하면 A가 B보다 평균 겉보기 등급이 작으므로 밝게 보인다.

09 꼼꼼 문제 분석

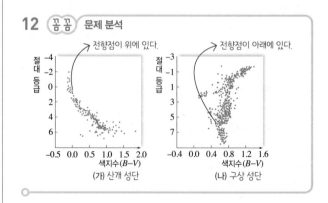

B 필터를 통과한 빛이 V 필터를 통과한 빛보다 많다.

V 필터를 통과한 빛이 B 필터를 통과한 빛보다 많다.

ㄴ. S_1은 B 필터를 통과한 빛이 V 필터를 통과한 빛보다 밝아 B 등급이 V 등급보다 작고, $(B-V)$ 색지수는 $(-)$ 값이 된다. S_2는 B 필터를 통과한 빛이 V 필터를 통과한 빛보다 어두워 B 등급이 V 등급보다 크고, $(B-V)$ 색지수는 $(+)$ 값이 된다. 따라서 $(B-V)$ 색지수는 S_1이 S_2보다 작다.
ㄷ. $(B-V)$ 색지수는 고온의 별일수록 작다. $(B-V)$ 색지수는 S_1이 S_2보다 작으므로 별의 표면 온도는 S_1이 S_2보다 높다.
다른풀이 표면 온도가 높은 별일수록 최대 복사 에너지가 방출되는 파장이 짧으므로 별의 표면 온도는 S_1이 S_2보다 높다.
바로알기 ㄱ. B 필터는 파란색 빛을 잘 통과시키므로 이 필터로 관측한 별의 등급은 사진 등급에 가깝다. 반면, V 필터는 초록색 빛이나 노란색 빛을 잘 통과시키므로 이 필터로 관측한 별의 등급은 사람 눈으로 관측한 밝기, 즉 안시 등급에 가깝다.

10 꼼꼼 문제 분석

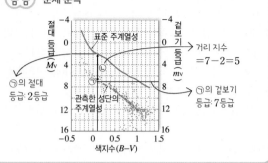

ⓐ의 절대 등급: 2등급

거리 지수 =7−2=5

ⓐ의 겉보기 등급: 7등급

① 별 ⓐ은 색등급도에서 왼쪽 위에서 오른쪽 아래로 분포하는 별들에 포함되므로 주계열성이다.
② ⓐ 별의 절대 등급은 색지수가 같은 표준 주계열의 절대 등급과 같으므로 2등급이다.
③ 이 성단의 거리 지수는 ⓒ에 해당하고, (겉보기 등급−절대 등급)이므로 5(=7−2)이다.
⑤ 거리 지수인 ⓒ이 클수록 성단까지의 거리가 멀다.

바로알기 ④ 주어진 색등급도에서 표준 주계열성보다 성단이 아래에 분포하므로 거리 지수가 $(+)$가 된다. 따라서 이 성단은 지구로부터 10 pc보다 먼 거리에 있다.

11

ㄱ. 성단 내 별들은 같은 성운에서 거의 동시에 태어났으므로 화학 조성, 나이, 거리가 거의 같다.
ㄴ. 성단 내 별의 겉보기 등급과 색지수가 같은 표준 주계열성의 절대 등급을 비교하면 성단의 거리 지수를 알 수 있다. 그림에서 등급 차이가 6.5이고, 성단 내 별의 겉보기 등급이 표준 주계열성의 절대 등급보다 크므로 거리 지수는 +6.5이다.

> 지구로부터 10 pc 이내의 거리에는 성단이 존재하지 않으므로 실제로는 색등급도에서 모든 성단의 주계열이 표준 주계열의 아래쪽에 놓이고 거리 지수는 $(+)$ 값으로 나타나요.

바로알기 ㄷ. 주계열 맞추기는 우리은하 내에 있는 성단의 거리 측정에 주로 이용된다. 우리은하 밖에 있는 천체의 거리 측정에는 세페이드 변광성의 주기 광도 관계, 허블 법칙 등을 이용한다.

12 꼼꼼 문제 분석

전향점이 위에 있다.

전향점이 아래에 있다.

(가) 산개 성단

(나) 구상 성단

질량이 큰 별일수록 주계열 단계에서 적색 거성 단계로 빨리 진화하므로 성단의 나이가 많을수록 주계열의 길이가 짧고 전향점이 아래에 위치한다.

모범답안 (나), 전향점의 위치가 (가)보다 아래에 있기 때문이다.

채점 기준	배점
(나)를 고르고, 까닭을 전향점의 위치를 언급하여 옳게 서술한 경우	100 %
(나)만 고른 경우	50 %

13 꼼꼼 문제 분석

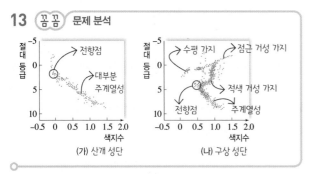

(가) 산개 성단 (나) 구상 성단

(가)는 산개 성단, (나)는 구상 성단의 색등급도이다.
ㄴ. (가)의 별들은 대부분 주계열성으로 구성되어 있으며, (나)의 별들은 주계열이 짧고, 주계열성에서 진화한 적색 거성이 색등급도의 오른쪽 위로 많이 분포하고 있다. 따라서 성단 내에서 주계열성의 비율은 (가)가 (나)보다 높다.
┃바로알기┃ ㄱ. (가)를 구성하고 있는 주계열성은 질량이 클수록 수소 핵융합 반응이 빠르게 일어나 진화 속도가 빠르다.
ㄷ. 전향점이 (가)보다 (나)에서 더 아래에 있고, 거성의 비율이 (가)보다 (나)에서 높으므로 성단의 나이는 (나)가 (가)보다 많다.

14 꼼꼼 문제 분석

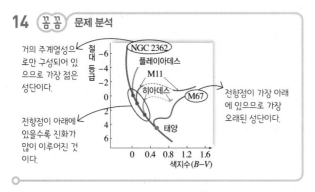

ㄴ. 전향점은 성단의 색등급도에서 주계열을 떠난 위치이다. 따라서 전향점이 가장 아래에 위치한 성단은 M67이다.
┃바로알기┃ ㄱ. NGC 2362 성단은 거의 주계열성으로만 구성되어 있으므로 가장 젊은 성단이다.
ㄷ. 히아데스 성단이 플레이아데스 성단보다 전향점이 더 아래에 있으므로 진화가 더 많이 이루어졌다.

---

02 우리은하와 성간 물질

개념 확인 문제   328쪽

❶ 구상 ❷ 산개 ❸ 구상 ❹ 막대 나선 ❺ 30 ❻ 8.5
❼ 헤일로

1 (가) 산개 성단 (나) 구상 성단   **2** ㉠ 많다. ㉡ 적다. ㉢ 붉은색. ㉣ 파란색. ㉤ 나선팔   **3** ㉠ 구상 성단, ㉡ 구상 성단, ㉢ 궁수자리 방향   **4** (1) ○ (2) ○ (3) ×   **5** (1) ㉡ (2) ㉢ (3) ㉠   **6** (1) ○ (2) × (3) × (4) ×

1 (가)는 수백 개~수천 개의 별들이 엉성하게 모여 있는 산개 성단이고, (나)는 수만 개~수백만 개의 별들이 공 모양으로 빽빽하게 모여 있는 구상 성단이다.

2 구상 성단은 주로 나이가 많고 붉은색을 띠는 별로 이루어져 있고, 산개 성단은 주로 나이가 젊고 파란색을 띠는 별들로 이루어져 있다. 구상 성단은 우리은하의 은하핵과 헤일로에, 산개 성단은 우리은하의 나선팔에 주로 분포한다.

3 구상 성단은 질량이 매우 크므로 구상 성단이 분포하는 영역의 중심을 우리은하의 중심이라고 생각할 수 있다. 섀플리는 변광성의 주기 광도 관계로 구상 성단까지의 거리를 구하여 공간 분포를 연구한 결과, 태양은 우리은하의 중심이 아니며, 우리은하의 중심은 궁수자리 방향에 있다는 것을 밝혀내었다.

4 (1) 우리은하는 위에서 보면 막대 나선 모양이고, 옆에서 보면 중심부가 볼록한 원반 모양이다.
(2) 우리은하의 지름은 약 30 kpc(10만 광년)이다.
(3) 구상 성단은 주로 은하핵이나 헤일로에 분포한다. 나선팔에는 성간 물질이 많아서 주로 젊은 별들과 산개 성단이 분포한다.

5 (1) 은하 원반을 이루는 나선팔에는 성간 물질이 많이 분포하여 주로 젊은 별들과 산개 성단이 분포한다.
(2) 팽대부는 은하 중심부에 별들이 모여 볼록하게 부풀어 오른 부분으로, 은하핵을 포함한 막대 모양의 구조가 가로지르고 있다. 팽대부에는 주로 붉은색의 늙은 별들이 많이 모여 있다.
(3) 헤일로는 우리은하를 둘러싸고 있는 공 모양의 공간으로, 늙은 별들로 이루어진 구상 성단이 분포한다.

6 (1) P는 우리은하 중심에서 약 8.5 kpc 떨어져 있는 태양계의 위치이다.

(2) Q는 헤일로에 분포하는 구상 성단을 나타낸다.

(3) A에서 B까지의 거리는 우리은하의 지름으로, 약 30 kpc 이다.

(4) P에서 은하 중심 방향인 (나) 방향으로 바라볼 때 은하수의 폭이 가장 넓고 밝게 보인다.

개념 확인 문제

331쪽

❶ 성간 티끌   ❷ 성간 기체   ❸ 수소   ❹ 성간 소광
❺ 성간 적색화   ❻ 색초과   ❼ H Ⅱ 영역   ❽ H Ⅰ 영역
❾ 분자운   ❿ 성운

1 (1) × (2) ○ (3) ×   **2** (1) 어둡게 (2) 길수록 (3) ㉠ 붉게,
㉡ 크게   **3** (1) 붉게 (2) 반사 성운   **4** (1) H Ⅱ 영역
(2) 분자운 (3) H Ⅰ 영역   **5** (1) 암흑 성운 (2) 방출 성운
(3) 반사 성운   **6** (1) ○ (2) × (3) × (4) × (5) ○

1 (1) 성간 물질의 약 99 %는 성간 기체이고, 약 1 %는 성간 티끌이 차지한다.

(2) 성간 기체는 수소와 헬륨이 대부분을 차지하고, 그중 수소가 가장 많은 비율을 차지한다.

(3) 성간 소광은 성간 티끌에 의한 빛의 흡수와 산란으로 별빛의 세기가 약해지는 현상이다.

2 (1) 성간 티끌에 의해 별빛이 산란되므로 성간 티끌이 많으면 관측되는 별의 수가 적어진다. 또한, 성간 티끌을 통과하는 별빛의 세기가 약해지므로 별빛이 어둡게 관측된다. 이러한 현상을 성간 소광이라고 하며, 성간 티끌이 없을 때보다 겉보기 등급이 크게 관측되어 별까지의 거리가 실제보다 멀게 측정된다.

(2) 파장이 긴 붉은색 빛이 파장이 짧은 파란색 빛보다 성간 티끌을 잘 통과하므로 성간 적색화가 일어난다.

(3) 성간 적색화가 일어나면 B 등급(파란색)보다 V 등급(노란색)이 더 작게 관측되므로 고유한 색지수보다 관측된 색지수가 크게 나타난다. 따라서 (관측된 색지수−고유한 색지수)인 색초과 값은 성간 적색화가 클수록 값이 커진다.

3 (1) 별빛이 성간 티끌층을 통과할 때 파장이 짧은 파란색 빛은 흡수되거나 산란되고, 파장이 긴 붉은색 빛은 잘 통과한다. 따라서 A에서는 실제 별의 색깔보다 붉게 보이게 된다. 이러한 현상을 성간 적색화라고 한다.

(2) B에서는 성간 티끌에 의해 산란된 파란색 빛이 많이 관측되므로 반사 성운으로 관측된다.

4 성간 기체에서 수소는 온도와 밀도에 따라 이온, 중성 원자, 분자 상태로 존재한다. 고온의 별 주위에 있는 성운의 수소 기체가 별에서 방출된 자외선을 흡수하여 완전히 전리되어 있는 영역이 H Ⅱ 영역이고, 온도가 비교적 낮아 수소가 중성 원자 상태로 밀집되어 있는 영역이 H Ⅰ 영역이다. 성간 물질의 밀도가 높고 온도가 매우 낮은 곳에서 수소가 분자 상태로 존재하는 영역은 분자운이다.

5 (1) 성운 속의 성간 티끌에 의해 별빛이 통과하지 못해 어둡게 보이는 성운은 암흑 성운이다.

(2) H Ⅱ 영역의 전리된 수소가 자유 전자와 결합하여 중성 수소로 되돌아갈 때 에너지를 방출하는데, 이때 방출되는 빛의 파장이 붉은색 영역이므로 붉은색으로 보인다. 이러한 성운은 방출 성운이다.

(3) 성간 티끌이 주위의 별빛을 산란시켜 파란색으로 보이는 성운은 반사 성운이다.

6 (1) 성운의 모양이 말머리를 닮은 말머리성운이다.

(2), (5) 성운에는 방출 성운, 반사 성운, 암흑 성운이 있다. 이 성운은 성운 속의 성간 티끌이 뒤쪽에서 오는 별빛을 가로막아 검게 보이므로 암흑 성운에 속한다.

(3) 스스로 빛을 내는 성운은 방출 성운이다.

(4) 성운은 가스나 티끌 등 성간 물질이 많이 모여 구름처럼 보이는 천체이다.

대표 자료 분석

332쪽~333쪽

자료 ① **1** A: 팽대부, B: 은하 원반, C: 헤일로   **2** (1) 늙은 (2) B
(3) 붉은색 (4) B   **3** ③   **4** (1) ○ (2) × (3) ×

자료 ② **1** (나), (나)   **2** (1) < (2) < (3) < (4) <   **3** (1) ×
(2) ○ (3) × (4) ○

자료 ③ **1** (1) 수소 원자(중성 수소) (2) 수소 이온(이온화된 수소)
2 (1) < (2) >   **3** ㉠ 붉은색, ㉡ 방출   **4** (1) ×
(2) ○ (3) ×

자료 ④ **1** (가) 암흑 성운 (나) 반사 성운 (다) 방출 성운   **2** (가),
(나)   **3** (1) ○ (2) × (3) ○ (4) ×

①-1 꼼꼼 문제 분석

A는 팽대부로, 별들이 모여 볼록하게 부풀어 오른 부분이다. 팽대부 중심에는 은하핵이 있고 막대 모양의 구조가 가로지르고 있다. B는 나선팔이 은하 중심을 감싸고 있는 은하 원반이다. 은하 원반을 이루는 나선팔에는 성간 물질이 풍부하며 젊은 별들과 성간 물질이 많이 분포한다. C는 우리은하를 둘러싸고 있는 공 모양의 공간인 헤일로이다.

①-2 (1) A(팽대부)에는 성간 물질이 적어 주로 붉은색의 늙은 별이 분포하고, B(은하 원반)에는 성간 물질이 풍부하여 별의 탄생이 활발하므로 파란색의 젊은 별이 많이 분포한다.
(2) 별의 탄생이 가장 활발한 곳은 성간 물질이 풍부한 B(은하 원반)이다.
(3) C(헤일로)에는 늙은 별과 구상 성단이 주로 분포하므로 붉은색 별이 많이 분포한다.
(4) 태양은 나선팔에 분포하므로 은하 원반인 B에 분포한다.

①-3 ③ 우리은하는 막대 모양의 중심 구조와 나선팔을 가지고 있는 막대 나선 은하이다. ①은 산개 성단, ②는 방출 성운, ④는 구상 성단, ⑤는 행성상 성운의 모습이다.

①-4 (1) 은하 원반에는 주로 산개 성단, 헤일로에는 구상 성단이 분포한다. (가)는 은하 원반에 분포하므로 산개 성단이고, (나)는 헤일로에 분포하므로 구상 성단이다.
(2) (가) 산개 성단은 은하 원반을 이루는 나선팔(B)에 분포한다.
(3) (나) 구상 성단이 분포하는 중심은 궁수자리 방향에 있으며, 우리은하의 중심에 해당한다. 태양계는 우리은하의 나선팔에 있으므로 구상 성단의 중심에 분포하지 않는다.

②-1 (꼼꼼) 문제 분석

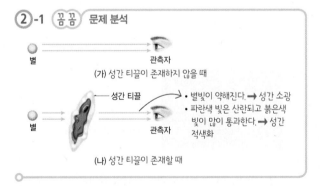

성간 소광과 성간 적색화는 성간 티끌에 의해 일어나는 현상이므로 모두 (나)에서 일어난다.

②-2 (1) (나)에서 별빛이 성간 티끌을 통과하면서 빛의 세기가 약해지므로 (가)보다 어둡게 관측된다. 별의 등급은 숫자가 클수록 어두우므로 별빛의 겉보기 등급은 (가)보다 (나)가 크다.

(2) 거리 지수는 (겉보기 등급－절대 등급)이므로 겉보기 등급이 클수록 크다. 따라서 겉보기 등급이 더 큰 (나)가 (가)보다 거리 지수가 크다.
(3) 거리 지수가 크게 관측될수록 별까지의 거리가 크게 측정된다. 따라서 (나)는 (가)보다 멀리 있는 것처럼 관측된다.
(4) 색지수는 (사진 등급－안시 등급)으로 UBV 색지수에서는 (B 등급－V 등급)이다. (가)에서는 고유한 색지수가 나타나고, (나)에서는 성간 적색화가 일어나 붉은색 빛이 관측자에게 많이 도달하여 안시 등급(V 등급)이 (가)보다 작아지므로 관측된 색지수($B-V$)는 (가)보다 크게 나타난다.

②-3 (1) 별빛은 (가)보다 (나)에서 성간 티끌에 의해 약해져 어둡게 보인다.
(2) 성간 티끌이 있는 (나)에서 성간 소광이 일어나므로 소광 보정이 필요한 경우는 (나)이다.
(3) (나)에서 별빛은 상대적으로 붉은색 빛이 성간 티끌을 많이 통과하여 원래보다 붉게 보인다.
(4) 색초과는 (관측된 색지수－고유의 색지수) 값이다. (나)에서 성간 티끌이 많아지면 성간 적색화가 심해지고, 성간 적색화가 심해지면 색지수가 더 크게 관측되므로 색초과 값(관측된 색지수－고유의 색지수)이 커진다.

③-1 (꼼꼼) 문제 분석

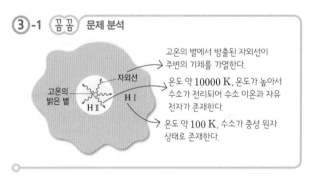

H Ⅱ 영역은 고온의 별 주위에 있는 수소가 전리되어 이온으로 존재하는 영역이고, H Ⅰ 영역은 수소가 중성 원자 상태로 존재하는 영역이다.

③-2 H Ⅱ 영역은 H Ⅰ 영역보다 온도가 높기 때문에 수소가 이온 상태로 존재하고 수소의 개수 밀도가 낮다.

③-3 H Ⅱ 영역에서 이온 상태로 있는 수소 중 일부는 다시 자유 전자와 결합하는 과정에서 중성 수소로 돌아가며, 중성 수소 내에서 전자가 높은 에너지 상태에서 낮은 에너지 상태로 되면서 에너지를 방출하기도 한다. 이때 방출되는 빛은 붉은색이 강하게 나타나 성운이 전체적으로 붉게 보이며, 이러한 성운을 방출 성운이라고 한다.

③-4 (1) 대부분의 별은 온도가 낮고 밀도가 높아서 중력 수축이 일어나기 쉬운 분자운에서 생성된다. 분자운에서 생성된 고온의 별에 의해 수소가 전리되어 HⅡ 영역이 생성된다.

(2) O형 또는 B형 별은 고온의 별로, 고온의 별 주변의 수소가 별에서 방출된 자외선을 흡수하여 수소 원자핵과 자유 전자로 전리된다.

(3) 성간 기체에서 수소는 온도가 높을수록 개수 밀도가 낮은 경향을 보인다. HⅡ 영역은 HⅠ 영역보다 온도가 높아 수소의 개수 밀도가 낮다.

④-1 (꼼꼼) 문제 분석

성간 티끌이 뒤에서 오는 별빛을 가로막아 성운이 검게 보인다. ➡ 암흑 성운

(가) 말머리성운

(나) 메로페성운
성간 티끌이 파란색 빛을 산란시켜 성운이 파랗게 보인다. ➡ 반사 성운

(다) 오리온 대성운
고온의 별 주변에서 전리된 수소가 중성 수소가 되면서 빛을 방출하여 성운이 붉게 보인다. ➡ 방출 성운

④-2 (가) 암흑 성운과 (나) 반사 성운은 성간 티끌에 의해 나타나고, (다) 방출 성운은 성간 기체에 의해 나타난다.

④-3 (1) (가) 암흑 성운은 성간 티끌에 의해 별빛이 통과하지 못해 어둡게 보인다.

(2) (나) 반사 성운은 성간 티끌에 의해 파란색 빛이 산란되어 파랗게 보인다.

(3) (다) 방출 성운은 HⅡ 영역의 전리된 수소가 자유 전자와 결합하여 중성 수소로 되돌아갈 때 에너지를 방출하여 붉은색으로 보이는 성운이다.

(4) (나) 반사 성운이 파랗게 보이는 것은 별 주변의 성간 티끌이 중심의 별에서 나온 별빛을 산란시킬 때 파장이 짧은 빛을 더 잘 산란시켜 입사된 별빛보다 파랗게 보이는 것이다. 반면에 (다) 방출 성운은 고온의 O형이나 B형 별에서 방출된 자외선 복사가 그 별 주변에 있는 수소 원자를 이온화시키고 수소 이온이 원자로 되돌아갈 때 빛을 방출하여 붉게 보이는 것이다. 이때 이온화된 수소의 평균 온도는 약 10000 K이다. 따라서 (나) 반사 성운은 (다) 방출 성운보다 온도가 훨씬 낮다.

01 ③	02 ⑤	03 해설 참조	04 ⑤	05 ③
06 ③	07 ⑤	08 ③	09 해설 참조	10 ④
11 ③	12 ③	13 ④	14 ⑤	15 해설 참조
16 ⑤	17 ②	18 ⑤	19 ②	

01 (꼼꼼) 문제 분석

(가)
나이가 많은 저온의 붉은색 별이 많고, 별들이 공 모양으로 빽빽하게 모여 있다.
➡ 구상 성단

(나)
나이가 적은 고온의 파란색 별이 많고, 별들이 비교적 엉성하게 모여 있다.
➡ 산개 성단

ㄴ. (가) 구상 성단은 수만 개~수백만 개, (나) 산개 성단은 수백 개~수천 개의 별들로 구성된다.

ㄹ. (가) 구상 성단은 나이가 많은 별로 구성된 성단으로, 주로 은하핵이나 헤일로에 분포한다. (나) 산개 성단은 나이가 적은 별로 구성된 성단으로, 주로 은하의 나선팔에 분포한다.

| 바로알기 | ㄱ. (가)는 구상 성단, (나)는 산개 성단으로 별들이 모여 있는 천체이다. 성운은 우주 공간의 먼지나 가스와 같은 성간 물질로 구성된 천체로, (나)에서는 성단 뒤로 반사 성운의 모습이 보인다.

ㄷ. (가) 구상 성단은 (나) 산개 성단보다 구성 별의 나이가 많으므로 주계열성의 비율은 (가)가 (나)에 비해 낮고, 거성의 비율은 (가)가 (나)에 비해 높다.

02 (꼼꼼) 문제 분석

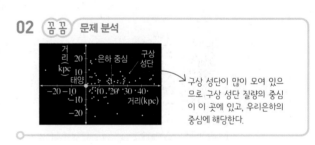

구상 성단이 많이 모여 있으므로 구상 성단 질량의 중심이 이 곳에 있고, 우리은하의 중심에 해당한다.

ㄱ. 구상 성단은 우리은하를 둘러싼 공간인 헤일로에도 분포하므로 구상 성단이 분포하는 영역이 우리은하의 분포 영역이다. 따라서 구상 성단의 분포 영역의 크기로부터 우리은하의 크기를 알아낼 수 있다.

ㄴ. 구상 성단은 많은 별이 모여 있어 질량이 매우 크므로 구상 성단이 분포하는 영역의 중심을 우리은하의 중심이라고 생각할 수 있다.

ㄷ. 태양계는 우리은하의 중심인 구상 성단 분포 영역의 중심에서 벗어나 있음을 알 수 있다.

03 구상 성단의 질량은 매우 크기 때문에 은하가 역학적으로 안정하려면 이들이 은하 중심을 기준으로 공간적인 대칭 구조를 이루고 있어야 한다.

(모범답안) 구상 성단은 많은 별들이 모여 있어서 질량이 매우 크기 때문에 구상 성단이 분포하는 영역의 중심을 우리은하의 중심이라고 생각할 수 있다.

채점 기준	배점
구상 성단의 질량을 언급하여 옳게 서술한 경우	100 %
구상 성단의 질량을 언급하지 않고 서술한 경우	0 %

04 ①, ② 우리은하는 위에서 보면 막대 모양의 구조에서 나선팔이 뻗어 나오는 막대 나선 모양이고, 옆에서 보면 중심부가 볼록한 원반 모양이다.
③, ④ 우리은하의 지름은 약 30 kpc(약 10만 광년)이고, 태양계는 우리은하의 중심에서 약 8.5 kpc(약 26000광년) 떨어진 나선팔에 있다.

▌**바로알기** ⑤ 성간 물질은 주로 은하 원반을 이루는 나선팔에 밀집되어 분포한다.

05 꼼꼼 **문제 분석**

나선팔
A
10 kpc
막대 모양의 구조
팽대부
B
구상 성단 — C
은하 원반 — D

① 우리은하는 중심에 막대 모양의 구조가 있고, 막대에서 나선팔이 뻗어 나오는 막대 나선 은하이다.
② 나선팔에는 주로 산개 성단이, 은하핵과 헤일로에는 구상 성단이 분포한다.
④ 구상 성단은 주로 나이가 많고 붉은색을 띠는 별들로 이루어져 있다.
⑤ 은하 원반을 이루는 나선팔에는 성간 물질이 많다. 별은 성간 물질이 밀집된 곳에서 태어나므로 새로운 별의 탄생은 성간 물질이 많은 D에서 활발하게 일어난다. 따라서 젊은 별의 비율은 B보다 D에서 높다.

▌**바로알기** ③ 우리은하에서 별은 은하 원반(D)보다 팽대부(B)에 더 밀집되어 있다.

06 꼼꼼 **문제 분석**

태양
(가) 허셜
• 별의 개수 연구
• 우주＝우리은하
• 우주의 중심＝태양

태양
2만 광년 0 2만 광년
(나) 캅테인
• 별 분포 통계적 연구
• 우주＝우리은하
• 우주의 중심＝태양

20 은하 중심 구상
태양 10 성단
−20−10 1020 3040
−10 거리(kpc)
−20
(다) 섀플리
• 구상 성단 분포 연구
• 우주＝우리은하
• 우주의 중심≠태양

ㄷ. (가)는 허셜의 우주, (나)는 캅테인의 우주, (다)는 섀플리의 우주를 나타낸 것으로, 오래된 것부터 나열하면 (가) → (나) → (다) 순이다.

▌**바로알기** ㄱ. (가)는 허셜이 직접 만든 망원경으로 별의 개수를 세어 그린 우주의 모습이다. 구상 성단의 분포를 연구한 것은 (다) 섀플리의 우주이다.
ㄴ. (가)와 (나)는 우주(우리은하)의 중심에 태양이 있지만, (다)는 태양이 우주의 중심에서 벗어난 곳에 있다. 섀플리는 구상 성단의 공간 분포를 연구하여 태양계가 우리은하의 중심에 존재하지 않는다는 사실을 알아내었다.

07 ㄱ. 성간 물질은 약 99 %의 기체와 약 1 %의 티끌로 이루어져 있다.
ㄴ. 성간 소광을 일으키는 주요 성분은 성간 티끌이므로 성간 소광이 관측되면 성간 티끌의 존재를 알 수 있다.
ㄷ. 성간 물질에 포함된 티끌은 별빛을 흡수하거나 산란시켜 성간 소광과 성간 적색화를 일으킨다.

08 ① 성간 티끌은 파장이 짧은 전자기파(예 자외선, 가시광선)를 잘 흡수하고, 파장이 긴 전자기파(예 적외선)는 잘 통과한다.
② 성간 티끌은 파장이 짧은 파란색 빛은 잘 흡수하거나 산란시킨다. 따라서 성간 티끌을 통과한 별빛은 붉은색 빛이 많이 도달하여 성간 적색화가 일어난다.
④ 파장이 긴 빛일수록 성간 티끌을 잘 통과하여 관측자에게 도달한다.
⑤ 성간 티끌은 규산염이나 흑연 등이 얼음에 덮여 있는 미세한 고체 입자로, 크기는 대부분 1 μm 이하이다.

▌**바로알기** ③ 성간 물질 전체 질량의 대부분은 성간 기체가 차지하고, 성간 티끌은 성간 물질 전체 질량의 약 1 %에 불과하다.

09 (1) 성간 물질은 주로 은하 원반에 존재한다.
(2) 성간 물질에 의한 소광 현상은 주로 자외선과 가시광선 영역에서 일어난다. 적외선 영역에서는 소광량이 매우 적기 때문에 은하면에 위치한 태양계에서 우리은하를 연구하기에 적합하다.

(모범답안) (1) 은하 원반에 성간 물질이 풍부하고, 성간 티끌이 **별빛을 흡수하기 때문에** 가시광선 사진에서 어둡게 보인다.

(2) 적외선 관측은 성간 물질에 의한 소광량이 매우 적기 때문에 우리은하 연구에 적합하다.
(3) 성간 물질에 의한 성간 소광이 일어나 천체의 거리가 실제보다 멀게 관측되기 때문에 결과를 보정해야 한다.

채점 기준		배점
(1)	성간 티끌이 별빛을 흡수한다고 옳게 서술한 경우	30 %
(2)	적외선 영역에서 성간 소광량이 적기 때문이라고 옳게 서술한 경우	30 %
(3)	성간 소광과 관측된 거리를 포함하여 옳게 서술한 경우	40 %
	관측된 거리만 포함하여 옳게 서술한 경우	20 %

10 ㉠ 성간 소광으로 인해 별빛은 실제보다 어둡게 관측된다. ㉡, ㉢ 성간 소광으로 인한 거리 지수는 실제 거리 지수보다 A 등급만큼 커지기 때문에 성간 소광 효과를 보정하지 않은 채 거리 지수 공식으로 거리를 산출하면 별의 실제 거리보다 멀게 구해진다.

11 (꼼꼼) **문제 분석**

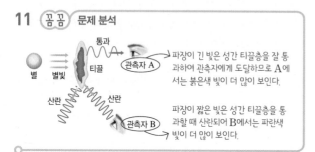

ㄱ. A에서 별빛이 성간 티끌층을 통과할 때 파장이 짧은 파란색 빛은 흡수되거나 산란되고, 파장이 긴 붉은색 빛은 잘 통과한다. 따라서 A에서는 실제 별의 색깔보다 붉게 보이는 성간 적색화가 나타난다.
ㄴ. B에서는 성간 티끌에 의해 산란된 파란색 빛이 많이 관측되므로 반사 성운으로 관측된다.
【 바로알기 】 ㄷ. A에서 성간 적색화가 나타나는 까닭은 별빛의 파장이 길어지기 때문이 아니라 파장이 짧은 파란색 빛은 산란되고 파장이 긴 붉은색 빛이 많이 도달하기 때문이다.

12 (꼼꼼) **문제 분석**
표면 온도, 절대 등급, 거리가 같은 별 (가), (나)의 관측 결과

별	성간 소광 효과	겉보기 등급	V 등급
(가)	받지 않음	6.0	5.0
(나)	받음 → 성간 티끌이 존재한다.	( ) 성간 소광 효과로 별빛이 어둡게 관측된다.	( ) 성간 적색화로 별빛이 붉게 관측된다.

ㄴ. (나)는 관측자와 별 사이에 성간 티끌이 존재하여 성간 소광이 일어나므로 V 등급이 (가)보다 크다.

ㄷ. 두 별은 표면 온도가 같으므로 고유의 색지수가 같다. (나)는 성간 적색화가 나타나므로 관측된 색지수(B 등급 $-V$ 등급)는 (나)가 (가)보다 크다.
【 바로알기 】 ㄱ. (나)는 (가)와 절대 등급과 거리가 같지만, 성간 소광 효과를 받았으므로 별빛이 어둡게 관측되어 겉보기 등급이 (가)보다 크다. 따라서 6.0보다 크다.
ㄹ. (나)는 소광 효과를 받아 거리가 실제보다 멀게 측정되므로 거리 지수는 (나)가 (가)보다 크다.

13 ①, ② 주로 수소와 헬륨으로 이루어진 성간 기체는 전체 성간 물질의 약 99 %를 차지한다.
③ 성간 기체를 이루는 수소는 대부분 중성 원자 상태로 존재하며, 고온의 별 부근에서 이온화된 상태로 존재하기도 한다.
⑤ 분자운은 온도가 낮고 밀도가 높아 수소가 분자 상태로 존재하며, 중력 수축이 잘 일어나 별은 대부분 이 영역에서 탄생한다.
【 바로알기 】 ④ 온도가 매우 높은 곳의 수소는 에너지를 흡수하여 전자를 방출시키고 이온으로 존재한다.

14 • A는 중성 수소(HI) 영역으로, 온도는 100 K 정도이다.
• B는 수소 분자운으로; 온도는 보통 10 K 정도이다.
• C는 전리된 수소(HII) 영역으로, 온도는 10000 K 정도이다.
따라서 온도가 높은 것부터 나열하면 C - A - B 순이다.

15 (모범답안) 반사 성운 속에 포함된 성간 티끌은 상대적으로 파장이 짧은 파란색 별빛을 잘 산란시키기 때문에 관측자에게 반사 성운은 파란색으로 보인다.

채점 기준	배점
성간 티끌, 별빛의 파장과 색을 포함하여 옳게 서술한 경우	100 %
티끌이 별빛을 산란시키기 때문이라고만 서술한 경우	50 %

16 (가)는 반사 성운인 메로페성운, (나)는 방출 성운인 오리온 대성운, (다)는 암흑 성운인 말머리성운이다.
ㄱ. (가) 반사 성운은 성간 티끌이 주위의 별빛을 산란하여 뿌옇게 보이는 성운이다. 이때 파란색 빛이 붉은색 빛에 비해 상대적으로 잘 산란되므로 성운이 파랗게 보인다.
ㄴ. (나) 방출 성운의 내부에는 O형, B형과 같은 고온의 별이 있으며, 이 별에서 나오는 자외선에 의해 주위에 있는 중성 수소가 이온화되어 HII 영역을 형성한다. 이온화된 수소가 전자와 재결합할 때 방출선을 내는데, 스펙트럼상에서 붉은색이 강해 성운이 전체적으로 붉게 보인다.
ㄷ. (다) 암흑 성운은 성운 뒤쪽에 위치한 별빛이 성간 티끌에 흡수되거나 차단되어 우리 눈에 도달하지 못하므로 어둡게 보인다.

17 ㄷ. (가)의 방출 성운은 성간 물질이 고온의 별빛을 흡수하여 온도가 높아져 전리되었다가 중성 수소로 돌아가는 과정에서 빛을 방출하여 나타나므로 (나)의 반사 성운보다 온도가 높다.

┃바로알기┃ ㄱ. (가)는 H Ⅱ 영역으로, 수소는 수소 이온(이온화된 수소) 상태로 존재한다. 방출 성운은 별빛을 흡수한 성운 내의 성간 물질이 전리되었다가 수소 방출선을 방출하면서 빛을 내는 성운이다.

ㄴ. (나)의 반사 성운은 성운 주변의 별빛을 산란시켜서 빛나는 성운으로, 붉은색보다는 파란색 빛을 잘 산란시키므로 대체로 파란색으로 관측된다.

18 ⑤ 그림은 플레이아데스 성단 주변의 반사 성운이다. 반사 성운은 성간 티끌이 주위에 있는 밝은 별빛을 산란시킬 때 만들어진다. 별빛의 파장이 짧을수록 산란이 더 우세하므로 파란색으로 보인다.

┃바로알기┃ ① 암흑 성운은 뒤쪽에서 오는 별빛을 흡수하여 어둡게 보인다. 그림은 반사 성운이다.

② 성운이 별빛에 의해 가열되면 수소가 전리되었다가 수소 방출선을 방출하여 붉은색으로 보인다.

③ 질량이 매우 큰 별의 폭발 과정에서 형성된 잔해는 초신성 잔해이다.

④ 행성상 성운은 일반적으로 둥근 모양의 다양한 색으로 나타난다.

19 (꼼꼼) **문제 분석**

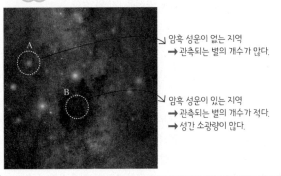

> 암흑 성운이 없는 지역
> ➡ 관측되는 별의 개수가 많다.

> 암흑 성운이 있는 지역
> ➡ 관측되는 별의 개수가 적다.
> ➡ 성간 소광량이 많다.

ㄷ. 암흑 성운이 있는 B에는 성간 티끌이 존재하고, 성간 티끌은 가시광선 영역의 빛을 더 잘 흡수하거나 산란시키므로 가시광선보다 적외선으로 관측하면 B에서 더 많은 별을 볼 수 있다.

┃바로알기┃ ㄱ. 암흑 성운은 성간 티끌이 뒤에서 오는 별빛을 흡수하거나 차단하여 어둡게 보이는 성운이므로 암흑 성운이 있는 지역은 B이다.

ㄴ. B에서는 별이 두꺼운 티끌층에 가려져 있으므로 보이지 않는 별들이 있다. 따라서 눈에 보이는 별의 개수가 실제 별의 분포를 나타낸다고 하기는 어렵다.

🐍03 우리은하의 나선 구조와 질량

개념 확인 문제   343쪽

❶ 21 cm 수소선   ❷ 나선팔   ❸ 접선 속도   ❹ 시선 속도
❺ 케플러 회전   ❻ 크다   ❼ 암흑 물질   ❽ 중력 렌즈

1 (1) ⊙ 수소, ⓒ 21 (2) 도플러 (3) 원자 수   **2** 일어나지 않으므로   **3** (1) ○ (2) × (3) × (4) ○   **4** (1) A, D (2) B, C
5 (1) ○ (2) × (3) ○   **6** 일정

1 (1), (2) 우리은하의 나선팔에는 중성 수소가 풍부하며, 중성 수소는 파장이 21 cm인 전파를 방출한다. 따라서 중성 수소가 방출하는 21 cm 수소선의 세기와 도플러 이동을 해석하여 시선 속도를 측정하면 우리은하의 나선팔 구조와 회전을 알 수 있다.
(3) 중성 수소 원자에서 방출하는 21 cm 수소선의 세기는 수소 원자 수에 비례한다.

2 은하의 나선팔에 분포하는 중성 수소에서 방출되는 21 cm 수소선은 상대적으로 파장이 길어 성간 물질을 잘 통과하므로 성간 소광이 잘 일어나지 않고 지구의 관측자에게 도달한다. 따라서 우리은하 구조 연구에 중요한 역할을 하였다.

3 (1) μ는 천구상에서 별이 1년 동안 이동한 각거리인 고유 운동을 가리키며, 단위는 ″/년이다.
(2) 별의 공간 속도 V는 별의 접선 속도와 시선 속도의 벡터 합으로 구하므로 $V = \sqrt{V_R^2 + V_T^2}$ 이다.
(3) 접선 속도 V_T는 별의 고유 운동(μ)과 별까지의 거리(r)를 이용하여 구한다.
(4) 시선 속도 V_R은 도플러 효과에 의한 별빛의 파장 변화를 측정하여 구한다.

4 (1) A는 태양보다 회전 속도가 느리므로 태양에서 멀어지고, D는 태양보다 회전 속도가 빠르므로 태양에서 멀어진다. 따라서 별 A와 D는 관측자로부터 점차 멀어지므로 적색 편이가 나타난다.
(2) B는 태양보다 회전 속도가 느리므로 태양에 가까워지고, C는 태양보다 회전 속도가 빠르므로 태양에 가까워진다. 따라서 별 B와 C는 관측자에게 점차 가까워지므로 청색 편이가 나타난다.

5 (1) 우리은하 나선팔에 분포하는 중성 수소가 방출하는 파장이 21 cm인 전파의 도플러 이동을 해석하여 시선 속도를 측정하면 우리은하가 회전하고 있음을 알 수 있고, 회전 속도도 구할 수 있다.

(2) 우리은하는 은하 중심에 질량이 집중되어 있지 않으므로 은하 중심부에서 멀어질수록 회전 속도가 계속 감소하지는 않는다.
• 은하 중심으로부터 약 1 kpc 이내의 팽대부에서는 회전 속도가 증가하는 강체 회전을 한다.
• 약 1 kpc~약 3 kpc에서는 멀어질수록 회전 속도가 감소하는 케플러 회전을 한다.
• 약 8 kpc까지는 회전 속도가 증가하고 태양계 밖에서는 감소하다가 다시 증가하여 약 15 kpc 이후부터는 일정하게 유지된다.
(3) 우리은하의 회전 속도와 만유인력을 이용하여 은하의 질량을 계산할 수 있다.

6 우리은하의 회전 속도가 외곽부에서 감소하지 않고 일정하다는 것은 우리은하의 물질이 중심부에 집중되어 있지 않고 외곽부에도 많이 존재한다는 근거가 된다. 은하 중심에 물질이 집중되어 있을 경우, 은하 중심에서 멀어질수록 회전 속도가 감소해야 한다.

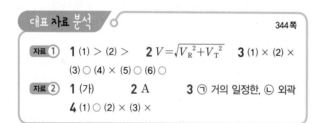

대표 자료 분석   344쪽

자료① **1** (1) > (2) >   **2** $V=\sqrt{V_R{}^2+V_T{}^2}$ **3** (1) × (2) ×
(3) ○ (4) × (5) ○ (6) ○

자료② **1** (가)   **2** A   **3** ㉠ 거의 일정한, ㉡ 외곽
4 (1) ○ (2) × (3) ×

---

①-1 **꼼꼼 문제 분석**

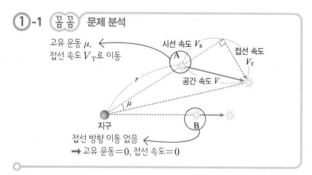

(1) 고유 운동은 별이 1년 동안 천구상에서 움직여 간 각거리로 나타내므로, A가 B보다 크다.
(2) 접선 속도는 별이 시선 방향에 대해 수직인 방향으로 이동하는 속도로 고유 운동과 거리에 비례하므로, A가 B보다 크다.

①-2 별 A가 실제로 우주 공간에서 운동하는 속도 V는 별의 시선 속도(V_R)와 접선 속도(V_T)의 벡터 합인 $V=\sqrt{V_R{}^2+V_T{}^2}$으로 구한다.

---

①-3 (1) 별 A는 관측자로부터 멀어지는 시선 속도 성분을 가지므로 별 A의 스펙트럼에는 적색 편이가 나타난다.
(2) 별 B는 접선 속도 성분이 없고 시선 속도 성분만 가지므로 고유 운동이 0이다. 따라서 별 B는 천구상에서 위치가 변하지 않는 것처럼 보인다.
(3) 별이 우주 공간에서 실제로 운동하는 속도를 공간 속도라고 한다.
(4) 고유 운동이 클수록, 별까지의 거리가 멀수록 접선 속도가 커진다. ➡ $V_T=4.7\mu r$(km/s)
(5) 시선 속도는 별빛의 도플러 이동을 통해 알아낼 수 있는데, 관측자로부터 멀어지면 별빛의 파장은 길어지고(적색 편이), 관측자에게 접근하면 별빛의 파장은 짧아진다(청색 편이).
(6) 고유 운동은 별이 1년 동안 천구상에서 움직여 간 각거리로, 별자리의 모양이 달라지는 것은 별의 고유 운동 때문이다.

---

②-1 **꼼꼼 문제 분석**

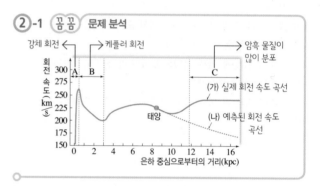

우리은하 외곽부에서 회전 속도가 (나)와 같이 감소할 것으로 예측하였으나, 실제 회전 속도 곡선은 (가)와 같다.

②-2 우리은하의 중심핵 부근인 은하 중심~약 1 kpc 구간에서는 강체 회전을 한다.

②-3 우리은하의 외곽부에서 은하의 회전 속도가 거의 일정한 것을 통해 우리은하의 질량이 중심부에 집중되어 있지 않고 외곽부에도 많은 물질이 존재함을 추정할 수 있다. 우리은하에서 빛을 내는 보통 물질은 주로 태양계 안쪽에 분포하고 있으므로 우리은하 외곽에 암흑 물질이 많이 분포하고 있다고 추정할 수 있다.

②-4 (1) 우리은하의 원반에 분포하는 중성 수소가 방출하는 21 cm 수소선은 시선 속도의 크기에 따라 도플러 이동을 일으킨다. 이로부터 우리은하의 나선팔 구조 및 회전을 알아낼 수 있다.
(2) 태양 부근에서는 은하 중심에서 멀어질수록 회전 속도가 감소하는 케플러 운동을 한다.
(3) 은하의 중심에서 멀리 떨어진 곳에서도 은하의 회전 속도는 감소하지 않는다. 이것은 은하 외곽 지역에 많은 양의 물질이 존재하기 때문이다.

01 ④   **02** ⑤   **03** ②   **04** ④   **05** 해설 참조
06 ③   **07** 해설 참조   **08** ⑤   **09** ②   **10** ④
11 ④   **12** ①   **13** ㄷ   **14** ④

01 꼼꼼 문제 분석

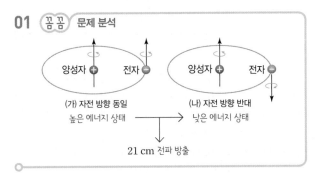

ㄴ. 중성 수소는 전자와 원자핵(양성자)의 자전 방향 차이에 따라 원자의 에너지 크기가 다르며, 높은 에너지 상태의 원자가 낮은 에너지 상태의 원자로 변하는 과정에서 에너지 차이에 해당하는 전자기파가 방출된다. 이 전자기파의 파장이 21 cm이며 전파에 해당한다.

ㄹ. 우리은하에 존재하는 수소 중에는 원자 상태의 중성 수소가 가장 많은 비율을 차지한다. 중성 수소가 방출하는 21 cm파의 관측으로 중성 수소가 많이 존재하는 영역을 알 수 있는데, 이 영역을 통해 우리은하의 나선팔 구조를 발견하였다.

▎**바로알기** ㄱ. 중성 수소에서 원자핵과 전자의 자전 방향이 같은 원자가 자전 방향이 다른 원자에 비해 조금 더 불안정하다. 이것은 자전 방향이 같은 원자의 에너지가 더 높은 상태라는 의미이다.

ㄷ. 중성 수소는 주로 성간 물질이 풍부한 나선팔에 분포하므로 (가)와 (나)의 에너지 차이로 방출되는 21 cm 전파는 주로 나선팔에서 관측된다.

02
①, ② 성간 물질을 이루는 중성 수소에서 21 cm 수소선이 방출되며, 파장이 긴 전자기파는 성간 물질의 영향을 적게 받으므로 21 cm 수소선을 관측하면 성간 물질의 분포를 파악하여 우리은하의 나선팔 구조를 확인할 수 있다.

③ 중성 수소 구름이 멀어지거나 다가오면 21 cm 수소선의 도플러 이동이 나타나므로 이때의 파장 변화로부터 우리은하가 회전한다는 것을 알 수 있다.

④ 21 cm 수소선은 수소의 에너지가 높은 상태(양성자와 전자의 회전 방향이 같은 상태)에서 에너지가 낮은 상태(양성자와 전자의 회전 방향이 다른 상태)로 되돌아갈 때 방출된다.

▎**바로알기** ⑤ 21 cm 수소선처럼 파장이 긴 전자기파는 성간 티끌의 영향을 거의 받지 않아 관측자에게 도달하므로 우리은하의 구조 연구에 적합하다.

03
우리은하가 나선 구조를 이루고 있다는 것은 나선팔에 분포하는 중성 수소에서 방출되는 21 cm 전파를 관측하여 알아내었다. 구상 성단은 은하핵 및 헤일로에도 분포하며, 우리은하가 지름 약 30 kpc(10만 광년)인 구형의 공간(헤일로)으로 이루어진다는 것은 구상 성단의 분포를 관측하여 알아낸 것이다.

04
ㄴ. 그림에서 밝게 나타나는 부분은 성간 물질의 밀도가 높은 곳이고, 어두운 부분은 성간 물질의 밀도가 낮은 곳이다. 21 cm 수소선의 세기는 성간 물질을 이루는 중성 수소에서 방출되므로 성간 물질의 밀도가 낮은 A 부분보다 성간 물질의 밀도가 높은 B 부분에서 더 강하게 관측된다.

ㄷ. 21 cm 수소선은 파장이 21 cm인 전파이므로 전파 망원경을 이용해야 관측할 수 있다.

▎**바로알기** ㄱ. 그림에서 성간 물질은 고르게 분포하지 않고 군데군데 밀집되어 있으며, 성간 물질의 밀도가 높은 영역들이 나선형으로 분포하고 있다.

05
중성 수소 원자에서 파장이 21 cm인 전파가 방출되므로 우리은하의 나선팔에서 방출되는 21 cm 수소선을 관측하면 우리은하의 나선팔에 중성 수소가 많이 분포한다는 것을 알 수 있다. 전파는 파장이 길어 성간 소광이 잘 일어나지 않기 때문에 아주 멀리 떨어진 거리에서 오더라도 검출될 수 있다.

모범답안 중성 수소 원자에서 방출되는 21 cm 수소선을 관측하여 알 수 있다. 전파는 성간 소광이 잘 일어나지 않기 때문에 우리은하의 구조를 밝히는 데 중요하다.

채점 기준	배점
21 cm 수소선 관측과 전파는 성간 소광이 잘 일어나지 않는다는 내용(성간 티끌을 잘 통과한다)을 모두 포함하여 옳게 서술한 경우	100 %
두 가지 중 한 가지만 옳게 서술한 경우	50 %

06
별의 공간 속도를 계산하기 위해서는 접선 속도와 시선 속도를 알아야 한다. ➡ 별의 공간 속도 $=\sqrt{(\text{시선 속도})^2 + (\text{접선 속도})^2}$

ㄱ, ㄹ. 접선 속도는 별까지의 거리와 고유 운동을 알면 구할 수 있다. ➡ 접선 속도(km/s)$=4.7 \times$ 고유 운동 $\times$ 별까지의 거리

ㅁ. 시선 속도는 도플러 효과에 의한 별빛 스펙트럼선의 편이량을 측정하면 구할 수 있다. ➡ 시선 속도$=$광속 $\times \dfrac{\text{편이량}}{\text{원래 파장}}$

07
(1) 별빛 스펙트럼의 흡수선 파장이 480 nm에서 500 nm로 길어졌으므로 적색 편이가 나타났다. 따라서 별이 관측자에게서 멀어지고 있다.

(2) 별빛 스펙트럼 흡수선의 원래 파장을 λ_0, 관측된 파장을 λ, 광속을 c라고 할 때, 별의 시선 속도(V_R)는 다음과 같이 구한다.

➡ $V_R = c \times \dfrac{\lambda - \lambda_0}{\lambda_0}$

(2) $3 \times 10^5 \, \text{km/s} \times \dfrac{500-480}{480} = 12500 \, \text{km/s}$

채점 기준		배점
(1)	거리 변화와 근거를 모두 옳게 서술한 경우	50 %
	거리 변화만 옳게 서술한 경우	30 %
(2)	식을 옳게 세우고 시선 속도를 옳게 구한 경우	50 %
	식만 옳게 세우고 답이 틀린 경우	30 %

08 꼼꼼 문제 분석

• 시선 속도 크기: B>C>A
• 접선 속도 크기: B>C>A
• 공간 속도 크기: B>C>A
• 고유 운동 크기: C>B>A

⑤ B는 관측자로부터 멀어지므로 시선 속도는 (+) 값으로 나타난다.

┃바로알기┃ ① A는 관측자에게 접근하고 있으므로 청색 편이가 나타난다.

② 접선 속도는 고유 운동과 별까지의 거리를 이용하여 구하는데, A는 거리는 멀지만 고유 운동이 매우 작으므로 상대적으로 접선 속도의 크기가 가장 작다.

③ 고유 운동은 별이 1년 동안 천구상에서 움직여 간 각거리이므로 C가 가장 크다.

④ 공간 속도의 크기는 화살표의 길이가 가장 긴 B가 가장 크다.

09 꼼꼼 문제 분석

태양계 부근에서는 케플러 회전을 하므로 우리은하의 회전 속도는 은하 중심에 가까울수록 빠르다.

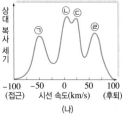

(가)   (나)

• A: 태양계보다 회전 속도가 느려서 태양계에 점점 가까워지므로 시선 속도는 (−) 값이다. ➡ ㉠
• B, D: 태양계보다 회전 속도가 조금 빨라 태양계에서 조금씩 멀어지므로 시선 속도가 작고 (+) 값이다. ➡ ㉡, ㉢
• C: 태양계보다 회전 속도가 빨라 태양계에서 멀어지므로 시선 속도가 B, D 다 크고, (+) 값이다. ➡ ㉣

ㄷ. (가)에서 A는 태양계보다 회전 속도가 느리므로 태양계에 가까워지는 나선팔에 위치하며, B, C, D는 태양계보다 회전 속도가 빠르므로 태양계에서 멀어지는 나선팔에 위치한다. C는 태양계에서 멀어지므로 시선 속도가 (+) 값으로 나타나는데, B와 D보다 회전 속도가 크므로 시선 속도도 더 크게 나타난다. 따라서 (나)에서 ㉣이 C를 관측한 것이다.

┃바로알기┃ ㄱ. (가)의 A는 은하 중심으로부터 거리가 먼 곳에 위치한 나선팔 구름으로, 회전 속도가 태양계보다 느려서 태양계에 점점 가까워진다.

ㄴ. 21 cm 수소선은 우주 공간에서 중성 수소 원자를 확인하는 방법이다. 파장이 21 cm인 전파는 수소 원자핵인 양성자에 대해 전자의 회전 방향이 같은 방향에서 반대 방향으로 바뀔 때 방출되며, 이때 방출선의 세기는 중성 수소 원자 수가 많은 곳일수록 강하다. 따라서 (나)의 ㉠~㉣ 중 상대 복사 세기가 가장 강한 ㉡이 중성 수소 원자 수가 가장 많은 곳이다.

10 꼼꼼 문제 분석

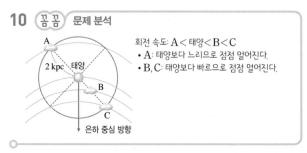

회전 속도: A < 태양 < B < C
• A: 태양보다 느리므로 점점 멀어진다.
• B, C: 태양보다 빠르므로 점점 멀어진다.

ㄴ. B는 태양보다 은하 중심으로부터 가까운 곳에 위치하므로 태양보다 회전 속도가 빠르다. 따라서 태양에서 점점 멀어지므로 시선 속도가 (+) 값으로 나타난다.

ㄷ. A는 태양보다 은하 중심으로부터 먼 곳에 위치하므로 태양보다 회전 속도가 느려 점점 태양에서 멀어진다. B와 C는 모두 태양보다 은하 중심으로부터 가까운 곳에 위치하므로 태양보다 회전 속도가 빨라 점점 태양에서 멀어진다. 따라서 A~C는 모두 적색 편이가 나타난다.

┃바로알기┃ ㄱ. 태양 부근에서는 케플러 회전을 하며, 케플러 회전에서는 은하 중심에서 멀어질수록 회전 속도가 느리다. A는 태양보다 은하 중심으로부터 먼 곳에 위치하므로 회전 속도가 태양보다 느리다.

11 꼼꼼 문제 분석

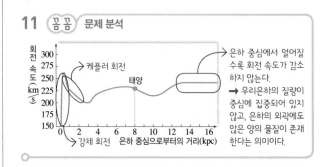

→ 은하 중심에서 멀어질수록 회전 속도가 감소하지 않는다.
→ 우리은하의 질량이 중심에 집중되어 있지 않고, 은하의 외곽에도 많은 양의 물질이 존재한다는 의미이다.

ㄱ. 강체 회전은 레코드판의 회전처럼 중심으로부터의 거리에 상관없이 회전 주기가 같으며 외곽으로 갈수록 회전 속도가 증가하는 회전이다. 우리은하는 은하 중심으로부터 약 1 kpc까지는 거리가 멀어질수록 회전 속도가 증가하는 강체 회전을 한다.

ㄴ. 은하 중심으로부터의 거리가 약 1 kpc~3 kpc 구간에서는 은하 중심에서 멀수록 회전 속도가 감소하는 케플러 회전을 한다.

▌바로알기▐ ㄷ. 우리은하의 질량이 중심에 집중되어 있다면 은하 외곽의 회전 속도는 중심에서 멀어질수록 회전 속도가 감소하는 케플러 회전을 해야 한다. 그러나 우리은하 외곽의 속도는 어느 정도 감소하다가 일정해진다. 이는 우리은하의 질량이 중심에 집중되어 있지 않고, 우리은하 외곽에도 많은 양의 물질이 존재한다는 것을 의미한다.

12 태양에 작용하는 만유인력과 구심력의 크기가 같으므로 $G\dfrac{M_\text{은하}M_\text{태양}}{r^2}=\dfrac{M_\text{태양}v^2}{r}$ 이다. 은하의 질량에 대해 정리하면

$M_\text{은하}=\dfrac{M_\text{태양}v^2}{r}\times\dfrac{r^2}{GM_\text{태양}}=\dfrac{rv^2}{G}$ 이고, 회전 속도 $v=\dfrac{2\pi r}{P}$ 을

대입하면 $M_\text{은하}=\dfrac{r}{G}\times\left(\dfrac{4\pi^2 r^2}{P^2}\right)=\dfrac{4\pi^2}{G}\cdot\dfrac{r^3}{P^2}$ 이다.

13 ㄷ. 우리은하는 은하 중심으로부터 거리가 멀어질수록 회전 속도가 감소하는 케플러 회전이 일부 구간에서만 나타난다. 이것은 우리은하의 질량이 은하 중심에 집중되어 있는 것이 아니라 바깥쪽에도 상당량 분포하고 있음을 의미한다.

▌바로알기▐ ㄱ. 암흑 물질은 빛을 방출하지 않기 때문에 우리 눈에 보이지 않으며, 중력 렌즈 현상을 통해 간접적으로 확인할 수 있다.

ㄴ. 중성 수소에서 나오는 21 cm파로 알아 낸 우리은하 최외각부의 회전 속도로 우리은하의 질량을 계산해 보면, 우리은하를 이루는 물질의 질량은 우리은하 안에 존재할 것으로 추정되는 별과 성간 물질의 질량보다 매우 큰 값으로 나타난다. 즉, 우리은하의 대부분이 암흑 물질로 이루어져 있다는 것을 의미한다.

14 ㄴ. (가)에서 오는 빛이 천체 (나)에 의해 휘어지므로 (나)는 매우 강한 중력을 가지는 천체이다.

ㄷ. (나)와 같은 천체는 직접 보이지는 않지만 근처를 지나는 빛을 휘게 함으로써 중력을 가진 물체가 존재한다는 사실을 암시하여 암흑 물질의 존재에 대한 간접적인 증거가 된다.

▌바로알기▐ ㄱ. (가)에서 오는 빛은 (나)의 중력에 의해 휘어져 관측자의 눈에 들어오는데, (나)의 위쪽으로 진행해 온 빛은 관측자에게 (가)의 상이 A에 만들어지도록 하며, (나)의 아래쪽으로 진행해 온 빛은 관측자에게 (가)의 상이 B에 만들어지도록 한다. 따라서 관측자에게 (가)의 상은 A와 B에 모두 있는 것으로 보인다. 이때 A와 B는 모두 (가)의 상이므로 동일한 천체의 상이다.

🥕04 우주의 구조

1 (1) 은하군은 수십 개의 은하들이 모인 집단으로, 서로의 중력에 의해 묶여 있다.

(2) 은하단은 수백 개~수천 개 이상의 은하들이 모인 집단으로, 은하군보다 더 큰 규모의 은하 집단이다.

(3) 은하단은 은하군보다 더 큰 규모의 집단이지만, 은하군을 포함하는 것이 아니라 이루고 있는 은하의 수가 다른 것이다.

(4) 우리은하에서 가장 가까운 은하단은 처녀자리 은하단으로, 약 17 Mpc 거리에 있다.

2 🔍 **문제 분석**

(가) <u>우리은하</u> 1개의 은하   (나) <u>국부 은하군</u> 수십 개의 은하

(다) <u>사자자리 초은하단</u>   (라) <u>처녀자리 은하단</u>

수백 개의 은하군과 은하단   수백 개~수천 개의 은하

규모: (가)<(나)<(라)<(다)

은하와 은하 집단의 규모를 비교하면 은하(예 우리은하)<은하군(예 국부 은하군)<은하단(예 처녀자리 은하단)<초은하단(예 사자자리 초은하단)이다. 따라서 (가)-(나)-(라)-(다) 순으로 은하 집단의 규모가 커진다.

3 국부 은하군은 우리은하와 안드로메다은하를 포함하여 그 주변에 존재하는 약 40여 개의 은하 집단이다. 퀘이사는 우리은하로부터 매우 멀리 떨어져 있는 천체로, 국부 은하군에 속하지 않는다. 오리온 대성운은 우리은하의 구성원이다.

4 우리은하는 태양계가 속한 은하이다. 국부 은하군은 우리은하를 포함한 40여 개의 은하들로 구성된 은하군이다. 처녀자리 초은하단은 국부 은하군과 처녀자리 은하단을 포함한 100여 개의 은하군과 은하단으로 이루어져 있다. 라니아케아 초은하단은 처녀자리 초은하단을 포함하는 더 큰 규모의 초은하단으로, 우리은하는 라니아케아 초은하단의 외곽에 분포한다.

ㄷ, ㄹ. 처녀자리 은하단은 우리은하에서 가장 가까운 은하단이고, 코마 초은하단은 우리은하가 속한 처녀자리 초은하단 주변에 있는 초은하단이다.

5 우주 거대 구조에서 A는 은하가 존재하지 않는 빈 공간인 거대 공동이고, B는 수많은 은하들이 모여서 형성한 거대한 벽과 같은 구조를 이루는 은하 장성이다.

6 (1) 우주 초기 밀도가 상대적으로 높은 부분은 물질을 계속 끌어당겨 은하 장성이 형성되고, 밀도가 상대적으로 낮은 부분은 물질이 점점 비어 거대 공동이 형성되었을 것으로 추정된다.

(2) 거대 공동의 밀도는 우주 평균 밀도의 $\frac{1}{10}$ 보다 작다.

(3) 우주 초기에 시간이 지날수록 밀도가 높은 부분은 더 높아지고 낮은 부분은 더 낮아져 미세한 밀도 차이는 점점 더 커졌다.

대표 **자료** 분석

351쪽

자료 ① **1** 국부 은하군 **2** (나)-(다)-(가) **3** (1) × (2) ○
(3) ○ (4) ○ (5) × (6) ×

자료 ② **1** A: 거대 공동, B: 은하 장성 **2** (1) 우주 배경 복사
(2) 높은 (3) ㉠ 암흑 물질 ㉡ 은하 장성 **3** (1) ○ (2) ×
(3) ○

①-1 우리은하를 포함하여 안드로메다은하 등 40여 개의 크고 작은 은하들로 이루어진 집단을 국부 은하군이라고 한다.

①-2 (가)는 국부 은하군, (나)는 우주 거대 구조, (다)는 초은하단에 대한 설명이다. 은하 집단의 규모를 비교하면, (가) 은하군<은하단<(다) 초은하단<(나) 우주 거대 구조이다.

①-3 (1) (가) 국부 은하군의 중심 은하는 우리은하와 안드로메다은하로, 우리은하는 국부 은하군의 중력 중심 부근에 위치한다.
(2) (가) 국부 은하군은 질량이 훨씬 큰 처녀자리 은하단의 중력에 이끌려 처녀자리 은하단 쪽으로 이동하고 있다.
(3) (나) 우주 거대 구조는 우주에서 은하들이 이루는 구조 중 최대 규모의 구조이다.
(4), (5) (나) 우주 거대 구조에는 수많은 은하들로 이루어진 거대한 벽과 같은 은하 장성과 은하가 존재하지 않는 거대 공동이 있다.
(6) (다)는 초은하단에 대한 설명으로, 우리은하는 처녀자리 초은하단에 속해 있다.

---

②-1 꼼꼼 **문제 분석**

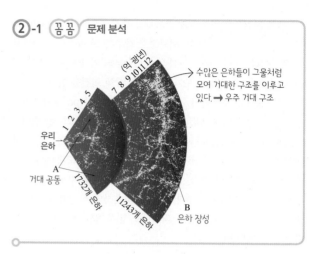

A는 우주에서 은하가 거의 없는 거대한 공간인 거대 공동이며, B는 수많은 은하들로 이루어진 거대한 벽과 같은 구조인 은하 장성이다.

②-2 (1) 우주 배경 복사의 온도가 미세하게 불균일하게 나타나므로 우주 초기의 밀도 분포가 불균일하였음을 알 수 있다. 이로부터 우주 팽창에 따른 변화를 추정하면 현재의 우주 구조를 설명할 수 있다.
(2) 우주 초기의 밀도 분포에서 밀도가 상대적으로 약간 높은 지역에서는 시간이 지날수록 좀 더 많은 물질이 끌려들어가 은하, 은하단, 초은하단, 은하 장성 등이 만들어졌고, 상대적으로 밀도가 낮은 지역에서는 점점 더 비어 있는 공간으로 남게 되어 거대 공동이 형성되었을 것으로 추정된다.
(3) 암흑 물질은 눈에 보이지는 않지만 질량을 가지고 있으므로 중력으로 우리가 볼 수 있는 보통 물질들을 끌어당긴다. 우주에는 암흑 물질이 보통 물질보다 많은 것으로 추정된다. 이러한 암흑 물질이 은하들을 중력으로 끌어당겨 거대한 벽과 같은 3차원 구조인 은하 장성이 형성되었다고 추정된다.

②-3 (1) 은하는 우주를 구성하는 기본 천체로, 그림에서 노란 점은 은하를 나타낸다. A는 거대 공동으로, 은하가 거의 발견되지 않아 텅 비어 있는 듯한 광활한 공간이다.
(2) 처녀자리 초은하단의 크기는 약 1억 광년이고, 그림은 약 10억 광년의 은하 분포를 나타낸 것이다. 이 그림은 처녀자리 초은하단보다 더 큰 규모인 우주 거대 구조를 확인할 수 있는 자료이다.
(3) 우주 거대 구조는 비누 거품 막처럼 속은 비어 있고 이 공간을 둘러싼 가장자리 부분에만 대부분의 은하가 분포한다. 따라서 우주 전체 공간에서 은하가 차지하는 부피는 거대 공동이 차지하는 부피보다 훨씬 작다.

01 ③ 은하군은 은하의 무리를 구성하는 가장 작은 단위로, 수십 개의 은하들로 이루어진 집단이다.

┃**바로알기**┃ ① 은하군은 수십 개의 은하들이 모인 집단이고, 은하단은 수백 개~수천 개 이상의 은하들이 모인 집단이다.

② 은하단을 이루는 은하들은 서로의 중력에 묶여 있다.

④ 은하단은 은하군보다 더 큰 규모의 집단이고, 초은하단은 은하군과 은하단이 수백 개가 모여서 이루어진 은하의 집단이다.

➡ 은하 집단의 규모: 은하군<은하단<초은하단

⑤ 처녀자리 초은하단에서 은하들은 처녀자리 은하단 쪽에 집중되어 있다.

02 꼼꼼 **문제 분석**

은하 집단은 규모가 큰 것부터 작은 것 순으로 초은하단-은하단-은하군-은하로 이루어져 있으며, 은하는 성단, 성운, 성간 물질로 이루어져 있다.

03 ㄴ. 국부 은하군은 우리은하와 안드로메다은하가 속해 있는 은하군이다.

┃**바로알기**┃ ㄱ. 국부 은하군은 우리은하 주변에 분포하는 수십 개의 은하들의 집단이다.

ㄷ. 초은하단은 은하군과 은하단으로 이루어진 대규모 은하 집단이다. 국부 은하군이 속해 있는 처녀자리 초은하단은 처녀자리 은하단을 포함하여 100여 개의 은하군과 은하단으로 구성되어 있다.

04 꼼꼼 **문제 분석**

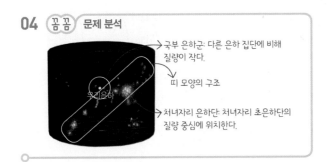

ㄴ. 처녀자리 초은하단 내의 은하단들은 우주 공간에 고르게 퍼져 있지 않고 대체로 띠 모양의 구조를 형성한다.

┃**바로알기**┃ ㄱ. 우리은하를 포함하는 국부 은하군은 상대적으로 질량이 작아서 처녀자리 초은하단의 질량 중심에 위치하지 않고, 주변부에 위치한다. 처녀자리 초은하단의 질량 중심에는 처녀자리 은하단이 위치한다.

ㄷ. 초은하단은 은하단이나 은하군 등의 은하 집단과 함께 더 큰 우주 구조인 우주 거대 구조를 형성한다.

05 수십 개의 은하가 모인 집단을 은하군이라 하고, 수백 개~수천 개의 은하가 모인 집단을 은하단이라고 한다. 은하군과 은하단들이 모여 더 큰 집단을 이루는데, 이를 초은하단이라고 한다. 우리은하는 40여 개의 은하들로 구성된 국부 은하군에 속한다. 국부 은하군은 100여 개의 은하군과 은하단으로 구성된 처녀자리 초은하단에 속한다.

모범답안 우리은하는 국부 은하군의 중력의 중심에 위치하며, 국부 은하군은 처녀자리 초은하단의 주변부에 위치한다.

채점 기준	배점
국부 은하군과 처녀자리 초은하단에서의 위치를 옳게 서술한 경우	100 %
국부 은하군에 속하고, 처녀자리 초은하단에 속한다고만 서술한 경우	50 %

06 ㄱ. 우주 거대 구조는 수많은 은하들로 이루어진 은하 장성과 거대 공동을 둘러싼 거품처럼 생긴 거대한 구조이다.

ㄴ. 우주 초기의 밀도 불균일 때문에 우주 거대 구조가 형성된 것으로 추정되며, 상대적으로 밀도가 높은 곳에서는 은하 장성이, 상대적으로 밀도가 낮은 곳에서는 거대 공동이 형성되었을 것으로 추정된다.

ㄷ. 우주 공간에 분포하는 암흑 물질이 은하들을 중력으로 끌어당겨 우주 거대 구조가 형성되었을 것으로 추정된다.

┃**바로알기**┃ ㄹ. 우주를 구성하는 물질 중 우리 눈에 보이는 보통 물질은 전체 우주 구성 성분의 약 5 %에 불과하다. 나머지는 암흑 에너지와 암흑 물질이 차지할 것으로 추정되며, 암흑 에너지와 암흑 물질의 정체는 아직 정확히 밝혀지지 않았다.

07 ㄷ. (가) 은하단은 수백 개~수천 개의 은하가 모여 있는 집단이다. (나) 우주 거대 구조는 은하들이 형성하는 최대 규모의 구조이다. (다) 은하는 우주의 구조를 형성하는 기본 단위이다. (라) 성단은 은하 내에 존재하는 별의 집단으로 산개 성단과 구상 성단이 있다. 따라서 천체들을 규모가 작은 것부터 큰 순으로 나열하면 (라) 성단 → (다) 은하 → (가) 은하단 → (나) 우주 거대 구조이다.

┃**바로알기**┃ ㄱ. (가)는 수백 개~수천 개의 은하가 모여 있는 은하단으로, 우리은하를 포함하여 40여 개의 은하들이 모여 있는 국부 은하군보다 규모가 크다.

ㄴ. 은하는 우주의 구조를 형성하는 기본 천체이다. 우주 거대 구조에서 작은 점들은 은하에 해당한다.

08 꼼꼼 문제 분석

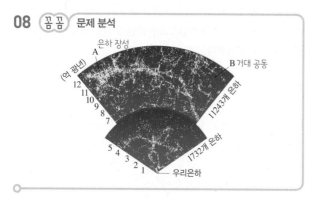

①, ② 우주 거대 구조는 수많은 은하들로 이루어진 거대한 벽과 같은 구조인 은하 장성과 은하들이 거의 보이지 않는 거대 공동을 둘러싼 거품처럼 생긴 구조이다.

④ B는 은하가 거의 존재하지 않으므로 거대 공동이다.

⑤ 은하가 그물처럼 얽혀 있는 지점에는 은하가 집단을 이루어 은하단과 초은하단이 분포한다.

┃바로알기┃ ③ A는 수많은 은하들이 모여 거대한 벽과 같은 구조를 이루므로 은하 장성이다. 은하 장성은 초기 우주의 밀도가 상대적으로 높은 곳에서 만들어졌다고 추정된다. 반면에 거대 공동은 초기 우주의 밀도가 상대적으로 낮은 곳에서 만들어졌다고 추정된다.

09 꼼꼼 문제 분석

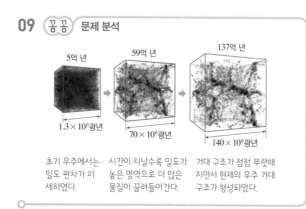

초기 우주에서는 밀도 편차가 미세하였다.

시간이 지날수록 밀도가 높은 영역으로 더 많은 물질이 끌려들어간다.

거대 구조가 점점 뚜렷해지면서 현재의 우주 거대 구조가 형성되었다.

ㄱ. 시간에 따라 물질이 분포하는 공간의 크기가 커지고 있다. 즉, 우주가 팽창하고 있다.

ㄴ. 초기 우주에는 미세한 밀도 차이가 있었고, 상대적으로 밀도가 높은 곳에서 별, 은하 등이 생성되었다.

┃바로알기┃ ㄷ. 초기 우주에서는 밀도 차이가 미세하였지만, 미세한 밀도 편차가 중력 수축으로 이어지면서 물질이 밀집되는 곳과 상대적으로 물질이 적게 분포하는 곳의 밀도 차이가 점점 커지게 되었다.

10 꼼꼼 문제 분석

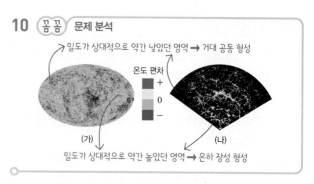

ㄱ. 우주 배경 복사의 분포에서 나타나는 미세한 온도 차이는 우주 공간의 미세한 물질 분포 차이 때문이다.

ㄴ. (가)에서 우주 배경 복사가 불균일하게 분포하는 것은 초기 우주의 물질 분포가 미세하게 불균일했음을 의미한다. (나)에서 은하들이 띠 모양의 구조를 이루고 그 사이에 거대 공동이 존재하는 것은 은하 분포가 불균일함을 보여 준다.

ㄷ. (나)에서 은하는 긴 끈 모양으로 이어져 있다. 즉, 은하들은 일부 지역에 집중적으로 분포하고 있다.

중단원 핵심 정리

354쪽~355쪽

❶ 멀다 ❷ 크다 ❸ 거리 지수 ❹ 산개 ❺ 구상 ❻ 막대 나선 ❼ 성간 소광 ❽ 성간 적색화 ❾ H Ⅱ 영역 ❿ 방출 성운 ⓫ 21 cm 수소선 ⓬ 시선 속도 ⓭ 시선 ⓮ 암흑 물질 ⓯ 중력 렌즈 ⓰ 국부 은하군 ⓱ 거대 공동

중단원 마무리 문제

356쪽~358쪽

01 ① **02** ① **03** ③ **04** ③ **05** ⑤ **06** ①
07 ② **08** ④ **09** ③ **10** ④ **11** ② **12** 해설 참조 **13** 해설 참조 **14** 해설 참조 **15** 해설 참조

01 꼼꼼 문제 분석

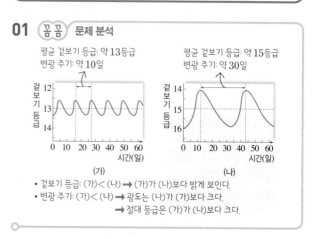

• 겉보기 등급: (가) < (나) ➡ (가)가 (나)보다 밝게 보인다.
• 변광 주기: (가) < (나) ➡ 광도는 (나)가 (가)보다 크다.
  ➡ 절대 등급은 (가)가 (나)보다 크다.

ㄱ. (가)의 평균 겉보기 등급은 약 13등급이고 B의 평균 겉보기 등급은 약 15등급이다. 별은 겉보기 등급이 작을수록 밝게 보이 므로 (가)가 (나)보다 밝게 보인다.

▌바로알기▌ ㄴ. 세페이드 변광성의 주기 광도 관계에 따르면 변광 주기가 길수록 광도가 크다. 변광 주기는 (가)가 약 10일, (나)가 약 30일로, (나)의 변광 주기가 더 길기 때문에 광도는 (가)보다 (나)가 크다.

ㄷ. (가)는 (나)보다 광도가 작은데도 더 밝게 보인다. 이것은 (가) 가 (나)보다 지구에서 더 가까운 거리에 있기 때문이다.

02 ㄱ. 성단을 이루는 별들은 같은 성운에서 거의 동시에 생성 되기 때문에 나이, 지구로부터의 거리, 주계열성의 화학 조성이 거의 같다.

ㄷ. 성단을 이루는 별들의 겉보기 등급 분포와 표준 주계열성의 절대 등급 차이가 성단의 거리 지수에 해당한다. 그래프에서 거 리 지수는 등급 차이 값인 6.5에 해당된다.

▌바로알기▌ ㄴ. 색등급도에서 성단을 이루는 별들은 광도가 클수 록, 즉 절대 등급이 작을수록 색지수가 작다. 색지수가 작을수록 표면 온도가 높으므로 광도가 큰 별일수록 표면 온도가 높다는 것을 알 수 있다.

ㄹ. 성단의 색등급도가 표준 주계열성의 아래쪽에 있으므로 거리 지수가 (+) 값이다. 따라서 이 성단은 10 pc보다 먼 거리에 있다.

03 ㄱ. 구상 성단은 은하핵과 헤일로에 분포하기 때문에 b 방 향보다는 은하 중심 방향인 a 방향을 볼 때 천구상에서 더 많이 관측된다.

ㄷ. 은하수는 우리은하의 나선팔에 위치한 지구에서 관측한 은하 의 원반부에 해당한다. a 방향은 은하 중심 방향이며, 은하 중심 부의 팽대부는 은하 원반부의 다른 부분에 비해 두께가 두껍기 때문에 은하수의 폭이 넓게 관측된다.

▌바로알기▌ ㄴ. 은하수는 우리은하에서 나선팔과 팽대부를 포함 한 은하의 원반부에 해당한다.

04 ㄱ. 성간 물질의 99 %는 수소와 헬륨이 주성분인 성간 기 체이다. 성간 티끌이 차지하는 비율은 약 1 %로, 흑연이나 규산 염 같은 것이 얼음에 덮여 있는 미세한 고체 입자이다.

ㄴ. 성간 티끌은 별빛을 흡수하거나 산란시켜 관측자의 눈에 도 달하는 별빛의 양을 줄어들게 하여 별빛이 원래보다 어둡게 보이 는 성간 소광을 일으킨다.

▌바로알기▌ ㄷ. 방출 성운은 전리된 수소의 영역인 H Ⅱ 영역에서 이온화되었던 수소가 전자와 결합하는 과정에서 에너지를 방출 하여 밝게 보이는 것이다.

05 주어진 성운은 방출 성운인 오리온 대성운이다. 방출 성운 은 주변에 있는 고온의 별에서 방출된 자외선을 흡수하여 이온화 된 수소(H^+)로 이루어진 H Ⅱ 영역의 수소가 다시 전자와 재결 합하여 중성 수소(H)로 되돌아갈 때 에너지(가시광선)를 방출하 여 밝게 보이는 성운이다. 이때 수소 방출선은 붉은색이 강하므 로 성운이 붉은색으로 보인다.

06 (꼼꼼) **문제 분석**

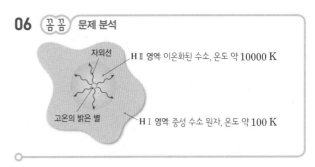

ㄱ. H Ⅱ는 수소의 전자 1개가 떨어져 나가 이온화된 것을 의미 하며, H Ⅰ은 전리되지 않은 중성 수소를 의미한다. H Ⅱ 영역 주 위에는 밝은 별들이 분포하는데, 이 별들은 대부분 젊은 주계열 성으로 표면 온도(15000 K 이상)가 매우 높은 별이다. 이러한 고온의 별은 에너지가 비교적 높은 자외선을 많이 방출한다. 이 별 주위에 있는 수소 원자들은 별에서 방출된 자외선을 흡수하여 전자를 잃어 이온화되어 H Ⅱ 영역을 형성한다.

▌바로알기▌ ㄴ. 방출 성운은 H Ⅱ 영역에서 전리된 수소가 전자와 다시 결합하면서 빛을 방출하여 붉게 보이는 성운이다.

ㄷ. 성운 내의 성간 티끌은 파란색 빛을 잘 산란시킨다. 붉은색 빛은 파장이 길어 성간 티끌을 잘 통과하므로 성간 티끌은 별이 원래보다 더 붉게 보이는 성간 적색화 현상을 일으킨다.

07 (꼼꼼) **문제 분석**

공간 속도는 A, B, C가 같다. 이때 공간 속도를 시선 속도와 접선 속도로 나타내면 다음과 같다.

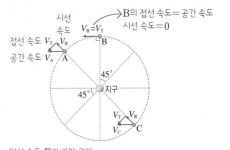

• 접선 속도: B가 가장 크다.
• 시선 속도: A는 (+) 값, B는 0, C는 (−) 값

ㄴ. 접선 속도는 별까지의 거리와 고유 운동에 비례한다. 별까지 의 거리가 같을 때, 고유 운동 값은 접선 속도가 클수록 크다. 따 라서 고유 운동이 가장 큰 별은 접선 속도가 가장 큰 B이다.

▮바로알기▮ ㄱ. 공간 속도=$\sqrt{(접선\ 속도)^2+(시선\ 속도)^2}$이다. 별 B의 접선 속도는 별 B의 공간 속도와 같으므로 별 A~C 중에서 접선 속도가 가장 큰 별은 B이다.

ㄷ. C는 지구에 가까워지고 있으므로 시선 속도가 (−) 값으로 나타나고, 청색 편이가 나타난다.

08 (꼼꼼) 문제 분석

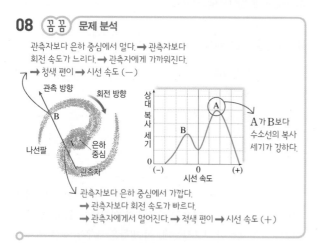

ㄱ. 시선 속도가 (+)인 것은 관측자에게서 멀어지는 것이고, (−)인 것은 관측자에게 가까워지는 것이다. A는 시선 속도가 (+)이므로 관측자로부터 멀어지고 있다.

ㄴ. 중성 수소의 원자 수가 많을수록 21 cm 수소선의 세기가 강하게 나타난다. A는 B보다 21 cm 수소선의 상대 복사 세기가 강하므로 B보다 중성 수소 원자 수가 더 많다.

▮바로알기▮ ㄷ. B는 관측자보다 회전 속도가 느려서 관측자에게 가까워진다. 따라서 청색 편이가 관측된다.

09 (꼼꼼) 문제 분석

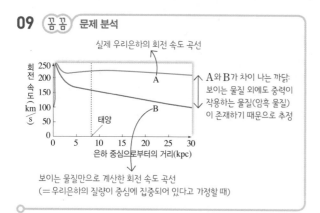

ㄱ. 실제 우리은하의 천체들은 일부 거리 영역에서만 케플러 회전을 할 뿐 대부분의 영역에서 케플러 회전을 따르지 않고 있다. 은하 중심으로부터 약 3 kpc보다 먼 거리에서는 은하 중심으로부터의 거리가 멀어져도 회전 속도가 감소하지 않는다. A는 실제 우리은하의 회전 속도 곡선이고, B는 우리은하에서 보이는 물질만을 이용하여 계산한 회전 속도 곡선이다.

ㄷ. 우리은하에서 보이는 물질만을 이용하여 계산한 회전 속도 곡선(B)과 실제 우리은하의 회전 속도 곡선(A)이 일치하지 않는 것은 우리은하 내에 보이는 물질 이외에도 보이지는 않지만 중력을 가지는 물질이 존재하기 때문이다. 이렇게 빛과 상호 작용하지는 않지만 중력에 의해 그 존재를 파악할 수 있는 물질을 암흑 물질이라고 하며, 은하의 회전 속도 곡선을 분석하여 그 양을 대략적으로 계산할 수 있다.

▮바로알기▮ ㄴ. 케플러 회전은 회전 중심으로부터의 거리가 멀어짐에 따라 회전 속도가 느려지는 회전으로, 태양계처럼 회전 중심에 질량의 대부분이 모여 있는 경우에 케플러 회전을 한다. 우리은하의 실제 회전 곡선이 케플러 회전 곡선과 다른 것은 은하 중심부에 대부분의 질량이 모여 있지 않고, 은하 원반은 물론 헤일로에도 많은 질량이 존재하기 때문이다. 그리고 이들 질량의 상당량이 암흑 물질로 여겨진다.

10 (꼼꼼) 문제 분석

A	B	C
처녀자리 초은하단	처녀자리 은하단	국부 은하군
초은하단은 은하군과 은하단이 수백 개 모여서 이루어진 집단이다.	은하단은 은하군보다 더 큰 은하의 집단이다.	은하군은 수십 개의 은하로 이루어진 집단이다.

• 규모: 우주 거대 구조>A>B>C>은하

ㄴ. 초은하단은 은하군과 은하단이 수백 개가 모여서 이루어진 은하 집단이다. 은하단은 수백 개~수천 개의 은하가 모여서 이루어진 집단이다.

ㄷ. 은하군은 은하의 집단 중 가장 작은 구성 단위로, 우리은하는 국부 은하군에 속해 있다.

▮바로알기▮ ㄱ. 예전에는 초은하단이 우주에서 가장 큰 규모의 구조이고 은하들이 우주에 고르게 분포되어 있을 것이라고 생각했다. 그러나 은하 장성이 발견되면서 초은하단보다 더 큰 구조가 존재한다는 사실을 알게 되었다. 우주 거대 구조는 은하 장성과 거대 공동을 둘러싼 거품처럼 생긴 거대한 구조로, 은하들이 이루는 구조 중 우주에서 볼 수 있는 최대 규모의 구조이다.

11 A. 구상 성단: 수만 개~수백만 개의 별이 모여 이루어진 천체로, 은하의 구성원이다.

D. 은하: 은하는 성단과 성간 물질, 별, 암흑 물질 등으로 이루어져 있다.

B. 은하단: 수백 개~수천 개의 은하가 모여 은하단을 이룬다.

C. 우주 거대 구조: 우주 거대 구조는 은하들이 연결되어 분포해 있는 은하 장성과 빈 공간인 거대 공동이 거품 모양의 구조를 보이는 거대한 규모이다.

➡ 공간 규모가 작은 것부터 나열하면 A → D → B → C이다.

12 (1) 별 A는 변광 주기가 3일이고, 별 B는 변광 주기가 30일이므로 A가 B보다 절대 등급이 크다. 절대 등급이 작을수록 광도가 크므로 광도는 B가 A보다 크다.

(2) 거리 지수가 클수록 별까지의 거리가 멀다.

모범답안 (1) A는 B보다 변광 주기가 짧으므로 절대 등급이 크다. 절대 등급이 작을수록 광도가 크므로 광도는 B가 A보다 크다.

(2) A와 B의 겉보기 등급은 같고, 절대 등급은 A가 B보다 크므로 거리 지수는 A가 B보다 작다. 따라서 지구로부터의 거리는 A가 B보다 가깝다.

채점 기준		배점
(1)	광도를 옳게 비교하고, 까닭을 옳게 서술한 경우	50 %
	광도만 옳게 비교한 경우	30 %
(2)	거리를 옳게 비교하고, 까닭을 옳게 서술한 경우	50 %
	거리만 옳게 비교한 경우	30 %

13 고온의 별 주위에 있는 성운의 수소 기체가 별에서 방출된 자외선을 흡수하여 완전히 전리되어 있는 영역을 H II 영역이라고 한다.

모범답안 H II 영역의 전리된 수소가 자유 전자와 결합하여 중성 수소로 되돌아갈 때 붉은색이 강한 빛(붉은색이 강하게 나타나는 방출선)을 방출하기 때문이다.

채점 기준	배점
전리된 수소가 전자와 결합하면서 붉은색이 강한 빛을 방출하기 때문이라고 서술한 경우	100 %
전리된 수소가 붉은색이 강한 빛을 방출하기 때문이라고만 서술한 경우	50 %

14 은하 질량을 구하는 관계식은 $M_{은하} = \dfrac{rv^2}{G}$로, 은하 중심에서 천체까지의 거리(r)가 멀수록, 회전 속도(v)가 빠를수록 은하의 질량이 크게 나타난다.

모범답안 별 A를 이용하여 구한 우리은하의 질량, 별 A는 태양보다 은하 중심으로부터 멀리 떨어져 있지만 회전 속도가 감소하지 않았기 때문이다.

채점 기준	배점
질량이 더 크게 계산되는 것을 고르고, 그 까닭을 별 A의 회전 속도가 감소하지 않았다는 내용을 포함하여 옳게 서술한 경우	100 %
질량이 더 크게 계산되는 것만 옳게 고른 경우	50 %

15 모범답안 지구는 태양계에 속하며, 태양계는 우리은하의 나선팔에 위치한다. 우리은하는 국부 은하군의 중심 부근에 위치하며, 국부 은하군은 처녀자리 초은하단에서 주변부에 위치한다. 처녀자리 초은하단은 라니아케아 초은하단의 외곽에 위치한다.

채점 기준	배점
태양계, 우리은하, 국부 은하군, 처녀자리 초은하단, 라니아케아 초은하단을 모두 언급하여 옳게 서술한 경우	100 %
다섯 가지 중 한 가지당 배점	20 %

01 ① 02 ② 03 ② 04 ④ 05 ③ 06 ⑤
07 ② 08 ③

01 꼼꼼 문제 분석

별	겉보기 등급	절대 등급	겉보기 등급－절대 등급	색지수	고유 운동(″)
센타우루스	−0.29	4.1	−4.39	0.72	3.68
시리우스	−1.46	1.4	−2.86	0.00	1.33
프로키온	0.37	2.6	−2.23	0.42	1.25
스피카	0.96	−3.6	4.56	−0.23	0.05

- 겉보기 밝기: 시리우스>센타우루스>프로키온>스피카
- 실제 밝기(광도): 스피카>시리우스>프로키온>센타우루스
- 거리 지수: 스피카>프로키온>시리우스>센타우루스
- 표면 온도: 스피카>시리우스>프로키온>센타우루스
- 천구상에서 위치 변화: 센타우루스>시리우스>프로키온>스피카

선택지 분석

ㄱ 우리 눈에 가장 밝게 보이는 별은 시리우스이다.

ㄴ 10 pc보다 멀리 있는 별은 스피카이다.

✗ 표면 온도가 가장 높은 별은 센타우루스이다. 스피카

✗ 10년 후에 관측할 때 천구상에서 위치 변화가 가장 큰 별은 스피카이다. 센타우루스

ㄱ. 가장 밝게 보이는 별은 겉보기 등급이 가장 작은 시리우스이다.

ㄴ. 거리 지수(겉보기 등급－절대 등급)가 0보다 크면 10 pc보다 멀리 있는 별이므로 스피카는 10 pc보다 멀리 있는 별이다.

바로알기 ㄷ. 표면 온도가 높은 별일수록 색지수가 작다. 따라서 색지수가 가장 작은 스피카의 표면 온도가 가장 높다.

ㄹ. 고유 운동은 별이 1년 동안 천구상에서 이동한 각거리이므로, 10년 후에 천구상에서 위치 변화가 가장 큰 별은 고유 운동이 가장 큰 센타우루스이다.

02 꼼꼼 문제 분석

변광성	변광 주기
A	0.3일
B	3일

- A의 절대 등급: 약 0.5등급
- B의 절대 등급: −2등급 또는 −4등급

선택지 분석

✗ 별 A와 B는 식 변광성이다. 맥동 변광성

ㄴ 절대 등급은 A가 B보다 크다.

✗ 별까지의 거리는 A가 B보다 멀다. 가깝다

별 내부가 불안정하여 수축·팽창을 반복하면서 밝기가 변하는 별을 맥동 변광성이라고 한다. 맥동 변광성은 변광 주기와 광도 사이에 일정한 관계가 있다.

ㄴ. 맥동 변광성 중 거문고자리 RR형 변광성인 A는 변광 주기에 관계없이 절대 등급이 약 0.5등급으로 일정하다. 세페이드 변광성인 B는 변광 주기가 3일이므로 절대 등급은 −2등급 또는 −4등급이다. 따라서 절대 등급은 A가 B보다 크다.

바로알기 ㄱ. 그림과 같이 일정한 주기 광도 관계를 갖는 것은 맥동 변광성이다.

ㄷ. 별 A와 B는 겉보기 등급이 같으므로 절대 등급이 작을수록 거리 지수가 크다. 따라서 절대 등급이 더 작은 B가 A보다 거리 지수가 크고 별까지의 거리가 멀다.

03 꼼꼼 문제 분석

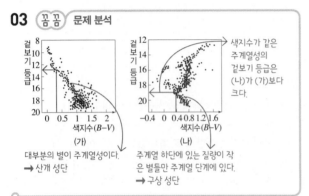

겉보기 등급 / 색지수(B−V)
(가)
대부분의 별이 주계열성이다.
➡ 산개 성단

겉보기 등급 / 색지수(B−V)
(나)
색지수가 같은 주계열성의 겉보기 등급은 (나)가 (가)보다 크다.
주계열 하단에 있는 질량이 작은 별들만 주계열 단계에 있다.
➡ 구상 성단

선택지 분석

✗ 파란색 주계열성의 비율은 (가)보다 (나)가 더 높다. 낮다
ⓛ 성단의 나이는 (가)보다 (나)가 더 많다.
ⓒ 성단까지의 거리는 (가)보다 (나)가 더 멀다.
✗ (가)와 같은 성단은 헤일로에 주로 분포한다. 나선팔

ㄴ. (가) 성단에 있는 별은 대부분 주계열 단계에 있고, 질량이 큰 별의 일부만 적색 거성으로 진화하려고 하고 있다. (나) 성단은 주계열 하단에 있는 질량이 작은 별들만 주계열 단계에 남아 있고, 대부분 거성 단계에 있다. 따라서 성단의 나이는 (가)보다 (나)가 많다.

ㄷ. 색지수(별의 표면 온도)가 같은 주계열성은 광도(절대 등급)가 같다. 따라서 성단까지의 거리를 비교할 때 색지수가 같은 주계열성의 겉보기 등급이 큰 성단일수록 거리 지수가 커서 더 멀리 있는 성단이다. (가)와 (나) 성단에서 색지수가 같은 주계열성의 겉보기 등급이 (나)가 더 크므로 성단까지의 거리는 (나)가 더 멀다.

바로알기 ㄱ. 주계열성에서 파란색을 띠는 별은 표면 온도가 높은 별이다. (나) 성단은 표면 온도가 낮은 주계열성만 주계열 단계에 남아 있다. 따라서 파란색 주계열성의 비율은 (나)보다 (가)가 더 높다.

ㄹ. (가)와 같은 산개 성단은 우리은하의 나선팔에 주로 분포하며, (나)와 같은 구상 성단은 우리은하의 은하핵과 헤일로에 주로 분포한다.

04

선택지 분석

✗ A는 ⊙이 ⓛ보다 크게 나타난다. 작게
ⓛ V 필터보다 B 필터로 관측할 때 A가 더 크다.
ⓒ 은하 중심 방향의 별을 관측할 때 거리가 멀수록 A가 크다.

A는 성간 소광에 의한 겉보기 등급의 변화량이다.

ㄴ. B 필터는 V 필터보다 상대적으로 짧은 파장의 빛을 투과시키므로 성운을 통과해 온 긴 파장의 빛들은 V 필터보다 B 필터로 관측할 때 A가 더 크다.

ㄷ. 은하 중심 방향의 별을 관측할 때, 더 먼 거리에 위치한 별일수록 성간 물질의 영향을 더 많이 받게 되므로 A가 더 크게 나타난다.

바로알기 ㄱ. ⊙은 헤일로에 위치하고, ⓛ은 성간 물질이 많이 분포하는 은하면에 위치하므로 ⓛ은 ⊙보다 성간 소광이 더 잘 일어난다. 따라서 별의 겉보기 등급은 ⓛ이 ⊙보다 더 크게 증가하므로 A의 값은 ⓛ이 ⊙보다 크게 나타난다.

05

선택지 분석

⊙ 분자운에 해당한다.
✗ 성운의 온도는 수천 K 정도이다. 수십 K 이내
ⓒ A에서 동시에 만들어진 별들은 성단을 구성할 것이다.

ㄱ. 별이 탄생하는 성운은 온도가 낮기 때문에 대부분의 수소가 분자 상태로 존재한다. 여러 개의 별이 동시에 탄생한다고 했으므로 A 영역은 분자운에 해당한다.

ㄷ. 분자운에서 여러 개의 별이 동시에 탄생하는 경우 이 별들은 성단을 구성한다. 따라서 동일 성단 내의 별들은 나이가 거의 같으며, 지구에서의 거리도 거의 같기 때문에 항성 연구에 유용하게 이용된다.

바로알기 ㄴ. 독수리성운의 A 영역은 별이 탄생하고 있는 곳으로, 성운의 온도가 수십 K 이내로 낮다. 즉, 별은 가스와 먼지 등 물질의 밀도가 높고 온도가 낮은 영역에서 탄생하기 쉽다. 성운의 온도가 높으면 기체 압력으로 인해 중력 수축이 잘 이루어지지 않아 물질이 모이기 어려우므로 별이 탄생하기 어렵다.

06 꼼꼼 문제 분석

태양, A, B, C는 은하 중심에 대해 케플러 회전을 하고 있다.
➡ 태양보다 바깥 궤도를 회전하는 천체들은 태양보다 회전 속도가 느리다.

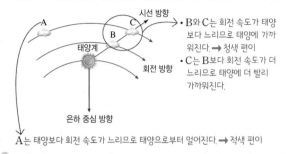

• B와 C는 회전 속도가 태양보다 느리므로 태양에 가까워진다. ➡ 청색 편이
• C는 B보다 회전 속도가 더 느리므로 태양에 더 빨리 가까워진다.

A는 태양보다 회전 속도가 느리므로 태양으로부터 멀어진다. ➡ 적색 편이

| 선택지 분석 |

ㄱ. A의 스펙트럼에서는 적색 편이가 나타난다.
ㄴ. 은하 중심에 대한 회전 속도는 B가 C보다 빠르다.
ㄷ. 스펙트럼에 나타나는 중성 수소의 방출선 파장은 C가 B보다 짧다.

ㄱ. A는 회전 방향에 대해 태양보다 뒤쪽에 있으면서 회전 속도가 태양보다 느리므로 태양으로부터 멀어지며, 이로 인해 A의 스펙트럼에서는 적색 편이가 나타난다.

ㄴ. A, B, C가 케플러 회전을 하고, B의 회전 궤도가 C보다 안쪽에 있으므로 은하 중심에 대한 회전 속도는 B가 C보다 빠르다.

ㄷ. B와 C는 회전 방향에 대해 태양보다 앞쪽에 있고 회전 속도가 태양보다 느리므로 태양에 점점 가까워지고 있다. 이에 따라 스펙트럼에서 청색 편이가 나타난다. C는 B보다 시선 방향에서 태양으로부터 더 멀리 있으므로 태양과의 회전 속도 차이가 B보다 크다. 즉, C는 B보다 태양에 더 빠르게 접근하므로 청색 편이량이 크며, 스펙트럼에 나타나는 중성 수소의 방출선 파장이 더 짧다.

07 꼼꼼 문제 분석

태양, A, B, C는 은하 중심에 대해 케플러 회전을 하고 있다.
➡ 태양보다 바깥 궤도를 회전하는 천체들은 태양보다 회전 속도가 느리다.

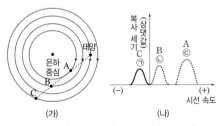

• A, B: 태양보다 안쪽에서 회전하므로 태양보다 회전 속도가 빨라 태양으로부터 멀어진다. ➡ 시선 속도 (+)
• 태양과의 회전 속도 차이는 A가 B보다 크다. ➡ A는 ⓒ, B는 ⓛ
• C: 태양보다 바깥쪽에서 회전하므로 태양보다 회전 속도가 느리므로 태양에 가까워진다. ➡ 시선 속도 (−), C는 ㉠

| 선택지 분석 |

✗. 태양과 A의 거리는 가까워지고 있다. 멀어지고
ㄴ. B에 해당하는 것은 ⓛ이다.
✗. A~C 중 중성 수소가 가장 많이 분포하는 영역은 C이다. ⌐A

ㄴ. A와 B는 태양보다 은하 중심으로부터 안쪽에서 회전하고 있으므로 태양보다 회전 속도가 빨라 시선 속도가 (+)로 나타난다. 태양과의 회전 속도 차이는 B가 A보다 작으므로 B의 시선 속도는 ⓛ에 해당한다.

| 바로알기 |
ㄱ. 태양과 A, B, C 영역이 케플러 회전을 하므로 회전 속도는 은하 중심에 가까울수록 빠르다. A의 회전 속도가 태양보다 빠르므로 태양과 A의 거리는 멀어지고 있다.

ㄷ. 21 cm 수소선은 중성 수소에서 방출되므로 복사 세기가 강할수록 중성 수소의 밀도가 높다. ㉠~ⓒ 중 복사 세기는 ⓒ이 가장 강하므로 ⓒ에 해당하는 A에 중성 수소가 가장 많이 분포한다.

08 꼼꼼 문제 분석

(가)   (나) 나선 은하   (다) 우주 거대 구조

독수리성운에 있는 창조의 기둥 일부를 나타낸 것으로, 거대 분자운의 일종

| 선택지 분석 |

㉠ 우리은하 내에서 관측할 수 있는 것은 (가)이다.
ⓛ 공간 규모가 가장 큰 것은 (다)이다.
✗. (가)~(다)에서는 물질의 분포가 모두 균일하다. 불균일

ㄱ. (가)와 같은 거대 분자운은 우리은하의 나선팔에서 관측할 수 있다.

ㄴ. (다) 우주 거대 구조는 현재까지 관측한 가장 큰 우주 구조이다.

| 바로알기 |
ㄷ. (가)~(다)에서는 물질의 분포가 모두 불균일하며, 상대적으로 밀도가 높은 곳에서 별 또는 은하가 탄생한다. (가)에서는 성단이 생성될 수 있고, (나)에서는 물질이 주로 나선팔에 집중되어 새로운 별이 탄생한다. (다)는 은하들이 밀집되어 있는 은하 장성과 은하들이 거의 없는 거대 공동을 둘러싼 거품처럼 생긴 거대한 구조의 일부이다.

Memo